# ESPAÑA & POR

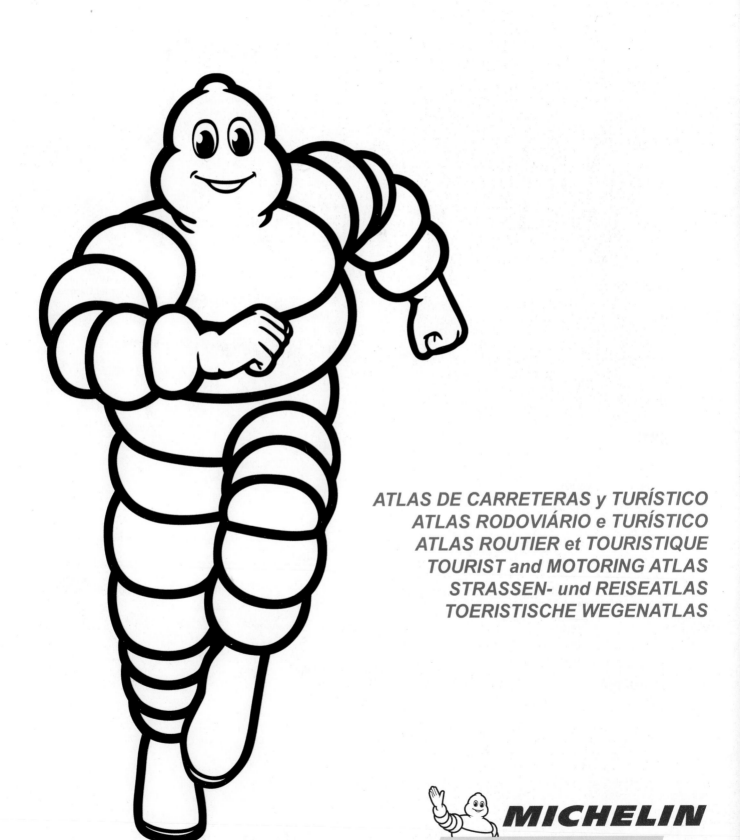

*ATLAS DE CARRETERAS y TURÍSTICO*
*ATLAS RODOVIÁRIO e TURÍSTICO*
*ATLAS ROUTIER et TOURISTIQUE*
*TOURIST and MOTORING ATLAS*
*STRASSEN- und REISEATLAS*
*TOERISTISCHE WEGENATLAS*

MICHELIN

# Grandes itinerarios / Grandes itinerários
# Grands itinéraires / Route planning
# Reiseplanung / Grote verbindingswegen

⚠ Algunas autopistas portuguesas han adoptado un nuevo sistema de peaje que requiere la adhesión a un sistema de prepago o la adquisición previa de un dispositivo electrónico. Más información en viajes.viamichelin.es

⚠ Em Portugal, um novo sistema de portagem foi instalado em algumas autoestradas, para o qual é necessário fazer um pré-registo do veículo ou comprar previamente um dispositivo electrónico. Para mais informações, queira consultar o site www.voyage.viamichelin.fr

⚠ Au Portugal, un nouveau système de péage a été mis en place sur certaines autoroutes, nécessitant le pré- enregistrement du véhicule ou l'achat d'un dispositif électronique au préalable. Pour plus d'information, veuillez consulter www.voyage.viamichelin.fr

# Sumario

## Sumário / Sommaire / Contents / Inhaltsübersicht / Inhoud


Portada interior: mapa índice
Verso da capa: quadro de articulação / Intérieur de couverture : tableau d'assemblage
Inside front cover: key to map pages
Umschlaginnenseite: Übersicht / Binnenzijde van het omslag: overzichtskaart

**II - III**

Grandes itinerarios
Grandes itinerários / Grands itinéraires / Route planning
Reiseplanung / Grote verbindingswegen

**1**

Signos convencionales
Legenda / Légende / Key
Zeichenerklärung / Verklaring van de tekens

**2 - 132**

España - Portugal 1:400 000 — 2 - 103
Espanha - Portugal / Espagne - Portugal / Spain - Portugal
Spanien - Portugal / Spanje - Portugal

Islas Baleares — 104 - 106
Ilhas Baleares / Îles Baléares
Balearic Islands / Balearische Inseln / Balearen

Islas Azores — 107
Açores / Îles Açores / Azores Islands / Die Azoren / Azoren

Islas Canarias — 108 - 132
Ilhas Canárias / Îles Canaries
Canary Islans / Kanarische Inseln / Canarische

**133 - 183**

Índice Andorra — 134
Índice Andorra / Index Andorre /
Index Andorra / Register Andorra / Register Andorra

Índice España — 134 - 173
Índice Espanha / Index Espagne
Index Spain / Register Spanien / Register Spanje

Índice Portugal — 174 - 182
Índice Portugal / Index Portugal
Index Portugal / Register Portugal / Register Portugal

**183 - 243**

Signos convencionales — 184
Legenda / Légende / Key / Zeichenerklärung / Verklaring van de tekens

Planos de ciudades España — 185 - 233
Plantas das cidades Espanha / Plans de ville Espagne / Town plans Spain /
Stadtpläne Spanien / Stadsplattegronden Spanje

Planos de ciudades Portugal — 234 - 243
Plantas das cidades Portugal / Plans de ville Portugal / Town plans Portugal
Stadtpläne Portugal / Stadsplattegronden Portugal

Al final del volumen: distancias
No fim do volume: distâncias / En fin de volume : distances / Back of the guide: distances
Am Ende des Buches: Entfernungen / Achter in het boek: afstanden

| Signos convencionales | Símbolo | Legenda | Légende |
|---|---|---|---|
| **Carreteras** | | **Estradas** | **Routes** |
| Autopista - Áreas de servicio | LA SAFOR | Auto-estrada - Área de serviço | Autoroute - Aires de service |
| Autovía | | Estrada com 2 faixas de rodagem do tipo auto-estrada | Double chaussée de type autoroutier |
| Enlaces: completo, parciales | | Nós: completo - parciais | Échangeurs : complet - partiels |
| Números de los accesos | 1 2 3 | Número de nós | Numéros d'échangeurs |
| Carretera de comunicación internacional o nacional | | Estrada de ligação internacional ou nacional | Route de liaison internationale ou nationale |
| Carretera de comunicación interregional o alternativo | | Estrada de ligação interregional ou alternativo | Route de liaison interrégionale ou de dégagement |
| Carretera asfaltada - sin asfaltar | | Estrada asfaltada - não asfaltada | Route revêtue - non revêtue |
| Carretera en mal estado | | Estrada em mau estado | Route en mauvais état |
| Camino agrícola - Sendero | | Caminho para exploração - Atalho | Chemin d'exploitation - Sentier |
| Autopista, carretera en construcción (en su caso: fecha prevista de entrada en servicio) | | Auto-estrada - Estrada em construção (eventualmente: data prevista estrada transitável) | Autoroute - Route en construction (le cas échéant : date de mise en service prévue) |
| **Ancho de las carreteras** | | **Largura das estradas** | **Largeur des routes** |
| Calzadas separadas | | Faixas de rodagem separadas | Chaussées séparées |
| Cuatro carriles - Dos carriles anchos | | com 4 vias - com 2 vias largas | 4 voies - 2 voies larges |
| Dos carriles - Un carril | | com 2 vias - com 1 via | 2 voies - 1 voie |
| **Distancias** (totales y parciales) | | **Distâncias** (totais e parciais) | **Distances** (totalisées et partielles) |
| Tramo de peaje en autopista | 14 24 10 | Em secção com portagem em auto-estrada | Section à péage sur autoroute |
| Tramo libre en autopista | 14 24 10 | Em secção sem portagem em auto-estrada | Section libre sur autoroute |
| en carretera | 14 24 10 | em estrada | sur route |
| **Numeración - Señalización** | | **Numeração - Sinalização** | **Numérotation - Signalisation** |
| Carretera europea - Autopista | E 54 A 96 | Estrada Europeia - Auto-estrada | Route européenne - Autoroute |
| Carretera nacional radial - Carretera nacional | N IV N 301 | Estrada nacional radial - Estrada nacional | Route nationale radiale - Route nationale |
| Otras carreteras | C 437 SE 138 | Outras estradas | Autres routes |
| **Obstáculos** | | **Obstáculos** | **Obstacles** |
| Pendiente Pronunciada (las flechas indican el sentido del ascenso) | 7-12% +12% | Forte declive (flechas no sentido da subida) | Forte déclivité (flèches dans le sens de la montée) |
| Puerto - Altitud | 793 (304) | Passagem de montanha - Altitude | Col - Altitude |
| Recorrido difícil o peligroso | | Percurso difícil ou perigoso | Parcours difficile ou dangereux |
| Pasos de la carretera: a nivel, superior, inferior | | Passagens da estrada: de nível - superior - inferior | Passages de la route : à niveau - supérieur - inférieur |
| Tramo prohibido | | Estrada proibida | Route interdite |
| Carretera restringida | | Estrada com circulação regulamentada | Route réglementée |
| Barrera de peaje - Carretera de sentido único | | Portagem - Estrada de sentido único | Barrière de péage - Route à sens unique |
| Vado | | Vau | Gué |
| Nevada: Período probable de cierre | 12-5 | Nevadas: período provável de encerramento | Enneigement : période probable de fermeture |
| **Transportes** | | **Transportes** | **Transports** |
| Línea férrea - Estación de viajeros | | Via férrea - Estação de passageiros | Voie ferrée - Station voyageurs |
| Transporte de coches: | | Transporte de automóveis: | Transport des autos : |
| por barco | | por barco | par bateau |
| por barcaza (carga máxima en toneladas) | 15 | por barcaça (carga máxima em toneladas) | par bac (charge maximum en tonnes) |
| Barcaza para el paso de peatones | | Barcaça para peões | Bac pour piétons |
| Aeropuerto - Aeródromo | | Aeroporto - Aeródromo | Aéroport - Aérodrome |
| **Alojamiento - Administración** | | **Alojamento - Administração** | **Hébergement - Administration** |
| Parador (España) - Pousada (Portugal) (establecimiento hotelero administrado por el Estado) | P | Parador (Espanha) - Pousada (Portugal) (Estabelecimentos geridos pelo Estado) | Parador (Espagne) - Pousada (Portugal) (établissement hôtelier géré par l'état) |
| Capital de división administrativa | R P D | Capital de divisão administrativa | Capitale de division administrative |
| Límites administrativos | | Limites administrativos | Limites administratives |
| Frontera | | Fronteira | Frontière |
| **Deportes - Ocio** | | **Desportos - Ocio** | **Sports - Loisirs** |
| Plaza de toros - Golf | | Praça de touros - Golfe | Arènes (plaza de toros) - Golf |
| Refugio de montaña | | Refúgio de montanha | Refuge de montagne |
| Puerto deportivo - Playa | | Porto de recreio - Praia | Port de plaisance - Plage |
| Teleférico, telesilla | | Teleférico | Téléphérique, télésiège |
| Funicular - Línea de cremallera | | Telecabine - Vias de cremalheira | Funiculaire - Voie à crémaillère |
| **Curiosidades** | | **Curiosidades** | **Curiosités** |
| Edificio religioso - Castillo - Ruina | | Edifício religioso - Castelo - Ruínas | Édifice religieux - Château - Ruine |
| Cueva - Monumento megalítico | | Gruta - Monumento megalítico | Grotte - Monument mégalithique |
| Otras curiosidades | | Outras curiosidades | Autres curiosités |
| Vista panorámica - Vista parcial | | Panorama - Vista | Panorama - Point de vue |
| Recorrido pintoresco | | Percuso pitoresco | Parcours pittoresque |
| **Signos diversos** | | **Signos diversos** | **Signes divers** |
| Edificio religioso - Castillo - Ruinas | | Edifício religioso - Castelo - Ruínas | Édifice religieux - Château - Ruines |
| Cueva - Monumento megalítico | | Gruta - Monumento megalítico | Grotte - Monument mégalithique |
| Transportador industrial aéreo | | Transportador industrial aéreo | Transporteur industriel aérien |
| Torreta o poste de telecomunicación | | Torre ou posto de telecomunicação | Tour ou pylône de télécommunications |
| Industrias - Central eléctrica | | Indústrias - Central eléctrica | Industries - Centrale électrique |
| Refinería - Pozos de petróleo o de gas | | Refinaria - Petróleo ou gás natural | Raffinerie - Puits de pétrole ou de gaz |
| Mina - Cantera | | Mina - Pedreira | Mine - Carrière |
| Faro - Presa | | Farol - Barragem | Phare - Barrage |
| Parque nacional - Reserva de caza | | Parque nacional - Reserva de caça | Parc national - Réserve de chasse |

| Key | | Zeichenerklärung | Verklaring van de tekens |
|---|---|---|---|
| **Roads** | | **Straßen** | **Wegen** |
| Motorway - Service areas | LA SAFOR | Autobahn - Tankstelle mit Raststätte | Autosnelweg - Serviceplaatsen |
| Dual carriageway with motorway characteristics | | Schnellstraße mit getrennten Fahrbahnen | Gescheiden rijbanen van het type autosnelweg |
| Interchanges: complete, limited | | Anschlussstellen: Voll - bzw. Teilanschlussstellen | Aansluitingen: volledig, gedeeltelijk |
| Interchange numbers | 1 2 3 | Anschlussstellennummern | Afritnummers |
| International and national road network | | Internationale bzw.nationale Hauptverkehrsstraße | Internationale of nationale verbindingsweg |
| Interregional and less congested road | | Überregionale Verbindungsstraße oder Umleitungsstrecke | Interregionale verbindingsweg |
| Road surfaced - unsurfaced | | Straße mit Belag - ohne Belag | Verharde weg - onverharde weg |
| Road in bad condition | | Straße in schlechtem Zustand | Weg in slechte staat |
| Rough track - Footpath | | Wirtschaftsweg - Pfad | Landbouwweg - Pad |
| Motorway / Road under construction (when available: with scheduled opening date) | | Autobahn, Straße im Bau (ggf. voraussichtliches Datum der Verkehrsfreigabe) | Autosnelweg in aanleg - Weg in aanleg (indien bekend: datum openstelling) |
| **Road widths** | | **Straßenbreiten** | **Breedte van de wegen** |
| Dual carriageway | | getrennte Fahrbahnen | Gescheiden rijbanen |
| 4 lanes - 2 wide lanes | | 4 Fahrspuren - 2 breite Fahrspuren | 4 rijstroken - 2 brede rijstroken |
| 2 lanes - 1 lane | | 2 Fahrspuren - 1 Fahrspur | 2 rijstroken - 1 rijstrook |
| **Distances** | | **Straßenentfernungen** | **Afstanden** |
| (total and intermediate) | 14 24 10 | (Gesamt- und Teilentfernungen) | (totaal en gedeeltelijk) |
| Toll roads on motorway | 14 10 | Mautstrecke auf der Autobahn | gedeelte met tol op autosnelwegen |
| Toll-free section on motorway | 24 | Mautfreie Strecke auf der Autobahn | tolvrij gedeelte op autosnelwegen |
| on road | 14 10 24 | auf der Straße | op andere wegen |
| **Numbering - Signs** | | **Nummerierung - Wegweisung** | **Wegnummers - Bewegwijzering** |
| European route - Motorway | E 54 A 96 | Europastraße - Autobahn | Europaweg - Autosnelweg |
| National radial - National road | N IV N 301 | Radiale Nationalstraße - Nationalstraße | Radiale nationale weg - Nationale weg |
| Other roads | C 437 SE 138 | Sonstige Straßen | Andere wegen |
| **Obstacles** | | **Verkehrshindernisse** | **Hindernissen** |
| Steep hill (ascent in direction of the arrow) | 7-12% +12% | Starke Steigung (Steigung in Pfeilrichtung) | Steile helling (pijlen in de richting van de helling) |
| Pass - Altitude | 793 (304) | Pass - Höhe | Pas - Hoogte |
| Difficult or dangerous section of road | | Schwierige oder gefährliche Strecke | Moeilijk of gevaarlijk traject |
| Level crossing: railway passing, under road, over road | | Bahnübergänge: schienengleich - Unterführung - Überführung | Wegovergangen: gelijkvloers - overheen - onderdoor |
| Prohibited road | | Gesperrte Straße | Verboden weg |
| Road subject to restrictions | | Straße mit Verkehrsbeschränkungen | Beperkt opengestelde weg |
| Toll barrier - One way road | | Mautstelle - Einbahnstraße | Tol - Weg met eenrichtingsverkeer |
| Ford | | Furt | Wad |
| Snowbound, impassable road during the period shown | 12-5 | Eingeschneite Straße: voraussichtl. Wintersperre | Sneeuw : vermoedelijke sluitingsperiode |
| **Transportation** | | **Verkehrsmittel** | **Vervoer** |
| Railway - Passenger station | | Bahnlinie - Haltestelle | Spoorweg - Reizigersstation |
| Transportation of vehicles: | | Autotransport: | Vervoer van auto's: |
| by boat | | per Schiff | per boot |
| by ferry (load limit in tons) | 15 | per Fähre (Höchstbelastung in t) | per veerpont (maximum draagvermogen in t.) |
| Passenger ferry | | Personenfähre | Veerpont voor voetgangers |
| Airport - Airfield | | Flughafen - Flugplatz | Luchthaven - Vliegveld |
| **Accommodation-Administration** | | **Unterkunft - Verwaltung** | **Verblijf - Administratie** |
| Parador (Spain) - Pousada (Portugal) (hotel run by the state) | P | Parador (Spanien) - Pousada (Portugal) (staatlich geleitetes Hotel) | Parador (Spanje) - Pousada (Portugal) (hotel dat door de staat wordt beheerd) |
| Administrative district seat | R P D | Verwaltungshauptstadt | Hoofdplaats van administratief gebied |
| Administrative boundaries | | Verwaltungsgrenzen | Administratieve grenzen |
| National boundary | | Staatsgrenze | Staatsgrens |
| **Sport & Recreation Facilities** | | **Sport - Freizeit** | **Sport - Recreatie** |
| Bullring - Golf course | | Stierkampfarena - Golfplatz | Arena voor stierengevechten - Golfterrein |
| Mountain refuge hut | | Schutzhütte | Berghut |
| Pleasure boat harbour - Beach | | Yachthafen - Badestrand | Jachthaven - Strand |
| Cable car, chairlift | | Seilbahn, Sessellift | Kabelbaan, stoeltjeslift |
| Funicular - Rack railway | | Standseilbahn - Zahnradbahn | Kabelspoor - Tandradbaan |
| **Sights** | | **Sehenswürdigkeiten** | **Bezienswaardigheden** |
| Religious building - Historic house, castle - Ruins | | Sakral-Bau - Schloss, Burg - Ruine | Kerkelijk gebouw - Kasteel - Ruïne |
| Cave - Prehistoric monument | | Höhle - Vorgeschichtliches Steindenkmal | Grot - Megaliet |
| Other places of interest | | Sonstige Sehenswürdigkeit | Andere bezienswaardigheden |
| Panoramic view - Viewpoint | | Rundblick - Aussichtspunkt | Panorama - Uitzichtpunt |
| Scenic route | | Landschaftlich schöne Strecke | Schilderachtig traject |
| **Other signs** | | **Sonstige Zeichen** | **Diverse tekens** |
| Religious building - Castle - Ruins | | Sakralbau - Schloss, Burg - Ruine | Kerkelijk gebouw - Kasteel - Ruïne |
| Cave - Prehistoric monument | | Höhle - Vorgeschichtliches Steindenkmal | Grot - Megaliet |
| Industrial cable way | | Industrieschwebebahn | Kabelvrachtvervoer |
| Telecommunications tower or mast | | Funk-, Sendeturm | Telecommunicatietoren of -mast |
| Industrial activity - Power station | | Industrieanlagen - Kraftwerk | Industrie - Elektriciteitscentrale |
| Refinery - Oil or gas well | | Raffinerie - Erdöl-, Erdgasförderstelle | Raffinaderij - Olie- of gasput |
| Mine - Quarry | | Bergwerk - Steinbruch | Mijn - Steengroeve |
| Lighthouse - Dam | | Leuchtturm - Staudamm | Vuurtoren - Stuwdam |
| National park - Game reserve | | Nationalpark - Jagdgebiet | Nationaal park - Jachtreservaat |

2
0 4 8 12 km
2
3
B
C
D
1
12
RÍAS ALTAS
RÍAS GALLEGAS
Illas Sisargas
Cabo de San Adrián
Punta de Nariga
Malpica de Bergantiños
Punta Roncudo
Corme-Porto
Corme Aldea
Ría de Corme y Laxe
Praia de Balarés
Punta Insúa
Laxe
Praia de Traba
Cabo Veo
Cabo Tosto
Cabo Vilán
Camariñas
Ría de Camariñas
Punta da Barca
Muxía
Cabo da Buitra
Cabo Touriñán
Touriñán
Nemiña
Lires
Praia del Rostro
Buján
Cabo de la Nave
Fisterra
Cabo Fisterra / Cabo Finisterre
Illa Lobeira Grande
O Pindo
Corcubión
Cee
Ponteceso
Anllóns
Cabana
Carballo
(Coristanco)
Vimianzo
Zas
Pico de Meda
Sta Comba
Embalse de Fervenza
Montes de Buxantes
(Mazaricos)
Montes de la Ruña
Negreira
A Baña
(Val do Dubra)
Bembibre
Portomouro
Ames
SANTIAGO DE COMPOST
Punta de Caldebarcos
Praia de Carnota
Carnota
Punta dos Remedios
(Outes)
Serra de Outes
Ponte Nafonso
(Brión)
Punta das Olas
Praia de Baldaio
A Laracha
Caión
Razo
Noicela
(Tordoia) Pontepedra
Buño
Rus
Dumbría
Ozón
Molinos
Berdoias
Baiñas
Santa Comba

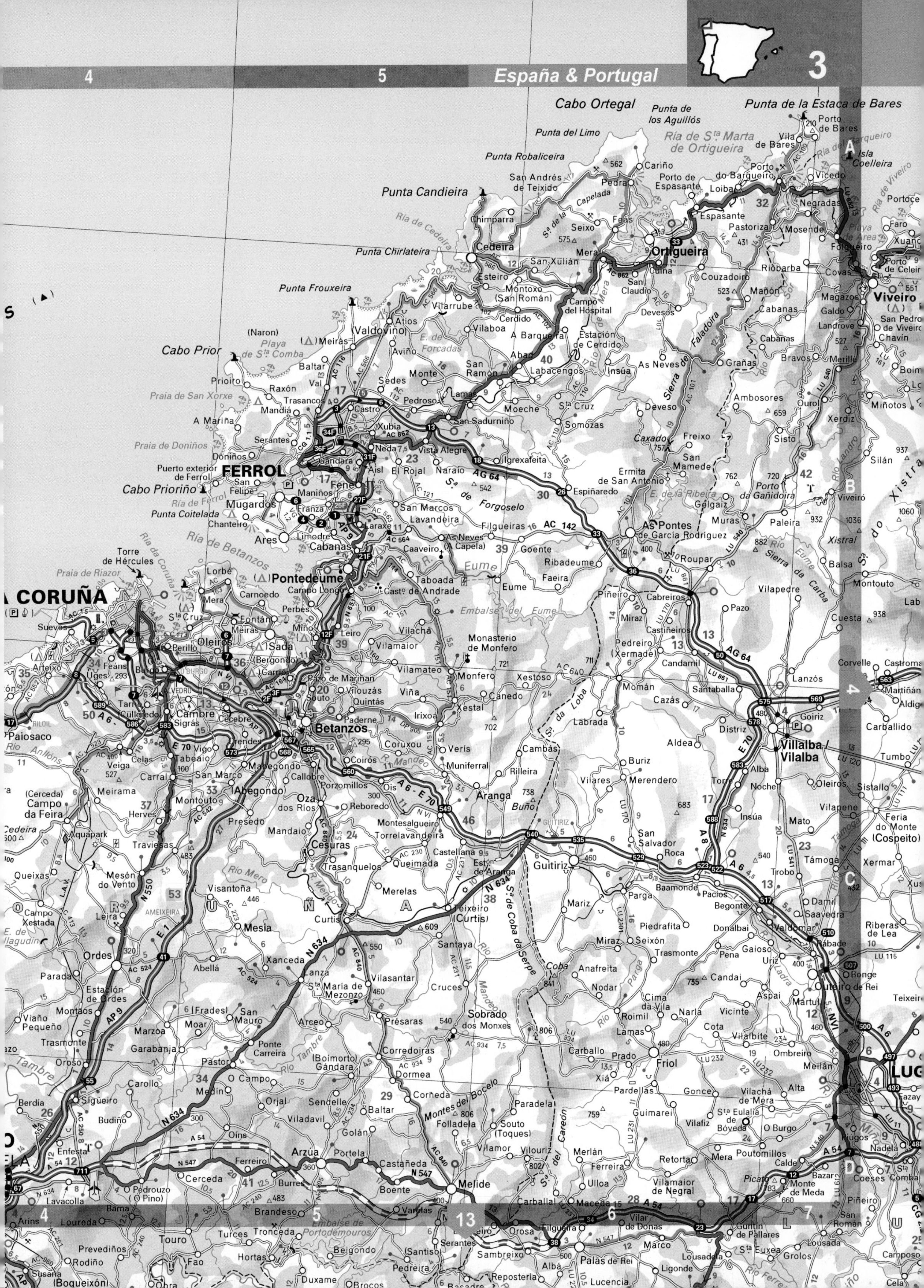

4
5
España & Portugal
3
Cabo Ortegal
Punta de los Aguillós
Punta de la Estaca de Bares
Punta del Limo
Ría de Sta Marta de Ortigueira
Porto de Bares
Vila de Bares
Isla Coelleira
Punta Robaliceira
Cariño
San Andrés de Teixido
Pedra
Porto de Espasante
Porto do Barqueiro
Loiba
Vicedo
Punta Candieira
Sa de la Capelada
Chimparra
Seixo
Feás
Espasante
Pastoriza
Negradas
Portoce
Ría de Cedeira
Mosende
Faro
Xuanc
Punta Chirlateira
Cedeira
Mera
Ortigueira
San Xulián
Riobarba
Folgueiro
Porto de Celeir
Esteiro
Cuíña
San Claudio
Couzadoiro
Covas
Punta Frouxeira
Montoxo (San Román)
Mañón
Magazos
Viveiro
Campo del Hospital
Devesos
Galdo
San Pedro de Viveiro
Vilarrube
Cabanas
Atios
Cerdido
Landrove
Chavín
(Naron)
(Valdoviño)
Vilaboa
Estación de Cerdido
Sierra de Faladoira
Bravos
Merille
Cabo Prior
Playa de Sta Comba
Meirás
E. de Forcadas
A Barqueira
Baltar
Aviño
Abad
As Neves
Grañas
Prioiro
Val
San Ramón
Labacengos
Insúa
Sierra de Faladoira
Raxón
Praia de San Xorxe
Sedes
Monte
Ambosores
Miñotos
Mandiá
Trasancos
Pedroso
Moeche
Sta Cruz
Deveso
Ourol
A Mariña
Castro
Lamas
Xubia
San Sadurniño
Somozas
Xerdiz
Serantes
Caxado
Freixo
Sisto
Praia de Doniños
Neda
Vista Alegre
Doniños
Gándara
Igrexafeita
San Mamede
Silán
Puerto exterior de Ferrol
FERROL
El Rojal
Naraio
Ermita de San Antonio
Porto da Gañidoira
Cabo Prioriño
San Felipe
Fene
AG 64
Espiñaredo
E. de la Ribeira
Viveiró
Ría de Ferrol
Maniños
Sa de Forgoselo
Gelgaiz
Mugardos
Franza
San Marcos
Punta Coitelada
Chanteiro
Lavandeira
Filgueiras
AC 142
As Pontes de García Rodríguez
Muras
Paleira
Xistral
Limodre
Laraxe
Ares
Cabanas
As Neves (A Capela)
Caaveiro
Goente
Ría de Betanzos
Torre de Hércules
Ribadeume
Roupar
Sierra da Carba
Balsa
Praia de Riazor
Eume
Lorbé
Pontedeume
Taboada
Faeira
Montouto
A CORUÑA
Mera
Carnoedo
Campo Longo
Castº de Andrade
Piñeiro
Cabreiros
Vilapedre
Sta Cruz
Fontán
Perbes
Embalse del Eume
Miraz
Pazo
Suevos
Meirás
Miño
Leiro
Vilachá
Castiñeiros
Cuesta
Oleiros
Sada
Monasterio de Monfero
Pedreiro (Xermade)
Arteixo
Perillo
(Bergondo)
Vilamaior
Candamil
AG 64
Feáns
Uges
Burgo
Carrio
Pazo de Mariñán
Vilamateo
Monfero
Xestoso
Corvelle
Castroma
Alvedro
Vilouzás
Momán
Santaballa
Lanzós
Martiñán
Tarrío
Cambre
Quintás
Viña
Cañedo
Cazás
Aldige
Cullerodo
Sigrás
Cecebre
Irixoa
Xestal
Goiriz
Paiosaco
Tiendes
Betanzos
Labrada
Distriz
Carballido
Celas
Vigo
Paderne
Sa da Loba
Villalba / Vilalba
Tabeaio
Coruxou
Aldea
Veiga
Carral
Coirós
Veris
Cambás
Buriz
Tumbo
San Marco
Mabegondo
Callobre
Muniferral
Rilleira
Merendero
Alba
(Cerceda)
Meirama
(Abegondo)
Porzomillos
Ois
Aranga
Vilares
Torre
Noche
Oleiros
Sistallo
Campo da Feira
Montouto
Oza dos Ríos
Reboredo
Buño
Vilapene
Herves
Montesalgueiro
Insúa
Mato
Feria do Monte (Cospeito)
Presedo
Mandaio
Torrelavandeira
San Salvador
Cesuras
Aquapark
Travieses
Castellana
Roca
Támoga
Guitiriz
Xermar
Trasanquelos
Queimada
Estº de Aranga
Baamonde
Pacios
Trobo
Mesón do Vento
Río Mero
Begonte
Damil
Queixas
Visantoña
Merelas
Mariz
Parga
Saavedra
Campo Xestada
Teixeiro (Curtis)
Leira
Curtis
Sa de Coba da Serpe
Piedrafita
Donalbai
Riberas de Lea
Mesía
Valdomar
Rábade
Santaya
Miraz
Seixón
Trasmonte
Ordes
Gaioso
Pena
Xanceda
Lanza
Coba
Anafreita
Uriz
Abellá
Bonge
Parada
Vilasantar
Candai
Estación de Ordes
Sta María de Mezonzo
Cruces
Nodar
Outeiro de Rei
Teixeiro
Cima da Vila
Viaño Pequeño
Montaos
(Frades)
San Mauro
Narla
Vicente
Aspai
Martul
Moar
Arceo
Sobrado dos Monxes
Roimil
Marzoa
Présaras
Cota
Trasmonte
Lamas
Garabanja
Ponte Carreira
Vilalbite
Corredoiras
Río Tambre
Carballo
Friol
Ombreiro
Oroso
Pastor
(Boimorto) Gándara
Prado
Meilán
O Campo
Dormea
Xiá
Carollo
Medín
Corneda
Montes del Bocelo
Pardellas
Gonce
Alta
LUGO
Sigüeiro
Orjal
Sendelle
Paradela
Vilachá de Mera
Berdía
Baltar
Folladela
Guimarei
Sta Eulalia de Bóveda
Budiño
Viladavil
Souto (Toques)
Vilafiz
O Burgo
Golán
Oíns
Sa del Careón
Rúgos
Nadela
Enfesta
Ferreiro
Arzúa
Portela
Castañeda
Vilamor
Vilouriz
Merlán
Retorta
Mera
Poutomillos
Calde
Cerceda
N 547
Ferreira
Vilamaior de Negral
Picato
Bazar
Coeses
Pedrouzo (O Pino)
Burres
Boente
Melide
Ulloa
Monte de Meda
Lavacolla
Bama
Carballal
Maceda
A 54
Piñeiro
Loureda
Brandeso
Varelas
Vilar de Donas
Guntín de Pallares
San Román
Arins
Embalse de Portodemouros
Turces
Tronceda
Orosa
Filgueira
Lousada
Touro
Prevediños
Hortas
Beigondo
(Santiso)
Serantes
Sambreixo
Palas de Rei
Marco
Sta Euxea
Grolos
Campose
Rodiño
Fao
Pedreira
Albá
Ligonde
Susana (Boqueixón)
Duxame
Brocos
Reposteira
Lucencia
Cela
13

M A R
C O S T A V E R D E
Cabo de Peñas
Bañugues
Punta de la Vaca
Verdicio
Podes
San Juan de Nieva
Nembro
Luanco
(Gozón)
(Carreño)
Candás
Cabo Torres
GIJ
Musel
Playa de Salinas
Salinas
Avilés
Reguera
Zanzabornín
Prendes
Tabaza
Pervera
Veriña
Tremañes
Piedras Blancas
(Castrillón)
Nubledo
Ambás
Serín
Sotiello
Sta María del Mar
Santiago del Monte
La Arena
Soto del Barco
Riberas
Cuevas de Arbedales
Corvera (de Asturias)
Callezuela (Illas)
Arlos
La Peral
Villabona
Sta Cruz
Bonielles
(Llanera)
Posada
Lugo de Llanera
Pruvia
S. Cucao
(Las Regueras)
Santullano
Cayes
Brañes
Marinas
Sa del Naranco
S. Miguel de L.
Sta María
S. Pedro
S. Claudio
Lugones
Viella
Argüelles
(Siero)
Noreña
Pola de Siero
Colloto
OVIEDO
Cruces
Box
Las Caldas
Sta María de B.
Manzaneda
Soto de Ribera
(Ribera de Arriba)
Olloniego
S. Tirso
Baiña
Rebollada
Sama
Langreo
El Entrego
Ciaño
El Carbayo
La Nueva
Sta Bárbara
Los Cale
Mieres
Ablaña
La Foz
Sta Eulalia (Morcín)
Busloñe
Grandiella
La Vega (Riosa)
Valdecuna
Cenera
Figaredo
Urbies
Turón
Merujal
Ujo
Villallana
Sta Cruz de M.
Sierra de Navaliego
Carabanzo
Moreda
Pineres
Sta Ana
Bóo
Pola de la Lena (Lena)
San Miguel
Levinco
Murias
Sta Cristina de Lena
Vega del Rey
Felgueras
Malvedo
Campomanes
Santibáñez de Murias
Zureda
Sotiello
La Frecha
Casomera
Puente de los Fierros
Sierra de la Casomera
Pendilla de Arbás
Pto de Piedrafita
Tonín de A.
Pajares
Arbás del Puerto
Braña Caballo
Puerto de Pajares
Busdongo de Arbás
Villanueva de la Tercia
S. Martín de la T.
Villamanín
Rodiezmo de la T.
Valporqu
Cueto Negro
Túnel de Negrón
Casares de A.
Villasimpliz
Caldas de Luna
Robledo de Caldas
Cirbanal
Valgrande
Riospaso
Telledo
Tuiza
Torrebarrio
Puerto de la Cubilla
Villargusán
Pinos
San Emiliano
Peña Ubiña
Peña del Ranchón
Puerto Ventana
Genestosa
La Majúa
Torre de Babia
La Riera
Huergas
Riolago
Piedrafita de Babia
Cabrillanes
Quintanilla de Babia
Peñalba de Cilleros
Sena de Luna
Villablino
Villager de Laciana
Villaseca
Lumajo
Vega de Viejos
Muxavén
La Cueta
Sta María del Puerto
Puerto de Somiedo
Peña Orniz
Torrestio
Lagos de Saliencia
Cornón
Valle de Lago
Saliencia
Reserva Nacional de Somiedo
Páramo
Somiedo
Parque Natural de Somiedo
Pola de Somiedo (Somiedo)
Gúa
Coto de B.
Caunedo
Villarín
Peña Negra
San Salvador
Fresnedo
La Plaza (Teverga)
Carrea
Entrago
San Martín
Taja
Villanueva
Bárzana (Quirós)
Sta Marina
Ricabo
Llanuces
Muriellos
Armada
Arrojo
Gamoniteiro
Las Agüeras
Las Ventas
Sierra de Sobia
Desfiladero del Teverga
Caranga
Bermiego
Llamo
Prado
Villamayor
Almurfe
Cuevas
Aguasmestas
La Riera
Pigüeña
Sa de la Serrantina
Sa de la Cabra
Llamoso
Tolinas
Agüerina
Peña Manteca
Vigaña
Quintana
Villamarín
Villabre (Yernes y Tameza)
Villamejín
Proacina
Proaza
Yernes
(Sto Adriano) Villanueva
Tuñón
Pedroveya
S. Andrés
Sama de Grado
Trubia
Sograndio
Coalla
Bayo
Fuejo
Aguera
Rodiles
San Pedro
Santianes
Villandás
Restiello
Belmonte de Miranda
Alvariza
Vigaña
Selviella
E. de la Barca
Moutas
Puente de San Martín
Soto de los Infantes
Cermoño
Ovanes
Godán
Villazón
Dóriga
Cabruñana
Cornellana
Grado
Vega de Anzo
Peñaflor
Sandiche
Grullos
(Candamo)
San Román
Santoseso
Peñaullán
S. Tirso
Corias
Pravia
Santianes
Villavaler
Villameján
Selgas
Folgueras
Malleza
Linares
Sandamías
Priero
Salas
La Peña
La Espina
Acellana
Villatresmil
Tablado de Riviella
El Pedregal
El Crucero
Tineo
El Baradal
El Rodical
Soto de la Barca
Gera
Santianes
Tuña
La Vega
Bebares
Jarceley
Llamas del Mouro
Tebongo
Puelo
Onón
Villalar
Monasterio
Corias
Cangas del Narcea
La Regla
Cibuyo
Puenteciella
Mestas
Carballo
Bimeda
Rabo
La Linde
Villacibrán
Cibea
Vallado
Genestoso
Villar de Vildas
Venta Nueva
Vega de Rengos
Vegameoro
Rengos
Trascastro
Caniellas
Leitariegos
Puerto de Leitariegos
Puerto de Rañadoiro
Monasterio de Hermo
Puerto de Cerredo
Orallo
Fondos de Vega
Reserva nacional de Degaña
Degaña
Cerredo
Caboalles de Arriba
Caboalles de Abajo
Tejedo del Sil
Villarino del Sil
Rioscuro
El Miro
Cuevas del Sil
E. de las Rozas
El Villar de Santiago
Cabo Vidio
Riego Abajo
Salamir
Novellana
Ballota
Cadavedo
Soto de L.
Artedo
Troncedo
San Cosme
Arcallana
S. Martín de Luiña
Faedo
Muros de Nalón
Concha de Artedo
Cudillero
Eta del Espíritu Sto
S. Esteban
Mones
Puerto de Vega
Tox
Otur
Villapedre
Luarca
Cabo Busto
Busto
Barcia
Almuña
Canero
Moanes
Playa de Bozo
Villanueva
Soto de Trevías
Carcedo
Muñas
Brieves
Merás
La Figal
Vidural
Menudero
Brañúas
Belén
Caborno
Alto de Aristébano
Pontigón
Paredes
Lavio
Alienes
Naraval
Calleras
Ayones
Fastías
Brañalonga
Bustoburniego
Navelgas
Rellanos
Alto de Forcayao
Bárcena del Monasterio
Obanca
Borres
La Mortera
Sobrado
Alto de Porciles
(Allande)
Pola de Allande
Arganza
Tamallanes
Linares
Villagrufe
Parajas
Bobia

0 4 8 12 km
14
15
A
5
C
16
13
14
15
CANTÁBRICO
COSTA VERDE
Peñas
Punta de la Vaca
Luanco
(Gozón)
(Carreño)
Candás
Cabo Torres
GIJÓN
Ensenada de España
La Providencia
Villaverde
Punta de Tazones
Ría de Villaviciosa
Playa de Rodiles
Cabo Lastres
Tazones
Careñes
Argüero
Quintueles
Quintes
Somió
Musel
Prendes
Perveral
Veriña
Tremañes
Serín
Sotiello
Venta de las Ranas
Bedriñana
El Puntal
Selorio
Luces
Lastres
La Isla
Prado (Caravia)
Berbes
Vega
Ribadesella
Playa de Cuevas del Mar
Playa de San Antolín
Colunga
Priesca
Villaviciosa
Amandi
El Busto
Puente Agüera
Carrandi
Gobiendes
Mirador del Fito
Reserva nacional de Sueve
Leces
Tito Bustillo
Belmonte
Llames
Collera
Hontoria
Monasterio de S. A.
Cabo Prieto
Barro
Celorio
Poo
Nueva
Llovio
Santianes
Margolles
Alea
Tresmonte
Collía
Triongo
Peruyes
Riensena
Los Carriles
Posada de Llanes
Los Callejo
Balmori
Porrúa
Parres
Mestas
Santoveña
La Pereda
Ardisana
Meré
Caldueño
San Roque del Acebal
Sierra de Cuera
Arriondas (Parres)
San Pedro
Cueva del Buxu
Labra
Mestas de Con
Villanueva
Corao
(Onís) Benia
Pedroso
Cangas de Onís
Soto de Cangas
Con
La Riera
Demúes
Avín
Asiego
Arangas
Carreña
Covadonga
Las Arenas
Póo de Cabrales
Mirador de la Reina
Lago de Enol
Lago de la Ercina
Poncebos
Camarmeña
S.a de Covadonga
Casaño
Parque Nacional de los Picos de Europa
PICOS DE EUROPA
Desfiladero
Bulnes
Reserva nacional de los Picos de Europa
Caín de V.
Naranjo de Bulnes
Peña Santa de Enol
Torre Cerredo
Peña Vieja
Cordiñanes de V.
Mirador de Europa
Fuente Dé
Posada de Valdeón
Soto de Sajambre
Mirador de Oseja
Mirador de Piedrafitas
Oseja de Sajambre
Pto de Panderruedas
Sta Marina de Valdeón
Espinama
Puerto de Pandetrave
Coriscao
Llánaves de la Reina
Reserva Nacional de Riaño
Cuénabres
Casasuertes
Retuerto
Polvoredo
Burón
Vegacerneja
Portilla de la Reina
Gargantas
Sierra de Riaño
Riaño
Barniedo de la Reina
Embalse de Riaño
Boca de Huérgano
Espigüete
Siero de la Reina
Salamón
Reyero
Desfiladero de los Beyos
Amieva
Sames
(Amieva)
Carbes
Cazo
Priescas
Río Ponga
Taranes
Viego
Beleño
Sobrefoz
Pendones
Ventaniella
Pto de Tarna
Pto del Pontón
S.a de Carcedo
La Uña
Maraña
Acebedo
Lario
Liegos
Mampodre
Puebla de Lillo
Reserva nacional de Mampodre
Redipollos
San Cibrián
Cofiñal
Isoba
Las Señales
Pto de San Isidro
San Isidro
Tarna
Reres
Coto nacional
Bezanes
Belerda
Soto
Campo de Caso (Caso)
Orlé
Bueres
Pto de Arnicio
Coballes
Caleao
S.a de Cortegueros
Retriñón
Sierra de Fuentes de Invierno
Pto de la Vegarada
Redipuertas
Reserva nacional (Valdelugueros)
Lugueros
Tolibia de Arriba
Tolibia de Abajo
Rucayo
Collada de Valdeteja
Valverdín
Villamanín
Genicera
Pontedo
Cármenes
Villanueva de la Tercia
Camplongo de A.
Busdongo de Arbás
S. Martín de la T.
Rodiezmo de la T.
Braña Caballo
Campo
Canseco
Tonín de A.
Arbás del Puerto
Pajares
Pendilla de Arbás
Pto de Piedrafita
Piedrafita
CORDILLERA CANTÁBRICA
Puente de los Fierros
Sierra de la Casomera
La Paraya
Casomera
Llamas
Cuérigo
Felechosa
Pola del Pino
Santibáñez de Murias
Santibáñez de la Fuente
Bello
Murias
Levinco
Pelugano
Cabañaquinta
(Aller)
La Colladona
Sierra de Navaliego
Sta Ana
Piñeres
Moreda
Bóo
San Miguel
Cristina de Lena
Felgueras
Malvedo
Sta Cruz de M.
Turón
Figaredo
Mieres
Urbies
Merujal
Tolivia
Villoria
Villamorey
San Andrés
Ladines
Rioseco
(Sobrescobio)
El Condado
Pola de Laviana (Laviana)
Los Caleyos
Sta Bárbara
La Nueva
El Carbayo
Ciaño
Sama
Langreo
Lada
La Traba
Rebollada
Tiraña
Blimea
Sotrondio
Ordaliego
La Marea
S.a de Gibleniella
Riofabar
Aves
Espinaredo
Artedosa
Arenas
El Entrego
(S. Martín del Rey Aurelio)
Melendreros
Rozadas
Martimporra
(Bimenes)
Barros
Riaño
Tuilla
La Cruz
S. Julián
Nava
Fuensanta
Ques
Infiesto
(Piloña)
Villamayor
Pesquerín
Tospe
Llerandi
Tornín
Soto de Dueñas
Sevares
S. Román
Miyares
Vallobal
Robledo
Cereceda
Fíos
Pintueles
Torazo
Camás
Ceceda
Quintana
Lieres
Valdesoto
Carbayín
VIEDO
Colloto
Nora
Aramil
Carçabada
Pola de Siero
(Siero)
Noreña
Argüelles
Viella
(Sariego)
La Vega
Poreño
Pandenes
Sta Eulalia (Cabranes)
Viñón
Sietes
Libardón
Valdediós
Ambas
Fabares
Rozadas
Collada
Muño
Argañoso
Quintana
Candanal
Huerces
Caldones
Camocha
Deva
Peón
El Pedroso
Santurio
Mareo
Pinzales
La Madera
Pruvia
ASTURIAS
Agüeria
Tirso
Box
Río Piloña
Sella
Nalón
Esla
Sierra de Cantabria

A
B
C
8
Cantabria
de
Costa
Cabo Mayor
SANTA
El Sardinero
Sancibrian
San Román
Soto de la Marina
Punta de Somocueva
Liencres
Sta Cruz de B.
Punta del Dichoso
Suances
Cuchía
Tagle
Miengo
Mogro
Muriedas
Pedreña
Somo
Rubayo
Maliaño
Puente Arce
Revilla
Escobedo
El Astillero
Solares
Santillana del Mar
Hinojedo
Polanco
Barreda
Queveda
Cueva de Altamira
Pte de San Miguel
Oreña
Cóbreces
Liandres
Novales
Ruiloba
Comillas
Trasvía
Universidad Pontificia
Playa de Oyambre
La Revilla
Ruiseñada
Torrelavega
Renedo
Parbayón
Peña Cabarga
Parque de Cabárceno
Penagos
Obregón
Vargas
La Penilla
Sarón
Rubalcaba
Sta María de Cayón
Lloreda
Mirones
Esles
Miera
Llerana
Abionzo
Morilla
Villacarriedo
Selaya
Tezanos
Pisueña
La Concha
Pto de Braguía
Río Pas
Vega de Pas
Yera
Candolías
Puerto de las Estacas de Trueba
Pto de la Matanela
Puerto del Escudo
Pto de la Magdalena
Soto Scuevas
La Parte de Sotoscueva
Ahedo de las Pueblas
Dosante
Cidad de Valdeporres
Santelices
San Martín de las O.
Villabascones de B.
Soncillo
Virtus
Cilleruelo de B.
Bezana
Herbosa
Sta Gadea
Arija
Embalse del Ebro
La Riva
La Población
Corconte
Lanchares
San Miguel de A.
Sta María de Aguayo
Resconorio
S. Miguel de Luena
S. Andrés
San Pedro del Romeral
Sel de la Carrera
Entrambasmestas
Silió
Arenas de Iguña
Alceda
Ontaneda
Gamonal
San Vicente de Toranzo
Villegar
Santiurde de T.
Santibáñez
Saro
Castillo Pedroso
Quintana de Toranzo
Borleña
Iruz
Villasevil
Penilla
Vega
Corvera
Cillero
Puente Viesgo
Cueva del Castillo
Pomaluengo
Castañeda
El Soto
Viernoles
Riocorvo
Mata
Barros
Rivero
Hornos de la Mata
Las Caldas de Besaya
Coo
Los Corrales de Buelna
Collado
(Cieza)
Villasuso
Las Fraguas
(Anievas) Cotillo
Los Llares
San Vicente de León
Molledo
Pujayo
Bárcena de Pié de Concha
Bárcena Mayor
Sa de Bárcena Mayor
Saja-Besaya
Parque natural
Pesquera
Ventorillo
E. de Torina
Rioseco
Santiurde de Reinosa
Villapaderne
La Costana
Bustamante
Requejo
Bolmir
Reinosa
Salces
(Enmedio) Matamorosa
Retortillo
Arroyo
Llano
Sirran
Las Rozas
Cervatos
Celada
Villaescusa
Fontibre
Fuente del Ebro
Espinilla
Fontecha
Cañeda
Camino
Argüeso
Soto
Proaño
Alto Campoo
Abiada
La Lomba
Suano
Pico de Tres Mares
Peña Labra
Valdecebollas
Salcedillo
Mata
Sierra del Cordel
Puerto de Palombera
Saja
Colsa
Los Tojos
Correpoco
El Tojo
Mirdor del Pico del Castrón
Tudanca
Santotis
(Tudanca)
La Lastra
Sarceda
Renedo
Viaña
Valle de Cabuérniga (Cabuérniga)
Ruente
Ucieda
Villanueva de la Peña
Luzmela (Mazcuerras)
Cabezón de la Sal
Treceño
Casar
Valles (Reocín)
Cartes
Yermo
Pumalverde (Udías)
San Pedro de R.
Cerrazo
Quijas
Caviedes
Roiz (Valdáliga)
Bustriguado
San Vicente del Monte
Sa del Escudo de Cabuérniga
Carmona
Puentenansa (Rionansa)
Cosío
Rozadío
Quintanilla
Sobrelapeña (Lamasón)
Collado de Ozalba
Collado de Hoz
Lafuente
San Sebastián de Garabandal
Celis
Cueva El Soplao
Bielva (Herrerías)
Rábago
Merodio
Mazo
Labarces
Gandarilla
Abanillas
Helgueras
Unquera
Pesués
Val de San Vicente
Pechón
Cueva del Pindal
Colombres
La Franca
Pendueles
Buelna
Vidiago
Andrín
Cué
Llanes
Puron
Peña Tú
Tresgrandas
Noriega
Villanueva
Alevia
Allés
(Peñamellera Alta)
Llonín
Trescares
Robriguero
Panes (Peñamellera Baja)
La Hermida
(Peñarrubia)
Linares
Desfiladero de la Hermida
Tresviso
Bejes
Nª Sª de Lebeña
Lebeña
Colio
Viñón
Andara
Reserva Nacional
Esanos
Turieno
Ojedo
Tama (Cillorigo-Castro)
Potes
Sto Toribio de Liébana
Campollo
Enterrías
(Vega de Liébana)
La Vega
Vejo
Barrio
Lomeña
Bárago
Cucayo
Cabezón de L.
Aniezo
S. Andrés
Sa de Peña Sagra
(Polaciones)
Puente Pumar
Uznayo
Tresabuela
Sta Eulalia
Lerones
Pesaguero
Valdeprado
Pto de Piedrasluengas
Piedrasluengas
Casavegas
Camasobres
Lores
San Salvador de Cantamuda
Sta María de Redondo
Lebanza
Abadía de Lebanza
(La Pernía)
Celada de Roblecedo
Verdeña
Areños
Curavacas
Vidrieros
Fuentes Carrionas
Prieta
Reserva Nacional
CORDILLERA CANTÁBRICA
San Vicente de la Barquera
16
17
18

8
0 4 8 12 km
19
20
A
B
C
7
Cantabria
Cabo Mayor
SANTANDER
El Sardinero
Cabo de Ajo
Cabo Quejo
Playa de Ris
Isla
Quejo
Isla Playa
Noja
Arnuero
Helgueras
Punta del Águila
Argoños
Dueso
Peña del Fraile
Santoña
Playa de Laredo
Laredo
Punta de Sonabia
Islares
Cerdigo
Punta del Rabanal
Castro-Urdiales
Brazomar
Cabo Billano
Armintza
Plentzia
Gorliz
Lemoiz
Barrika
Sopelana
Urduliz
Butrón
Abra de Bilbao
Algorta
Berango
Getxo
Gatika
Laukiz
Leioa
Unbe
Zierbena
Santurtzi
Portugalete
Areeta
Loiu
Sestao
(Barakaldo)
Asua
Sondika
Ortuella
Valle de Trápaga
Larreineta
Mezpelerreka
El Regato
BILBAO
Basauri
Alonsotegi
Galdames
Urrestieta-Avellaneda
Zalla
Güeñes
Sodupe
Arrigorriaga
Zollo-Elexalde
Ugalde
Arrankudiaga
Areta
Arakaldo
Laudio / Llodio
Gordexola
Las Llanas
Okondo
Artekona
Artziniega
Gordéliz
Llanteno
Luyando
Menagaray
Quejana
Respaldiza
Amurrio
Menoyo
Salmantón
Mendeika
Saratxo
Lezama
Urduña/Orduña
Berganza
Barambio
Ziorraga
Ibarra
Zubiaur
Artómaña
Unza
Goiuri
Delika (Urkabustaiz)
Izarra
Tertanga
Puerto de Orduña
Llorengoz
Villacián
Teza de L.
Quincoces de Yuso
Lastras de la Torre
Robredo de L.
Salvada
Encima-Angulo
Sojo
Lorcio
Añes
Sª Olaja
Vallejo de M.
El Vigo
Sª María de Siones
Villabasil
Villasana de Mena
Villanueva de M.
Mercadillo
Montiano
Viergol
Burceña
Ribota de M.
Nava de M.
Gijano
Embalse de Ordunte
Montes de Ordunte
Balmaseda
Otxaran
Mollinedo
Pando
Bernales
La Escrita
Concha
Lanestosa
Aldeacueva
Presa
Lanzas-Agudas
La Calera de la P.
Alto de los Tornos
Ramales de la Victoria
Ambasaguas
Cuevas de Covalanas
Riancho
Gibaja
Ranero
El Suceso
Cueto
Trucios Turtzioz
Sta Cruz
Mercadillo
Sopuerta
Artzentales
Muñecas
Agüera
Montellano
Otañes
San Juan Muskiz
Santullán
Ontón
Mioño
Sámano
La Granja
El Puente (Guriezo)
Adino
Rioseco
Ampuero
Limpias
Seña
Cereceda
Udalla
Rasines
Ojebar
Ancillo
Sa del Hornijo
San Pedro
Rozas
Astrana
Aja
Herada
Veguilla
Fresnedo
Quintana
Portillo de la Sía
Río de Lunada
Rio Trueba
Monte Llusías
Puerto del Asón
Asón
San Roque de Riomiera
Arredondo
Riva
Lastras
Valle
Mentera-Barruelo
Cruz Uzano
Matienzo
Puerto de Alisas
San Miguel de Aras
La Bien Aparecida
Bádames
Carasa
Fuente de las Varas
Riaño
Barrio de Arriba
La Cavada
Rucandio
Liérganes
Pámanes
Entrambasaguas
Solórzano
Adal Treto
Colindres
Hazas de Cesto
Moncalián
Anero
Hoz de Anero
Villaverde de P.
Beranga
Praves
Gama
Escalante
Cicero
San Miguel de Meruelo
San Mamés de R.
Castañedo
Bareyo
Galizano
Loredo
Somo
Pedreña
Rubayo
Maliaño
El Astillero
Solares
Hoznayo
Valdecilla
Peña Cabarga
Parque de Cabárceno
Penagos
Obregón
Penilla
Sarón
Sta María de Cayón
Rubalcaba
Loreda
Mirones
Esles
Miera
Bustablado
Penilla
Vega
Saro
Llerana
Abionzo
Morilla
La Canal
Villacarriedo
Selaya
Santibáñez
Tezanos
Pisueña
La Concha
Gamonal
Pto de Braguía
Rio Pas
Vega de Pas
Candolías
Yera
Portillo de Lunada
Fuenterrabiosa
Puerto de las Estacas de Trueba
Nª Sª de las Nieves
Bárcenas
Espinosa de los Monteros
Noceco
San Pelayo
Agüera
Irús
Bercedo
Cadagua
Villasante
Redondo
San Pedro del Romeral
Pto de la Matanela
Puerto del Escudo
Pto de la Magdalena
La Parte de Sotoscueva
Cueva
Ojo Guareña
Hornillatorre
Ahedo de las Pueblas
Dosante
Cornejo
Villamartín de S.
Bedón
Baranda
Bárcenillas del Ribero
Castrobarto
(Traslaloma)
Lastras de las Eras
Villalacre
Gayangos
Cubillos de Losa
Hornillayuso
Cidad de Valdeporres
Santelices
Ahedo de Linares
Torme
Quintanilla de Pienza
San Martín de las O.
Puentedey
Brizuela
Salazar
Céspedes
La Cerca
Villamor
Momediano
Gobantes
Perex
Río de Losa
Virtus
Cilleruelo de B.
Soncillo
Villabascones de B.
Bezana
Cubillos
Cigüenza
Bocos
San Román
Sancibrián
Revilla
Muriedas
CANTÁBRICA
LLERA
A8-E70
N 629
N 634
N 623
N 232
CL 629
AP 68
E 804

21
22
España & Portugal
9
A
B
C
10
GOLFO DE VIZCAY
Costa Vasca
Cabo Matxitxako/ Machichaco
Gaztelugatxe
Bermeo
San Pelaio
Bakio
Alto del Sollube
Mundaka
Ría de Gernika
Playa de Laga
Cabo Ogoño
Elantxobe
Ibarrangelu
Sukarrieta
Busturia
Sollube
Kanala
Ea
Bedaroa
Lekeitio
Ispaster
Natxitua
Gautegiz-Arteaga
Ereño
Altamira
Meñaka
Arrieta
Mureuta
Kortezubi
Gabica
Mendexa
Ondarroa
Elejalde Forua
Santimamiñe
Gizaburuaga
Saturrarán
Mutriku
Deba
Zumaia
Punta Itzarri
Getaria
Zarautz
DONOSTIA-SAN SEBASTIÁN
Mte Igeldo
Mte Ulía
Igeldo
Pasaia
Hondarribia / Fuenterrabía
Nª Sª de Guadalupe
Monte Jaizkibel
Irun
Oiartzun
Errentería/ Rentería
Hernani
Astigarraga
Lasarte-Oria
Usurbil
Aginaga
Orio
Aia
Andatza
Urnieta
Ereñotzu
Monte Urdaburu
Pagoaga
Artikutza
Andoain
Adarra
Arano
Goizueta
Zizurkil
Aduna
Asteasu
Larraul
Otita Leitzaran
Amasa
Villabona
Alkisa
Irura
Anoeta
Hernialde
Tolosa
Berrobi
Elduain
Berastegi
Mandoegui
Urdelar
Albiztur
Bidania
Errezil
Ibarra
Belauntza
Gaztelu
Lizartza
Pto de San Antón
Puerto de Usateguieta
Leitza
Orexa
Areso
Alegia
Ikaztegieta
Legorreta
Altzo
Bedaio
Amezketa
Gaintza
Abaltzisketa
Azkarate
Zaldibia
Eta de Larraitz
Txindoki
Itsasondo
Ordizia
Beasain
Lazkao
Olaberria
Idiazabal
Segura
Zerain
Zegama
Mutiloa
Ormaiztegi
Gabiria
Legazpi
Alto de Deskarga
Zumarraga
Ezkio
Itsaso
Astigarreta
Urretxu
Antzuola
Bergara
Elorregi
Oñati
Aretxabaleta
Arrasate / Mondragón
Gesalibar
Aramaio
Otxandio
Puerto de Cruceta
Ubide
Gorbea
Legutio
Eskoriatza
Goroeta
Urrexola
Leintz-Gatzaga
Araoz
Arantzazu
Aizkorri
Aloña
Puerto de Arlaban
Urbina
Elosu
Gopegui
Urrúnaga
Buruaga
Betolaza
Zaitegi
Murguía
Manurga
Zuia
Zigoitia
Marquina
Sierra de Aralar
Irumugarrieta
Pto de Lizarrusti
Hachueta
Santuario de San Migel de Aralar
Lekunberri
Aldatz
Beruete
Basaburua
Uitzi
Alto Uitzi
Gorriti
Arribe
Betelu
Araitz
Intza
Errazkin
Baraibar
Iribas (Larraun)
Oderitz
Pto de Azpirotz
Ezkurra
Eratsun
Zestoa
Ekain
Aizarnazabal
Aizarna
Pagoeta
Lasao
Erdoizta
Madariaga
Izarraitz
Azkoitia
Azpeitia
S. Ignacio de Loiola
Urrestilla
Nuarbe
Beizama
Aratzerreka
GIPUZKOA
Meaga
Itziar
Mendaro
Altzola
Elgoibar
Ugarteberri
Alto de Azkarate
Soraluze/Placencia de las Armas
Elgeta
Elosua
Angiozar
Eibar
Ermua
Arrate
Barinaga
Mallabia
Markina-Xemein
Etxebarria
Larruskain
Olatz
Berriatua
Amoroto
Urberuaga
Nabarniz
Munitibar-Arbatzegi Gerrikaitz
Iruzubieta
Iturreta
Aulesti
Arratzu
Ajangiz
Gernika-Lumo
Mendata
Balcón de Bizkaia
Urrutxua
Ibarruri
Etxano
Maguma
Pto de Trabakua
Garai
Iurreta
Goiuria
Berriz
Zaldibar
Amorebieta
Boroa
Lemoa
Bedia
Euba
Bernagoitia
Orozketa
Durango
Izurtza
Abadiño
Mañaria
Elorrio
Dima
Oba
Parque Nal
Atxondo
Axpe
Urkuleta
Pto de Urkiola
Arrazola
Pto de Kampazar
Urkiola
Zeanuri
Urigoiti
Undurraga
Pto de Barazar
Olaeta
Artea
Areatza
Igorre
Arantzazu
Errigoiti
Morga
Muxika
Astelarra
Lezama
Larrabetzu
Aldana
Gorozika
Fruiz
Amorebieta
Vizcaya

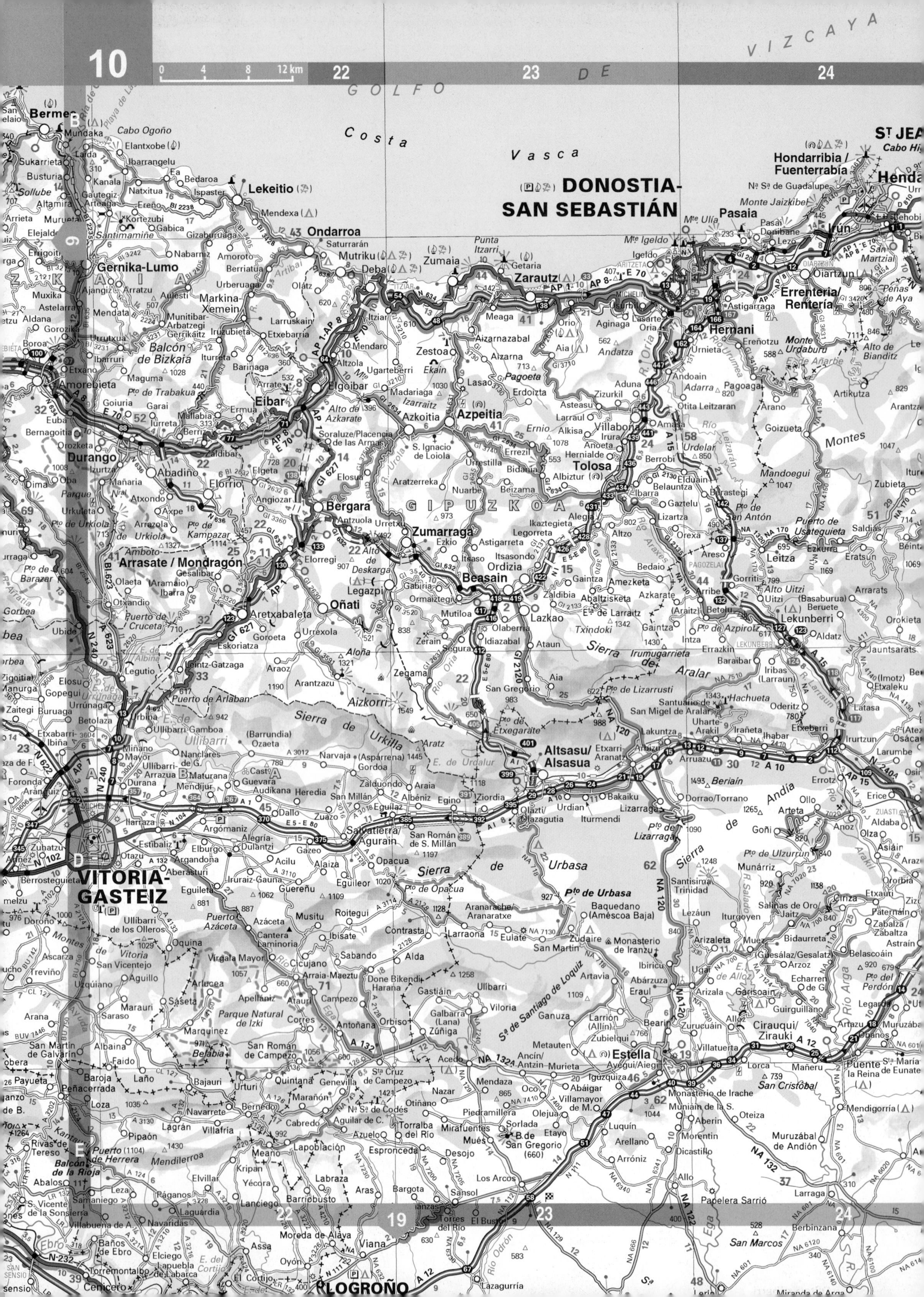

0 4 8 12 km

22 23 24

GOLFO DE VIZCAYA

Costa Vasca

DONOSTIA-SAN SEBASTIÁN

VITORIA-GASTEIZ

LOGROÑO

GIPUZKOA

Bermeo
Mundaka
Cabo Ogoño
Elantxobe
Ibarrangelu
Bedaroa
Lekeitio
Ondarroa
Mutriku
Deba
Zumaia
Getaria
Zarautz
Orio
Mte Igeldo
Mte Ulía
Pasaia
Hondarribia / Fuenterrabía
Irún
Oiartzun
Errenteria/ Rentería
Hernani
Andoain
Tolosa
Villabona
Usurbil
Lasarte-Oria
Gernika-Lumo
Amorebieta
Durango
Abadiño
Elorrio
Ermua
Eibar
Elgoibar
Markina-Xemein
Azkoitia
Azpeitia
Zestoa
Bergara
Zumarraga
Arrasate / Mondragón
Aretxabaleta
Oñati
Legazpi
Beasain
Ordizia
Lazkao
Alegia
Leitza
Lekunberri
Altsasu/ Alsasua
Salvatierra/ Agurain
Sierra de Urkilla
Aizkorri
Sierra de Aralar
Sierra de Urbasa
Sierra de Andía
Pto de Urbasa
Pto de Lizarraga
Estella
Puente la Reina
Viana
Los Arcos
Laguardia
Labastida
Haro
Santa Cruz de Campezo
Bernedo
Peñacerrada
Parque Natural de Izki
Montes de Vitoria
Puerto Azáceta
Mendigorría
Larraga
Lerín
Cirauqui/ Zirauki
Monasterio de Irache
Monasterio de Iranzu
San Cristóbal

22 19 23 24

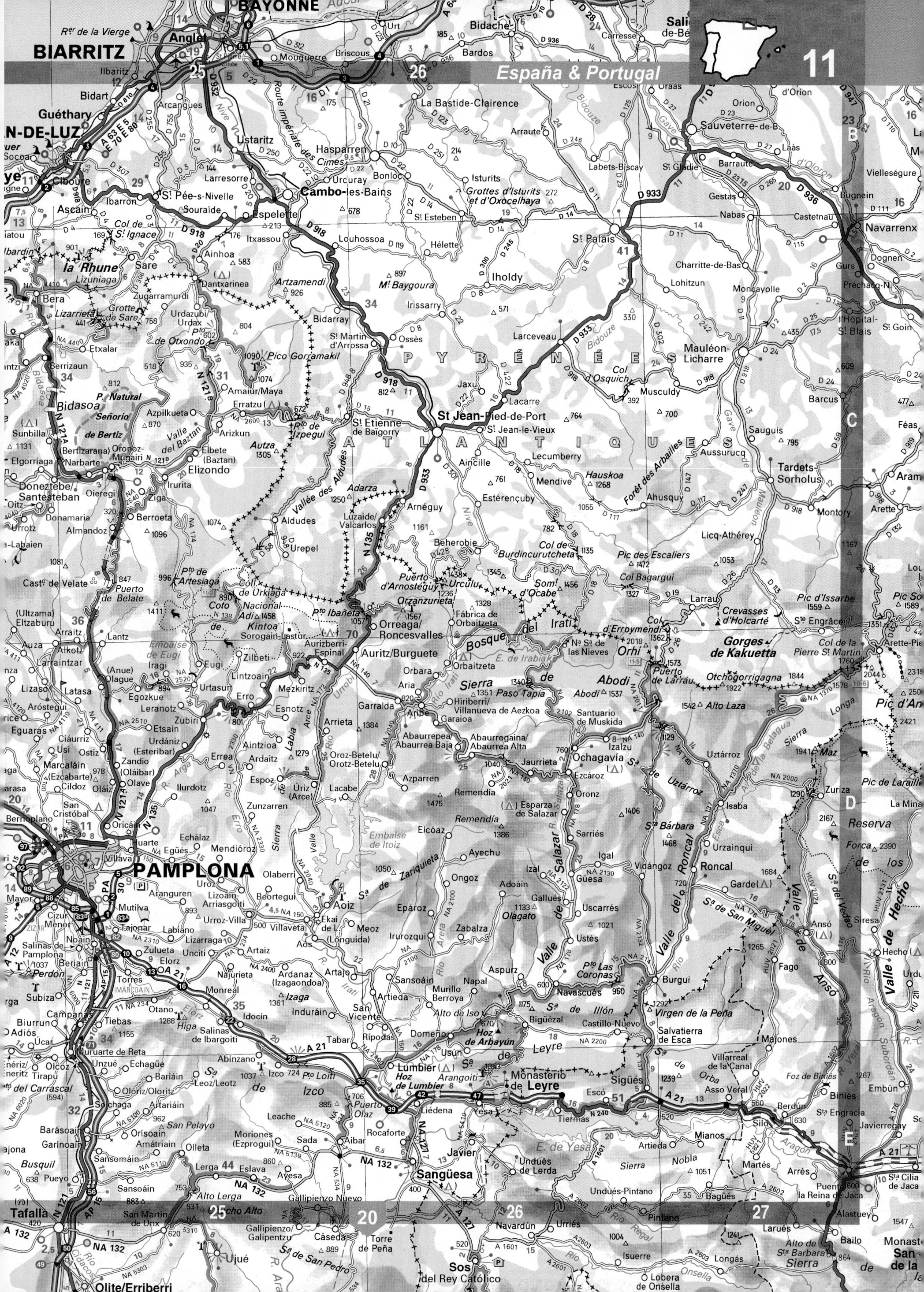
España & Portugal
11
BAYONNE
BIARRITZ
Anglet
Bidart
Guéthary
Ciboure
Ascain
Col de St. Ignace
la Rhune
Sare
Ainhoa
Dantxarinea
Zugarramurdi
Urdazubi/Urdax
Pto de Otxondo
Bera
Etxalar
Bidasoa
P. Natural Señorío de Bertiz
Elizondo
Doneztebe/Santesteban
Oronoz-Mugairi
Narbarte
Berroeta
Almandoz
Puerto de Belate
Lantz
Arraitz
Olague
Urtasun
Zubiri
Eugi
Embalse de Eugi
Iragi
Larrasoaña
Huarte
Villava
PAMPLONA
Mutilva
Noain
Beriain
Torres
Monreal
Idocín
Salinas de Ibargoiti
Tiebas
Campanas
Biurrun
Ucar
Olcoz
Tirapu
Puerto del Carrascal
Solchaga
Barásoain
Garínoain
Pueyo
Tafalla
Olite/Erriberri
Ujué
Sansoáin
Lerga
Eslava
Ayesa
Gallipienzo Nuevo
Cáseda
Sangüesa
Javier
Rocaforte
Aibar
Liédena
Yesa
Lumbier
Hoz de Lumbier
Sa de Izco
Sa de Leyre
Monasterio de Leyre
Hoz de Arbayún
Navascués
Burgui
Sa de Illón
Salvatierra de Esca
Sigüés
Tiermas
E. de Yesa
Undués de Lerda
Artieda
Mianos
Bagüés
Pintano
Sos del Rey Católico
Navardún
Urriés
Isuerre
Lobera de Onsella
Longás
Ustarroz
Ustárroz
Hasparren
Ustaritz
Cambo-les-Bains
Espelette
Souraïde
Larressore
Itxassou
Louhossoa
Hélette
Bidarray
Artzamendi
Mt Baygoura
Irissarry
Iholdy
St Palais
La Bastide-Clairence
Bardos
Bidache
Briscous
Mouguerre
Urt
Arraute
Labets-Biscay
Sauveterre-de-B.
Orion
Barraute
Gestas
Nabas
Castetnau
Navarrenx
Charritte-de-Bas
Lohitzun
Moncayolle
Mauléon-Licharre
Col d'Osquich
Musculdy
Larceveau
Ossès
St Martin d'Arrossa
P Y R É N É E S
A T L A N T I Q U E S
St Jean-Pied-de-Port
St Jean-le-Vieux
St Etienne de Baïgorry
Pto de Izpegui
Erratzu
Amaiur/Maya
Pico Gorramakil
Valle del Baztan
Arizkun
Vallée des Aldudes
Aldudes
Urepel
Luzaide/Valcarlos
Arnéguy
Estérençuby
Mendive
Lecumberry
Aincille
Beherobie
Pto de Artesiaga
Coto Nacional de Kintoa
Orreaga/Roncesvalles
Pto Ibañeta
Auritz/Burguete
Bosque del Irati
Orbaitzeta
Sierra de Abodi
Paso Tapia
Ochagavía
Izalzu
Ezcároz
Jaurrieta
Abaurrea Alta
Abaurrea Baja
Aribe
Garralda
Arrieta
Oroz-Betelu
Aoiz
Embalse de Itoiz
Sa de Zariquieta
Isaba
Uztárroz
Roncal
Valle del Roncal
Vidángoz
Garde
Valle de Salazar
Sarriés
Esparza de Salazar
Güesa
Igal
Uscarrés
Gallués
Ustés
Olagato
Pto Las Coronas
Tardets-Sorholus
Montory
Licq-Athérey
Larrau
Pic d'Orhy
Col d'Erroymendi
Puerto de Larrau
Gorges de Kakuetta
Crevasses d'Holcarté
Pic d'Issarbe
Ste Engrâce
Arette
Arette-Pierre St Martin
Col de la Pierre St Martin
Otchogorrigagna
Alto Laza
Sierra Longa
Zuriza
Reserva de los Valles
Valle de Ansó
Ansó
Fago
Hecho
Valle de Hecho
Siresa
Majones
Biniés
Embún
Berdún
Villarreal de la Canal
Asso Veral
Martés
Arrés
Puente la Reina de Jaca
Sta Cilia de Jaca
Javierregay
Alastuey
Bailo
Larués
Alto de Sta Bárbara
Sierra
Sa de Orba
Sierra de San Miguel
A 21
N 121
NA 132
D 918
D 933
AP 15

Cabo Fisterra /
Cabo Finisterre
(138)
Fisterra
Illa Lobeira Grande
O Pindo
Montes de la Ruña
Beba
Pino do Val
Chacín
Fornis
Valadares
Paxareiras
Suevos
Negreira
A Pena
Cabanamoura
Lens
Ponte Maceira
Ames
Gonte
SANTIAGO
DE COMPOSTELA
Quilmas
Caldebarcos
Punta de Caldebarcos
Praia de Carnota
O Viso
Carnota
San Julián
Silvosa
Esperante
(Outes)
Serra de Outes
Entís
Arzón
Liñaio
Embalse de Barrié de la Maza
R. Tambre
Pedrouzos
(Brión)
Cornanda
Bertamiráns
(Ames)
Os Anxeles
Bugallido
Raíces
Milladoiro
Ponte Nafonso
Urdilde
Calo
Casalonga
Ameneiro
Punta dos Remedios
Lira
Abelleira
Crucero de Roo
Vara
Serres
Tal
Sabardes
Aguasantas
Lariño
Louro
Muros
Esteiro
Boa
Noia
Portobravo
(Lousame)
Lousame
Vilacova
Comparada
Herbogo
Rois
Praia de Lariño
Praia de Louro
Punta Louro
Portosín
Argalo
Aldaris
Esclavitude
Ramallosa
Luou (Teo)
Pontevea
Nebra
Tállara
Buxán
Porto do Son
Millón
Padrón
Herbón
Barcala
Ría de Muros y Noia
Baroña
Sierra de Barbanza
Teayo
Laíño
Dodro
Enfesta
(Pontecesures)
Santa Marina
Queiruga
Cures
Cespón
Taragona
Burés
Ponte Valga
(Valga)
A Estrada
Caamaño
Magdalena
Mosquete
Reboredo
Torres
Xuño
Boiro
Rianxo
Catoira
Carracedo
Estacas
Arcos
Cuntis
Xesteiras
Praia Río Sieira
Mirador de la Curota
Lesón
Escarabote
Abanqueiro
Rial
Bamio
Xiabre
Seráns
Oleiros
Pesqueira
Camil
Bemil
Olveira
A Pobra do Caramiñal
Vilagarcía de Arousa
Cabo de Corrubedo (22)
Corrubedo
Praia de Ladeira
Palmeira
Vilaxoán
Cea
Caldas de Reis
Carreira
Sta. Eugenia (Ribeira)
Vilanova de A.
Illa de Arousa
Rubiáns
Lantaño
Currás (Portas)
Sta. Lucía (Moraña)
Cequeril
Vixán
Castiñeiras
Aguiño
Isla de Arousa
Ría de Arousa
Romai
Valiñas
Campo Lameiro
A Lagoa
Punta de Couzo
Cambados
Oubiña
Vilariño
Mosteiro
Nogueira
(Barro)
San Antoniño
Amil
A Toxa/La Toja
(Ribadumia)
Portela
RÍAS BAIXAS/
RÍAS BAJAS
Isla de Sálvora
O Grove
Reboredo
Escusa
(Meis)
S. Salvador de Meis
Sacos
San Vicente do Grove
Armenteira
Castrove
Viascón
San Vicente do Mar
Vilalonga
Dena
(Meaño)
As Covas
Cerponzóns
Lérez
Xeve
Tenorio
Playa de la Lanzada
Gondar
Poio
Combarro
Noalla
Padriñán
Samieira
San Salvador
PONTEVEDRA
Xesteira
Punta Faxilda
Adina
Vilarchán
Aguasantas
Ponte-Caldelas
Isla de Ons
Ons
Playa de Montalvo
Portonovo
Raxo
Marcón
Sanxenxo
Sangenjo
Mogor
Marín
Playa de Canelas
Tourón
Ría de Pontevedra
Seixo
Coto Redondo
Figueirido
Playa de Lapamán
Pineiro
Isla de Onceta
Cabo de Udra 91
Paredes
Arcade
Barbudo
Silvoso
Beluso
Bueu
Morrazo
Vilaboa
Punta de Couso
Portela
Ermelo
Cobres
Sotojusto
Rial (Soutomaior)
Vilanova
Aldán
Meira
Domaio
S. Adrián de Cobres
Cesantes
Viso
Amoedo
Donón
Hío
Península de Morrazo
Coiro
Moaña
Chapela
Redondela
Cabo de Home
Cangas
VIGO
Ría de Vigo
Isla de Monteagudo
Playa de Rodas
Bouzas
Madroa
Vilar
Cepeda
Galleiro
Islas Cíes
Playa de Samil
Matama
Lavadores
Guizán
Mondariz Balneario
Padróns
Isla de San Martiño
Canido
Castrelos
Beade
Mos
Parque natural
Valadares
Reguengo (Mos)
Prado
Monte Ferro
Islas As Estelas
Panxón
Nigrán
Vincios
Porriño
Eidos
Ponteareas
Playa América
Monterreal
Baiona
Galiñeiro
Chenlo
Guláns
Cristiñade
Fornelos
Cabo Silleiro
Baredo
A. Ramallosa
Gondomar
Mosende
Budiño
Salvaterra de Miño
Belesar
Groba
Donas
Area
Parque natural del Monte Aloia
Salceda de Caselas
O Castelo
Molino
Mougás
Malvas
Guillarei
Caldelas
Monção
Villadesuso
Lousado
Tebra
Tui
Troporiz
Friestas
Gondomil
Torroña
Vilameán
Areas
Valença do Minho
Monte do Faro
Pias
(Oia)
Arrabal
Burgueira
(Tominõ)
Tuido-Gandra
Boivão
Capilla
Loureza
O Seixo
Forcadela
Taião
Barroças e Taias
Sanxián
Rio Minho
São Pedro da Torre
Cerdal
Gondelim
Fornelo
Campos
Reboreda
Gondelim
Rosal
Tabagón
Goián
Lovelhe
Fontoura
Insalde
Praia Fedorento
Salcidos
Castro
Vª Nª de Cerveira
Candemil
São Bento
Ferreira
Aboim das Choças
A Guarda
Lanhelas
Gondarém
Mentrestido
Padornelo
Seixas
Paredes de Coura
D
E
F
G
2
3
4


26

Arzúa
Palas de Rei
Portomarín
Monterroso
Taboada
Chantada
Lalín
Silleda
Vila de Cruces
Forcarei
Agolada
Rodeiro
O Carballiño
OURENSE
Ribadavia
A Cañiza
Covelo
Melgaço
As Neves
Celanova
Allariz
Xinzo de Limia
Maceda
Monforte de Lemos
Cualedro
Bande
Lobios
Mondariz
Sabadelle
Pereiro de Aguiar
Esgos
Xunqueira de Espadanedo
Baños de Molgas
Vilar de Barrio
Sarreaus
Laza
Trasmiras
Porqueira
Verín
Embalse de Belesar
Embalse de Portodemouros
Sierra del Faro
Montes del Testeiro
Sierra del Suido
Faro de Avión
Peña Corneira
Alto de Paraño
Pico Seco
Puerto de la Rocha
Puerto El Marco
Alto del Couso
Alto del Rodicio
Alto de Allariz
Alto do Furriolo
Alto de Vieiro
Alto de Estivadas
Peña Rubia
Pto de Outeiro de Augas
Portela do Lagarto
Outeiro Alvo
Castro Laboreiro
Gargantas del Sil
Monasterio de Ribas de Sil
Monasterio Sta María la Real de Oseira
Santuario dos Milagres
Monasterio Bon Jesus de Trandeiras
Río Ulla
Río Deza
Río Miño
Río Arnoia
Río Limia
Río Támega
Río Avia
Río Barbantiño
Río Arenteiro
Río Sil
E. de Albarellos
E. de Frieira
E. de Velle
E. de los Peares
E. de Sto Estevo
Sierra de S. Mamede
Serra da Peneda
Parque
N 547
N 525
N 540
N 541
N 120
N 640
AP 53
AG 53
A 52
N 202
CG 2.2
CG 21
PO 533
14
75

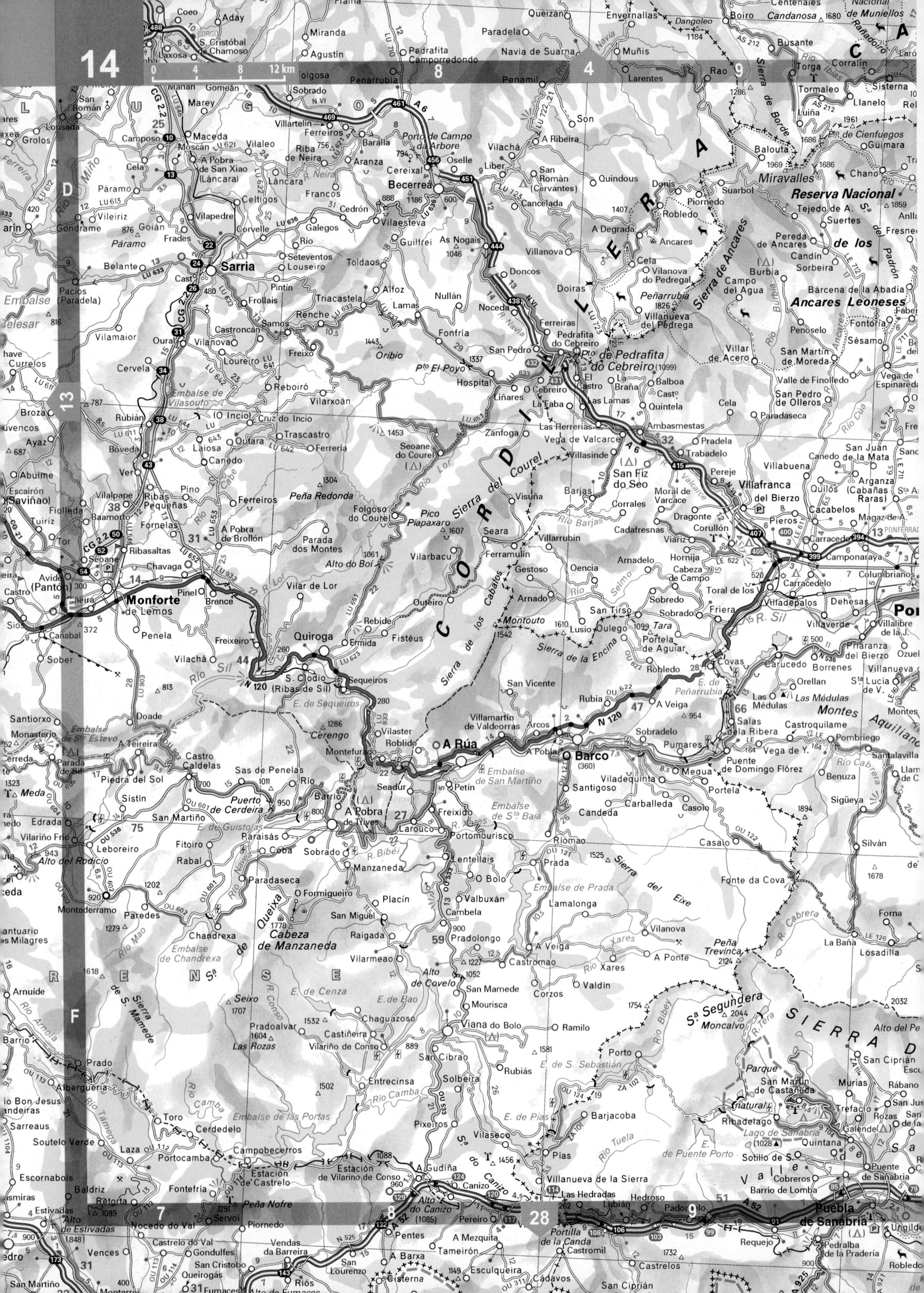

14
0 4 8 12 km
Sarria
Becerreá
Monforte de Lemos
Quiroga
A Rúa
O Barco
Villafranca del Bierzo
Puebla de Sanabria
Viana do Bolo
A Pobra de Trives
Ponferrada
Porto de Campo da Arbore
Pto de Pedrafita do Cebreiro (1099)
Pedrafita do Cebreiro
O Cebreiro
Triacastela
Samos
Pto El Poyo
Hospital
Oribio
Seoane do Courel
Folgoso do Courel
Pico Piapaxaro
Peña Redonda
Alto do Boi
Sierra del Courel
CORDILLERA
Sierra de los Cabalos
Montouto
Sierra de la Encina
Sierra de Ancares
Reserva Nacional de los Ancares Leoneses
Miravalles
Sierra de Borde
Vega de Valcarce
Ambasmestas
Trabadelo
Pereje
Cacabelos
Carracedelo
Camponaraya
Las Médulas
Montes Aquilianos
Sierra de Peñarrubia
Puente de Domingo Flórez
Sobradelo
Barco
Embalse de San Martiño
Embalse de Sta Baia
Puerto de Cerdeira
Castro Caldelas
Cabeza de Manzaneda
Sierra de Queixa
Sierra de S. Mamede
Sierra del Eixe
Peña Trevinca
Sa Segundera
Moncalvo
SIERRA DE
Lago de Sanabria
Parque Natural
San Martín de Castañeda
Ribadelago
Alto do Canizo
A Gudiña
Portilla de la Canda
Peña Nofre
Embalse de las Portas
Embalse de Chandrexa
Chandrexa
Alto del Rodicio
Montederramo
Laza
Embalse de Vilasouto
Ribasaltas
Chavaga
Embalse de Sto Estevo
Parada de Sil
N 120
N VI
A 6
A 52

Trascastro
Caniellas
Leitariegos
Puerto de Rañadoiro
Monasterio de Hermo
Puerto de Leitariego
Sta María del Puerto
Puerto de Somiedo
La Cueta
Peña Orniz
Torrestio
Peña Ubiña
Tuiza
Genestosa
Torrebarrio
Villargusán
Muxavén
Lumajo
Vega de Viejos
Torre de Babia
Puerto de Cerredo
Reserva nacional
Fondos de Vega
Degaña
de Degaña
Cerredo
Caboalles de Arriba
Caboalles de Abajo
Villablino
de Laciana
Villaseca de L.
Piedrafita de Babia
Cospedal
San Emiliano
Huergas
Villasecino
Cirbanal
Valgrande
Busdongo de Arbás
Villanueva de la Tercia
Cabrillanes
Quintanilla de Babia
Peñalba de Cilleros
Riolago
Robledo de Caldas
Cueto Negro
Túnel de Negrón
S. Martín de la T.
Tejedo del Sil
Villarino del Sil
Rioscuro
E. de las Rozas
El Villar de Santiago
Caldas de Luna
Sena de Luna
Casares de A.
Rodiezmo de la T.
Villamanín
Villasimpliz
Valporquero
El Miro
Cuevas del Sil
Los Bayos
Sa de Villabandín
Abelgas de Luna
E. de los Barrios de Luna
Aralla de L.
Collada de Aralla
Geras
Folledo
Buiza
La Vid
Peranzanes
Palacios del Sil
Sierra del Coto
Pto. de la Magdalena
Sa de la Filera
Mallo de L.
Mirantes
Paradilla de Gordón
Carbonera
Ciñera
Cariseda
Anllares del Sil
Susañe del Sil
Matalavilla
Salientes
Salce
Vega de G.
La Pola de Gordón
Pedro de Paradela
Valseco
E. de Matalavilla
Murias de Paredes
Senra
Sosas del Cumbral
Irede de Luna
Los Barrios de Luna
Los Barrrios de Gordón
Huergas de G.
Páramo del Sil
Estación de Páramo
Sorbeda del Sil
Catoute
Fasgar
Villanueva de Omaña
Omañón
Villadepán
Arienza
La Urz
Vega de Caballeros
Mora de L.
Portilla de Luna
Peredilla
Sorribos de Alba
Lillo del Bierzo
Posada de O.
Barrio de la Puente
Marzán
Vegarienza
Pandorado
Villayuste
Otero de las Dueñas
Carrocera
Olleros de Alba
La Robla
Otero de Naragantes
Matarrosa del Sil
Cirujales
Guisatecha
Riello
Otericu
Soto y Amío
Canales-la Magdalena
Cascantes
Sierra de Jistredo
Campo de la Lomba
Formigones
Blanga Bierzo
Langre
Sierra de Gistreo
Librán
Villar de las T.
Robledo de las Traviesas
Noceda del Bierzo
Igüeña
Tremor de Arriba
Espina de Tremor
Ponjos
E. de Omañas
Adrados de O.
Sta María de Ordás
La Seca
Valsemana
Tombrio de Abajo
Toreno
Quintana de Fuseros
Rodrigatos de las Regueras
Murias de Ponjos
Valdesamario
Carrizal
Villarodrigo de O.
Rioseco de Tapia
Cuadros
San Justo de Cabanillas
Boeza
Pobladura de las R.
Escuredo
S. Martín de la F.
Espinosa de la R.
Santibáñez
Losada
Finolledo
Arlanza
Almagarinos
Embalse de Villameca
LEÓN
Villameriel
San Féliz de las Lavanderas
Mataluenga
Las Omañas
Villarroquel
Lorenzana
Cabañas de la Dornilla
Sta Marina del Sil
Rodanillo
El Valle
Folgoso de la Ribera
Quintana del Castillo
Villaviciosa de la Ribera
S. Román de los Caballeros
Sariegos
Cubillos del Sil
Viñales
S. Román
Tremor de Abajo
Brañuelas
Culebros
Abano
Morriondo
Ferreras
Llamas de la Ribera
Villaquilambre
Congosto
Albares
La Ribera
Villagatón
Villameca
Villabalter
E. de Bárcena
S. Miguel de las D.
Bembibre
Almázcara
Suerós de Cepeda
Riofrío
Quintanilla de Sollamas
Cimanes del Tejar
San Andrés del Rabanedo
Ferral del B.
Castropodame
Torre del Bierzo
La Silva
Ucedo
Porquero
Castrillo de C.
Carrizo de la Ribera
Montejos del C.
Trobajo
La Virgen del C.
Calamocos
Onamio
Turienzo Castañero
San Andrés de las Puentes
Manzanal del Puerto
Puerto de Manzanal
Quintanilla del Monte
Valverde de la Virgen
Molinaseca
Redondal
Rodrigatos de la Obispalía
La Milla del Río
Villanueva de C.
San Miguel de C.
Ponferrada
Paradasolana
Santibáñez de Monte
MONTES DE LEÓN
Vanidodes
Vega de M.
Villamejil
Armellada
Robledo de la Valdoncina
Salas de los B.
Riego de Ambros
Veldedo
Cogorderos
Antoñán del Valle
Turcia
Velilla de la Reina
Raneros
S. Estebán de V.
Arganoso
Viforcos
Magaz de Cepeda
Fontoria de C.
Quintanilla del V.
Celadilla
Santovenia de la Valdoncina
Acebo
Manjarín
Combarros
Otero
Benavides
Sta Marina del Rey
Villadangos del Páramo
Espinoso de C.
Foncebadón
Rabanal del Camino
Brazuelo
Pradorrey
Brimeda
Villaobispo
Villares de Órbigo
Hospital de Órbigo
San Martín del Camino
Chozas de Abajo
Cembranos
Clemente de V.
S. Cristóbal de V.
Sta Marina de S.
Castrillo de los Polvazares
El Ganso
Astorga
San Román de la V.
Villar de Mazarife
Ardoncino
Andiñuela
Sta Colomba de Somoza
San Justo de la Vega
Mozóndiga
Banuncias
Becerril
Bouzas
Villar de Ciervos
Pedredo
Murias
Bustillo del Páramo
Fontecha
San Cibrián de A.
Peñalba de Santiago
Pobladura de la Sierra
Tabladillo
Val de San Román
Morales
Celada
Nistal
Veguellina de Órbigo
Acebes
Grisuela del P.
La Mata del P.
Valdevimbre
Cabeza de la Yegua
Alto El Morredero
Chana
Molinaferrera
Lucillo
Valdespino de S.
Val de San Lorenzo
Riego de la Vega
Posadilla
Matalobos del P.
Villagarcia
San Pedro Bercianos
Villagallegos
Alto Las Portillinas
Quintanilla de S.
Santiago Millas
Valderrey
Huerga de F.
Villarín
Noceda
Filiel
Luyego
Laguna de Somoza
Curillas
San Cristóbal de la Polantera
Mansilla del P.
Bercianos del P.
Villavañe
El Teleno
Tejados
Palacios de la Valduerna
Toral
Villazala
Urdiales del Páramo
Sta María del Páramo
Saceda
Villar de Golfer
Sierra del Teleno
Destriana
Robledo
Sta María de la Isla
Villacalbiel
Priaranza de la V.
Castrillo de la Valduerna
Castrotierra
Soto de la Vega
Valdefuentes del Páramo
Laguna Dalga
Corporales
Nogar
Tabuyo del Monte
Duerna
Villalís
La Bañeza
Soguillo
Pobladura de Pelayo García
Quintanilla de Losada
Pozos
Baillo
Villamontán de la Valduerna
Ribas
Azares del P.
San Millán de los Caballeros
Encinedo
Iruela
Truchas
Manzaneda
Torneros de J.
Jiménez de J.
S. Martín de Torres
Eulalia de C.
Villarino
Cunas
Morla
Quintana y Congosto
Zotes del P.
Truchillas
Quintanilla de Flórez
Herreros de J.
Sta Elena de Jamuz
Cebrones del Río
Villaestrigo
Quintanilla de Yuso
Villar del Monte
Palacio de J.
La Portilla
Villanueva de J.
Laguna de Negrillos
Vizcodillo
Peña Negra
Torneros
Quintana del Marco
Roperuelos del Páramo
LA CABRERA
Nogarejas
Pinilla
Castrocalbón
Valcavado
Algadefe
Castrocontrigo
Felechares
Genestacio
Cazanuecos
Cabañeros
Vega del Castillo
Pozuelo del P.
La Antigua
Doney de la R.
Villarejo de la Sierra
Faramontanos de la Sierra
Justel
San Esteban de Nogales
La Nora
Grajal
Villamandos
Carbajalinos
Donado
Villalverde
Alija del Infantado
Audanzas
Saludes de C.
Villaquejida
Santiago de la R.
Espadañedo
Muelas de los Caballeros
Congosta
Ayoó de V.
Alcubilla de Nogales
San Adrián del Valle
Monterrubio
Cubo de Benavente
Villageriz
Coomonte
Gusandanos
Arrabalde
Pobladura del Valle
Matilla de Arzón
Cimanes de la Vega
Rosinos de la Requejada
Dornillas
Fuente Encalada
Palacios de Sanabria
Uña de Quintana
S. Pedro de la Viña
Maire de Castroponce
Rioconejos
Lanseros
Bercianos de Vidriales
Villaferrueña
Fresno de la Polvorosa
Peque
Santibáñez de Vidriales
Barcial del Barco
Molezuelas de la Carballeda
La Torre del Valle
Sta María de la Vega
Moratones
Morales de Rey
Asturianos
Lagarejos
Manzanal de los Infantes
Brime de Sog
San Román
Villabrázaro
Otero de S.
Sta Colomba de las Carabias
Sta Eulalia
San Pedro de Ceque
Granucillo
Quintanilla de Urz
Mombuey
Valleluengo
Pozuelo de V.
Brime de Urz
San Cristóbal de Entreviñas
Cernadilla
Valdemerilla
Valparaiso
San Juanico el Nuevo
Junquera de T.
Camarzana de Tera
Quiruelas
Manganeses
Sta Cristina

0 4 8 12 km
Pto de la Vegarada
Piedrafita
Isoba
Cofiñal
Puebla de Lillo
Maraña
Mampodre
Acebedo
Lario
Liegos
Polvoredo
Burón
Vegacerneja
Riaño
Portilla de la Reina
Sierra de Riaño
Gargantas
la Reina
Mampodre
Redipollos
San Cibrián
Lois
Embalse de Riaño
Riaño
Barniedo de la Reina
Boca de Huérgano
Espigüete
Busdongo de Arbás
Villanueva de la Tercia
Pontedo
Cármenes
Genicera
Lugueros
Tolibia de Arriba
Tolibia de Abajo
Rucayo
S. Martín de la T.
Villamanín
Valverdín
Collada de Valdeteja
Rodiezmo
Villasimpliz
Valporquero de Torío
Felmín
Rodillazo
Valdeteja
Reyero
Primajas
Salamón
Las Salas
Pto del Pando
Tejerina
Siero de la Reina
Valverde de la Sierra
Embalse de Porma
Folledo
Buiza
La Vid
Vall de V.
Las Hoces
Cuevas
Oville
Valdecastillo
Corniero
Argovejo
Remolina
Pto de Monteviejo
Cardaño de Abajo
Camporredondo de Alba
Nocedo de Curueño
Cerecedo
Pico Relance
Crémenes
Pico Cerroso
Carbonera
Ciñera
Vegacervera
Villafeide
Valdepiélago
Boñar
Adrados
Voznuevo
Valdoré
Ocejo de la Peña
Prioro
Besande
Otero de Guardo
Paradilla Gordón
Matallana de Torío
Estación de Matallana
Aviados
La Mata de la Riba
Grandoso
Felechas
Verdiago
Alto de las Portillas
E. de Compuerto
Vega de G.
La Pola de Gordón
Los Barrios de Gordón
Huergas de G.
Orzonaga
Llombera
La Valcueva-Palazuelo
La Vecilla de C.
S. Adrián
Sotillos
Sabero
La Mata de Monteagudo
Morgovejo
Valcovero
Peredilla
Robles de la V.
Palazuelo
Vegaquemada
Oceja de V.
Olleros de S.
Sta Olaja de la Varga
Renedo de Valdetuéjar
Valderrueda
Velilla del S.
Río Carrión
Sorribos de Alba
Carrocera
Olleros de Alba
Candanedo de F.
Rabanal de F.
Pardavé
La Cándana de Curueño
La Ercina
Barrillos de las Arrimadas
Yugueros
Cistierna
Sorriba
Valmartino
Taranilla
Cegoñal
La Espina
Guardo
Las Heras de la P.
La Robla
Pedrún de Torío
Pardesivil
Alto del Rabizo
Cascantes
Matueca de Torío
La Mata de Curueño
Lugán
Fresnedo de V.
Palacio de Valdellorma
Prado de la Guzpeña
Puente Almuhey
Villanueva de Arriba
Cornón de la P.
La Seca
Manzaneda de T.
Sta Colomba de Curueño
Valporquero de Rueda
Modino
Vidanes
Valle de las Casas
Carrizal
Mantinos
Valsemana
Garrafe de Torío
Ruiforco de Torío
Ambasaguas de C.
Río Porma
San Bartolomé de Rueda
Pesquera
Sta Olaja de la A.
Villamorisca
S. Pedro de Consoles
Fontecha
Cuadros
Palacio de Torío
Barrillos
Barrio de Na Sa
Cerezales del C.
LEÓN
Santibáñez de R.
Cebanico
Vega de Almanza
Villalba de Guardo
Santibáñez
Riosequino de T.
Palazuelo de T.
Villapadierna
Mondreganes
San Feliz de T.
Villaverde de Abajo
Sta María del Mte del C.
Vegas
Vegas del Condado
Carbajal de R.
Quintanilla de Rueda
Garfín
Fresno del Río
Villanueva del Árbol
Santovenia del Monte
Villamayor del C.
Villacidayo
Cubillas de Rueda
Canalejas
Sariegos
Villaquilambre
Villafeliz de la Sobarriba
Represa
San Cipriano del C.
Valdealcón
Almanza
Pino del Río
Villabalter
Villamoros
Villavente
Valdealiso
Gradefes
Llamas de R.
San Andrés del Rabanedo
Villacil
Valduvieco
Nava de los C.
Sahechores
Castromudarra
Acera de la Vega
Ferral del B.
Trobajo
Navafría
Castrillo de P.
Cifuentes
Herreros de R.
Villaverde de Arcayos
Montejos del C.
La Virgen del C.
Valdefresno
Santibáñez de P.
Celadilla del Río
Valverde de la Virgen
Paradilla
Mellanzos
Quintana de Rueda
Villaverde la Chiquita
Villamartín de Don Sancho
Valdavida
Renedo de V.
Miguel del C.
Valdelafuente
Villimer
Villarmún
Monasterio
Valdepolo
Quintana del Monte
Poza de la Vega
ROBLEDO DE LA VALDONCINA
Raneros
Castrillo de la R.
Villafañe
San Miguel de la Escalada
La Aldea del Puente
Villaselán
Velilla de V.
San Andrés de la Regla
Valcabadillo
Santovenia de la Valdoncina
Torneros
Villarente
Villasabariego
Villalquite
Saelices del Payuelo
Mozos de Cea
Sta Olaja de la V.
Villaturiel
Villiguer
Villamizar
Villazanzo de Valderaduey
Villota del Páramo
Antimio
Onzonilla
Alija
Mansilla Mayor
Villomar
Sta María del Río
Villaluenga de la Vega
Chozas de Abajo
Villaverde de Sandoval
Villafalé
Saelices del Río
Santervás de la Vega
Cembranos
Villarroañe
Mansilla de las Mulas
Sta María del Monte de Cea
Villavelasco de V.
Villadiego de Cea
Ardoncino
Villacelama
Villacintor
Mazarife
Mozóndiga
Banuncias
Vega de Infanzones
Villanueva de las Manzanas
Campolar
Reliegos
Villamuñio
Banecidas
Bustillo de Cea
San Pedro de Valderaduey
Villarrobejo
Pedrosa de la V.
Fontecha
San Cibrián de A.
VILLADIDEL
Villarrodrigo
Valdearcos
Villamarco
Castellanos
Cea
Bustillo de la Vega
Valdevimbre
Ardón
Campo de Villavidel
Riego del Monte
Malillos
El Burgo Ranero
Calzadilla de los Hermanillos
Villamol
Celada de Cea
Villambrán de Cea
La Mata del P.
San Pedro Bercianos
Villagallegos
Benazolve
Cabreros del Río
Santas Martas
Grajalejo de las Matas
CASTILLO EL BURGO
Villapecenil
Joara
Villambroz
Villarrabé
Corbillos de los Oteros
S. Román
Graneras
Codornillos
Villalebrín
Lagartos
Bercianos del P.
Villavañe
Cubillas de los Oteros
Villamoratiel de las Matas
Calzada del Coto
LA VEGUILLA
Terradillos de los Templarios
S. Llorente del Páramo
Benamariel
Gusendos de los O.
Bercianos del Real Camino
Sta María del Páramo
Velilla de los O.
Matallana de V.
Sahagún
Villacalbiel
Villacé
Fontanil de los O.
Castrotierra
Vallecillo
Moratinos
Ledigos
Bustillo de Páramo de Ca.
Laguna Dalga
Fresno de la Vega
Pajares de los O.
Fuentes de los O.
Sta Cristina de Valmadrigal
la Peregrina
Villeza
Gordaliza del Pino
Población de Arroyo
Calzadilla de la C.
Soguillo
Pobladura de Pelayo García
Villamañán
Cabañas
Matadeón de los Oteros
Castrovega de V.
San Miguel de Montañán
Grajal de Campos
Arroyo
Quintanilla de la C.
Quintanilla de los O.
Valencia de Don Juan
Galleguillos de C.
Escobar de Campos
Villelga
San Millán de los Caballeros
Valverde-Enrique
Joarilla de las Matas
Villalcón
Villa Romana la Tejada
Cervatos de la Cueza
Zotes del P.
Villademor de la Vega
Alcuetas
Valdespino Cerón
Villacreces
Pozuelos del Rey
Pozo de Urama
Melgar de Arriba
Río
Villaestrigo
Laguna de Negrillos
Toral de los Guzmanes
Villabraz
Zalamillas
Albires
Melgar de Abajo
S. Román de la Cuba
Villanueva del Rebollar
Villada
Zorita de la Loma
Abastas
Matanza
Valdemorilla
Castrofuerte
Algadefe
Castilfalé
Monasterio de Vega
Santervás de Campos
Villacidaler
Cisneros
Añoza
Villarrabines
Izagre
Saelices de Mayorga
Cabañeros
Villaornate y Castro
Valdemora
Villalba de la Loma
Vega de Ruiponce
Villacarralón
Villalumbroso (Valle Ret.)
La Antigua
Grajal
Villamandos
Fuentes de Carbajal
Audanzas
Saludes de C.
Villaquejida
Campazas
Mayorga
Cabezón de Valderaduey
Fontihoyuelo
Boadilla de Rioseco
Mazuecos de Valdeginate
San Adrián del Valle
Gordoncillo
Villagómez la Nueva
Villanueva de la Condesa
Guaza de Campos
Pobladura del Valle
Matilla de Arzón
Villafer
Castrobol
Castroponce
Bustillo de Chaves
Frechilla
Cimanes de la Vega
Urones de Castroponce
Gordaliza de la Loma
Herrín de C.
Barriones de la V.
TORRE DEL VALLE
La Torre del Valle
La Unión
Villacid de Campos
Villalón de Campos
Autillo de Campos
Sta Colomba de las Carabias
Valderas
Becilla de Valderaduey
Román
Castº
Cuenca de Campos
Ermita de San Bernardino
Villafrades de Campos
Fuentes de
San Cristóbal de Entreviñas
San Miguel del Valle
Villavicencio de los Caballeros
Abarca
Valdunquillo
Gatón de Campos
Villarramiel
Cristina
Valdescorriel
Roales
Villalán
Ceinos
Mazariego
LEÓN

España & Portugal
17
7
16
17
18
31
Aguilar de Campóo
Cervera de Pisuerga
Barruelo de Santullán
Herrera de Pisuerga
Osorno la Mayor
Carrión de los Condes
Frómista
Villadiego
Castrojeriz
Melgar de Fernamental
Alar del Rey
Reinosa
Sotresgudo
Sasamón
Astudillo
Paredes de Nava
Becerril de Campos
Palenzuela
Torquemada
Quintana del Puente
Cordovilla la Real
Villalbilla
Buniel
Estépar
Pampliega
Villodrigo
Villaherreros
Fuentes Carrionas
Curavacas
Pico de Tres Mar
Peña Labra
Reserva Nacional
Embalse de Aguilar de Campóo
Embalse del Ebro
Puerto Pozazal
Alto de Pradoviejo
Portillo del Fresno
Pto de Piedrasluengas
Pto de Carrales
Camporredondo
Brezo
Amaya
Los Chapiteles
Río Pisuerga
Río Odra
Río Brullés
R. Arlanzón
Río Arlanza
R. Cogollos
Canal de Castilla
Río Boedo
Río Valdavia
R. Ucieza
Río Carrión
Ebro
Río Rudrón
R. Urbel
Campos
A 67
A 231
A 62
A 73
N 627
N 623
N 120
N 622
N 611
CL 615
CL 613
CL 626
BU 627
P 227
P 225
E 80
L.A.V.

C A N T Á B R I C A
0 4 8 12 km
Redondo
Hornillatorre
Bercedo
Cadagua
Villasante
Vallejo de M.
El Vigo
Sta María de Siones
Sta Olaja
Añes
Menoyo
Respaldiza
Amurrio
Berganza
Baranbio
Salmantón
Lastras de las Eras
Bárcena del Ribero
Castrobarto
Villabasil
Cecima-Angulo
Lezama
Ziorraga
Villalacre
Villaventín
Lastras de la Torre
Salvada
Urduña/Orduña
Cidad de Valdeporres
Santelices
Hornillayuso
Gayangos
Cubillos de Losa
Oteo
Robredo de L.
Quincoces de Yuso
Llorengoz
Inoso
Virtus
San Martín de las O.
Ahedo de Linares
Torme
Quintanilla de Pienza
Artómaña
Cilleruelo de B.
Soncillo
Villabascones de B.
Puentedey
Brizuela
Salazar
Céspedes
La Cerca
Villamor
Momediano
Teza de L.
Villacián
Tertanga
Unzá
Goiuri
Delika (Urkabustaiz)
Bezana
Cubillos del Rojo
Cigüenza
Bocos
Gobantes
Perex
Río de Losa
Puerto de Orduña
Villalba de Losa
Izarra
Villarcayo
Rosales
Vilalambrús
Mambliga
Abezia
Hoz de Arreba
San Martín del Rojo
Medina de Pomar
Bóveda de la Ribera
San Pantaleón de Losa
Berberana
Andagoya
Luquiano
Bricia
Horna
Villarias
Criales
Quintanilla la Ojada
Valluerca
Campino
Manzanedo
Villalaín
Moneo
Hierro
Bóveda
Basabe
Mioma
Osma
Sendadiano
Cidad de Ebro
Incinillas
Bisjueces
Paralacuesta
Almendres
Lalastra
S. Millán de San Z.
Caranca
Fresneda
Arriano
Jócano
Espinosa de B.
(Valle de Zamanzas)
Barruelo
Baíllo
Cebolleros
Pedrosa de Tobalina
Valdegovía
Guinea
Artaza
Gallejones
Tubilleja
Valdenoceda
Sierra de la Testa
Nofuentes
Extramiana
San Zadornil
Nª Sª de Angosto
Apricano
Orbaneja del Castillo
Quecedo
Urría
Arroyuelo
Villafría de San Z.
Quejo
Villanañe
Atiaga
Ormijana
San Martín de Elines
Ahedo del Butrón
Pto de la Mazorra
Población de Valdivielso
Cadiñanos
Nograro
Tuesta
Basquiñuelas
Subijana-Morillas
Escalada
Pesquera de E.
Toba de V.
Hoz de Valdevielso
Santotis
Ranedo
Barrio
Espejo
Pobes
Condado
Panizares
Trespaderne
Lomana
Quintana-Martín Galíndez
Batxikabo
Añana
Hereña
Valdelateja
Villaescusa del Butrón
Pesadas de Burgos
Huéspeda
Cereceda
Cillaperlata
Quintana María
Frías
S. Martín de Don
Bergüenda
Villambrosa
San Felices
Nocedo
Rucandio
Sª de la Llana
Barcina del B.
Sobrón
Caicedo Yuso
Turiso
Ayoluengo
Quintanaopio
Villanueva de los Montes
Montejo de Cebas
Sierra de Sobrón
Villanueva Soportilla
Fontecha
Guinicio
Molinilla
Salcedo
Gredilla de S.
Hozabejas
Terminón
Oña
Valderrama
Ranera
Bozoo
Ribabellosa
Sedano
Moradillo de S.
Villalta
Aguas Cándidas
La Aldea del Portillo de Busto
Cubilla
Sta Gadea del Cid
Tubilla de Agua
Padrones de B.
Pino de B.
La Molina del Portillo de B.
Ayuelas
Quintanaloma
Salas de Bureba
La Parte de B.
Navas de B.
Cascajares de B.
Altotero
Poza de la Sal
Cornudilla
Quintanaélez
Montes de Pancorbo
Mº al Pastor
Miranda de Ebro
Cruz del Tozo
Cernégula
Solduengo
Busto de Bureba
Miraveche
Sta María Ribarredonda
Silanes
Encío
Ameyugo
Portillo del Fresno
Castil de Lences
Hermosilla
Los Barrios de B.
Cubo de B.
Pancorbo
Bugedo
Ircio
Urbel del Castillo
Masa
Abajas
Lences
Las Vesgas
La Vid de B.
Calzada de B.
Desfiladero de Obarenes
Cellorigo
Galbárruli
Villalba de Rioja
Puerto del Páramo de Masa
Bárcena de B.
Llano de Bureba
Terrazos
Vileña
Berzosa de B.
Zuñeda
Altable
Foncea
Castilseco
La Nuez de Arriba
Lermilla
Arconada
Piérnigas
Aguilar de B.
Quintanillabón
Vallarta de B.
Villaseca
Sajazarra
El Perul
Montorio
Hontomín
Carcedo de Bureba
Rojas
Quintanabureba
Anguciana
Quintanilla-Pedro Abarca
Quintanilla Sobresierra
Valluercanes
Fonzaleche
Castrillo de Rucios
Quintanarruz
Santuario de Sta Casilda
Briviesca
Cameno
Quintanilla San García
Treviana
Cuzcurrita de Río Tirón
Tirgo
Ruyales del Páramo
Mata
Rublacedo de Abajo
Salinillas de B.
S. Millán de Yécora
Casalarreina
Huérmeces
Villalbilla S.
Utero
Galbarros
Zarratón
La Molina de Ubierna
Tobes y Rahedo
Caborredondo
Reinoso
Prádanos de B.
Cerezo de Riotirón
Leiva
Baños de Rioja
Las Celadas
Ubierna
Peñahorada
Quintanavides
Quintanaloranco
Villalobar de Rioja
Castañares de Rioja
Santibáñez-Zarzaguda
Sta Olalla de B.
Bañuelos de B.
Loranquillo
Castil de Peones
Herramélluri
Tormantos
S. Torcuato
del Páramo
Celladilla-Sotobrín
Villaverde-P.
Temiño
Monasterio de Rodilla
Carrias
Redecilla del Campo
Bañares
La Nuez de Abajo
Mansilla de B.
Quintanaortuño
Robredo-T.
Alcocero de Mola
Fresno de Riotirón
Castil de C.
Ibrillos
Hervías
Rioseras
Puerto de la Brújula
Sta María del Invierno
Castildelgado
Grañón
Lodoso
Sotopalacios
Riocerezo
Villanasur
Villalómez
Villamayor del Río
Corporales
Sto Domingo de la Calzada
Pedrosa de Río Urbel
Marmellar de Arriba
Vivar del Cid
Celada de la Torre
Fresno de Rodilla
Cerratón de Juarros
Tosantos
Viloria de Rioja
Villarta-Quintana
Cirueña
Sotragero
Quintanilla-V.
Quintanapalla
Belorado
Fresneña
Santurde de Rioja
Gallinero de R.
Marmellar de Abajo
Hurones
Villaescusa la Sombría
Villafranca-Montes de Oca
Espinosa del Camino
San Miguel de Pedroso
San Cristóbal del Monte
Manzanares de R.
BURGOS
Quintanadueñas
Barrios de Colina
Puras de V.
Monte Sordo
Villatoro
Rubena
Atapuerca
S. Juan de Ortega
Nª Sª de Oca
Espinosa del Monte
Santurdejo
Villarejo
Villalonquéjar
Gamonal
Villafría
Villalval
Santovenia de Oca
Ojacastro
Tardajos
Villalbilla
Orbaneja-R.
Puerto de la Pedraja
San Millán de la Cogolla
San Mamés
Castañares
Ibeas de J.
Zalduendo
Galarde
Villamudria
Villagalijo
Eterna
Quintanilla
Las Huelgas
Miraflores
Cardeñajimeno
Arlanzón
Garganchón
San Vicente del Valle
Zorraquín
Ezcaray
Monasterio de Suso
Buniel
Renuncio
Villasur de Herreros
Pto El Matorro
Alarcia
Rábanos
Pradoluengo
Fresnada de la Sierra Tirón
Valgañón
Pazuengos
S. Millán de J.
Castrillo del Val
Valmala
Sta Cruz del Valle Urbión
Coto Nacional
El Río
Villagonzalo-Pedernales
Cardeñadijo
San Pedro de Cardeña
Salgüero de Juarros
Chillizarrias
Cavia
Carcedo de Burgos
Brieva de J.
Urrez
Reserva
Urdanta
Estépar
Albillos
Cueva de J.
San Adrián de Juarros
Trigaza
Azarrulla
Valdezcaray
Villavieja de M.
Cayuela
Arcos
Villariezo
Modúbar de la E.
La Cerca
Sierra de San Antonio
Posadas
Mazuelo de M.
Sarracín
Cojóbar
Sta Cruz de J.
Sierra de San Lorenzo
Revillaruz
Modúbar de S. Cibrián
Matalindo
San Millán
Pancrudo
Pedrosa de M.
San Juan (Los Ausines)
E. del Arlanzón
Ezcaray
Salineros
Revilla del Campo
Palazuelos de la Sierra
Pineda de la Sierra
SIERRA DE LA DEMANDA
Cogollos
Villamiel de la S.
Alto Navazo
Casa de la Sierra
Villafuertes
Villangómez
Mazueco
Casarejo
Mencilla
Puerto Manquillo
Revenga
Valdorros
Hontoria de la Cantera
Cubillo del Campo
Tinieblas de la S.
Nacional
Villaverde del Monte
Montuenga
Tornadijo
Torrelara
Villoruebo
Tañabuyes
Riocavado de la S.
Monterrubio de la Demanda
Mansilla de la S.
Madrigalejo del M.
Madrigal del M.
Paules de Lara
San Millán de Lara
Barbadillo de Herreros
Canales de la S.
Embalse de Mansilla
Nª Sª de las Viñas
Torre
Cuevas de S. Clemente
Quintanilla de las Viñas
Campolara
Jaramillo de la Fuente
Barbadillo del Pez
Vallejimeno
Villavelayo
Zael
Mazariegos
Lara
Vizcaínos
Huerta de Arriba
Villamayor de los Montes
Mecerreyes
Las Mamblas
Villaespasa
Río Urría
Huerta de Abajo
Torrecilla del M.
Muela
Mambrillas de Lara
Jaramillo Quemado
Sierra de Neila
Terreros
Mata Lagarto
Hortigüela
Cascajares de la S.
Arroyo de Salas
Tolbaños de Arriba
Haedillo
Neila
Cabeza Herrera
Tordómar
Sta Cecilia
Covarrubias
Pinilla de los Moros
Laguna Negra
Villalmanzo
San Francisco

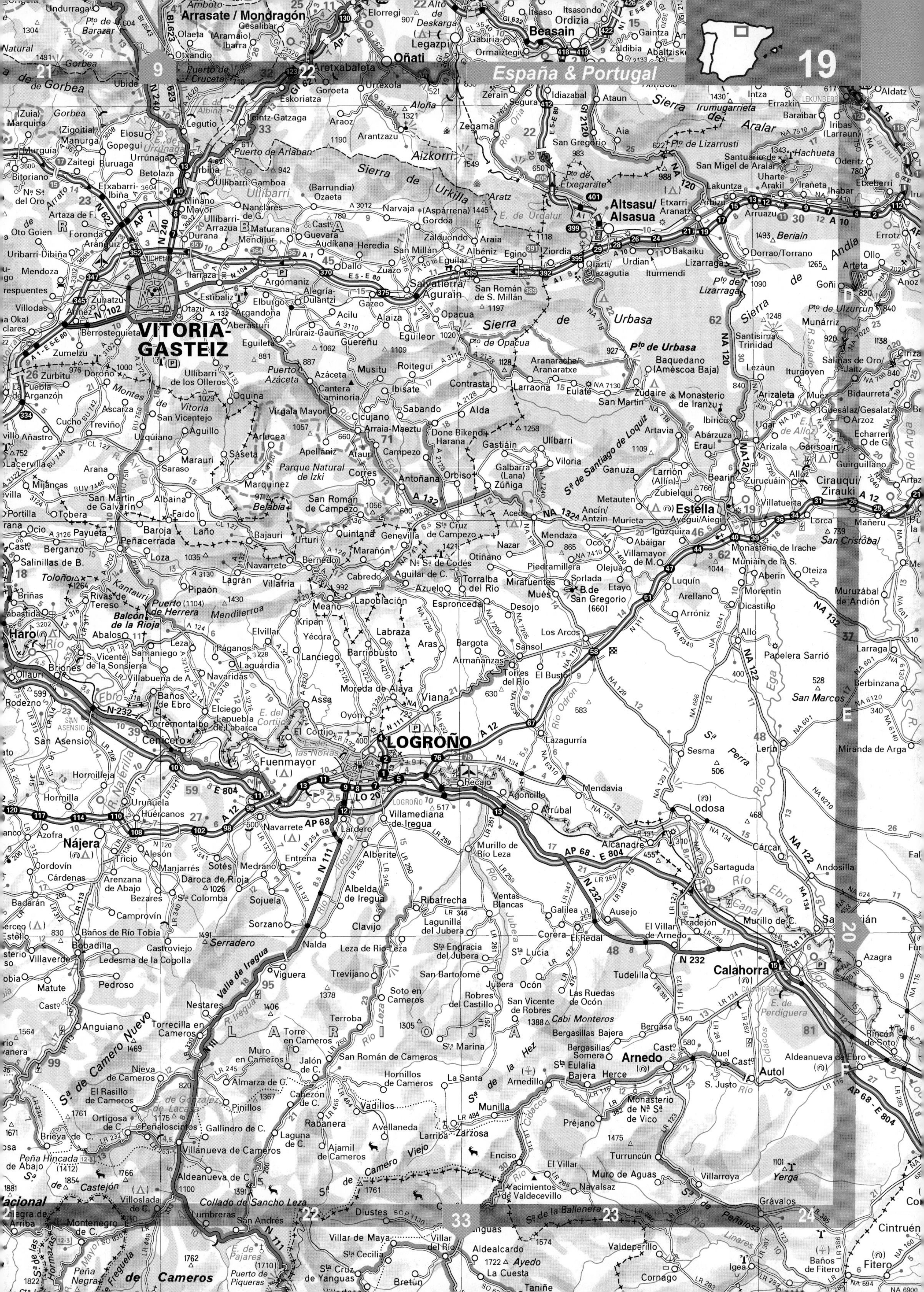

España & Portugal
19
Arrasate / Mondragón
Oñati
Legazpi
Beasain
Ordizia
Aretxabaleta
Eskoriatza
Sierra de Aralar
Sierra de Urkilla
Aizkorri
Puerto de Arlaban
Altsasu/ Alsasua
Salvatierra/ Agurain
VITORIA-GASTEIZ
Sierra de Urbasa
Pto de Urbasa
Pto de Opacua
Sierra de Andía
Montes de Vitoria
Parque Natural de Izki
Sª de Santiago de Loquiz
Estella
Monasterio de Irache
Monasterio de Iranzu
San Cristóbal
Haro
Briones
Labastida
Balcón de la Rioja
Puerto (1104) de Herrera
Laguardia
Elciego
Cenicero
Fuenmayor
Viana
LOGROÑO
Navarrete
Nájera
Los Arcos
Torres del Río
Lodosa
Mendavia
Sesma
Lerín
Andosilla
Calahorra
Arnedo
Autol
Alfaro
Sª de Camero Nuevo
Valle de Iregua
L A R I O J A
Sª de la Hez
Sª de Peñalosa
Camero Viejo
Collado de Sancho Leza
Villoslada de C.
Torrecilla en Cameros
Anguiano
Sª de Cameros
Puerto de Piqueras
Cervera del Río Alhama
Yerga
Fitero
Igea
Cornago
Sierra de Cantabria

20
0 4 8 12 km
PAMPLONA
Huarte
Villava
Egüés
Echálaz
Mendióroz
Olaberri
Aranguren
Mutilva
Tajonar
Labiano
Noáin
Cizur Menor
Zizur Mayor
Salinas de Pamplona
Beriain
Zulueta
Elorz
Torres
Subiza
Uterga
Legarda
Muruzábal
Obanos
Adiós
Biurrun
Campanas
Tiebas
Úcar
Muruarte de Reta
Unzué
Echagüe
Bariáin
Olóriz/Oloritz
Solchaga
Artariáin
Barásoain
Garínoain
Orísoain
San Pelayo
Amátriain
Olleta
Sansomáin
Pueyo
Busquil
Lerga
Eslava
Ayesa
Alto Lerga
Chucho Alto
Sansoáin
San Martín de Unx
Tafalla
Artajona
Larraga
Berbinzana
Mendigorría
Puente la Reina
Sta María de Eunate
Enériz/Eneritz
Tirapu
Olcoz
Pto del Carrascal
Mañeru
Cirauqui/Zirauki
San Cristóbal
Oteiza
Muruzábal de Andión
Papelera Sarrió
San Marcos
Miranda de Arga
Lerín
Olite/Erriberri
Beire
Pitillas
Laguna de Pitillas
Murillo el Cuende
Murillo el Fruto
Estación de Caparroso
Torre
Santacara
Monasterio de la Oliva
Carcastillo
Figarol
Traibuenas
Mélida
Caparroso
Rada
Falces
Andosilla
Peralta/Azkoien
San Adrián
Funes
Marcilla
Olivos
Azagra
Villafranca
Milagro
Rincón de Soto
Aldeanueva de Ebro
Autol
Alfaro
Cadreita
Valtierra
Nª Sª del Yugo
Arguedas
Castejón
Bárdenas
Reales
Las
Embalse de El Ferial
Alto de Masadas
Castº de Doña Blanca de Navarra
Tres Mugas
Corella
Cintruénigo
Fitero
Baños de Fitero
E. de la Nava
Rincón de Olivedo
Puerto Los Degollados
Cervera Río Alhama
Cabretón
Valverde
Murchante
Cascante
Tudela
Fontellas
Cabanillas
Fustiñana
El Bocal
Ribaforada
Buñuel
Tulebras
Ablitas
Barillas
Monteagudo
Novallas
Malón
Vierlas
Tórtoles
Tarazona
Cunchillos
Cortes
Mallén
Novillas
Tauste
Muga
Yerga
Grávalos
Valdegutur
Aguilar del Río Alhama
Gutur
San Felices
Dévanos
Torrellas
El Buste
Ujué
Vigas
San Isidro del Pinar
Gallipienzo Nuevo
Gallipienzo/Galipentzu
Cáseda
Sª de San Pedro
Torre de Peña
Sada
Moriones (Ezprogui)
Leache
Aibar
Rocaforte
Puerto Olaz
Izco
Pto Loiti
Abínzano
Salinas de Ibargoiti
Idocín
Monreal
Otano
Higa
Izaga
Ardanaz (Izagaondoa)
Artaiz
Najurieta
Unciti
Lizarraga
Urroz-Villa
Lizoain-Arriasgoiti
Uroz
Beortegui
Villaveta
Aoiz
Ekai de L. (Longuida)
Meoz
Aós
Artajo
Induráin
San Vicente
Rípodas
Tabar
Lumbier
Hoz de Lumbier
Liédena
Arangoiti
Yesa
Monasterio de Leyre
Tiermas
Sigüés
Escó
Javier
Sangüesa
Undués de Lerda
Artieda
Undués-Pintano
Navardún
Urriés
Pintano
Isuerre
Sos del Rey Católico
Lobera de Onsella
Petilla de Aragón
Mamillas
Sofuentes
Puerto de Sos
Barués
Novellaco
Castiliscar
Uncastillo
Luesia
Layana
Mausoleo
Sádaba
Biota
Malpica de Arba
Asín
Farasdués
Embalse de San Bartolomé
Pinsoro
El Bayo
Bárdena
Rivas
Sta Anastasia
Valareña
Ejea de los Caballeros
El Sabinar
Embalse de Laverné
Portillo de Sta Margarita
Loma Negra
Sancho Abarca
Monte de Sora
Pogallinero
Francho
Pola
Ochagavía
Izalzu
Jaurrieta
Ezcároz
Oronz
Esparza de Salazar
Remendía
Sarriés
Igal
Vidángoz
Güesa
Gallués
Izal
Uscarrés
Ustés
Adoáin
Olagato
Ongoz
Ayechu
Elcóaz
Embalse de Itoiz
Epároz
Zabalza
Irurozqui
Sansoáin
Artieda
Murillo Berroya
Napal
Aspurz
Pto Las Coronas
Navascués
Burgui
Bigüézal
Castillo-Nuevo
Alto de Iso
Hoz de Arbayún
Domeño
Usún
Abaurrea Baja
Abaurrea Alta
Oroz-Betelu/Orotz-Betelu
Azparren
Úriz (Arce)
Espoz
Ardaitz
Errea
Aintzioa
Lacabe
Urdániz (Esteribar)
Zandio (Oláibar)
Olave
Oláiz
Marcaláin (Ezcabarte)
Cildoz
Ilurdotz
Oricáin
Usi
Ostiz
Larumbe
Osinaga
Sarasa
Erice
Goñi
Olza
Asiáin
Arazuri
Orcoyen
Orórbia
Etxauri
Paternáin
Zabalza/Zabaltza
Astraín
Belascoáin
Pto del Perdón
Perdón
Echarren de G.
Guirguillano
Arzoz
Bidaurreta
Salinas de Oro/Jaitz
Ciriza
Muez
Munárriz
Pto de Ulzurrun
Itúrgoyen
Arizaleta
Arizala
Garisoáin
Alloz
Villatuerta
Mendigorría
Ebro
Río Arga
Río Aragón
Río Cidacos
Canal de las Bárdenas
Acequia de Navarra
Río Riguel
Río Arba de Luesia
Cinco Villas
Canal Imperial
Río Queiles
Lodosa

Uztárroz
Maz
Zuriza
Pic de Laraille
Pic de Burcq
Urdos
Gabas
Lac de Bious-Artigues
Pic du Midi d'Ossau
Lac d'Artouste
Parc National
Balaïtous
Isaba
La Mina
Pic d'Arlet
Reserva Nacional de los Valles
Force
Visaurin
Urzainqui
Roncal
Garde
Valle de Ansó
Sa del Vedao
Valle de Hecho
Sa de San Miguel
Ansó
Siresa
Sa de Maito
Sa de Aisa
Hecho
Fago
Urdués
Aragüés del Puerto
Jasa
Aisa
Majones
Villarreal de la Canal
Sinués
Esposa
Foz de Biniés
Biniés
Embún
Asso Veral
Berdún
Sta Engracia
Javierregay
Somanés
Mianos
Silo
Martés
Arrés
Puente la Reina de Jaca
Bagüés
Alastuey
Larués
Bailo
Alto de Sta Barbara
Sierra de la Peña
Longás
Sto Domingo
Villalangua
Salinas de Jaca
Agüero
Fuencalderas
Puerto Sierra Mayor
Murillo de Gállego
El Frago
Concilio
Sta Eulalia de Gállego
Ayerbe
Biscarrués
Castillo de Villaverde
Sierra de Luna
Valdelosica
Lacorvilla
Ardisa
Embalse de Ardisa
Ermita de San Gil
Luna
Valpalmas
Santuario de Na Sa de Monlora
Casas de Esper
Puendeluna
Erla
Piedratajada
Paules
Marracos
Sierra de Luna
Las Pedrosas
Gurrea de Gállego
Castejón de Valdejasa
Lomaza
La Paúl
El Temple
Ontinar del Salz
Esteban
Puilatos
Zuera
Vedao
Robres
Valle de Astún
Pto de Somport
Candanchú
Coto Nacional del Anayet
Túnel de Somport
Canfranc-Estación
Canfranc
Collarada
Eta de S. Adrián de Sasabe
Borau
Villanúa
Castiello de Jaca
Las Tiesas
Araguás del Solano
Novés
Banaguás
Ascara
Abay
Guasa
Jaca
Navasa
Atarés
Binacua
Sta Cilia de Jaca
Sta Cruz de la Serós
Pto de Oroel
Oroel
Monasterio de San Juan de la Peña
Botaya
Bernués
Ena
Centenero
Las Peñas de Riglos
Sta María
Triste
Yeste
Anzánigo
Rasal
Caldearenas
Aquilué
Serué
Río Gállego
Los Mallos
Riglos
Sa de Loarre
Castillo de Loarre
Linas de Marcuello
Loarre
Sarsamarcuello
Caballera
Bentué de Rasal
Aniés
Autovía en obras
Arguis
Peña Gratal
La Sotonera
Bolea
Loscorrales
Quinzano
Puibolea
Plasencia del Monte
Esquedas
Castillo de la Mezquita
Lupiñén (Lupiñén-Ortilla)
Ortilla
Montmesa
Embalse de la Sotonera
Tormos
Alcalá de Gurrea
Canal de Monegros
Almudévar
Valsalada
Artasona
San Jorge
Estación de Almudévar
Tardienta
Torralba de Aragón
Corona de la Reina
Senés de Alcubierre
Frula
Valfonda de Sta Ana
Torres de B.
Portalet
Pto del Portalet
E. de Respomuso
El Formigal
Sallent de Gállego
E. de Lanuza
Garganta del Escalar
Balneario de Panticosa
Escarrilla
Sandiniés
Tramacastilla de Tena
Piedrafita
Búbal
Panticosa
El Pueyo
Hoz de Jaca
Reserva Nacional
Sierra de Tendeñera
Sta Elena
Monasterio de Sta Elena
de Viñamala
Biescas
Gr. de Fache
Picos del Infierno
Vignemale
Pico de Baldairan
Bujaruelo
Port de Boucharo
Gavarnie
Cirque de Gavarnie
Marboré
Taillón
Monte Perdido
Parque Nacional de Ordesa y Monte Perdido
Valle de Ordesa
Torla
Linás de Broto
Broto
Fragén
Pto de Cotefablo
Oto
Sarvisé
Buesa
Fanlo
Nerín
Pueyo
Manchoya
Gavín
Yésero
Orós
Oliván
Aso de Sobremonte
Betés
la Garcipollera
Villanovilla
Acumuer
Isín
Albarín
Baraguás
Espuéndolas
Borrés
Larrés
Senegüé
Lárrede
Javierre del Obispo
Oturia
Basáran
Cartirana
Jarlata
Sasal
Sabiñánigo
Sardas
S. Román de B.
Yebra de Basa
Fiscal
Abena
Ara
E. de Jabarrella
Orna de Gállego
Arto
Hostal de Ipiés
Ipiés
Latrás
Jabarrella
Lasieso
Castillo de Leres
Lanave
Javierrelatre
Latre
E. de Javierrelatre
Estallo
Belarra
Pto de Monrepós
Gésera
Lasaosa
Abellada
Cerésola
Abenilla
Guilué
Espín
Orús
Villobas
Laguarta
Puerto del Sarrablo
Las Bellostas
Santuario de S. Urbez
Nocito
E. de Sta María de Belsué
Belsué
Gabardiella
E. de Arguis
Sierra de Guara
Guara
Rodellar
Eta de la Virgen de Fabana
E. de Vadiello
Salto de Roldán
Sta Eulalia de la Peña
Nueno
Lierta
Arascués
Sabayés
S. Julián de Banco
Apiés
Igriés
Banastás
Chimillas
Alerre
Huerrios
Banariés
Cuarte
Yéqueda
E. de Montearagón
Barluenga
Sasa del Abadiado
Loporzano
Ayera
Quicena
Monasterio de Mte Aragón
Tierz
HUESCA
Bellestar
Pompenillo
Monflorite
Ola
Sta Eulalia la Mayor
Coscullano
Castilsabás
Sipán
Arbaniés
Bandaliés
Castejón de A.
Siétamo
Liesa
Velillas
Aguas
Sieso de H.
Ibieca
S. Miguel de Foces
Panzano
Labata
Casbas de Huesca
Bierge
Yaso
Morrano
Bastaras
Sta Cilia
Las Almunias
Junzano
Abiego
Angüés
Alberuela de la Liena
Adahuesca
Huerta de Vero
Sta María de Dulcis
Azlor
Pozán de Vero
Lascellas
Ponzano
Peraltilla
Torres de Montes
Fañanás
Pueyo de F.
Blecua
Bespén
Alcalá del Obispo
Albero Alto
Argavieso
Lascasas
Tabernas de Isuela
Buñales
Vicién
E. de Valdabra
Sangarrén
Albero Bajo
Novales
Piracés
Antillón
Barbuñales
Salillas
Laluenga
Pertusa
Laperdiguera
Callén
Sesa
Tramaced
Barbués
Almuniente
Torres de Alcanadre
Fraella
Usón
Marcén
Huerto
Peralta de Alcofea
Grañén
Alberuela de Tubo
Montesusín
Curbe
San Lorenzo
Venta de Ballerias
Poleñino
El Tormillo
Lastanosa
Lagunarrota
Berbegal
Monte Perdido
Gavarnie
Gèdre
Port d'Osso
Pic de Brazato
Puerto de Vero
Sierra del Galardón
Garganta
Liguërre de Ara
Javierre de Ara
Cancías
Asín de Broto
Buerba
Valle de Solana
Collado de Sa
Betorz
Sivil
Lecina
Cañón
Radiquero
Alquézar
Páules
Barranco de Mascún
Sierra de Guara
A 21
A 22
A 23 - E 7
A 132
A 125
N 240
N 260
N 330
E 7
D 934
27
28
35
29
22
D
E
F
G

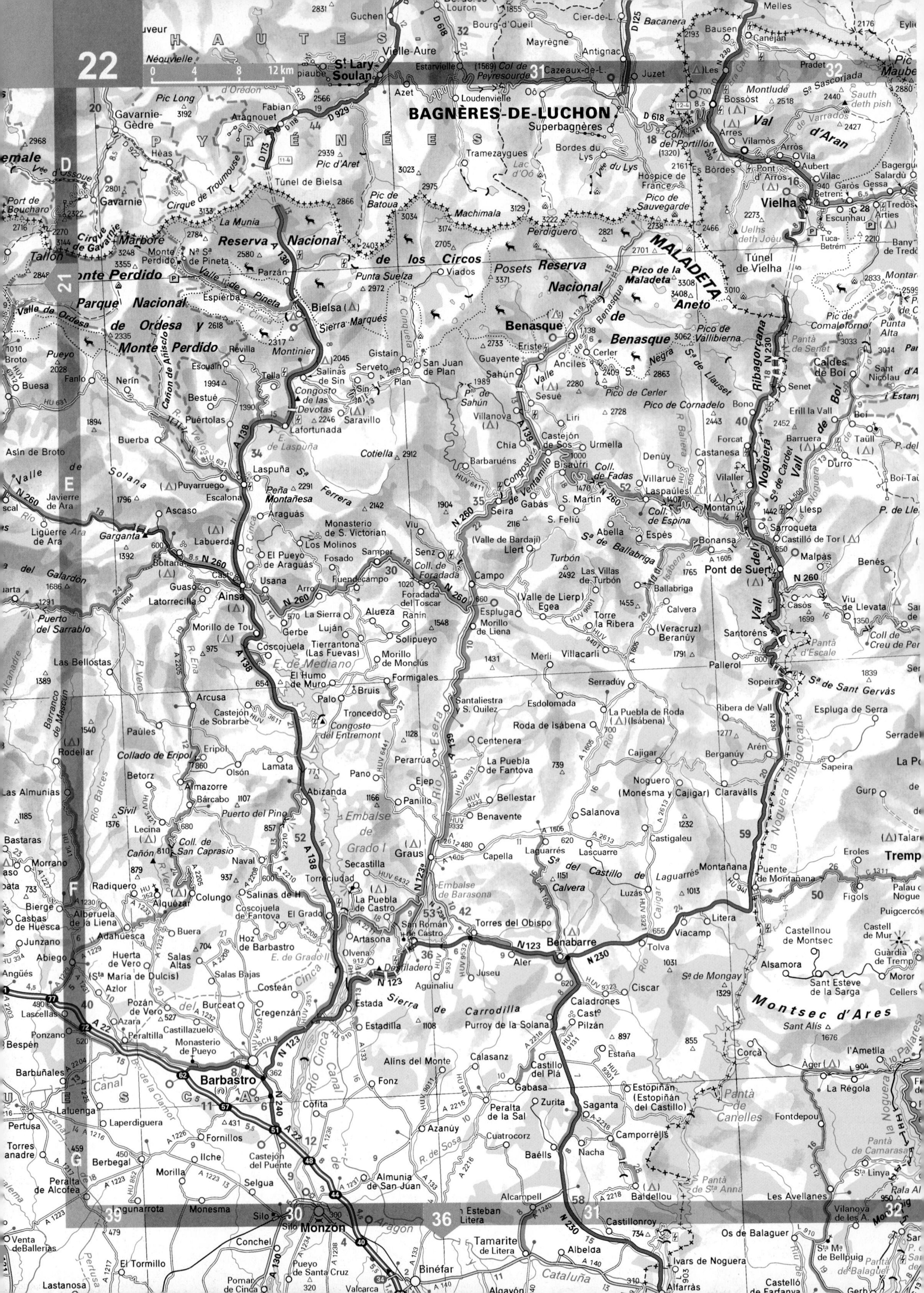
22
HAUTES-PYRÉNÉES
BAGNÈRES-DE-LUCHON
Superbagnères
St Lary Soulan
Vielle-Aure
Guchen
Bourg-d'Oueil
Mayrègne
Antignac
Cier-de-L.
Cazeaux-de-L.
Juzet
Col de Peyresourde
Loudenvielle
Bacanera
Bausen
Canejan
Melles
Les
Bossòst
Montlude
Sa Sascorjada
Pradet
Val d'Aran
Arres
Vilamòs
Arròs
Vila
Aubert
Vilac
Pont d'Arròs
Es Bòrdes
Coll. del Portillón
Hospice de France
Pico de Sauvegarde
Vielha
Betren
Escunhau
Garòs
Gessa
Salardú
Bagergue
Arties
Tredòs
Túnel de Vielha
Gavarnie-Gèdre
Gavarnie
Gavarnie
Pic Long
Fabian
Aragnouet
Néouvielle
Pic d'Aret
Túnel de Bielsa
Cirque de Troumouse
Cirque de Gavarnie
Marboré
Monte Perdido
Taillon
La Munia
Pic de Batoua
Machimala
Perdiguero
Reserva Nacional de los Circos
Posets
Reserva Nacional Maladeta
Pico de la Maladeta
Aneto
MALADETA
Pico de Vallibierna
Benasque
Cerler
Anciles
Eriste
Sahún
Guayente
Pico de Cerler
Pico de Cornadelo
Parque Nacional de Ordesa y Monte Perdido
Valle de Ordesa
Valle de Pineta
Nª Sª de Pineta
Parzán
Espierba
Bielsa
Sierra Marqués
Punta Suelza
Viados
Gistaín
San Juan de Plan
Plan
Serveto
Saravillo
Salinas de Sin
Sin
Congosto de las Devotas
Lafortunada
Tella
Revilla
Escuaín
Bestué
Puértolas
Nerín
Fanlo
Buesa
Broto
Pueyo
Cañon de Añisclo
Buerba
Asín de Broto
Valle de Solana
Puyarruego
Escalona
Laspuña
Sª Ferrera
Peña Montañesa
Cotiella
Araguás
Ascaso
Garganta
Ligüerre de Ara
Javierre de Ara
Labuerda
Boltaña
Monasterio de S. Victorian
Los Molinos
El Pueyo de Araguás
Fosado
Samper
Coll. de Foradada
Senz
Víu
Campo
Foradada del Toscar
Fuendecampo
Arro
Usana
Aínsa
Guaso
Latorrecilla
Puerto del Sarrablo
Morillo de Tou
Coscojuela
Tierrantona (Las Fuevas)
E. de Mediano
La Sierra
Alueza
Luján
Ranín
Gerbe
Solipueyo
Morillo de Monclús
El Humo de Muro
Formigales
Palo
Bruis
Troncedo
Congosto del Entremont
Arcusa
Castejón de Sobrarbe
Paúles
Eripol
Collado de Eripol
Olsón
Lamata
Betorz
Almazorre
Bárcabo
Puerto del Pino
Abizanda
Las Bellostas
Barranco de Mascún
Rodellar
Las Almunias
Sivil
Lecina
Bastaras
Coll. de San Caprasio
Cañón
Naval
Morrano
Radiquero
Alquézar
Colungo
Bierge
Alberuela de la Liena
Casbas de Huesca
Adahuesca
Junzano
Abiego
Angüés
Buera
Huerta de Vero
(Sta María de Dulcis)
Azlor
Salas Altas
Salas Bajas
Hoz de Barbastro
Pozán de Vero
Burceat
Costeán
Cregenzán
Lascellas
Ponzano
Azara
Peraltilla
Castillazuelo
Monasterio de Pueyo
Bespén
Barbuñales
Barbastro
Laluenga
Laperdiguera
Pertusa
Torres de Alcanadre
Fornillos
Berbegal
Ilche
Castejón del Puente
Morilla
Selgua
Peralta de Alcofea
Monzón
Monesma
Ilunarrota
Silo
Conchel
El Tormillo
Lastanosa
Venta de Ballerías
Pueyo de Santa Cruz
Pomar de Cinca
Valcarca
Binéfar
Tamarite de Litera
San Esteban de Litera
Albelda
Castillonroy
Alcampell
Baélls
Nacha
Camporrélls
Baldellou
Almunia de San Juan
Azanúy
Peralta de la Sal
Cuatrocorz
Calasanz
Gabasa
Castillo del Plá
Zurita
Saganta
Estopiñán (Estopiñán del Castillo)
Pantà de Canelles
Pantà de Sta Anna
Estaña
Pilzán
Castº
Caladrones
Ciscar
Purroy de la Solana
Sierra de Carrodilla
Fonz
Alíns del Monte
Cofita
Estadilla
Estada
Aguinalíu
Juseu
Aler
Benabarre
Tolva
Viacamp
Litera
Sª de Mongay
Torres del Obispo
San Román de Castro
Artasona
Olvena
Desfiladero
E. de Grado II
El Grado
La Puebla de Castro
Torreciudad
Secastilla
Graus
Embalse de Grado I
Embalse de Barasona
Salinas de H.
Coscojuela de Fantova
Pano
Perarrúa
Ejep
Panillo
La Puebla de Fantova
Centenera
Bellestar
Benavente
Capella
Laguarrés
Lascuarre
Sª del Castillo de Laguarrés
Calvera
Luzás
Montañana
Puente de Montañana
Salanova
Castigaleu
Noguero (Monesma y Cajigar)
Claravalls
Cajigar
Berganúy
Arén
Roda de Isábena
La Puebla de Roda (Isábena)
Esdolomada
Serradúy
Santaliestra y S. Quílez
Merli
Villacarli
Torre la Ribera
(Veracruz) Beranúy
Pallerol
Espluga
Morillo de Liena
Egea
(Valle de Lierp)
Las Villas de Turbón
Turbón
Llert
(Valle de Bardají)
Abella
Espés
Sª de Ballabriga
Ballabriga
Calvera
Bonansa
Pont de Suert
Malpàs
Benés
Viu de Llevata
Casòs
Coll de Creu de Perves
Pantà d'Escale
Santoréns
Sopeira
Sª de Sant Gervàs
Ribera de Vall
Espluga de Serra
Sapeira
Gurp
Tremp
Eroles
Figols
Castellnou de Montsec
Castell de Mur
Guàrdia de Tremp
Alsamora
Sant Esteve de la Sarga
Moror
Cellers
Montsec d'Ares
Sant Alís
Corçà
l'Ametlla
Àger
La Régola
Fontdepou
Pantà de Camarasa
Sta Linya
Les Avellanes
Vilanova de les A.
Os de Balaguer
Sta Mª de Bellpuig
Castelló de Farfanya
Ivars de Noguera
Alfarràs
Algayón
Cataluña
Seira
Gabás
S. Martín
S. Feliú
Bisaurri
Coll. de Fadas
Congosto de Ventamillo
Castejón de Sos
Urmella
Liri
Villanova
Chía
Barbaruéns
Sesué
Valle de Benasque
Pº de Sahún
Denúy
Villarué
Laspaúles
Coll. de Espina
Castanesa
Forcat
Vilaller
Montanúy
Bono
Sª de Llauset
Llesp
Sarroqueta
Castilló de Tor
Senet
Erill la Vall
Barruera
Boí
Taüll
Durro
Vall de Boí
Caldes de Boí
Pic de Comaloforno
Punta Alta
Pantà de Senet
Ribagorçana
Vall del Noguera Ribagorçana
Sª de Cardet
Sant Nicolau
Bany de Tredòs
Uelhs deth Joèu
Tuca-Betrém
South deth pish
Pic Maubermé
Eylie
Puerto del Sarrablo
Sierra de Carrodilla

Col de la Core
Grotte de Niaux
Ornolac-Ussat-les-Bains
Niaux
Port de Lers
Mt Valier
Col de Pause
Puerto de Orlà
Conflens
Ustou
Aulus-les-Bains
Stillon
Auzat
Vicdessos
Siguer
Luzenac
Col de Chioula
Ascou
Orlu
Montgarri
La Noguera Pallaresa
Pto de Aulà
Salau
Reserva
Pico de Moredo
Monte Rouch
Pico de Certascan
Pic Rouge de Bassies
l'Artigue
Marc
Pic de Baljésou
Ax-les-Thermes
Tute de l'Ours
Etg de Gnioure
Pto de Beret
Beret
Nacional
Alós d'Isil
Noarre
Isil
Baqueira
Port de la Bonaigua
Campirme
Alto
Pico d'Estats
Mérens-les-Vals
Sorpe
Cerbi
Gavàs
Tavascan
Montarenyo
Vall Ferrera
Port de Rat
Arcalís
El Serrat
Pic de l'Estanyó
Pic du Port
L'Hospitalet
València d'Àneu
Unarre
Esterri d'Àneu
Lladorre
Pallars-Aran
Alt de Comapedrosa
Llorts
Ransol
Soldeu
Pic de la Cabanette
Col de Puymorens
Tuc de Saboredo
Son
Vall d'Àneu
Pantà de la Torrassa
Lladrós
Monteixo
Arinsal
La Cortinada
Canillo
Valira d'Orient
Jou
La Guingueta
Esterri de Cardós
Areu
Tor
Erts
Ordino
Túnel d'Envalira
Pas de la Casa
Porté-Puymorens
Tunnel de Puymorens
E. de Sant Maurici
Estaon
Noris
Coll. de Cabris
Pal
La Massana
Alt del Griu
Espot
Ribera de Cardós
Font Nègre
Aigüestortes
Super-Espot
Alins
Encamp
Port d'Envalira
Escaló
Ainet de Besan
ANDORRA LA VELLA
E. d'Engolasters
de Sant Maurici
E. Negre
Araós
Sa de Màniga
Os de Civís
Escaldes-Engordany
Pic dels Pessons
Puigpedrós
Tírvia
Salòria
Latour-de-Carol
Enveitg
Vall de Cardós
E. Gento
Pessó
Montsent de Pallars
Llavorsí
Farrera
Sta Coloma
Certers
Folch
Vall de Llessui
Etª de Sta Magdalena
Civís
Sant Julià de Lòria
Pera
Reserva Nacional de Cerdanya
Guils de Cerdanya
Merangès
Puigcerdà
Cabdella
Caregue
Surp
Pallaresa
Montenartró
Ermita
Fontaneda
P. de Monturull
Bolvir
Llessui
Sorre
Roní
Ars
Juberri
Espui
Altron
Rialp
Bernui
Port Ainé
Sant Joan Fumat
Arcavell
La Farga de Moles
Eller
Ger
Tallténdre
N 260
La Torre de Cabdella
Olp
Coll de la Baseta
Aranser
Lles de Cerdanya
Soriguerola
Vall Fosca
Enviny
Sant Joan de l'Erm
Solanell
Bescaran
Isòvol
Sort
Torreta de l'Orri
Sant Andreu
Anserall
Calbinyà
El Pont de Bar
Aristot
Prullans
Prats de Cerdanya
Mont-ros
Vilamur
Rubió
Coll. del Cantó
Castellbò
La Seu d'Urgell / Seo de Urgel
Estamariu
Martinet
Bellver de Cerdanya
Das
La Plana
Baro
Noguera
Llagunes
Pallerols
Aravell
Vall
Alàs i Cerc
Segre
Toloriu
Urús
Masella
La Pobleta de Bellveí
Tornafort
Soriguera
Cast.
Castellciutat
Arsèguel
Montella
Túnel del Cadí
Tosa d'Alp
Feixa
Guils
La Parròquia d'Hortó
Montferrer i Castellbò
Ortedó
Cava
Peramea
R. de Castellàs
Adrall
El Ges
El Quer Foradat
Estana
Coll. de Pal
Gerri de la Sal
Llano des Calderes
Reserva
Comabona
SERRA DEL CADÍ
Montcortès
Noves de Segre
El Pla de Sant Tirs
Sant Jordi
Gréixer
Rebost
Espaén
Cadí
Cristal
Parc Natural de Cadí
Moixeró
Castells
Taús
Els Hostalets
Castellar de Tost
National
Josa del Cadí
Na Sa de Gresolet
Gisclareny
Paller
Erinyà
El Flamisell
Congost de Collegats
La Guàrdia d'Ares
Montsec de Tost
Fornols
Bagà
L'Estasen
Guardiola de Berguedà
Serra de Prada
Sorribes
Gósol
Pedraforca
Hortoneda
Cabó
El Vilar
Montan de Tost
Riu de Lavansa
Tuixén
Els Cloterons
Saldes
Sa de Boumort
Cap de Boumort
Congost de Tresponts
Cadí
L'Espà
Serra d'Ensija
Vallcebre
Sant Joan Vinyafrescal
Claverol (Conca de Dalt)
El Pujal
Organyà
Tuixén-Lavansa
Tossa Pelada
Salàs de Pallars
Aramunt
Riu de Carreu
Fígols d'Organyà
Gallina Pelada
Fígols
Llobera
Port del Comte
La Coma i La Pedra
Rasos de Peguera
Pantà de Sant Antoni
Abella de la Conca
Coll de Bòixols
Coll de Nargó
Alinyà
Sa de Port del Comte
Bòixols
Sant Romà d'Abella
Llinars
Querol
Sant Llorenç de Morunys
Font Calders
Peguera
Cerc
Orcau
Suterranya
Cañón
Coll de Jou
Llinars de l'Aigua d'Ora
Figuerola d'Orcau
Coll de Faidella
Grau de la Granta
Cambrils
Odèn
Creu de Codo
Guixers
Castellar del Riu
Na Sa de Queralt
Berga
Vilamitjana
Pantà de la Llosa del Cavall
La Valldan
Colònia
Gavet
Conques
Isona
El Coscollet
Pantà d'Oliana
La Guàrdia
Sant Serni
R. de Conques
Covet
Gavarra
El Cardener
Aigua d'Ora
Capolat
Avià
P. de Terradets
Llimiana
Benavent
L'Espunyola
L'Ametlla de Casserres
Sant Salvador de Toló
Oliana
Peramola
Tragó
Lladurs
Montclar
Sant Martí de Barcedana
Coll de Comiols
El Rialb
Castellar de la Ribera
Hostal de la Cirera
Pas de Terradets
Ogern
Pantà de Rialb
Ribera Salada
Olius
Montmajor
Montsec de Rúbies
El Palau de Rialb
Solsona
Navès
Puig-reig
Vilanova de M.
El Pi de Sant Just
P. de Sant Ponç
Gargallà
Viver
Peralba
Sta Maria de Meià
Llucars
Torrec
Cast.
Riera de Madrona
Pinell
Meià
Montmagastre
Llobera
Clariana
Serrateix
Garsola
Montarguil
Santes Creus
El Miracle
Riera de Solsona
L'Ametlla de Merola
Sa de Sant Mamet
Vall Llebrera
Anya
El Segre
Gualter
L'Hostal Nou
Cardona
Alentorn
Sant Miquel
Freixenet
El Salí
Navàs
Alòs de Balaguer
Baldomar
Vilves
Ponts
Vilanova de l'Aguda
Riera de Sallent
Castelladral
P. d'Alòs
Artesa de Segre
Collfred
Colldelrat
El Tossal
Ribelles
Su
Fontelles
Riera de Hortons
Rubió
Foradada
Camarasa
Oliola
Seró
Ardèvol
Salo
Castellnou de Bages
Plandogau
Tudela de Segre
Montclar d'U.
Cubells
Cabanabona
Biosca
Sa de Pinós
Vallmanya
Súria
Llorenç de M.
La Torre de Fluvià
Selvanera
Llobregós
Pinós
Riera de Castelltallat
Donzell
Coscó
Palou de Sanaüja
Torà
Santpedor

0 4 8 12 km
Axat
de-Fenouillèdes
Latour-de-France
Estagel
Baixas
PERPIG
Niort-de-Sault
Aunat
Ansignan
Montfort-s-Boulzane
Sournia
Col de Chioula
Col du Pradel
Mijanès
Roquefort-de-Sault
Col d'Aussières
Montalba-le-Château
Pézilla-la-Rivière
Millas
Ille-s-Têt
Orlu
Quérigut
Col de Jau
Mosset
F R A N C E
Madrès
Molitg-les-Bains
Vinça
Bouleternère
Thuir
Lac de Naguilles
Nohèdes
Prades
Ria-Sirach
Abbe St Michel-de-Cuxa
P Y R É N É E S - O R I E N T A L E S
Fourques
Boule-d'Amont
Formiguères
Pic Peric
Villefranche-de-Conflent
Col Fourtou
Llauro
Étg de Lanous
Lac de Matemale
Ayguatébia
Vernet-les-Bains
la Bastide
les Angles
Lac des Bouillouses
Col de Puymorens
Pic Carlit
Col de la Quillane
Olette
Sahorre
Abbe de St Martin
Ras del Prat Cabrera
Taulis
Pic du Canigou
Porté-Puymorens
Tunnel de Puymorens
la Llagonne
Mont-Louis
Fontpédrouse
Céret
Font Nègre
Font-Romeu
Amélie-les-Bains-Palalda
Targassonne
Dorres
Odeillo
Col de la Perche
Planès
Mantet
Pla Guillem
Corsavy
Puigpedrós
Pic Redoun
Pic de Fontfrède
Arles-s-Tech
Latour-de-Carol
Enveitg
Llívia
Saillagouse
Montalba-d'Amélie
Llo
Portella de Mantet
Bastiments
Costabona
Prats-de-Mollo-la Preste
Roc de Frausa
Guils de Cerdanya
Err
Pic de Finestrelles
Vallter 2000
Ulldeter
Collado de Pal
la Preste
Les Salines
Maçanet de Cabrenys
Puigcerdà
Bourg-Madame
Osséja
Serralongue
St Laurent-de-Cerdans
Bolvir
Núria
Reserva Nacional de Freser i Setcases
Setcases
Espinavell
Coll d'Ares
Tapis
Eller
Ger
Age
Vilallobent
Puigmal
Coma de Vaca
Balandrau
Coustouges
Soriguerola
Queixans
Urtx
Valcebollère
Molló
Lamanère
La Muga
Isòvol
Prats de Cerdanya
Alp
Das
Queralbs
Tregurà de Dalt
Vilallonga de Ter
Rocabruna
Sant Aniol
Albanyà
Bellver de Cerdanya
Salines
Beget
Bassegoda
Collada de Toses
Dòrria
Solar
Ventolà
Pardines
Llanars
Camprodon
Urús
Masella
La Molina
Túnel del Cadí
Tosa d'Alp
Super Molina
Toses
Fornells de la M.
Planoles
Ribes de Freser
Sa Cavallera
Sant Martí de Surroca
Sadernes-Sant Grau
Mare de Déu del Mont
Coll. de Pal
Oix
C A D Í
Puigllançada
Castellar de n' Hug
Campelles
Baell
Sant Martí de O
Sant Pau de Segúries
Coll de Capsacosta
G I R O N A
Sant Jordi
Gréixer
Rebost
Montgrony
Bruguera
Ogassa
Sant Salvador de B.
Montagut i Oix
Tortellà
Sales de Llierca
Beuda
Serra del Cadí
Moixeró
Paller
Gombrèn
S. Julià Saltor
Sant Joan de les Abadesses
Vall de Bianya
Capsec
Argelaguer
Gisclareny
Bagà
Guardiola de Berguedà
Coll de Merolla
Coll de Sentigosa
La Vall de Bianya
Sant Joan les Fonts
Castellfollit de la Roca
Sant Jaume de Llierca
Besalú
La Pobla de Lillet
Campdevànol
Sant Pere Despuig
La Canya
Llobregat
Begudà
Saldes
Sant Julià de Cerdanyola
Ripoll
Coll Coubet
Olot
Sant Julià del Mont
Vallcebre
Sant Jaume de Frontanyà
Sant Bernabé de les Tenes
Vallfogona de Ripollès
Coll de Canes
Riudaura
Batet
Parc Natural de la Zona Volcànica de la Garrotxa
El Torn
El Sallent
Sant Miquel de Campmajor
Gallina Pelada
Castell de l'Areny
Sa de Sta Magdalena
El Mallol
Sant Privat d'en Bas
Les Preses
Sta Pau
Els Arcs
La Nou
Palmerola
Rasos de Peguera
Sta Maria de Besora
Puigsacalm
Finestres
Mieres
Porqueres
Bany
P. de la Baells
Vilada
Borredà
Les Llosses
Cast.
Vidrà
Joanetes
Bas
Sta Maria
Falgons
Pujarnol
Font Calders
Cercs
Peguera
Alpens
Sora
Montesquiu
Hostalets d'en Bas
Sant Aniol de Finestres
d'Ora
La Quar
Sant Quirze de Besora
Mare de Déu de les Alades
Sant Feliu de Pallerols
Rocacorba
Palol
Castellar del Riu
Nª Sª de Queralt
Sant Quirze de Pedret
Sant Agustí de Lluçanès
Sant Pere de T.
Les Planes d' Hostoles
Sant Martí d'Adri
Berga
Colònia Rosal
Borgonyà
La Salut
Sant Maurici
Sta Eulàlia de Puig-oriol
Sant Vicenç de T.
Sta Maria de Corcó
Pruit
Vallcàn
Capolat
Avià
Olvan
Sant Boi de Lluçanès
Orís
Vinyoles
Cantonigròs
El Far
L'Espunyola
Perafita
Sobremunt
Torelló
Rupit
Amer
L'Ametlla de Casseres
Sagàs
Lluçà
Les Masies de Voltregà
Sant Martí Sescorts
Sant Martí Sacalm
Sant Gregori
Gironella
Can Bondia
Sant Hipòlit de Voltregà
Manlleu
Sant Pere de Casserres
Tavertet
Pantà del Pasteral
El Pasteral
Montclar
Els Bassacs
Sta Maria de Merlès
Sant Martí d'Albars
Pantà de Susqueda
Bonmatí
Montmajor
Caserres
Prats de Lluçanès
Sta Cecília de V.
Roda de Ter
Pantà de Sau
La Cellera de Ter
El Guixaró
Olost
Tavèrnoles
Mare de Déu del Part
Anglès
Sant Bartomeu del Grau
Gurb
Folgueroles
Vilanova de Sau
Osor
Mas Llunes
Gargallà
Puig-reig
Can Marçal
La Torre d'Oristà
Sant Feliu Sasserra
Sant Julià de Vilatorta
Sant Sadurní d'Osormort
Sant Martí Sapresa
Brunyola
Viver
Can Vidal
Calldetenes
Vic
Serrateix
Oristà
Sentfores
Castanyet
Sant Hilari Sacalm
L'Ametlla de Merola
Sta Eulàlia de Riuprimer
Sta Eugènia de Berga
Vilalleons
Cladells
Sta Coloma de Farners
Gaià
Malla
Espinelves
Mare de Déu de Farners
Castelladral
Navàs
Muntanyola
Taradell
Gavarresa
Sta Maria d'Oló
L'Estany
Tona
Seva
Viladrau
Col de Revell
Sant Pere Cercada
L'Esparra
Riudarenes
Avinyó
Balsareny
Riera de Hortons
Coll de la
Els Hostalets
Montseny
Matagalls
S. Marçal
Arbúcies
Sallent
Collsuspina
Sant Feliu de Buixalleu
Castellnou de Bages
Moià
Centelles
El Muntanyà
Collformic
Parc Natural del Montseny
Sta Fe de M.
Riells
Turó de l'Home
Massanes
Súria
B A R C E L O N A
Artés
Calders
Rª de Marfà
Sant Martí de Centelles
Aiguafreda
Pantà de Santa Fe
Hostalric
Callús
Santpedor

Golfe du Lion
Côte Vermeille
St Laurent-de-la-Salanque
Canet-en-Roussillon
Canet-Plage
Cabestany
Saleilles
Alénya
St Cyprien-Plage
St Cyprien
Elne
Bages
Brouilla
Argelès-s-Mer
Argelès-Plage
Port-Vendres
Cap Béar
Collioure
Sorède
Laroque
Le Boulou
St Martin-de-Fenollar
Albères
Tour Madeloc
Banyuls-s-Mer
Col de l'Ouillat
Pic Neulos
Pic des Trois Termes
Pic de Sallfort
Coll de Banyuls
Coll de Belistres
Cerbère
Cap Cerbère
Le Perthus
Coll del Pertús
Portbou
Colera
Cap de Ras
La Jonquera
Cantallops
Espolla
Rabós
Vilamaniscle
Sant Climent Sescebes
Capmany
Agullana
Darnius
Masarac
El Port de Llançà
El Port de la Selva
Cap Gros
Llançà
Mollet
Garriguella
Monestir de S. Pere de Rodes
La Selva de Mar
Cap de Creus
Parc Natural del Cap de Creus
I. de Portlligat
Cadaqués
Sant Salvador
Palau-saverdera
Mas Bosca
Vilajuïga
Peralada
Pedret
Pau
Cabanes
Pont de Molins
Boadella d'Empordà
Terrades
Llers
Vilabertran
Marzà
Aqua Brava
Ciutadella
Roses
Puig-rom
Sta Margarida
Pta de sa Figuera
Cap de Norfeu
Badia de Montjoi
Figueres
Vilarig
Cistella
Avinyonet
Vila-sacra
Castelló d'Empúries
Empuriabrava
Punta Falconera
Parc Natural dels Aiguamolls de l'Empordà
Golf de Roses
Lladó
Vilanant
Vilafant
El Manol
Fortià
Riumors
Borrassà
Vilamalla
Navata
Ordis
Siurana
Vilamacolum
Queixàs
Sant Pere Pescador
Crespià
Espinavessa
Pontós
Garrigàs
Torroella de Fluvià
Sant Miquel de F.
L'Armentera
El Fluvià
Orfes
Bàscara
Sant Mori
Ventalló
Empúries
L'Escala
Galliners
Fontcoberta
Vilaür
Viladamat
Punta Grossa
Montgó
Vilademuls
Camallera
Garrigoles
Albons
Orriols
Viladasens
Vilopriu
Cornellà del Terri
La Tallada d'Empordà
Colomers
Bellcaire d'Empordà
Cap d'Oltrera
L'Estartit
Cap de la Barra
Illes Medes
Sant Jordi Desvalls
Jafre
Verges
Montgrí
Ullà
Medinyà
Cervià
Bordils
Ultramort
Serra de Daró
Torroella de Montgrí
Flaçà
Sant Joan de Mollet
Foixà
Gualta
Platja de la Fonollera
Celrà
La Pera
Rupià
Parlavà
Fontanilles
Ciutat ibèrica
S. Martí Vell
Púbol
Ullastret
Palau-sator
Fontclara
Els Masos
Sa Riera
Aiguafreda
Sa Tuna
Madremanya
Sarrià de Ter
Corçà
Sant Feliu de Boada
Pals
Begur
Cap de Begur
Mare de Déu dels Angels
Monells
Peratallada
Torrent
Cruïlles
Vulpellac
Regencós
Aiguablava
Fornells de Mar
Montnegre
Sant Sadurní de l'Heura
La Bisbal d'Empordà
Aigua xellida
Llofriu
Tamariu
S. Mateu
Palafrugell
Quart
Llafranc
Cap de Sant Sebastià
Sta Pellaia
Mont-ras
Vall-Llobrega
Fornells de la S.
Llambilles
Les Gavarres
Calella de Palafrugell
Cap Roig (Jardí botànic)
Cassà de la Selva
Puig d'Arques
Riudellots de la S.
Romanyà de la S.
Calonge
Platja de la Fosca
Palamós
Sant Antoni de C.
Sant Andreu Salou
El Mas Vilar
Costa Brava
Llagostera
Castell d'Aro
Platja d'Aro
Caldes de Malavella
Solius
Veïnat de S. Llorenç
Sta Cristina d'Aro
S'Agaró
Platja de Sant Pol
Vidreres
Can Carbonel
Sant Grau
Sant Feliu de Guíxols
Puig de Cadiretes
Canyet de Mar
Cala Giverola
Girona
Salt
Taialà
Perpignan
Pia
Bompas
Ste Marie
Pollestres
Canohès
Trouillas
St Génis-des-Fontaines
St André
Tech
Tet
Agly
Reart
Ets de Canet et de St Nazaire
Cabanelles
Boadella
Biure
Vilajuïga
Muga
Daró
Ter
Gironès
La Selva
Empordà
La Jonquera
38 39 40
E F G

26
0 4 8 12 km
2
3
12
4
G
H
I
40
COSTA VERDE
Lousado
(Oia) Arrabal
Torroña
Vilameán
Capilla
Burgueira
(Tomiño)
O Seixo
Loureza
Forcadela
Sanxián
Valença do Minho
Friestas
Gondomil
Monte do Faro
Pias
Moreira
Tuido-Gandra
Boivão
Taião
Barrocas e Taias
Cerdal
Pedro da Torre
Fornelos
Goián
Rosal
Tabagón
Reboreda
Pontoura
Gondelim
Insalde
Lovelhe
Vª Nª de Cerveira
São Bento
Ferreira
Aboim das Choças
Praia Fedorento
Salcidos
A Guarda
Citania de Stª Tegra
Lanhelas
Seixas
Candemil
Gondarém
Mentrestido
Rubiães
Padornelo
Paredes de Coura
Camposancos
Sopo
Covas
Coura
Cunha
Romarigães
Bico
Aguiã
Caminha
Vilar de Mouros
Venade
Arga de São João
Labrojo
Rio Frio
Praia de Moledo
Moledo do Minho
Azevedo
Serra de Arga
Cabração
Bárrio
Miranda
Vila Praia de Âncora
Orbacém
Calheiros
Refóios do Lima
Távora
Souto
Âncora
Freixieiro
Amonde
Estorãos
Praia de Afife
Afife
Vilar de Murteda
Jolda
Bravães
Stª Luzia
Outeiro
Nogueira
Stª Comba
Gandra
Crasto
Ponte de Lima
Montedor
Carreço
Lanheses
Serdedelo
Covas
Stª Luzia
Areosa
Meadela
Correlha
Fornelos
Boalhosa
Oural
Viana do Castelo
Stª Marta de Portuzelo
Torre
Facha
Rebordões
Godinhaços
Darque
Praia-de-Cabedelo
Geraz do Lima
Deocriste
Vila Franca
Cabaços
Rio Mau
Pico de Regalados
Anha
Vila de Punhe
Mato
Amorosa
Neiva
Barroselas
Carvoeiro
Freixo
Marrancos
Nevolgide
Citânia
Alvarães
Balugães
Castelo do Neiva
Panque
Moure
Escariz
Vila Verde
Guilheta
Parque Natural do Litoral Norte
Aborim
Belinho
Forjães
Fragoso
Cervães
Prado
Soutelo
Mar
Vila Chã
Palme
Roriz
Carapeços
Padim da Graça
S. Frutuoso de Montélios
Marinhas
Curvos
Abade de Neiva
Eirogo
Lama
Praia de Suave Mar
Esposende
Perelhal
Barcelos
Bgem da Penida
Areias de Vilar
BRAGA
Praia de Ofir
Barcelinhos
Martim
Vila Seca
Moure
Tadim
Milhazes
Faria
Gamil
Remelhe
Apúlia
Barqueiros
Celeirós
Crias
Cristelo
Silveiros
Stª Eulália
Estela
Pedra Furada
Chorente
Nine
Stª Maria (Arnoso)
Escudeiros
Navais
Viatodos
Louro
Aguçadoura
Laundos
Macieira
Vale (S. Cosme)
Rates
Fontainhas
Gondifelos
Gavião
Vermoim
Praia de Stº André
Outiz
A Ver-o Mar
Amorim
Balazar
Vila Nova de Famalicão
Rio Mau
Póvoa de Varzim
Junqueira
Vilarinho das Cambas
Oliveira
Fouguinha
Ribeirão
Avidos
Delães
Vila do Conde
Vilarinho
Fradelos
Lousado
Aves
Rebordões
Árvore
Azurara
Macieira da Maia
Trofa
Nª Sª da Assumpção
Praia da Árvore
Areia
Vairão
Mindelo
Monte de S. Gens de Cidaí
Stº Tirso
Couto
Vila Chã
Modivas
Guilhabreu
Monte Córdova
Labruge
Muro
Coronado
Lamelas
Meixomil
Praia de Labruge
Vilar de Pinheiro
Avioso
Reguenga
Paços de Ferreira
Lavra
Castº de Maia
Camposa
Seroa
Frazão
Praia de Agudela
Padrão de Moreira
Guardeiras
Nogueira
S. Pedro Fins
Água Longa
Maia
Perafita
Águas Santas
Ermesinde
Sobrado
Lordelo
Praia de Boa Nova
Leça da Palmeira
Gandra
Matosinhos
Porto de Leixoes
Valongo
Campo
Foz do Douro
S. Pedro da Cova
Recarei
PORTO
Gondomar
Praia de Lavadores
Aguiar de Sousa
Vª Nª de Gaia
Canidelo
Covelo
Stª Comba
Madalena
Avintes
Jovim
Valadares
Foz do Sousa
Bgem de Crestuma
Vilar do Paraíso
Carvalhos
Melres
Praia da Ag
Perosinho
Crestuma
Porto Carvoeiro
Granja
Grijó
Sandim
Pedorido
São Félix da Marinha
Espinho
Picoto
Sanguedo
A 28
A 27 - IP 9
A 3 - IP 1
A 11
A 7 - IC 5
A 4
A 41
A 42
A 32
N 13
N 201
N 101
N 103
N 14
N 104
N 105
N 15
IC 1
IC 14
IC 24
E 1
E 82
E 90
E 805

España & Portugal
27
Lamas de Mouro
Giestoso
Corbelle
Alto de Vieiro
Xinzo de Limia
Vilar de Santos
As Lamas
Merufe
Riba de Mouro
Tangil
Portela do Lagarto
Castro Laboreiro
Portos
A Praga
Bande
Outeiro Alvo
Sta Marinha
Sistelo
Serra da Peneda
Ameijoeira
Nª Sra da Peneda
Gavieira
Lobeira
Sta Comba de Bande
Quelguas
San Mamede
Laroá
Blancos
Estivadas
Alto de Estivadas
Vilar de Rei
Nocedo
Parque
Guxinde
Cabreiro
Pedrada
Rouças
Soajo
Terrachán
Herdadiña
Mugueimes
Calvos de Randín
Cébreiro
Covas
Texós
Cualedro
Vences
Serra do Soajo
Adrão
Olelas
Embalse de Lindoso
Quintás
Xendive
Maus de Salas
Tosende
Baltar
Lucenza
San Martiño
Monterrei
Verín
Gondoriz
Carracolva
Mezio
Várzea
Paradela
Acerêdo
Fondevila (Lobios)
Cela
Embalse de Salas
Randín
Vilamaior
Flariz
Albarellos
Cabana Maior
Soajo
Requiás
Tourém
San Paio
Xironda
Villaza
Arcos de Valdevez
Ermelo
Cidadelhe
Lindoso
Vilameá
Vilar
Cabeco Alto
Sendim
San Millán
Medeiros
Vale
Britelo
do Alto Lindoso
Torneiros
Serra do Larouco
Sto. André
Oimbra
São Jorge
Nacional
Ermida
Alto de Nevosa
Sierra de Xurés
Gerês
Pardornelos
Padroso
Vilar de Perdizes
San Cibrau
Ponte da Barca
Entre Ambos-os-Rios
Touvedo
Amarela
Pitões das Júnias
Mourilhe
Gralhas
Bousés
Vilarelho da Raia
Vila Chã
Serra
Portela do Home
Minas dos Carris
Sezelhe
Meixedo
Solveira
Videferre
Rabal
Sampriz
Germil
Montalegre
R. Assureira
Azias
Bgem Vilarinho das Furnas
Geira
Portela de Leonte
Serra do
Covelães
Bgem de Alto Cávado
Pedrario
Soutelinho da Raia
Vilela Seca
Brufe
Campo do Gerês
Outeiro
São Pedro
S.Vicente da Chã
Gralhós
Meixide
Feces de Abaixo
Aboim da Nóbrega
Meixões de Cima
Junceda
Bgem de Paradela
Fiães do Rio
Castanheira
Sarraquinhos
Ervededo
Covide
Serra
Paradela
Viade de Baixo
Calvão
Bustelo
Valdreu
Fraga Negra
da
Peneda - Gerês
Fervidelas
N 103
Ardãos
Seara Velha
Sanjurge
Outeiro Seco
Portela de Vade
Vilar
Terras de Bouro
Gerês
Covelo de Gerês
Pisões
Vila da Ponte
Vilarinho
Morgade
Arcos
Soutelo
Chaves
Oriz
Cabril
Reigoso
Bgem do Alto Rabagão
Negrões
Carvalhais
Cervos
Bobadela
Vale de Anta
Vilar da Veiga
S. Bento da Porta Aberta
Ferral
Lama Chã
Sapelos
Curalha
Ponte
Caldelas
Nª Sra d'Abadia
Rio Cávado
Pondras
Armada
Alturas do Barroso
Lavradas
Sa de Leiranco
Sapiãos
Redondelo
Nantes
Verde
Salamonde
Ruivães
Bgem de Venda Nova
Carvalhelhos
Beça
São Pedro de Agostém
Bouro
Caniçada
Ventosa
Pousada de São Bento
Pereira
Vilarinho Seco
Boticas
Carvela
Amares
Parada de Bouro
Bgem
Venda Nova
Viveiro
Anelhe
Vilela do Tâmega
Cávado
Cerdeirinhas
Vieira do Minho
Sa da Cabreira
Borralha
Salto
Serra do Barroso
113
Vilar
Campos
Codessoso
Pinho
Lagarelhos
Monsul
Covelas
Serzedelo
Arcossó
Vidago
Nogueira da Montanha
Adaúfe
Calvos
Anissó
Serra
Seixa
Covas do Barroso
Capeludos
Moreiras
Castº
Guilhofrei
Torrinheiras
Freixeda
Oura
Loivos
Matosinhos
Bom Jesus do Mte
Pinheiro
Póvoa de Lanhoso
Travassos
Rossas
Gondiães
Vila do Conde
Serapicos
Sobreposta
Sobradelo da Goma
Bucos
Rio Beça
Monteiros
S. João da Corveira
Mte Sameiro
Arosa
Celeiro
Vilar de Cunhas
Parada de Monteiros
Bragado
Sabroso
Valoura
Citânia
Garfe
Aboim
Rio Douro
Sto Aleixo de Além Tâmega
Pensalvos
Argemil
Padrela
Carrazedo de Montenegro
Longos
Sto Estêvão Briteiros
Monte
Queimadela
Bragadas
Minheu
Pedras Salgadas
Vreia de Bornes
Serra da Padrela
Sande
Caldas das Taipas
Gonça
Pedraído
Cabeceiras de Basto
Chacim
Ribeira de Pena
Afonsim
Tazem
São Torcado
Travassós
Várzea Cova
Arco de Baúlhe
Cavês
Sta Marta da Montanha
Valugas
Guimarães
Estorãos
Moreira do Rei
Portela de Sta Eulália
Tinhela de Baixo
Curros
Canaveses
Selho
Mesão Frio
Arões
Fornelos
Gandarela
Faia
A 7 - IC 5 - E 805
Soutelo de Aguiar
Vila Pouca de Aguiar
Penabeice
Cepães
Fafe
Cerva
Gouvães da Serra
Pontido
Revel
Jou
Tresminas
Penha
Vila Nune
Canedo de Basto
Limões
Teloês
Freiria
Nespereira
Tabuadelo
Lameira
Rego
Fermil
Nª Sra da Graça
Alvadia
Soutelinho
Zimão
Alfarela de Jales
Carvas
Valongo de Milhais
Salgueiro
Armil
Silvares
Nª Sra do Viso
Caçarilhe
Macieira
Vila Chã
Vreia de Jales
Vizela
Regadas
Borba da Montanha
Celorico de Basto
Mondim de Basto
Vilar de Ferreiros
Marco
Samardã
Cabreiro
Vilares
Moreira de Cónegos
Trofa
Sta Quitéria
Bilhó
Serra de Alvão
Carva
Murça
Campo
Carvalho
Paradança
Quedas
Parque
Vilarinho de Samardã
Torre de Pinhão
Fiolhoso
Palheiros
Sta Eulália
Torrados
Felgueiras
Fervença
Moreira do Castelo
Natural
Ermelo
Lamas de Olo
Codeçal
Souto de Escarão
Noura
Lustosa
S.Tomé do Castelo
Raimonda
Longra
Rebordelo
Pardelhas
do Alvão
Escariz
Pegarinhos
Barrosas
Airães
Lixa
Codeçoso
Canadelo
Vaqueiro
Adoufe
Lamares
Balsa
Ribalonga
Freamunde
Lousada
Ponte Nova
Borbela
Vilar de Maçada
Vila Chã
Eugénia
Ferreira
Silvares
Caíde de Rei
Alto de Velão
Frádão
Vila Cova
Alto do Espinho
Vila Real
Mouçós
Parada de Pinhão
S. Lourenço de Ribapinhão
Sobrosa
Meinedo
Mancelos
Travanca
Amarante
Vila Chão
Aboadela
Campeã
Parada de Cunhos
Mateus
Ludares
Carlão
Vila Meã
Gondar
São Gonçalo
Torgueda
Folhadela
Constatim
Souto Maior
Sanfins do Douro
Franzilhal
S.Lourenço
Bitarães
Regadas
Salvador do Monte
Jazente
Candemil
Marão
Soutelo
Lourêdo
Cumieira
Andrães
S.Martinho de Antas
Alijó
Amieiro
Penafiel
Toutosa
Carneiro
Fontes
Sta Marta de Penaguião
Paradela de Guiães
Vilarinho de S. Romão
Sabrosa
Celeirós
Favaios
Granja
S. Mamede de Ribatua
Rãs
Marco de Canaveses
Várzea da Ovelha
Teixeira
Sedielos
Medrões
Abaças
Vilela
Castedo
Cête
Luzim
Tabuado
Loivos do Monte
Mesão Frio
Alvações do Corgo
Provesende
Vilarinho de Cotas
Ribalonga
Tua
Paço de Sousa
Abragão
Soalhães
Baião
Peso da Régua
Galafura
Covas do D.
Pinhão
Oldrões
Avessadas
Gestaço
Fontelas
Poiares
Gouvinhas
Soutelo do D.
Linhares
Boelhe
Vila Boa do Bispo
Sta Marinha do Zêzere
Ervedosa do D.
Nagozelo do Douro
Pinheiro
S. Vicente
Paredes de Viadores
Gove
Sta Cruz do D.
Tresouras
Folgosa
Valença do D.
Sta Leocádia
Paços de Gaiola
Frende
Miradouro da Boa Vista
Adorigo
Sta Leocádia
S. João da Pesqueira
Torrão
Sande
Ribadouro
Anreade
Resende
Barrô
Cambres
Valdigem
Vila Seca
Carrapatelo
Sta Maria
Lamego
Figueira
Aldeias
Armamar
Barcos
Tabuaço
Castanheiro do Sul
Castelo de Paiva
Souselo
Tarouquela
Cinfães
Oliveira do D.
Cárquere
S. Martinho de Mouros
Nª Sra dos Remédios
S. Pedro de Balsemão
Aricera
Chavães
Távora
Várzea de Trevões
Vilarouco
Carril
Fornelos
Gia
Bgem de Freigil
Felgueiras
Fazamões
Britiande
Santiago
S. Martinho das Chãs
Trevões
Paradela
Valongo dos Azeites
Ovadas
Ferreirim
Salzedas
Cimbres
Longa
Paredes

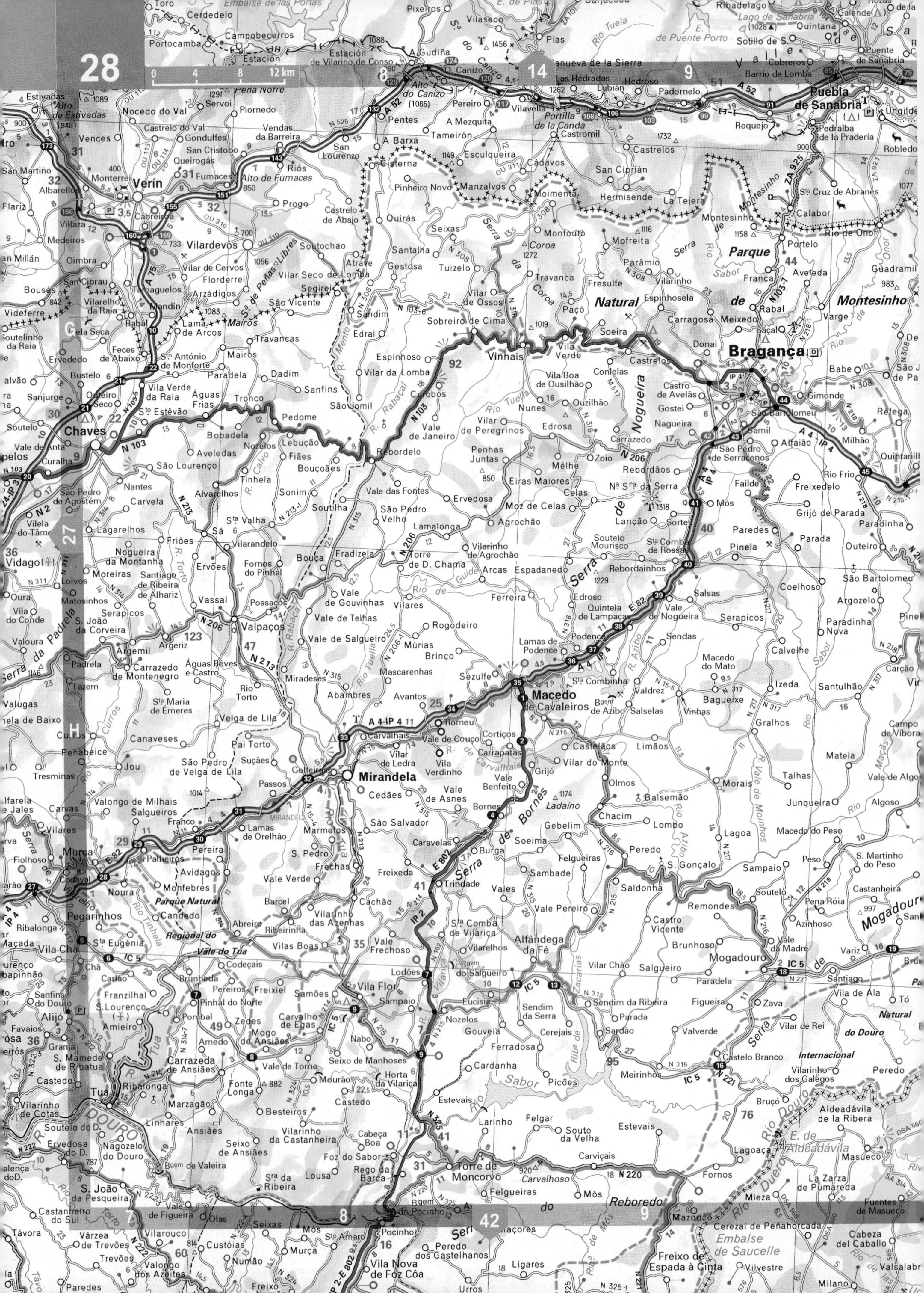
0 4 8 12 km
14
9
27
42
8
7
9
Toro
Cerdedelo
Embalse de las Portas
Pixeiros
Vilaseco
Pías
Ribadelago
Lago de Sanabria
Galende
Quintana
Campobecerros
Portocamba
Estación
Estación de Vilariño de Conso
A Gudiña
O. Canizo
Alto do Canizo (1085)
Sierra do Canizo
Lubián
Hedroso
Padornelo
Las Hedradas
Villanueva de la Sierra
E. de Puente Porto
Sotillo de S.
Cobreros
Puente de Sanabria
Barrio de Lomba
Puebla de Sanabria
Ungilde
Estivadas
Alto de Estivadas
Pena Nofre
Servoi
Nocedo do Val
Piornedo
Pereiro
Vilavella
Portilla de la Canda
Castromil
Requejo
Pedralba de la Pradería
Robledo
Vences
Castrelo do Val
Gondulfes
Vendas da Barreira
Pentes
A Mezquita
Tameirón
A Barxa
San Lourenzo
San Cristobo
Queirogás
Esculqueira
Castrelos
Cádavos
Cisterna
San Ciprián
Monterrei
Verín
Fumaces
Alto de Fumaces
Ríos
Pinheiro Novo
Manzalvos
Moimenta
Hermisende
La Tejera
San Martiño
Albarellos
Cabreiroá
Villaza
Progo
Castrelo de Abajo
Quirás
Montesinho
Calabor
Sta Cruz de Abranes
Rio de Onor
Medeiros
Vilardevós
Soutochao
Seixas
Santalha
Montouto
Mofreita
Portelo
Oimbra
Vilar de Cervos
Florderrei
Vilar Seco de Lomba
Atrave
Gestosa
Tuizelo
Coroa
Serra da Coroa
Parâmio
Vilarinho
Parque Natural de Montesinho
Guadramil
San Cibrau
Tamaguelos
Arzádigos
Segirei
Travanca
Fresulfe
França
Aveleda
Bousés
Vilarelho da Raia
Mandín
São Vicente
Sandim
Vilar de Ossos
Paçó
Espinhosela
Rabal
Videferre
Rabal
Lama de Arcos
Mairós
Sobreiro de Cima
Carragosa
Meixedo
Baçal
Varge
Soutelinho da Raia
Cela Seca
Feces de Abaixo
Travancas
Edral
Soeira
Vinhais
Vila Verde
Donai
Bragança
Castrelos
Ervededo
Sto António de Monforte
Mairos
Paradela
Espinhoso
Vilar da Lomba
Conlelas
Babe
São Pa
Bustelo
Dadim
Vila Boa de Ousilhão
Castro de Avelãs
Gimonde
Outeiro Seco
Vila Verde da Raia
Águas Frias
Tronco
Sanfins
Curobos
Gostei
Refega
Sanjurge
Sto Estêvão
São Jomil
Ouzilhão
Nunes
Samil
São Bartolomeu
Soutelo
Chaves
Pedome
Bobadela
Vale de Janeiro
Vilar de Peregrinos
Edrosa
Nagueira
Carrazedo
Alfaião
Milhão
Vale de Anta
Curalha
Aveledas
Nozelos
Lebução
Fiães
Rebordelo
Penhas Juntas
Zoio
Rebordãos
São Pedro de Serracenos
Quintanilha
São Lourenço
Bouçoães
Tinhela
Mêlhe
Eiras Maiores
Nª Srª da Serra
Rio Frio
Failde
Freixedelo
Nantes
Sonim
Vale das Fontes
Celas
São Pedro de Agostém
Carvela
Alvarelhos
Soutilha
Ervedosa
Moz de Celas
Mós
Grijó de Parada
Vilela do Tâmega
Sta Valha
São Pedro Velho
Agrochão
Lanção
Sortes
Paradinha
Lagarelhos
Sá
Lamalonga
Soutelo Mourisco
Sta Comba de Rossas
Paredes
Frições
Vilarandelo
Fradizela
Vilarinho de Agrochão
Pinela
Parada
Outeiro
Vidago
Nogueira da Montanha
Torre de D. Chama
Rebordainhos
Moreiras
Santiago de Ribeira de Alhariz
Ervões
Fornos do Pinhal
Bouça
Arcas
Espadanedo
Serra de Nogueira
São Bartolomeu
Loivos
Coelhoso
Oura
Matosinhos
Vassal
Vale de Gouvinhas
Ferreira
Edroso
Salsas
Argozelo
Vila do Conde
S. João da Corveira
Serapicos
Possacos
Vilares
Quintela de Lampaças
Vale de Nogueira
Serapicos
Paradinha Nova
Valoura
Argemil
Argeriz
Valpaços
Vale de Telhas
Rogodeiro
Sendas
Calvelhe
Serra da Padrela
Padrela
Carrazedo de Montenegro
Águas Reves e Castro
Vale de Salgueiro
Múrias
Brinço
Lamas de Podence
Podence
Macedo do Mato
Carção
Tazem
Mascarenhas
Mirandeses
Rio Torto
Abambres
Sezulfe
Sta Combinha
Valdrez
Izeda
Bagueixe
Santulhão
Valugas
Sta Maria de Emeres
Avantos
Macedo de Cavaleiros
Bgem de Azibo
Salselas
Vinhas
Veiga de Lila
Romeu
Carvalhais
Vale de Couço
Cortiços
Gralhos
Campo de Víboras
Curros
Canaveses
Castelãos
Limãos
Penabeice
Pai Torto
Vilar de Ledra
Vila Verdinho
Carrapatas
Vilar do Monte
Matela
Jou
São Pedro de Veiga de Lila
Suçães
Golfeiras
Mirandela
Grijó
Vale Benfeito
Tresminas
Passos
Cedães
Vale de Asnes
Olmos
Morais
Talhas
Vale de Algoso
Valongo de Milhais
Salgueiros
Bornes
Ladainho
Balsemão
Junqueira
Algoso
Carvas
Franco
Lamas de Orelhão
Marmelos
São Salvador
Chacim
Lombo
Serra de Bornes
Gebelim
Vilares
Pereira
S. Pedro
Caravelas
Burga
Soeima
Lagoa
Macedo do Peso
Murça
Palheiros
Avidagos
Frechas
Felgueiras
Peredo
S. Gonçalo
Sampaio
Peso
S. Martinho do Peso
Fiolhoso
Codaval
Monfebres
Vale Verde
Freixeda
Trindade
Sambade
Saldonha
Noura
Parque Natural Regional do Vale do Tua
Cachão
Vales
Soutelo
Pena Róia
Castanheira
Pegarinhos
Candedo
Barcel
Vale Pereiro
Remondes
Azinhoso
Mogadouro
Ribalonga
Abreiro
Vilarinho das Azenhas
Ribeirinha
Sta Comba de Vilariça
Castro Vicente
Maçada
Sta Eugénia
Vila Chã
Vilas Boas
Vale Frechoso
Alfândega da Fé
Brunhoso
Vale da Madre
Variz
Chã
Codeçais
Vilarelhos
Vilar Chão
Salgueiro
Carlão
Brunheda
Lodões
Bgem do Salgueiro
Paradela
Santiago
Franzilhal
Pereiros
Freixiel
Vila Flor
Sendim da Ribeira
Figueira
Zava
Vila de Ala
Tó
Sanfins do Douro
Pinhal do Norte
Samões
Sampaio
Eucísia
Sendim da Serra
S. Lourenço
Pombal
Carvalho de Egas
Nozelos
Cerejais
Parada
Vilar de Rei
Parque Natural do Douro Internacional
Alijó
Amieiro
Zedes
Mogo de Ansiães
Gouveia
Sardão
Valverde
Favaios
Granja
Amedo
Nabo
Ferradosa
S. Mamede de Ribatua
Carrazeda de Ansiães
Vale de Torno
Seixo de Manhoses
Cardanha
Meirinhos
Castelo Branco
Castedo
Mourão
Horta da Vilariça
Vilarinho dos Galegos
Peredo
Tua
Ribalonga
Fonte Longa
Castedo
Estevais
Sabor
Picões
Bruçó
Aldeadávila de la Ribera
Vilarinho de Cotas
Marzagão
Besteiros
Larinho
Soutelo do D.
Linhares
Ansiães
Vilarinho da Castanheira
Cabeça Boa
Felgar
Souto da Velha
Estevais
Erveđosa do D.
Nagozelo do Douro
Seixo de Ansiães
Foz do Sabor
Torre de Moncorvo
Carviçais
Lagoaça
E. de Aldeadávila
Masueco
Bgem de Valeira
Srª da Ribeira
Lousa
Rego da Barca
Carvalhoso
Mós
Fornos
La Zarza de Pumareda
S. João da Pesqueira
Felgueiras
Reboredo
Mieza
Fuentes de Masueco
Castanheiro do Sul
Vale de Figueira
Olas
Seixas
Bgem do Pocinho
Mazouco
Cerezal de Peñahorcada
Embalse de Saucelle
Cabeza del Caballo
Távora
Vilarouco
Várzea de Trevões
Mós
Sto Amaro
Pocinho
Peredo dos Castelhanos
Açores
Freixo de Espada à Cinta
Vilvestre
Valsalabre
Trevões
Custóias
Murça
Valongo dos Azeites
Numão
Vila Nova de Foz Côa
Ligares
Paredes
Freixo
Urros
Milano

ZAMORA
Benavente
Alcañices
Miranda do Douro
Fermoselle
Bermillo de Sayago
Tábara
Sierra de la Culebra
Reserva Nacional de la Sierra de la Culebra
Embalse del Esla
Embalse de Ricobayo
Embalse de Castro
Embalse de Villalcampo
Embalse de Almendra
Río Duero
Río Esla
Río Tera
Río Tormes
Río Aliste
R. Douro
Moreruela de Tábara
Monasterio de Moreruela
Fonfría
Carbajales de Alba
Muelas del Pan
Villalcampo
Ricobayo
Moralina
Fariza
Torregamones
Villardiegua de la Ribera
Peñausende
Fuentesaúco
Coreses
Toro
Rionegro del Puente
Camarzana de Tera
Santa Croya de Tera
Mombuey
Puebla de Sanabria

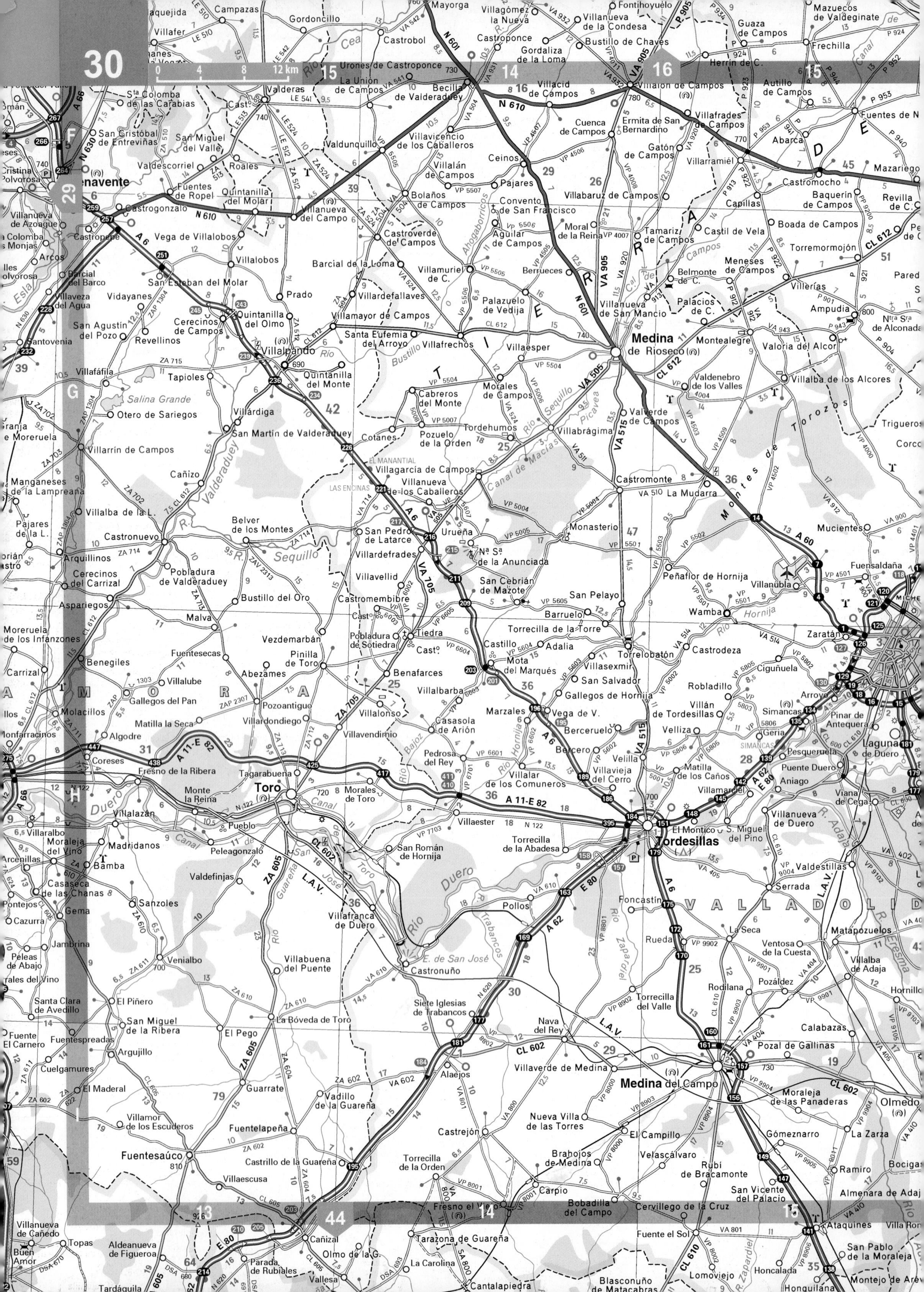
0 4 8 12 km
Mayorga
Campazas
Gordoncillo
Castrobol
Villafer
Villagómez la Nueva
Villanueva de la Condesa
Fontihoyuelo
Bustillo de Chaves
Castroponce
Gordaliza de la Loma
Guaza de Campos
Mazuecos de Valdeginate
Frechilla
Herrín de C.
Urones de Castroponce
La Unión de Campos
Valderas
Becilla de Valderaduey
Villacid de Campos
Villalón de Campos
Autillo de Campos
Sta Colomba de las Carabias
San Cristóbal de Entreviñas
San Miguel del Valle
Valdunquillo
Villavicencio de los Caballeros
Cuenca de Campos
Ermita de San Bernardino
Villafrades de Campos
Fuentes de N.
Abarca
Gatón de Campos
Villalán de Campos
Ceinos
Valdescorriel
Roales
Benavente
Fuentes de Ropel
Quintanilla del Molar
Castrogonzalo
Villanueva del Campo
Bolaños de Campos
Pajares
Convento de San Francisco
Villabaruz de Campos
Villarramiél
Castromocho
Mazariego
Capillas
Baquerín de Campos
Revilla de C.
Villanueva de Azoague
Castropepe
Vega de Villalobos
Castroverde de Campos
Aguilar de Campos
Moral de la Reina
Tamariz de Campos
Castil de Vela
Boada de Campos
Torremormojón
Arcos
Villalobos
Barcial de la Loma
Villamuriel de C.
Berrueces
Belmonte de C.
Meneses de Campos
Barcial del Barco
San Esteban del Molar
Villaveza del Agua
Vidayanes
Prado
Villardefallaves
Palazuelo de Vedija
Villanueva de San Mancio
Palacios de C.
Villerías
Ampudia
Nª Sª de Alconada
Cerecinos de Campos
Quintanilla del Olmo
Villamayor de Campos
San Agustín del Pozo
Revellinos
Santovenia
Santa Eufemia del Arroyo
Villafrechós
Villaesper
Medina de Rioseco
Montealegre
Valoria del Alcor
Villalpando
Tapioles
Villafáfila
Quintanilla del Monte
Salina Grande
Otero de Sariegos
Villárdiga
Cabreros del Monte
Morales de Campos
Valdenebro de los Valles
Villalba de los Alcores
San Martín de Valderaduey
Cotanes
Pozuelo de la Orden
Tordehumos
Villabrágima
Valverde de Campos
Trigueros
Villarrín de Campos
Cañizo
Villagarcía de Campos
Villanueva de los Caballeros
Castromonte
La Mudarra
Manganeses de la Lampreana
Villalba de la L.
Belver de los Montes
San Pedro de Latarce
Urueña
Monasterio
Mucientes
Pajares de la L.
Castronuevo
Arquillinos
Villardefrades
Nª Sª de la Anunciada
Peñaflor de Hornija
Fuensaldaña
Pobladura de Valderaduey
Cerecinos del Carrizal
Villavellid
San Cebrián de Mazote
Villanubla
San Pelayo
Wamba
Bustillo del Oro
Castromembibre
Asapariegos
Malva
Barruelo
Moreruela de los Infanzones
Vezdemarbán
Pobladura de Sotiedra
Tiedra
Torrecilla de la Torre
Zaratán
Castillo
Adalia
Torrelobatón
Castrodeza
Carrizal
Fuentesecas
Pinilla de Toro
Mota del Marqués
Villasexmir
Ciguñuela
Benegiles
Villalube
Abezames
Benafarces
San Salvador
Gallegos de Hornija
Robladillo
Gallegos del Pan
Pozoantiguo
Villalbarba
Villán de Tordesillas
Arroyo
Molacillos
Matilla la Seca
Villardondiego
Villalonso
Marzales
Vega de V.
Simancas
Pinar de Antequera
Casasola de Arión
Bercerueló
Velliza
Algodre
Villavendimio
Bercero
Geria
Laguna de Duero
Coreses
Pedrosa del Rey
Velilla
Matilla de los Caños
Pesquerueia
Fresno de la Ribera
Villalar de los Comuneros
Villavieja del Cerro
Puente Duero
Aniago
Tagarabuena
Toro
Morales de Toro
Villamarciel
Viana de Cega
Monte la Reina
Villalazán
Pueblo
Villaester
Tordesillas
El Montico
S. Miguel del Pino
Villanueva de Duero
Villaralbo
Moraleja del Vino
Madridanos
Peleagonzalo
San Román de Hornija
Torrecilla de la Abadesa
Arcenillas
Bamba
Valdestillas
Casaseca de las Chanas
Valdefinjas
Serrada
Pontejos
Cazurra
Gema
Sanzoles
Villafranca de Duero
Pollos
Foncastín
Jambrina
Peleas de Abajo
Venialbo
Villabuena del Puente
Castronuño
E. de San José
Rueda
La Seca
Ventosa de la Cuesta
Matapozuelos
Villalba de Adaja
Rodilana
Pozáldez
Santa Clara de Avedillo
El Piñero
Siete Iglesias de Trabancos
Torrecilla del Valle
Hornillos
San Miguel de la Ribera
La Bóveda de Toro
El Pego
Nava del Rey
Calabazas
Fuente El Carnero
Fuentespreadas
Argujillo
Cuelgamures
Villaverde de Medina
Pozal de Gallinas
Medina del Campo
Alaejos
El Maderal
Guarrate
Vadillo de la Guareña
Moraleja de las Panaderas
Olmedo
Villamor de los Escuderos
Nueva Villa de las Torres
Gómeznarro
La Zarza
Fuentelapeña
Castrejón
El Campillo
Brahojos de Medina
Velascálvaro
Fuentesaúco
Castrillo de la Guareña
Torrecilla de la Orden
Rubí de Bracamonte
Ramiro
Bocigas
Villaescusa
Carpio
San Vicente del Palacio
Almenara de Adaja
Bobadilla del Campo
Cervillego de la Cruz
Fresno el Viejo
Ataquines
Villanueva de Cañedo
Topas
Aldeanueva de Figueroa
Cañizal
Tarazona de Guareña
Fuente el Sol
Buen Amor
Olmo de la G.
Parada de Rubiales
Vallesa
La Carolina
San Pablo de la Moraleja
Honcalada
Lomoviejo
Montejo de Arévalo
Tardáguila
Cantalapiedra
Blasconuño de Matacabras
Honquilana
Z A M O R A
V A L L A D O L I D
T I E R R A D E C A M P O S
Montes de Torozos
Río Cea
Río Sequillo
Río Valderaduey
Río Duero
Río Hornija
Río Bajoz
Río Trabancos
Río Zapardiel
Río Guareña
Río Adaja
Río Eresma
Canal de Macías Picavea
Canal de Castilla
Esla
EL MANANTIAL
LAS ENCINAS
SIMANCAS
N 601
N 610
N 630
N 122
A 6
A 60
A 62
A 11-E 82
E 80
CL 612
CL 602
CL 605
CL 610
VA 505
VA 515
VA 705
ZA 705
ZA 605
L.A.V.
F
G
H
I
13
14
15
16
44
29

España & Portugal
31
Paredes de Nava
Ribas de C.
Palacios del Alcor
Sta Clara
Villamedianilla
Belbimbre
Villaverde-Mogina
Villodrigo
Villalaco
Valbuena de Pisuerga
Revilla-Vallegera
Monzón de Campos
Valdespina
Becerril de Campos
Husillos
Villaumbrales
Fuentes de Valdepero
Villajimena
Cordovilla la Real
Cascón de la Nava
Grijota
Villamediana
Torquemada
Quintana del Puente
Valles de Palenzuela
Palenzuela
Peral de Arlanza
Villahoz
Terreros
Villamayor de los Montes
Sta Cecilia
Villalmanzo
Lerma
Villamartín de Campos
Mirador de Tierra de Campos
Valdeolmillos
Villalobón
Herrera de Valdecañas
Villahán
Concejera
Cobos de Cerrato
Tabanera de Cerrato
Tordómar
Torrepadre
Ruyales del Agua
Paules del A.
PALENCIA
Autilla del Pino
Hornillos de Cerrato
Valdecañas de Campos
Royuela de Río Franco
Pinedillo
Avellanosa de Muñó
Torrecitores
Quintanilla de la Mata
Rabé de los E.
Villovia
Magaz
Reinoso de Cerrato
Villaviudas
Villamuriel de Cerrato
Casa Grande
Soto de C.
Ermita de Nª Sª de Garón
Espinosa de Cerrato
Iglesiarrubia
Baltanás
Antigüedad
Venta de Baños
Baños de Cerrato
Hontoria de Cerrato
Tariego de Cerrato
Villafruela
Fontioso
Pineda-Tras
Dueñas
Valle de Cerrato
Greda
Cilleruelo de Abajo
Quintanilla de Trigueros
Cevico de la Torre
Villaconancio
Castrillo de Onielo
Cevico Navero
Convento de San Pelayo
Cubillas de Sta Marta
Vertavillo
Torresandino
Cabañes de E.
Santibáñez de E.
Tórtoles de Esgueva
Pinillos
Cubillas de Cerrato
Alba de Cerrato
Hérmedes de Cerrato
Villovela
Terradillos de E.
Granja Muedra
Valoria la Buena
Población de C.
Castrillo de Don Juan
Olmedillo de Roa
Sotillo de la Ribera
Cigales
Torre de E.
Fombellida
Encinas de E.
Guzmán
Gumiel de Mercado
S. Martín de Valvení
Esguevillas de Esgueva
Amusquillo
Castroverde de Cerrato
Canillas de E.
Anguix
Quintana del Pidio
Cabezón de Pisuerga
Piña de Esgueva
Villafuerte
Villaco
Quintanamanvirgo
La Horra
La Aguilera
Villanueva de los Infantes
Villaescusa de Roa
Boada de R.
Santovenia de P.
Villarmentero de E.
Castrillo-Tejeriego
Piñel de Arriba
Pedrosa de Duero
Aranda de Duero
Castronuevo de Esgueva
Olmos de Esgueva
San Llorente
Roa de Duero
Berlangas de R.
Villalba de Duero
Villavaquerín
Piñel de Abajo
Roturas
Corrales de Duero
Mambrilla de Castrejón
Renedo
Valbuena de Duero
Olivares de Duero
Pesquera de Duero
Curiel
La Cueva de Roa
Hoyales de R.
Castrillo de la Vega
VALLADOLID
Villabáñez
San Bernardo de Valbuena
Valdearcos
San Martín de R.
Bocos
Fuentecén
La Cistérniga
Quintanilla de Onésimo
Quintanilla de Arriba
Padilla de D.
Nava de Roa
Haza
Campillo de Aranda
Tudela de D.
Sardón de Duero
Peñafiel
Fuentemolinos
Adrada de H.
Castº
Torregalindo
Herrera de Duero
Traspinedo
Santibáñez de Valcorba
Manzanillo
Valdezate
Hontangas
Aldeyuso
Olmos de P.
Castrillo de Duero
La Sequera de H.
Langayo
Convento
Moradillo de Roa
Boecillo
La Parrilla
Fompedraza
Torre de Peñafiel
Rábano
Cuevas de Provanco
Fuentenebro
Aldehorno
San Martín
Montemayor de Pililla
Canalejas de P.
Aldealbar
Cogeces del Monte
Caserío San José
Portillo
Arrabal de P.
Camporredondo
Torrescárcela
Campaspero
Laguna de Contreras
Sacramenia
Pedraja de Portillo
Santiago del Arroyo
San Miguel del Arroyo
Bahabón
Aldeasoña
Vivar de F.
Valtiendas
Aldeanueva de la Serrezuela
Miliario del Caudillo
Pradales
Aldea de San Miguel
Viloria
Membibre de la Hoz
Calabazas
Fuentesoto
Torreadrada
Mojados
R. Cega
Fuentes de Cuéllar
Moraleja de C.
Fuentidueña
Tejares
E. de las Vencías
Castro de Fuentidueña
Sierra de Pradales
Ciruelos
Navares de las Cuevas
Megeces
Cogeces de Íscar
San Cristóbal de Cuéllar
Vallelado
Olombrada
Vegafría
Perosillo
Fuentesaúco de Fuentidueña
Fuentepiñel
San Miguel de Bernuy
Castrojimeno
Castroserracín
Navares de Enmedio
Alcazarén
Mata de Cuéllar
Cuéllar
Frumales
Dehesa Mayor
Cozuelos de F.
Torrecilla del Pinar
Fuente el Olmo de Fuentidueña
Cobos de Fuentidueña
Carrascal del Río
Valle de Tabladillo
Navares de Ayuso
Íscar
Pedrajas de S. Esteban
Chañe
Arroyo de C.
Adrados
Hontalbilla
Río Cega
Burgomillodo
Hinojosa del Cerro
Urueñas
Aldeonte
La Luz
Remondo
Fresneda de Cuéllar
Campo de C.
Sanchonuño
Navalilla
Eª de San Frutos
El Olmillo
Barbolla
Villaverde de Íscar
Narros de C.
Chatún
Lastras de Cuéllar
Fuenterrebollo
Villaseca
Parque Natural del Río Duratón
Sepúlveda
Sta Cruz
Aguasal
Llano de Olmedo
Fuente el Olmo de Íscar
Gomezserracín
Ermita de Sta María
Sebúlcor
Villar de Sobrepeña
Fuente Olmedo
Villeguillo
Samboal
Pinarejos
Zarzuela del Pinar
El Pinar
Aldeonsancho
Vellosa
Condado de Castilnovo
Cantalejo
Ciruelos de Coca
Río Malucas
y Mudrián
San Martín
S E G O V I A
Aguilafuente
Cabezuela
Valdesimonte
Aldealcorvo
Villafranca
Fuente de Santa Cruz
Coca
Navalmanzano
Fuentepelayo
San Pedro de Gaillos
Villagonzalo de Coca
Navas de Oro
Sauquillo de Cabezas
Vegan.
Puebla de P.
Rebollo
La Matilla
Castroserna
Ventosilla
Puras
Río Pirón
Pinarnegrillo
Aldea Real
Valleruela de P.
Valleruela de Sepúlveda
Santiuste de San Juan Bautista
Nava de la Asunción
Río Eresma
Eª de la Virgen del Castillo
Escalona del Prado
Muñoveros
Arevalillo de Cega
El Arenal (Orejana)
Orejanilla
Tolocirio
Mozoncillo
Turégano
El Guijar
Río Duero
Río Esgueva
Río Pisuerga
Río Arlanza
Río Riaza
Río Duratón
Río Eresma
Río Henar
Canal de Castilla
L.A.V.

0 4 8 12 km
Hontoria de la Cantera
Cubillo del Campo
Tornadijo
Madrigal del M.
Mazueco
Casarejo
Villoruebo
Tiñeblas de la S.
Tañabuyes
Torrelara
Paules de Lara
Nª Sª de las Viñas
San Millán de Lara
Quintanilla de las Viñas
Lara
Campolara
Jaramillo de la Fuente
Barbadillo del Pez
Vallejimeno
Vizcaínos
Manquillo
Mencilla
Riocavado de la S.
Nacional
Monterrubio de la Demanda
Barbadillo de Herreros
Huerta de Arriba
Huerta de Abajo
Tolbaños de Arriba
Mansilla de la S.
Embalse de Mansilla
Viniegra
Villavelayo
Reserva
Villamayor de los Montes
Mecerreyes
Mazariegos
Las Mamblas
Villaespasa
Mambrillas de Lara
Jaramillo Quemado
Torrecilla del M.
Mata Lagarto
Muela
Covarrubias
Hortigüela
Cascajares de la S.
Pinilla de los Moros
Arroyo de Salas
Haedillo
Sierra de Neila
Laguna Negra de Neila
Neila
Mirador San Francisco
Cabeza Herrera
Puerto El Collado
Tres Provincias
Urbión
Sª Cecilia
Tordómar
Villalmanzo
Quintanilla del Agua
Stª Inés
Ruyales del Agua
Lerma
Puentedura
Retuerta
Monº de San Pedro de Arlanza
Barbadillo del Mercado
Castrovido
Monasterio de la Sierra
Campiña
Sierra de la Demanda
Paules del Agua
Tordueles
Contreras
Ahedo de la S.
La Revilla
Salas de los Infantes
Avellanosa de Muñó
Quintanilla de la Mata
Castrillo de S.
Cebrecos
San Carlos
Quintanilla del Coco
Stº Domingo de Silos
Villanueva de C.
Castrillo de la Reina
Hacinas
Quintanar de la Sierra
Sierra
Reserva
Rabé de los E.
Villoviado
Nebreda
Solanara
Tejada
Santibáñez del Val
Monasterio
Garganta de la Yecla
Carazo
Gete
Palacios de la Sierra
Necrópolis
Regumiel de la S.
Duruelo de la S.
Covaleda
Fontioso
Peñas de Cervera
Pico de la Sierra
Briongos
Hortezuelos
Mamolar
Moncalvillo
Cabezón de la S.
Vilviestre del Pinar
Canicosa de la S.
Pto del Hierro
Pto del Perondillo
Pineda-Trasmonte
Cilleruelo de Arriba
Ciruelos de Cervera
Espinosa de Cervera
Pinilla de los Barruecos
La Gallega
Guijoso
El Cerro del Cargadero
Sierra de Rosomo
Doña Santos
El Cerro
Rabanera del P.
Aldea del P.
Redondo
Bahabón de Esgueva
Pinilla-Trasmonte
Stª María de Mercadillo
Cervera
Arauzo de Miel
Huerta del Rey
Navas del P.
Hontoria del Pinar
Parque Natural
Navaleno
Estación de Pinar Grande
Pto Mojón Pardo
Cabañes de E.
Santibáñez de E.
Oquillas
Valdeande
Caleruega
Arauzo de Salce
Espejón
Espeja de San Marcelino
San Leonardo de Yagüe
Pinillos
Villalbilla de G.
Tubilla del Lago
Peñalba de Castro
La Hinojosa
Orillares
Casarejos
Vadillo
Talveila
Muriel Viejo
Sotillo de la Ribera
Gumiel de Hizán
Arauzo de Torre
Clunia
Quintanarraya
Muñecas
Stª María de las Hoyas
Cañón del Río Lobos
Herrera de S.
Cubilla
Gumiel de Mercado
Quintana del Pidio
Baños de Valdearados
Coruña del Conde
Hinojar del Rey
Guijosa
La Aguilera
Villanueva de G.
Hontoria de Valdearados
Arandilla
Quintanilla de Nuño Pedro
Fuencaliente
Nafría de Ucero
Ucero
Cantalucía
Brazacorta
Alcubilla de Avellaneda
Valverde
Fuentecantales
Aranda de Duero
Quemada
Zazuar
Peñaranda de Duero
Alcoba de la Torre
Fuentearmegil
Santervás
Valdeavellano de U.
Villalba de Duero
Cuzcurrita
Zayas de Báscones
Zayuelas
Rejas de U.
Valdealbín
Valdelinares
Cabrejas
Hoyales de R.
Castrillo de la Vega
Canal
Río Arandilla
S. Juan del Monte
Casanova
Villálvaro
Torreblacos
Fresnillo de las Dueñas
Bocigas de Perales
Zayas de Torre
Autovía en obras
Valdemaluque
Berzosa
Sotos del B.
Valdelubiel
Barcebal
Vadocondes
Matanza de Soria
Barcebalejo
Valdealvillo
Haza
Fuentespina
La Vid
Monasterio
Zuzones
Alcozar
Rejas
Torralba del B.
Campillo de Aranda
Stª Cruz de la Salceda
Langa de Duero
Velilla
Santiuste
Quintanilla de Tres Barrios
Ciudad de O.
Boos
Hontangas
Torregalindo
Fuentelcésped
Soto
Valdenarros
Torreandaluz
Moradillo de Roa
Milagros
Montejo de la Vega
Castillejo de Robledo
Aldea
San Esteban de Gormaz
Alcubilla del Marqués
El Burgo de Osma
Lodares
Valdenebro
Pardilla
Parque Natural
Maluque
Valdanzo
Miño de San Esteban
Peñalba
Pedraja
La Rasa
La Olmeda
Bayubas de Arriba
Fuentenebro
Valverde de Montejo
Hoces del Río Riaza
Valdevacas de M.
Valdanzuelo
Fuentecambrón
Atauta
Olmillos
Bayubas de Abajo
Aldehorno
Honrubia de la Cuesta
Embalse de Linares del Arroyo
Cenegro
Piquera
Ines
Quintanas de G.
Villalvilla de M.
Maderuelo
Navapalos
Vildé
Gormaz
Hortezuela
Miliario del Caudillo
Valdevarnés
Aldealengua de Stª María
Morcuera
Recuerda
Morales
Aldeanueva de la Serrezuela
Pradales
Moral de Hornuez
Fuentemizarra
Torremocha de Ayllón
Quintanas Rubias de Abajo
Villanueva de G.
Berlanga de Duero
Torreadrada
Carabias
Cilleruelo de San Mamés
Alconada de Maderuelo
Languilla
Fresno de Caracena
Ciruelos
Torraño
Sierra de Pradales
Navares de las Cuevas
Cedillo de la Torre
Campo de San Pedro
Riaguas de San Bartolomé
Convento
Ayllón
Quintanas Rubias de Arriba
Carrascosa de Abajo
Paones
Galapagares
Castroserracín
Fresno de la Fuente
Bercimuel
Riahuelas
Corral de Ayllón
Stª María de Riaza
Ligos
Nograles
Brias
La Perera
Navares de Enmedio
Pajarejos
Castiltierra
Saldaña de Ayllón
Cuevas
Hoz de Arriba
Hoz de Abajo
Abanco
Encinas
Fresno de Cantespino
Francos
Liceras
Caracena
Madruédano
Alaló
Valle de Tabladillo
Navares de Ayuso
Grajera
Sequera de Fresno
Pajares de Fresno
Ribota
Valvieja
Estebanvela
Torresuso
Carrascosa de Arriba
Sauquillo de Paredes
Urueñas
Aldeonte
Boceguillas
Aldealázaro
Noviales
Montejo de Tiermes
Cañicera
Tarancueña
Lumias
Hinojosa del Cerro
Castrillo de S.
Barbolla
El Olmillo
Villacorta
El Negredo
Santibáñez de Ayllón
Rebollosa de Pedro
Tiermes
Ruinas romanas
Torrevicente
Villaseca
Turrubuelo
Gomeznarro
Madriguera
Sotillos
Retortillo de Soria
Alto de Varas
Parque Natural Hoces del Duratón
Stª Cruz
Sepúlveda
El Olmo
Alquité
Martín Muñoz de Ayllón
Grado del Pico
Pedro
Valvenedizo
Bañuelos
Castillejo de Mesleón
Becerril
El Muyo
Peralejo
Romanillos de Atienza
Villar de Sobrepeña
Duratón
Riaza
Eta de Nª Sª de Hontanares
Villacadima
Sierra de Pela
Miedes de Atienza
Vellosillo
Rofrío de Riaza
Campisábalos
Hijes
Condado de Castilnovo
Perorrubio
Sotillo
Sotos de Sepúlveda
Cerezo de Arriba
Buitrera
Somolinos
Bochones
Aldealcorvo
Villafranca
Duruelo
Mansilla
Cerezo de Abajo
Cantalojas
Albendiego
Alpedroches
Ujados
Stª Marta del Cerro
Castº
Condemios de Abajo
San Pedro de Gaíllos
Galve de Sorbe
Castroserna de Abajo
Collado de la Quesera
Condemios de Arriba
Cañamares
La Matilla
Ventosilla y Tejadilla
Stº Tomé del Puerto
La Pinilla
Sierra de Ayllón
Río Sorbe
Prádena de Atienza
La Miñosa
Valleruela de P.
Valleruela de Sepúlveda
Aldeanueva de Atienza
Sª de Alto Rey
El Arenal (Orejana)
Casla
Siguero
Sigueruelo
Pico del Lobo
Reserva Nacional
Sª del Ocejón
La Huerce
Gascueña de Bornova
Naharros
Orejanilla
Puerto de Somosierra

Brieva de C.
Peñaloscintos
Gallinero de C.
Laguna de C.
Rabanera
Avellaneda
Larriba
Zarzosa
Prejano
Turruncún
Villanueva de Cameros
Ajamil de Cameros
Camero Viejo
Enciso
El Villar
Muro de Aguas
Peña Hincada
Aldeanueva de C.
Castejón
Villos de C.
Collado de Sancho Leza
Diustes
Yanguas
S.ª de la Ballenera
Peñalosa
Cintrué
Viniegra de Arriba
Montenegro de C.
Lumbreras
San Andrés
N 111
Villar de Maya
Villar del Río
Aldealcardo
Ayedo
Valdeperillo
Igea
Baños de Fitero
Fitero
S.ª Cecilia
La Cuesta
Cornago
Peña Negra
de Cameros
E. de Pajares
Puerto de Piqueras
S.ta Cruz de Yanguas
Bretún
Tañine
Virgen del Villar
Rincón de Olivedo
Puerto Los Degollados
Villartoso
La Virgen de Lomos de Orio
Vizmanos
Huérteles
Ventosa de S. Pedro
San Pedro Manrique
Cervera del Río Alhama
Cabretón
Urbión
La Mesa
La Póveda de Soria
Valloria
Montaves
Alcarama
S.ª de Alcarama
Valdemadera
Sierra
Cebollera
Barriomartín
Terrazas
Las Aldehuelas
El Collado
Matasejún
Valdenegrillos
Inestrillas
Valdegutur
Valverde
Laguna de Urbión
Arguijo
Los Campos
Valdelavilla
Aguilar del Río Alhama
El Quintanarejo
Nacional
Torrearévalo
Oncala
San Andrés de San Pedro
Castillejo de San Pedro
Navajún
Gutur
Congosto
Portillo de Urbión
Molinos de Razón
Valdeavellano de Tera
Gallinero
P.to de Oncala
Estepa de San Juan
Cigudosa
Almarza
Rollamienta
Arévalo de la S.
Valtajeros
Valdeprado
San Felices
Sotillo del Rincón
Ventosa de la S.
Cubo de la S.
Castilfrío de la S.
Cerbón
Alhama
Vinuesa
El Royo
Villar del Ala
Rebollar
Tera
Aldealices
Magaña
Valdelagua del Cerro
Dévanos
Pinochos
Langosto
Espejo de Tera
Ausejo de la S.
Carrascosa de la S.
Añavieja
Salduero
Portelárbol
La Rubia
Castilruiz
Molinos de Duero
Hinojosa de la Sierra
Fuentelsaz
Aldealseñor
La Losilla
Trévago
Fuentestrún
Ágreda
Vilviestre de los Nabos
Chavaler
Fuentecantos
Pedraza
Almajano
Suellacabras
Matalebreras
N 122
Buitrago
Narros
El Almuerzo
Muro
Vozmediano
E. de la Cuerda del Pozo
Duero
Oteruelos
Tardesillas
Renieblas
Aldehuela de Periáñez
Cortos
Valdegeña
Aldehuela de Á.
Abejar
Herreros
Cidones
Pedrajas
Garray
S.ª del Madero
P.to del Madero
Toledillo
Numancia
Velilla
Ventosilla
Arancón
Calderuela
Fuentes de Á.
Cabrejas del Pinar
N 234
Villaverde del Monte
S.ª Llana
Sierra de Cabrejas
Las Casas
Soria
Villar del Campo
Ólvega
Fuentetoba
Golmayo
Fuensaúco
Aldealpozo
Pozalmuro
Villaciervos
Fuentetecha
Omeñaca
S.ª de la Pica
Tajahuerce
Puerto La Carrasca
Cueva de Ágreda
La Cuenca
Villaciervitos
Carbonera de Frentes
Ermita de San Saturio
Martialay
Duáñez
Tozalmoro
Hinojosa del Campo
Aldehuela de C.
Los Rábanos
Carazuelo
Esteras
Pinilla del Campo
Noviercas
Villabuena
La Mallona
Las Fraguas
E. de Los Rábanos
Alconaba
Cubo de Hogueras
Ojuel
Mazalvete
Toranzo
Camparañón
San Marcos
Navalcaballo
Candilichera
Castejón
Almenar
Nódalo
Las Cuevas de Soria
Izana
Cabrejas del C.
Jaray
Araviana
Hinodejo
Nafría la Llana
Monasterio
Villa Tardo Romana
Tardajos de D.
Aldealafuente
Cardejón
Borobia
Rioseco de Soria
La Revilla de Calatañazor
Quintana Redonda
Lubia
Miranda de D.
Ribarroya
Aliud
Buberos
Portillo de Soria
Paredesroyas
Gómara
Ciria
Fuentelárbol
Ventosa de Fuentepinilla
Osonilla
Cubo de la Solana
Ituero
Zamajón
Torralba
Villaseca de Arciel
Torrubia de S.
P.to Bigornia
La Seca
Tardelcuende
Villanueva de Z.
Ledesma de S.
Costanazo
Cucuta
Fuentepinilla
Cascajosa
Osona
Almarail
Tejado
Reznos
Torrelapaja
Sauquillo de B.
Castil de Tierra
Almazul
La Quiñonería
Berdejo
Malanquilla
Valdespina
Nomparedes
Zárabes
Carabantes
Valderrueda
Pinares de Almazán
Alto de Matas de Lubia
Casa Forestal
Viana de D.
Borjabad
Nepas
Bliecos
Mazaterón
Bijuesca
La Concepción
Torre
Nolay
Miñana
S.ª de Miñana
La Alameda
Centenera de Andaluz
Matamala de Almazán
Fuentelcarro
Tejerizas
Baniel
Moñux
Escobosa
Velilla de los Ajos
Serón de Nágima
S.ta María del Prado
La Milana
Perdices
Rebollo
Matute
Almazán
Fuentetovar
Villalba
Neguillas
Soliedra
Maján
Deza
Torrijo
Canal de Almazán
Velamazán
Barca
Covarrubias
Bordeje
Cañamaque
Torlengua
Ciruela
Casillas de Berlanga
Ballunca
Cobertelada
Frechilla
Coscurita
Momblona
Alentisque
Valtueña
Fuentelmonge
Bordalba
Cihuela
Varona
San Baudelio
Caltojar
Lodares del Monte
Centenera del Campo
Morón de Almazán
Cabanillas
P.to de Alentisque
Embalse de Monteagudo
Moros
Bordecorex
Altos de Barahona
Sauquillo del Campo
Señuela
Chércoles
Embid de Ariza
La Riba de Escalote
Fuentegelmes
Villasayas
Taroda
Puebla de Eca
Monteagudo de las Vicarías
Pozuel de Ariza
Jodra de Cardos
Ontalvilla de Almazán
Adradas
Rello
Marazovel
Aguaviva de la Vega
A 2 - E 90
Ariza
Bubierca
Barahona
Pinilla del Olmo
Río Jalón
Contamina
Barcones
Almaluez
Cetina
Alhama de Aragón
Alpanseque
Romanillos de Medinaceli
P.to de Radona
Utrilla
Monreal de Ariza
Radona
Mezquetillas
S.ta María de Huerta
Godojos
Madrigal
Paredes de Sigüenza
Alcubilla de las Peñas
S.ª de la Mata
Valladares
L.A.V.
Torrehermosa
Embalse la Tranquera
Tordelrábano
Valdelcubo
Blocona
Montuenga de Soria
Ibdes
Rienda
Torrecilla del Ducado
Yelo
Beltejar
Cabolafuente
Alcolea de las Peñas
Riba de Santiuste
Sienes
Miño de Medinaceli
Jubera
Arcos de Jalón
Aguilar de Montuenga
Alconchel de Ariza
Jaraba
Querencia
Tobes
Conquezuela
Lodares
Somaén
La Barbolla
S.ª de la Pila
Olmedillas
Ambrona
Medinaceli
Garganta
Velilla de M.
Sisamón
Imón
Villacorza
Ventosa
Esción de Medinaceli
Museo Paleontológico
Salinas de M.
Chaorna
Solorio
Calmarza
Cercadillo
Riofrío del Llano

0 4 8 12 km
Castejón
Reales
Francho
Sta Anastasia
Valareña
Ejea de los Caballeros
Portil de Sta Margarita
Loma Negra
El Sabinar
Embalse de Laverné
Cintruénigo
Fitero
Baños de Fitero
Tudela
Cabanillas
Fustiñana
Fontellas
El Bocal
Sancho Abarca
Monte de Sora
Rincón de Olivedo
Puerto Los Degollados
Murchante
Cervera
Cascante
Ribaforada
Buñuel
Sancho Abarca
Pogallinero
Cabretón
Valverde
Tulebras
Ablitas
Valdegutur
Aguilar del Río Alhama
Gutur
Muga
Monteagudo
Barillas
Malón
Novallas
Sta Engracia
Cortes
Novillas
Tauste
Montes de Castejón
Vierlas
Cunchillos
Tórtoles
Tarazona
Valverde
Dévanos
Añavieja
Torrellas
Sta Cruz de Moncayo
El Buste
Balcón de El Buste
Mallén
Fréscano
Gallur
Pradilla de Ebro
Pola
Ágreda
Los Fayos
Grisel
Bisimbre
Agón
Boquiñeni
Remolinos
San Martín de la Virgen de M.
Albortú
Santuario de Nª Sª de la Misericordia
Magallón
Luceni
Muro
Vozmediano
Lituénigo
Trasmoz
Vera de Moncayo
Maleján
Borja
Albeta
Eta de S. Sebastián
Alcalá de Ebro
Cabañas de Ebro
Aldehuela de Á.
Parque natural de la Dehesa del Moncayo
Litago
Monasterio de Veruela
Bulbuente
Bureta
Alberite de San Juan
Ainzón
Agudo
Embalse de la Loteta
Pedrola
El Castellar
Fuentes de Á.
Añón
Ambel
Alagón
Figueruelas
Santuario del Moncayo
Alcalá de Moncayo
Pozuelo de Aragón
La Joyosa
Torres de Berrellén
Sierra del Moncayo
Fuendejalón
Puerto La Carrasca
Cueva de Ágreda
Huechaseca
Oitura
Grisén
Pinseque
Sobradiel
Casetas
Talamantes
Pleitas
Bárboles
Toranzo
Beratón
Bollón
Tonda
Tabuenca
Plasencia de J.
Bardallur
Garrapinillos
Purujosa
Urrea de Jalón
Borobia
Calcena
Trasobares
Montolar
Lumpiaque
Rueda de J.
La Peñaza
Pomer
Santuario de Rodanas
Ciria
Sierra de Nava Alta
Épila
Meseta de la Muela
Pto Bigornia
Embalse de Maidevera
Tierga
Oseja
Monegre
Cucuta
Aranda de Moncayo
La Muela
Torrelapaja
Salillas de J.
Puyalón
Berdejo
Mesones de Isuela
Malanquilla
Jarque
Gotor
La Lezna
Lucena de Jalón
Sierra de la Muela
Carabantes
Bijuesca
Clarés de Ribota
Santuario de la Virgen de la Sierra
Illueca
Nigüella
Calatorao
L.A.V.
Sierra de la Virgen
Cabrera
La Alameda
Brea
Aranda
Arándiga
Ricla
A 2 - E 90
Valdejimeno
Sestrica
Chodes
Las Torres
Mozota
Torrijo
Viver de la Sierra
Morés
Purroy
Morata de Jalón
Alto de La Perdiz
La Almunia de Doña Godina
San Miguel
Muel
Villarroya de la Sierra
Saviñán
Alfamén
Villaluenga
Aniñón
Embid de la Ribera
Pto del Frasno
Pto de Morata
Alpartir
Ermita de la Virgen de Lagunas
Mezalocha
Pinar
E. de Mezalocha
Cervera de la Cañada
Paracuellos de la Ribera
El Frasno
Almonacid de la Sierra
Cihuela
Varona
Torralba de Ribota
Longares
Moros
Aluenda
Inogés
Embid de Ariza
Antigua Bilbilis
Huérmeda
Sta Cruz de Grío
Cosuenda
Calatayud
Sediles
Nª Sª de las Viñas
Aguarón
Eta de Sta Quiteria
Ateca
Terrer
Torres
Tobed
Cariñena
Tosos
Villalba de Perejiles
Belmonte de Gracian
Pto de Aguarón
Aguilón
Contamina
Bubierca
Paracuellos de Jiloca
Cetina
Alhama de Aragón
Castejón de las Armas
Valtorres
Maluenda
Orera
Mara
Codos
Encinacorba
Paniza
Embalse de las Torcas
Carenas
La Vilueña
Velilla de Jiloca
Ruesca
Godojos
Munébrega
Miedes
Pto de Paniza
Aladrén
Embalse de la Tranquera
La Tranquera
Morata de Jiloca
Puerto de Mainar
Olvés
Fuentes de Jiloca
Ibdes
Vistabella
Langa del Castillo
Torralbilla
Abanto
Alarba
Montón
Cerveruela
Herrera de los Navarros
Jaraba
Nuévalos
Monasterio de Piedra
Villafeliche
Pto de Villafeliche
Mainar
Villarreal de Huerva
Luesma
Herrera
Monterde
Acered
Atea
Villadoz
Villarroya del Campo
Fombuena
Sisamón
Eta de San Mamés
Murero
Manchones
Calmarza
Llumes
Retascón
Badules
Sta Catalina
Nogueras

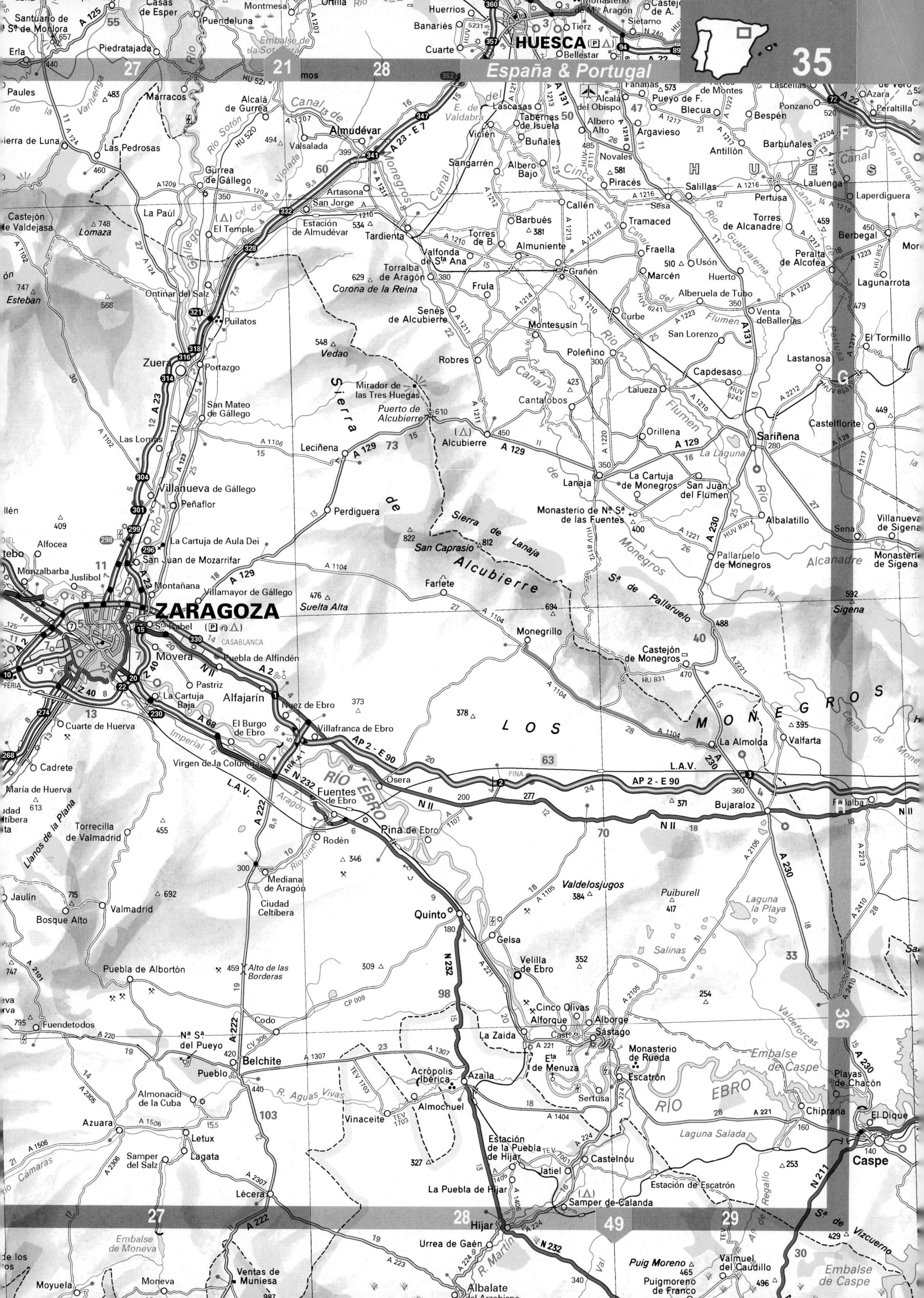
HUESCA
ZARAGOZA
Santuario de Sª de Monlora
Casas de Esper
Montmesa
Ortilla
Huerrios
Banariés
Cuarte
Tierz
Monasterio de Mte Aragón
Castejón de A.
Siétamo
Bellestar
Erla
Piedratajada
Puendeluna
Embalse de la Sotonera
Paules
Marracos
Alcalá de Gurrea
Almudévar
Valsalada
Lascasas
Vicién
Tabernas de Isuela
Buñales
Alcalá del Obispo
Albero Alto
Argavieso
Fañanás
Pueyo de F.
Blecua
Bespén
Ponzano
Azara
Peraltilla
Sierra de Luna
Las Pedrosas
Gurrea de Gállego
Sangarrén
Albero Bajo
Novales
Piracés
Antillón
Barbuñales
Laluenga
Salillas
Sesa
Pertusa
Laperdiguera
Castejón de Valdejasa
Lomaza
La Paúl
El Temple
Artasona
San Jorge
Estación de Almudévar
Tardienta
Callén
Barbués
Tramaced
Torres de Alcanadre
Berbegal
Torres de B.
Almuniente
Valfonda de Sta Ana
Fraella
Usón
Peralta de Alcofea
Lagunarrota
Torralba de Aragón
Corona de la Reina
Grañén
Marcén
Huerto
Alberuela de Tubo
Venta de Ballerías
Esteban
Ontinar del Salz
Frula
Senés de Alcubierre
Montesusín
Curbe
San Lorenzo
Pulilatos
El Tormillo
Lastanosa
Zuera
Portazgo
Vedao
Robres
Poleñino
Capdesaso
Mirador de las Tres Huegas
Lalueza
Cantalobos
Puerto de Alcubierre
San Mateo de Gállego
Alcubierre
Orillena
Castelflorite
Sariñena
Las Lomas
Leciñena
La Laguna
Lanaja
La Cartuja de Monegros
San Juan del Flumen
Villanueva de Gállego
Peñaflor
Perdiguera
Monasterio de Nª Sª de las Fuentes
Albalatillo
Villanueva de Sigena
Sena
Sierra de Alcubierre
Sierra de Lanaja
San Caprasio
Alfocea
La Cartuja de Aula Dei
Pallaruelo de Monegros
Monasterio de Sigena
Monzalbarba
Juslibol
San Juan de Mozarrifar
Montañana
Villamayor de Gállego
Farlete
Suelta Alta
Sª de Pallaruelo
Sigena
Alcanadre
Monegros
Sta Isabel
Casablanca
Monegrillo
Castejón de Monegros
Movera
Puebla de Alfindén
Pastriz
Alfajarín
Nuez de Ebro
La Cartuja Baja
Cuarte de Huerva
El Burgo de Ebro
Villafranca de Ebro
Los Monegros
La Almolda
Valfarta
Cadrete
Virgen de la Columna
Osera
Fuentes de Ebro
Río Ebro
Bujaraloz
Peñalba
María de Huerva
Torrecilla de Valmadrid
Llanos de la Plana
Rodén
Pina de Ebro
Mediana de Aragón
Ciudad Celtíbera
Valdelosjugos
Puiburell
Jaulín
Valmadrid
Bosque Alto
Quinto
Gelsa
Laguna la Playa
Salinas
Puebla de Albortón
Alto de las Borderas
Velilla de Ebro
Fuendetodos
Codo
Cinco Olivas
Alforque
Alborge
Sástago
La Zaida
Nª Sª del Pueyo
Belchite
Pueblo
Eta de Menuza
Monasterio de Rueda
Escatrón
Embalse de Caspe
Acrópolis Ibérica
Azaila
Almonacid de la Cuba
R. Aguas Vivas
Almochuel
Sertusa
Playas de Chacón
Chiprana
Azuara
Vinaceite
El Dique
Letux
Estación de la Puebla de Híjar
Castelnou
Laguna Salada
Caspe
Samper del Salz
Lagata
Jatiel
Estación de Escatrón
La Puebla de Híjar
Samper de Calanda
Lécera
Híjar
Sª de Vizcuerno
Embalse de Moneva
Urrea de Gaén
R. Martín
Puig Moreno
Valmuel del Caudillo
Moyuela
Moneva
Ventas de Muniesa
Albalate del Arzobispo
Puigmoreno de Franco
Embalse de Caspe

0 4 8 12 km
Buera
Hoz de Barbastro
Salas Altas
Salas Bajas
Artasona
Olvena
E. de Grado II
Desfiladero
N 123
Aguinaliu
Juseu
Benabarre
N 230
Aler
Viacamp
Tolva
Sª de Montsec
Castellnou de Montsec
Castell de Mur
Alsamora
Guàrdia de Tremp
Sant Esteve de la Sarga
Moror
Cellers
Lascellas
Azara
Cregenzán
Estada
Sierra de Carrodilla
Caladrones
Ciscar
Montsec d'Ares
Sant Alís
Ponzano
Peraltilla
Castillazuelo
Monasterio de Pueyo
Estadilla
Purroy de la Solana
Castº Pilzán
Bespén
Barbuñales
Barbastro
Alíns del Monte
Calasanz
Castillo del Plá
Estaña
Corçà
l'Ametlla
Àger
La Règola
Fonz
Gabasa
Estopiñán (Estopiñán del Castillo)
Pantà de Canelles
Canal
Cofita
Peralta de la Sal
Zurita
Saganta
Fontdepou
Pertusa
Laperdiguera
Azanúy
Camporrélls
Pantà de Camarasa
Torres de Alcanadre
Fornillos
Cuatrocorz
Baélls
Nacha
Berbegal
Ilche
Castejón del Puente
Sta Linya
Peralta de Alcofea
Morilla
Almunia de San Juan
Baldellou
Pantà de Sta Anna
Les Avellanes
Lagunarrota
Selgua
Monesma
Alcampell
Vilanova de les A.
Mont-roig
Silo
Monzón
Aragón
San Esteban de Litera
Castillonroy
Os de Balaguer
Venta de Ballerías
Conchel
Tamarite de Litera
Albelda
Sta Mª de Bellpuig
Pantà de Balaguer
El Tormillo
Pueyo de Santa Cruz
Binéfar
Ivars de Noguera
Lastanosa
Pomar de Cinca
Valcarca
Cataluña
Alfarràs
Castelló de Farfanya
Gerb
Alfántega
Algayón
Algerri
Estiche de Cinca
Binaced
Almenar
Balaguer
Castelflorite
Esplús
Altorricón
Altorricón-Tamarite
Sariñena
Casasnovas
Sta Lecina
la Clamor Vieja
Albesa
Sta Mª de les Franqueses
Vallfogona de Balaguer
Alguaire
La Portella
Almacelles
Menàrguens
Térmens
Albalatillo
Villanueva de Sigena
Alcolea de Cinca
Albalate de Cinca
Valonga
Lleida-Alguaire
Vilanova de Segrià
Torrelameu
Riu Corb
Sena
Vencillon
Rosselló
Benavent de S.
Bellvís
Monasterio de Sigena
Virgen de la Chalamera
Belver
Sucs
Torrefarrera
Torre-serona
Corbins
Vilanova de la Barca
El Palau d'Anglesola
Alcanadre
Ontiñena
San Miguel
Pla de la Font
Raimat
Alpicat
Fonda
Chalamera
Osso
Alcoletge
Sigena
Almudáfar
Gimenells
Torres
Bell-lloc d'Urgell
Ballobar
L.A.V.
Alamús
El Basal
Vallmanya
LLEIDA
Torregrossa
Zaidín
Albatàrrec
Velilla de Cinca
Artesa de L.
Puigverd de L.
Montoliu
Alcarràs
Sudanell
Alfés
Huegas
Miralsot de Abajo
Les Borges Blanques
Valfarta
Fraga
Torres de Segre
Sunyer
Monegros
Llano de las Menorcas
Soses
P. de Secà
Castelldans
Les Garrigues
Peñalba
Candasnos
La Punta
Aitona
Aspa
Alcanó
AP 2 - E 90
Torrente de Cinca
Serós
P. d'Utxesa
El Cogul
Massalcoreig
Sarroca de Lleida
L'Albagés
Monestir
Convent
Serra Grossa
Granyena de les Garrigues
Laguna la Playa
Valcuerna
Refugio de Pescadores
El Soleràs
La Granja de Escarpe
Torrebesses
Montnegre
Monmeneu
Els Torms
Divisa
Juncosa
Sable
Embalse de Mequinenza
Mequinenza
Llardecans
El Pla
Maials
La Granadella
Tossal del Penjat
Bellaguarda
P. de Margalef
Valdeforcas
Punta Plana
Bovera
Margalef
Almatret
Puntal dels Escambrons
Embalse de Caspe
Playas de Chacón
Etª de San Jorge
R. EBRO
Pantà de Riba-roja
Riba-roja d'Ebre
La Palma d'Ebre
La Bisbal de F.
Montsant
Escaladei
Cabassers
Chiprana
El Dique
Estación de Fabara
Fayón
Flix
La Vilella Baixa
Caspe
Estación Fayón-Pobla de Massaluca
Etª de Sta Magdalena
Sª de la Fatarella
Sª del Rovelló
La Figuera
Mausoleo Romano
Nonaspe
Sª de Caspe
Ascó
Vinebre
La Torre de l'Espanyol
Lloà
Gratallops
La Pobla de Massaluca
Sª de Berrus
El Molar
Fabara
La Fatarella
Pas de l'Ase
Garcia
Bellmunt del Priorat
Sª de Vizcuerno
El Masroig
Marçà
Pantorrillas
Maella
Vilalba dels Arcs
Els Guiamets
Caudillo
Guadalope
Móra d'Ebre
Móra la Nova
Capçanes
Batea
Corbera
A° de Regallo
29
30
50
31
22
32
35
F
G
H
I

Sant Serni
Covet
Gavarra
Oliana
Peramola
Tragó
Benavent
Sant Salvador de Toló
Llimiana
Sant Martí de Barcedana
Coll de Comes
Pantà de Rialb
Ribera Salada
Solsona
Olius
Montmajor
Caserres
Pas de Terradets
Montsec de Rúbies
El Palau de Rialb
Vilanova de M.
Peralba
Sta Maria de Meià
Llucars
Torrec
Cast.
Montmagastre
Garsola
Montarguil
Pinell
Riera de Madrona
El Pi de Sant Just
Navès
Gargallà
Puig-reig
Viver
Serrateix
Llobera
Clariana
Santes Creus
L'Hostal Nou
Sant Miquel
El Miracle
Freixenet
Cardona
El Salí
L'Ametlla de Merola
Navàs
Castelladral
L L E I D A
Vall Llebrera
Anya
El Segre
Gualter
Alentorn
Baldomar
Alòs de Balaguer
Vilves
Ponts
Vilanova de l'Aguda
Collfred
El Tossal
Artesa de Segre
Colldelrat
Ribelles
Su
Fontelles
Rubió
Oliola
Sanaüja
Ardèvol
Camarasa
Foradada
Seró
Plandogau
Salo
Tudela de Segre
Cabanabona
Sª de Pinós
Vallmanya
Súria
Castellnou de Bages
Llorenç de M.
Cubells
Montclar d'U.
Selvanera
Biosca
Pinós
C 26
La Torre de Fluvià
Donzell
Palou de Sanaüja
Sª de Castelltallat
Cosçó
Torà
Mafet
Florejacs
Palou de T.
La Molsosa
Sant Mateu de Bages
Callús
Santpedor
Montgai
Preixens
Massoteres
Castellfollit de R.
Agramunt
Guissona
Vicfred
Fonollosa
Fals
Sant Martí de Torroella
Sentiu de Sió
Les Ventoses
Puigverd d'Agramunt
Ivorra
Calonge de Segarra
Aguilar de Segarra
Sant Joan de Vilatorrada
Bellcaire d'Urgell
Bellmunt
Les Pallargues
Torrefeta
Sant Guim de la Plana
Penelles
Ossó de Sió
Concabella
El Llor
Guspí
Portell
Sant Pere Sallavinera
Castellar
Rajadell
Monistrol
Manresa
Almenara
Castellserà
Tarroja de Segarra
Sant Ramon
Farran
Conill
Calaf
Els Prats de Rei
Sant Salvador de Guardiola
La Guàrdia
Linyola
La Fuliola
Claravalls
L'Aranyó
La Prenyanosa
Sta Fe
Pujalt
L'Astor
Sant Martí Sesgueioles
Vallverd
El Tarròs
Tornabous
La Figuerosa
Les Oluges
Estaràs
Perafita
Castellfollit del Boix
Ermita
Castellgalí
Arcs
El Poal
Ivars d'Urgell
Barbens
El Canós
Sant Guim de Freixenet
Montpalau
Veciana
Rubió
Maians
Vila-sana
Anglesola
Cervera
Vergós
La Rabassa
Copons
Marganell
Castellnou de Seana
Granyanella
Sª de Montserrat
Montmaneu
Santa Cecília
Tàrrega
Fonolleres
Rubinat
L'Espelt
Òdena
Mollerussa
Golmés
Bellpuig
Vilagrassa
Granyena de S.
Gramuntell
Sant Antoni i Vilanova
Sta Maria del Camí
Carbasí
Clariana
Jorba
Castellolí
El Bruc
Montserrat
Miralcamp
Vilanova de B.
Verdú
Preixana
La Guàrdia Lada
Tossal de Suró
Argençola
Bellmunt
Igualada
La Pobla de Claramunt
Piera
Collbató
El Mas de Bondia
Montornès de Segarra
L'Ametlla
Talavera
La Tossa de M.
Vilanova del Camí
Esparreguera
Sant Martí de Riucorb
Nalec
Guimerà
Llorac
Rauric
Sant Martí de Tous
Sta Margarida de Montbui
Carme
Capellades
Els Hostalets
Belianes
Ciutadilla
Vallfogona de Riucorb
Aguiló
Masquefa
Puiggròs
Maldà
Rocafort
Savallà del Comtat
Sta Coloma de Queralt
La Torre de C.
Vallbona de les Monges
Llorenç de V.
Segura
Passanant
Bellprat
Queralt
Orpí
Valbona d'Anoia
Arbeca
Conesa
Sta Maria de Miralles
La Floresta
Els Omellons
Rocallaura
Belltall
Les Piles
Pontils
La Llacuna
Mediona
Canaletes
Sant Llorenç d'Hortons
Els Omells de Na Gaia
Montblanquet
Forès
Rocafort de Queralt
Vallverd
Santuari de Sant Magí
Sant Pere de Ruidebitlles
L'Espluga Calba
Senan
Sta Perpètua
Turó de les Clivelleres
Sant Quintí de Mediona
Torrelavit
Fulleda
Solivella
Montbrió de la Marca
Font-rubí
Sant Sadurní d'Anoia
Sarral
Vallespinosa
Esblada
Guardiola de Font-rubí
El Pla del P.
Vinaixa
Blancafort
Pira
Barberà de la Conca
El Cogulló
Querol
Montagut
Subirats
Tarrés
AP 2 - E 90
La Guàrdia dels Prats
Cabra del Camp
Pontons
Sant Martí Sarroca
Puigdàlber
L'Albi
Les Ordes
Torrelles de Foix
La Granada
Lavern
Sant Pau d'Ordal
Vimbodí i Poblet
Montblanc
Les Cabanyes
Olesa de Bonesvalls
L'Espluga de Francolí
Prenafeta
El Pont d'Armentera
El Pla de Manlleu
Pacs del P.
Avinyonet
El Vilosell
Vallclara
Figuerola del Camp
Aiguaviva
Vilafranca del Penedès
Monestir de Poblet
Les Pobles
Lilla
El Pla de Sta Maria
Monestir Santes Creus
Castellví de la Marca
la de Cèrvoles
Sª de Roquerole
Can Ferrer
La Joncosa de Montmell
La Múnia
Moja
Olivella
Vilanova de Prades
Fontscaldes
Aiguamúrcia
Sta Margarida i els Monjos
Ulldemolins
Vilaverd
Rojals
La Riba
Sant Jaume dels Domenys
La Ràpita
Olèrdola
Tossal de la Baltasana
Farena
Vila-rodona
Canyelles
Prades
Picamoixons
Alió
Llorenç del P.
Banyeres del Penedès
Sant Pere de Ribes
Albarca
Valls
Puigpelat
Rodonyà
La Bisbal del P.
L'Arboç
Castellet
Capafonts
Mont-ral
Bràfim
Sta Oliva
La Gornal
Les Roquetes
La Febró
Sª de la Mussara
Alcover
Nulles
Montferri
Masllorenç
Albinyana
Siurana
Cornudella de M.
L'Albiol
El Milà
Vilabella
Bellvei
Arbolí
La Mussara
Vallmoll
Salomó
El Vendrell
Calafell
Sitges
Poboleda
La Selva del Camp
El Rourell
Els Garidells
Bonastre
Roda de Barà
Vilaplana
Vilallonga de C.
La Secuita
Vespella
La Pobla de Montornès
Segur
Cunit
Cubelles
Racó de Sta Llúcia
Vilanova i la Geltrú
Villanueva y Geltrú
Alta
Almoster
El Morell
Porrera
Alforja
L'Aleixar
Castellvell
La Pobla de Mafumet
Perafort
El Catllar
La Nou de G.
San Salvador
Calafell Platja
Coll de la Teixeta
Les Borges del Camp
Riudecols
Reus
Mausoleu de Centcelles
Constantí
Els Pallaresos
Aqüeducte de les Ferreres
La Riera
Arc romà de Barà
Coma-ruga
Creixell
Torredembarra
Les Irles
Duesaigües
Riudoms
Pradell
L'Argentera
Botarell
S. Pere i S. Pau
Els Munts
Altafulla
Mora
Vila-seca
Riudecanyes
Montbrió del C.
Vinyols
Platja Larga
Vilanova d'Escornalbou
L'Arbocet
Colldejou
Mont-roig del Camp
Port Aventura
Platja de la Pineda
Platja de Vila-seca
Llaberia
TARRAGONA
32
33
34
35
38
51

38
0 4 8 12 km
24
37
36
Manlleu
Vic
Torelló
Gurb
Tona
Centelles
Puig-reig
Navàs
Balsareny
Sallent
Súria
Manresa
Callús
Santpedor
Navarcles
Sant Fruitós de Bages
Moià
Castellterçol
Sant Quirze Safaja
Aiguafreda
Figaró
Tagamanent
La Garriga
Cardedeu
Granollers
Montseny
Parc Natural del Montseny
Sant Celoni
Arbúcies
Hostalric
Breda
Riells
Sant Hilari Sacalm
Anglès
Viladrau
Espinelves
Taradell
Seva
Sant Llorenç Savall
Caldes de Montbui
Parc Natural de Sant Llorenç del Munt i de la Serra de l'Obac
Castellbell
Monistrol de M.
Montserrat
Terrassa/Tarrasa
Sabadell
Polinyà
Barberà
Ripollet
Cerdanyola
Sant Cugat del Vallès
Rubí
Martorell
Abrera
Olesa de Montserrat
Esparreguera
Piera
Masquefa
Sant Sadurní d'Anoia
Gelida
Corbera de Ll.
Cervelló
Vallirana
Molins de Rei
Sant Feliu
Sant Vicenç dels Horts
L'Hospitalet
Sant Boi
Viladecans
Gavà
Castelldefels
Begues
Parc Natural de Garraf
Sitges
Vilanova i la Geltrú / Villanueva y Geltrú
Cubelles
Sant Pere de Ribes
Vilafranca
Montcada
Mollet
Parets
Lliçà d'Amunt
La Roca del Vallès
Montmeló
Montornès
Martorelles
Vallromanes
Alella
Tiana
Teià
El Masnou
Premià de Mar
Vilassar de Mar
Mataró
Argentona
Cabrera de Mar
Arenys de Mar
Canet de Mar
Sant Pol de Mar
Caldes d'Estrac
Port del Balís
Costa de Maresme
Badalona
Sant Adrià de Besòs
BARCELONA
Montjuïc
El Prat de Llobregat
BARCELONA-EL PRAT
Tibidabo
Platja de Cova Fumada
Costas de Garraf
La Ginesta
Garraf
Vallcarca
Pta Ferrossa
Pta de les Coves
COSTA DORAD
35
36
37

España & Portugal
25
38
39
40
G
H
I
COSTA BRAVA
Palamós
Sant Feliu de Guíxols
Tossa de Mar
Lloret de Mar
Blanes
Palafrugell
Platja d'Aro
Cap de Sant Sebastià
Calella de Palafrugell
Cap Roig (Jardí botànic)
Platja de la Fosca
Sant Antoni de C.
El Mas Vilar
S'Agaró
Platja de Sant Pol
Canyet de Mar
Cala Giverola
Sta Maria de Llorell
Canyelles
Platja de Fanals
Platja de Sabanell
Pta de la Tordera
Malgrat de Mar
Sta Susanna
Pineda de Mar
Les Gavarres
Puig d'Arques
Puig de Cadiretes
Llagostera
Caldes de Malavella
Cassà de la Selva
Calonge
La Bisbal d'Empordà
Begur
Aiguablava
Fornells de Mar
Aigua xellida
Tamariu
Llafranc
Sa Riera
Aiguafreda
Sa Tuna
Mont-ras
Vall-Llobrega
Llofriu
Regencós
Pals
Torrent
Vulpellac
Peratallada
Ullastret
Ciutat ibèrica
Palau-sator
Fontclara
Sant Feliu de Boada
Els Masos
Fontanilles
Parlavà
Rupià
La Pera
Púbol
Celrà
S. Martí Vell
Madremanya
Corçà
Monells
Mare de Déu dels Angels
Montnegre
Sant Sadurní de l'Heura
S. Mateu
Sta Pellaia
Quart
Llambilles
Fornells de la S.
Riudellots de la S.
Sant Andreu Salou
Romanyà de la S.
Castell d'Aro
Solius
Sta Cristina d'Aro
Veïnat de S. Llorenç
Can Carbonel
Vidreres
Sant Grau
Rocagrossa
Water World
Santa Cristina
Palafolls
Taialà
Salt
Sarrià de Ter
Vilablareix
Aiguaviva
GIRONÈS
LA SELVA

0 4 8 12 km
Espinho
Ovar
AVEIRO
Ílhavo
Vagos
Mira
Cantanhede
COIMBRA
Figueira da Foz
Águeda
Oliveira de Azeméis
Sta Maria da Feira
S. João da Madeira
Estarreja
Murtosa
Anadia
Curia
Mealhada
Luso
Buçaco
Montemor-o-Velho
Cabo Mondego
Praia de Mira
Praia da Tocha
Praia de Quiaios
Praia da Barra
Costa Nova
Torreira
Furadouro
Dunas de Ovar
Reserva Natural das Dunas de São Jacinto
Dunas de Quiaios
Dunas de Cantanhede
R. Mondego
R. Vouga
Vª Nª de Gaia
Gondomar
Oliveira do Bairro
Albergaria-a-Velha
Vale de Cambra
Sever do Vouga

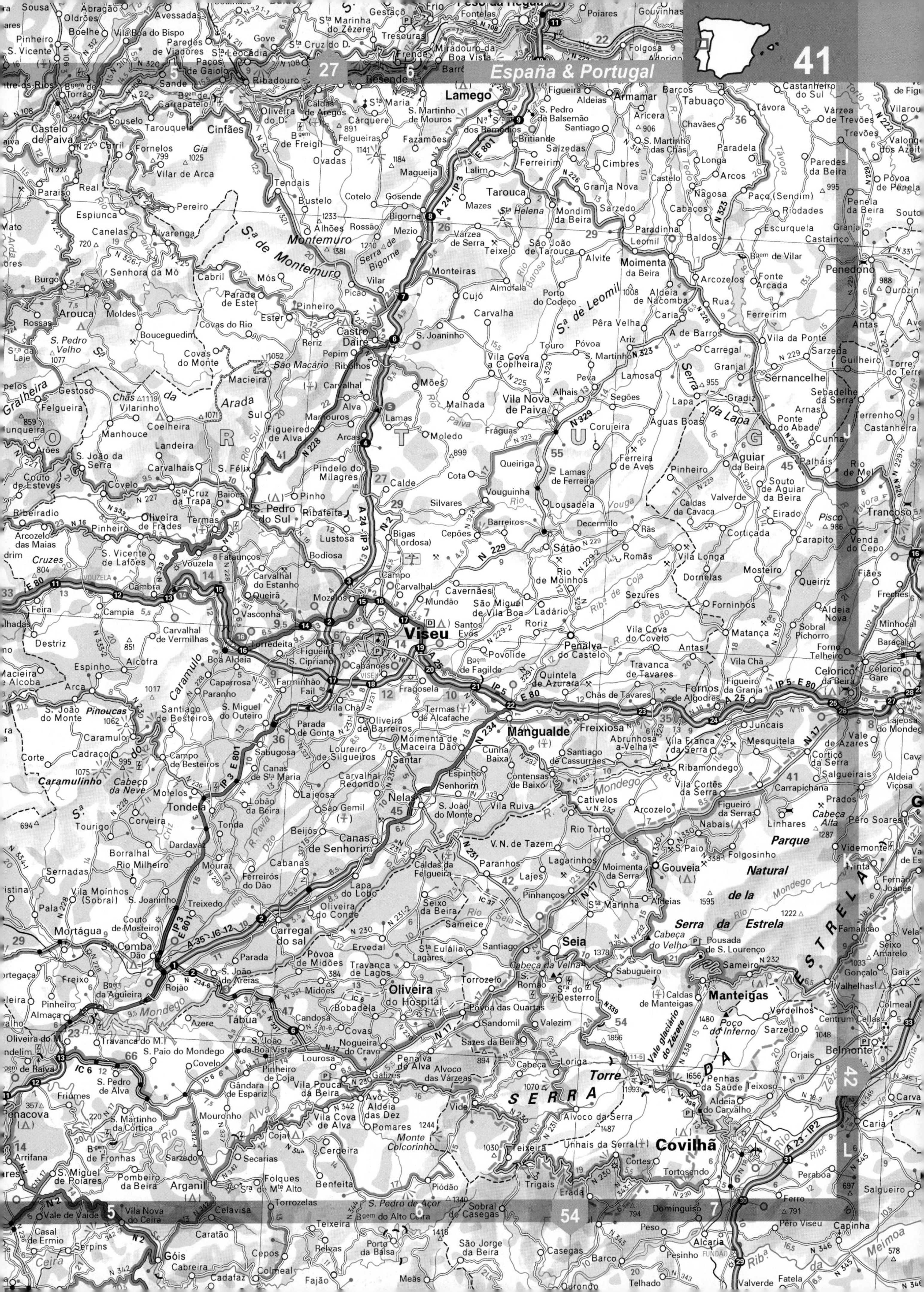
Lamego
Viseu
Mangualde
Tondela
Seia
Gouveia
Covilhã
Manteigas
Celorico da Beira
Trancoso
Sátão
Castro Daire
Arouca
Cinfães
Resende
Moimenta da Beira
Tabuaço
Armamar
Tarouca
Sernancelhe
Aguiar da Beira
Penalva do Castelo
Fornos de Algodres
Nelas
Carregal do sal
Santa Comba Dão
Oliveira do Hospital
Tábua
Arganil
Góis
Mortágua
Penacova
Vouzela
Oliveira de Frades
S. Pedro do Sul
Vila Nova de Paiva
Castelo de Paiva
Penedono
Belmonte
Serra da Estrela
Parque Natural de la Serra da Estrela
Torre
Sª de Montemuro
Montemuro
Serra da Lapa
Serra de Bigorne
Caramulo
Mondego
27
54
42

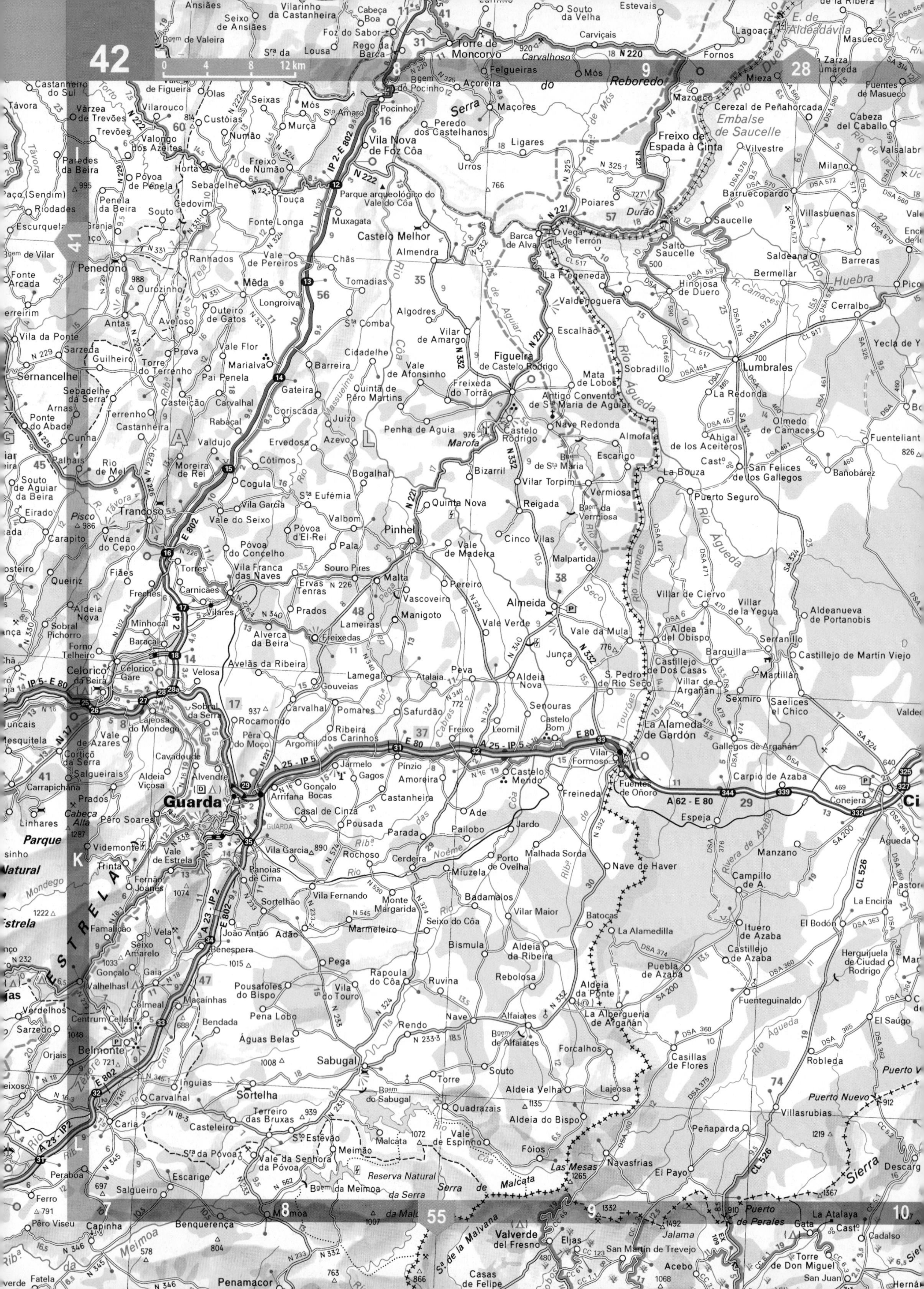
28
41
55
Ansiães
Seixo de Ansiães
Vilarinho da Castanheira
Cabeça Boa
Foz do Sabor
Rego da Barca
Lousã
Torre de Moncorvo
Carvalhoso
Carviçais
Souto da Velha
Estevais
Felgueiras
Mós
Açoreira
Maçores
Serra do Reboredo
Lagoaça
Fornos
E. de Aldeadávila
Masueco
Mieza
Zarza Pumareda
Fuentes de Masueco
Mazouco
Cerezal de Peñahorcada
Embalse de Saucelle
Cabeza del Caballo
Freixo de Espada à Cinta
Vilvestre
Valsalabroso
Milano
Barruecopardo
Villasbuenas
Saucelle
Salto Saucelle
Poiares
Durão
Ligares
Urros
Peredo dos Castelhanos
Pocinho
Vila Nova de Foz Côa
Parque arqueológico do Vale do Côa
Muxagata
Castelo Melhor
Almendra
Barca de Alva
Vega de Terrón
La Fregeneda
Hinojosa de Duero
Saldeana
Barreras
Bermellar
R. Huebra
Cerralbo
Lumbrales
Sobradillo
La Redonda
Olmedo de Camaces
Ahigal de los Aceiteros
Fuenteliante
San Felices de los Gallegos
Bañobárez
Puerto Seguro
Valdenoguera
Escalhão
Figueira de Castelo Rodrigo
Mata de Lobos
Antigo Convento de Sta Maria de Aguiar
Nave Redonda
Almofala
Escarigo
Castelo Rodrigo
Marofa
Penha de Aguia
Vermiosa
Vilar Torpim
Reigada
Cinco Vilas
Malpartida
Almeida
Vale da Mula
Junça
Aldea del Obispo
Villar de Ciervo
Villar de la Yegua
Aldeanueva de Portanobis
Serranillo
Castillejo de Martín Viejo
Castillejo de Dos Casas
Villar de Argañán
Barquilla
Martillán
Sexmiro
Saelices el Chico
La Alameda de Gardón
Gallegos de Argañán
Vilar Formoso
Fuentes de Oñoro
Carpio de Azaba
Conejera
Espeja
Pinhel
Quinta Nova
Vale de Madeira
Pereiro
Vascoveiro
Manigoto
Malta
Souro Pires
Pala
Valbom
Póvoa d'El-Rei
Cidadelhe
Vale de Afonsinho
Freixeda do Torrão
Quinta de Pêro Martins
Gateira
Barreira
Coriscada
Juizo
Azevo
Erverdosa
Cótimos
Bogalhal
Sta Eufémia
Meda
Longroiva
Marialva
Vale Flor
Prova
Pai Penela
Carvalhal
Rabaçal
Valdujo
Moreira de Rei
Cogula
Vila Garcia
Vale do Seixo
Trancoso
Venda do Cepo
Póvoa do Concelho
Vila Franca das Naves
Ervas Tenras
Prados
Freixedas
Lameiras
Alverca da Beira
Avelãs da Ribeira
Celorico da Beira
Velosa
Lamegal
Atalaia
Peva
Aldeia Nova
Gouveias
Carvalhal
Pomares
Safurdão
Rocamondo
Ribeira dos Carinhos
Freixo
Leomil
Senouras
Castelo Bom
Guarda
Arrifana
Gonçalo Bocas
Jarmelo
Gagos
Pínzio
Amoreira
Castanheira
Castelo Mendo
Ade
Freineda
Casal de Cinza
Pousada
Parada
Pailobo
Jardo
Vila Garcia
Rochoso
Cerdeira
Porto de Ovelha
Malhada Sorda
Nave de Haver
Miuzela
Badamalos
Vilar Maior
Batocas
La Alamedilla
Ituero de Azaba
Castillejo de Azaba
Puebla de Azaba
Aldeia da Ribeira
Rebolosa
Aldeia da Ponte
La Alberguería de Argañán
Fuenteguinaldo
Alfaiates
Forcalhos
Casillas de Flores
Robleda
Sabugal
Souto
Torre
Aldeia Velha
Lajeosa
Quadrazais
Aldeia do Bispo
Peñaparda
Villasrubias
Puerto Nuevo
Fóios
Navasfrías
El Payo
Las Mesas
Malcata
Meimão
Vale de Espinho
Reserva Natural da Serra de Malcata
Sortelha
Terreiro das Bruxas
Casteleiro
Sta Estêvão
Vale da Senhora da Póvoa
Sta da Póvoa
Escarigo
Salgueiro
Benquerença
Meimoa
Penamacor
Valverde del Fresno
Eljas
San Martín de Trevejo
Acebo
Casas de Felipe
Puerto de Perales
Gata
La Atalaya
Cadalso
Torre de Don Miguel
San Juan
Belmonte
Caria
Peraboa
Ferro
Pêro Viseu
Capinha
Fatela
Valhelhas
Verdelhos
Sarzedo
Orjais
Manteigas
Famalicão
Vela
Seixo Amarelo
Gonçalo
Benespera
João Antão
Adão
Marmeleiro
Pega
Rapoula do Côa
Ruvina
Vila do Touro
Pousafoles do Bispo
Pena Lobo
Águas Belas
Bendada
Rendo
Nave
Monte Margarida
Vila Fernando
Sortelhão
Panoias de Cima
Seixo do Côa
Bismula
Vale de Estrela
Videmonte
Trinta
Fernão Joanes
Pêro Soares
Cabeça Alta
Linhares
Carrapichana
Salgueirais
Cortiço da Serra
Vale de Azares
Cavadoude
Aldeia Viçosa
Alvendre
Lajeosa do Mondego
Sobral da Serra
Parque Natural da Serra da Estrela
Estrela
Mondego
Penedono
Sernancelhe
Arnas
Ponte do Abade
Cunha
Palhais
Rio de Mel
Souto de Aguiar da Beira
Eirado
Carapito
Queiriz
Aldeia Nova
Sobral Pichorro
Forno Telheiro
Minhocal
Baraçal
Vilares
Carnicães
Torres
Fiães
Freches
Terrenho
Castanheira
Casteição
Antas
Aveloso
Outeiro de Gatos
Ourozinho
Ranhados
Vale de Pereiros
Chãs
Tomadias
Fonte Longa
Touça
Gedovim
Sebadelhe
Horta
Freixo de Numão
Numão
Custóias
Murça
Mós
Seixas
Vilarouco
Valongo dos Azeites
Trevões
Várzea de Trevões
Castanheiro do Sul
Táboa
Paredes da Beira
Póvoa de Penela
Penela da Beira
Souto
Riodades
Escurquela
Granja
Paço (Sendim)
Fonte Arcada
Sebadelhe da Serra
Vila da Ponte
Sarzeda
Guilheiro
Torre do Terrenho
Vale de Figueira
Olas
Sto Amaro
Algodres
Vilar de Amargo
Cerdeira
Sta Comba
Bizarril
Yecla de Yeltes
Valdecarros
Ciudad Rodrigo
Águeda
Manzano
Campillo de Azaba
La Encina
El Bodón
Herguijuela de Ciudad Rodrigo
El Saúgo
Pastores
Sierra de Gata
Puerto Villar
Descargamaría
Sa de la Malvana
Jalama
Serra de Malcata
Rio Águeda
Rio Côa
Rio Douro
Rio Duero
Rio Turones
Rio Tourões
Ribª de Aguiar
Rio Massueime
Rio Noéme
Ribª das Cabras
Rio Zêzere
Meimoa
0 4 8 12 km

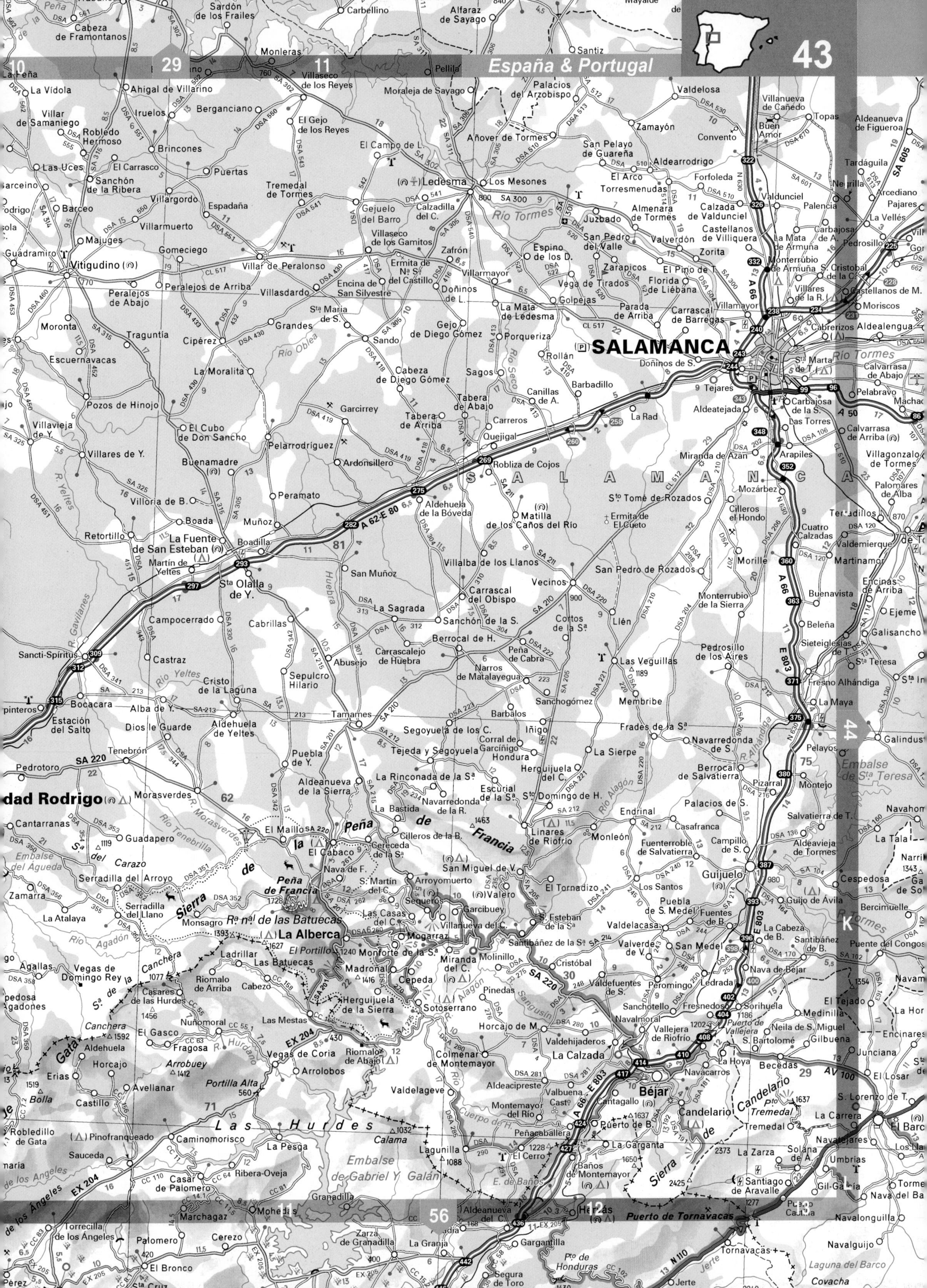

España & Portugal
43
29
11
10
44
56
Sardón de los Frailes
Cabeza de Framontanos
Carbellino
Alfaraz de Sayago
Mayalde
Monleras
Santiz
Pellila
Villaseco de los Reyes
La Peña
La Vídola
Ahigal de Villarino
Moraleja de Sayago
Palacios del Arzobispo
Valdelosa
Villanueva de Cañedo
Villar de Samaniego
Iruelos
Berganciano
El Gejo de los Reyes
Zamayón
Topas
Aldeanueva de Figueroa
Robledo Hermoso
Brincones
Añover de Tormes
Convento
Buen Amor
El Campo de L.
San Pelayo de Guareña
Las Uces
El Carrasco
Puertas
Aldearrodrigo
Tardáguila
Sanchón de la Ribera
Tremedal de Tormes
Ledesma
Los Mesones
El Arco
Forfoleda
Negrilla
Arcediano
Villargordo
Espadaña
Gejuelo del Barro
Calzadilla del C.
Torresmenudas
Almenara de Tormes
Calzada de Valdunciel
Valdunciel
Palencia
Pajares
Barceo
Villarmuerto
Río Tormes
Juzbado
La Vellés
Majuges
Villaseco de los Gamitos
San Pedro del Valle
Valverdón
Castellanos de Villiquera
La Mata de Armuña
Carbajosa de A.
Pedrosillo
Gomeciego
Zafrón
Espino de los D.
Zorita
Vitigudino
Villar de Peralonso
Ermita de Nª Sª del Castillo
Zarapicos
El Pino de T.
Monterrubio de Armuña
S. Cristobal de la C.
Peralejos de Arriba
Encina de San Silvestre
Villarmayor
Vega de Tirados
Florida de Liébana
Villares de la R.
Castellanos de M.
Peralejos de Abajo
Villasdardo
Doñinos de L.
Golpejas
Parada de Arriba
Carrascal de Barregas
Villamayor
Moriscos
Sta María de S.
La Mata de Ledesma
Moronta
Grandes
Gejo de Diego Gómez
Cabrerizos
Aldealengua
Tragundía
Cipérez
Sando
Porqueriza
SALAMANCA
Escuernavacas
Río Oblea
Rollán
Doñinos de S.
Sta Marta de T.
Calvarrasa de Abajo
Río Tormes
La Moralita
Cabeza de Diego Gómez
Sagos
Barbadillo
Tejares
Pelabravo
Pozos de Hinojo
Tabera de Abajo
Canillas de A.
Aldeatejada
Carbajosa de la S.
Garcirrey
Tabera de Arriba
Carreros
La Rad
Las Torres
Calvarrasa de Arriba
Villavieja de Y.
El Cubo de Don Sancho
Pelarrodríguez
Quejigal
Villares de Y.
Ardonsillero
Robliza de Cojos
Miranda de Azán
Arapiles
Villagonzalo de Tormes
Buenamadre
SALAMANCA
Mozárbez
Palomares de Alba
Villoria de B.
Peramato
Aldehuela de la Bóveda
Sto Tomé de Rozados
Cilleros el Hondo
Boada
Muñoz
Matilla de los Caños del Río
Ermita de El Cueto
Terradillos
Retortillo
La Fuente de San Esteban
Boadilla
Cuatro Calzadas
Valdemierque
Martín de Yeltes
Villalba de los Llanos
San Pedro de Rozados
Morille
Martinamor
San Muñoz
Sta Olalla de Y.
Carrascal del Obispo
Vecinos
Encinas de Arriba
Campocerrado
La Sagrada
Cortos de la Sª
Monterrubio de la Sierra
Buenavista
Ejeme
Cabrillas
Sanchón de la S.
Llén
Beleña
Galisancho
Sancti-Spiritus
Berrocal de H.
Peña de Cabra
Pedrosillo de los Aires
Sieteiglesias de T.
Sta Teresa
Castraz
Abusejo
Carrascalejo de Huebra
Las Veguillas
Río Yeltes
Cristo de la Laguna
Sepulcro Hilario
Narros de Matalayegua
Fresno Alhándiga
Bocacara
Alba de Y.
Sanchogómez
Membribe
La Maya
Estación del Salto
Tamames
Barbalos
Dios le Guarde
Aldehuela de Yeltes
Segoyuela de los C.
Iñigo
Frades de la Sª
Navarredonda de S.
Galindus
Tenebrón
Corral de Garcíñigo
Hondura
Pelayos
Pedrotoro
Tejeda y Segoyuela
La Sierpe
Embalse de Sta Teresa
Puebla de Y.
Herguijuela del C.
Berrocal de Salvatierra
Aldeanueva de la Sierra
La Rinconada de la Sª
Pizarral
Montejo
Ciudad Rodrigo
Morasverdes
Escurial de la Sª
Sto Domingo de H.
Palacios de S.
Navarredonda de la R.
La Bastida
Endrinal
Salvatierra de T.
Navahom
Cantarranas
Guadapero
El Maíllo
Peña de Francia
Cilleros de la B.
Linares de Riofrío
Monleón
Casafranca
Fuenterroble de Salvatierra
Campillo de S.
Aldeavieja de Tormes
La Tala
Embalse del Águeda
Carazo
El Cabaco
Cereceda de la Sª
Nava de F.
San Miguel de V.
Cespedosa
Serradilla del Arroyo
Sierra de
S. Martín del C.
Arroyomuerto
El Tornadizo
Los Santos
Guijuelo
Guijo de Ávila
Zamarra
Peña de Francia
Serradilla del Llano
Sequeros
Valero
Puebla de S. Medel
Fuentes de B.
Bercimuelle
La Atalaya
Monsagro
Rª nal de las Batuecas
Las Casas del C.
Garcibuey
S. Esteban de la Sª
Valdelacasa
La Cabeza de B.
Santibáñez de B.
La Alberca
Villanueva del C.
Mogarraz
Santibáñez de la Sª
Valverde de V.
San Medel
Puente del Congosto
Agallas
Vegas de Domingo Rey
Ladrillar
Las Batuecas
El Portillo
Monforte de la Sª
Miranda del C.
Molinillo
Cristóbal
Nava de Béjar
Riomalo de Arriba
Cabezo
Madroñal
Cepeda
Valdefuentes de S.
Peromingo
Ledrada
Navam
Casares de las Hurdes
Herguijuela de la Sierra
Pinedas
Sotoserrano
Sanchotello
Fresnedoso
Sorihuela
El Tejado
Medinilla
La Hor
Canchera
El Gasco
Nuñomoral
Las Mestas
Horcajo de M.
Navalmoral
Vallejera de Riofrío
Neila de S. Miguel
Encinares
Aldehuela
Fragosa
Valdehijaderos
S. Bartolomé
Gilbuena
Gata
Horcajo
Arrobuey
Vegas de Coria
Riomalo de Abajo
Colmenar de Montemayor
La Calzada
La Hoya
Becedas
Junciana
Erias
Arrolobos
Navacarros
El Losar
Portilla Alta
Aldeacipreste
Valbuena
Béjar
Candelario
Pto Tremedal
Avellanar
Bolla
Castillo
Valdelageve
Montemayor del Río
Cantagallo
S. Lorenzo de T.
Las Hurdes
Calama
Puerto de B.
Tremedal
La Carrera
El Barco
Robledillo de Gata
Pinofranqueado
Caminomorisco
La Pesga
Cuerpo de H.
Peñacaballera
La Garganta
Sierra de
Navatejares
Los Llanos
Sauceda
Embalse de Gabriel Y. Galán
Lagunilla
El Cerro
La Zarza
Solana de A.
Umbrías
Casar de Palomero
Ribera-Oveja
Baños de Montemayor
Santiago de Aravalle
Gil-García
Tormellas
Nava del Barco
Granadilla
Mohedas
Aldeanueva del C.
Hervás
Puerto de Tornavacas
Puerto Castilla
Torrecilla de los Ángeles
Marchagaz
Zarza de Granadilla
Navalonguilla
Palomero
Cerezo
La Granja
Gargantilla
Tornavacas
Navalguijo
El Bronco
Pto de Honduras
Laguna del Barco
Sta Cruz
Segura de Toro
Jerte
Covacha

Fuentelapeña
Castrejón
de las Torres
El Campillo
Gómeznarro
La Zarza
Castrillo de la Guareña
Torrecilla de la Orden
Brahojos de Medina
Velascálvaro
Rubí de Bracamonte
Ramiro
Bocigas
0 4 8 12 km
14
30
15
Carpio
Fresno el Viejo
Bobadilla del Campo
Cervillego de la Cruz
San Vicente del Palacio
Almenara de Adaja
Villanueva de Cañedo
Topas
Aldeanueva de Figueroa
Cañizal
Tarazona de Guareña
Fuente el Sol
Ataquines
Villa Rodrigo
Buen Amor
Olmo de la G.
La Carolina
Parada de Rubiales
San Pablo de la Moraleja
Vallesa
Lomoviejo
Honcalada
Montejo de Arévalo
Tardáguila
Cantalapiedra
Blasconuño de Matacabras
Honquilana
Negrilla
Espino de la O.
Río Guareña
Salvador de Z.
Donhierro
Arcediano
La Orbada
Moraleja de M.
Muriel de Z.
Palacios de Goda
Valdunciel
Palencia
Pajares
Villaflores
Madrigal de las Altas Torres
San Esteban de Z.
Donvidas
La Mata de Armuña
Carbajosa de A.
La Vellés
El Pedroso de la Armuña
Castellanos de Z.
Sinlabajos
Pedrosillo
Villaverde
Gomecello
Pitiegua
Horcajo de las Torres
Villar de M.
Barromán
Aldeaseca
Arévalo
Monterrubio de Armuña
S. Cristóbal de la C.
Cabezabellosa de la C.
Arabayona
Cantalpino
Palaciosrubios
Bercial de Zapardiel
Villanueva del Aceral
Eta la Lugareja
Villares
Castellanos de M.
Poveda de las Cintas
Aldearrubia
Moriscos
Villoruela
Zorita de la Frontera
Rasueros
Mamblas
Fuentes de Año
Palacios Rubios
Vinaderos
43
Aldealengua
San Morales
Rágama
Cabezas del Pozo
Magazos
Babilafuente
Villoria
El Campo de Peñaranda
San Cristóbal de T.
Canales
Langa
Noharre
Sta Marta de T.
Río Tormes
Huerta
Moriñigo
Paradinas de San Juan
Bernuy-Zapardiel
Fuente el Sauz
Nava de Arévalo
Calvarrasa de Abajo
Encinas de Abajo
Cordovilla
Villar de Gallimazo
El Ajo
Cisla
Cantiveros
Donjimeno
San Vicente de A.
Pelabravo
Machacón
Aldeaseca de la Frontera
Villamayor
Constanzana
Cabezas de A.
Carbajosa de la S.
Las Torres
A 50
N 501
Ventosa del Río Almar
Flores de Ávila
Fontiveros
Pedro Rodríguez
Tiñosillos
Calvarrasa de Arriba
San Vicente
Alconada
Cantaracillo
Muñosancho
Rivilla de Barajas
El Bohodón
Arapiles
Villagonzalo de Tormes
Río Almar
Peñarandilla
Nava de Sotrobal
Collado de Contreras
Cabizuela
Villanueva de Gómez
Peñaranda de Bracamonte
Palomares de Alba
Garcihernández
Coca de Alba
Salvadiós
Narros de S.
San Pascual
Arapiles
Amatos
La Lurda
Tordillos
Bóveda del Río A.
Gimialcón
Crespos
Muñomer del Peco
Papatrigo
Terradillos
Alba de Tormes
Chaherrero
Hernansancho
Cuatro Calzadas
Valdemierque
Pedrosillo de A.
Macotera
Mancera de Abajo
Duruelo
Narros del Castillo
Viñegra de M.
Albornos
S. Juan de la Encinilla
El Oso
Gotarrendura
Martinamor
Aldeaseca de Alba
Galleguillos
Santiago de la Puebla
Muñogrande
Riocabado
Turra
Salmoral
Blascomillán
Vita
Sigeres
S. Pedro del A.
Pozanco
Buenavista
Encinas de Arriba
Navales
Valdecarros
Gajates
Mancera de Arriba
Herreros de Suso
El Parral
Las Berlanas
Ejeme
Pedraza de Alba
Brabos
Sto Tomé de Zabarcos
Aveinte
Monsalupe
Peñalba de Á.
Beleña
Galisancho
Herrezuelo
San García de Ingelmos
San Martín
Horcajuelo
Villaflor
Zorita de los Molinos
Sieteiglesias de T.
Larrodrigo
Malpartida
Alaraz
Solana de Rioalmar
Grandes
Muñoyerro
Mingorría
Sta Teresa
Anaya de Alba
Mirueña de los Infanzones
Rinconada
Cardeñosa
Fresno Alhándiga
Sta Inés
Cabezas del Villar
Gallegos de Sobrinos
Bularros
Marlín
Las Cogotas
La Maya
Río Gudín
Eta Virgen del Espino
Cillán
Altamiros
Gallegos de A.
Hurtumpascual
Viñegra
Muñico
Chamartín
La Alamedilla del Berrocal
El Tomillar
(Diego del Carpio)
62
Gamonal
Ortigosa de Rioalmar
Benitos
Martiherrero
Galinduste
Diego Álvaro
Pelayos
Chagarcía Medianero
San Miguel de Serrezuela
Manjabálago
Casasola
Ermita de Valdejimena
Carpio Medianero
Pascualcobo
San Juan del Olmo
Valdecasa
Narrillos del R.
Sanchorreja
La Colilla
Embalse de Sta Teresa
Horcajo Medianero
Martínez
Balbarda
Ávila
Muñopepe
La Serrada
Pizarral
Montejo
Revalbos
Zapardiel de la Cañada
Vadillo de la Sa
Pto de las Fuentes
Oco
Múñez
Sanchicorto
Padiernos
Navahombela
Sierra de Ávila
Salobral
El Fresno
Salvatierra de T.
La Tala
Armenteros
Arevalillo
Muñana
Guareña
Muñogalindo
Sta María del A.
Niharra
Aldeavieja de Tormes
Narrillos
Aldealabad
Villanueva del C.
Poveda
Amavida
La Torre
Salobralejo
Gemuño
Aldea del Rey Niño
Cespedosa
Gallegos de Solmirón
Tórtoles
Cabezas de Bonilla
Collado del M.
Villatoro
60
Blacha
Baterna
Solosancho
Guijo de Ávila
El Mirón
Bercimuelle
Becedillas
Casas del Puerto
Pradosegar
Muñotello
Narros del Pto
Robledillo
Mironcillo
Riofrío
R. Tormes
Malpartida de Corneja
Bonilla de la Sa
Pto de Villatoro
La Hija de Dios
Villaviciosa
Sotalvo
La Cabeza de B.
Sta María del B
Messegar de C.
Villafranca de la Sa
Garganta de los Hornos
Serrota
Santibáñez de B.
S. Bartolomé de C.
Puente del Congosto
Eta de la Vega
Mengamuñoz
Sierra de la Paramera
Pto de Paramera
Nava de Béjar
Villar de Corneja
S Miguel de C.
Navacepedilla de Corneja
Pto de Navalmoral
S. Juan de la Nava
Navamorales
Navaescurial
Puerto de Chía
Puerto de Menga
Villarejo
El Tejado
Hoyorredondo
Piedrahita
Cepeda la Mora
Navandrinal
Medinilla
La Horcajada
Moros
Garganta del V.
San Juan del Molinillo
Navalmoral
Neila de S. Miguel
Santiago del C.
Sa de Villafranca
(()) Navarredondilla
Bartolomé
Gilbuena
Encinares
San Martín de la Vega del Alberche
Navalacruz
Navaquesera
Navatalgordo
Burgohondo
Navaluenga
Junciana
Sta María de los C.
Pto de la Peña Negra
Navadijos
Navalsáuz
Hoyocasero
Becedas
29
AV 100
El Losar
La Aldehuela
Avellaneda
La Herguijuela
Hoyos de Miguel Muñoz
Navalosa
R. Alberche
Candelario
Pto Tremedal
Aldeanueva de Sta Cruz
S. Bartolomé de T.
Venta del O.
S. Lorenzo de T.
Horcajo de la R.
Zapardiel de la R.
(S. Juan de G.)
Navacepeda de T.
Navarredonda de Gredos
Villanueva de Ávila
La Carrera
El Barco de Á.
Barajas
San Martín del Pimpollar
Navarrevisca
Tremedal
La Lastra del C.
Hoyos del C.
Hoyos del Espino
Parador de Gredos
Navatejares
Solana de A.
Los Llanos de T.
Navalperal de T.
Puerto del Pico
Serranillos
GREDOS
Zarza
Umbrías
La Aliseda de T.
(Santiago de Tormes)
Pto de Mijares
Gil-García
Tormellas
Bohoyo
Collado de Serranillos
Santiago de Aravalle
Nava del Barco
Piedralaves
Puerto Castilla
13
14
Navalonguilla
Pastor
Reserva nacional de Gredos
DE
57
Arenas
A. Victory
El Arenal
Cuevas del Valle
Mombeltrán
Arenas del Valle
Mijares
San Esteban del V.
Casavieja
Navalguijo
Laguna Grande de Gredos
José Antonio Elola
El Hornillo
Gavilanes
La Mira
Laguna del Barco
Pico Almanzor
Covacha
Guisando
S. Pedro de A.
Sta Cruz del V.
Pedro Bernardo
64

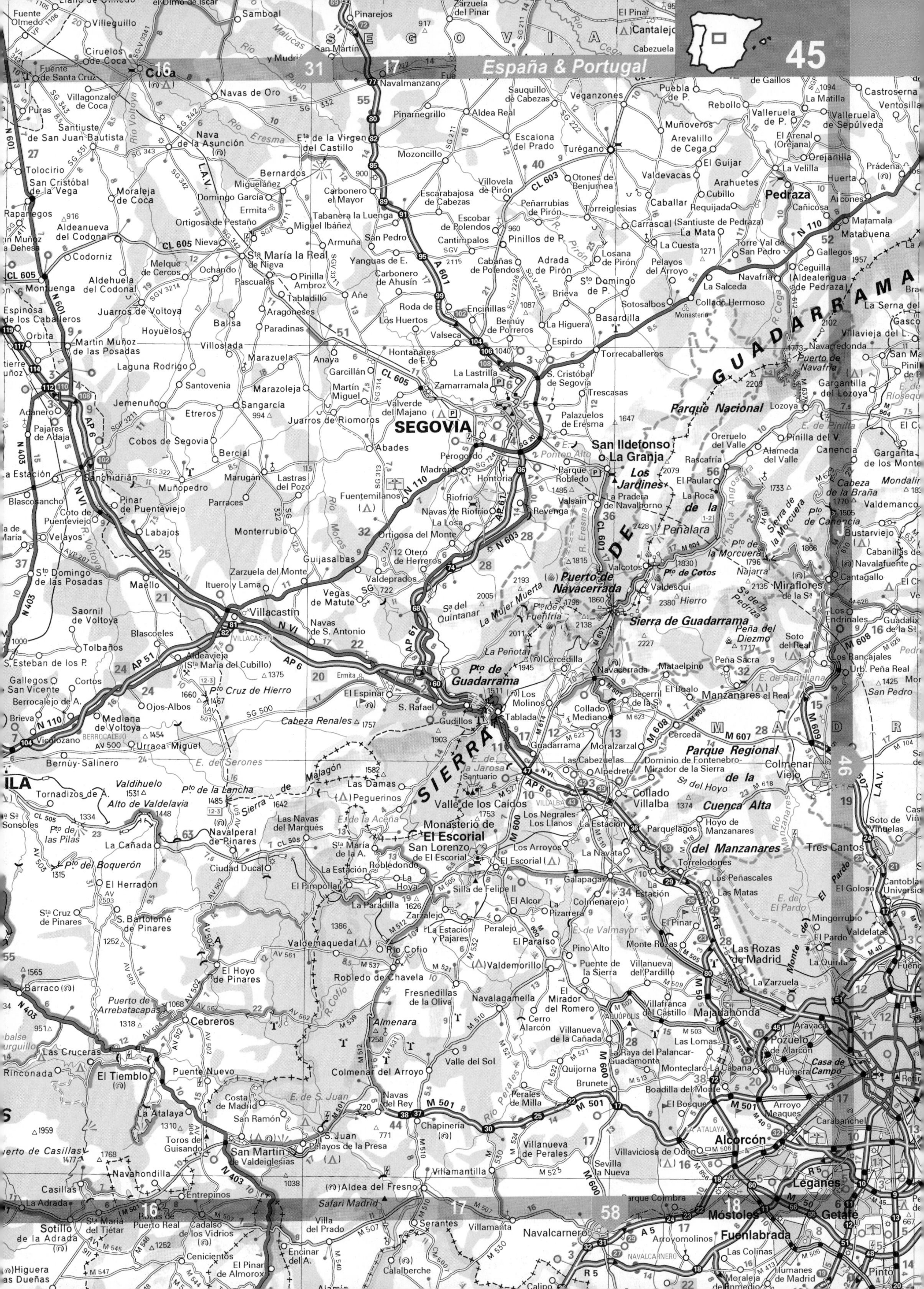


31
16
17
46
58
18

Riaza
Puerto de Somosierra
Pico del Lobo
Sierra de Ayllón
Reserva Nacional de Caza de Sonsaz
Ocejón
Pedraza
GUADARRAMA
Buitrago del Lozoya
Torrelaguna
Uceda
Embalse de El Vado
Tamajón
Jadraque
Guadalajara
Alcalá de Henares
Torrejón de Ardoz
Alcobendas
San Sebastián de los Reyes
Colmenar Viejo
Tres Cantos
MADRID
Coslada
San Fernando de Henares
Mejorada del Campo
Rivas-Vaciamadrid
Arganda del Rey
Getafe
Leganés
Pinto
Pastrana
Mondéjar
Brihuega
Torija
Hita
Cogolludo
Humanes
El Casar
Pozo de Guadalajara
Loranca de Tajuña
Horche
Romanones
Hiendelaencina
Condemios de Abajo
Galve de Sorbe
Cantalojas
Miedes de Atienza
Somosierra
Montejo de la Sª
Lozoyuela
Miraflores de la Sª
Pozuelo de Alarcón
Aravaca
Barajas

Alpanseque
Romanillos de Medinaceli
Mezquetillas
Radona
Sª de la Mata
Valladares
Sta María de Huerta
Madrigal
Paredes de Sigüenza
Alcubilla de las Peñas
Blocona
Montuenga
Torre
Tordelrábano
Rienda
Torrecilla del Ducado
Yelo
Beltejar
Arcos de Jalón
Aguilar de Montuenga
Cabolafuente
Alcolea de las Peñas
Riba de Santiuste
Sienes
Conquezuela
Miño de Medinaceli
Jubera
Lodares
Alconchel de Ariza
Jaraba
Querencia
Tobes
Sª de la Pila
Olmedillas
Ambrona
Medinaceli
Ención de Medinaceli
Gargantas
Somaén
Velilla de M.
Sisamon
Calmarza
La Barbolla
Imón
Villacorza
Ventosa
Museo Paleontológico
Salinas de M.
Chaorna
Sierra de Solorio
Riofrío del Llano
Riosalido
Alboreca
Mojares
Horna
Arbujuelo
Sagides
Judes
Villel de Mesa
Algar de Mesa
Campillo de Aragón
Santamera
La Olmeda de Jadraque
Bujalcayado
Pozancos
Cubillas
Torralba
Azcamellas
Ures de Medina
Sierra
Iruecha
E. de Atance
Carabias
Ures
Alcuneza
Castº
Sierra Ministra
Esteras de M.
Mochales
Milmarcos
Guijosa
Bujarrabal
Benamira
Layna
Pto Esteras
Codes
Amayas
Santiuste
Palazuelos
Barbatona
Estriégana
Huérmeces del Cerro
Sigüenza
Alcolea del Pinar
Pto de Alcolea
Maranchón
Balbacil
Labros
Hinojosa
Sierra de la Muela
Viana de Jadraque
Moratilla de Henares
Sauca
Aguilar de Anguita
Anguita
Luzón
Pto de Maranchón
Clares
Anchuela del Campo
Turmiel
Estación de Cutamilla
Pelegrina
Villaverde del Ducado
Iniéstola
Sta María del Espino
Ciruelos del Pinar
Mazarete
Establés
Concha
Tartanedo
Ermita de la Concepc
Baides
La Cabrera
Torremocha del Campo
La Torresaviñán
Luzaga
Cueva de la Hoz
Tobillos
Anquela del Ducado
Torrubia
Aragosa
Algora
Castº
Tortonda
Ermita de la Virgen
Padilla del Ducado
La Saceda
Aragoncillo
Pardos
Mandayona
La Fuensaviñán
Cortes de Tajuña
La Hortezuela de Océn
Villarejo de Medina
Blanca de Solanillos
Selas
Guijo
Aragoncillo
Mirabueno
Laranueva
Cueva de los Casares
Eta de la Virgen del Buenfabrado
Mojón Alto
Castejón de Henares
Navalpotro
Renales
Sotodosos
Saelices de la Sal
Riba de Saelices
Ablanque
Canales de Molina
Almadrones
L.A.V.
Mocasilla
Salinas
Torremocha del Pinar
Herrería
Rillo de Gallo
Las Inviernas
El Sotillo
Torrecuadrada de los Valles
Abánades
La Loma
Ribarredonda
Eta de la Virgen de Montesinos
Castº
Molina de Aragón
Ledanca
Hontanares
Alaminos
Torrecuadradilla
Esplegares
Olmeda de Cobeta
Cobeta
Torrecilla del Pinar
Corduente
Cañizeres
Embalse de la Tajera
Eta de Nª Sª de Aranz
Sacecorbo
Huertahernando
Monasterio de Buenafuente
Villar de Cobeta
Eta de Nª Sª de la Hoz
Valsalobre
Cogollor
Yela
Masegoso de Tajuña
Sª Megorrón
Pinoso
Torete
Ventosa
Terraza
Castil
Cívica
Moranchel
Valderrebollo
Canredondo
Canales del Ducado
Río Tajo
Cuevas Labradas
Cuevas Minadas
Teroleja
Valhermoso
Tajuña
Barriopedro
Cifuentes
Val de San García
Huertapelayo
Zaorejas
Lebrancón
Escalera
Torremocha
Olmeda del Extremo
Gárgolas de Arriba
Eta de la Cueva del Beato
Ocentejo
Las Casillas
Tierzo
Solanillos del Extremo
Malacuera
Oter
Parque natural del Alto Tajo
Fuembellida
Almallá
Montes de Picaza
G U A D A L A J A R A
Ruguilla
Huetos
Armallones
Salinas
Gárgoles de Abajo
Sotoca de Tajo
Carrascosa de Tajo
Baños de Tajo
Eta de Nª Sª de la Cabeza
Henche
Valtablado del Río
Castilmimbre
Eta de San Bartolomé
Mogorrita
Taravilla
Terzaga
Pinilla
Picazo
Trillo
Azañón
Morillejo
Villanueva de Alcorón
Valdelagua
Gualda
Ermita de la Virgen de la Vega
Peñalén
Monte
Arbeteta
LA ALCARRIA
Tetas
Viana de Mondéjar
Cerro
Poveda de la Sierra
Megina
Yélamos de Arriba
Eta de la Virgen del Poral
E. de la Chorrera
Loma Pajar
Durón
La Puerta
Valsalobre
San Andrés del Rey
Budia
Cereceda
El Recuenco
El Pozuelo
Cabrillas
Mantiel
Villaescusa de Palositos
Peralveche
Carrascosa
Juez
Cheque
El Olivar
Chillarón del Rey
Vindel
Ermita de Nª Sª de la Bienvenida
Beteta
Cueva del Hierro
Peralejos de las Truchas
Alique
Alocén
Torronteras
Castilforte
Sta Cristina
Hoz de Beteta
Eta de Riba
Las Anclas
Pareja
Escamilla
El Tobar
Masegosa
Berninches
Embalse de Entrepeñas
Alcantud
Puente de Vadillos
Lagunaseca
Peñalagos
Casasana
Salmerón
Cañizares
E. de la Tosca
Saimeroncillos de Arriba
Tabladillo
Solán de Cabra
Arandilla del Arroyo
Baños de Alcantud
Sta María del Val
Las Brisas
Valdeolivas
SERRANÍA
Millana
Collado Manchego
Las Marías
Monasterio de Monsalud
Salmeroncillos de Abajo
Fuertescusa
Córcoles
Albendea
Sacedón
Los Cabezuelos
Convento de San Miguel de las Victorias
Vega del Codorno
MAR DE CASTILLA
Alcocer
Ermita de San Miguel
Priego
Cañamares
Río Escabas
Concha
Villar del Infantado
La Cueva
Anguix
Castº
Desfiladero
Poyatos
Las Gaviotas
San Pedro Palmiches
Alto de la
Alcohujate
Villaconejos de Trabaque
La Frontera
Casa Forestal de Tejadillos
San Fe
Cañaveruelas
Fresneda de la Sierra
Embalse de Buendía
Ermita de la Envía
Castejón
Albalate de las Nogueras
Casa Forestal del Cervinuelo
Dehesilla
Castillejo Sierra
Embalse de Bolarque
Buendía
El Hosquillo
Ermita de Nª Sª de los Desamparados
Canalejas del Arroyo
Cañaveras
Eta de Virgen del Pinar
Tragacete
Villalba del Rey
Arcos de la Sierra
Reserva Nacional
Ermita de San Antón
Tinajas
Buciegas
Ribagorda
Ribatajada
Pecá
Majadas
Almonacid de Zorita
Ermita de Sta Bárbara
Olmeda de la Cuesta
Olmeda de Eliz
Villaseca
Pajares
Ribatajadilla
Las Majadas
de la
Ermita de San Miguel
Gascueña
Castillo Albarañez
Torralba
Torrecilla
Portilla
Jabalera
Portalrubio de Guadamajud
San Cristóbal
Sierra
Sª de las
Serranía de Cuenca
Villarejo del Espartal
Fuentesbuenas
Bólliga
Zarzuela
Collados
El Valle de
Villar de Domingo García
Ventano del Diablo
Garganta
21 22 23 24
33 22 60 48
A 2 - E 90
N 211
N 204
N 320
CM 210
CM 2015
CM 2101
CM 110
CM 2011

0 4 8 12 km
34
25
26
47
24
61
Monasterio de Piedra
Nuévalos
Jaraba
Munébrega
La Tranquera
Olvés
Morata de Jiloca
Miedes
Fuentes de Jiloca
Montón
Langa del Castillo
Puerto de Mainar
Pto de Paniza
Aladrén
Vistabella
Cerveruela
Herrera de los Navarros
Mainar
Villarreal de Huerva
Villadoz
Luesma
Herrera
Alarba
Villafeliche
Pto de Villafeliche
Castejón de Alarba
Monterde
Acered
Atea
Murero
Manchones
Eta de San Mamés
Santuario San Cristóbal
Daroca
Retascón
Villarroya del Campo
Fombuena
Badules
Sta Catalina
Nogueras
Sta Cruz de Nogueras
Romanos
Villahermosa del Campo
Lanzuela
Bádenas
Sisamon
Calmarza
Llumes
Abanto
Sierra de Pardos
Sierra de Sta Cruz
Campillo de Aragón
Algar de Mesa
Mochales
Milmarcos
Cimballa
Cubel
Pto de Used
Orcajo
Balconchán
Villanueva de Jiloca
Nombrevilla
Lechón
Cucalón
Modorra
Ferreruela de Huerva
Mezquita de Loscos
Amayas
Fuentelsaz
Aldehuela de Liestos
Used
Valdehorna
S. Martín del Río
Casto
Anento
El Colladico
Sa de Oriche
Labros
Hinojosa
Torralba de los Frailes
Pto de Santed
Santed
Val de San Martín
Baguena
Lagueruela
Bea
Piedrahita
Valdelacasa
Burbáguena
Eta de San Cristobal
Cuencabuena
Puerto de Fonfría
Fonfría
Laguna de Zaida
Gallocanta
Castejón de Tornos
Luco de Jiloca
Valverde
Colladico
Retuerta
Santuario de Pelarda
Allueva
Sierra de Cucalón
Ermita de la Concepción
Embid
Eta de Sto Domingo
Berrueco
Laguna de Gallocanta
Eta de San Bartolomé
Olalla
Tortuera
Torrubia
Pardos
Cillas
Eta de San Roque
Las Cuerlas
Torros
Eta de la Virgen del Rosario
Lechago
Navarrete del Río
Cutanda
Nueros
Torrecilla del Rebollar
La Lagunica
Rueda
Ermita de San Gregorio
Mojón Alto
La Yunta
Bello
Eta de Sta Bárbara
Calamocha
Valdellosa
Godos
Canales de Molina
Cubillejo del Sitio
Eta de San Amancio
Torralba de los Sisones
Barrachina
Ermita de San Cristóbal
Herrería
Rillo de Gallo
Cubillejo de la Sierra
Campillo de Dueñas
Odón
El Poyo del Cid
Observatorio Meteorológico
Fuenferrada
Villalba de los Morales
Fuentes Claras
El Villarejo
Torre los Negros
Corduente
Molina de Aragón
Anchuela del Pedregal
Sa de Caldereros
Caminreal
Eta de San Cristobal
Bañón
Pto de Bañón
El Cerro
Cañizares
Valsalobre
Castellar de la Muela
Eta Na Sa de la Carrasca
Blancas
Torrijo del Campo
Cosa
Portalrubio
Ventosa
Terraza
Tordelpalo
Ermita de San Segundo
Eta de San Lorenzo
Castilnuevo
Aldehuela
Hombrados
Monreal del Campo
Lituelo
Alpeñes
Cuevas Minadas
Teroleja
Pradilla
Chera
Eta del Carmen
Corbatón
Valhermoso
Morenilla
El Pedregal
Rubielos de la Cérida
Eta de Sta Ana
Torremochuela
Prados Redondos
El Pobo de Dueñas
Pozuel del Campo
San Cristóbal
Pancrudo
Tierzo
Montes de Picaza
Anquela del Pedregal
Sierra de Menera
Fuembellida
Torrecuadrada de Molina
Otilla
Setiles
Ojos Negros
Venta del Ojo de Mierla
Almallá
Barrio del Hospital
Bueña
Puerto de Argente
Sierra de Lidón
Lidón
Tajo
Salinas
Baños de Tajo
Tordellego
Barrio del Centro
Eta de Na Sa de la Cabeza
Villafranca del Campo
Eta de la Virgen del Campo
Eta de Na Sa del Campo
Argente
Visiedo
Taravilla
Terzaga
Pinilla de Molina
Eta de San Marcos
Villar del Salz
Aguatón
Eta de Sta Bárbara
Adobes
Tordesilos
Traid
Piqueras
Eta del Puch
Singra
Poveda de la Sierra
Megina
Ermita de Sta Quiteria
Ermita de San Roque
Ródenas
Peracense
Alto de Singra
Eta de la Virgen del Castillo
Camañas
Loma Pajar
Eta de Sta Ana
Alcoroches
Alustante
San Ginés
Alba
Torre la Cárcel
Sierra Palomera
Chequilla
Ermita de San Marcos
Almohaja
Torremocha de Jiloca
Peralejos de las Truchas
Checa
Motos
Ermita de los Santos de la Piedra
Eta de la Virgen del Molino
Cueva del Hierro
Eta de Ribagorda
Orihuela del Tremedal
Pozondón
Sta Eulalia
Alfambra
Masegosa
Orea
Pto de Pozondón
Ermita de la Virgen de los Ángeles
Lagunaseca
Caimodorro
Eta de Na Sa del Tremedal
Eta de San Cristóbal
Villarquemado
Sierra de Molina
Sierra Alta
Puerto Orihuela
Bronchales
El Peinao
Eta de Sta Bárbara
Collado Manchego
Eta de San Lorenzo
Monterde de Albarracín
Las Granjas
Celadas
Reserva Nacional de los Montes Universales
Peñablanca
Noguera
Puerto de Noguera
Vega del Codorno
La Cueva
Albarracín
Cella
Alto de Cella
Villalba Baja
Griegos
Tramacastilla
Nacimiento del Cuervo
Alto de la Vega
Mojón Blanco
Casas de Búcar
Torres de Albarracín
Arrabal Sta Bárbara
Gea de Albarracín
Caudé
Tortajada
Casa Forestal Tejadillos
San Felipe
Guadalaviar
Villar del Cobo
Calomarde
Royuela
Abrigos
Concud
Casa Forestal del Cerviñuelo
El Hosquillo
El Portillo
Cascada
Eta de Sta Lucía
Carbonera
Embalse del Arquillo de San Blas
San Blas
Tragacete
Monumento
Mogorrita
Frías de Albarracín
Moscardón
Caserío los Molinares
Saldón
Bezas
La Guea
Teruel
Eta de Sta Bárbara
Reserva Nacional de la Serranía de Cuenca
Las Majadas
Pto de El Cubillo
Alto de Donarque
Campillo
Poblado Ibérico
Pto Terriente
Terriente
Puerto de Valdecuenca
Valdecuenca
Loma Gorda
Villastar
Villaspesa
Nacimiento del Río Tajo
El Villarejo
Huélamo
Umbría del Oso
Rubiales
Cabezo
Aldehuela
Serranía de Cuenca
Masegoso
Toril
Javalón
Jabaloyas
N 234
N 211
N 330
N 420
A 23
A 211
A 1512
A 202
CM 210
CM 2122
Río Piedra
Río Jiloca
Río Gallo
Río Guadalaviar
Río Huerva
Río Cabriel

49
España & Portugal
27
35
28
Azuara
Letux
Samper del Salz
Lagata
Lécera
Estación de la Puebla de Híjar
Jatiel
Castelnou
Híjar
Urrea de Gaén
Puig Moreno
Valmuel del Caudillo
Puigmoreno de Franco
S.ª de Vizcuerno
Embalse de Caspe
Río Cámaras
Embalse de Moneva
Ventas de Muniesa
Moyuela
Moneva
Cucutas
Plenas
Albalate del Arzobispo
Sierra de Arcos
Coronas
Cabeza Gorda
E. de la Estanca
Monumento al Tambor
Alcañiz
Salada Grande
Río Aguas Vivas
Monforte de Moyuela
Blesa
Ariño
Muniesa
Alacón
Andorra
Castelserás
Valdealgorfa
Eta de Sta Bárbara
Torrecilla de Alcañiz
La Codoñera
Huesa del Común
Rudilla
Anadón
Plou
Oliete
Embalse de Cueva Foradada
Cortes de Aragón
Maicas
Alloza
Montalbos
Calanda
Torre Castiel
Josa
Alcaine
Mases de Crivillén
Foz Calanda
Torrevelilla
Ermita de San José
Pto de Segura
Segura de los Baños
S.a Pedregosa
La Hoz de la Vieja
Ermita de San Cristóbal
Río Guadalopillo
E. de Calanda
Ermita Virgen de Nieves
Tara Mazas
Villanueva del Rebollar de la Sierra
Armillas
Obón
Convento del Olivar
Crivillén
Alcorisa
La Ginebrosa
Belmonte de San José
Vivel del Río Martín
Los Olmos
La Mata de los Olmos
E. de Gallipuén
Berge
La Cañada de Verich
Mas de las Altas
Peñarroyas
Estercuel
Martín del Río
Montalbán
Torre de las Arcas
Ermita de San Juan
Gargallo
Molinos
Mas de las Matas
Aguaviva
La Cerollera
La Rambla de Martín
Lavaderos
Cañizar del Olivar
Castel de Cabra
Seno
Abenfigo
Ermita de la Consolación
Cuevas de Portalrubio
Las Parras de Martín
Utrillas
Escucha
Palomar de Arroyos
Pto de las Traviesas
Cueva de las Graderas
Castellote
Eta de la Magdalena
Cervera del Rincón
Puerto de San Just
Sierra de San Just
La Zoma
Ejulve
Pantano
Dos Torres de Mercader
Jaganta
Las Parras de Castellote
Torre de Arcas
Valdeconejos
Pto de Majalinos
Las Cuevas de Cañart
Santolea
La Balma
La Pobleta
Son del Puerto
Ermita de San Just
Collado de Cañizar
Cirugeda
La Cañadilla
Ladruñán
E. de Santolea
Las Planas
Palanques
Sorita
Mezquita de Jarque
Las Minas
Puerto de Aldehuela
La Algecira
Los Alagones
Luco de Bordón
Ortells
Campos
Cuevas de Almudén
Montoro de Mezquita
Río Guadalope
Masía de la Sisca
Sierra Carrascosa
Río Bordón
Bordón
Sant Joaquim
Cañada Vellida
Puerto del Esquinazo
Jarque de la Val
Aldehuela
Órganos de Montoro
Las Fábricas
Villores
Xiva de Morella
Fuentes Calientes
Hinojosa de Jarque
Aliaga
Pitarque
Pto de Villarluengo
Villarluengo
La Todolella
Forcall
Morella la Vella
Morella
Galve
Cobatillas
Alfambra
Eta de la Virgen de la Peña
Olocau del Rey
Tronchón
La Mata
Riu Cantavieja
Villalba Alta
Ermita de la Virgen del Campo
Camarillas
Casas de Palomitas
Mirambel
Cinctorres
Eta de Sta Cruz
Orrios
Aguilar del Alfambra
Miravete
Sierra de la Lastra
Rambla de Mal Burgo
Cañada de Benatanduz
La Cuba
Muela
Port de Querol
Eta de San Miguel
Ababuj
Jorcas
Pto de Cuarto Pelado
Cantavieja
Portell de Morella
Escorihuela
Sierra del Pobo
Villarroya de los Pinares
Pto Cantavieja
Umbría
Castellfort
El Pobo
Pto de Villaroya
Fortanete
Pto de las Cabrillas
Tarayuela
Sierra del Rayo
La Iglesuela del Cid
Mola d'Ares
Ermita de San Benito
Allepuz
Puerto de Sollavientos
Matanzas
Sant Miquel de la Pobla
Ares del Maestrat
Peralejos
Castelfrío
Monteagudo del Castillo
Zaragozana
Ermita de la Virgen del Buen Suceso
Ermita del Carmen
Coll. d'Ares
Ermita de San Juan
Sollavientos
Gúdar
Eta de Sta Quiteria
Rambla de las Truchas
Vilafranca
Barranc de la Gasulla
Mas de la Montalvana
Ermita de Sta Bárbara
Cedrillas
Masía del Repollés
Pto de Mosqueruela
Els Montllats
Pto de Cabigordo
Sierra de Gúdar
Pto Valdelinares
Valdelinares
S.a Negra
Corbalán
La Fuendelada
Bramadoras
Collado de la Torre
Santuario de la Virgen de la Estrella
Benasal
Escriche
Peñarroya
Alcalá de la Selva
Vilar de Canes
Cabezo Alto
El Castellar
La Virgen de la Vega
Mosqueruela
Mas de Pessetes
Culla
Valdecebro
Eta del Pilar
Eta de San Miguel
Pto de Linares
Pto de San Rafael
Eta de Gasconilla
Formiche Alto
Cabra de Mora
E. de Mora de Rubielos
Linares de Mora
Vistabella del Maestrazgo
El Molí Azor
Castelló
La Torre d'en Besora
Els Rosildos
Espareguera
Sierra de Camarena
Formiche Bajo
Pto de Escandón
Ermita de la Magdalena
S.a de Nogueruelas
Castelvispal
Sa de la Batalla
Benafigos
Port del Vidre
Montlleó
Las Barrachinas
Puertomingalvo
Sant Joan de Penyagolosa
Mas Blanc
San Miguel
Eta de Sta Bárbara
Mora de Rubielos
Nogueruelas
Cruces
Xodos
Coll de la Bassa
Atzeneta
Penyagolosa
Maestrazgo
62
29
50

0 4 8 12 km
Flix
Nonaspe
Estación Fayón-Pobla de Massaluca
La Pobla de Massaluca
Mausoleo Romano
Fabara
Vinebre
La Torre de l'Espanyol
La Figuera
Lloà
Ascó
La Fatarella
Pas de l'Ase
Garcia
El Masroig
Bellmunt del Priorat
Embalse de Caspe
Pantorrillas
Maella
Batea
Vilalba dels Arcs
Corbera d'Ebre
Móra d'Ebre
Móra la Nova
Els Guiamets
Capçanes
La Serra d'Almos
T A R R A G O
Coll del Moro
Gandesa
Sª de Cavalls
Miravet
Benissanet
Ginestar
Tivissa
Sª de Tivissa
Alcañiz
Mazaleón
Caseres
Calaceite
Acrópolis Ibérica
Bot
Sª de Pàndols
El Pinell de Brai
Rasquera
Sª de la Creu
Valdealgorfa
Valdeltormo
Arens de Lledó
Prat de Comte
Benifallet
Cardó
Sª de Cardó
Castelserás
Torrecilla de Alcañiz
Valjunquera
Lledó
Horta de Sant Joan
Ermita
La Barra
Pons
La Codoñera
La Fresneda
Torre del Compte
Cretas
Paüls
Xerta
Tivenys
Torre Castiel
Torrevelilla
Ermita de San José
Ermita de los Santos
Arnés
Roques de Benet
Alfara de Carles
L'Espina
Aldover
El Perelló
La Ginebrosa
Fórnoles
La Portellada
Valderrobres
Les Clotes
Ermita de Sta Magdalena
Bítem
La Cañada de Varich
Belmonte de San José
Beceite
Reserva Nacional de Port de Caro
Els Reguers
Raval de Jesús
L'Ampolla
La Cerollera
Ráfales
Roquetes
Tortosa
Raval de Crist
Aguaviva
Fuentespalda
Caro
Los Puertos
Ermita de la Consolación
Arán
Les Parellades
Camp-redo
Camarles
Monroyo
Ermita de la Virgen de la Vega
Caseta del Frare
Vinallop
Torre de Arcas
Peñarroya de Tastavins
Ermita de San Miguel
Puertos de Beseit
El Negrell
Mas de Barberans
L'Aldea
Parc Natural
Jesús i Maria
Deltebre
La Balma
La Pobleta
Encanadé
Sta Bàrbara
Masdenverge
La Carrova
La Cava
Sorita
Herbés
Fredes
El Carrascal
Amposta
Sant Jaume d'Enveja
Ortells
Coratxà
Convent de Benifassà
Malagraner
La Galera
Freginals
Port de Torre Miró
Castell de Cabres
El boixar
El Molí de l'Abad
Godall
Xiva de Morella
Herbeset
La Pobla de Benifassà
El Bellestar de la Tinença
La Sénia
Miliana
Les Ventalles
El Poblenou del Delta
Morella la Vella
Forcall
Bel
Els Valentins
St Carles de la Ràpita
Morella
Rossell
El Castell
Ulldecona
Sª del Montsià
Vallibona
Sant Rafel del Riu
El Pas
Serramar
Platja Miami
Port dels Alfacs
Sta Agata
El Turmell
Canet lo Roig
Alcanar
Platja d'Alcanar
Les Cases d'Alcanar
Far de la Banya
Les Salines de
El Trabucador
Port de Querol
Ports del Turmell
Vallivana
Traiguera
Serra de Vallivana
Xert
Enroig
La Jana
Sant Jordi
Els Ametlers
Castellfort
L'Avellà
Tossal de la Nevera
Catí
Vinaròs
Mola d'Ares
Ares del Maestrat
Coll. d'Ares
Sant Mateu
Ermita de NªSª dels Àngels
Càlig
Cervera del Maestre
Cala Puntal
Barranc de la Gasulla
Sª del Molló
Tirig
La Salzadella
Benicarló
Mas de la Montalvana
Estació de Peníscola
Les Talaies d'Alcalà
Barranc de la Valltorta
Benasal
El Segarró
Albocàsser
Sta Magdalena de Pulpís
Urmi
Peníscola / Peñíscola
Platja de Peníscola
Vilar de Canes
Sant Pau
Pla dels Pitxells
Culla
La Torre d'en Besora
La Serratella
Alcalà de Xivert
Cast. de Xivert
Cap d'Irta
Els Rosildos
Les Coves de Vinromà
Ermita de Sant Miquel
Esparreguera
La Bandereta
Benafigos
Sierra Engarcerán
La Torre d'en Doménec
El Pinar
Mas Blanc
Vilanova d'Alcolea
Alcossebre
Platja de les Fonts
Coll de la Bassa
Els Ivarsos
Bell-lloch
Torreblanca
Platja del Carregador
Cap i corp
Atzeneta
Punta de Cap i Corp
M A E S T R A T
Serra de Vallivana
N 232
N 420
N 211
N 340
N 238
AP 7 - E 15
C 12
C 42
C 44
CV 10
CV 15

Reus
TARRAGONA
Salou
Cap de Salou
Cambrils
Vila-seca
Port Aventura
Platja de la Pineda
Platja de Vila-seca
Platja Larga
Riudoms
Botarell
Riudecanyes
Montbrió del C.
Vinyols
L'Arbocet
Mont-roig del Camp
Llaberia
Pratdip
Les Planes
Masriudoms
Miami Platja
Platja de Mont-roig
Platja de Rifa
L'Hospitalet de l'Infant
L'Almadrava
Circuit de Calafat
Calafat
Sant Jordi d'Alfama
L'Ametlla de Mar
Riumar
Gola del Nord
Far de Buda
Cap de Tortosa
Illa de Buda
Gola de Migjorn
Platja dels Eucaliptus
GOLF DE SANT JORDI
COSTA DAURADA
MAR MEDITERRÁNEO
Altafulla
Els Munts
La Mora
Creixell
Coma-ruga
San Salvador
Arc romà de Barà
La Riera
El Catllar
Perafort
Els Pallaresos
Aqueducte de les Ferreres
Mausoleu de Centcelles
Constantí
La Pobla de Mafumet
El Morell
Almoster
Castellvell
L'Aleixar
Les Borges del Camp
Alforja
Riudecols
Les Irles
Duesaigües
Pradell
L'Argentera
Vilanova d'Escornalbou
Colldejou
Porrera
Coll de la Teixeta
I
J
K
L
32
33
34

0 4 8 12 km
1
2
3
L
M
N
O
64
OCEANO
ATLÂNTICO
Praia de Quiaios
Cabo Mondego
Figueira da Foz
Costa de Lavos
Praia de Leirosa
Leirosa
Pinhal do Urso
Pedrógão
Ervideira
Coimbrão
Praia da Vieira
Vieira de Leiria
Carvide
Monte Real
Ortigosa
Pedras Negras
Pilado
Amor
Praia Velha
Garcia
São Pedro de Moel
Marinha Grande
Albergaria
Água de Madeiros
Pedra do Ouro
Comeira
Parceiros
Polvoeira
Pinhal de Leiria
Burinhosa
Moita
Cavalinhos
Vale Furado
Légua
Martingança
Maceira
Falca
Pataias
Pataias Gare
Pisões
Porto do Carro
Calvaria de Cima
Fanhais
Alpedriz
O Sítio
Nazaré
Andam
Cruz da Légua
Cós
Juncal
Praia Nova
Valado dos Frades
Maiorga
Cumeeira
Pedreira
Praia do Salgado
Cela Velha
Fervença
Aljubarrota
Serro Ventoso
Famalicão
Cela
Alcobaça
Gralha
São Martinho do Porto
Facho
Alto de S. Martinho
Molianos
Salir do Porto
Évora de Alcobaça
Alqueidão do Arrimal
Farilhões
Reserva Natural das Berlengas
Ponta dos Covinhos
Alfeizerão
Chão da Parada
Cidade
Casal Velho
Vimeiro
Mendiga
Estelas
Berlenga (85)
Tornada
Turquel
Serra dos Candeeiros
Foz do Arelho
Serra do Bouro
Carvalhal Benfeito
Sta Catarina
Serra de Aire e
Valverde
Aldeia dos Pescadores
Praia do Rei Cortiço
Caldas da Rainha
Benedita
Nadadouro
Xartinho
Amiães
Lagoa de Óbidos
Ferrarias
Alcobertas
Papoa
Remédios
Cabo Carvoeiro
Baleal
Arelho
Avenal
Matoeira
Alcanede
Ferrel
Almofala
Peniche
Cidadela
Vau
Óbidos
Teira
Gançaria
Alvorninha
Atouguia da Baleia
Serra d'El-Rei
Sobral da Lagoa
Amoreira
Gaeiras
Vidais
Pé da Serra
Fráguas
Bgem de Sto Domingos
Alto da Serra
Consolação
São Gregório da Fanadia
Rio Maior
São Bernardino
Geraldes
Olho Marinho
S.Mamede
Casais do Chafariz
Aldeia dos Francos
Azinheira
Corrreias
Pó
Roliça
Ribafria
Reguengo Grande
Salgueiro
Landal
Arruda dos Pisões
Praia da Areia Branca
Carvalhal
Abuxanas
S. Bartolomeu dos Galegos
Vermelha
Asseiceira
São João da Ribeira
Bombarral
Alguber
Boiças
Lourinhã
Miragaia
Vale Covo
Peral
R. Asseca
Porto de Barcas
Sanguinhal
Marmeleira
Praia de Ribeiro
Moita dos Ferreiros
Portela
Cadaval
Cercal
Arrouquelas
Assentiz
Azambujeira
Ribamar
Quebradas
Campelos
Pêro Moniz
Lamas
Almoster
Toledo
Praia do Porto Novo
Vimeiro
Outeiro da Cabeça
Vilar
Pragança
Alcoentre
Manique do Intendente
Vila Nova de São Pedro
Macussa

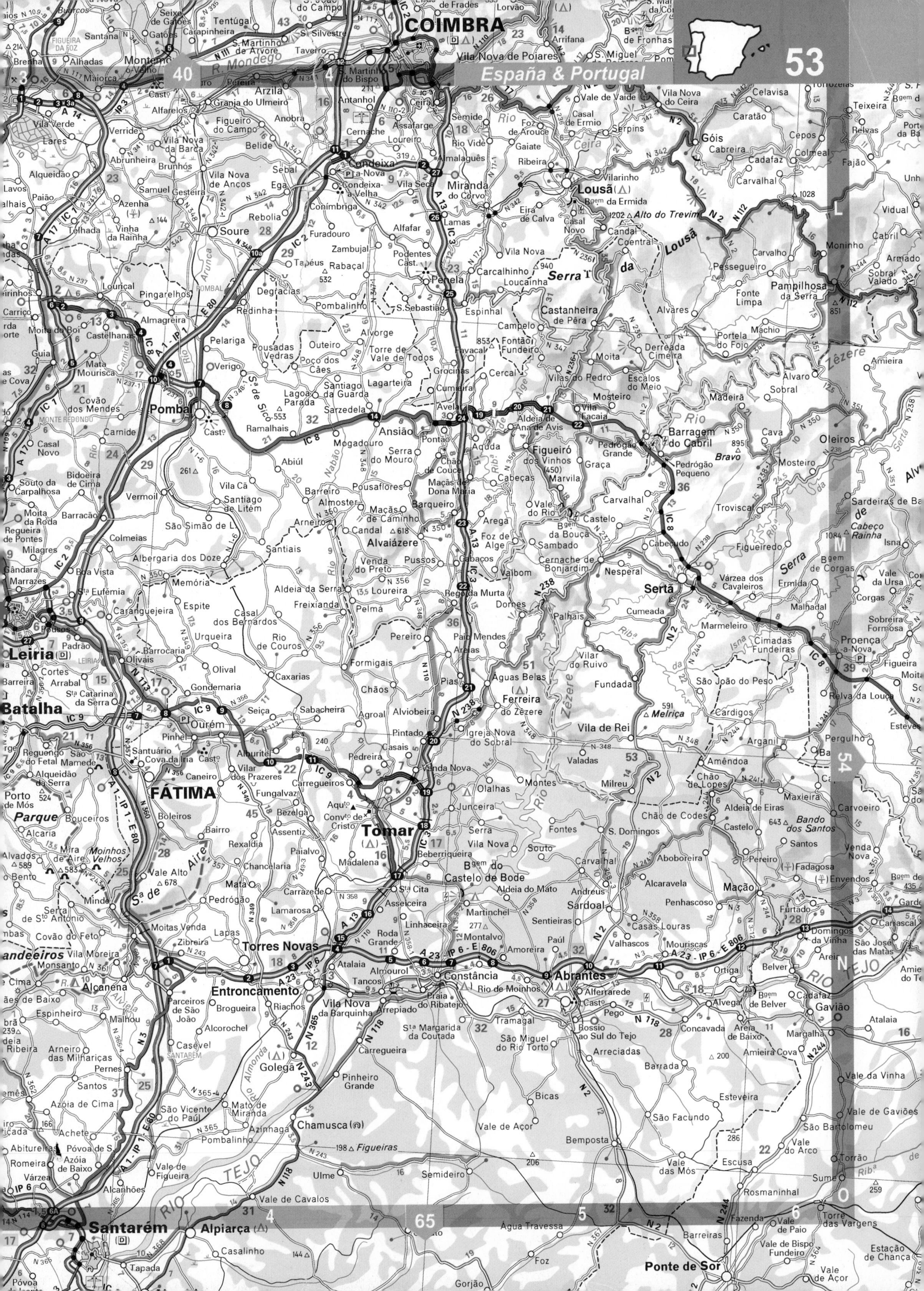
COIMBRA
Lousã
Pombal
Ansião
Leiria
Batalha
Ourém
FÁTIMA
Tomar
Torres Novas
Entroncamento
Abrantes
Constância
Golegã
Chamusca
Santarém
Alpiarça
Ponte de Sor
Sertã
Oleiros
Figueiró dos Vinhos
Alvaiázere
Ferreira do Zêzere
Sardoal
Mação
Gavião
Proença-a-Nova
Vila de Rei
Góis
Soure
Penela
Miranda do Corvo
Condeixa-a-Nova
Pampilhosa da Serra
Castanheira de Pêra
Serra da Lousã
R. Mondego
Rio Tejo
Rio Zêzere
Alcanena
Vila Nova da Barquinha
Pedrógão Grande
Barragem do Cabril
Montemor-o-Velho

54
53
41
45
66
L
M
N
0 4 8 12 km
Covilhã
Fundão
Castelo Branco
Castelo de Vide
Marvão
Portalegre
Valencia de Alcántara
Penamacor
Idanha-a-Nova
Vila Velha de Ródão
Nisa
Proença-a-Nova
Oleiros
Pampilhosa da Serra
Gavião
Alpalhão
Crato
Pomares
Monte Colcorinho
Unhais da Serra
Teixeira
Cortes
Tortosendo
Erada
Trinta
Paúl
Dominguiso
Peso
Alcaria
Pesinho
Barco
Casegas
Sobral de Casegas
S. Pedro de Açor
Bgem do Alto Ceira
Porto da Balsa
São Jorge da Beira
Celavisa
Caratão
Relvas
Cepos
Colmeal
Cadafaz
Fajão
Carvalhal
Meãs
Unhais-o-Velho
Aldeia de São Francisco de Assis
Ourondo
Telhado
Silvares
Lavacolhos
Aldeia de Joanes
Castelejo
Souto da Casa
Alcongosta
Sta Luzia
Enxabarda
Boxinos
Bogas de Cima
Barroca
Dornelas do Zêzere
Bgem de Sta Luzia
Vidual
Cabril
Esteiro
Moninho
Carvalho
Armadouro
Sobral Valado
Janeiro de Cima
Janeiro de Baixo
Bogas de Baixo
Maxial
Fonte Limpa
Machio
Cambas
Orvalho
Foz Giraldo
Almaceda
Partida
Serra da Gardunha
Castelo Novo
Sta da Orada
Louriçal do Campo
São Vicente da Beira
Bgem do Pisco
Soalheira
Atalaia do Campo
Póvoa da Atalaia
Alpedrinha
Vale de Prazeres
Alcaide
Valverde
Fatela
Pêro Viseu
Capinha
Ferro
Peraboa
Caria
Escarigo
Vale da Senhora da Póvoa
Sra da Póvoa
Casteleiro
Sto Estêvão
Meimoa
Bgem da Meimoa
Benquerença
Quintas da Torre
Mata da Rainha
Catrão
Touca
Orca
Martianas
Aldeia de Sta Margarida
Pedrógão
Aldeia do Bispo
Águas
Aldeia de João Pires
Aranhas
Bemposta
Medelim
Monsanto
Carroqueiro
Proença-a-Velha
São Miguel de Acha
Vale da Torre
Lardosa
Idanha-a-Velha
Oledo
Bgem da Idanha
Alcafozes
Sra do Almurtão
Bgem Toulica
Ladoeiro
Zebreira
Lousa
Escalos de Cima
Escalos de Baixo
Alcains
Mata
Fonte Santa
Póvoa de Rio de Moinhos
Tinalhas
Bgem de Santa Águeda
Sobral do Campo
Ninho do Açor
Freixial do Campo
Cafede
Juncal do Campo
Salgueiro do Campo
Palvarinho
Barbaído
Martim Branco
Valbom
Paiágua
Sarnadas de São Simão
Cardosa
Grade
Chão da Vã
Monte de Goula
Pomar
Sarzedas
Taberna Seca
Sto André das Tojeiras
Benquerenças
Sra de Mércules
S. Martinho
Maxiais
Carapetosa
Retaxo
Cebolais de Cima
Cebolais de Baixo
Alfrivida
Lentiscais
Farropa
Monforte da Beira
Cegonhas Novas
Rosmaninhal
Soalheiras
Alares
Couto de Sta Marta
Malpica do Tejo
Monte Fidalgo
Perais
Vilar Barroco
Amieira
Álvaro
Sobral
Estreito
Cava
Mosteiro
Serra do Muradal
Alvelos
Vidigal
Sardeiras de Baixo
Serra de Cabeço Rainha
Figueiredo
Dáspera
Isna
Esfrega
Alvito da Beira
Bgem de Corgas
Ermida
Vale da Ursa
Conqueiros
Sobrainho dos Gaios
Corgas
Vales
Monte Gordo
Malhadal
Sobreira Formosa
Montes da Senhora
Vale do Coelheiro
Cimadas Fundeiras
Giesteiras
Figueira
Gaviãozinho
Bugios
Moitas
Sobral Fernando
Chão das Servas
Sarnadas de Ródão
Vale do Homem
Relva da Louça
Vale da Mua
Alvaiade
Atalaia
Esteves
Peral
Perdigão
Tavila
Arganil
Pergulho
Bairrada
Murteirinha
Vilar de Boi
Capela
Maxieira
São Pedro do Esteval
Carvoeiro
Fratel
Vilas Ruivas
Arneiro
Bando dos Santos
Santos
Venda Nova
Juncal
Padrão
Fadagosa
Envendos
Bgem de Pracana
Gardete
Chão da Velha
Velada
Pé da Serra
Salavessa
Montalvão
Furtado
Domingos da Vinha
Carrascal
Bgem de Fratel
Monte Claro
São José das Matas
Vila Flor
Amieira do Tejo
Belver
Bgem de Belver
Cadafaz
Rio Tejo
Arez
Bgem do Poio
Póvoa e Meadas
Bgem da Póvoa
Fadagosa
Beirã
Sto António das Areias
Atalaia
Margalha
Amieira Cova
Vale da Vinha
Tolosa
Gáfete
Comenda
Vale de Gaviões
São Bartolomeu
Vale do Arco
Monte da Pedra
Torrão
Vale do Peso
Alagoa
Sume
Rosmaninhal
Cunheira
Torre das Vargens
Vale de Paio
Vale de Bispo Fundeiro
Estação de Chança
Aldeia da Mata
Flor da Rosa
Vale de Açor
Fortios
Vargem
Alvarrões
Monte Carvalho
Penha
Reguengo
Pico São Mamede
S. Julião
Nª Sra da Penha
Escusa
Portagem
Carreiras
S. Salvador
Porto da Espada
Serra de São Mamede
Parque Natural
Pino de Valencia
La Fontañera
San Pedro
Las Casiñas
Las Huertas
Barrio de la Estación
San Antón
San Vicente de Alcántara
Torrejón
Jola
Alcorneo
Cedillo
Bgem de Cedillo
Herrera de Alcántara
Embalse de Cedillo
Parque Natural do Tejo Internacional
Santiago de Alcántara
Carbajo
Santiago
Clavería
Embalse de Zamores
Lapones
El Millarón
Salorino
Rio Ponsul
Rio Ocreza
Rio Zêzere
Rio Sever
Rio Aurela
A 23
IP 2
E 802
IC 8
N 18
N 112
N 233
N 240
N 246
N 359
N 521
EX 374
EX 110

Coria
Moraleja
Cáceres
Alcántara
Embalse de Alcántara
Embalse de Borbollón
Montehermoso
Brozas
Arroyo de la Luz
Malpartida de Cáceres
Casar de Cáceres
Valverde del Fresno
Hoyos
Gata
Zarza la Mayor
Ceclavín
Cañaveral
Garrovillas de Alconétar
Navas del Madroño
Aliseda
Galisteo
Holguera
Torrejoncillo
Río Tajo
Río Alagón
Río Almonte
Río Salor
Sierra de Gata
Sierra de Coria
Sierra de la Garrapata

56
55
43
68
0 4 8 12 km
Calama
Lagunilla
Peñacaballera
Puerto de B.
La Garganta
El Cerro
Baños de Montemayor
Tremedal
La Zarza
Solana de Á.
La Carrera
Navatejares
El Barco de Á.
Umbrías
Los Llanos de T.
La Lastra del C.
La Aliseda de T. (Santiago de Tormes)
Navalperal de T.
Bohoyo
Gil-García
Tormellas
Nava del Barco
Sierra de
Puerto de Tornavacas
Puerto Castilla
Navalonguilla
Pastor
Navalguijo
Laguna del Barco
Covacha
Laguna Grande de Gredos
Pico Almanzor
Mohedas
Aldeanueva del C.
Hervás
Zarza de Granadilla
Abadía
La Granja
Gargantilla
Cerezo
Pto de Honduras
Segura de Toro
Tornavacas
Jerte
Casas del Monte
Camocho
Montes de Tras la Sierra
Cabezuela del Valle
Ahigal
Guijo de Granadilla
Jarilla
Navaconcejo
Rebollar
Panera
Sa de Tormantos
Refugio de Na Sa de las Nieves
SIERRA
Santuario de Na Sa de C
Ruinas de Cáparra
Cabezabellosa
Villar de Plasencia
El Torno
Valdastillas
Pto del Piornal
Guijo de Sta Bárbara
Aldeanueva de la Vera
Losar de la Vera
Villanueva de la Vera
Madrigal de la Vera
El Raso
Candeleda
Embalse de Valdeobispo
Oliva de Plasencia
Embalse de Plasencia
Cabrero
Piornal
Monasterio de Yuste
Jarandilla de la Vera
Talaveruela
Viandar de la Vera
Valverde de la Vera
Valdeobispo
Casas del Castañar
Garganta la Olla
Cuacos de Yuste
Almendral
Ermita de Na Sa del Puerto
Sierra de San Bernabé
Barrado
Robledillo de la Vera
Vera
Carcaboso
Pasarón de la Vera
Jaraiz de la Vera
Plasencia
Gargüera
Arroyomolinos de la Vera
Collado
E. de Navalmoral de la Mata
Tiétar
Barquilla de Pinares
Pueblonuevo de Miramontes
Pradochano
Torremenga
Tejeda de Tiétar
Tiétar del Caudillo
Centro Agronómico de Valdecañas
Sta Bárbara
Malpartida de Plasencia
Mesillas
Sta María de las Lomas
Las Ventas de San Julián
E. de Gargüera
Río
Baldío
Talayuela
Rosalejo
Pantano de Navabuena
Valdeíñigos
Majadas
San Marcos
Estación de Monfragüe
Palacio de las Cabezas
Embalse de Torrejón-Tiétar
Estación de la Bazagona
Toril
Navalmoral de la Mata
Bermejo
La Calzada de Oropesa
Cortijo de la Herrera
Puerto de la Serrana
Macarra
Casatejada
Mirabel
Navezuelas
Villarreal de San Carlos
Parque Natural
Saucedilla
Peraleda de la Mata
El Gordo
Serradilla
Santuario de Monfragüe
Serrejón
Sierra de Serrejón
Almaraz
Belvís de Monroy
Millanes
Valdehúncar
Casas de Belvís
Corchuela
Embalse de Arrocampo-Almaraz
Embalse de Valdecañas
Berrocalejo
Torrejón el Rubio
Embalse de la Vid III
Embalse de Torrejón-Tajo
de Monfragüe
Ruinas romanas
Bohonal de Ibor
Valdeverdeja
TAJO
Berzalejo
Romangordo
Valdecañas de Tajo
Mesas de Ibor
Peraleda de San Román
Embalse Arroyo Bremudo
Sierra de Piatones
Casas de Miravete
Higuera de Albalar
Valdelacasa de Tajo
Garvín
Puerto de Miravete
Campillo de Deleitosa
Embalse del Pizarroso
Jaraicejo
Fresnedoso de Ibor
Sierra
Cabras
Collado de Arrebatacapas
Almonte
Deleitosa
Tozo
Castañar de Ibor
Robledollano
Navalvillar de Ibor
E. del Tozo
Aldea del Obispo
Torrecillas de la Tiesa
Retamosa
Collado del Hospital
Molino
Roturas
Cabañas del Castillo
Cervales
Magasca
Embalse de Casillas
Sierra de Viejas
Sta Marta de Magasca
Aldeacentenera
Berzocana
Garciaz
GUADALUPE
Valcaliente
Navezuelas
Villuercas
Huertas de Ánimas
Belén
Huertas de la Magdalena
E. de Madroñera
Solana
Ermita del Humilladero
Trujillo
Guadalupe
Madroñera
Berzocana
Eta de Mirabel
Monasterio de Guadalupe
La Cumbre
Collado del Mazo
Plasenzuela
Sierra de Pedro Gómez
Pto de Berzocana
E. de Cancho del Fresno
Las Golondrinas
Convento de San Clemente
DE
Herguijuela
SIERRA
Venero
Cañamero
Collado del Guijarro
Puerto Llano
Torrequemada
Eta de Torrealba
Botija
Conquista de la Sierra
Torremocha
Ruanes
Ibahernando
Sta Cruz de la Sierra
Logrosán
A 66-E 803
N 110
EX A1
A 5 - E 90
A 58
EX 208
EX 203
EX 119
EX 118
EX 381
EX 102
CL 501

G R E D O S
Puerto del Pico
Arenas de San Pedro
Parador de Gredos
Hoyos del Espino
Navarrevisca
Serranillos
Pto de Mijares
Puerto de Casillas
Collado de Serranillos
Mijares
Villarejo del Valle
San Esteban del V.
Gavilanes
Casavieja
Mombeltrán
El Arenal
El Hornillo
Guisando
S. Pedro de A.
Sta Cruz del V.
La Parra
Pedro Bernardo
Mirador de Arbillas
Poyales del Hoyo
Ramacastañas
Lanzahita
Cuevas del Águila
Hontanares
Sartajada
Buenaventura
Navamorcuende
Almendral de la Cañada
La Iglesuela
La Adrada
Sotillo de la Adrada
Sta María del Tiétar
Rozas de Puerto Real
Cadalso de los Vidrios
Higuera de las Dueñas
Fresnedilla
Cenicientos
El Pinar de Almorox
Almorox
Villa del Prado
Encinar del A.
Alamín
Las Yeguas
Paredes de Escalona
Aldea en Cabo
Escalona
Pelahustán
Nombela
El Real de San Vicente
Hinojosa de S. Vicente
Conejeros
Castillo de E.
Villarta de E.
Charpona
Quismondo
Casto S. Silvestre
Montesclaros
Sotillo de las Palomas
Marrupe
Castillo de Bayuela
Garciotún
Nuño Gómez
Hormigos
Maqueda
Aldea de Arango
Navalcán
Parrillas
Bucher
Embalse de Navalcán
Río Guadyerbas
El Dehesón
San Román de los Montes
Cervera de los Montes
Cardiel de los Montes
Atalaya del Alberche
Cerro Alberche
Río Alberche
Los Rosales
El Casar de Escalona
Los Monteros
Val de Sto Domingo
Novés
Caudilla
Segurilla
Pepino
Serranillos Playa
E. de Cazalegas
Los Nogales
Sta Olalla
El Tapuelo
Alcabón
Sta Ana
Casto
Mejorada
Corrochana
Dehesa Nueva
Corchuela
E. de la Portiña
Ganadera
Cazalegas
Lucillos
Otero
Los Cerralbos
Domingo Pérez
Carriches
Pero-Véguez
Gerindote
Torrijos
Velada
El Casar de Talavera
Gamonal
Talavera de la Reina
Talavera la Nueva
Montearagón
Las Vegas de S. Antonio
Cebolla
Illán de V.
Erustes
Carmena
Torralba de Oropesa
Dehesa del Horcajo
Oropesa
El Ejido
Alcañizo
Sta Emilia
Alberche
La Pueblanueva
Bernuy
Mesegar de Tajo
La Mata
Escalonilla
Azoberine
Burujón
Lagartera
Herreruela de Oropesa
Calera y Chozas
Pompajuela
Malpica de Tajo
El Carpio de Tajo
Nohalos
Pajares de Hinojosos de Abajo
Sta Paula
Las Herencias
R. TAJO
E. de Castrejón
El Carpio
E. de Cañares
La Puebla de Montalbán
Valdepalacios
Eta de Bienvenida
El Membrillo
San Bartolomé de las Abiertas
La Bayona
Alcubilete
El Bercial de San Rafael
Silo
Alcolea de Tajo
Madrigal
El Bosque
La Ver
El Puente del Arzobispo
El Bercial
Embalse de Azután
Alcaudete de la Jara
Molino Blanco
San Isidro
Castrejón Bajo
Azután
Silo
Belvís de la Jara
Bañuela Alta
San Martín de Pusa
Tacones
Ruinas romanas de Vascos
Aldeanueva de Barbarroya
Retamoso de la Jara
Sta Ana de Pusa
Villarejo de Montalbán
Vallehermoso
Nª Sª de Melque
Navalmoralejo
Montalbán
Valdemarías
Villar del Pedroso
Vistalegre
La Fresneda
Torrecilla de la Jara
Los Navalmorales
La Higueruela
Los Villarejos
San Martín de Montalbán
Gálvez
La Estrella
Fuentes
La Nava de Ricomalillo
La Gila
Los Navalucillos
Río Cedena
Espinoso del Rey
La Jara
Aldeanueva de San Bartolomé
Buenasbodas
Navahermosa
Menas
E. de Pusa
Hontanar
Embalse del Torcón
Mohedas de la Jara
Sa de Sevilleja
Cumbre de Alta
Robledo del Mazo
Robledillo
El Campillo de la Jara
Cargantilla
Navaltoril
Casa Forestal
Sevilleja de la Jara
Robledo del Buey
Corral de Cantos
Zarzal
Las Navillas
Altamira
Risco de las Moras
Moradas
Puerto de San Vicente
La Enjambre
Piedraescrita
Vicente
San Pablo de los Montes
Pto del Milagro
El Madrero
Encinacaida
Anchuras
Los Alares
Navas de Estena
Baños del Robledillo
Avellanar
Retuerta del Bullaque
Sta Quiteria
Estenilla
Río Guadarranque
Alía
Puerto Rey
Valdeazores
Rañas del Avellanar
M O N T E S
Pantano de Cíjara
Gamonero
Parque Nacional
Casto de Prim
E. Torre de Abraham
Cabañeros
Sa del Chorito
Sierras Prietas
Machero
Torre
Embalse de Cíjara
Sa del Aljibe
Río Guadalupejo
N 502
N 403
CM 401
CM 4100
A 5-E 90
A 40
EX 102
CL 501

0 4 8 12 km
MADRID
Alcorcón
Carabanchel
Leganés
Móstoles
Getafe
Fuenlabrada
Villaviciosa de Odón
Villanueva de Perales
Sevilla la Nueva
Villamantilla
Chapinería
la Presa
Safari Madrid
Villa del Prado
Serantes
Villamanta
Navalcarnero
Parque Coimbra
Arroyomolinos
Las Colinas
Humanes de Madrid
Moraleja de Enmedio
Pinto
Perales del Río
Parla
Griñón
Torrejón de la Calzada
Cubas de la Sagra
Serranillos del Valle
Batres
El Álamo
Cotorredondo
Calipo Fado
Méntrida
Calalberche
Alamín
Almorox
El Pinar de Almorox
Encinar del A.
Las Yeguas
Escalona
Conejeros
Castillo de E.
Charpona
Quismondo
Maqueda
Montes de Alamín
La Torre de Esteban Hambrán
Valmojado
Casarrubios del Monte
Las Ventas de Retamosa
Valdeholyas
El Viso de San Juan
Carranque
Casarrubuelos
Torrejón de Velasco
Ugena
Illescas
Cedillo del Condado
Palomeque
Chozas de Canales
Camarena
Lominchar
Yuncos
Yeles
Esquivias
Estación de Yeles
Seseña
Seseña Nuevo
Valdemoro
Ciempozuelos
San Martín de la Vega
Gózquez de Arriba
Gózquez de Abajo
Vallequillas
La Marañosa
Parque Regional del Sureste
Rivas-Vaciamadrid
La Partija-Sta Mónica
R. Manzanares
Río Jarama
Titulcia
Sta Ana
Balcón del Tajo-Urtajo
Real Cortijo de S. Isidro
San Miguel
Aranjuez
Ontígola
Ocaña
Las Infantas
El Corralejo
Ciruelos
Yepes
Cabañas de Yepes
Dosbarrios
Huerta de Valdecarábanos
Sta Cruz del Retamar
Cast° S. Silvestre
Portillo de Toledo
Novés
Fuensalida
Arcicóllar
Recas
Yunclillos
Yuncler
Numancia de la S.
Borox
Alameda de la Sagra
Pantoja
Cobeja
Villaluenga de la S.
Cabañas de la Sagra
Añover de T.
Villaseca de la S.
Magán
Mocejón
Olías del Rey
Villamejor
Castillejo
Colonia Iberia
Aceca
Est.ción de Algodor
Los Monteros
Val de Sto Domingo
Caudilla
Huecas
Camarenilla
Majazul
Bilbis
Villamiel de Toledo
Barcience
Rielves
Torrijos
Gerindote
Carmena
Casa Nueva
Calvín Bajo
Azoberines
Escalonilla
Burujón
Canillas
Albarreal de T.
Mazarabeas Altas y Bajas
Bargas
Los Olivos
Silos
Higares
Mazarracín
Azucaica
Estiviel
Monterrey
Carpio de Tajo
Nohalos
La Puebla de Montalbán
E. de Cañares
Embalse de Castrejón
TOLEDO
Alamedilla
La Ventosilla
Guadamur
Argés
Cobisa
Sta María de Benquerencia
Las Nieves
Nambroca
Burguillos de T.
Sierra de Nambroca
Layos
Polán
Embalse de Guajaraz
Sta Catalina
Casasbuenas
El Bosque
Castrejón Bajo
Nª Sª de Melque
La Higueruela
Noez
Totanés
Gálvez
San Martín de Montalbán
Pulgar
Mazarambroz
Ajofrín
Chueca
Almonacid de T.
Mascaraque
Villaminaya
Villasequilla
Villamuelas
Río Algodor
Embalse del Castro
Bodegas
Villanueva de Bogas
Mora
Casas del Monte
Tembleque
Cuerva
Sonseca
El Castañar
Menasalbas
Casalgordo
Silos
Orgaz
Arisgotas
Manzaneque
Sierra de la Rabera
Embalse de Finisterre
Turleque
Las Ventas con Peña Aguilera
Convento de El Castañar
Sierra Gorda
Sª del Castañar
Sª de los Yébenes
Molino
Los Yébenes
Marjaliza
Zarzal
Las Navillas
San Pablo de los Montes
Pto del Milagro
El Saucéral
Los Salmanquinos de A.
Arriba
Gamero
Río Milagro
Baños del Robledillo
Avellanar
Miguelagua
La Mata
Retuerta del Bullaque
El Milagro
El Molinillo
Sª de los Torneros
Becerra
Sª del Rebollarejo
Sª de Fuente Blanca
Caleruela
Cast° de Guadalerzas
Sª de las Alberquillas
Consuegra
Madridejos
Navalices
Coto Nacional Montes de Mora
Ballesteros
Pedrera
Vega
Esquivia
Silo
Urda
Largas
Cast° de Prim
E. Torre de Abraham
Las Guadalerz
de los Quintos
Sierra del Robledo
Sierras Prietas
Machero
Torre
Sª de la Higuera
Sierra de Mora
Las Navas
El Robledillo
Boticario
Enmedio
Casa de Don Jerónimo Tapia
TOLEDO
L.A.V.
N 400
N 401
N 403
A 4 - E 5
A 5 - E 90
A 40
A 42
AP 41
CM 41
CM 42
CM 401
CM 410
R 4
R 5
M 50

Loeches
Pozuelo del Rey
Nuevo Baztán
Olmeda de las Fuentes
Fuentenovilla
Sayatón
Buendía
Campo Real
Eurovillas-Las Villas
Villar del Olmo
El Pepino
Pozo de Almoguera
Yebra
Salto de Bolarque
Ermita de Nª Sª de los Desamparados
Ambite
Mondéjar
Ermita El Cristo
Albares
Zorita de los Canes
Albalate de Zorita
Arganda del Rey
Valdilecha
Eta de Bellaescasa
Orusco de T.
Almoguera
Embalse de Almoguera
Jabalera
Ermita de San Miguel
Portalrubio de Guadamajud
Gascueña
San Cristóbal
Villarejo del Espartal
Carabaña
Tielmes
Monte Robledal
Mazuecos
Driebes
E. de la Bujeda
El Valle de Altomira
Valdemoro del Rey
La Peraleja
Perales de T.
El Quejigal
La Bujeda
San Isidro
Garcinarro
Moncalvillo del Huete
Villanueva de Guadamajud
R. Tajuña
Valdaracete
Brea de Tajo
Valdeperales
Embalse de Estremera
Illana
Sª de Degollados
Eta de San Bartolomé
Saceda del Río
Bonilla
Estremera
Mazarulleque
Carrascosilla
Valdelaguna
Villarejo de Salvanés
San Joaquín
Leganiel
Altomira
Sierra de Altomira
Castillejo del Romeral
Saceda Trasierra
Huete
Caracenilla
Belmonte de Tajo
Barajas de Melo
Canal
Vellisca
Caracena del Valle
Fuentidueña de Tajo
Verdelpino de Huete
Valdecolmenas de Abajo
Colmenar de Oreja
Pinar
La Langa
Pineda de Gigüela
Valdecolmenas de Arriba
Villamanrique de T.
Alarilla
Las Salinas
Paredes
Alcázar del Rey
Loranca del Campo
Altos
Valparaíso de Arriba
Castillo de Tajo
Villandín
Belinchón
Huelves
Olmedilla del Campo
Valparaíso de Abajo
Naharros
Horcajada de la Torre
Castellar
Valdajos
Zarza de Tajo
Tarancón
Estación de Riánsares
Carrascosa del Campo
Villarejo Sobrehuerta
L.A.V.
Rozalén del Monte
Torrejoncillo del Rey
Noblejas
Villarrubia de Santiago
Sta Cruz de la Zarza
Monasterio
Uclés
Tribaldos
La Dehesilla
Rebollo
Villar del Águila
Casas de Villava Perea
Trasvase
Fuente de Pedro Naharro
Villarrubio
Saelices
Palomares del Campo
Torrebuceit
El Acebrón
Almendros
Villas Viejas
Villatobas
Torrubia del Campo
Ruinas romanas de Segóbriga
Plaza
Riánsares
Río Cigüela
Montalbo
Zafra de Záncara
Villarejo Periesteban
Arroyo del Robledo
Testillos
Casas de Luján
El Hito
Laguna de El Hito
Horcajo de Santiago
El Congosto
Villares del Saz
Asperillas
Tajonera
Batán de San Pedro
Casalonga
Cabezamesada
Pozorrubio
Torrelengua
Almonacid del Marquesado
Villarejo de Fuentes
Villar de Cañas
Puebla de Almenara
Cruz
Picorzo
Corral de Almaguer
Gollino
Virgen de la Muela
Villamayor de Santiago
Montalbanejo
Lillo
Silo
El Alcalde
Hontanaya
Alconchel de la Estrella
El Romeral
Tresjuncos
Fuentelespino de Haro
Villanueva de Alcardete
Osa de la Vega
Villalgordo del Marquesado
Laguna de los Capellanes
Villar de la Encina
Villacañas
San Gregorio
La Villa de Don Fadrique
La Puebla de Almoradiel
Quintanar de la Orden
Los Hinojosos
Río Monreal
Villaescusa de Haro
Carrascosa de Haro
Laguna Larga
Monreal del Llano
Rada de Haro
El Viejo
Laguna del Taray
Laguna de Tirez
Lagunas de Paloma
Venta de Don Quijote
Belmonte
Río Záncara
San Isidro
Laguna de Peña Hueca
Quero
Miguel Esteban
El Toboso
Molinos
Mota del Cuervo
El Pedernoso
Sta María de los Llanos
Laguna Chica
Laguna de Salicor
Laguna Grande
Las Puertas de V.
Ermita de Manjavacas
Laguna de Sánchez Gómez
Las Pedroñeras
Villafranca de los Caballeros
Laguna del Camino de Villafranca
Eta del Cristo de Villajos
Alcázar de San Juan
Eta de Criptana
Campo de Criptana
Pedro Muñoz
Laguna de Manjavacas
Las Mesas
San Clemente
Eta de San Isidro
Herencia
Embalse de los Muleteros
El Provencio

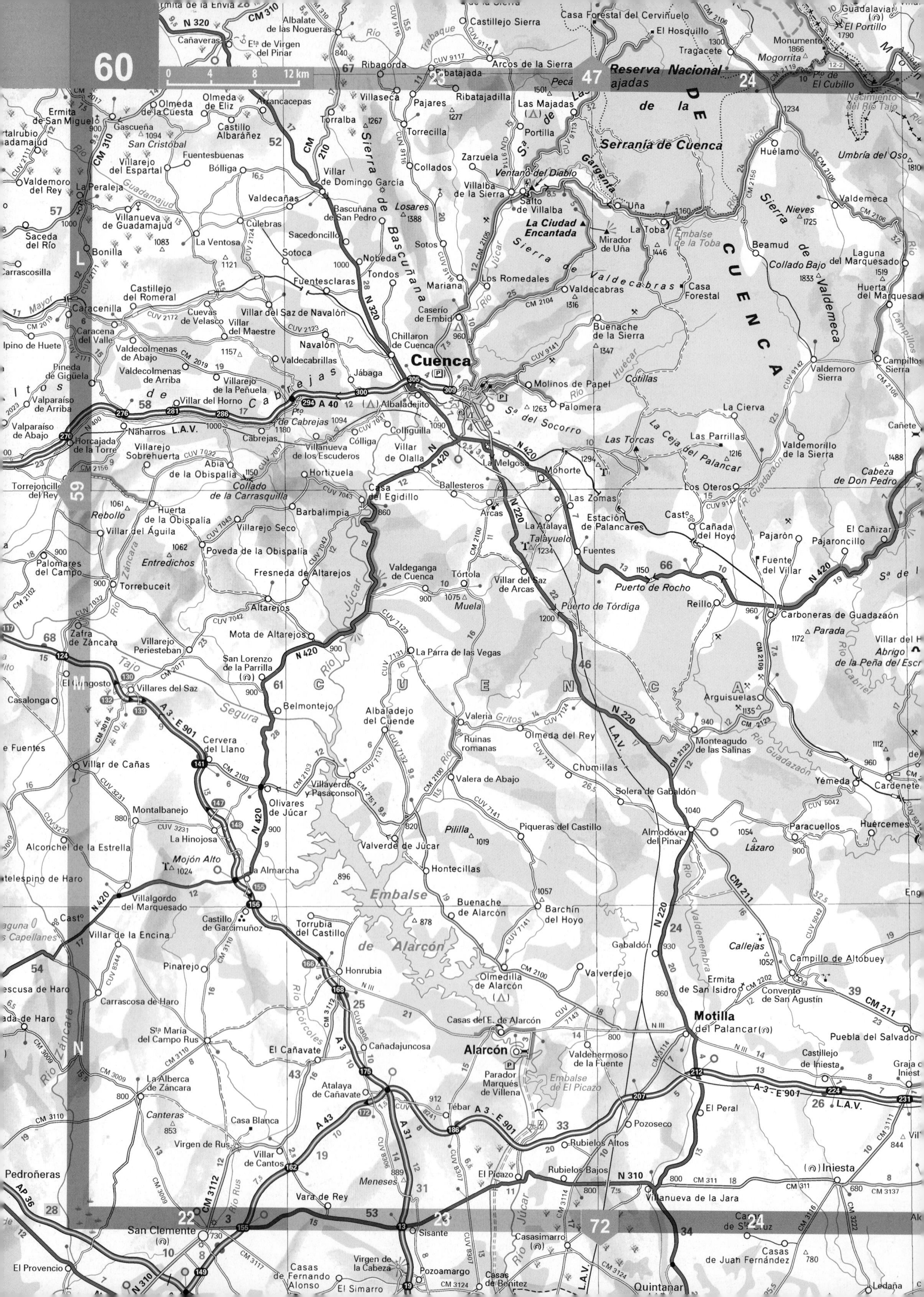
Cuenca
Serranía de Cuenca
Reserva Nacional de la Serranía de Cuenca
Sierra de Bascuñana
Sierra de Valdecabras
Sierra de Valdemeca
La Ciudad Encantada
Embalse de Alarcón
Alarcón
Motilla del Palancar
San Clemente
Iniesta
Puerto de Rocho
Puerto de Tórdiga
Carboneras de Guadazaón
Villar de Cañas
Tragacete
Huélamo
Uña
Villalba de la Sierra
Torralba
Chillaron de Cuenca
Tórtola
Valeria
Olmedilla de Alarcón
Casas de Benítez
Villanueva de la Jara
Sisante
El Provencio
Pedroñeras

48
25
26
47
33
24
35
52
99
62
35
39
12
25
51
26
73
27
37

CASTELLÓ
Mosqueruela
Mas de Pessetes
Culla
Pto de Linares
Linares
Vistabella del Maestrazgo
Esparreguera
Els Rosildos
La Torre d'en Besora
La Serratella
Les Coves de Vinromà
Benafigos
Port del Vidre
El Molí Azor
Sant Joan de Penyagolosa
Puertomingalvo
Castelvispal
Ermita de la Magdalena
Sª de la Batalla
Sª de Nogueruelas
Nogueruelas
Cruces
Xodos
Mas Blanc
Coll de la Bassa
Sierra Engarcerán
La Torre d'en Doménec
Vilanova d'Alcolea
Bell-lloch
Els Ivarsos
Atzeneta del Maestrat
Penyagolosa
La Masada
Villahermosa del Río
La Pelejaneta
Vall d'Alba
Arc de Cabanes
Cabanes
Rubielos de Mora
Cortes de Arenoso
Valbona
Mas de Llorenc
Port del Remolcador
Cedramán
Zucaina
Les Useres
La Barona
Fuentes de Rubielos
La Escaleruela
Los Villanuevas
Olba
Rodeche
Sant Vicent
Castillo de Villamalefa
Llucena
Costur
Vilafamés
La Pobla Tornesa
El Chorrillo
Puebla de Arenoso
Embassament de Arenós
Collado Royo y Poviles
Artejuela
Giraba
El Juncar
Ludiente
Figueroles
E. de l'Alcora
La Foia
L'Alcora
Mas de Llosa
Mas de Flors
La Penya
Palmes
Albentosa
Los Pastores
San Agustín
Los Calpes
Fuente la Reina
Arañuel
El Tormo
Argelita
Araia
El Mas de Batxero
Sant Joan de Moró
E. de María Cristina
Mont Cristina
Borriol
El Refugi
Les Platges
Platja de Benicàssim
Les Villes de Benicàssim
Benicàssim
La Punta
Senia Sevilla
Sol i Mar
Fuen del Cepo
El Paul
Villanueva de Viver
La Alquería
Montanejos
Cirat
Torrechiva
Toga
Vallat
Fanzara
Ribesalbes
E. de Sitjar
Cases de Sitjar
La Coma
Barracas
Pina de Montalgrao
Montán
Pina
Fuentes de Ayódar
Espadilla
Ayódar
CASTELLÓ DE LA PLANA
CASTELLÓN
Platja del Pinar
El Grau de Castelló
El Toro
Higueras
Torralba del Pinar
Pinar
Villamalur
Ermita El Salvador
Onda
Millars
Cuesta de Ragudo
Pavías
Artesa
Museu del Carme
Ermita de Nª Sª de Gràcia
Almassora
Platja Ben Afeli
Estación de Torás Bejís
Masada del Sordo
Benafer
Caudiel
Matet
Gaibiel
Serra
Suera
Alcúdia de Veo
Tales
Betxí
Vila-real
El Grau d'Almassora
Torás
Novaliches
Algimia de A.
Veo
Ríos de Abajo
Viver
Jérica
Bejís
E. del Regajo
Vall de Almonacid
Espadà
Artana
Borriana / Burriana
les Alqueries
El Grau de Borriana
Salada
Masía de los Pérez
Teresa
Navajas
Almedíjar
Aín
Eslida
El Port
Peñalba
Castellnovo
Port d'Eslida
La Vilavella
Nules
Canales
Sacañet
La Cova Santa
Altura
Geldo
Azuébar
Chóvar
Alfondeguilla
Segorbe
Platja de Nules
Andilla
Soneja
Grutes de Sant Josep
La Vall d'Uixó
Moncofa
Oset
Sot de Ferrer
Platja de Moncofa
Artaj
Alcublas
E. d'Algar de P.
Algar de Palància
Xilxes
Higueruelas
Bodegas de Pardanchinos
Gátova
Alfara de la Baronia
Almenara
La Llosa
Platja de Xilxes
Algimia de Alfara
Benavites
Quart de les Valls
Platja de Casa Blanca
Villar del Arzobispo
Torres Torres
Marines
Agustín
Les Bodegues del Camp
Benifairó de les V.
Faura
Platja de Corint
Estivella
Albalat dels Tarongers
La Malva-Rosa
Olocau
Rebalsadors
Barraix
Petrés
Sagunt / Sagunto
Canet d'en Berenguer
Casinos
La Pobleta
Segart
Gilet
Monrabana
Marines
El Romeral
Cartuja de Porta Coeli
Serra
Bodega Vanacloig
La Lloma
Monestir de Sant Esperit
El Port de Sagunt
Sant Gerard
Mas del Carril
Ermita de Sant Vicent
Nàquera
La Lloma
El Picaio
Llíria / Liria
La Mallá
Puçol
Platja de Puçol
Pedralba
Benissanó
La Rascanya
El Puig
Bugarra
Benaguasil
La Pobla de Vallbona
Bétera
Rafelbunyol
La Pobla de Farnals
Platja de la Pobla de Farnals
Vilamarxant
Massamagrell
Mont-i-sol
S. Isidre
Museros
Massalfassar
Teulada
L'Eliana
Sant Antonio de Ben.
Montcada
Mont Horquera
Riba-roja de Túria
Rocafort
Meliana
Bosques
La Canyada
Burjassot
Paterna
Tavernes Blanques
Almàssera
Platja d'Alboraia
Mas de Pozalet
Loriguilla
Manises
Alboraia
Platja de Malva-rosa
Cheste
Universidad Laboral
Atalaya
Quart
Chiva
Aldaia
Xirivella
VALENCIA
Alaquàs
Natzaret
El Grau de Valencia
La Cabrera
Serra Perenxisa
Sant Doménec
Torrent
Marisán
Godelleta
Picanya
Cumbres de Calicanto
El Vedat de T.
Massanassa
Alfafar
Buñol
El Mas de Cortitxelles
Albal
Rio Juanes
Alborache
Turís
L' Hort de la Rabassa
Catarroja
Beniparrell
El Saler
Platja del Saler
Yátova
Macastre
Alcàsser
Silla
Picassent
Gola del Pujol
Natural
l'Albufera
Platja de la Devesa
Montserrat
Montroi
Hipodrom
Riu Magre
Túria
COSTA
COSTA
GOL
DE
VALEN

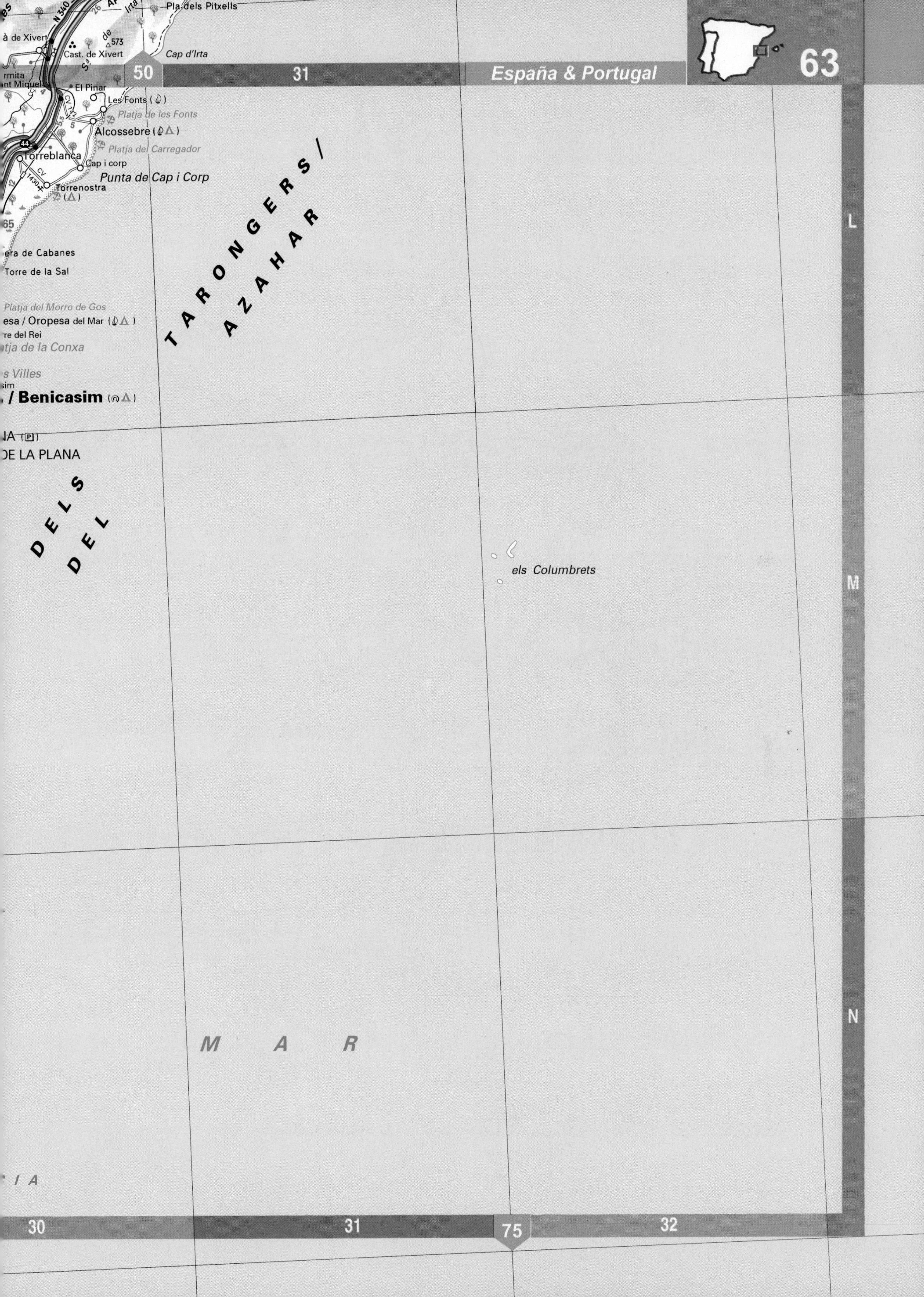
Pla dels Pitxells
Cap d'Irta
Cast. de Xivert
El Pinar
Les Fonts
Platja de les Fonts
Alcossebre
Platja del Carregador
Torreblanca
Cap i corp
Punta de Cap i Corp
Torrenostra
Torre de la Sal
Platja del Morro de Gos
Platja de la Conxa
TARONGERS/
AZAHAR
els Columbrets
M A R
50
31
30
31
75
32
L
M
N

0 4 8 12 km
O
P
Q
1
2
3
52
76
Lourinhã
Praia da Areia Branca
Porto de Barcas
Praia de Ribeiro
Ribamar
Praia do Porto Novo
Praia de Sta Cruz
Praia Azul
Ponta da Lamporeira
São Pedro da Cadeira
Praia da Calada
Torres Vedras
Ericeira
P. de Ericeira
Foz do Lisandro
Mafra
Praia de Samarra
Praia de Magoito
Azenhas do Mar
Sintra
Colares
Cabo da Roca
Praia do Guincho
Cabo Raso
Boca do Inferno
Cascais
Praia de Cascais
ESTORIL
Ponta da Laje
Bugio
Oeiras
Amadora
Odivelas
Loures
LISBOA
RIO TEJO
Reserva Natural do Estuário do Tejo
Sacavém
Moscavide
Ponte Vasco da Gama
Alcochete
Montijo
Almada
Barreiro
Seixal
Costa da Caparica
Praia da Caparica
Fonte da Telha
Lagoa de Albufeira
Sesimbra
Cabo Espichel
Palmela
SETÚBAL
Sa da Arrábida
Portinho da Arrábida
Península de Tróia
Tróia
Reserva Natural do Estuário do Sado
Praia de Comporta
Comporta
BAIA DE SETÚBAL
Alcoentre
Cadaval
Sa de Montejunto
Alenquer
Azambuja
Carregado
Vila Franca de Xira
Alverca do Ribatejo
Alhandra
Benavente
Porto Alto
Samora Correia
Arruda dos Vinhos
Sobral de Mte Agraço
Bombarral
Torre
Carvalhal

Santarém
Alpiarça
Almeirim
Chamusca
Ulme
Chouto
Água Travessa
Ponte de Sor
Bemposta
Vale de Açor
Pombalinho
Azinhaga
Alcanhões
Vale de Cavalos
Casalinho
Tapada
Foz
Gorjão
Salvador
Tramaga
Ervideira
Murtas
Fazendas de Almeirim
Paços Novos
Paços dos Negros
Foros do Arrão
Galveias
Vale de Vilão
Cartaxo
Azeitada
Benfica do Ribatejo
Foros de Benfica
Muge
Raposa
Granho
Valada
Escaroupim
Marinhais
Glória do Ribatejo
Salvaterra de Magos
Peta
São José da Lamarosa
Montargil
Barragem de Montargil
Foros do Mocho
Aldeia Velha
Benavila
Avis
Erveda
Montinho da Dourada
Barragem do Maranhão
Maranhão
Granho Novo
Erra
Sta Justa
Couço
Coruche
Azervadinha
Volta do Vale
Padeiro
Mora
Cabeção
Malarranha
Pavia
Foros do Biscainho
Foros da Salgueirinha
Foros da Fonte de Pau
Brotas
São Torcato
Branca
Estação de Lavre
Cortiçadas do Lavre
Godeal
Ciborro
Vimieiro
Bardeiras
São Gregório
Aldeia da Serra
Canha
Taipadas
Lavre
Pedrógão
São Geraldo
Sabugueiro
Santana do Campo
Gafanhoeira
Arraiolos
Ilhas
Foros de Vale de Figueira
Vidigal
Cruzamento de Pegões
Pegões-Estação
Estação de Bombel
Vendas Novas
Foros do Cortiço
Monte das Piçarras
Courelas do Vale
Catalão
Montemor-o-Novo
Foros da Adúa
Sta Sofia
Nª Sra da Graça do Divor
Cabrela
Safira
Reguengo
Landeira
Marateca
Moinhola
Torre da Gadanha
São Sebastião da Giesteira
São Matias
Convento São Bento de Castris
Canaviais
São Romão
Foros do Baldio
Monfurado
Guadalupe
Évora
Barrancão
Casebres
Santiago do Escoural
Nª Sra da Boa Fé
Valverde
Monte das Flores
Almeirim
São Brissos
Tojal
Casa Branca
Palma
Estação de Pinheiro
São Cristóvão
Nª Sra da Torega
Vale de Moura
Sado
Monte Novo
Sta Susana
Caeirinha
Estação de Tojal
São Brás do Regedouro
São Marcos da Abóbada
São Manços
Espinheira
Vale dos Reis
Montevil
Bgem de Pego do Altar
Estação de Alcáçovas
Alcácer do Sal
Sta Catarina
Alcáçovas
Torre de Coelheiros
Aguiar
Barrosinha
Sra da Conceição
Estação de Viana
São Bartolomeu do Outeiro
Atalaia
Monte do Trigo
Rio Tejo
Sorraia
Rio Sorraia
Ribª de Sor
Ribª da Raia
Divor
Serrinha
Ribª de São Martinho
Ribª de São Cristóvão
Alcáçovas
Rio Xarrama
Ribª de Peramanca
Degebe
Estação de Chança
Vale de Açor
Vila Formosa
Valongo
Quinta do Pi
Sto António de Alcôrrego
Sta Justa
Igrejinha
Bgem do Divor
Bgem dos Minutos
Nª Sra
Fazenda
Vale de Paio
Torre das Vargens
Vale de Bispo Fundeiro
Barreiras
A 6 - IP 7 - E 90
A 13 - IC 3
A 13 - IC 11
N 114
N 251
N 2
N 4
N 370
N 380
N 253
N 257
N 18 - IP 2 - E 802
53
77
99
4
5
6

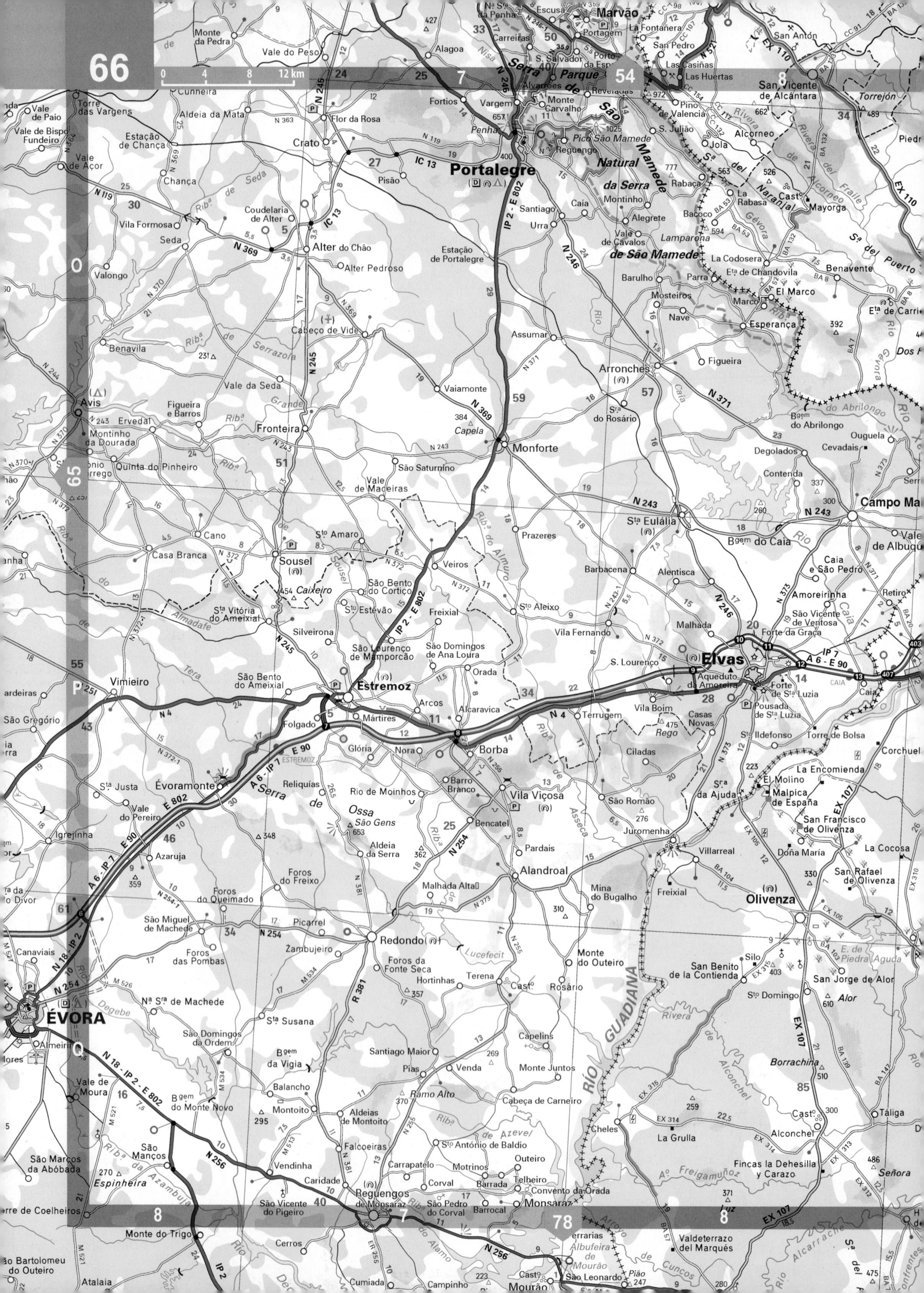
0 4 8 12 km
Marvão
Portagem
Escusa
La Fontanera
San Pedro
Las Casiñas
Las Huertas
San Antón
Monte da Pedra
Vale do Peso
Alagoa
Carreiras
S. Salvador
Serra
Parque
de
São
Mamede
Natural
da Serra
de São Mamede
Alvarrões
Reveladas
San Vicente de Alcántara
Torrejón
Vale de Paio
Torre das Vargens
Cunheira
Aldeia da Mata
Flor da Rosa
Fortios
Vargem
Monte Carvalho
Pino de Valencia
Vale de Bispo Fundeiro
Estação de Chança
Crato
Penha
Pico São Mamede
Reguengo
S. Julião
Jola
Alcorneo
Vale de Açor
Chança
Pisão
Portalegre
Rabaça
La Rabasa
Castº
Mayorga
Coudelaria de Alter
Santiago
Caia
Montinho
Alegrete
Bacoco
Vila Formosa
Urra
Vale de Cavalos
Lamparona
Seda
Alter do Chão
Alter Pedroso
Estação de Portalegre
La Codosera
Benavente
Valongo
Barulho
Parra
Etª de Chandovila
El Marco
Mosteiros
Nave
Marco
Esperança
Cabeço de Vide
Benavila
Assumar
Figueira
Vale da Seda
Vaiamonte
Arronches
Avis
Figueira e Barros
Erveda
Montinho da Dourada
Fronteira
Capela
Monforte
Sta do Rosário
Bgem do Abrilongo
Ouguela
Cevadais
Degolados
Quinta do Pinheiro
São Saturnino
Vale de Maceiras
Contenda
Campo Maior
Cano
Sto Amaro
Prazeres
Sta Eulália
Bgem do Caia
Casa Branca
Sousel
Veiros
Barbacena
Alentisca
Caia e São Pedro
Amoreirinha
Caixeiro
São Bento do Cortiço
Sto Estêvão
Sto Aleixo
Malhada
São Vicente de Ventosa
Sta Vitória do Ameixial
Freixial
Vila Fernando
Forte da Graça
Silveirona
São Lourenço de Mamporcão
São Domingos de Ana Loura
S. Lourenço
Elvas
Aqueduto da Amoreira
Vimieiro
São Bento do Ameixial
Estremoz
Orada
Forte de Sta Luzia
Caia
São Gregório
Arcos
Alcaravica
Vila Boim
Terrugem
Casas Novas
Pousada de Sta Luzia
Folgado
Mártires
Sto Ildefonso
Torre de Bolsa
Glória
Nora
Borba
Rego
Ciladas
Corchuel
Sta Justa
Évoramonte
Reliquias
Rio de Moinhos
Barro Branco
Vila Viçosa
La Encomienda
El Molino
Malpica de España
Serra
de
Ossa
São Gens
São Romão
Sta da Ajuda
Vale do Pereiro
Aldeia da Serra
Bencatel
Juromenha
San Francisco de Olivenza
Igrejinha
Azaruja
Pardais
Villarreal
Doña María
La Cocosa
Foros do Freixo
Alandroal
San Rafael de Olivenza
Malhada Alta
Mina do Bugalho
Freixial
Olivenza
Foros do Queimado
São Miguel de Machede
Picarrel
Redondo
E. de Piedra Aguda
Canaviais
Foros das Pombas
Zambujeiro
Lucefecit
Monte do Outeiro
Silo
San Benito de la Contienda
Foros da Fonte Seca
Terena
Hortinhas
Castº
Rosário
San Jorge de Alor
Nª Sª de Machede
Sto Domingo
Alor
ÉVORA
Degebe
Sta Susana
RÍO GUADIANA
Rivera de Alconchel
São Domingos da Ordem
Capelins
Almeirim
Bgem da Vigia
Santiago Maior
Pias
Venda
Monte Juntos
Borrachina
Vale de Moura
Balancho
Ramo Alto
Cabeça de Carneiro
Bgem do Monte Novo
Montoito
Aldeias de Montoito
Castº
Táliga
Cheles
La Grulla
Alconchel
São Marcos da Abóbada
São Manços
Falcoeiras
Sto António de Baldio
Outeiro
Vendinha
Carrapatelo
Motrinos
Fincas la Dehesilla y Carazo
Señora
Espinheira
Caridade
Corval
Barrada
Telheiro
Convento da Orada
Reguengos de Monsaraz
Monsaraz
Torre de Coelheiros
São Vicente do Pigeiro
São Pedro do Corval
Barrocal
Luz
Monte do Trigo
Cerros
Valdeterrazo del Marqués
Albufeira de Mourão
São Bartolomeu do Outeiro
Atalaia
Cumiada
Campinho
Mourão
São Leonardo
Pião
IP 2 - E 802
A 6 - IP 7 - E 90
N 18 - IP 2 - E 802
N 256
N 254
N 246
N 369
N 243
N 371
N 372
N 4
IC 13
EX 107
EX 110
65
78
54
O
P
Q

Aliseda
Estación de Herreruela
Pto del Aceuche
Eta. de Na Sa del Campo
Sierra de San Pedro
Sa de las Perdices
Covacha
Chorlo
Tejarejo
Sa Brava
Liebres
Golilla
Hatoqueo
El Tarro
Pto de los Brisos
Zajarrón Bajo
Pto del Clavín
Herguijuelas
Torrequemada
Eta de Torrealba
Torremocha
Embalse del Salor
Botija
Castº
Estación de Aldea del Cano
Aldea del Cano
Benquerencia
Valdefuentes
Canajela
Sa de Santiago
Alburquerque
Azagala
Riva del Centinela
Embalse de Peña del Águila
Albalá
Casas de Don Antonio
Torre de Sta María
Estena
Rincón de Ballesteros
Embalse de Ayuela
Montánchez
Puebla de Obando
Pto de la Covacha
Pto del Zángano
Luriana
Puerto de los Conejeros
Alcuéscar
Molino
Arroyomolinos de Montánchez
Jabarriega
Iglesia
Sa del Vidrio
Cordobilla de Lácara
E. del Boquerón
Carmonita
Puerto de las Herrerías
Villar del Rey
La Roca de la Sierra
El Zangallón
Valdeherreros
El Machal
Vía de la Plata Puente Romano
Bótoa
Estación de El Carrascalejo
La Nava de Santiago
Aljucén
Conquista del Guadiana
Ermita de Bótoa
Las Carboneras
El Carrascalejo
Las Tiendas
Sa Bermeja
Embalse de Cornalvo
Valdebótoa
Mirandilla
Embalse de Proserpina
Torrefresneda
Novelda del Guadiana
Alcazaba
Guadiana del Caudillo
Eta de San Gregorio
Lácara
E. de los Canchales
Esparragalejo
Carija
Trujillanos
San Pedro de Mérida
Gévora
Sagrajas
Pueblonuevo del Guadiana
La Garrovilla
Estación de Aljucén
Balboa
Montijo
Valdelacalzada
Torremayor
Mérida
Valverde de Mérida
Valdetorres
Talavera la Real
Puebla de la Calzada
El Pino
BADAJOZ
Villafranco del Guadiana
Barbaño
Villa romana
Calamonte
Río Guadiana
Tres Arroyos
Guadajira
Lobón
San Serván
Arroyo de San Serván
Don Álvaro
Villagonzalo
Guareña
El Ronquillo
Torongil
Pto de Sevilla
Zarza de Alange
Cristina
Alvarado
Los Limonetes de Villalobos
La Pijotilla
Las Torrecillas
La Rosa
Torremegía
Castº
Las Zapateras
Alange
Oliva de Mérida
Cortegana
Sta María
Traslasierra
Sa de Peñas Blancas
Retamal
La Portuguesa
La Albuera
Entrín Bajo
Corte de Peleas
Solana de los Barros
E. de Alange
Valduro Nuevo
Entrín Alto
Las Estévez
Almendralejo
Las Poyatas
Palomas
Valverde de Leganés
La Calera
Palacio Quemado
Los Entrines
Tierra de Barros
Navilla
Aceuchal
Almendral
Torre de Miguel Sesmero
Sta Marta
Villalba de los Barros
Castº
Villafranca de los Barros
Nogales
Baños de los Remedios
Monsalud
Madroñera
Sa de María Andrés
La Morera
Puebla del Prior
Puerto Llano
Coto de Buzalén
E. de Nogales
Villafranca de los Barros
Ribera del Fresno
Hornachos
Barcarrota
Dehesa Media Matilla
La Parra
Fuente del Maestre
Salvaleón
Feria
Sa Vieja
San Jorge
Los Baños
Salvatierra de los Barros
Peña Utrera
BADAJOZ
E. de Guadajira
E. de los Molinos de Matachel
Los Santos de Maimona
Hinojosa del Valle
La Lapa
Zafra
Calvo
Llera
Alconera
55
10
9
79
68
11

Parque Nacional
Cabañeros
Reserva nacional de Cijara
Embalse de Cijara
Embalse de García Sola
Sª del Aljibe
Sª de la Rinconada
Sas Blanquillas de Cabañeros
Sª del Chorito
Sierras Prietas
Sª de Navajarra
Sª de los Guindos
Sª de Saceruela
Sª de Siruela
Sª de la Osa
Sª del Prior
Sª de los Canalizos
Sª de Navacerrada
Sª de la Moraleja
Sª del Torozo
Sª de Alcudia
Sª de la Solana de Alcudia
Valle de Alcudia
Sª de los Bonales
Sª de Tarayuela
Sª del Rey
Río Guadiana
Río Guadalemar
Río Siruela
Río Esteras
Río Valdeazogues
Río Zújar
Río Guadalmez
Río Bullaque
Río Estena
Herrera del Duque
Castilblanco
Helechosa
Bohonal
Villarta de los Montes
Horcajo de los Montes
Alcoba de los Montes
Fontanarejo
Navalpino
Arroba de los Montes
Puebla de Don Rodrigo
Luciana
Fuenlabrada de los Montes
Garbayuela
Siruela
Tamurejo
Agudo
Valdemanco del Esteras
Saceruela
Abenójar
Almadén
Chillón
Almadenejos
Guadalmez
Alamillo
Gargantiel
Fontanosas
Santa Eufemia
Hinojosa del Duque
El Viso
El Guijo
Torrecampo
San Benito
Villaralto
Pedroche
Puerto de Niefla
Brazatortas
Veredas
La Viñuela
Tirteafuera
Cabezarados
Ciudad Real
N 430
N 502
N 420
CM 415
CR 424
EX 103
EX 322
BA 138
A 422
L.A.V.

0 4 8 12 km
17
18
58
19
69
82
El Milagro
El Molinillo
Navalices
Sª de los Torneros
Becerra
Coto Nacional
Montes de Mora
de los Quintos
Las Guadalerzas
Sª del Rebollarejo
Ballesteros
Sierra del Robledo
Sª de Fuente Blanca
Caleruela
Castº de Guadalerzas
Sª de las Alberquillas
Pedrera
Vega Esquivia
Consuegra
Madridejos
Castº Molinos
Urda
Silo
Casa de Don Jerónimo Tapia
El Águila
Parra
Castº de Prim
E. Torre de Abraham
Torre
Sierras Prietas
Machero
Sierra
Sª de la Higuera
de Mora
Las Navas
Sª del Pocito
El Robledillo
Boticario
Enmedio
El Ontano
El Calderín
El Manojar
Sª del Gallego
Anchurones
Cabañer
Los Cortijos de Arriba
Los Cortijos de Abado
El Emperador
La Zarzuela
La Herradura
La Monta
Sª de la Calderina
El Cortijillo
La Charca
Colonia de Cinco Casas
Puerto Lapice
El Rostro
El Bullaque
La Toledana
El Cepero
Las Povedillas
Ballesteros
Las Labores
Alcobilla
Sta Quiteria
El Torno
El Bonal
Piedralá
Valdehierro
Los Quiles
Cruz de Piedra
Plaza
Villarta de San J
Navajarra
Navalrincón
Fuentes de Piedralá
El Trincheto
El Robledo
Fuente el Fresno
Villarrubia de los Ojos
Eta de la Virgen de la Sierra
Arenas de San J
Las Mor
Río Cigüela
Las Rabinadas
Cristo del Espíritu Santo
Fuencaliente
Bullaque
Lanazo
El Citolero
Las Peralosas
Sotillo
Malagón
Parque Nacional de las Tablas de Daimiel
Xarrié
La Duquesa
Ceruela
El Río
Porzuna
Pto de la Peralosa
E. de Puente Navarro
Casa Blanca
El Casarejo
Sª de la Bigotera
Embalse de Gasset
Fernán Caballero
Campomojado
Río Guadiana
La Venta
El Valle de la Viuda
Sª de Casalobos
Embalse de El Vicario
Laguna de la Albuera
Daimiel
El Gargantón
Hornias Bajas
Peralbillo Alto
La Encarnación
Castº
Virgen de las Cruces
Laguna la Nava
Valdelamadera
Piedrabuena
Picón
Lara
La Lagunilla
Valronquillo
Eta de San Isidro
Eta de la Cruz
Las Casas
Carrión de Calatrava
Torralba de Calatrava
Azuer
CIUDAD REAL
Benavente
Río Guadiana
Luciana
Alcolea de Calatrava
Valverde
Miguelturra
Campillo
Michos
Los Santiagos
Sª de los Santiagos
Nª Sª de Alarcos
L. de Alcolea
Poblete
Valdecañas
Nª Sª de las Nieves
El Docte
San Benito
Pozuelo de Calatrava
Bolaños de Calatrava
Pelada
Eta de la
Los Pozuelos de Calatrava
Torrecilla
Ciruela
Almagro
San Isidro
Abenójar
Río Jabalón
La Puebla
Campo de Calatrava
Magrero
Cabezarados
Corral de C.
Castº Caracuel de Calatrava
Cañada de C.
Villar del Pozo
Ballesteros de C.
Valenzuela de Calatrava
Pto del Reventón
Castellanos
Tirteafuera
San Quintín
Sª de Navalonguilla
L. de Caracuel
Rondín
Yezosa
Moral de Calatrava
Sª del Moral
La Dehesa
Sª Prieta
Navacerrada
Villamayor de Calatrava
La Caridad
La Cruz
Virgen de los Santos
La Laguna
Laguna del Acebuche
El Cura
La Mira
E. Vega del Jabalón
Granátula de Calatrava
Ermita de Santiago
Tirteafuera
Laguna de Cucharas
Montanchuelos
Río Jabalón
Nª Sª de Zuqueca
Aldea del Rey
El Helado
Argamasilla de Calatrava
Almodóvar del Campo
La Madrideñ
Aldeazogues
La Viñuela
Ermita de Sta Brígida
Puertollano
Calzada de Calatrava
El Moro
Retamar
Sierra de Calatrava
Pto de Calatrava
La Sacristanía
Convento
Castº de Calatrava la Nueva
El Quintillo
Alcudia
Veredas
Puerto Pulido
Brazatortas
Sª de Mojina
Atalaya de la Calzada
Villalba Calatrava
Sª del Aljibe
Sierra
Hinojar
Hinojosas de Calatrava
El Villar
Mudela
Las Norias
Cabezarrubias
Puerto de Mestanza
Sierra de Puertollano
Villanueva de San Carlos
Belvis
Seranillo
La Alameda
Embalse de Fresneda
Los Mirones
Bazán
Embalse de Tablillas
Urgón
Mestanza
Umbría de Fresneda
Cuervo
Peñala
Embalse de Montoro
Arroyo
Puerto de Niefla
Las Huesas
Sª del Rey
Sª de Valdoro
E. de Montoro
Endrinas
Morales
Fresneda
Almuradiel
Viso del Marqués
Las Parcelas
Ventillas
Río Montoro
Huertezuelas
San Bruno
Puerto de Valderrepisa
Abulagoso
Solana del Pino
San Lorenzo de Calatrava
Sierra de San Andrés
Coto Nacional
N 401
N 430
N 420
A 41
A 43
A 4
CM 412
CM 413
CM 45
CM 4111
CM 4112
CM 4110
CM 403
CM 4124
CM 420
L.A.V.
T
O
L
E
D
N
P
Q
U
M
A
R
C

Alcázar de San Juan
Campo de Criptana
Pedro Muñoz
Herencia
Villafranca de los Caballeros
Laguna Chica
Laguna de Salicor
Laguna Grande
Laguna del Camino de Villafranca
Las Puertas de V.
Eta del Cristo de Villajos
Molinos
Eta de Criptana
Eta de San Isidro
Ermita de San Cristóbal
Sta María de los Llanos
Ermita
Laguna de Manjavacas
Las Mesas
Embalse de los Muleteros
Becejate
Río Záncara
La Puente
Estación de Río Záncara
Arenales de San Gregorio
Los Árboles
El Bernardo
Socuéllamos
Estación de Gangueras
Villarrobledo
El Provencio
San Clem
Matas Verd
El Preso
Viejas
Canal
Los Frailes
Marañón
Alameda de Cervera
Guerra
Palancas
Pedro Malo
Virgen de las Viñas
Casa la Carriza
Cinco Casas
Las Moyas
Tomelloso
Argamasilla de Alba
Llanos del Caudillo
Hurtado
Herrera de la Mancha
Don Juan
Las Pachecas
Bachillera
Central eólico-solar
Ermita de Peñarroya
Buen Retiro
Guadiana
Embalse de Peñarroya
La Ventilla
Don Jerónimo
Las Chimeneas
Manzanares
Membrilla
Renúñez Grande
El Lobillo
Los Navazos
El Allozo
Eta de San Antón
La Solana
La Calera
Alhambra
Casto
Casas Blancas
La Magdalena
Cañada de la Manga
Ortigosa
La Miera
Romera
Casas de los Puercos
Sotuélamos
Munera
Casa de Eugenio
Las Beat
Ruidera
Los Villares
San José
Ossa de Montiel
Lagunas de Ruidera
Parque natural de las Lagunas de Ruidera
El Ossero
El Sabinar
El Guijoso
L. Blanca
Sta Rita
Los Esteros
Los Barreros
El Bonillo
Montiel
Pajar de Marta
Salinas de Pinilla
Pinilla
Salobre
Pelada
Villanueva de Franco
Eta de Consolación
La Campana
San Carlos del Valle
Sa de Alhambra
Bolos
E. del Puerto de Vallehermoso
Cristo
Montoso
Carrizosa
Eta de Na Sa de la Carrasca
Los Palacios
Melgarejo
Bañistas
Monumento
Pozo de la Serna
Valdepeñas
La Jarosa
Marisánchez
Alcubillas
Villanueva de Los infantes
Fuenllana
Villahermosa
Cañamares
Sta María
Campo
El Cepillo
Viveros
Milano
El Horcajo
Canaleja
Povedilla
Solanilla
Villanueva de la Fuente
Montiel
Santuario de Na Sa de la Antigua
E. de la Cabezuela
Ermita de la Virgen de la Cabeza
Serranillo
Los Morrones
Torrenueva
Cózar
Casa del Monte
Los Hoyuelos
Los Desamparados
El Palomar
Los Calares
Sta Cruz de los Cáñamos
Albaladejo
Almedina
Castellanos
Terrinches
Relumbrar
Reolid
Vianos
Pilas Verdes
Villapalacios
Puntal de la Mina
Cabeza de Buey
Navalavaca
Finca la Borreguilla
Torre de Juan Abad
Las Tajoneras
Eta de la Virgen de la Vega
Puebla del Príncipe
Villamanrique
Castellar de Santiago
La Guadianeja
Monteagú
La Nava
Cambrón
Los Tinajones
El Moralico
Villarrodrigo
Pozo de Abajo
Onsares
Villaverde de Guadalima
Pico de la Sarga
Bienservida
La Sierra
Zapateros
Pto de la Cruceta
Riópar
Águila
Rambla de Castellar
Río Jabalón
Río Azuer
Río Cañamares
Río Córcoles
Río Turruchel
Guadalmena
SIERRA
L A M A N C H A
Campo de Montiel
CM 42
CM 400
CM 412
CM 420
A 43
A 4-E 5
N 430
N 301
N 310
N 322
59
83
20
21
22
72

72
0 4 8 12 km
60
71
84
Virgen de Rus
Villar de Cantos
Rubielos Altos
Rubielos Bajos
El Picazo
N 310
Iniesta
Villanueva de la Jara
Meneses
San Clemente
Sisante
Casasimarro
Casas de Sta Cruz
Casas de Juan Fernández
El Provencio
Casas de Fernando Alonso
El Simarro
Virgen de la Cabeza
Pozoamargo
Casas de Benitez
Quintanar del Rey
Ledaña
Casas de los Pinos
Barrio de Abajo
Casas de Guijarro
Monte de las Mozas
Villagarcía del Llano
Casas de Haro
Finca Villalpardillo
Villalgordo del Júcar
Casas del Olmo
Cenizate
Matas Verdes
Casas de Roldán
Minaya
A 36
Tarazona de la Mancha
CM 316
Madrigueras
Navas de Jorquera
Casas de la Peña
Silo
Estación de Minaya
N 301
Fuensanta
Buenavista
Mahora
Las Beatas
La Roda
Valdemembra
Júcar
Motilleja
Moharras
Montalvos
Carro
El Capitán
Sta Marta
La Grajuela
Villar de Pozo Rubio
Los Yesares
Salobre
Casas del Matado
La Gineta
El Villar
Miralcampo
Blancares Nuevos
Blancares Viejos
Casas de Don Pedro
Lechina
Majano
Tinajeros
Munera
Marigutiérrez
Barrax
Casa Grande
Malpelo
CM 400
N 430
Sotuélamos
Maripérez
Labor de Acequión
La Torrecica
Ermita de Nª Sª del Llano
Casas Viejas
ALBACETE
Casa de Navamarín
Guijarral
El Monte
Los Esteros
Los Barreros
La Herrera
La Pulgosa
El Bonillo
Lezuza
Valdelaras de Abajo
La Cortesa
Melegriz
A 31
Gallardo
Valdelaras de Arriba
La Yunquera
N 322
Aguasnuevas
Chinchilla de Monte Aragón
Los Llanos
Cantacucos
Tiriez
Los Partidores
Sta Ana de Arriba
Sta Ana
El Cuartico
Sta Ana de Abajo
La Humosa
Pozo de la Peña
A 30
Balazote
Pradorredondo
Segura
El Salobral
Pajar de Marta
El Ballestero
Argamasón
Salinas de Pinilla
Los Anguijes
Pinilla
San Pedro
CM 3203
Casas de Orán
El Jardín
Pozuelo
Pozo Cañada
Casa Cañete
El Cubillo
Los Chospes
Casas de Lázaro
Cañada Juncosa
Casica del Madroño
La Zarza
Campillo de la Virgen
Campillo de las Doblas
Sª del Chortal
Mercadillos de Abajo
Viveros
Milano
Robledo
Batán
Cuchara
El Madroño
La Rambla
La Solana
Abuzaderas
Cerroblanco
Pto de los Pocicos
Peñarrubia
La Rinconada
Los Pocicos
Cerrolobo
Estación de los Hitos
El Horcajo
Masegoso
Berro
Roble
Peñas de San Pedro
Pozohondo
Laguna de Ontalafia
Sierra de Ontalafia
El Sahuco
Sª del Sahuco
Cillerueło
Montemayor
Navalengua
La Fuensanta
Povedilla
Canaleja
Santuario Nª Sª de Cortes
Royo
Solanilla
Majogazas
Casas del Puerto
Sta Ana
La Molata
Pesebre
La Hoz
Nava de Abajo
Alcaraz
Peñascosa
Burrueco
Nava de Arriba
Sª de los Búhos
Sª de los Navajuelos
Loma de Piqueras
Fuenlabrada
Alcadozo
Casa Sola
Mullidar
Reolid
Vianos
Mesta
Cañadas de Haches de Arriba
Cañadas de Haches de Abajo
La Herrería
Casablanca
Fuente Albilla
Casas de la Higuera
Abenuz
Moriscote
La Carrasquilla
Tobarra
Salobre
Paterna del Madera
Las Casas de Haches
El Griego
Villarejo
Santuario de la Incarnación
Puntal de la Mina
Puerto del Barrancazo
Tortas
Las Mohedas
Río Madera
Bogarra
Potiche
La Dehesa
La Sarguilla
Rincón del Moro
Losa
ALCARAZ
Zapateros
DE
Almenaras
Batán del Puerto
Padastro
Royo Odrea
Ayna
Embalse del Boquerón
Vegallera
Liétor
Hijar
Cruces
Bienservida
La Sierra
Pto de las Crucetas
Pto de las Crucetillas
Cañada
Albarda
CM 3203
Hellín
SIERRA
Los Alejos
Fuente de Taif
El Ginete
Quebradas
Pico de la Sarga
Riópar Viejo
Riópar
Alfera
Pinilla
Aguada Salada
Embalse de Talave
Talave
Isso
Pozo de Abajo
Pto del Arenal
Mesones
Fuente Higuera
Sª del Cujón
Villaverde de Guadalima
El Pardal
Puerto del Pino
Derramadero
Porrón
Méndez
Canada de Agra
Onsares
Mundo
Mingogil

España & Portugal
73
Casas del Rey
Las Monjas
Casas de Moya
Casas de Pradas
Casas de Eufemia
El Pontón
El Rebollar
Collado de la Calera
Villarta
Casilla de Moya
Los Isidros
Els Ducs
La Portera
Hortunas de Arriba
Mijares
Alborache
Macastre
Yátova
El Herrumblar
Casas de Penen de Albosa
Puerto de Cruz de Cofrentes
Collado de las Amoladeras
El Retorno
Los Sardineros
Casas del Doctor
Fuen-Vich
Villamalea
Tamayo
Tabaqueros
Baños de Fuente Podrida
Serra Martes
Los Pedrones
Casas de Sotos
Vinyoles
E. de Forata
Colonia Cinto de los Abates
Villatoya
Riu Cabriol
La Cabezuela
Los Herreros
Casas del Río
La Venta de Gaeta
El Oro
Embassament de Millares
Dos Aguas
Casas Ibáñez
N 322
Alborea
El Viso
Balsa de Ves
Rambla Seca
Embassament de Los Embarcaderos
Embassament Cortes II
Millares
Fuentealbilla
Casas de Ves
Cantoblanco
Cortes de Pallás
Golosalvo
Serradiel
Zulema
Cofrentes
Reserva Nacional de Muela de Cortes
Marimínguez
La Pared
Los Hervideros
Alto de Alcola
Abengibre
Alcalá del Júcar
Villa de Ves
Las Eras
Tolosa
E. de Cofrentes
Río Júcar
Jalance
Bormate
Jorquera
La Gila
Casas del Conde
Morágete
Cueva de Don Juan
Cinto Cabra
Embassament de Tous
Calzada de Vergara
Casas del Cerro
La Recueja
Sª del Boquerón
Cubas
Alcozarejos
Sierra de la Caballa
Jarafuel
Tejares Abarca
E. de Escalona
Bicorp
Casas de Juan Gil
Villavaliente
Peñarrubia
Cuevas de la Araña
Quesa
La Casa de la Grana
Navarrés
Casas de Juan Núñez
Carcelén
La Hunde
Zarra
Teresa de Cofrentes
Caroch
Alatoz
Pozo Lorente
Ermita del Rosario
San Isidro
Ayora
Montemayor
Malefatón
El Hontanar
Casas de Don Pedro
Las Fuentes
Cueva de la Vieja
Las Casas de Benelí
La Albufera
Sierra de Monte Aragón
Molatón
Enguera
Morrablancar
Cruz de Alpera
Alpera
Higueruela
Hoya Gonzalo
Oncebreros
Casillas de Marín de Abajo
San Benito
Sierra del Mugrón
Gallinero
El Puntal
Navalón de Abajo
Navalón de Arriba
Cumbres de Valencia
El Rincón
Pto de El Blanco
Laguna del Salobralejo
Casillas de Marín de Arriba
Estación de Bonete
Los Brunales
Escudero
Pto Los Altos
L.A.V.
Villar de Chinchilla
Mompichel
Moixent
Bonete
El Bachiller
Santuario de Belén
E. de Almansa
Almansa
Casa de los Pandos
Torre Tallada
A 31
A 35
Laguna de Pétrola
Chinar
Casas del Campillo
Serra Grossa
Horna
Corral Rubio
CM 412
Casa de Sta Rosa
Sierra El Cegarrón
El Comendador
Pétrola
La Font de la Figuera
Montealegre del Castillo
Fontanars dels Alforins
Campillo del Negro
La Higuera
Sierra de Oliva
La Encina
Las Anorias
Muela
Arabinejo
La Zafra
Sª de la Solana
Pinilla
Ermita de Nª Sª del Pilar
El Salse
Beneixama
Gómez Yañez
Los Ruices
Arabí
Caudete
Ladrones
Sierra Lengua
Cañada
El Apadreado
Hoya Sta Ana
Fuente Álamo
Embalse del Bayco
Villena
Madroño
Sierra Parda
Cerrajos
Maneta
Morrón del Puerto
Sierra de la Magdalena
Biar
Villegas o Mardos
Las Virtudes
Mina de Rodes
Ontur
Sª de los Gavilanes
Yecla
Aljube
Santiago de Mora
Puerto de Jumilla
Sierra de Enmedio
La Colonia Sta Eulalia
Cordovilla
Mora de Sta Quiteria
Albatana
Peñarrubia
Pava
Sierra Convento
Fuente del Pino
Portichuelo
Salinas
Sax
Morrón
La Alquería
La Campana
Sierra del Buey
Laguna de Salinas
Torre Uchea
Sierra de Las Cabras
Guardiola
Elda
Petrer
Las Hermanas
Sierra de Enmedio
Jumilla
Las Quebradas
Loma Bada
Cuevas Minateda
Candil
Cucharón
Sierra del Molar
Pansas
Hondón
Chinorla
Minateda
La Celia
El Carche
Raspay
Lel
Úbeda
Almafrá
Penya

74
62
29
73
86
VALEN
M E
El Grau de Valencia
Torrent
Picassent
Silla
Alcàsser
El Saler
Platja del Saler
Gola del Pujol
Platja de la Devesa
Hipodrom
Parador de El Saler
El Perellonet
El Palmar
El Romaní
Sollana
Almussafes
Benifaió
Alginet
El Perelló
Gola del Perelló
Les Palmeres
El Mareny de Barraquetes
El Mareny Blau
El Mareny de Vilxes
El Mareny de Sant Llorenç
L'Albufera
Sueca
Carlet
Benimodo
L'Alcúdia
Algemesí
Far de Cullera
La Torre de Cullera
Cullera
Alzira
Carcaixent
Tavernes de la Valldigna
El Brosquil
La Marina
Torre de la Vall
Platja de Tavernes
Platja de Xeraco
Xeraco
Platja de Gandia
Platja i Grau de Gandia
Gandia
Platja de Daimús
Guardamar de la Safor
Platja de Bellreguard
Platja Miramar
Platja de Piles
Platja d'Oliva
Oliva
Xàtiva
Canals
Montesa
Vallada
Moixent
Ontinyent
Albaida
Agullent
Bocairent
Banyeres de Mariola
Cocentaina
Muro de Alcoy
Alcoi / Alcoy
Villena
Biar
Onil
Ibi
Castalla
Sax
Elda
Petrer
Tibi
Xixona
Busot
Aigües
Relleu
Sella
Finestrat
Orxeta
La Vila Joiosa / Villajoyosa
BENIDORM
Racó de Loix
Punta de l'Escaleta
Platja de Llevant
Platja de Ponent
L'Alfàs del Pi
Albir
Punta Bombarda
Altea
Altea la Vella
Callosa d'en Sarrià
Polop
La Nucia
Benissa
Calp
Senija
Xaló
Parcent
Orba
Pedreguer
Ondara
Pego
Adsubia
Vall d'Alcalà
Vall de Gallinera
Planes
Alcoleja
Penàguila
Benilloba
Serra d'Aitana
Sª de Serrella
Sª de Mariola
Serra Grossa
Serra de la Argueña
Serra del Maigmó
Enguera
Bicorp
Bolbaite
Chella
Anna
Sellent
Manuel
Rafelguaraf
Barxeta
Simat de la Valldigna
Barx
El Mondúver
Xeresa
Llutxent
Quatretonda
Benigànim
Bellús
L'Olleria
Aielo de Malferit
Fontanars dels Alforins
Agost
El Campello
La Coveta Fumá
Maigmó
Montnegre
Coves dels Canelobres
Peña Migjorn
Puig Campana
Terra Mítica
Sant Jordi
Embassament d'Amadòrio
Embassament de Tous
Tous
Alberic
Antella
Villanueva de Castellón
Dos Aguas
Millares
Salto de Millares
Yátova
Macastre
Montserrat
Montroi
Real
Torre
Llombai
Catadau
Alfarp
Loma Badada
Penya del Sit
Chinorla
Almarra
Mina de Rodes
Ermita Don Jaume

C I A
D I T E R R Á N E O
O
P
Q
Dénia
Platja de Marianeta Cassiana
Les Rotes
Les Arenetes
Aduanas
Montgó 752
Cap de Sant Antoni (167)
Xàbia / Jávea
Platja del Arenal
Parque Calablanca
Rafalet
Cap de Sant Martí
Tosalet
El Poble Nou de Benitàtxell
Cap de la Nau (122)
La Granadella
Platja de la Granadella
Cumbre del Sol
Cala de los Tiestos
Moraira
El Portet de Moraira
Cast.
165 Punta de Moraira
Platja de Moraira
Buenavista-Cala Abogat
Penyal d'Ifac (326)
30 31 32

Cabo Espichel
0 4 8 12 km
2
64
3
Praia de Comporta
Comporta
DE
SETÚBAL
Torre
Carvalhal
Torroal
Casa Branca
R
Fontainhas
Boiças
Atalaia
Praia de Melides
Melides
Praia de Sto André
Costa de Sto André
Lagoa de Sto André
Reserva
Natural
das Lagoas
de Sto André
e da Sancha
São Francisco da Serra
Cruz de João Mendes
Vila Nova de Sto André
Sto André
Santiago do Cacém
Ruínas Romanas de Miróbriga
Cabo de Sines
Sines
Porto de Sines
Zonas Industriais
Boavista do Paiol
Provença
Praia de São Torpes
Praia de Morgavel
Bgem de Morgavel
Muda
Sol Posto
Vale de Água
S
Praia de Porto Covo
Porto Covo
Tanganheira
Bgem de Campilhas
Praia da Ilha
Bracial
Serra
do
Cercal
Cercal
Malpensado
Parque
Brunheiras
Casa Nova
Ribeira do Seissal
Sa das Neves
Vila Nova de Milfontes
São Luís
Vale Beijinha
Zambujeiras
Vale de Ferro
Almograve
Praia Grande
Troviscais
Natural
Cavaleiro
Cabo Sardão
Maroufenha
Telheiro
Odemira
T
Touril
Fontinha
Boavista dos Pinheiros
Porto das Barcas
Estibeira
Sobreiro
Zambujeira do Mar
Carvalhal
do Sudoeste
São Teotónio
Brejão
Sta Bárbara
2
88
3
Praia de Odeceixe
Oleiros
Caeiro
Odeceixe
Samouqueira
Maria

Alcácer do Sal
Vale dos Reis
Sta Susana
Caeirinha
Sta Catarina
Barrosinha
Sta da Conceição
Vale de Guizo
Casa Branca
Torrão
Alcáçovas
São Brás do Regedouro
Torre de Coelheiros
Aguiar
Estação de Viana
São Bartolomeu do Outeiro
Monte do Trigo
Atalaia
Quinta de Sta Maria
Viana do Alentejo
Na Sra de Aires
São Vicente
Oriola
São Pedro
Portel
Vila Nova da Baronia
Água de Peixes
Albergaria dos Fusos
Bgem do Alvito
Alvito
Santana
Vila Alva
Vila Ruiva
Ruínas Romanas de São Cucufate
Vera Cruz
Vidigueira
Vila de Frades
Ruivo
Bgem de Odivelas
Odivelas
Alcaria
Marmelar
Ordem
Selmes
Peso
Cortes de Baixo
Pedrógão
Cuba
Faro do Alentejo
Matos
Alfundão
Peroguarda
Trigaches
São Matias
Aldeias
São Brissos
Beringel
Ferreira do Alentejo
Maroto
Figueira dos Cavaleiros
Panasqueira
Carrascais
Barragem de Vale do Gaio
São Romão do Sado
Vale de Ossos
Rio de Moinhos
Grândola
Brejo
Sesmarias
Serra de Grândola
São Mamede do Sádão
Eta Canal Caveira
Margarida da Serra
Mina da Caveira
Sta Margarida do Sádão
Tanganhal
Brunheira
Azinheira dos Barros
Mina do Lousal
Canhestros
Aldeia dos ruins
Ermidas-Sado
Abela
Ermidas-Aldeia
Quinta da Corona
Aldeia do Ronquenho
Mombeja
Beja
Na Sra das Neves
Baleizão
Vila Azeda
Padrão
Ervidel
Sta Vitória
Penedo Gordo
Sta Clara de Louredo
Quintos
Serpa
São Domingos
Alvalade
Vale de Zebro
Figueiras
Vale Vinagre
Aldeia Nova
São João de Negrilhos
Jungeiros
Corte Vicente Eanes
Monte Grande
Bgem do Roxo
Salvada
Sto António Velho
Foros de Casa Nova
Bgem Fonte Serne
Mancoca
Rio de Moinhos
Lanças
Mina da Juliana
Cabeça Gorda
Foros da Caiada
Fornalhas Velhas
Mina de São João do Deserto
Aljustrel
Trindade
Vale de Água
Fornalhas Novas
Torre Vã
Messejana
Pedras Brancas
Albernoa
Vale de Rocins
Vales
Bicos
Estação de Castro Verde-Almodôvar
Campo Redondo
Aldeia dos Elvas
Poços
Conceição
Vale de Açor
Amendoeira
Vale de Santiago
Panoias
Casével
Entradas
Monte Viegas
Mosteiro
Colos
Sta Luzia
Bgem de Monte da Rocha
Estação de Ourique
Almeirim
Corte Pequena
Azinhal
Relíquias
Funcheira
Salto
Algodor
Parque Natural do Vale do Guadiana
Garvão
Castro Verde
S. Marcos da Ataboeira
Trafeiras
Amoreiras
Corte Gafo de Bo
Corte Gafo de Ca
Aldeia das Amoreiras
Aldeia dos Grandaços
Giraldos
Alcaria Ruiva
São Martinho das Amoreiras
Ourique
Piçarras
São Pedro das Cabeças
Rolão
Guerreiro
João Serra
Corte da Velha
Corte Pequena
Alvares
Viseus
Penilhos
Vigia
Sta Bárbara de Padrões
Figueirinha
Namorados
Mértola
Aldeia dos Palheiros
Urza
Rosário
Sete
Espragosa
Sapos
Monte Fernandes
Luzianes
Va Sra da Cola
Lombador
São João dos Caldeireiros
Corte Brique
Aldeia dos Neves
Porteirinhos
Aldeia do Corvo
Aldeia dos Fernandes
Caiada
Bicada
Lombardos
Bgem de Sta Clara
Corte Zorrinha
Aldeia do Neves
Sra da Graça de Padrões
Belo
Roncão
Alcaria Longa
São Sebastião dos Carros
ALMODÔVAR
Semblana
São Miguel do Pinheiro
Manuel Galo
Eirinha
Espírito Santo
Santana da Serra
Gomes Aires
Sta Clara
Carros
São Bartolomeu
Sta Clara-a-Nova
Viuvas
Gatão
Vargens
Alcaria de Javazes
Morgadinho
São Pedro de Solis
Quintã
Clarines
Pereiras
Mestras
Fialho
Castelhanos
Lotão
Gilões
Coito
Rio Guadiana
65
89
78

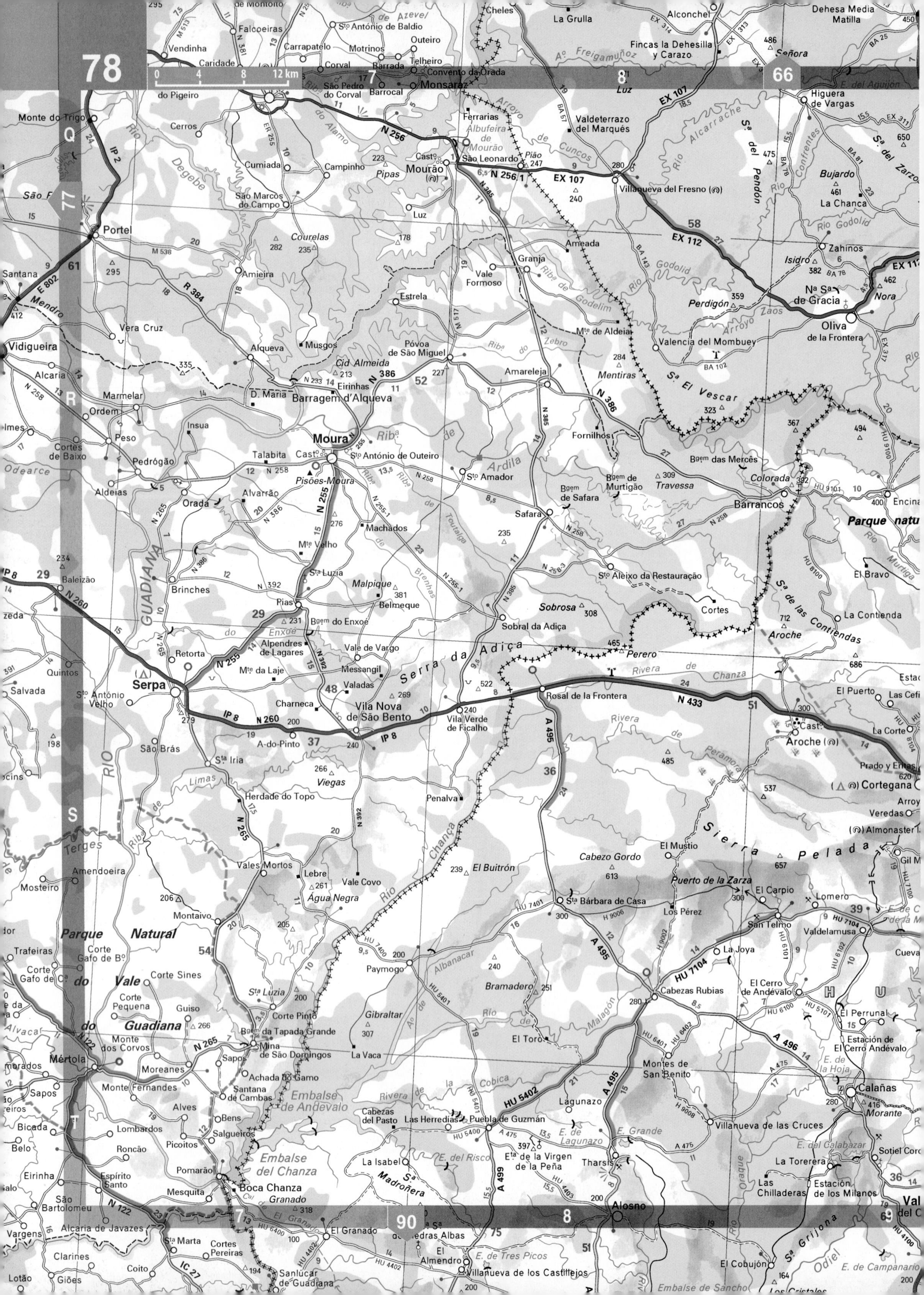
78
0 4 8 12 km
77
66
90
Q
R
S
T
H
U
Vendinha
Falcoeiras
Caridade
Sto António de Baldio
Carrapatelo
Motrinos
Outeiro
Telheiro
Corval
Barrada
Convento da Orada
São Pedro do Corval
Barrocal
Monsaraz
do Pigeiro
Cheles
La Grulla
Alconchel
Dehesa Media Matilla
Fincas la Dehesilla y Carazo
Señora
Luz
Monte do Trigo
Cerros
Ferrarias
Albufeira de Mourão
Valdeterrazo del Marqués
Higuera de Vargas
Cumiada
Campinho
Pipas
Castº
São Leonardo
Pião
Mourão
Villanueva del Fresno
Bujardo
La Chanca
Portel
São Marcos do Campo
Courelas
Ameada
Zahinos
Isidro
Santana
Amieira
Vale Formoso
Granja
Perdigón
Nª Sª de Gracia
Nora
Oliva de la Frontera
Estrela
Mte de Aldeia
Valencia del Mombuey
Vera Cruz
Vigigueira
Alqueva
Musgos
Póvoa de São Miguel
Cid Almeida
Alcaria
Eirinhas
Amareleja
Mentiras
Sª El Vescar
Marmelar
Ordem
D. Maria
Barragem d'Alqueva
Fornilhos
Insua
Peso
Moura
Talabita
Castº
Sto António de Outeiro
Ardila
Bgem das Mercês
Cortes de Baixo
Pedrógão
Pisões-Moura
Sto Amador
Bgem de Murtigão
Travessa
Colorada
Aldeias
Alvarrão
Orada
Bgem de Safara
Barrancos
Encina
Machados
Safara
Parque natu
Mte Velho
Sta Luzia
Sto Aleixo da Restauração
El Bravo
Baleizão
Brinches
Malpique
Belmeque
Cortes
Pias
Sobrosa
Sobral da Adiça
La Contienda
Bgem do Enxoé
Alpendres de Lagares
Vale de Vargo
Sª de las Contiendas
Aroche
Retorta
Quintos
Mte da Laje
Messangil
Serra da Adiça
Perero
Rivera de Chanza
Salvada
Sto António Velho
Serpa
Valadas
Charneca
Vila Nova de São Bento
Rosal de la Frontera
El Puerto
Las Cefi
Vila Verde de Ficalho
La Corte
A-do-Pinto
Aroche
São Brás
Sta Iria
Prado y Eritas
Viegas
Cortegana
Herdade do Topo
Penalva
Veredas
Almonaster
Sierra Pelada
El Mustio
Terges
Rio Guadiana
Cabezo Gordo
Amendoeira
Vales Mortos
Lebre
Vale Covo
El Buitrón
Puerto de la Zarza
El Carpio
Mosteiro
Água Negra
Lomero
Sta Bárbara de Casa
Los Pérez
Montaivo
San Telmo
Valdelamusa
Parque Natural do Vale do Guadiana
Trafeiras
Corte Gafo de Bº
Corte Gafo de Cª
Paymogo
La Joya
Corte Sines
Bramadero
Cabezas Rubias
El Cerro de Andévalo
Corte Pequena
Sta Luzia
Guiso
Corte Pinto
Gibraltar
El Perrunal
Estación de El Cerro Andévalo
Bgem da Tapada Grande
Monte dos Corvos
Mina de São Domingos
La Vaca
El Toro
Mértola
Moreanes
Sapos
Achada do Gamo
Montes de San Benito
Monte Fernandes
Santana de Cambas
Embalse de Andevalo
Calañas
Morante
Alves
Bens
Cabezas del Pasto
Las Herredias
Puebla de Guzmán
Lagunazo
Villanueva de las Cruces
Bicada
Lombardos
Salgueiros
Picoitos
Embalse del Chanza
Belo
Roncão
Pomarão
La Isabel
Sª Madroñera
Eta de la Virgen de la Peña
Tharsis
La Torerera
Eirinha
Espírito Santo
Las Chilladeras
Estación de los Milanos
São Bartolomeu
Mesquita
Boca Chanza
Granado
Alosno
Alcaria de Javazes
El Granado
Sª de Piedras Albas
Vargens
Sta Marta
Cortes Pereiras
Clarines
El Almendro
Coito
Sanlúcar de Guadiana
Villanueva de los Castillejos
El Cobujón
Sª Grijona
Lotão
Giões
Embalse de Sancho
Los Cristales
E. de Campanario
N 256
EX 107
EX 112
N 386
N 255
N 260
IP 8
IP 2
N 265
N 122
N 433
A 495
A 496
A 499
HU 7104
IC 27
E 802
R 384
M 538
N 258

España & Portugal
79
67
91
80
Barcarrota
Salvaleón
Los Baños
La Parra
Salvatierra de los Barros
Feria
Sª Vieja
Fuente del Maestre
San Jorge
de los Barros
del Fresno
Hinojosa del Valle
Peña Utrera
E. de Guadajira
Los Santos de Maimona
La Lapa
Zafra
Alconera
Sª de Cañijal
Burguillos del Cerro
Valle de Matamoros
Valle de Sta Ana
Puebla de Sancho Pérez
Pto de Sto Domingo
Sª de los Santos
Montuoso
Balneario de Raposo
Calvo
Llera
Valencia de las Torres
Usagre
Higuera de Llerena
Rubiales
E. de Brovales
Brovales
Jacintos
Valverde de Burguillos
Atalaya
Torres
Medina de las Torres
Jerez de los Caballeros
Valuengo
Embalse de Valuengo
Cabrera
Calzadilla de los Barros
Bienvenida
Villagarcía de la Torre
Torre
Casas de Pilas
La Bazana
Valencia del Ventoso
Puerto Beltrana
Tocinillos
Puerto de Tablado
Cinco Lindes
Ermita de los Remedios
Puerto de la Granja
Fuente de Cantos
Cantalgallo
Llerena
Ahillones
Puerto de la Loba
Ermita de San Isidro
Sª de San Salvador
Fregenal de la Sierra
San Cristóbal
Sª Aguda
Las Zorillas
Ribera de Los Molinos
Casas de la Reina
Teatro Romano
Trasierra
Reina
Higuera la Real
Bodonal de la Sierra
Valera
Gigonza
Montemolín
Segura de León
José Díez
Sª Quebrada
Ermita Virgen de Ara
Mina La Jayona
Cumbres de Enmedio
Cumbres de San Bartolomé
Cumbres Mayores
Cabeza la Vaca
Calera de León
Pallares
Bujo
Puebla del Maestre
Butrera
Fuentes de León
Santuario de Sta María de Tentudía
E. de Tentudía
Monesterio
Pto Cañada
Sª del Viento
Sierra Tentudía
Sierra de Tudía
Castillo
Morena
Torre
Río Vendoval
Hinojales
Cañaveral de León
Arroyomolinos de León
Venta del Culebrín
Hoya de Sta María
de la Sierra de Aracena
SIERRA
Pto de las Marismas
La Bastiana
El Pintado
Embalse del Pintado
Solona de Cala
Puerto Lucía
La Nava
La Pica
Valdelarco
Jabata
Minas de Cala
Cala
Puerto Padrona
El Repilado
Las Chinas
Navahermosa
Corterrangel
Castañuelo
Embalse de Aracena
El Real de la Jara
Jabugo
Galaroza
Cortelazor
Carboneras
Castaño del Robledo
Fuenteheridos
Los Marines
Aracena
Corteconcepción
Puerto Gil
y Picos de Aroche
MORENA
La Ganchoza
Faustino
Los Romeros
Molares
Aguafría
Nª Sª de los Ángeles
Linares de la Sierra
Gruta de las Maravillas
Puerto Moral
Valdezufre
Sta Olalla del Cala
Contraembalse del Pintado
Calabazares
La Corte
Sta Ana la Real
Alájar
Almadén de la Plata
Sierra de Aracena
Jabuguillo
La Umbría
de la Sierra Norte
Serpos
Eta de Sta Eulalia
Higuera de la Sierra
Zufre
E. de Zufre
Patrás
E. de Odiel
El Berrocal
El Membrillo
Concepción
San Miguel
Ventas de Arriba
Campofrío
Eta de Nª Sª del Prado
La Granada de Río-Tinto
Nª Sª del Puerto
Rª de Huelva
Costalinero
La Parrilla
E. de Sotiel
E. de Gossan
Padre Caro
Valdeflores
Ermita de San Benito
La Atalaya
La Dehesa
El Peralejo
La Alcornocosa
Archidona
El Ronquillo
Embalse de Cala
Ermita de Nª Sª de Escardiel
Traslasierra
El Villar
Minas de Riotinto
Nerva
E. de Nerva
Minas del Casillo
El Campillo
Parladé
Zalamea la Real
La Naya
E. del Jarama
Juan Gallego
La Aulaga
El Castillo de las Guardas
Embalse de la Minilla
Castilblanco de los Arroyos
Los Carrizos
El Buitrón
Las Delgadas
Juan Antón
Villagordo
Arroyo de la Plata
El Cañuelo
El Alisar
Embalse de Guillena
Membrillo Alto
El Madroño
El Pedrosillo
El Álamo
Puerto Acebuche
Las Nieves
Marigenta
Berrocal
Las Criaderas
El Garrobo
El Gergal
Los Pajares
El Pozuelo
E. de Sililos
Las Cañadas
Fuente
Coto nacional de la Pata del Caballo
Las Pajanosas
La Lapa
Burguillos
Villaverde del Río
Charcofrío
El Campillo
Hato Verde
Cejo
E. del Esparragal
Guillena
San Ignacio del Viar
Brenes
Esquivel
La Florida
Gatos
Navahermosa
Gerena

80
0 4 8 12 km
12
13
68
14
79
92
Belalcázar
Sta Clara
Zújar
Puerto de Castuera
Sta Inés
Ermita de Nª Sª de Fátima
Hinojosa
Peraleda del Zaucejo
Sª del Prado
Llera
Acebuche
Trapera
Valencia de las Torres
El Río
Río Matachel
Los Blázquez
Sª del Cambrón
Las Patudas
Valsequillo
Fuente la
Rubiales
Maguilla
La Granjuela
Alcornocosa
Casas de Pilas
Cuenca
Sierra de la Grana
El Porvenir
Peñarroya-Pueblonuevo
Granja de Torrehermosa
Berlanga
Ahillones
Ermita de San Isidro
Azuaga
Castº
Fuente Obejuna
Sª de los Santos
Bélmez
La Cardenchosa
La Coronada
Embalse de Sierra Boyera
El Hoyo
Doña Rama
Casas de la Reina
Teatro Romano
Valverde de Llerena
Los Rubios
Calaveruela
Cañada del Gamo
Navalcuervo
El Entredicho
Trasierra
Reina
Argallón
Ojuelos Bajos
Los Panchez
Ojuelos Altos
Posadilla
Villanueva del Rey
Piconcillo
El Alcornocal
Fuente del Arco
Ermita Virgen de Ara
Los Morenos
La Cardenchosa
Peñita
Mina La Jayona
Sª del Viento
Sª de San Miguel
Malcocinado
Sierra Albarrana
Erillas
Guadalcanal
Muela
El Cabril
La Nava
Hamapega
Sª de Guadalcanal
Villavici
Parque Natural
Alanís
Río Bembézar
Embalse del Pintado
Estación de Alanís
Eta de San Diego
San Nicolás del Puerto
El Pintado
Solona del Valle
La Viñuela
Cerro del Hierro
Chacón
Estación de Cazalla y Constantina
Tiesa
San Calixto
Embalse de Bembézar
Castaño
Eta del Carmen
La Ganchoza
Cazalla de la Sierra
Navalvillar
Castillo de la Armada
Las Navas de la Concepción
Faustino
Contraembalse del Pintado
Observatorio
Las Aljabaras
Ermita del Monte
Eta de la Virgen del Robledo
de la Sierra
Constantina
Gibarrayo
Sª del Pedroso
Fabrica del Pedroso
La Quintera
El Águila
de Hornachuelos
de la Sierra Norte
El Pedroso
Alcornocal
Embalse del Retortillo
Los Ángeles
Membrillo
de Sevilla
Hornachuelos
Navaholguín
Cañadas del Romero
El Travieso
Posadas
La Parrilla
Las Jarillas
E. de Huesna
Embalse de Jose Toran
La Puebla de los Infantes
Bembézar del Caudillo
Moratalla
Ermita de San Benito
Mesas del Guadalora
Rivero de Posadas
Estación de Hornachuelos
Las Francas
San Cristóbal
E. de derivación del Retortillo
Céspedes
Ochavillo de
Atalaya
Eta de Nª Sª de Setefilla
Villalón
La Herrer
Castº de Mulva
Fuente del Pez
Arenillas
Sardinero
Vegas de Almenara
Peñaflor
Palma del Río
Sª Traviesa
La Cantera
Los Carrizos
Los Alamitos
Setefilla
Fuente Palmera
Castilblanco de los Arroyos
Priorato
Pedro Díaz
Sililos
Cebrón
Villanueva del Río y Minas
Lora del Río
El Acebuchal
El Calonge
La Graja
Fuente Carreteros
Alcornocalejo
Campamento Matallana
Cañada del Rabadán
Los Pajares
Villanueva del Río
Ruinas romanas de Arva
El Álamo
Algarín
Mochales
Cantillana
Alcolea del Río
Azanaque
Tocina
El Zapillo
Villaverde del Río
Burguillos
Los Rosales
La Trinidad
Cañada Rosal
La Estación
El Alcachofar
Guadajoz
Viar
Brenes
La Campana
Isla del Vicario
Ignacio del Viar
Esquivel
Guadalquivir
El Toril
La Atalaya
El Campillo
Écija
Río Genil
Madre de Fuentes
Río Viar
Rivera de Huéznar
Río Retortillo
Ribera de Ciudadeja
Río Benalija
Río Sotillo
Río Guadiato
N 432
A 447
A 432
A 433
A 431
A 436
A 449
A 455
EX 103
SE 8100
SE 7102
L.A.V.

España & Portugal
81
15
69
82
93
16
17
Q
R
S
T
San Benito
Guadalmez
Sª de Tarayuela
Judio
Estación de Venta de la Ines
Pedroche
Horcajo
El Viso
El Guijo
Las Parcelas
Ventillas
Sª de Valdoro
Villaralto
Torrecampo
La Garganta
Puerto de Valderrepisa
Abulagoso
Solana
Dos Torres
Sª de la Garganta
Peñarrodrigo
San Gregorio
Añora
Pedroche
Mogábar
Bañuela
Sierra
Fuencaliente
Sª de Navalmanzano
Sierra de Quintana
Conquista
Embalse de Saucedilla
Alcaracejos
Pozoblanco
Torrubia
Las Morras
S I E R R A
Azuel
El Águila
Virgen de Luna
Villanueva de Córdoba
Ladronera
Parque natural
Jurado
Cardeña
Pelayo
Puerto Calatraveño
Algib
Venta Cerezo de la Sierra
Chimorra
Colorado
Espiel
La Canaleja
Castaño
Venta del Puerto
Manuelas
Venta del Charco de Cardeña
Cortijo de la Onza
Embalse Puente Nuevo
Villaharta
Obejo
y Montoro
Embalse de Yeguas
Colodro
Ermita de San José
Embalse de Marmolejo
E. Martín Gonzalo
Las Presas
El Vacar
Puerto del Aire
Cruces
Sierra de los Puntales
Embalse del Guadalmellato
Baños de Arenosillo
Casillas de Velasco
C Ó R D O B A
Estación de Obejo
Adamuz
Montoro
Marmolejo
San Julián
E. de S. Rafael de Navallana
Cerro Muriano
Torre Árboles
Algallarín
Las Jaras
Embalse de Encantada
E. de El Carpio
S. Antonio
Villafranca de Córdoba
Pedro Abad
Villa del Río
Sto Domingo
Nª Sª de Linares
El Rosal
Nª Sª de la Fuensanta
Sta María de Trassierra
Las Ermitas
Universidad Laboral
Alcolea
E. de Villafranca
El Carpio
Maruanas
Morente
Lopera
Santiago
Parador de la Arruzafa
Las Niñas
Los Ángeles
La Cruz
San Jerónimo
Medina Azahara
Los Cansinos
Las Hazuelas
Bujalance
Alharilla
Casas de Villalobillos
CÓRDOBA
Luis Díaz
Rubillas Bajas
Cañete de las Torres
Porcuna
Mudapelo
Villarrubia
Veredón
El Higuerón
Alameda del Obispo
Encinarejo
Valchillón
Cordobillas
Lope Amargo
Almodóvar del Río
Los Estepas
Torres Cabrera
Matal de Toscal
Higuera de Calatrava
Villaseca
Cuesta del Espino
Cuadradillo
Torreparedones
Valenzuela
Guadalcázar
Pililias
Cubas
Santiago de Calatrava
Lendínez
Sta Cruz
Pozo de la Orden
Fuencubierta
Las Pinedas
Estación de Fernán Núñez
Fuentidueña
La Chica Carlota
Aldea Quintana
El Adalid
Juan Martín
El Arrecife
El Garabato
La Carlota
La Victoria
Espejo
Castro del Río
El Rinconcillo
Fernán Núñez
Izcar
Río Guadajoz
Albendín
Bobadilla
La Paz
Monte Alto
Montemayor
La Guijarrosa
San Sebastián de los Ballesteros
Los Noguerones
Membrilla
Las Beatas
Vela
Embalse de Vadomojón
Cerro Perea
La Rambla
Baena
Caldera
Mochales
Montilla
Las Peñuelas
Honda Laguna
Alcalá
Santaella
Montalbán de Córdoba
Nueva Carteya
Los Leones
Marbella
Doña Mencía
Fontanar

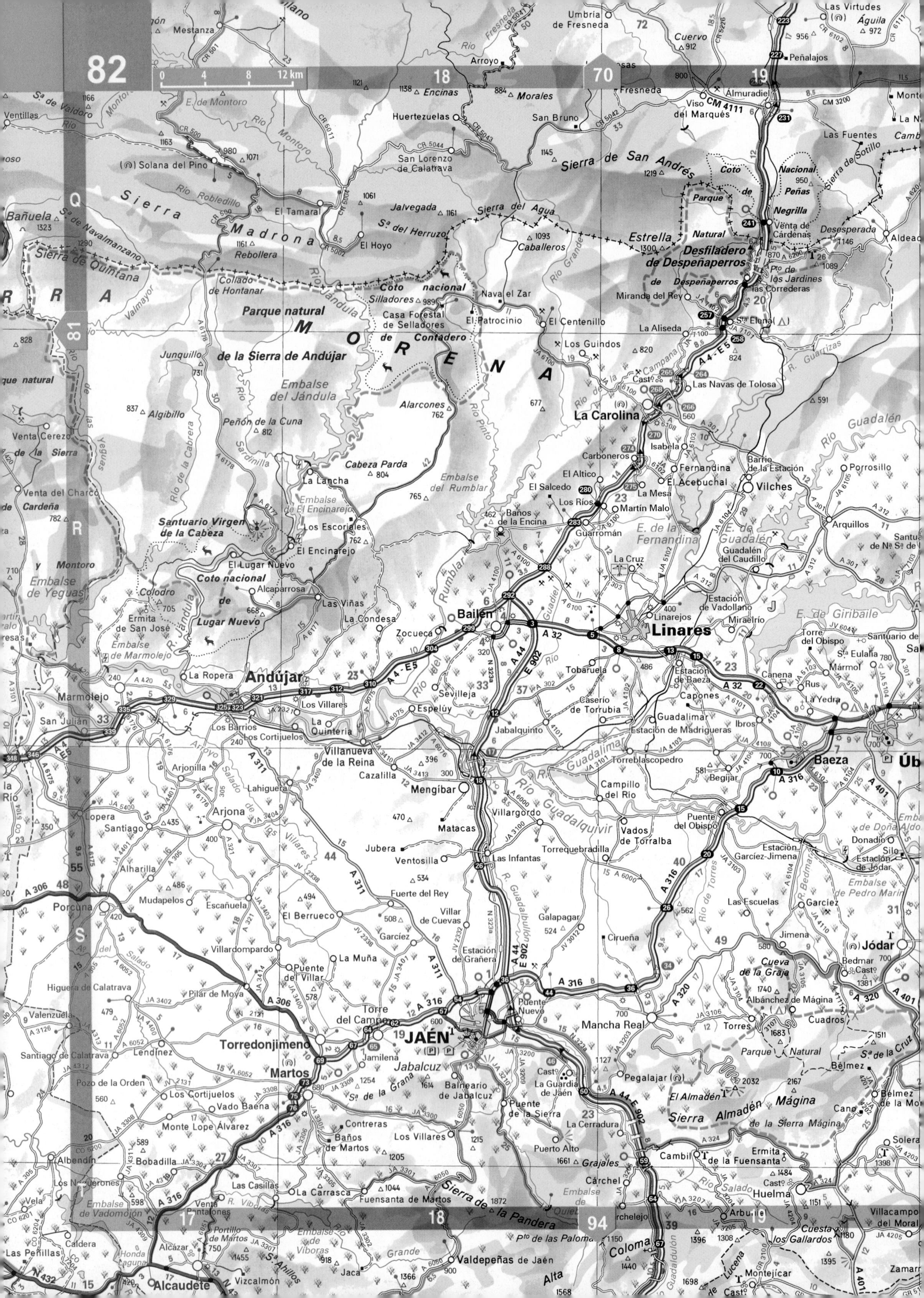

82
0 4 8 12 km
18
70
19
Mestanza
Umbría de Fresneda
Cuervo
Las Virtudes
Águila
Arroyo
Peñalajos
Encinas
Morales
Fresneda
Almuradiel
Viso del Marqués
Ventillas
E. de Montoro
Río Montoro
Huertezuelas
San Bruno
Sierra de San Andrés
Las Fuentes
Solana del Pino
San Lorenzo de Calatrava
Coto Nacional Peñas de Negrilla
Sierra Madrona
Río Robledillo
El Tamaral
Jalvegada
Sierra del Agua
Parque Natural Desfiladero de Despeñaperros
Bañuela
Sª de Navalmanzano
Sª del Herruzo
El Hoyo
Rebollera
Caballeros
Estrella
Venta de Cárdenas
Desesperada
Aldeaq
Sierra de Quintana
Collado de Hontanar
Coto nacional Silladores
Nava el Zar
Pto de los Jardines
Las Correderas
Miranda del Rey
Parque natural de la Sierra de Andújar
Casa Forestal de Selladores
El Patrocinio
El Centenillo
Sta Elena
MORENA
Coto nacional de Contadero
La Aliseda
Los Guindos
Junquillo
Embalse del Jándula
Las Navas de Tolosa
La Carolina
Alarcones
Algibillo
Peñón de la Cuna
Venta Cerezo
Isabela
Carboneros
Río Guadalén
Cabeza Parda
Embalse del Rumblar
El Altico
Fernandina
El Acebuchal
Barrio de la Estación
Porrosillo
Vilches
La Lancha
El Salcedo
Los Ríos
La Mesa
Martín Malo
Venta del Charco
Cardeña
Embalse de El Encinarejo
Baños de la Encina
Guarromán
E. de la Fernandina
E. de Guadalén
Arquillos
Santuario Virgen de la Cabeza
Los Escoriales
El Encinarejo
La Cruz
Guadalén del Caudillo
Montoro
Embalse de Yeguas
El Lugar Nuevo
Coto nacional de Lugar Nuevo
Alcaparrosa
Colodro
Las Viñas
La Condesa
Bailén
Linarejos
Estación de Vadollano
Miraelrío
E. de Giribaile
Ermita de San José
Zocueca
Linares
Torre del Obispo
Santuario de
Embalse de Marmolejo
Tobaruela
Sta Eulalia
Mármol
La Ropera
Andújar
Estación de Baeza
Canena
Rus
Marmolejo
Sevilleja
Caserío de Torrubia
Capones
La Yedra
San Julián
Los Villares
Espelúy
La Quintería
Guadalimar
Estación de Madrigueras
Ibros
Los Barrios
Los Cortijuelos
Jabalquinto
Villanueva de la Reina
Torreblascopedro
Baeza
Úb
Arjonilla
Cazalilla
Lahiguera
Mengíbar
Campillo del Río
Begíjar
Arjona
Lopera
Santiago
Matacas
Villargordo
Río Guadalquivir
Vados de Torralba
Puente del Obispo
Donadío
Estación Garcíez-Jimena
Jubera
Ventosilla
Las Infantas
Torrequebradilla
Estación de Jódar
Alharilla
Embalse de Pedro Marín
Porcuna
Mudapelos
Escañuela
El Berrueco
Fuerte del Rey
Villar de Cuevas
Galapagar
Cirueña
Las Escuelas
Garcíez
Villardompardo
Garcíez
Estación de Grañera
Jimena
Jódar
La Muña
Puente del Villar
Cueva de la Graja
Bedmar
Higuera de Calatrava
Pilar de Moya
Albánchez de Mágina
Valenzuela
Torre del Campo
Puente Nuevo
Mancha Real
Torres
Cuadros
Torredonjimeno
JAÉN
Jamilena
Jabalcuz
Parque Natural
Sª de la Cruz
Santiago de Calatrava
Lendínez
Martos
Balneario de Jabalcuz
La Guardia de Jaén
Pegalajar
Bélmez
Pozo de la Orden
Los Cortijuelos
Sª de la Grana
El Almadén
Bélmez de la Mo
Vado Baena
Puente de la Sierra
Sierra Almadén Mágina de la Sierra Mágina
Monte Lope Álvarez
Contreras
La Cerradura
Baños de Martos
Los Villares
Puerto Alto
Albendín
Bobadilla
Grajales
Cambil
Ermita de la Fuensanta
Solera
Los Noguerones
Las Casillas
La Carrasca
Cárchel
Huelma
Vela
Embalse de Vadomojón
Venta Pantalones
Fuensanta de Martos
Sierra de la Pandera
Embalse de Quiebrajano
Carchelejo
Arbuniel
Villacampo del Moral
17
18
94
19
Caldera
Portillo de Martos
Embalse de Víboras
Pto de las Palomas
Coloma
Cuesta los Gallardos
Las Peñillas
Alcázar
Sª Ahíllos
Valdepeñas de Jaén
Lucena
Montejícar
Zamarr
Alcaudete
Vizcalmón
Jaca
Alta

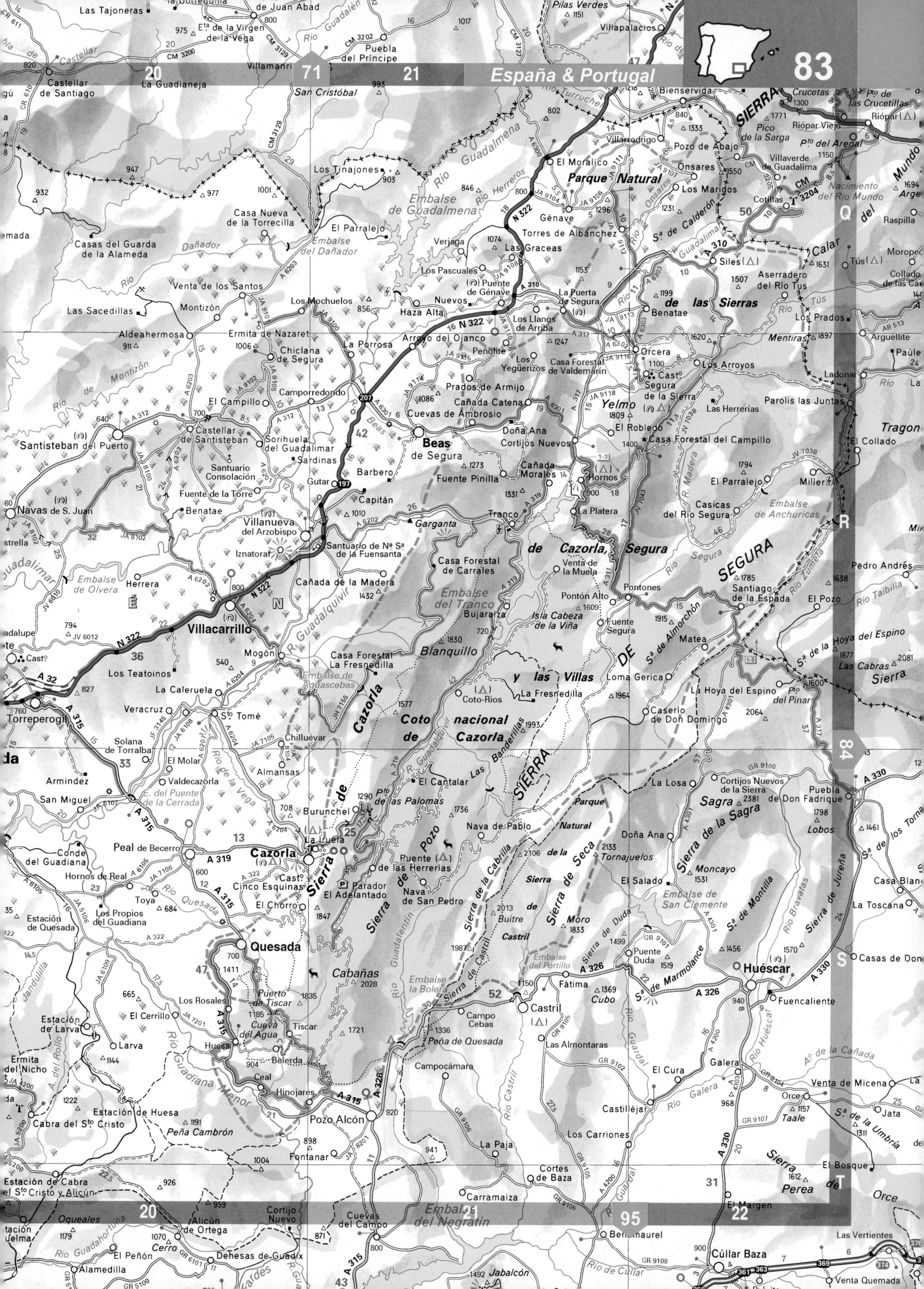

83
España & Portugal
Las Tajoneras
de Juan Abad
Eta de la Virgen de la Vega
Pilas Verdes
Villapalacios
Puebla del Príncipe
Villamanrique
Castellar de Santiago
La Guadianeja
San Cristóbal
Río Guadalén
Bienservida
Crucetas
Pto de las Crucetillas
Riópar
Riópar Viejo
Pico de la Sarga
Pto del Arenal
Villarrodrigo
Pozo de Abajo
Onsares
Villaverde de Guadalima
El Moralico
Parque Natural
Los Marines
Los Tinajones
Embalse de Guadalmena
Río Guadalmena
Río Herreros
Génave
Torres de Albanchez
Sa de Calderón
Nacimiento del Río Mundo
Cotillas
Raspilla
Casa Nueva de la Torrecilla
El Parralejo
Embalse del Dañador
Casas del Guarda de la Alameda
Verjaga
Las Graceas
Siles
Calar del Mundo
Tús
Moropeche
Los Pascuales
Puente de Génave
Aserradero del Río Tus
Collado de las Carr.
Venta de los Santos
Montizón
Los Mochuelos
Haza Alta
Nuevos
La Puerta de Segura
Benatae
de las Sierras
Los Prados
Las Sacedillas
Aldeahermosa
Ermita de Nazaret
Los Llanos de Arriba
Mentiras
Arguellite
Chiclana de Segura
La Porrosa
Arroyo del Ojanco
Peñolite
Orcera
Paúles
Los Yegüerizos
Casa Forestal de Valdemarín
Los Arroyos
Cast° Segura de la Sierra
Ladonar
Camporredondo
Prados de Armijo
El Campillo
Cañada Catena
Yelmo
Las Herrerías
Parolis las Juntas
Santisteban del Puerto
Castellar de Santisteban
Sorihuela del Guadalimar
Cuevas de Ambrosio
Beas de Segura
Doña Ana
Cortijos Nuevos
El Robledo
Casa Forestal del Campillo
El Collado
Tragoncillo
Sardinas
Santuario Consolación
Barbero
Fuente Pinilla
Cañada Morales
Hornos
El Parralejo
Miller
Fuente de la Torre
Gutar
Capitán
Navas de S. Juan
Benatae
La Platera
Casicas del Río Segura
Embalse de Anchuricas
Villanueva del Arzobispo
Garganta
Tranco
Iznatoraf
Santuario de Na Sa de la Fuensanta
de Cazorla, Segura
Casa Forestal de Carrales
Venta de la Muela
SEGURA
Herrera
Embalse de Olvera
Cañada de la Madera
Pontones
Santiago de la Espada
Pedro Andrés
Embalse del Tranco
Pontón Alto
Río Taibilla
Bujaraiza
Isla Cabeza de la Viña
Fuente Segura
El Pozo
Villacarrillo
Sa de Almorchón
Matea
Sa de la Hoya del Espino
Cast°
Mogón
Casa Forestal La Fresnedilla
Blanquillo
Las Cabras
Los Teatinos
R. Guadalquivir
Embalse de Aguascebas
y las Villas
Loma Gerica
Sierra
Torreperogil
La Caleruela
Coto-Rios
La Fresnedilla
La Hoya del Espino
Pto del Pinar
Veracruz
Sto Tomé
Cazorla
Coto nacional de Cazorla
Caserío de Don Domingo
Solana de Torralba
Chilluévar
SIERRA
Armindez
El Molar
Valdecazorla
Almansas
El Cantalar
Las Banderillas
La Losa
Cortijos Nuevos de la Sierra
Puebla de Don Fadrique
San Miguel
E. del Puente de la Cerrada
Río de la Vega
Pto de las Palomas
Burunchel
Parque Natural
Sagra
Sierra de la Sagra
Lobos
Peal de Becerro
Conde del Guadiana
La Iruela
Nava de Pablo
Doña Ana
Hornos de Real
Cast°
Cinco Esquinas
Parador El Adelantado
Puente de las Herrerías
Sierra de Pozo
de la Sierra de Seca
Tornajuelos
Moncayo
Casa Blanca
Toya
Río Quesada
Estación de Quesada
Los Propios del Guadiana
El Chorro
Nava de San Pedro
Sierra de la Cabrilla
Buitre
Sierra de Castril
El Salado
Embalse de San Clemente
Sa de Montilla
Río Bravatas
Sierra de Jureña
La Toscana
Quesada
Moro
Sierra de Duda
Puente Duda
Casas de Don
Cabañas
Embalse del Portillo
Embalse la Bolera
Sierra de Castril
Huéscar
Los Rosales
Puerto de Tíscar
Fátima
Cubo
Sa de Marmolance
Fuencaliente
El Cerrillo
Estación de Larva
Cueva del Agua
Tíscar
Campo Cebas
Castril
Larva
Huesa
Peña de Quesada
Las Almontaras
Río Guardal
Ermita del Nicho
Belerda
Ceal
Campocámara
El Cura
Galera
Ao de la Cañada
Hinojares
Venta de Micena
Estación de Huesa
Río Guadiana Menor
Pozo Alcón
Castilléjar
Río Galera
Orce
Jata
Cabra del Sto Cristo
Peña Cambrón
Taale
Sa de la Umbría
La Paja
Los Carriones
Sierra Perea
Fontanar
Río Castril
El Bosque
Estación de Cabra del Sto Cristo y Alicún
Cortes de Baza
Sierra de Orce
Carramaiza
Oqueales
Cortijo Nuevo
Embalse del Negratín
Cuevas del Campo
El Margen
Estación Huelma
Alicún de Ortega
Cerro
Benamaurel
Las Vertientes
Río Guadahortuna
El Peñón
Dehesas de Guadix
Cúllar Baza
Alamedilla
Jabalcón
Río de Cúllar
Venta Quemada

84
0 4 8 12 km
72
96
83
Q
R
S
T
M U R
Río Madera
Bogarra
La Dehesa
La Sarguilla
Batán del Puerto
Potiche
Royo Odrea
Ayna
Padastro
Vegallera
Albarda
CM 3203
Hijar
Cruces
CM 3213
Hellín
Rincón del Moro
Losa
Embalse del Boquerón
Cordovilla
Sierra Convento
Morrón
Crucetas
P.to de las Crucetillas
Los Alejos
La Alfera
Riópar
Riópar Viejo
Pico la Sarga
P.to del Arenal
Villaverde de Guadalima
Mesones
Fuente Higuera
El Pardal
S.a del Cujón
Pinilla
Fuente de Taif
Aguada Salada
El Ginete
Embalse de Talave
Talave
Quebradas
Isso
Nava de Campana
Cañada de Agra
Méndez
Cuevas de Minateda
Minateda
Torre Uchea
Mundo
Nacimiento del Río Mundo
Cotillas
Argel
Los Collados
Torre Pedro
Molinicos
Puerto del Pino
Picarzos
Derramadero
Elche de la Sierra
CM 412
Cobatillas
Porrón
Mingogil
Agra
Casa del Marqués
La Horca
Raspilla
Cortijo de la Juliana
Llano de la Torre
Peñarrubia
El Entredicho
Villares
Vicorto
Las Ramblas
S.a del Baladre
S.a de Cabeza Llana
Agramón
S.a de los Donceles
Estación de Agramón
Calar del Mundo
Tús
Moropeche
Jartos
Rala
Boche
Collado de las Carrascas
Embalse de la Fuensanta
Tobillas
CM 3206
CM 3217
Embalse del Cenajo
Puente de Hijar
Aserradero del Río Tus
Yeste
Ardal
Juan Quílez
Macalón
Letur
S.a de la Solana
La Abejuela
Férez
R. Segura
Cenajo
Sol
Salmerón
Las Minas
Estación de las Minas
Embalse de Camarillas
Almirez
Socovos
Casas del Pino
Casas del Collado
Arguellite
Claras
Mentira
Paúles
Cerezo
Tazona
CM 3217
RM 715
El Chopillo
S.a del Puerto
Ladonar
La Graya
Sege
S.a del Tobar
Torre
Otos
Benizar
Sierra de la Muela
Archítana
Las Murtas
Estación de Calasparra
Parolis las Juntas
Tragoncillo
Cortijo de Navarro
S.a del Cerezo
N.a S.a de la Esperanza
Calasparra
Molino
El Collado
Yetas de Abajo
Molata
E. de Moratalla
San Miguel
Benamor
Miller
Embalse de Anchuricas
Sierra del Zacatín
El Sabinar
Embalse de la Risca
Lanchar
Moratalla
E.ta San José
Valentín
Turrilla
La Cabeza
E. de Taibilla
El Peñón
Calar de la Santa
Sierra de los Álamos
Mingarnao
Las Bojadillas
RM 703
Miñano
S.a de la Puerta
E. del Argos
Baños Gilico
Algezares
Cambrones
Nerpio
Pedro Andrés
Río Zumeta
Río Taibilla
El Pozo
S.a de Villafuerte
Pajarón
Buitre
Canara
Pinar Negro
Los Calares
S.a de Gavilán
Caravaca de la Cruz
Cehegín
Río Quípar
La Copa
S.a de la Hoya del Espino
Sierra de Taibilla
Las Cabras
Inazares
Revolcadores
Archivel
Peña Rubia
Fuente del Abad
Benablón
Barranda
Bullas
Espino
P.to del Pinar
Los Odres
Cañada de la Cruz
El Hornico
Sierra de Mojantes
Navares
Caneja
Prados
Singla
Ermita de La Encarnación
S.a de Quípar
Burete
Castellar
Moral
Serrata
La Almudema
El Entredicho
El Moral
RM 730
Almaciles
Río Quípar
Herrán
Puebla de Don Fadrique
Los Nuevos
Sierra
Lobos
A 330
S.a de los Tornajos
S.a de Alcantín
Moralejo
Tarragolla
Umbría de las Lomas
Coy
Tornajo
Doña Inés
Casas Nuevas
S.a de la Zarza
Gato
La Junquera
Carro
Los Royos
Melgoso
Ermita S.ta Teresa
Avilés
Sierra Cambrón
Selva
Madroños
Casa Blanca
Gordo
Las Cobatillas
Mingrano
Don Gonzalo
Umbría
Madroño
Burras
La Toscana
Topares
Casa Mula
Jarosa
Pinosa
Sordo
La Paca
Zarzadilla de Totana
Sierra
El Campo
Cueva
El Rincón
Tello
Zarcilla de Ramos
Las Terreras
Alagüeces
Casas Nuevas
Casas de Don Juan
Embalse de Valdeinfierno
Huéscar
Losetares
S.a del Oso
El Estrecho
Guadalupe
Alcaide
S.a del Pericay
Zuñiga
Fuencaliente
La Cañada de Cañepla
Caramel
Las Juntas de Arriba
Río Turrilla
Luchena
Tercia
Gabar
Parque Natural de la Sierra María
S.a Larga
Embalse de Puentes
Río Huéscar
Cuerda del Pino
Manilla
Canteras
Gigante
La Parroquia
La Piedra
Venta de Micena
S.a Gigante
Baños de Fuensanta
Peñoso
Orce
Taale
Jata
Balsain
María
Monumento
Los Cautivos
S.a de la Umbría
GR 9104
AL 9101
P.to María
Vélez Blanco
Río Velez
Pozo de la Rueda
Casablanca
E.ta de la Virgen de la Cabeza
Lorca
María
Cuevas de los Letreros
Las Cuevas de Moreno
Peña Rubia
El Bosque
Sierra de María
S.a de Maimón
Vélez Rubio
Serreta
Sierra del Viento
Perea
Sierra de Orce
Casa Meca
Margen
A 92 N
A 91
Las Vertientes
Baza
Rambla de Chirivel
Chirivel
Los Tonosas
Henares
Nogalte
Cimbre
Estación Lumbreras
Purias
P.to Purias
Venta Quemada
El Contador
P.to de S.a María de Nieva
Simón
Puerto Lumbreras
Altobordo
A 7 - E 15

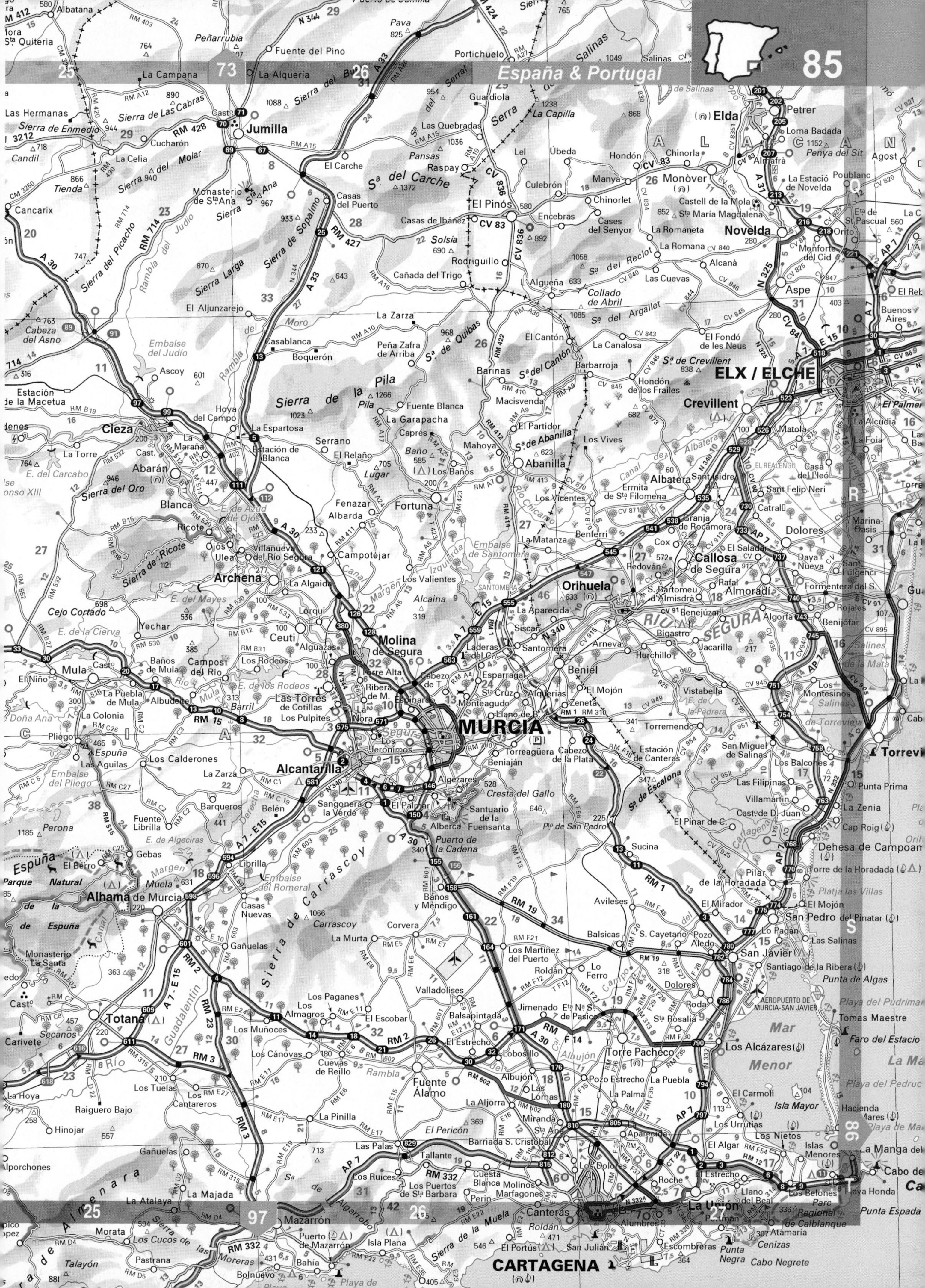
MURCIA
CARTAGENA
ELX / ELCHE
Jumilla
Elda
Petrer
Novelda
Aspe
Crevillent
Cieza
Abarán
Blanca
Archena
Molina de Segura
Mula
Alcantarilla
Alhama de Murcia
Totana
Orihuela
Callosa de Segura
Almoradí
Dolores
Torrevieja
San Javier
San Pedro del Pinatar
Los Alcázares
Torre Pacheco
Fuente Álamo
La Unión
Mazarrón
Fortuna
Abanilla
Santomera
Beniel
Albatera
Monòver
El Pinós
Sierra de la Pila
Sierra de Carrascoy
Mar Menor
La Manga del Mar Menor
Cabo de Palos
Parque Natural de Sierra Espuña
Sierra Espuña
AEROPUERTO DE MURCIA-SAN JAVIER
25
26
27
73
97
98

0 4 8 12 km
Xixona
Peña Migjorn
Coves dels Canelobre
Sant Jordi
Orxeta
Sª Helada
Racó de Loix (△)
Punta de l'Escaleta
La Cala
Platja de Llevant
Platja Ponent
BENIDORM
74
La Vila Joiosa / Villajoyosa
Platja del Paraís
Aigües
Busot
Montnegre
Petrer
Loma Badada
Penya del Sit
Agost
Ermita Don Jaume
La Coveta Fumá
El Campello
Font-Mezquitas
Mutxamel
Tangel
Villafranqueza
Sant Joan d'Alacant
Platja de Muchavista
la Platja de Sant Joan
Cap de l'Horta
Platja de l'Albufereta
Poublanc
La Estación de Novelda
Verdegás
La Cañada
Eta de St Pascual
Orito
Monforte del Cid
Sant Vicent del Raspeig
L'Alcoraya
El Rebolledo
Aspe
85
Buenos Aires
Bacarot
ALACANT / ALICANTE
Golf d'Alacant
Urbanova
L'Altet
Torrellano
ELCHE
Eta de S. Vicent
Els Bassars
El Palmeral
Los Arenales del Sol
Platja los Arenales del Sol
Gran Alacant
La Alcudia
La Foia
Las Bayas
Valverde
Matola
Cap de Sta Pola
Sta Pola del Este
Sta Pola
Platja Lissa
Illa de Tabarca
Torre
Casa del Lleó
Sant Felip Neri
Catral
Dolores
Marina-Oasis
Platja del Pinet
Torre de Pinet
La Marina (△)
Daya Nueva
Sant Fulgenci
Formentera del S.
Guardamar del Segura
Platja de Guardamar
Rojales
Algorfa
Benijófar
Salines de la Mata
La Mata
Los Montesinos
Salines de Torrevieja
Cabo Cervera-Playa La Mata
Torrevieja
Los Balcones
Punta Prima
Filipinas
La Zenia
Platjas de Orihuela
Cap Roig
Dehesa de Campoamor
Torre de la Horadada
Platja las Villas
El Mojón
San Pedro del Pinatar
Lo Pagán
Las Salinas
San Javier
Santiago de la Ribera
Punta de Algas
AEROPUERTO DE MURCIA-SAN JAVIER
Playa del Pudrimal
Tomas Maestre
Mar Menor
Faro del Estacio
Los Alcázares
La Manga del Mar Menor
Playa del Pedrucho
Isla Mayor
Hacienda Dos Mares
Playa de Marchamalo
Los Nietos
Islas Menores
La Manga del Mar Menor
Cabo de Palos
Cabo de Palos
Playa Honda
Los Belones
Parc Regional de Calblanque
Punta Espada
Atamaría
Cenizas
Cabo Negrete
C O S T A B L A N C A
M A R
27 28 29 30

IBIZA
Punta des Gat
Portinatx
Cala de Portinatx
Cala Xarraca
Punta de sa Creu
Port de Sant Miquel
Sant Vicent
303
Cala de Sant Vicent
Punta Grossa
Cala Sant Vicent
Sant Joan de Labritja
Platja des Figueral
es Figueral
Illa de Tagomago
Cap d'Albarca
Sant Miquel de Balansat
400
Camp Vell
St.ª Agnès de Corona
262
412
230
Sant Carles de Peralta
Cap Roig
la Joya
Sant Mateu d'Albarca
Sant Llorenç de Balafia
es Canar
Platja des Canar
Cap Nunó
258
Cala Salada
Buscastell
St.ª Gertrudis de Fruitera
278
Illa de St.ª Eulària
Cala Gració
Sant Antoni de Portmany
Cala Sant Antoni
St.ª Eulària des Riu
Illa Conillera
Siesta
Cala Bassa
Illes Bledes
Cala Llonga
Cala de Bou
Sant Rafel de sa Creu
182
Cap des Llibrell
Illa s' Espartar
Port des Torrent
Roca Llisa
Sant Agustí des Vedrà
Cala Tarida
340
N.ª S.ª de Jesús
Sant Josep de sa Talaia
263
Talamanca
Caló d'en Real
Cala Vedella
487
Talaiassa
416
Puig Gros
sa Carroca
Punta Grossa
EIVISSA / IBIZA
Cala Barcó
es Cubells
Cova Santa
Platja d'en Bossa
Sant Jordi de ses Salines
Cap Blanc
414
Sant Francesc de s' Estany
160
Illa Vedrà
382
Salines
sa Canal
Platja des Cavallet
Cap Llentrisca
Punta de sa Torre de ses Portes
Punta de sa Rana
Illa des Penjats
Illa Espardell
Illa Espalmador
Parque Natural de Ses Salines d'Eivissa i Formentera
Cala Savina
Punta Pedrera
Punta Prima
la Savina
es Pujols
Punta de sa Gavina
Sant Francesc de Formentera
Sant Ferran
Punta de Sa Creu
FORMENTERA
Cala Saona
Punta Rasa
es Caló
135
el Pilar de la Mola
113
Platja de Migjorn
192
Far de la Mola
Mola
Punta des Far
Mar y Land
Punta Rotja
Cap de Barbaria
C 733
C 731
PM 810
PM 811
PM 812
PM 803
PM 801
PM 804
PM 820
O
P
Q

0 4 8 12 km
2
3
76
T
U
V
W
4
Zambujeira do Mar
Carvalhal
do Sudoeste
São Teotónio
Sobreiro
Mira
Brejão
S.ta Bárbara
Oleiros
Caeiro
Praia de Odeceixe
Odeceixe
Samouqueira
Maria Vinagre
Alentejano
Praia da Carreagem
Rogil
Bunheira
Foz do Arroio
Foz do Farelo
Praia de Monte Clérigo
Ponta da Atalaia
Aljezur
Pêro Negro
Vale da Telha
Arrifana
Vales
Marmelete
Fóia
Serra
Casais
Caldas de Monchique
e Costa
Alfambra
N 120
N 268
Montes de Cima
Praia da Bordeira
Samouqueira
Poldra
Corsino
Pontal
Bordeira
Bgem da Bravura
Pereira
Carrapateira
Vilarinha
Serra do Espinhaço de Cão
Porto de Lagos
A 22
IC 4
Vicentina
Bensafrim
Figueira
Praia d. Mouranitos
Barão de S. João
Odiáxere
Praia da Cordoama
Pedralva
Portelas
Mexilhoeira Grande
Alvor
Praia do Castelejo
Barão de São Miguel
Espiche
Torre de Aspa
Raposeira
Almádena
Praia dos Três Irmãos
N 125
Vila do Bispo
Budens
Luz
Atalaia
Meia Praia
Praia de Dona Ana
Praia da Rocha
Figueira
Salema
Burgau
Praia do Porto de Mós
Lagos
Ponta da Piedade
Zavial
Cabo de São Vicente
Sagres
Praia do Martinhal
Ponta da Atalaia
Ponta de Sagres
A
B
ILHA DA MADEIRA
Ponta do Tristão
Porto Moniz
Santa
Achadas da Cruz
Ribeira da Janela
Seixal
Ponta Delgada
Arco de São Jorge
Ponta de São Jorge
São Jorge
Pargo
Ponta do Pargo
Boa Ventura
Santana
Ponta do Clérigo
São Vicente
Remal
Ruivo do Paúl
Pico Ruivo
Faial
Fajã da Ovelha
Parque Natural
Ginjas
Rosario
São Roque
Porto da Cruz
Rabaçal
Prazeres
Boca da Encumeada
Paúl do Mar
Estreito da Calheta
da Madeira
Arieiro
Portela
Caniçal
Prainha
Jardim do Mar
Ribeiro Frio
Machico
Arco da Calheta
Serra de Água
Curral das Freiras
Eira do Serrado
Calheta
Poiso
Santo António da Serra
Água de Pena
Madalena do Mar
Canhas
Estreito de Câmara de Lobos
Camacha
Gaula
Santa Cruz
Monte
Ponta do Sol
Campanário
Santo António
Caniço
Ribeira Brava
Cabo Girão
Câmara de Lobos
São Martinho
São Gonçalo
Ponta do Garajau
Ponta da Cruz
FUNCHAL
Y
Z

Almodôvar
Santana da Serra
Gomes Aires
Corte Zorrinha
Aldeia do Neves
Sta da Graça de Padrões
Caiada
Alcaria Longa
Semblana
São Miguel
Bgem de Sta Clara
Sta Clara
Sta Clara-a-Nova
Guedelhas
Viuvas
Gatão
São Pedro de Solis
Quintã
Vargens
Alcaria de Javazes
Morgadinho
Mestras
Fialho
Castelhanos
Clarines
Coito
Lotão
Giões
Pereiras
Nave Redonda
Serra do Caldeirão
Serra da Mira
Dogueno
Barranco
Martim Longo
Laborato
Sta Cruz
Pesseguerio
Alcaria Alta
Barrada
Sta Justa
São Marcos da Serra
Serra de Carapinha
Perna Seca
Corte Figueira
Corte João Marques
Vaqueiros
Ameixial
Corte Serranos
Soudes
Zambujal
Alferce
Monchique
São Barnabé
Malhão
Lagoa
Furnazinhas
Vermelhos
Monte Alto
Sítio das Éguas
Amoreira
Bgem de Odelouca
Águas Frias
Besteiros
Cachopo
Fortes
Vale Figueira
Pelados
Figueirinha
Garcia
Fernandilho
Monte de Baixo Grande
Casas
Bgem do Funcho
São Bartolomeu de Messines
Sobradinho
Vale da Rosa
Vales
Portela
Sarnadas
Feiteira
Corte do Gago
Bgem de Arade
Cerro
Montes Novos
Peralva
Cintados
Messines
Pena
Cortelha
Barranco Velho
Águas dos Fusos
Umbrias de Camacho
Cumeada
Alte
Benafim
Salir
Parizes
Lajes
Silves
Alto Fica
Javali
Alcaria do Cume
Vale de Ebros
Miões
Lentiscais
Aldeia da Tôr
Espargal
Querença
Portimão
Poço Barreto
Paderne
Monte Grande
Estorninhos
Tunes
Cerro
Algoz
Fontes da Matosa
Alcaria
Alportel
Almargens
Palheirinhos
Lagoa
Gilvrazino
Amendoeira
Pousada de São Brás
Sta Catarina da Fonte do Bispo
São Marcos
Loulé
Malhão
Vila Nova de Cacela
Porches
Alcantarilha
Guia
Ferreiras
Boliqueime
Vilharinhos
São Brás de Alportel
Pêra
Franqueada
Gorjoes
Machados
Peral
Conceição
Cacela Velha
Sra da Rocha
Armação de P.
Montechoro
Vale do Judeu
Quartos
Sta Bárbara de Nexe
Ruinas de Milreu
Azinheiro
Sto Estêvão
Tavira
Cabanas
Pontal
Cabo Carvoeiro
Albufeira
Vilamoura
Cerro da Vila
Almancil
São Miguel
Estiramantens
Moncarapacho
São Pedro
Sta Luzia
Pedras d'el Rei
Praia da Galé
Ponta do Castelo
Praia da Oura
Praia de Maria Luisa
Praia da Falésia
Quarteira
Escanxinas
São Lourenço
São Joao da Venda
Estoi
Luz de T.
Praia da Ilha de Tavira
Livramento
Praias de Albufeira
Vale do Lobo
Quinta do Lago
Patacão
Conceição
Pechão
Ilha de Tavira
Ludo
Marchil
FARO
Quelfes
Quatrim do Sul
Fuseta
Ilha da Armona
Praia de Faro
Olhão
Praia de Fuseta
Armona
Ria Formosa
Praia da Ilha de Faro
Ilha de Faro
Ilha da Culatra
Parque Natural da Ria Formosa
Ilha da Barreta
Cabo de Sta Maria
Ilha do Porto Santo
Camacha
Serra de Dentro
Pico do Castelo
Campo de Cima
Ilhéu de Cima
la Pedreira
Ilhéu de Ferro
Vila Baleira (Porto Santo)
Ponta
Ponta da Calheta
Ilhéu de Baixo ou da Cal
de São Lourenço
OCEANO ATLÂNTICO
1/400 000
A22 - IP 1
A2 - IP 1 - E 1
IC 1
IC 4
N 2
N 125
N 270
77
90
T
U
V
W
X
C
D
5
6
7

Embalse del Chanza
Picoitos
Salgueiros
Pomarão
La Isabel
E. del Risco
Sa Madroñera
Eta de la Virgen de la Peña
E. de Lagunazo
Tharsis
E. Grande
Villanueva de las Cruces
E. del Calabazar
Sotiel Coronada
La Torerera
Las Chilladeras
Estación de los Milanos
78
36
0 4 8 12 km
Alosno
Alcaria de Javazes
Vargens
Sta Marta
Cortes Pereiras
El Granado
Nª Sª de Piedras Albas
El Almendro
E. de Tres Picos
Villanueva de los Castillejos
El Cobujón
Sa Grijona
Odiel
E. de Campanario
Los Cristales
Embalse de Sancho
Rivera de Meca
Clarines
Coito
Lotão
Giões
Sanlúcar de Guadiana
Corte Tabelião
Alcoutim
Azud de Matacavas
Pereiro
Alcaria Alta
Sta Justa
Balurco de Baixo
Balurcos
Los Millares
Fuente de la Corcha
Estación de Belmonte
San Bartolomé de la Torre
El Campillo
Foupana
Vaqueiros
Soudes
Zambujal
Corte de São Tomé
Guerreiros do Rio
El Romerano
Río Guadiana
Furnazinhas
Tenencia
Foz de Odeleite
San Silvestre de Guzmán
Embalse del Piedras
Tariquejo
Cebollar
Gibraleón
Trigueros
Fortes
Monte de Baixo Grande
Choça Queimada
Odeleite
Corujos
Bgem de Odeleite
Alcaria
Monte Gordo
R. Piedras
Canal
Estación de la Mezquita
Rivera de la Nicoba
Zancarrón
Corte do Gago
Sentinela
Almada de Ouro
Bgem de Beliche
Villablanca
E. de los Machos
Santuario de la Consolación
Peguerillas
Nª Sª de la Soledad
San Juan del Puerto
Cintados
Peralva
Alcarias
Azinhal
Águas dos Fusos
Umbrias de Camacho
Cortelha
Beliche
Cartaya
Bellavista
Cardeñas
Corrales
Moguer
Vale de Ebros
Junqueira
Costa Esuri
Lepe
Aljaraque
HUELVA
Estorninhos
Rio Seco
Montinho
Pozo del Camino
Las Palmeritas
La Redondela
Eta de Nª Sª de Bella
El Rincón
El Rompido
Castro Marim
Ayamonte
Palos de la Frontera
Vila Nova de Cacela
Altura
Aldeia Nova
Hortas
Vila Real de Sto António
Isla Cristina
La Antilla
El Terrón
El Portil
Punta del Sebo
Monumento a Colón
Monasterio de la Rábida
Conceição
Cacela Velha
Praia da Manta Rota
Monte Gordo
Isla Canela
Playa de Isla Cristina
Playa de la Antilla
Barra de El Rompido
Playa de Punta Umbría
Pinos de Mar
Isla de Saltes
Praia da Alagôa
Playa Canela
Cabanas
Sto Estêvão
Tavira
Praia de Cabanas
Punta Umbría
Mazagón
Faro El Picacho
L. de las Madres
São Pedro
Sta Luzia
Pedras d'el Rei
Luz de Tavira
Praia da Ilha de Tavira
Ilha de Tavira
Formosa
Ria
Armona
Fuseta
Alcor
Playa de Mazagón
COSTA DE LA
GOLFO DE CÁD
A 49 - E 1
N 431
A 495
A 499
N 442
IC 27
89
T
U
V
W
7
8
9

España & Portugal
91
79
10
12
92
98
Puerto Acebuche
El Alisar
Las Nieves
Marigenta
El Álamo
El Pozuelo
Berrocal
Las Criaderas
El Garrobo
E. de Sililos
Las Pajanosas
La Lapa
Burguillos
Fuente
Coto nacional
de la Pata del Caballo
Charcofrío
El Campillo
Hato Verde
Guillena
Villaverde del Río
La Florida
Gatos
Navahermosa
Cejo
de Agrio
E. del Esparragal
Gerena
San Ignacio del Viar
Brenes
Esquivel
Alcalá del Río
Aznalcóllar
Conti
Torre de la Reina
Caballón
El Tumbalejo
La Rinconada
San José de la Rinconada
E. de Beas
Tujena
Mazarrón
Río Corumbel
El Indiano
Los Encinares de Sanlúcar la Mayor
La Algaba
La Jarilla
Alpizar
E. de Corumbel Bajo
Ruinas de Itálica
SEVILLA
Beas
La Peñuela
Paterna del Campo
Tejada
Albaida del Aljarafe
Valencina de la Concepción
Santiponce
La Palma del Condado
Villalba del Alcor
Escacena del Campo
Olivares
Salteras
Villarrasa
Sanlúcar la Mayor
Villanueva del Ariscal
Castilleja de la Cuesta
Camas
Candón
E. de Candoncillo
Niebla
Eta de Sta Agueda
Manzanilla
Castilleja del Campo
Carrión de los Cespedes
Espartinas
Gines
San Pablo
Torreblanca de los Caños
Purchena
Chucena
Umbrete
Tomares
Bollullos Par del Condado
Huévar
Benacazón
Bormujos
S. Juan de Aznalfarache
Montequinto
Bonares
Río Tinto
Torrecuadros
Bollullos de la Mitación
Mairena del Aljarafe
Gelves
Lucena del Puerto
Rociana del Condado
El Sordo
Hinojos
Pilas
Aznalcázar
Almensilla
Palomares del Río
Bellavista
Alcalá de Guadaíra
La Alegría
Granja Asunción
Almonte
Santuario de Cuatrovitas
Coria del Río
La Puebla del Río
Tobalina
Dos Hermanas
El Villar
La Calera
Villamanrique de la Condesa
Río Guadiamar
La Corchuela
El Corchuelo
Colinas
Venta del Cruce
Estación de Don Rodrigo
La Compañía
Los Bodegones
Los Cabezudos
Adriano
Los Palacios y Villafranca
El Acebrón
Alfonso XIII
Isla
Marismas
El Rocío
El Rocina
El Abalario
Villafranco del Guadalquivir
San Vicente Ferrer
Chapatales
Maribáñez
Mínima
Escobar
Menor
Pinzón
El Trobal
Las Casillas
El Alamillo
Queipo de Llano
Estación de las Alcantarillas
El Torviscal
Asperillo
Mayor
Trajano
Acebuches
Guadalquivir
Caño de Guadiamar
Nuevo Rocío
Vetaherrado
Cerro del Fantasma
Guadalema de los Quinteros
El Acebuche
San Leandro
Torre de la Higuera
Matalascañas
Marisma
La Señuela
Silo
Sacramento
Playa de Matalascañas
Marismilla
Vercel
Marisma de Hinojos
Gallega
Brazo de la Torre
Caño Real
PARQUE NACIONAL
DE DOÑANA
Las Cabezas de San Juan
La Harinosa
Lucio de los Ansares
Lucio Real
Bajo Guadalquivir
Lebrija
Cortijo Nuevo
Laguna de Val
LUZ
Playa de Castilla
Lucio del Membrillo
Canal
Malduenda
El Algarrobillo
Trebujena
La Junquera
Monasterejos
El Cuervo
Las Navas
Salinas
La Algaida
Casarejo
L. del Taraje
Gibalbín
Casablanca
La Sierra
Punta de Malandar
Bonanza
Gamaza
Sanlúcar de Barrameda
Mesas de Asta
El Cuadrejón
San Rafael
El Olivillo
Tabajete
Mesas de Santiago
Punta del Perro
la Jara
Los Asientos
Nueva Jarilla
Chipiona
Alijar
La Torre
Nª Sª de Regla
Guadalcacín
Playa de Regla
Torremelgarejo
Jédula
JEREZ DE LA FRONTERA
Cortijo Nuevo
Costa Ballena
Playa de la Ballena
Peña del Águila
Estella del Marqués
Circuito de Jerez
Vico
La Pedrera
José Antonio
Monasterio de la Cartuja
Los Alvarizones
Salto al Cielo
Eta de S. Cristóbal
La Barca de la Florida
Punta Candor
La Almadraba
Rota
El Portal
S. Isidro de Guadalete
La Ina
San Marcos
Fuentebravía
Embalse de Guadalcacín

0 4 8 12 km
Villanueva del Río y Minas
Lora del Río
El Acebuchal
El Calonge
La Graja
Fuente Carreteros
Cañada del Rabadán
Alcornocalejo
Campamento Matallana
Villanueva del Río
Ruinas romanas de Arva
El Álamo
Mochales
Alcolea del Río
Algarín
Azanaque
El Zapillo
Pajares
80
13
14
Villaverde del Río
Burguillos
Los Rosales
La Trinidad
Cañada Rosal
Madre de Fuentes
Río Genil
Viar
La Estación
El Alcachofar
Guadajoz
La Campana
Isla del Vicario
Brenes
Esquivel
Guadalquivir
Río Corbones
El Toril
La Atalaya
El Campillo
La Luisiana
Écija
Alcalá del Río
L.A.V.
Canal del Bajo
Parsa
La Monclova
Villanueva del Rey
La Rinconada
San José de la Rinconada
El Rosal Alto
Necrópolis romana
Sta Juliana
La Jarilla
El Caudal
Virgen del Rocío
Zahariche
La Algaba
Sta Clara
Argamasilla
La Venta del Palmar
Casablanca
SEVILLA
Carmona
Matasanos
Fuentes de Andalucía
Pino de San José
Sta Catalina
El Álamo
La Gloria
Salto del C
San Pablo
La Cierva
Alcaudete
Sto Domingo
Los Arenales
Torreblanca de los Caños
El Balcón de los Alcores
Las Cuarenta
Sta Genoveva
Los Claveles
El Viso del Alcor
Aº del Salado
Mairena del Alcor
Porcún
Sta Iglesia
La Platosa
El Término
Las Encinas
S E V I L L A
Lantejuela
Las Turquillas
Montequinto
Gandul
Neblines
El Palomar
Alcalá de Guadaíra
Marchena
Los Ojuelos
Laguna de los Ojuelos
La Alegría
Marchenilla
Torrelengua
Los Veneros
Casablanca
Granja Asumesa
Paradas
Sta Cruz
Dos Hermanas
Matallana
Menjillán
Arahal
Monte-Palacio
El Río
La Romera
La Corchuela
Mirabel
Las Monjas
La Coronela
Saladillo
Alameda
Estación de Don Rodrigo
La Dueña Baja
Maestre
Osuna
Los Palacios
Canal del
Santuario de Nª Sª de la Consolación
La Mata
El Rozalejo
Bilbao
La Puebla de Cazalla
Salado
Adriano
Estación El Sorbito
Utrera
El Acebuche
Los Palacios y Villafranca
Barros
La Esperanza
Chapatales
Los Molares
San Antonio del Fontanar
Maribañez
El Pinganillo
Puerto de la Encina
Pto de los Barrancos
Los Jurados
Morón de la Frontera
Peñagua
E. de la Puebla de Cazalla
El Trobal
Estación de las Alcantarillas
Valcargado
La Gironda
Ventosilla
El Torviscal
Trajano
El Palmar de Troya
El Coronil
Pilares
Esparteros
Los Barrancos
La Romera
El Saucejo
Navarro
Guadalema de los Quinteros
La Cañada
Torre del Águila
Embalse de Torre del Águila
Cast° de la Aguzadera
Alcabala Alta
El Algarabejo
La Mezquitilla
Villanueva de San Juan
Sacramento
Zarracatín
Herrera
Reyertilla
Sierra de San Juan
Pozo Amargo
Silo
Vercel
Las Arduas
Espantaperros
Sierra de Montellano
Montellano
Puerto del Zamorano
Algámitas
Terril
Torralva
El Rubio
Las Cabezas de San Juan
La Encinilla
Las Reyertas
Cast°
Coripe
Sª del Tablón
La Harinosa
Torre
Sª de las Harinas
Pruna
Lora
Cortijo Nuevo
La Chirigota
Ruchena
Puerto Serrano
Picacho
Guadalporcún
Olvera
Estación de Atalaya
Malduenda
El Algarrobillo
San Bernardino
La Muela
La Mota
Torre-Alháquime
Sierra de Líjar
Puertollanillo
Alcalá del Valle
Mojón
Espera
R. Guadalete
Puerto Cabañas
Algodonales
Cerillar
Las Navas
Coto de Bornos
Villamartín
El Gastor
Villalones
Setenil de las Bodegas
Estación de Setenil
Gibalbín
E. de Zahara
Zahara de la Sierra
Lagarín
Las Mesas
Embalse de Bornos
Bornos
Gamaza
Sª del Calvario
Pitas
Puerto del Aguacil
Sierra Margarita
Ronda la Vieja
La Cimada
Estación de Parchite
Montecorto
San Rafael
Eta de las Montañas
Mesas de Santiago
Sierra
Pto de las Palomas
Sª de las Salinas
Arriate
Verdugo II
Prado del Rey
Pinar
La Torre
Benamahoma
Embalse de Arcos
El Santiscal
Grazalema
La Quinta
Estación de la Indiana
El Bosque
Mures
Acueducto
Pto del Boyar
Jédula
Arcos de la Frontera
Reloj
Cortijo Nuevo
Parque natural de la Sierra
Sª del Caíllo
Montejaque
Ronda
Benaoján
Vico
La Pedrosa
Valleja
Aznar
Embalse de los Hurones
Benaocaz
Cueva de la Pileta
Villaluenga del Rosario
José Antonio
Castillo de Fátima
Majada Ruiz
Ubrique
Sierra Ubrique
Cielo
La Barca de la Florida
Algar
Embalse de Guadalcacín
R. Majaceite
Charco de los Hurones
Grazalema
Jimera de Líbar
Jarastepar
S. Isidro del Guadalete
Serranía de
Parauta
99
12
13
14
91

81
15
16
94
100
La Carlota
Fernán Núñez
Castro del Río
Montemayor
Espejo
La Rambla
Montilla
Baena
Santaella
Nueva Carteya
Doña Mencía
Aguilar de la Frontera
Laguna de Zóñar
Luque
Zuheros
Cueva de los Murciélagos
Parque natural
Cabra
Lobatejo
Montalbán de Córdoba
Fontanar
La Montiela
Pernía
Huertas
Bocas del Salado
Mochales
Isla Redonda
Pata de Mulo
Monturque
Moriles
Torrecillas
Lagar de San Antonio
Los Santos
Carcabuey
Priego de Córdoba
Lucena
Puente Genil
Estación de Campo Real
Tejada
Mata
Nª Sª de Araceli
Matarredonda
La Carrizosa
Marinaleda
Herrera
El Rubio
Cordobilla
Barragana Baja
Isla de Luna
Rute
Subbética
Sª de la Horconera
El Higueral
Algarinejo
Estepa
La Salada
Badolatosa
Jauja
Casariche
E. de Iznájar
Vadofresno
Gilena
Lora de Estepa
Aguadulce
Corcoya
Benamejí
Encinas Reales
Cuevas de S. Marcos
Iznájar
Pedrera
Los Perenos
Palenciana
El Tejar
Cuevas Bajas
Puerto de Mateo
La Roda de Andalucía
Los Pérez
Alameda
Laguna de la Ratosa
Barrio de Enmedio
La Parrilla
Villanueva de Algaidas
El Albaicín
Sª del Pedroso
Villanueva de Tapia
Loja
Venta Sta Barbara
Cuesta Blanca
Riofrío
Los Carvajales
Mollina
Navahermosa
Fuente de Piedra
Sª de los Caballos
El Rejano
La Herriza
Sierra de Yeguas
Laguna de la Fuente de Piedra
Humilladero
San Juan
Estación de Archidona
Cartaojal
Martín de la Jara
Los Corrales
La Mezquita
Sª del Humilladero
Los Llanos de Antequera
Archidona
Santuario
Fuente Camacho
Estación de Salinas
La Toba
Sierra de Loja
La Cuesta
Rábita
Colonia de Sta Ana
Laguna Dulce
Enamorados
La Peña
Campillos
Bobadilla
Bobadilla-Estación
Cueva del Romeral
Antequera
Cuevas de Menga y Viera
Almargen
Arquillos
Embalse del Guadalteba-Guadalhorce
Teba
Castillo de la Estrella
Cañete la Real
Estación de Gobantes
Sierra de Chimenea
Camorro Alto
Nogales
El Torcal de Antequera (P. Natural)
Sª de las Cabras
Boca del Asno
Puerto de las Pedrizas
Villanueva de Cauche
Villanueva del Trabuco
Villanueva del Rosario
Cerro de la Cruz
Alfarnate
Alfarnatejo
Puerto de Los Alazores
Sierra Gorda
Valle de Abdalajís
La Hoya
Embalse de Gaitanejo
Desfiladero de los Gaitanes (Garganta del Chorro)
E. del Conde de Guadalhorce
Bobastro
El Chorro
E. Tajo de la Encantada
Ardales
Serrato
Ortegicar
Villanueva de la Concepción
Casabermeja
Colmenar
Riogordo
Periana
Mondrón
Sabar
Estación de Las Mellizas
Vado del Álamo
Carratraca
Sierra de Alcaparain
Álora
Almogía
Santi-Petri
Parque natural Montes
Montes de Málaga
Pto del León
Los Romanes
La Zubia
Comares
Salto del Negro
Cútar
Benamargosa
E. de la Viñuela
El Borge
Almáchar
Santopitar
El Burgo
Casarabonela
Prieta
Zalea
Pizarra
Gibralgalia
Sierra del Hacho
El Sexmo
La Fresneda
Jardín de la Concepción
Cerrado de Calderón
Olías
Moclinejo
Totalán
Benaque
Macharaviaya
Iznate
Benamocarra
Mirador del Guarda Forestal
Puerto de las Abejas
Yunquera
Alozaina
Cerralba
Estación
Cártama
Sta Rosalía
Campanillas
Pilar del Prado
Cueva del Tesoro
Benagalbón
Chilches
El Capitán
Almayate Bajo
Tolox
Parque natural
Sª de Tolox
Sierra de las Nieves
Villafranco del Guadalhorce
Doña Ana
El Romeral
Churriana
Coín
Guaro
El Palo
El Candado
La Cala del Moral
Torre de Benagalbón
Rincón de la Victoria
Benajarafe
Punta de Vélez-Málaga
MÁLAGA
Hoya de Málaga

0 4 8 12 km
82
93
101
Monte Lope Álvarez
Baños de Martos
Los Villares
Puerto Alto
Grajales
Cambil
Ermita de la Fuensanta
Solera
Fuensanta de Martos
Sierra de la Pandera
Quiebrajano
Carchelejo
Arbuniel
Villacampo del Moral
Cuesta de los Gallardos
Pantalones
Portillo de Martos
Embalse de Víboras
Valdepeñas de Jaén
Pto de las Palomas
Coloma
Caldera
Peñillas
Alcázar
Sª Ahillos
Jaca
Montejícar
Zamarrón
Alcaudete
Vizcalmón
Sierra de Alta
Campillo de Arenas
Noalejo
Pto del Carretero
Sierra de Lucena
Guadahortuna
Doña Mayor
Murciélagos
Zamoranos
Fuente-Tójar
Todosaires
Venta de Carrizal
Sabariego
Castillo de Locubín
Pto del Castillo
El Navazuelo
Mochila
Fuente Alhama
La Rábita
San José de la Rábita
Cotilfar Baja
Domingo Pérez
El Salado
Torre Cardela
El Cañuelo
Solvito
Charilla
Montillana
Castil de Campos
Las Angosturas (desfiladero)
Zagrilla
Fuente Álamo
Las Higueras
Alcalá la Real
Frailes
Ribera Alta
Ribera Baja
Campotéjar
Dehesas Viejas
Poloria
Carcabuey
La Concepción
Sileras
Fortaleza de la Mota
Priego de Córdoba
Almedinilla
Brácana
La Hortichuela
Mures
Los Morales
Peñuela
Benalúa de las Villas
Puerto del Zegrí
Piñar
La Torre
Moreda
El Castellar
La Fuente Grande
La Venta
Venta Valero
Cantera Blanca
Villalobos
E. de Colomera
Cauro
Los Morrones
Villares
Los Prados
La Cañada
Ermita Nueva
Valenciano
Oscuro
El Frage
Iznalloz
Bogarre
Estación de Piñar
Horconera
Las Navas
Lojilla
Los Agramaderos
El Menchón de Abril
Limones
Tózar
Colomera
Terrente
Sª Albayate
Serval
La Cruz
Pelada
Pozuelo
Sª del Campanario
La Artichuela
Sierra Arana
Sillar Baja
Los Villares
Moclín
Los Olivares
Puerto López
Tiena
Berbe Bajo
Deifontes
Orduña
Diezma
Montefrío
Parapanda
Illora
Parque de Cubillas
Río Blanco
El Molinillo
Sª de Chanzas
Sª de Ojete
La Viña
Fuentes de Cesna
Ventorros de San José
Zagra
Alomartes
Búcor
E. de Cubillas
Sierra de Cogollos
Parque natural de la Sierra
Puerto de la Mora de Huétor
Calicasas
Cogollos Vega
Casanueva
Zujaira
Caparacena
El Chaparral
Güevéjar
Fuente Grande
Alfacar
Víznar
Ventorros de Balerma
Milanos
Tocón
Escóznar
Pinos Puente
Sª Elvira
Albolote
Atarfe
Peligros
Pto Lobo
Beas de Granada
Tocón
Villanueva de Mesía
Brácana
Valderrubio
Fuente Vaqueros
Embalse de Quéntar
Laguna
Huétor Tájar
Trasmulas
Láchar
Cijuela
Chauchina
El Jau
Maracena
Huétor Santillán
Alquería del Fargue
Dúdar
Quéntar
Tapia
Loja
Los Infiernos
Vega de Granada
Genil
Loreto
Moraleda de Zafayona
Fuensanta
Peñuelas
Sta Fe
La Alhambra
GRANADA
Güéjar Sierra
Riofrío
Salar
Canal del Cacín
Belicena
Purchil
Cúllar Vega
Armilla
Pinos Genil
Cenes de la Vega
Mirador de Canales
Embalse de Canales
La Toba
Sierra de Loja
El Turro
Chimeneas
Churriana de la Vega
Gabia Grande
Aquaola
Monachil
Huétor-Vega
La Zubia
Cañadillas
Collado de las Sabinas
Sierra Gorda
Buenavista
Castillo de Tajarja
El Temple
Gabia Chica
Alhendín
Ogíjares
Gójar
Cumbres Verdes
Pico de la Carne
Sierra Nevada (Pradollano)
Cabras
Cerro de la Gallina
La Zahora
Ácula
La Malahá
Otura
Dílar
Reserva
Observatorio Astronómico
Ventas de Huelma
Escúzar
Puerto del Suspiro del Moro
Sta Cruz del Comercio
Cacín
Ochíchar
Valle del Puntal
Sª del Manar
Sierra Nevada
Puerto de Los Alazores
Almendral
Agrón
Sierra de Pera
Padul
Caballo
Cerro del Caballo
Alhama de Granada
Tierras de Alhama
Embalse de los Bermejales
Cristiano
Cozvíjar
Dúrcal
Alfarnate
Alfarnatejo
El Almendral
Zafarraya
Ventas de Zafarraya
Arenas del Rey
Venta del Fraile
Niguelas
Cónchar
Valle
Acequias
Mondújar
Capileira
Bubión
Pampaneira
Pitres
Mondrón
Periana
Fornes
Jayena
Sª de Herrero
Albuñuelas
Murchas
Melegís
Saleres
Lecrín
Béznar
Chite
Lanjarón
Cáñar
Soportújar
Carataunas
Órgiva
Alcaucín
Sierra de Tejeda
Maroma
Játar
La Resinera
E. de Béznar
Restábal
Pinos del Valle
Sierra Almijara
Puerto
Giralda
Sierra de las Guájaras
Ízbor
E. de Rules
Los Tablones
Los Romanes
Canillas de Aceituno
Viñuela
Reserva nacional de Sierra de Tejeda
Lopera
Guájar Alto
Guájar Faragüit
Lecrín
La Zubia
E. de la Viñuela
Benamargosa
Sedella
Salares
Archez
Canillas de Albaida
Cómpeta
Navachica
Lentejí
Sierra del Chaparral
Vélez de Benaudalla
Sierra de Lújar
Rubite
Cútar
Triana
Arenas
Daimalos
Sayalonga
Corumbela
Trapiche
Guájar Fondón
Otívar
La Bernardilla
El Borge
Almáchar
Benamocarra
Vélez-Málaga
Frigiliana
Cielo
Moscaril
Jete
Itrabo
Cerro de Itrabo
Molvízar
Escalate
Lújar
Benaque
Iznate
La Caleta de Vélez
Algarrobo
Cueva de Nerja
Albuñol
Sol
Albita
Los Tablones
Jolúcar
Macharaviaya
Benagalbón
Cajiz
Mezquitilla
Torrox
Maro
La Herradura
Taramay
La Caleta Guardia
Lobres
Motril
La Garnatilla
Gualchos
El Capitán
Almayate Bajo
Chilches
Lagos
Algarrobo Costa
Nerja
Playa de Burriana
Almuñécar
Salobreña
Puntalón
Castell de Ferro
Torre de Benagalbón
Benajarafe
Torre del Mar
Pta de Vélez-Málaga
Playa de Torre del Mar
El Morche
Torrox Costa
Pta de Torrox
Las Terrazas
Punta de la Mona
Peñón del Santo
Playa de Cotobro
Playa Granada
Puerto Motril
Torrenueva
Carchuna
Calahonda
Rincón de la Victoria
Cabo Sacratif
Punta Carchuna o del Llano

España & Portugal
95
83
21
20
96
102
22
Cabra del Sto Cristo
Peña Cambrón
Pozo Alcón
Fontanar
La Paja
Los Carriones
Cortes de Baza
Estación de Cabra del Sto Cristo y Alicún
Cortijo Nuevo
Cuevas del Campo
Embalse del Negratín
El Margen
Estación Huelma
Oqueales
Alicún de Ortega
Benamaurel
Las Vertientes
Río Guadahortuna
El Peñón
Cerro
Dehesas de Guadix
Cúllar Baza
Alamedilla
Jabalcón
Virgen de la Cabeza
Río de Cúllar
Venta Quemada
Pulpite
Fuente Caldera
Villanueva de las Torres
Hoya de Baza
Capallón
Zújar
Venta del Peral
Matián
Serreta
Bacor Olivar
Freila
Pierre
Alicún de las Torres
Salazar
Hinojora
Sa del Madroñal
Pedro Martínez
Mencal
Gobernador
Delgadillo
Gorafe
Baza
Laborcillas
Huélago
Fonelas
Hoya de Guadix
Los Balcones
Santaolalla
Caniles
Sierra de Lúcar
Cascaire
El Conejo
Baúl
La Venta
Parque natural
Sierra de Baza
Sta Bárbara
El Hijate
Mojón
Lúcar
Somontín
Higueral
Belerda de Guadix
Hernán Valle
Gor
Armuña de Almanzora
Darro
Benalúa de Guadix
El Bejarín
Serón
Tíjola
Sufli
Pared
Alcóntar
Bayarque
Sierro
Cerro Grande
Don Diego
Puntal Alto
Lopera
Cortes y Graena
Purullena
Guadix
Marchal
Charches
Pozo de la Nieve
Abellán
Beas de Guadix
Rambla del Agua
de la Sierra de Baza
Las Menas
La Peza
Esfiliana
Alcudia de Guadix
Sa de Carrasco
Sauco
SIERRA
Bacares
Tetica
Policar
Estación de la Calahorra-Ferreira
Cogollos de Guadix
Observatorio del Calar Alto
DE
Lugros
Estación de Hueneja-Dólar
Albuñán
Los Chispones
Dos Picos
Calar Alto
Las Hoyas
Carcabal
Minas del Marquesado
Jeres del Marquesado
La Calahorra
Alquife
Lanteira
Aldeire
Ferreira
Dólar
Huéneja
Cast.
Fiñana
Escúllar
Aulago
El Almendral
Castro de Filabres
Olula de Castro
Layón
Las Aneas
Piesco
Parque natural
Puerto de la Ragua
Abrucena
Abla
Ocaña
Doña María Ocaña
Gérgal
Cherbo
Horcajo de Trevélez
N E V A D A
de la
Chullo
Santillana
Nacimiento
Buitre
Las Alcubillas
Veleta
Mulhacén
Sierra Nevada
Granada
Montenegro
Tices
Ohanes
Alboloduy
Sta Cruz de Marchena
Estación de Fuente Santa
Bayárcal
Paterna del Río
Laujar de Andarax
Beires
Canjáyar
Instinción
Decorado Mini Hollywood
Nechite
Mairena
Laroles
Picena
Benecid
Almócita
Padules
Río Andarax
Bentarique
Alsodux
Alhabia
Sta Fe de Mondújar
Prado Llano
Trevélez
Mecina Bombarón
Válor
Mecina Alfahar
Yegen
Alcolea
Fuente Victoria
Fondón
La Barriada de Alcora
Rágol
Illar
Terque
Galachar
Necrópolis de los Millares
Baños de Sa Alhamilla
Bérchules
Yátor
Ugíjar
Cherín
Huécija
Juviles
Nárila
Busquístar
Cádiar
Cástaras
Lobras
Las Alpujarras
Pozuelo
Alicún
Alhama de Almería
Gádor
Pechina
Huércal de Almería
Notáez
Alpujarras
Jorairátar
Lucainena
Darrical
Cojáyar
Embalse de Beninar
Almegíjar
Hirmes
Chirán
Morrón
Sierra de Gádor
Piorno
Higüeras
Las Minas
Benahadux
Torvizcón
Sierra de la Contraviesa
Venta del Tarugo
Murtas
Castala
El Marchal de Antón López
Enix
Félix
Viator
Santuario Na Sa de Gádor
Turón
ALMERÍA
La Morgana
Berja
Alcaudique
Dalías
Vícar
El Zapillo
Albondón
Cerrón
Alfornón
Los Galvez
El Río Chico
Alberquilla
Campo de Dalías
La Garrofa
La Cañada de San Urbano
Aguadulce
El Parador de las Hortichuelas
Albuñol
Sorvilán
Umbría
Los Dagas
Corrales
La Parra
La Alquería
El Ejido
Pampanico
Sta María del Águila
Punta de
Melicena
Torre
Guainos Bajos
Cortijos de Marín
Roquetas de Mar
Los Yesos
La Mamola
La Rábita
El Castillo de Huarea
La Alcazaba
Adra
Puente del Río
Balanegra
Las Norias de Daza
La Mojonera
El Puerto
de Ferro
Punta Negra
El Pozuelo
Balerma
Las Marinas
Urbanización Roquetas de Mar
Playa de Balerma
Matagorda
San Agustín
Golfo de
Los Baños de Guardias Viejas
Salinas
Almerimar
Playa de Cerrillos
Punta de los Baños

96
84
95
103
0 4 8 12 km
Vélez Blanco
Lorca
Casablanca
Pozo de la Rueda
Ermita de la Virgen de la Cabeza
María
Cuevas de los Letreros
Las Cuevas de Moreno
Vélez Rubio
Serreta
Peña Rubia
Sierra del Viento
Sierra de María
Sa de Maimón
A 92 N
A 91
A 7 - E 15
Las Vertientes
Chirivel
Rambla de Chirivel
Los Tonosas
Venta la Petra
Henares
Rambla de Nogalte
Los Linos
Cimbre
Estación Lumbreras
Altobordo
Purias
Pto Purias
Venta Quemada
El Contador
El Cantal
Pto de Sta María de Nieva
Simón
Puerto Lumbreras
Cabezo Jara
Pulpite
Matián
Los Álamos
Saliente
Las Estancias
Los Gázquez
Sa del Madroñal
Pelado
Rambla de Oria
Sa de Oria
Los Cerricos
Puertecico
Abejuela
Góñar
Medro
Sierra de Enmedio
La Escarihuela
El Aljibe
Sierra de la Carrasquilla
Sierra
Oria
Rambla de los Pardos
Fuente Amarga
Urcal
Almendricos
Los Arejos
Sierra de Lúcar
Las Pocicas
Taberno
Sta María de Nieva
Las Norias
Colorado
Pozo Higuera
Cascaire
La Ermita
Los Chacones
Santopétar
San Francisco
Talavera
Partaloa
Limaria
Almajalejo
El Saltador
San Isidro
Torre
Pulpí
El Cocón
El Convoy
La Fuente
Pilar de Jaravía
Lúcar
Somontín
Urrácal
Albox
La Alfoquía
Huércal Overa
Higueral
Armuña de Almanzora
Fines
Olula del Río
Cantoria
Almanzora
Arboleas
Zurgena
Los Menas
Sta Bárbara
Río Almanzora
Almagro
E. de Cuevas del Almanzora
Guazamara
El Largo
San Juan de los Terreros
Serón
Sufli
Purchena
Macael
La Concepción
Sa de Almagro
El Alhanchete
Sierro
Laroya
A L M E R Í A
Cuevas del Almanzora
La Portilla
Los Lobos
El Pozo del Esparto
Sa Almagrera
Pozo de la Nieve
Lijar
Albánchez
Los Molinas
La Rambla Aljibe
Sa Lisbona
Aljariz
La Mulería
Las Herrerías
El Artea
Villaricos
Las Menas
Bacares
Tetica
Chercos
Cóbdar
Pto de la Virgen
Maimón
La Huerta
Antas
Vera
Palomares
Punta del Río
Chercos Viejo
Alcudia de Monteagud
El Pocico
Benitorafe
Tahal
Benitagla
FILABRES
El Marchal
Playa de Puerto Rey
Las Hoyas
DE
LOS
Senés
Collado García
Benizalón
Lubrin
Sa de Bédar
Bédar
Puerto Rey
Velefique
Castro de Filabres
Uleila del Campo
El Pilar
Atalaya
El Chive
Serena
Los Gallardos
Garrucha
Olula de Castro
Piescolgados
Cariatiz
Los Castaños
Turre
Mojácar
Urbanización Vista Los Angeles
Parador de los Reyes Católicos
Punta del Cantal
Cherbo
Sierra de Aguas
Alfaix
Los Gíles
La Huelga
Cortijo Grande
Gérgal
Central Solar
Rambla del Peral
Barranco
Sorbas
Sierra Cabrera
Los Yesos
N 340
Los Molinos del Río Aguas
El Agua del Enmedio
Rambla del Verdelecho
Lucainena de las Torres
Cantona
Gafarillos
Sopalmo
Tabernas
La Cueva del Pájaro
Rambla de Tabernas
Estación de Fuente Santa
Turrillas
Peñón de Turrillas
Níjar
Argamasón
Decorado Mini Hollywood
Huebro
Llano Don Antonio
Carboneras
Sta Fe de Mondújar
Colativí
Venta del Pobre
Necrópolis de los Millares
Baños de Sa Alhamilla
Sierra Alhamilla
Minas de Laíquez
Parque natural
La Mesa Roldán
Faro Roldán
Punta de la Media Naranja
Gádor
Rioja
Campohermoso
El Pozo Usero
Agua Amarga
Jayón
El Plomo
Benahadux
Cuevas de los Úbedas
Campo de Níjar
San Isidro
San Pedro
Punta Javana
Pechina
Campamento
Puebloblanco
Fernán Pérez
Yeguas
Las Negras
Huércal de Almería
Viator
Las Cuevas de los Medinas
de Cabo de Gata - Níjar
Atochares
Rambla de Morales
Los Albaricoques
Rodalquilar
Punta de la Polacra
ALMERÍA
El Zapillo
El Alquián
Costacabana
La Cañada de San Urbano
Barranquete
Rellana
Sierra del Cabo de Gata
La Isleta
La Garrofa
Retamar
Rambla
Ruescas
Las Presillas Bajas
Los Escullos
Aguadulce
Punta del Río
C.E.M.A.
Punta de Loma Pelada
Cabo de Gata
Pozo de los Frailes
San José
Salinas de Acosta
El Coyote
La Almadraba de Monteleva
Morrón de los Genoveses
Golfo de Almería
Faro de Gata
Cabo de Gata
COSTA DE ALMERÍA

Hinojar
Gañuelas
La Majada
La Atalaya
Morata
Los Cucos
Sierra de las Moreras
Talayón
Pastrana
Ermita del Ramonete
Miñarros
Umbrías
Calnegre
Punta de Calnegre
El Cantal
Garrobillo
Calabardina
Cope
Cabo Cope
Playa de calabardina
El Hornillo
Mazarrón
Puerto de Mazarrón
Bolnuevo
Bahía
Playa Grande
Playa de la Reva
Playa de la Isla
Isla Plana
La Azohía
Cabo Tiñoso
Sierra de la Muela
El Portús
Roldán
CARTAGENA
Canteras
San Julián
Alumbres
Escombreras
La Unión
Portman
Punta Negra
Cabo Negrete
Atamaría
Cenizas
Parc Regional de Calblanque
Punta Espada
Cabo de Agua
El Pericón
Las Palas
Tallante
Los Ruices
Cuesta
Los Puertos de Sta Barbara
Barriada S. Cristobal
Los Dolores
Aparecida
Golfo de Mazarrón
AP 7
RM 332
T
U
V

0 4 8 12 km
Chipiona
Los Asientos
Alijar
Nª Sª de Regla
Playa de Regla
JEREZ
DE LA FRONTERA
Guadalcacín
Costa Ballena
Playa de la Ballena
Peña del Águila
Estella del Marqués
Monasterio de la Cartuja
Los Alvarizones
Punta Candor
La Almadraba
Rota
Eta de S. Cristóbal
El Portal
La Ina
Playa de Costilla
Fuentebravía
San Marcos
Doña Blanca
Playa de Fuentebravía
El Manantial
Playa Sta Catalina
El Ancla
Vistahermosa
Valdelagrana
El Puerto de Sta María
Bolaños
Bahía
CÁDIZ
Cast° de San Sebastián
Matagorda
Puerto Real
Playa de la Victoria
La Chacona
La Carraca
Barriada de Jarana
Playa de Cortadura
San Fernando
Pinar de los Franceses
Torre Gorda
El Rosal
Parque Natural
Isla de León
de la Bahía de Cádiz
Chiclana de la Frontera
Sta Teresa
Los Gallos
Sancti Petri
Novo Sancti Petri
Isla Sancti Petri Cast°
La Barrosa
Pago del Humo
Playa de la Barrosa
Campano
Playa del Puerco
Roche
El Colorado
Fuente del Gallo
Puerto de Conil
Cabo Roche
Playa de Fontanilla
Conil de la Frontera
Playa de Bateles
El Palmar
Eta de la Porquera
Zahora
Parque natural
La Breña y Marismas de Barbate
Cabo de Trafalgar
COSTA DE LA LUZ
W
X
Y
9
10
11

Arcos de la Frontera
El Santiscal
Embalse de Arcos
El Bosque
Benamahoma
Pinar
Grazalema
Pto del Boyar
La Torre
Jédula
Cortijo Nuevo
Vico
José Antonio
La Pedrosa
Valleja
Aznar
Embalse de los Hurones
Benaocaz
Villaluenga del Rosario
Cueva de la Pileta
Castillo de Fátima
Majada Ruiz
Algar
Ubrique
Sierra Ubrique
La Barca de la Florida
Embalse de Guadalcacín
Charco de los Hurones
R. Majaceite
S. Isidro de Guadalete
El Torno
Torrecera
La Rendona
San José del Valle
Llanos del Valle
Parralejo Nuevo
Tempul
Sa de la Sal
Garcisobaco
La Jarda
Peñón del Berrueco
Reserva nacional de Cortes de la Frontera
Cortes de la Frontera
Jimera de Líbar
Atajate
Alpandeire
Faraján
Cartajima
Júzcar
Igualeja
Pujerra
Benadalid
Benalauría
Algatocín
Jubrique
Genalguacil
Benarrabá
Gaucín
Serranía de Ronda
Sierra Bermeja
Puerto de Peñas Blancas
Majada de Madrid
Reales
Sierra Crestellina
Casares
Estepona
Playas de Estepona
Cancelada
Resinera Voladilla
Playa Bella
Paraíso-Barronal
Bahía Dorada
Buenas Noches
Manilva
San Luis de Sabinillas
La Duquesa
Punta de la Chullera
Baños de Gigonza
Pajarete
Paterna de Rivera
Puerto de Galis
La Sauceda
Aljibe
El Colmenar
Puerto de la Yegua
Parque natural de los Alcornocales
Medina Sidonia
Los Santos
Alcalá de los Gazules
Patrite
Santuario de Nª Sª de los Santos
Las Cobatillas
Embalse de Barbate
Arnao
Jimena de la Frontera
Las Tenerías
San Pablo de Buceite
Los Ángeles
Río Guadiaro
Aguzadera
Sambana
La Cólera
Marchenilla
Sa de los Melones
Los Badalejos
Naveros
Isla Verde
Momia
San José de Malcocinado
Benalup-Casas Viejas
El Jautor
Puerto de Castaño
San Martín del Tesorillo
Cantarranas
Cuevas del Tajo de las Figuras
El Castaño
Embalse del Guadarranque
Castillo de Castellar
Sa Almenara
San Diego
Guadiaro
San Enrique
Torreguadiaro
Nuevo Guadiaro
Las Lomas
Jandilla
Libreros
Embalse del Celemín
Castellar de la Frontera
Almoraima
Sa de Montecoche
Torre
Sotogrande
Punta Mala
Casas de los Hierros
Eta de la Oliva
Barbate
Marismas de Barbate
Sierra Blanquilla
Embalse de Charco Redondo o Palmones
Puerto del Higuerón
Estación Férrea
Miraflores
San Roque
Sta Margarita
Las Habas
Los Barrios
Taraguilla
Carteya-Guadarranque
Campamento
El Aciscar
Tahivilla
Caños de Meca
Sa del Niño
Puerto de Ojén
Palmones
La Línea de la Concepción
La Zarzuela
Zahara de los Atunes
El Almarchal
Ensenada de Zahara
Facinas
Embalse de Almodóvar
San Bernabé
El Rinconcillo
ALGECIRAS
GIBRALTAR
Sa de la Plata
Ruinas romanas de Baelo
Atlanterra
El Valle
Sa de Fates
Sa de Ojén
Luna
Los Pastores
Bahía de Algeciras
Punta de Europa
Cabo de Gracia
Camarinal
El Chaparral
El Lentiscal
Punta Camarinal
Santuario de Nª Sª de la Luz
Pto del Bujeo
Playa de Getares
Punta del Carnero
Ensenada de Bolonia
Punta Paloma
El Cuartón
Alto El Cabrito
El Bujeo
Punta Acebuche
Ensenada de Valdevaqueros
Mirador El Estrecho
Ensenada del Tolmo
Tarifa
Punta Marroquí o de Tarifa
ESTRECHO DE GIBRALTAR
100
12
13
14

0 4 8 12 km
93
99
Martín de la Jara
Los Corrales
Navarredonda
La Cuesta
La Mezquita
Rábita
Colonia de Sta Ana
Sa del Humilladero
Los Llanos de Antequera
Cartaojal
Santuario
Archidona
Campillos
A 384
Bobadilla
Bobadilla-Estación
Cueva del Romeral
La Peña
Antequera
Cuevas de Menga y Viera
Puerto del Zamorano
Algámitas
Terril
Sa del Tablón
Pruna
Lora
Almargen
Arquillos
Embalse del Guadalteba-Guadalhorce
Teba
Castillo de la Estrella
Estación de Gobantes
Sierra de Chimenea
Camorro Alto
Nogales
El Torcal de Antequera (P. Natural)
Valle de Abdalajís
La Hoya
Boca del Asno
Puerto de las Pedrizas
Villanueva de Cauche
Villanueva del Rosario
Cerro de la Cruz
Padrastro
Cañete la Real
Estación de Atalaya
Torre-Alháquime
Alcalá del Valle
Mojón Gordo
Serrato
Ortegicar
Ardales
Embalse de Gaitanejo
Desfiladero de los Gaitanes
(Garganta del Chorro)
El Chorro
Bobastro
E. del Conde de Guadalhorce
E. Tajo de la Encantada
Estación de Las Mellizas
Villanueva de la Concepción
Casabermeja
Zambra
Parque natural Montes de Málaga
Estación de Setenil
Cuevas del Becerro
Setenil de las Bodegas
Colorado
Sa de los Merinos
Carratraca
Vado del Álamo
Grajo
Sierra de Alcaparain
Hacho
Álora
Santi-Petri
Almogía
E. Casasola
Montes Viento
Pto del León
Ronda la Vieja
La Cimada
Estación de Parchite
Arriate
El Burgo
Casarabonela
Prieta
Zalea
Pizarra
Sierra del Hacho
Jardín de la Concepción
La Quinta
Estación de la Indiana
Puerto del Viento
Mirador del Guarda Forestal
Puerto de las Abejas
Acueducto
Ronda
Yunquera
Alozaina
Gibralgalia
Cerralba
Estación
Cártama
El Sexmo
Sta Rosalía
La Fresneda
Campanillas
Pilar del Prado
Puerto de la Torre
Cerrado de Calderón
Olías
Serranía de Ronda
Parque natural
Torrecilla
Sa de Tolox de la Sierra de las Nieves
Tolox
Villafranco del Guadalhorce
Cártama
Doña Ana
El Romeral
Hoya de Málaga
El Palo
El Candado
MÁLAGA
Churriana
Guadalmar-San Julián
Parador del Golf
Cartajima
Júzcar
Parauta
Cascajares
Igualeja
Faraján
Pujerra
Atajate
Benadalid
Aranda
Guaro
Coín
Nª Sª de Fuensanta
Monda
Pto de los Pescadores
Alhaurín el Grande
Alhaurín de la Torre
Arroyo de la Miel
Benyamina
Torremolinos
Playas de Torremolinos
Armas
Sierra Real
Sierra Bermeja
Encinetas
Sierra Palmitera
Embalse de la Concepción
Istán
Refugio de Juanar
Castillejos
Sierra de Mijas
Tívoli World
Benalmádena
Torre
La Perla-Torremuelle
Benalmádena Costa
Playas de Benalmádena
Jubrique
Genalguacil
Puerto de Aljar
Benahavís
Puerto de Ojén
Ojén
Sierra Blanca
El Ángel
MARBELLA
Altos de Marbella
Herrero
Mijas
Carvajal
Torreblanca del Sol
Playas de Fuengirola
Fuengirola
Castillo
El Chaparral
Punta de Calaburra
Ensenada
Puerto de Peñas Blancas
Nueva Andalucía
Torre del Río Real
Elviria
Calahonda
La Cala de Mijas
Torrenueva
San Pedro de Alcántara
Las Lomas
Los Monteros
Puerto Banús
Paraíso-Barronal
Cancelada
Basílica
Guadalmina
Playas de Marbella
Punta Ladrones
Puerto Cabolino
Resinera-Voladilla
Atalaya-Isdabe
Sta Marta
Saladillo-Benamara
Playa Bella
Estepona
Playas de Estepona
Ensenada de Marbella
Don Pedro
Bahía Dorada
Buenas Noches
San Luis de Sabinillas
La Duquesa
Punta de la Chullera
COSTA DEL
Concepción
14
15
16

España & Portugal
101
94
102
17
18
19
Alhama de Granada
Tierras de Alhama
Embalse de los Bermejales
Arenas del Rey
Fornes
Jayena
Játar
La Resinera
Sierra de Pera
Cristiano
Venta del Fraile
Suspiro del Moro
Valle del Puntal
Sª del Manar
Padul
Cozvíjar
Dúrcal
Nigüelas
Acequias
Mondújar
Lecrín
Béznar
Lanjarón
Pampaneira
Capileira
Bubión
Soportújar
Cáñar
Carataunas
Órgiva
Sierra Nevada
Elorrieta
Cerro del Caballo
Caballo
Observatorio Astronómico
Cónchar
Murchas
Melegís
Saleres
Chite
Restábal
Albuñuelas
Sª de Albuñuelas
Herrero
Valle de Lecrín
E. de Béznar
Pinos del Valle
Izbor
Giralda
Sierra de las Guájaras
E. de Rules
Lecrín
Los Tablones
Guájar Alto
Guájar Faragüit
Guájar Fondón
Vélez de Benaudalla
Torre
Sierra del Chaparral
La Bernardilla
Lentejí
Otívar
Itrabo
Cerro de Itrabo
Molvízar
Escalate
Lobres
Motril
Salobreña
Puerto Motril
Playa Granada
Torrenueva
Carchuna
Calahonda
Cabo Sacratif
Punta Carch o del Llano
La Garnatilla
Jolúcar
Gualchos
Puntalón
Lújar
Rubite
Sierra de Lújar
Moscaril
Jete
La Caleta Guardia
Taramay
La Herradura
Albita
Almuñécar
El Capricho
Playa de Velilla
Peñón del Santo
Playa de San Cristóbal
Playa de Cotobro
Punta de la Mona
Las Terrazas
Lopera
Sierra de Almijara
Navachica
Reserva nacional de Sierra de Tejeda
Sierra de Tejeda
Puerto
Maroma
Cielo
Sol
Frigiliana
Cueva de Nerja
Nerja
Maro
Playa de Burriana
Torrox
Torrox Costa
Pta de Torrox
El Morche
Lagos
Algarrobo Costa
Algarrobo
Mezquitilla
Cómpeta
Canillas de Albaida
Sedella
Salares
Archez
Daimalos
Arenas
Corumbela
Sayalonga
Trapiche
Vélez-Málaga
La Caleta de Vélez
Iznate
Benamocarra
Almáchar
El Borge
Cútar
Benamargosa
Triana
Salto del Negro
Comares
La Zubia
Los Romanes
Viñuela
E. de la Viñuela
Canillas de Aceituno
Alcaucín
Periana
Mondrón
Sabar
Ventas de Zafarraya
Zafarraya
El Almendral
Alfarnatejo
Alfarnate
Puerto de Los Alazores
Almendral
Sierra Gorda
Sierra de Loja
Cerro de la Gallina
Cabras
Buenavista
Castillo de Tajarja
La Zahora
Ventas de Huelma
Cacín
Ochíchar
Agrón
Sta Cruz del Comercio
El Temple
Ácula
La Malahá
Gabia Chica
Alhendín
Otura
Chimeneas
Escúzar
Estación de Salinas
Laguna Grande
Torre del Mar
Punta de Vélez-Málaga
Playa de Torre del Mar
Almayate Bajo
Chilches
Benagalbón
Torre de Benagalbón
Benajarafe
Rincón de la Victoria
Cueva Tesoro
Macharaviaya
Cajiz
Benaque
Moclinejo
Valdés
El Capitán
E 15 - E 902
A 7
A 44
N 340
A 402
A 356
A 338
de Málaga
S O L
M A R
M E D I
W
X

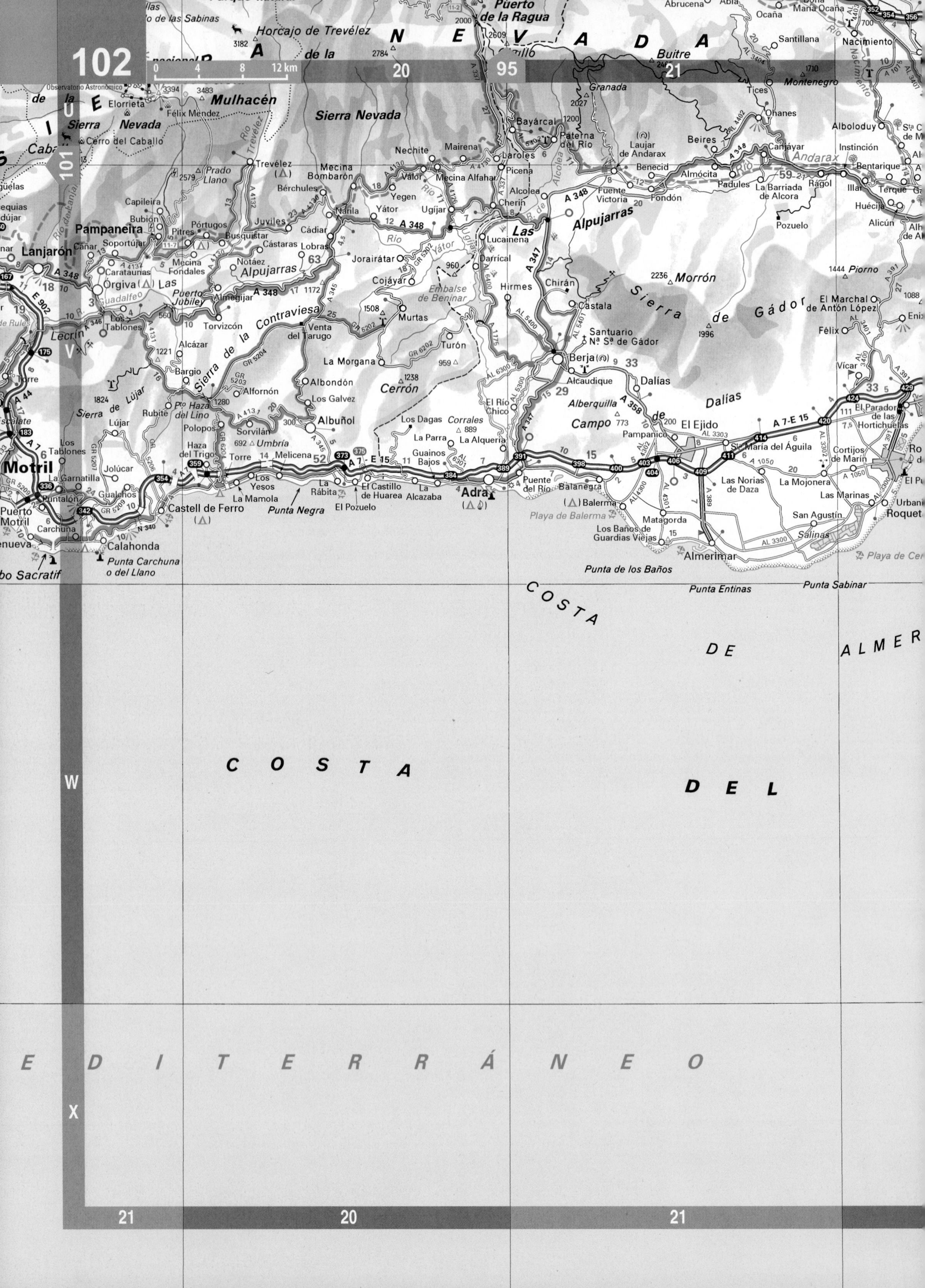

Mulhacén
Sierra Nevada
Puerto de la Ragua
Trevélez
Pampaneira
Lanjarón
Órgiva
Alpujarras
Sierra de la Contraviesa
Albuñol
Cerrón
Berja
Dalías
El Ejido
Adra
Motril
Castell de Ferro
Calahonda
Almerimar
Sierra de Gádor
Morrón
Campo de Dalías
Roquetas
COSTA DEL
COSTA DE ALMERÍA
M E D I T E R R Á N E O

ALMERÍA
Níjar
Carboneras
Parque natural de Cabo de Gata - Níjar
Cabo de Gata
Sierra del Cabo de Gata
Golfo de Almería
COSTA DE ALMERÍA
SOL
Tabernas
Sorbas
Gérgal
Los Yesos
Lucainena de las Torres
Turrillas
Peñón de Turrillas
Sierra Alhamilla
Campo de Níjar
Huércal de Almería
Viator
Benahadux
Pechina
Rioja
Gádor
El Alquián
Costacabana
Retamar
Aguadulce
La Garrofa
Punta del Río
San Isidro
Campohermoso
Pueblo Blanco
Fernán Pérez
Atochares
Los Albaricoques
Barranquete
Rodalquilar
Las Presillas Bajas
Ruescas
Cabo de Gata
Salinas de Acosta
La Almadraba de Monteleva
Faro de Gata
San José
Pozo de los Frailes
El Coyote
Morrón de los Genoveses
Punta de Loma Pelada
Los Escullos
La Isleta
Punta de la Polacra
Las Negras
Punta Javana
San Pedro
El Plomo
Agua Amarga
Punta de la Media Naranja
Faro Roldán
La Mesa Roldán
Venta del Pobre
Argamasón
La Cueva del Pájaro
Sopalmo
Los Giles
La Huelga
Cortijo Grande
Cabrera
Decorado Mini Hollywood
Estación de Fuente Santa
Necrópolis de los Millares
Baños de Sª Alhamilla
Campamento
Las Cuevas de los Medinas
Cuevas de los Úbedas
Minas de Lalquez
Huebro
Jayón
El Pozo Usero
Cantona
Central Solar
Cherbo
22
23
24
V
W

0 4 8 12 km
37
38
M
N
O
36
37
38
MALLORCA
PALMA
DE MALLORCA
Port de Sóller
Cap Gros
Sóller
Fornalutx
Biniaraix
Deià
Valldemossa
Port de Valldemossa
Cala de Valldemossa
Port des Canonge
Banyalbufar
Mirador de ses Ànimes
Estellencs
Esporles
s'Esgleieta
Palmanyola
Bunyola
Alaró
Orient
Lloseta
Inca
Binissalem
Consell
Sta. Maria del Camí
Biniali
Sencelles
Costitx
Lloret de Vistalegre
Sta. Eugènia
sa Cabaneta
Pòrtol
Pina
Pont d'Inca
Son Ferriol
Algaida
Randa
Monestir de Cura
Sant Jordi
sa Casa Blanca
Coll d'en Rabassa
Can Pastilla
ses Meravelles
s'Arenal
Llucmajor
Cala Blava
Cap Enderrocat
Badia de Palma
les Palmeres
Badia Gran
Cap de Regana
Capocorp
Cala Pi
Cap Blanc
Cala Vallgornera
s'Estanyol de Migjorn
sa Ràpita
Punta Plana
Ansa de sa Ràpita
Colònia de Sa
Galatzó
Puigpunyent
Galilea
Mirador Ricardo Roca
Morro d'Es Fabioler
Cap de Tramuntana
Illa sa Dragonera
Cap d'es Llebeig
Sant Elm
s'Arracó
Andratx
Port d'Andratx
Cap de sa Mola
Cap des Llamp
es Camp de Mar
Costa de sa Calma
Peguera
Calvià
es Capdellà
Sta. Ponça
Son Ferrer
el Toro
Platja de Caluià
Illa del Toro
Portals Vells
Cap de Cala Figuera
Magaluf
Palmanova
Portals Nous
Cas Català
Costa d'en Blanes
Sant Agustí
Bellver
Gènova
Son Vida
sa Vileta
Son Sardina
Establiments
sa Granja
Raixa
Puig Major
Morro de sa Vaca
sa Calobra
Cala de sa Calobra
Puig Roig
Tomir
Escorca
Monestir de Na. Sa. de Lluc
Coll de Sabataia
Coves de Campanet
Campanet
Moscari
Selva
Caimari
Maçanella
Mancor de la Vall
Búger
Sta. Magdalena
Desfilada
Gorg Blau
Mdor de ses Barques
P. de Cúber
Punta Beca
Port de
Pollença
Punta de Deià
Punta de sa Foradada
Son Marroig
Miramar
sa Cartoixa
Teix
Coll de Sóller
Cala Deià
Cala Fornells
Cala Vinyes
Serra de Tramuntana
Cap de Llebeig
Punta de Anciola
Ma 1
Ma 10
Ma 11
Ma 13
Ma 15
Ma 19
Ma 20

39
106
40
Cap de Catalunya
Cap de Formentor
Cala Sant Vicenç
Sant Vicenç
Platja de Formentor
Pollença
Punta de l'Avançada
Badia de Pollença
Cap des Pinar
es Mal Pas
Cap de Menorca
Puig
Alcúdia
Pollentia
Illa d'Alcanada
Lago Menor
Port d'Alcúdia
Badia d' Alcúdia
Platja de Muro
P. natural de s'Albufera
Can Picafort
Son Serra de Marina
sa Pobla
Muro
Sta. Margalida
Llubí
Maria de la Salut
Ariany
Pla
Cap de Ferrutx
Urb. Betlem
Son Morell
Colònia de Sant Pere
Ermita de Betlem
Isla Ravenna
Ferrutx
Artà
Cala Mesquida
Cap d'es Freu
Cala Agulla
Cala Lliteres
Punta de Capdepera
Capdepera
Cala Rajada
Son Moll
Torre
Canyamel
Coves d'Artà
Cap Vermell
Costa de Canyamel
Costa dels Pins
Port Vell
Cap des Pinar
Cala Bona
Son Servera
Cala Millor
Son Moro
Punta de n'Amer
sa Coma
s' Illot
S'Avalls
Sant Llorenç des Cardassar
Son Carrió
Serres de Llevant
Petra
Bonany
Sant Joan
Vilafranca de Bonany
Manacor
Montuïri
Sant Miquel
Coves des Hams
Porto Cristo
Coves del Drach
Cala Anguila
s' Estany d'en Mas
s'Ermita
Son Macià
Torrent
Porreres
Santuari de Montesión
Cales de Mallorca
es Domingos
Cala Murada
Felanitx
Monestir Sant Salvador
Sa Punta
Punta de ses Crestes
Portocolom
Cas Concos des Cavaller
Cast de Santueri
s' Horta
Calonge
Campos
Cala Ferrera
Cala d'Or
es Palmer
S'Alqueria Blanca
Santanyí
Portopetro
Banyos de Sant Joan
Salines des Salobrar
ses Salines
es Llombards
Cala Mondragó
Cala Figuera
Cala Santanyí
Cala Santanyí
s'Avall
Colònia de Sant Jordi
Cap de ses Salines
Illa Conejera
Cap Ventós
Illa de Cabrera
MAR
MAR
MEDITERRANEO
MEDITE
MENORCA
Tamarinda
Son Olivaret
Torre-saura
Cap d'Artrutx
Cala en Bosc
Cala Turqueta
Cala Macarella
Cala Galdana
Platja de Sant Tomàs
MNO
39
40
41

0 4 8 12 km
41
42
43
L
M
N
105
MENORCA
Ciutadella de Menorca
Maó / Mahón
Alaior
Ferreries
es Mercadal
Monte Toro
Santuari
Cap de Cavalleria
Illa dels Porros
Illes Bledes
Cala Pregonda
Cala de Algaiarèns
Platja de Tirant
Badia de Fornells
Punta Pantinat
Fornells
Platjes de Fornells
Falconera
Sta Agueda
Cala Morell
Punta Nati
Cap Menorca o Bajoli
Cala en Blanes
Naveta des Tudons
Cala Santandria
Santandria
Cala Blanca
Son Olivaret
Cala'n Turqueta
Tamarinda
Torre-saura
Cap d'Artrutx
Cala en Bosc
Cala Turqueta
Cala Macarella
Cala Galdana
Barranc d' Algendar
Migjorn Gran
Sant Tomàs
Platja de Sant Tomàs
Platja de Son Bou
Son Bou
Torre-solí Nou
Cala en Porter
Coves d'en Xoroi
Arenal d'en Castell
Urb. Coves Noves
na Macaret
Addaia
Punta Codolar
Cap de Favàritx
Binifabini
Illa Colom
s'Albufera
es Grau
Shangri-Là
Punta de sa Galera
sa Mesquida
Cala Mesquida
Cala Fonduco
Cap Negre
Punta de s'Esperó
Fort la Mola
Es Castell
Talatí de Dalt
Sant Climent
S'Ullastrar
Sant Lluís
s'Algar
Alcalfar
Binidalí
Cap d'en Font
Binibèquer
Punta Prima
Illa de l'Aire
Cala Binibeca
Cala en Porter
de Capdepera

# Ilhas Açores

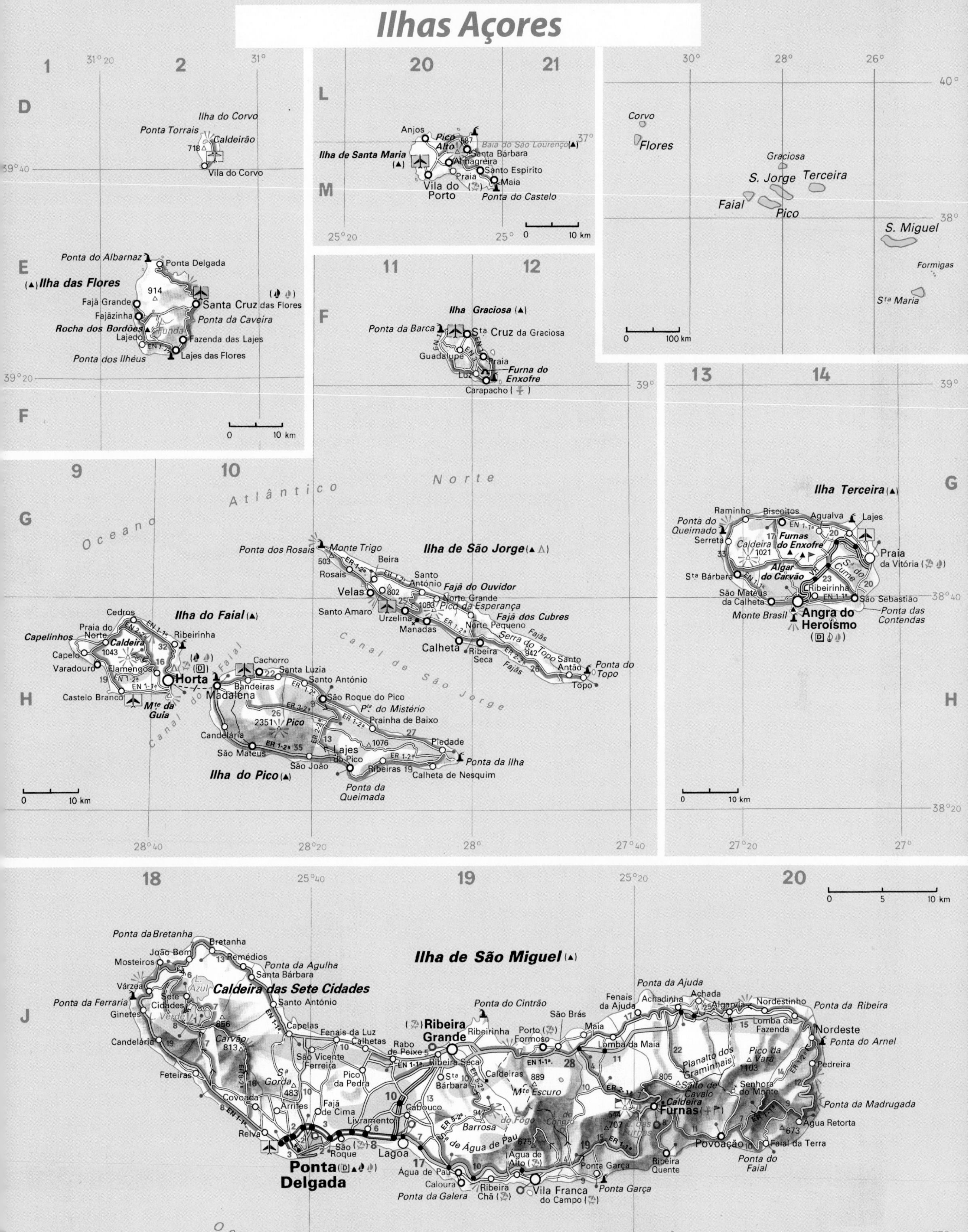

0
5 km
A
B
C
1
2
3
4
El Golfo **
Playa del
Punta de la Sal
Punta Arenas Blancas
Puntas de Gutiérrez
Playa la Madera
Playa de los Goranes
Playa de los Palos
Playa de los Bucios
Roque de la Sal
Punta de Tosca Amarilla
Mirador de Bascos
Pozo de Sabinosa
Playa del Verodal
Bahía de los Reyes
El Sabinar
Sabinosa
Los Llanillos
La Dehesa
Gal Serrador
Ventejea
1236
Playa de los Negros
Punta de los Reyes
616
Ermita Nª Sª de los Reyes
Cruz de los Humilladeros
Malpaso
1503
El Estancadero
Quemada
424
Meridiano
Punta del Barbudo
Faro de Orchilla
El Julán
Punta de Orchilla
Playa de las Coloradas
Playa de los Mozos
Playa de Tejeda
Playa del Cuervito
Cueva del
Playa de Linés
Cala de Taco
Pimpollos
A
B
C

D
E
F
1
2
3
4
Punta del Guanche
Punta Norte
Bahía de las Calcosas
Punta de Amacas
Playa de Adentro
Pozo de las Calcosas
Echedo
Playa del Salto
Punta de Agache
Roque Salmor
Mocanal
Ermita de San Pedro
Tamaduste
Ermita de San Lázaro
Playa del Piloto
Hoyo del Barrio
Guarazoca
Santiago
Betenama
Erese
Playas Largas
Mirador de la Peña
Playa del Catadal
Valverde
Caleta
Jarales
Pedraje
Punta de la Caleta
Las Montañetas
Ventejís
Las Puntas
Risco de Tibataje
Tiñor
Ermita de San Telmo
Puerto de la Estaca
La Gomera
Tenerife
Playa de Tijeretas
Izique
San Andrés
Guinea
Bahía Temijiraque
Temijiraque
Mirador de Jinama
Punta de Temijiraque
Los Mocanes
La Cuesta
Las Rosas
Los Llanos
Frontera
La Torre
Isora
Alto de Fileba
Mirador de Isora
Bco. del Morro
Punta de Ajones
Mirador de las Playas
Roque de la Bonanza
El Pinar
Las Playas
Hoya del Morcillo
Las Casas
Parador de El Hierro
El Pinar
Playa de los Cardones
Taibique
Playa de Miguel
Tembargena
Playa Brava
Roques de Los Joraditos
Playa del Pozo
Playa de Manchas Blancas
Los Lajiales
Playa del Cantadal
Restinga
La Restinga
Bahía de Naos
Punta de la Restinga
Punta de los Saltos
1 : 125 000

0
5 km
D
E
F
1
2
3
C
D
112
E
F
OCÉANO
ATLÁNTICO
Playa de los Mozos
Playa del Valle
Aguas Verdes
Punta de los Caletones
Punta del Junquillo
Morro Alto
417
Punta Gorda
Punta de la Herradura
Morro Negro
480
Mirador de Morro Velosa
Betancur
724
Betancuria
Barranco de la Peña
Puerto de la Peña
Ajuy
Bco de Ajuy
Playa de los Muertos
Punta de la Nao
FV 621
Eta de Na Sa de la Peña
Vega de Río Palmas
FV 323
Mézquez
Playa de la Solapa
Punta del Salvaje
Los Molinos
Punta de Fuente Blanca
Playa de

G H 113 I J K

1
2
3

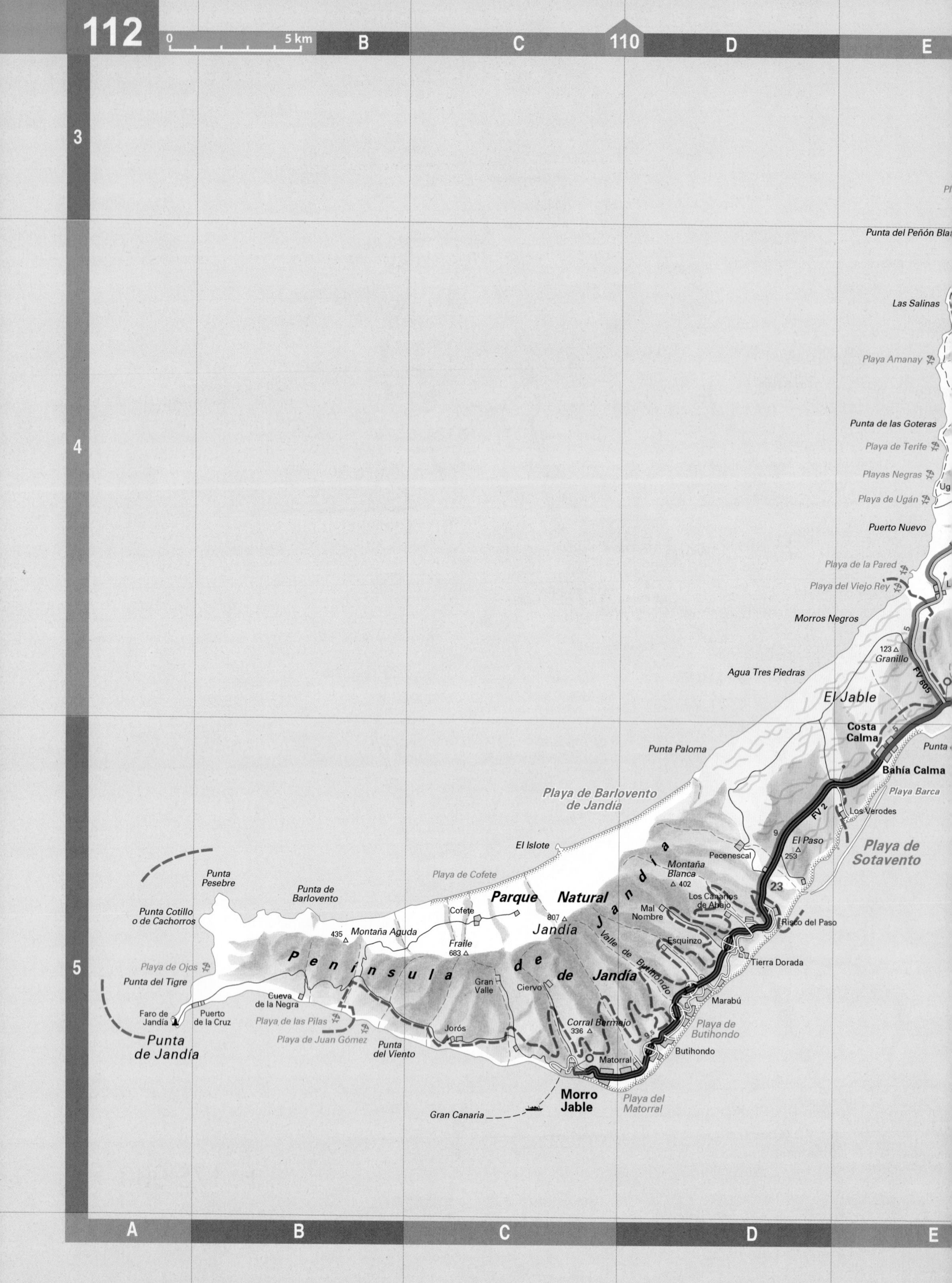
0
5 km
B
C
110
D
E
3
4
5
A
Punta del Peñón Bla
Las Salinas
Playa Amanay
Punta de las Goteras
Playa de Terife
Playas Negras
Playa de Ugán
Puerto Nuevo
Playa de la Pared
Playa del Viejo Rey
Morros Negros
123
Granillo
FV 605
Agua Tres Piedras
El Jable
Costa Calma
Punta Paloma
Bahía Calma
Playa Barca
Los Verodes
Playa de Barlovento de Jandía
FV 2
El Paso
253
Playa de Sotavento
El Islote
Pecenescal
Montaña Blanca
402
Punta Pesebre
Playa de Cofete
23
Punta de Barlovento
Parque Natural Jandía
Los Canarios de Abajo
Punta Cotillo o de Cachorros
Cofete
807
Mal Nombre
Risco del Paso
435
Montaña Aguda
Jandía
Fraile
683
Valle de Butihondo
Esquinzo
Tierra Dorada
Playa de Ojos
Península de Jandía
Punta del Tigre
Gran Valle
Ciervo
Marabú
Cueva de la Negra
Faro de Jandía
Puerto de la Cruz
Playa de las Pilas
Corral Bermejo
336
Playa de Butihondo
Jorós
Punta de Jandía
Playa de Juan Gómez
Punta del Viento
Matorral
Butihondo
Morro Jable
Playa del Matorral
Gran Canaria

Antigua
Museo Arqueológico
Betancuria
Puerto de la Peña
Ajuy
Playa de los Muertos
Punta de la Nao
Vega de Río Palmas
Eta de Nª Sª de la Peña
Las Pocetas
Escaque
Ermita de San Francisco
Valles de Ortega
Eta de San Roque
Majada Blanca
El Cortijo
Caleta de Fustes
La Guirra
Punta del Muellito
Las Salinas
Puerto de la Torre
Gran Montaña
Mézquez
Playa de la Solapa
Punta de Don Blas
Agua de Bueyes
Caldera de Gairía
Morales
Toto
Tiscamanita
Centro de Interpretación de los Molinos
Finca del Vicario
Agudo
Pájara
Bárgeda
Playa de Garcey
Carbón
Tuineje
Caldera de la Laguna
Malpaís Grande
Playa de Leandro
Pozo Negro
Playa de Pozo Negro
El Saladillo
Playa de los Chopos
Playa de los Vallichuelos
Tonicosquey
Las Salinas
Vigocho
El Alto
Las Casitas
La Florida
Montañeta de Tamacite
Ezquen
Fayagua
Amanay
Casilla Blanca
Caldera de Jacomar
Punta Gorda
Jacomar
Punta de las Borriquillas
Tesejerague
Montoña Hendida
Vegueta
Diego Alonso
Montaña Tirba
Teguital
La Cañada de Teguital
Cardón
Chilegua
Vigán
Punta de Gran Valle
Tamaretilla
Violante
Playa de los James
Pablo Sánchez
Las Playitas
Peñón del Roque
La Entallada
Hermosas
Caracol
Playa del Pajarito
Gran Tarajal
Lapa
Playa de los Pobres
Giniginámar
Punta del Aceituno
Tarajalejo
Playa de Giniginámar
Punta del Caracol
La Lajita
Playa de Tarajalejo
Playa La Lajita
Playa de La Jaqueta
Playa de Matas Blancas
Los Molinillos
F
G
H
I
3
4
5

114
0
5 km
B
C
D
1
2
3
Punta de Gáldar
Punta de Sardina
Necrópolis de la Guancha
Punta de Guanarteme
Puerto Nuevo
Puerto de la Caleta
Caleta de Abajo
Llanos de Caleta y Sobradillo
El Agujero
Pico de Gáldar
La Atalaya
Punta del Mármol
Playa de San Felipe
Playa de Sardina
Puerto de Sardina
Sardina
Gáldar
Roque Partido
Barrial
Cueva Pintada
Sta. María de Guía
Cenobio de Valerón
San Juan
Punta Marqués
San Isidro
Almagro
El Calabozo
Tres Palmas
Aguilar
Punta del Cardonal
Eta. de San Isidro
El Viejo
Hoya de Pineda
Paso María de Los Santos
El Palmital
Punta del Tumas
Cuevas de las Cruces
Puerto de las Nieves
Agaete
Los Llanos
Tenerife
Vergara
Verdejo
Pico de Viento
Saucillo
Dedo de Dios
Valle de Agaete
Bascamao
Montaña Alta
Los Tilos de Moya
Playa de Guayedra
Guayedra
San Pedro
El Camino
Caideros
Playa Segura
Vecindad de Enfrente
Barranco del Laurel
Jurada
Cruz de Dionisio
Guayedra
Los Berrazales
Barranco del Pinar
La Laja del Risco
Tamadaba
Fagajesto
Playa del Risco
Cruz de Tabaibal
El Hornillo
Casa Forestal
Embalse de Los Pérez
Fontanales
Playa de la Virgen
Pinar de Tamadaba
Tamadaba
Lugarejos
Punta de Góngora
El Risco
Juncalillo
Pinos de Gáldar
Job
Parque
Natural
Las Hoyas
Bco. Hondo de Abajo
Coruña
Cruz de Valerón
El Tablero
La Fajanita
Tirma
Las Cuevas
Montañón Negro
Lentisco
Cruz de María
Moriscos
Punta de la Aldea
de
Tamadaba
Artenara
Cruz de Tejeda
El Majuelo
Cuevas Nuevas
Altavista
Acusa Verde
Guardaya de Abajo
El Rincón
Puerto San Nicolás
Playa de la Aldea
El Hoyo
La Degollada
Las Marciegas
La Aldea de San Nicolás de Tolentino
Embalse de El Parralillo
Candelaria
La Higuerilla
Tejeda
Albercón
Mederos
Roque Bentaiga
Roque Colorado
Los Espinos
El Carrizal
El Chorrillo
El Espinillo
El Lomo
Cuevas Caídas
Los Molinos
Embalse de El Siberio
Embalse Caidero de la Niña
La Solana
Amurgar
El Pinillo
Pino Gordo
Barranco
Roque Nublo
Artejévez
Lomo del Mulato
Timagada
Punta de la Soga
Siberio
Punta del Peñón Bermejo
Tocodomán
El Toscón
El Juncal
Ayacata
El Hoyo
Casa Forestal de Pajonales
Montaña de Hogarzales
Playa de Güigüí
Morro Pajonales
Pargana
116
Tasartico
Tasarte
Embalse de Cueva de Las Niñas
Pto. de Cruz Grande
Casa Forestal
Eta. de Santiago
San Bartolo

E
F
G
H
1
2
3
1 : 150 000
LAS PALMAS
DE GRAN CANARIA
Los Albarderos
Roque Negro
Las Coloradas
Montaña del Vigía
Punta del Confital
La Isleta
Isleta
Puerto de la Luz
Playa de las Canteras
Sta Catalina
Bahía del Confital
Playa de las Alcaravaneras
Tenerife
Fuerteventura
Lanzarote
Triana
Vegueta
San Cristóbal
Punta Casa Blanca
Playa de la Laja
Punta del Palo
Punta de Jinámar
Playa de Malpaso
La Estrella
La Garita
Marpequeña
Playa del Hombre
Punta de la Cueva
Playa de Melenara
Melenara
Playa de Salinetas
Playa de la Hullera
Playa de Tufia
Playa Ojo de Garza
Punta de Ámbar
Lazareto de Gando
Roque de Gando
Punta de Gando
Bahía de Gando
AEROPUERTO DE GRAN CANARIA
Playa de San Agustín
La Costa
Punta de las Coloradas
Punta del Camello
Bañaderos
Punta de Arucas
San Andrés
Felipe
Cabo Verde
Cruz de Pineda
Cardonal
Trasmontaña
Lomo Quintanilla
Casablanca
Trapiche
Cambalud
Cardones
Costa Ayala
Buenlugar
Lomo Blanco
Mña de Arucas
Juan XXIII
Ayala
Los Giles
Los Rosales
Padilla
Arucas
Tenoya
Las Torres
Lance
Firgas
La Caldera
Santidad
Visvique
Las Mesas
Tamaraceite
Carretería
Los Portales
Los Castillos
Lomo Blanco
El Secadero
San Fernando
Ea de Las Nieves
El Toscón
La Suerte
Almatriche
Huertas del Palmar
San Lorenzo
Tafira Baja
Las Madres
Zumacal
Teror
Guanchía
San José del Alamo
Dragonal
El Tablero
Miraflor
Jardín Canario
La Calzada
El Fondillo
Siete Puertas
Tafira Alta
La Milagrosa
San Francisco de Paula
Troyanas
Zamora
Mirador de Zamora
El Alamo
La Angostura
Los Hoyos
Espartero
Las Meleguinas
Ojero
Arbejales
Madrelagua
Ea del Corazón de Jesús
Monte Lentiscal
Pico de Bandama
Caldera de Bandama
Jinámar
POLÍGONO DE JINÁMAR
Sagrado Corazón
Sta Brígida
San José
San Isidro
Pino Santo
El Madroñal
Vega de Enmedio
La Atalaya
Las Goteras
Cruz de la Gallina
Majadilla
La Pardilla
Utiaca
Vega de San Mateo
Hoya del Gamonal
El Palmital
La Gavia
Los Caserones
San Antonio
La Yedra
Ariñez
Valle de Casares y Solana
La Bodeguilla
La Solana
La Higuera Canaria
Tara
Las Lagunetas
La Lechuza
El Helechal
Lomito de Correa
Valle de S. Roque
Montaña de las Palmas
La Barrera
S. José de las Longueras
TELDE
La Lechucilla
Las Casillas
Valsequillo de Gran Canaria
Los Llanetes
Valle de los Nueve
Lomo de la Herradura
El Calero
El Caracol
Las Huesas
Cueva Grande
Tenteniguada
Camaretas
Las Vegas
Llano de los Frailes
Era de Mota
El Rincón
El Lomo del Frenegal
Lomo Magullo
Lomo Sala
La Colomba
Los Mocanes
Hoya del Gamonal
Las Medianías
El Goro
La Breña
Caldera de los Marteles
Roque Redondo
Cuatro Puertas
Pichón
Cazadores
Piletillas
Bco del Draguillo
Barranco
La Culata
Pasadilla
Roque
Risco Blanco
Aguatona
Benítez
Hoya García
Lomito de Taidía
Taidía
Perera
Hoya de Tunte
El Morisco
Guayadeque
Ingenio
Carrizal
117

116
0
5 km
114
La Aldea
de San Nicolás
de Tolentino
Puerto San Nicolás
Playa de la Aldea
Las Marciegas
Albercón
El Hoyo
Embalse de El Parralillo
Candelaria
Higuerilla
La Degollada
Tejeda
Roque Bentaiga
1412
El Carrizal
El Espinillo
El Lomo
La Solana
Embalse de El Siberio
Embalse Caidero de la Niña
Los Molinos
El Pinillo
Pino Gordo
Amurgar
790
Artejévez
Punta de la Soga
Punta del Peñón Bermejo
Tocodomán
997
El Hoyo
Montaña de Hogarzales
1065
Playa de Güigüí
Inagua
1426
Lomo del Mulato
Barranco de Siberio
El Toscón
Timagada
El Juncal
Casa Forestal de Pajonales
1434
Morro Pajonales
Roque Nublo
1813
Ayacata
Pargana
1613
La Plata
Pto de Cruz Grande
1251
Casa Forestal
Ela de Santiago
Embalse de Cueva de Las Niñas
San Bartolo
Tasartico
Barranco de Tasartico
628
Tasarte
Las Tetas
Barranco de Tasarte
Mogarenes
892
El Manantial
La Cogolla
Embalse del Mulato
1021
Soria
Embalse de Soria
Cercados de Araña
Embalse de Chira
Parque
Playa del Asno
Veneguera
La Huerta Nueva
El Pie de la Cuesta
Barranquillo Andrés
Sta Brígida
Playa de las Aneas
548
La Vistilla
Mña de Tauro
1226
El Caidero
Santidad
1193
Natural
Playa de Tasarte
Lomo de Tasarte
El Zao
Mogán
932
El Inglés
Las Casillas
Taginastal
Playa de Tasarte
La Postreragua de Veneguera
Barranco de Mogán
602
Los Navarros
Los Judíos
Chamoriscán
de
Pilancones
Ayagaure
Embalse de Ayagaures
Punta del Cerrillo
El Palmito
Tauro Alto
Lechugal
Cercados de Espino
Tabaibales
La Playa de Veneguera
Las Burrillas
Los Peñones
Palmitos Park
Perchel de Mogán
El Sao
Presa de Chamoriscán
Punta del Castillette
Playa de Mogán
Puerto de Mogán
Taurito
Playa de Taurito
183
Punta Cruz de Piedra
Monte León
Tauro
Motor Grande
Playa del Cura
Punta del Tablero
La Playa de Tauro
Arguineguín
393
Montaña la Data
Playa de los Amadores
Puerto Rico
Punta de Puerto Rico
La Verga
Aquasur
Media Fanega
Playa de Balito
Cornisa del Suroeste
Las Casas
Salobre
Punta de los Inciensos
El Tablero
Playa de la Verga
Patalavaca
El Llanillo
Estación de Seguimiento Espacial
Sonneland
Arguineguín
Parchel
Bahía de Sta Águeda
Punta del Parchel
Pasito Blanco
Playa de las Meloneras
Playa
A
B
C
D
3
4
5

TELDE
Marpequeña
Playa del Hombre
Punta de la Cueva
El Calero
Valsequillo de Gran Canaria
115
Lomo Magullo
Húesas
Playa de Salinetas
Playa de la Hullera
El Goro
Playa de Tufia
Cuatro Puertas
Playa Ojo de Garza
Punta de Ámbar
Lazareto de Gando
Ojos de Garza
Roque de Gando
Punta de Gando
AEROPUERTO DE GRAN CANARIA
Playa de San Agustín
Aguatona
Ingenio
Carrizal
Sta Lucía
Temisas
Agüimes
Mondragón
Playa del Burrero
Las Rosas
Playa de Vargas
Playa de las Cruces
Cruce de Arinaga
Punta de la Sal
Playa del Carbón
POLÍGONO INDUSTRIAL DE ARINAGA
Arinaga
Roque de Arinaga
Risco Verde
Playa de Arinaga
Bahía de Arinaga
Cruce de Sardina
Vecindario
Sardina
Bahía de Formas
Punta Gaviota
El Doctoral
Pozo Izquierdo
Bahía de Pozo Izquierdo
Punta de Tenefé
Juan Grande
Castillo del Romeral
Playa de los Tártagos
Playa de las Casillas
Playa de la Caleta
Playa Corral de Espino
Playa del Cardón
Sioux City
Bahía Feliz
AEROCLUB DE GRAN CANARIA
Playa del Tarajalillo
Playa del Águila
Nueva Europa
Playa de San Agustín
San Agustín
Playa de las Burras
Playa del Inglés
Maspalomas
Punta de Maspalomas
Fataga
Mundo Aborigen
Hoya de Toledo
E
F
G
H
3
4
5

0
5 km
A
B
1
2
3
El Roquillo
Los Órganos
Playa de Arguamul
Playa de Santa Catalina
Cumbre de Chigueré
Chigueré
Playa de Vallehermoso
La Playa
Punta del Peligro
Arguamul
Eta. de Sta. Clara
876
Teselinde
Valle Abajo
Ermita de Sta. Lucía
Tazo
Vallehermoso
TF 711
Tamargada
650
Roque Cano
Las Ros
Cubaba
Playa del Trigo
La Quilla
Macayo
Rosa de las Piedras
Epina
Embalse La Encantadora
499
Roque Blanco
Playa de Alojera
Alojera
TF 713
El Carmen
Meriga
Punta del Viento
Banda de las Rosas
Punta Talisca Negra
Taguluche
Acardece
Arure
Parque Nacional de Garajonay
Mirador del Santo
Mirador del Palmarejo
700
Lomo del Balo
Las Hayas
La Mérica
857
Los Granados
El Cercado
Eta. Nª Sª de Lourdes
Baja de Juan Amaro
La Vizcaina
Chipude
Garajonay
1487
El Guro
El Hornillo
Playa del Inglés
La Calera
Bco. Valle Gran Rey
La Dehesa
Pavón
Playa de la Calera
Barranco de Argaga
Jagüe
1243
Montaña Fortaleza
Igualero
Loma de Eretos
1355
Valle Gran Rey
Gerián
Eta. de Nª Sª del Buen Paso
Ermita San Juan
Topogache
Imada
Vueltas
Playa de Vueltas
Ermita de San Lorenzo
San Sebastián
Playa de las Arenas
El Drago
Ermita de Guarimiar
Bco. de la Rajita
Barranco de Santiago
Alajeró
Targa
Bco. de la Negra
Arguayoda
Roque de Iguala
La Dama
La Rajita
Almácigos
808
Calvario
Quise
Playa de la Negra
Punta de la Nariz
La Cantera
Cala Cantera
Caldera
291
Punta Falcones
Punta del Becerro
Playa de Ereses

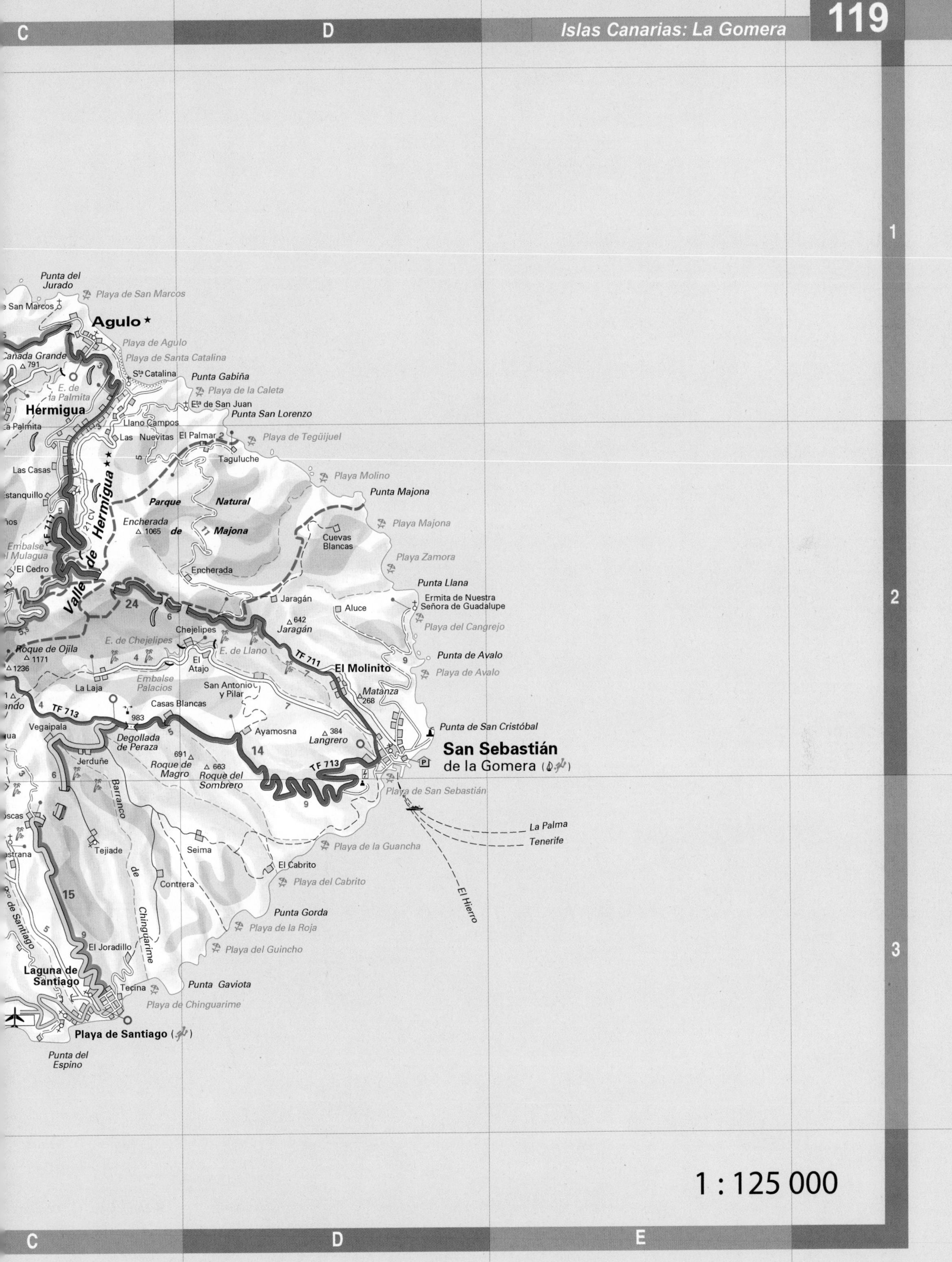
Punta del Jurado
Playa de San Marcos
San Marcos
Agulo
Playa de Agulo
Playa de Santa Catalina
Cañada Grande
791
Sta Catalina
Punta Gabiña
E. de la Palmita
Playa de la Caleta
Eta de San Juan
Hermigua
Punta San Lorenzo
La Palmita
Llano Campos
Las Nuevitas
El Palmar
Playa de Tegüijuel
Taguluche
Las Casas
Playa Molino
Punta Majona
Estanquillo
Valle de Hermigua
Parque Natural de Majona
Encherada
1065
Playa Majona
Cuevas Blancas
Embalse Mulagua
Playa Zamora
El Cedro
Encherada
Punta Llana
Jaragán
Aluce
Ermita de Nuestra Señora de Guadalupe
642
Jaragán
Playa del Cangrejo
Chejelipes
E. de Chejelipes
E. de Llano
Punta de Avalo
Roque de Ojila
1171
1236
TF 711
El Molinito
Playa de Avalo
El Atajo
Embalse Palacios
La Laja
San Antonio y Pilar
Matanza
268
TF 713
Casas Blancas
983
Vegaipala
Ayamosna
384
Langrero
Punta de San Cristóbal
Degollada de Peraza
San Sebastián de la Gomera
Jerduñe
691
Roque de Magro
663
Roque del Sombrero
Playa de San Sebastián
Barranco de Chinguarime
La Palma
Tenerife
Tejiade
Seima
Playa de la Guancha
El Cabrito
Contrera
Playa del Cabrito
El Hierro
Bco de Santiago
Punta Gorda
Playa de la Roja
El Joradillo
Playa del Guincho
Laguna de Santiago
Tecina
Punta Gaviota
Playa de Chinguarime
Playa de Santiago
Punta del Espino
1
2
3
1 : 125 000

0
5 km
C
D
E
1
2
3
Isla Alegra
Punta
Isla de
Montaña Clara
Playa
Isla Gra
Punta de las Carrer
Punta del Pobre
Punta Marra
OCÉANO
ATLÁNTICO
Parque
Natural
Punta de
Penedo
La Puntilla
Archipiélago
Chinijo
Las Baja
Punta Prieta
La Santa
Sport
Caleta
de Caballo
Caleta de
Famara
Playa de
Famara
123
La Santa
132
199
293
6
LZ-402
El Molino
Montaña Bermeja

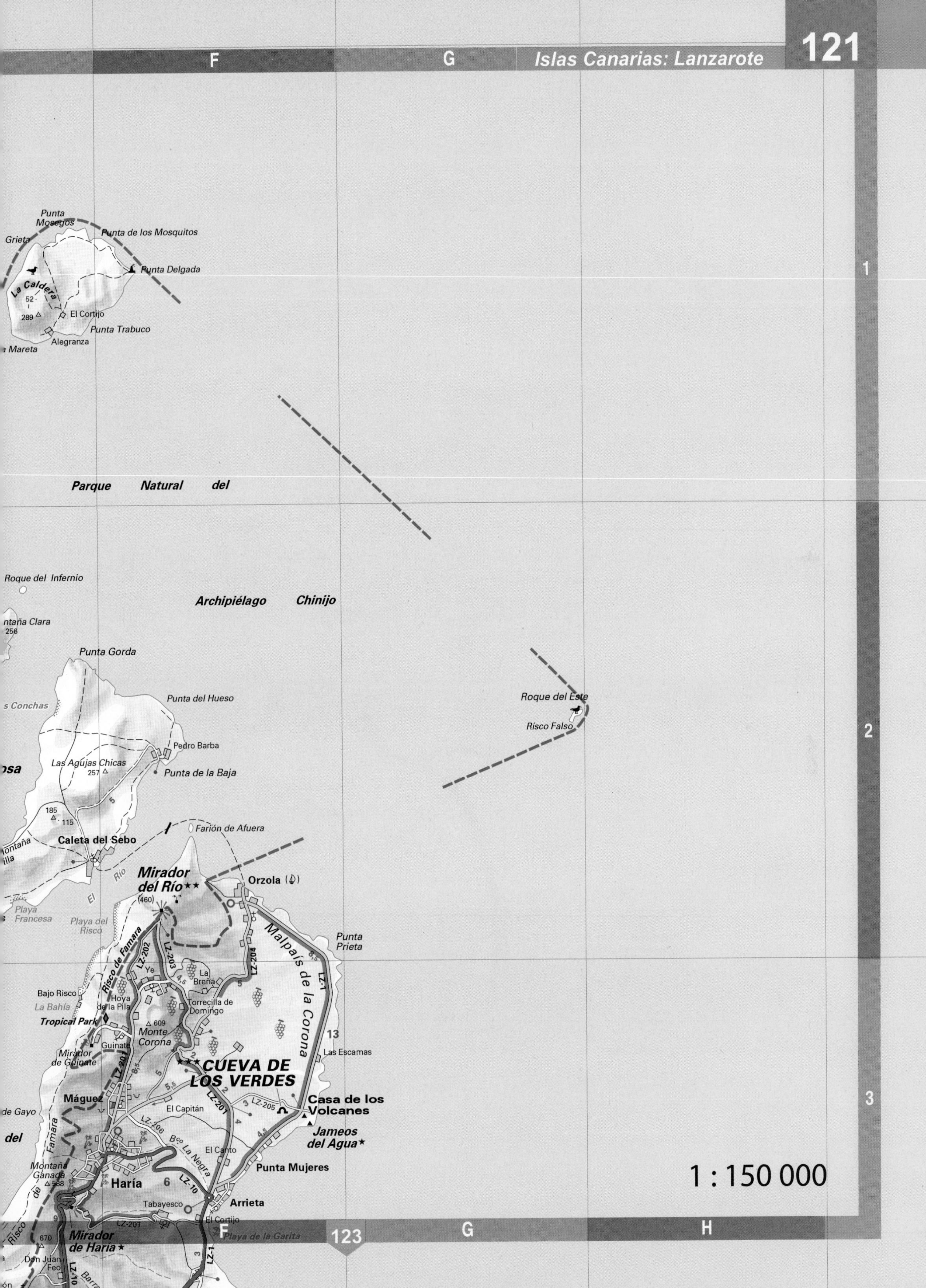
Punta Mosegos
Punta de los Mosquitos
Grieta
Punta Delgada
La Caldera
52
289
El Cortijo
Punta Trabuco
Alegranza
Mareta
Parque Natural del
Roque del Infernio
Archipiélago Chinijo
ntaña Clara
256
Punta Gorda
Punta del Hueso
Roque del Este
Risco Falso
s Conchas
Pedro Barba
Las Agujas Chicas
257
Punta de la Baja
185
115
Farión de Afuera
Caleta del Sebo
Mirador del Río
(460)
Orzola
Playa Francesa
Playa del Risco
Risco de Famara
Punta Prieta
Malpaís de la Corona
LZ-202
LZ-203
LZ-204
LZ-1
Ye
La Breña
Bajo Risco
La Bahía
Hoya de la Pila
Torrecilla de Domingo
Tropical Park
609
Monte Corona
13
Las Escamas
Guinate
Mirador de Guinate
CUEVA DE LOS VERDES
LZ-201
Máguez
El Capitán
LZ-205
Casa de los Volcanes
de Gayo
LZ-206
Bco La Negra
Jameos del Agua
del
Famara
El Canto
Punta Mujeres
Montaña Ganada
568
Haría
6
LZ-10
Tabayesco
Arrieta
El Cortijo
LZ-207
Playa de la Garita
670
Mirador de Haría
Don Juan Feo
Barranco
Ermita de las Nieves
24
Punta Pasito
1 : 150 000
1
2
3

0 5 km
A
B
C
3
4
5
La Isleta
La Santa
Montaña Bermeja
100
El Melián
Tenesar
Punta Gaviota
Parque Natural de Los Volcanes
Montaña de Teneza
368
Tinajo
Tajaste
Guiguan
Mancha Blanca
Playa de la Madera
Punta del Paletón
El Islote
Montaña Caldereta
Caldera Blanca
458
Ermita de los Dolores
El Volcán
Playa del Cochino
PARQUE NACIONAL DE TIMANFAYA ***
Montaña del Cortijo
Montaña Ortiz
470
Islote de Halcones
103
Islote de Hilario
Peaje
Mña del Fuego
510
Caldera del Corazoncillo
Ruta de los Volcanes
Caldera Colorada
Playa del Paso
Juan Perdomo
Montaña Encantada
246
Parque Natural de Los Volcanes
El Golfo
** El Golfo
Montaña Hernández
Montaña Tremesana
Montaña Diama
464
Geria
Vegas de Tegoyo
Montaña del Golfo
Los Morriles
** La Geria
Caldera de Chozas
Guardilama
603
Conil
Playa de Montaña Bermeja
Los Hervideros
Uga
La Asomada
Yaiza
Mácher
La Hoya
* Salinas de Janubio
Playa de Janubio
La Degollada
Las Casitas
Pico Naos
415
Cortijo Viejo
Los Mojones
Atalaya de Femés
608
Las Breñas
Femés
Playa Quemada
Puerto Calero
La Mareta
Punta de Piedra Alta
Maciot
Barranco de la Higuera
Playa de la Arena
Barranco de la Casita
Bahía de Ávila
Atlante del Sol
Punta Ginés
560
Hacha Grande
Barranco Parrado
Caleta Negra
Montaña Roja
194
Montaña Baja
La Punta
Punta Gorda
Costa de Rubicón
Playa Blanca
Las Coloradas
Playa de las Coloradas
Peaje
Punta Pechiguera
Punta Limones
Playa Mujeres
Playa Papagayo
Caleta del Congrio
* Punta del Papagayo
Fuerteventura
LZ-2
LZ-67
LZ-30
LZ-56
LZ-701
LZ-702
LZ-703
LZ-704
LZ-706
LZ-501
LZ-502
LZ-504

Máguez
Punta de Gayo
Casa de los Volcanes
Jameos del Agua
El Capitán
Parque Natural del Archipiélago Chinijo
121
D
E
F
G
Punta de Penedo
Las Bajas
Montaña Ganada
Haría
Arrieta
La Puntilla
Tabayesco
Punta Prieta
El Cortijo
Playa de la Garita
La Santa Sport
Caleta de Caballo
Playa de Famara
Risco de Famara
Mirador de Haría
Caleta de Famara
Famara
Don Juan Feo
El Rincón
Barranco de Tenegüime
El Molino
Ermita de las Nieves
Punta Pasito
Mala
Sóo
Vista Graciosa
La Caldera
Las Laderas
Ermita del Valle
Los Valles
El Cuchillo
El Jable
Ermita de San José
Jardín de Cactus
Guatiza
Muñique
Ermita de San Rafael
Ermita de San Sebastián
Los Cocoteros
Museo Agrícola El Patio
Teguise
Las Cruces
El Mojón
Tiagua
Playa del Tío Joaquín
Sta Bárbara
Teseguite
Playa de la Tía Vicenta
La Espoleta
La Vegueta
Tao
Oasis de Nazaret
Barranco Mutión
Nazaret
Las Cabreras
Mozaga
Montaña Ubigue
Punta de Tierra Negra
La Florida
Tahiche
Ancones
Al Campesino
El Islote
San Bartolomé
Museo El Grifo
Playa de los Charcos
Playa de las Cucharas
Masdache
Fundación César Manrique
Playa Bastián
Montaña Blanca
Argana Alta
Costa Teguise
Manege
Ermita de la Magdalena
Montaña Blanca
Argana Baja
Los Geranios
San José
Güime
Puerto de los Marmoles
Tías
El Cable
Arrecife
Guacimeta
San Gabriel
Playa del Cable
Playa del Reducto
Playa Honda
Los Caserones
Playa de Guasimeta
Los Pocillos
Matagorda
Playa de Matagorda
Playa de los Pocillos
Fuerteventura
Gran Canaria
uerto del Carmen
LZ-1
LZ-2
LZ-10
LZ-20
LZ-30
LZ-40
LZ 14
LZ 402
LZ-401
LZ-403
LZ 404
LZ-406
LZ-407
LZ-408
LZ-409
LZ-207
LZ-206
LZ-205
LZ-201
LZ-301
LZ-302
LZ-34
LZ-35
LZ-58
LZ-101
LZ-505
3
4
5

0
5 km
F
G
H
1
2
3
127
Punta del Hida
Playa del A
Piscinas
Bajamar
Punta Gotera
Punta del Fraile
Milán
Los Pajolillos
La Barranquera
TF 13
TF 161
Punta La Romba
Valle de Guerra
Tejina
El Socorro
Punta del Viento
TF 163
Casa de Carta
San Luis
Playa del Pris
E. de Valle Molinas
La Padilla
El Pris
Mesa del Mar
Punta de la Mesa
S. Juan Perales
Tagoro
TF 156
TF 165
TF 154
La Caridad
Guamasa
El Portezue
Playa del Camello
Tacoronte
Los Naranjeros
TF 152
TF 5
Bahía de la Garañona
El Sauzal
TF 172
TF 235
Punta del Sauzal
Los Rodeos
AEROPUERTO TENERIFE NO
Punta del Puertito
Las Lajas
TF 228
TF 237
Punta Pesquero Alto
Ravelo
Punta de Juan Blas
Agua García
El Ortigal
TF 256
Punta del Sol
La Matanza de Acentejo
TF 217
TF 226
La Esper (El Rosario)
Punta de Barranco Hondo
La Victoria de Acentejo
Mirador Montaña Grande
Lomo Pelado
TF 272
La Quinta
La Resbala
Los Altos
Mirador Pico de las Flores
Las Rosas
Sta Úrsula
Bajos y Tagoro
TF 274
TF 276
★ Puerto de la Cruz
★★★ Jardín de Aclimatación
El Rincón
La Vera
Farrobillo
Las Raíces
Machado
Punta Brava
La Corujera
Mirador Ortuño
Loro Parque
TF 31
Cuesta de la Villa
Bosque de La Esperanza ★
Bco Hondo
Barranco Hondo
San
Punta El Guindastes
El Toscal Longuera
Mirador de Humboldt ★★★
El Diablillo
El Rosario
Playa del Socorro
San Vicente
La Vera
Las Arenas
Los Gómez
Las Aguas
TF 5
La Orotava ★
TF 24
Gaitero
San José
La Vera
Icod el Alto
Tigaiga
Realejo Alto
Cruz Santa
La Montañeta
TF 322
La Florida
Hacienda Perdida
Pinolerís
Mirador Chipeque
Chipeque
Igueste
Las Caleti
Playa de la
La Guancha
Las Rosas
Los Realejos
La Perdoma
San Antonio
El Bebedero
OROTAVA
Araya
TF 247
Fuente del Bardo
TF 344
Palo Blanco
El Vinático
TF 326
Chasna
Aguamansa
Barranco del Rincón
Topete
Benijos
LA
TF 523
Las Cuevecitas
Candelaria
Barranco
Malpaís
Playa de Samar
DE
Margarita de Piedra
Barranco de las Gambuesas
POLIGONO INDUSTRIAL
VALLE
Arafo
TF 245
Playa de la Viud
Gotera
Playa de Lima
Ruiz
Montaña del Limón
Montaña de la Negrita
TF 281
El Socorro
TF 21
Puerto de Izaña
TF 525
TF 28
La Hidalga
Playa de la En
Chiñico
Degollada del Cedro
Montaña del Alto o de Guamasa
Observatorio Astronómico de Izaña
Montaña Grande
El Portillo de la Villa
Izaña
Güimar
TF 61
Malpaís
Punta de Güin
TF 24
Cobre
Mirador de Don Martín ★
Las Cañadas del Teide
Parque
Natural
de
TF 514
Abreo
El Puertito de G
TF 82
TF 1
Chiqueros
Pájara
ICO DEL TEIDE
Corona
Forestal
Playa de Arriba o las Bajas
Altavista
Playa de Abajo
Montaña Rajada
La Medida
Lomo de Mena
La Caleta
Punta Prieta
Playa de la Caleta
Colmenas
Punta del Jurado
AS
El Escobonal
Barranco
Playa Barranco Arriba

I
J
K
L
1
2
3
Roque de Fuera
Roques de Anaga
Roque de Dentro
Playa del Junquillo
Playa de El Draguillo
Faro de Anaga
Roque Bermejo
Las Palmas
Punta El Jurado
El Draguillo
Benijo
Chamorga
Punta del Drago
La Cumbrilla
Punta de Anaga
Lomo de las Bodegas
Almáciga
Roque de las Bodegas
Chinobre 910
Playa de Benijo
Playa de San Roque
Punta Poyata
Taganana
Playa del Tamadite
Punta de Tamadite
Punta Fajana
Playa de los Troches
Tenejías 812
Taborno
Afur
Las Carboneras
Monte de Las Mercedes
Los Batanes
Roque Negro
Paso 933
El Bailadero
Bco de Ijuana
Playa de Ijuana
Bco de Igueste
Lomo Bermejo
Mirador de Cruz del Carmen
Taborno 1020
La Cumbrilla
Embalse de Acaimo
Semáforo 427
Playa de Antequera
Igueste de San Andrés
Mirador del Pico del Inglés
Pedro Álvarez
Valle Brosque
Valle Crispín
Valle Grande
Las Mercedes
Jardina
Las Canteras
Ermita de Las Mercedes
369
Playa de las Gaviotas
Playa de las Teresitas
Bco de Tahodio
Bco de Valle Seco
Valle Jiménez
Cueva Bermeja
María Jiménez
San Andrés
La Palma
LA LAGUNA
San Lázaro
E. de los Campitos
Ramonal
Dársena Pesquera
Los Campitos
Dique del Este
Valleseco
Cádiz
Valle Tabares
Gracia
Finca España
La Cuesta
San Bartolomé
Geneto
Las Chumberas
El Sobradillo
Gran Canaria
STA. CRUZ DE TENERIFE
Taco
Punta de Roque Manzano
Barranco Grande
Sta María del Mar
Playa del Muerto
Punta de la Encendida
San Isidro
Añaza
Playa Berruguete
Playa de la Nea
Tabaiba
Radazul
Punta de Guadamojete
del Morro
Caletillas
TF 11
TF 12
TF 13
TF 123
TF 4
TF 5
TF 1
TF 2
TF 28
1 : 150 000

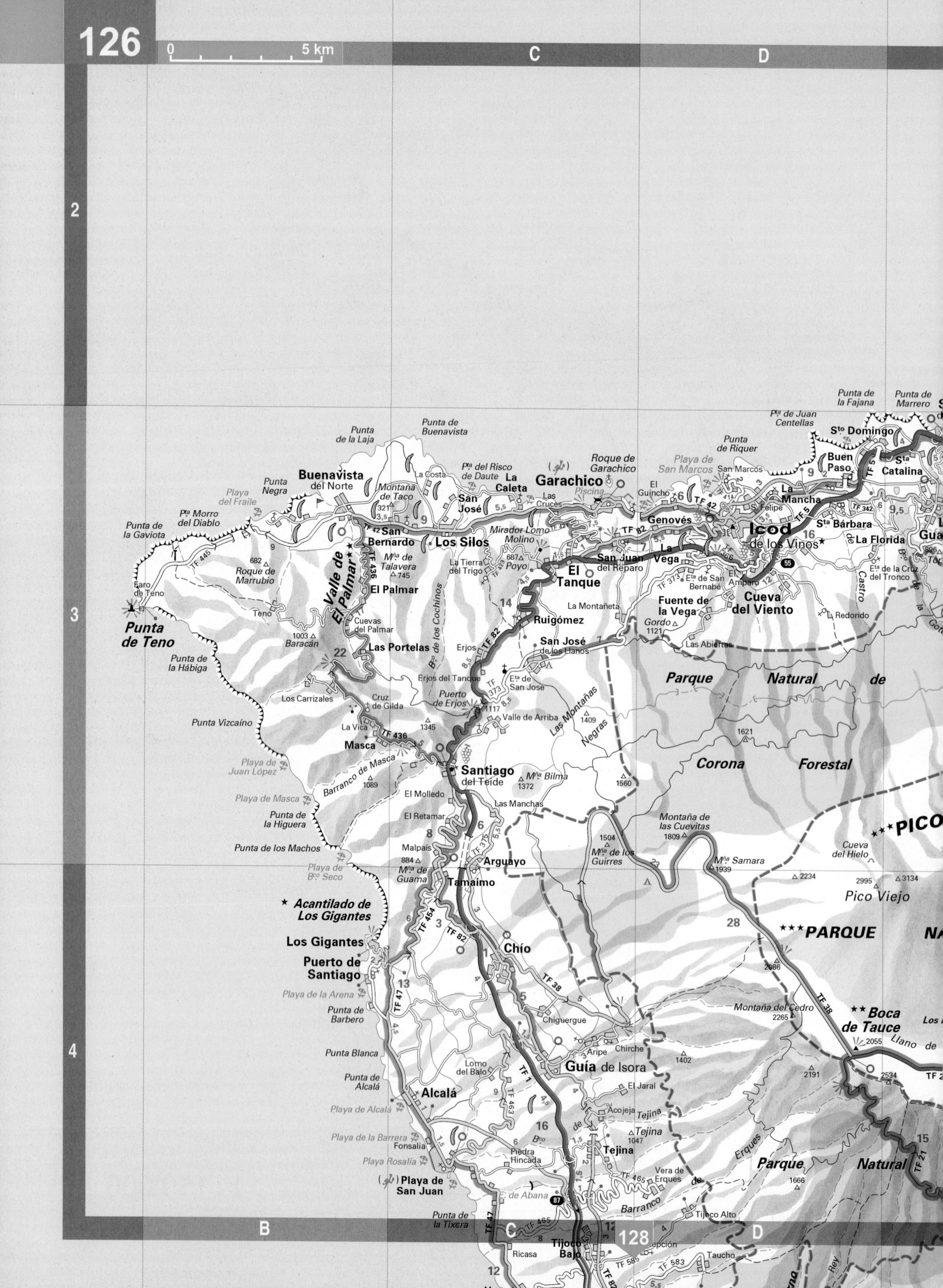
0
5 km
C
D
2
3
4
B
C
D
128
Punta de la Fajana
Punta de Marrero
Pta de Juan Centellas
Sto Domingo
Punta de Riquer
Buen Paso
Sta Catalina
Punta de la Laja
Punta de Buenavista
Pta del Risco de Daute
Roque de Garachico
Playa de San Marcos
San Marcos
Buenavista del Norte
La Costa
La Caleta
Garachico
Piscina
El Guincho
La Mancha
Punta Negra
Playa del Fraile
Montaña de Taco
San José
Las Cruces
S. Felipe
Pta Morro del Diablo
Genovés
Icod de los Vinos
Sta Bárbara
La Florida
Punta de la Gaviota
San Bernardo
Los Silos
Mirador Lomo Molino
TF 42
TF 82
TF 5
TF 342
TF 445
682
Roque de Marrubio
Valle de El Palmar
Mña de Talavera
745
La Tierra del Trigo
687
Poyo
San Juan del Reparo
La Vega
Eta de San Bernabé
Amparo
Eta de la Cruz del Tronco
Castro
Faro de Teno
El Palmar
El Tanque
Cueva del Viento
Fuente de la Vega
La Montañeta
Redondo
Punta de Teno
Teno
Cuevas del Palmar
Ruigómez
Gordo
1121
1003
Baracán
Las Portelas
San José de los Llanos
Las Abiertas
Punta de la Hábiga
Erjos
Bco de los Cochinos
Erjos del Tanque
Eta de San José
Parque Natural de
Puerto de Erjos
Los Carrizales
Cruz de Gilda
1117
Valle de Arriba
Las Montañas Negras
1409
Punta Vizcaíno
La Vica
1345
1621
Masca
TF 436
Corona Forestal
Playa de Juan López
Barranco de Masca
Santiago del Teide
Mña Bilma
1372
1560
1089
El Molledo
Playa de Masca
Las Manchas
Punta de la Higuera
El Retamar
Montaña de las Cuevitas
1809
★★★PICO
Punta de los Machos
Malpaís
884
Mña de Guama
1504
Mña de los Guirres
Mña Samara
1939
Cueva del Hielo
Arguayo
Playa de Bco Seco
Tamaimo
2234
2995
3134
Pico Viejo
★ Acantilado de Los Gigantes
TF 454
TF 375
28
★★★PARQUE
NA
Los Gigantes
Chío
Puerto de Santiago
2086
TF 38
Playa de la Arena
TF 47
Punta de Barbero
Chiguergue
Montaña del Cedro
2265
★★ Boca de Tauce
Los
Llano de
Punta Blanca
Aripe
Chirche
2055
1402
Lomo del Balo
Guía de Isora
2191
2534
TF 1
Punta de Alcalá
Alcalá
El Jaral
TF 463
Playa de Alcalá
Acojeja
16
Tejina
1047
Bco de Tejina
Playa de la Barrera
Fonsalía
Piedra Hincada
Erques
15
TF 21
Playa Rosalía
Parque Natural
Playa de San Juan
Vera de Erques
TF 465
1666
de Abana
Barranco
Tijoco Alto
Punta de la Tixera
Tijoco Bajo
Ricasa
Taucho
TF 585
TF 583
Marazul
1405
Rey

127
Islas Canarias: Tenerife
124
E
F
G
H
129
Guerra
Punta del Viento
Playa del Pris
Casa de Carta
El Pris
Caridad
Guamasa
San Lázaro
Playa del Camello
Tacoronte
Bahía de la Garañona
El Sauzal
Punta del Sauzal
Los Naranjeros
Los Rodeos
Las Lajas
AEROPUERTO TENERIFE NORTE
Punta del Puertito
Punta Pesquero Alto
Ravelo
Agua García
El Ortigal
La Esperanza (El Rosario)
Los Baldíos
San Bartolomé
Punta de Juan Blas
Punta del Sol
La Matanza de Acentejo
Punta de Barranco Hondo
La Victoria de Acentejo
La Quinta
La Resbala
Mirador Montaña Grande
Lomo Pelado
Llano del Moro
Las Rosas
Los Altos
Bajos y Tagoro
Mirador Pico de las Flores
El Tablero
Sta Úrsula
Puerto de la Cruz
Jardín de Aclimatación
El Rincón
La Vera
Farrobillo
La Corujera
Las Raíces
Machado
Tabaiba
Punta Brava
Loro Parque
Cuesta de la Villa
Mirador Ortuño
Bosque de La Esperanza
Barranco Hondo
Punta El Guindastes
El Toscal Longuera
Mirador de Humboldt
El Diablillo
Juan
Rambla
El Rosario
Playa del Socorro
San Vicente
Las Arenas
Los Gómez
Gaitero
Las Aguas
La Orotava
La Florida
Punta del Moro
Icod el Alto
La Vera
Tigaiga
Realejo Alto
Cruz Santa
La Montañeta
Hacienda Perdida
Pinolerís
Mirador Chipeque
Chipeque
Igueste
Los Realejos
La Perdoma
San Antonio
El Bebedero
Las Caletillas
Playa de las Caletillas
Araya
Las Rosas
Fuente del Bardo
Palo Blanco
El Vinático
Benijos
Chasna
Aguamansa
Las Cuevecitas
Malpaís
Candelaria
Playa de Samarines
POLÍGONO INDUSTRIAL
VALLE DE LA OROTAVA
Barranco de Ruiz
Barranco de las Gambuesas
Margarita de Piedra
Arafo
Playa de la Viuda
Playa de Lima
El Socorro
Playa de la Entrada
Montaña de la Negrita
Montaña del Limón
Puerto de Izaña
La Hidalga
Chiñico
Montaña del Alto o de Guamasa
Degollada del Cedro
El Portillo de la Villa
Observatorio Astronómico de Izaña
Izaña
Güimar
Montaña Grande
Cobre
Mirador de Don Martín
Malpaís
Punta de Güimar
El Puertito de Güimar
Las Cañadas del Teide
Parque Natural de Corona Forestal
Abreo
Chiqueros
Pájara
Playa de Arriba o las Bajas
Playa de Abajo
DEL TEIDE
Altavista
Montaña Rajada
La Medida
La Caleta
Lomo de Mena
Punta Prieta
Playa de la Caleta
Punta del Jurado
Colmenas
El Escobonal
Playa Barranco Arriba
CIONAL
DEL TEIDE
LAS CAÑADAS
Barranco de Tenazo
Barranco de Herques
El Apartadero
Playa de la Margallera
Playa de Chimaje
El Tablado
Punta del Porís
Lomo de la Gatera
El Sanatorio
La Zarza
Fasnia
Fuente Nueva
La Sombrera
Las Cañadas del Teide
Barranco de Icor
Barranco de San Joaquín
Cruz del Roque
Playa del Abrigo
Los Roques
Montaña Pasajirón
Guajara
Azulejos
El Bueno
Icor
Punta de la Canal
Punta de Honduras
Las Eras
Playa Honda
Barranco de las Carretas
La Degollada
Arico Viejo
Playa de Las Ceras
de Corona Forestal
La Sabinita
Punta del Rincón
Los Gavilanes
Arico el Nuevo
La Cancela
Punta La Ternera
Arico
La Cisnera
Porís de Abona
Playa Grande
Abona
Embalse del Río
Montaña Centinela
Punta de Abona
Vilaflor
Las Vegas
El Río
San Juan
Sanatorio de Abona

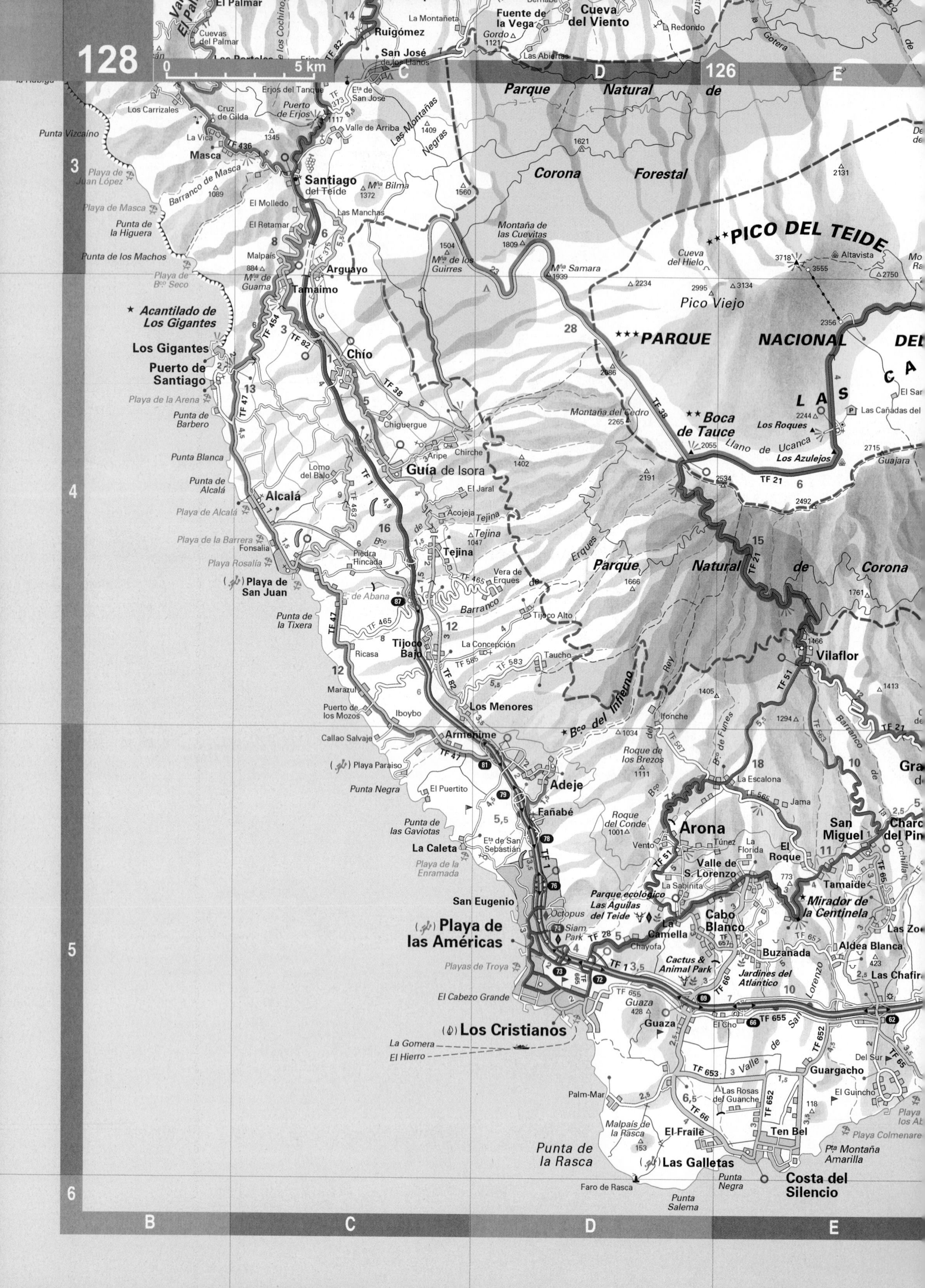

El Palmar
Cuevas del Palmar
Ruigómez
San José de los Llanos
La Montañeta
Fuente de la Vega
Cueva del Viento
Redondo
Las Abiertas
0
5 km
C
D
126
E
Parque Natural de Corona Forestal
Erjos del Tanque
Puerto de Erjos
Eta de San José
Los Carrizales
Cruz de Gilda
Punta Vizcaíno
La Vica
Masca
Valle de Arriba
Las Montañas Negras
1409
1621
1345
Playa de Juan López
Barranco de Masca
Santiago del Teide
Mña Bilma
1372
1089
1560
2131
Playa de Masca
El Molledo
Las Manchas
El Retamar
Punta de la Higuera
Punta de los Machos
Montaña de las Cuevitas
1809
1504
Mña de los Guirres
Mña Samara
1939
Malpaís
884
Mña de Guama
Arguayo
Tamaimo
Playa de Bco Seco
Cueva del Hielo
Pico Viejo
2995
3134
2234
***PICO DEL TEIDE
3718
3555
Altavista
2750
2356
★ Acantilado de Los Gigantes
Los Gigantes
Puerto de Santiago
Chío
TF 82
TF 454
TF 38
TF 47
28
***PARQUE NACIONAL DEL
LAS CA
2086
Playa de la Arena
Punta de Barbero
Chiguergue
Montaña del Cedro
2265
★★ Boca de Tauce
Los Roques
2244
Las Cañadas del
Llano de Ucanca
Los Azulejos
2715
Guajara
2055
Aripe
Chirche
Punta Blanca
Lomo del Balo
Guía de Isora
El Jaral
1402
2191
2534
TF 21
2492
Punta de Alcalá
Alcalá
Playa de Alcalá
Acojeja
Tejina
1047
Tejina
Playa de la Barrera
Fonsalia
Playa Rosalía
Piedra Hincada
Erques
Parque Natural de Corona
Vera de Erques
1666
1761
Playa de San Juan
E. de Abana
Barranco
Tijoco Alto
Punta de la Tixera
TF 465
Tijoco Bajo
La Concepción
Taucho
1466
Vilaflor
Ricasa
TF 585
TF 583
Marazul
Puerto de los Mozos
Iboybo
Los Menores
1405
1413
Bco del Infierno
Ifonche
TF 51
1294
Callao Salvaje
Armeñime
1034
Roque de los Brezos
1111
La Escalona
Playa Paraíso
Adeje
Punta Negra
El Puertito
Fañabé
Roque del Conde
1001
Jama
Arona
San Miguel
Charco del Pino
Punta de las Gaviotas
La Caleta
Eta de San Sebastián
Vento
Túnez
La Florida
El Roque
Valle de S. Lorenzo
Playa de la Enramada
La Sabinita
773
Tamaide
San Eugenio
Parque ecológico Las Aguilas del Teide
Cabo Blanco
Mirador de la Centinela
Octopus
Siam Park
La Camella
Chayofa
Buzanada
Aldea Blanca
Playa de las Américas
Playas de Troya
Cactus & Animal Park
Jardines del Atlántico
423
Las Chafiras
El Cabezo Grande
TF 655
Guaza
428
Guaza
El Cho
Los Cristianos
La Gomera
El Hierro
Del Sur
Guargacho
TF 653
Valle de San Lorenzo
Palm-Mar
Las Rosas del Guanche
El Guincho
118
Malpaís de la Rasca
153
El Fraile
Ten Bel
Playa Colmenares
Pta Montaña Amarilla
Punta de la Rasca
Las Galletas
Faro de Rasca
Punta Negra
Costa del Silencio
Punta Salema
3
4
5
6
B
C
D
E

VALLE DE
Margarita de Piedra
Montaña de
127
Montaña de la Negrita
Puerto de Izaña
Barranco de las Gambuesas
Arafo
Malpaís
Playa de Samarines
POLIGONO INDUSTRIAL
Playa de la Viuda
Playa de Lima
Playa de la Entrada
Chiñico
Barranco
Güimar
Montaña Grande
Observatorio Astronómico de Izaña
Montaña del Alto o de Guamasa
Izaña
El Portillo de la Villa
Las Cañadas del Teide
Cobre
Mirador de Don Martín
Malpaís
Punta de Güimar
El Puertito de Güimar
Parque
Natural
de
Abreo
Chiqueros
Corona
Forestal
Pájara
Playa de Arriba o las Bajas
Playa de Abajo
La Medida
La Caleta
Punta Prieta
Playa de la Caleta
Punta del Jurado
Lomo de Mena
El Escobonal
Playa Barranco Arriba
Playa de la Margallera
Playa de Chimaje
El Tablado
Punta del Porís
Colmenas
CAÑADAS
TEIDE
Barranco de Tenazo
Barranco de Herques
El Apartadero
La Zarza
Fasnia
Fuente Nueva
La Sombrera
Cruz del Roque
Barranco de San Joaquín
Playa del Abrigo
Los Roques
Lomo de la Gatera
Montaña Pasajirón
Barranco de Icor
Punta de la Canal
El Bueno
Icor
Punta de Honduras
Las Eras
Barranco de las Carretas
Playa Honda
Playa de Las Ceras
La Degollada
Arico Viejo
Punta del Rincón
Forestal
La Sabinita
Los Gavilanes
Arico el Nuevo
La Cancela
Punta La Ternera
Arico
La Cisnera
Porís de Abona
Playa Grande
Embalse del Río
Montaña Centinela
Abona
Punta de Abona
Sanatorio de Abona
Las Vegas
El Río
San Juan
Abades
Playa de los Abrigos
Bco. de Viljgua
Punta de Abades
La Cantera
Chimiche
Granadilla de Abona
Los Cuervos
Los Blanquitos
Bco. del Río
La Jaca
Playa de la Jaca
Pegueras
El Draguito
El Desierto
Punta del Sordo
Barranco las Monjas
Las Palomas
Los Quemados
San Miguel de Tajao
El Salto
Cueva Honda
Playa del Río
Montaña de Ifara
POLIGONO INDUSTRIAL DE GRANADILLA
Playa Los Tarajales
Playa del Tambor
Yaco
Bco. de Callao
Punta del Camello
San Isidro
Chuchurumbache
Las Montañas
Playa del Medio
El Guirre
Playa del Vidrio
Punta del Tanque del Vidrio
Punta de los Mejillones
AEROPUERTO TENERIFE SUR REINA SOFÍA
El Médano
Playa del Médano
La Tejita
Los Abrigos
La Mareta
Mña Roja
Punta del Bocinegro
Punta de los Abrigos
Playa de la Tejita
Punta Roja
F
G
H
I
3
4
5
6

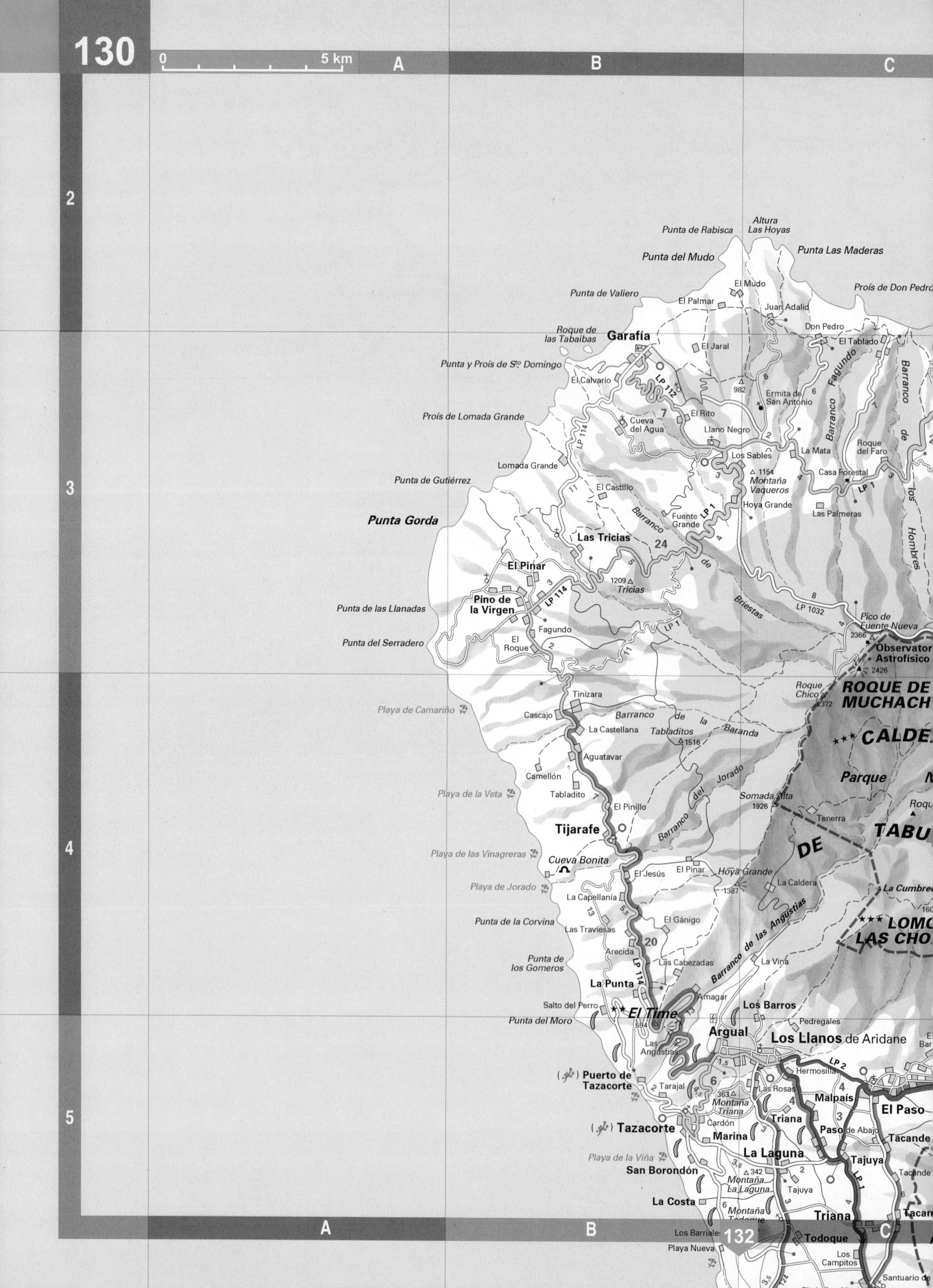
130
0
5 km
A
B
C
2
3
4
5
Punta de Rabisca
Altura Las Hoyas
Punta Las Maderas
Punta del Mudo
El Mudo
Punta de Valiero
El Palmar
Juan Adalid
Prois de Don Pedro
Don Pedro
El Tablado
Roque de las Tabaibas
Garafía
El Jaral
Punta y Prois de Sto Domingo
LP 112
El Calvario
982
Ermita de San Antonio
Barranco Fagundo
Barranco
Prois de Lomada Grande
Cueva del Agua
El Rito
Llano Negro
LP 114
Roque del Faro
La Mata
Los Sables
Lomada Grande
1154
Montaña Vaqueros
Casa Forestal
Punta de Gutiérrez
El Castillo
Hoya Grande
LP 1
Las Palmeras
Barranco de los Hombres
Punta Gorda
Fuente Grande
Las Tricias
24
El Pinar
1209
Tricias
de Briestas
Punta de las Llanadas
Pino de la Virgen
LP 1032
Pico de Fuente Nueva
2366
Fagundo
Punta del Serradero
El Roque
Observatorio Astrofísico
2426
Tinizara
Roque Chico
2372
ROQUE DE LOS MUCHACHOS
Playa de Camariño
Cascajo
Barranco de la Baranda
La Castellana
Tabladitos
1516
CALDERA
Aguatavar
Parque
Camellón
Barranco del Jorado
Playa de la Veta
Tabladito
Somada Alta
1926
El Pinillo
Tenerra
TABURIENTE
Tijarafe
DE
Playa de las Vinagreras
Cueva Bonita
El Jesús
El Pinar
Hoya Grande
1387
La Caldera
Playa de Jorado
La Capellanía
La Cumbrecita
El Gánigo
Punta de la Corvina
Las Traviesas
LOMO DE LAS CHOZAS
Arecida
20
Barranco de las Angustias
Punta de los Gomeros
Las Cabezadas
La Viña
La Punta
Amagar
Los Barros
Salto del Perro
El Time
Pedregales
Punta del Moro
594
Argual
Los Llanos de Aridane
Las Angustias
Hermosilla
LP 2
Puerto de Tazacorte
Tarajal
6
363
Montaña Triana
Las Rosas
Malpaís
El Paso
Triana
Cardón
Paso de Abajo
Tazacorte
Marina
Tacande
La Laguna
Tajuya
Playa de la Viña
San Borondón
342
Montaña La Laguna
Tajuya
La Costa
Montaña Todoque
Triana
Los Barriales
132
Todoque
Playa Nueva
Los Campitos
LP 124
Santuario de
Ermita de San Nicolás
San Nicolás

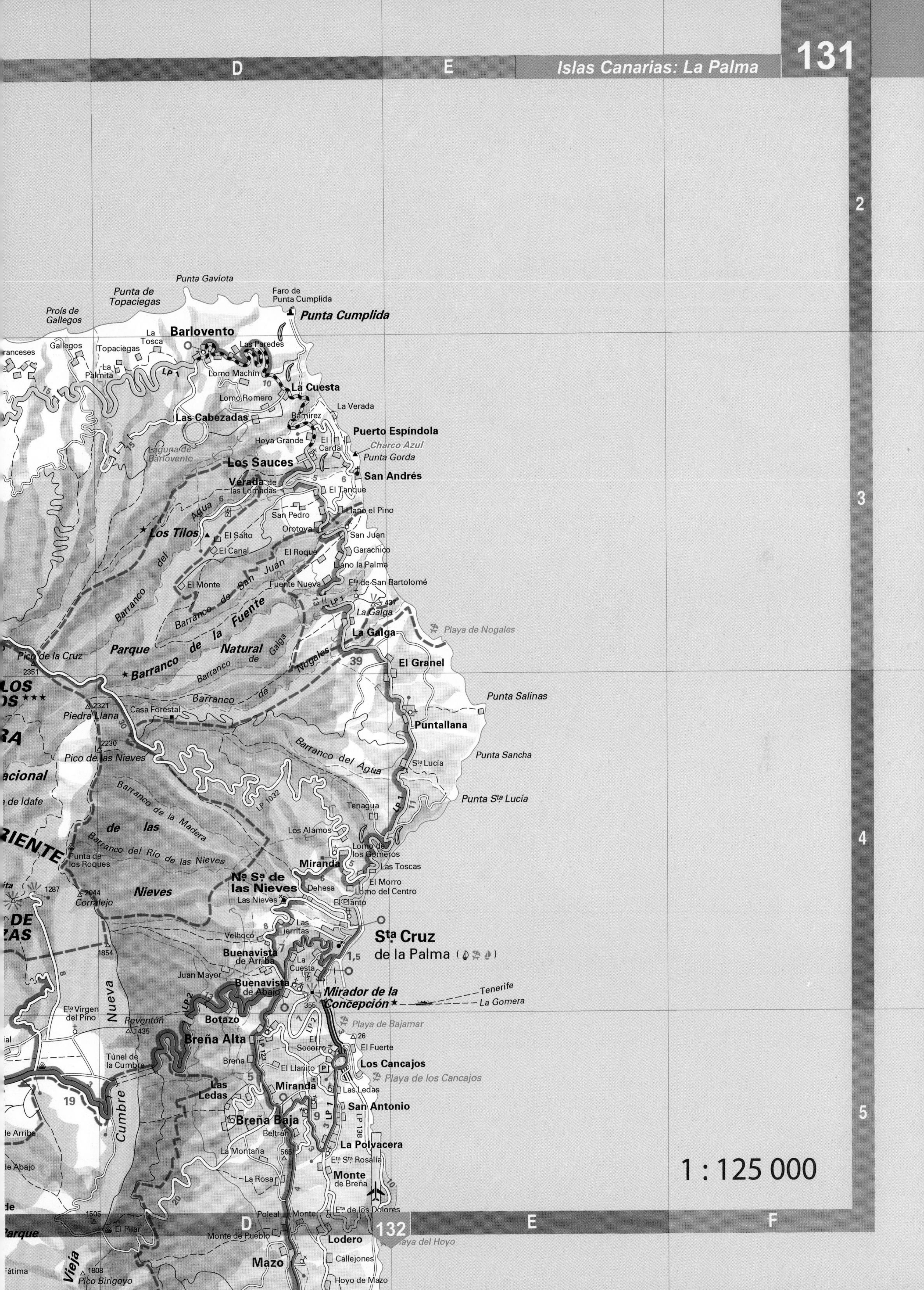
D
E
F
2
3
4
5
Punta Gaviota
Punta de Topaciegas
Faro de Punta Cumplida
Punta Cumplida
Proís de Gallegos
Barlovento
La Tosca
Gallegos
Topaciegas
Las Paredes
La Palmita
Lomo Machín
La Cuesta
Lomo Romero
La Verada
Las Cabezadas
Ramírez
Puerto Espíndola
Hoya Grande
El Cardal
Charco Azul
Punta Gorda
Laguna de Barlovento
Los Sauces
San Andrés
Verada de las Lomadas
El Tanque
Llano el Pino
San Pedro
Los Tilos
Orotova
San Juan
El Salto
Garachico
El Canal
El Roque
Llano la Palma
El Monte
Fuente Nueva
Eta de San Bartolomé
Barranco del Agua
Barranco de San Juan
Barranco de la Fuente
La Galga
Playa de Nogales
Parque Natural
Barranco de Galga
Pico de la Cruz
2351
Barranco de Nogales
El Granel
Punta Salinas
Piedra Llana
Casa Forestal
Puntallana
Pico de las Nieves
Barranco del Agua
Punta Sancha
Sta Lucía
Punta Sta Lucía
Barranco de la Madera
Tenagua
de las Nieves
Barranco del Río de las Nieves
Los Álamos
Lomo de los Gomeros
Punta de los Roques
Miranda
Las Toscas
Ns Ss de las Nieves
El Morro
Dehesa
Lomo del Centro
Corralejo
Las Nieves
El Planto
Las Tierritas
Sta Cruz de la Palma
Velhoco
Buenavista de Arriba
1854
La Cuesta
Juan Mayor
Buenavista de Abajo
Mirador de la Concepción
Tenerife
La Gomera
Eta Virgen del Pino
Nueva
Reventón
1435
Botazo
Playa de Bajamar
Breña Alta
El Fuerte
El Socorro
Túnel de la Cumbre
Breña
El Llanito
Los Cancajos
Playa de los Cancajos
Las Ledas
Miranda
Las Ledas
Cumbre
San Antonio
Breña Baja
Beltrán
La Polvacera
La Montaña
Eta Sta Rosalía
La Rosa
Monte de Breña
1505
Poleal
Monte
Eta de los Dolores
El Pilar
Monte de Pueblo
Lodero
132
Playa del Hoyo
Callejones
Mazo
Vieja
Fátima
1808
Pico Birigoyo
Hoyo de Mazo
LP 1
LP 2
LP 1032
LP 123
LP 138
1 : 125 000

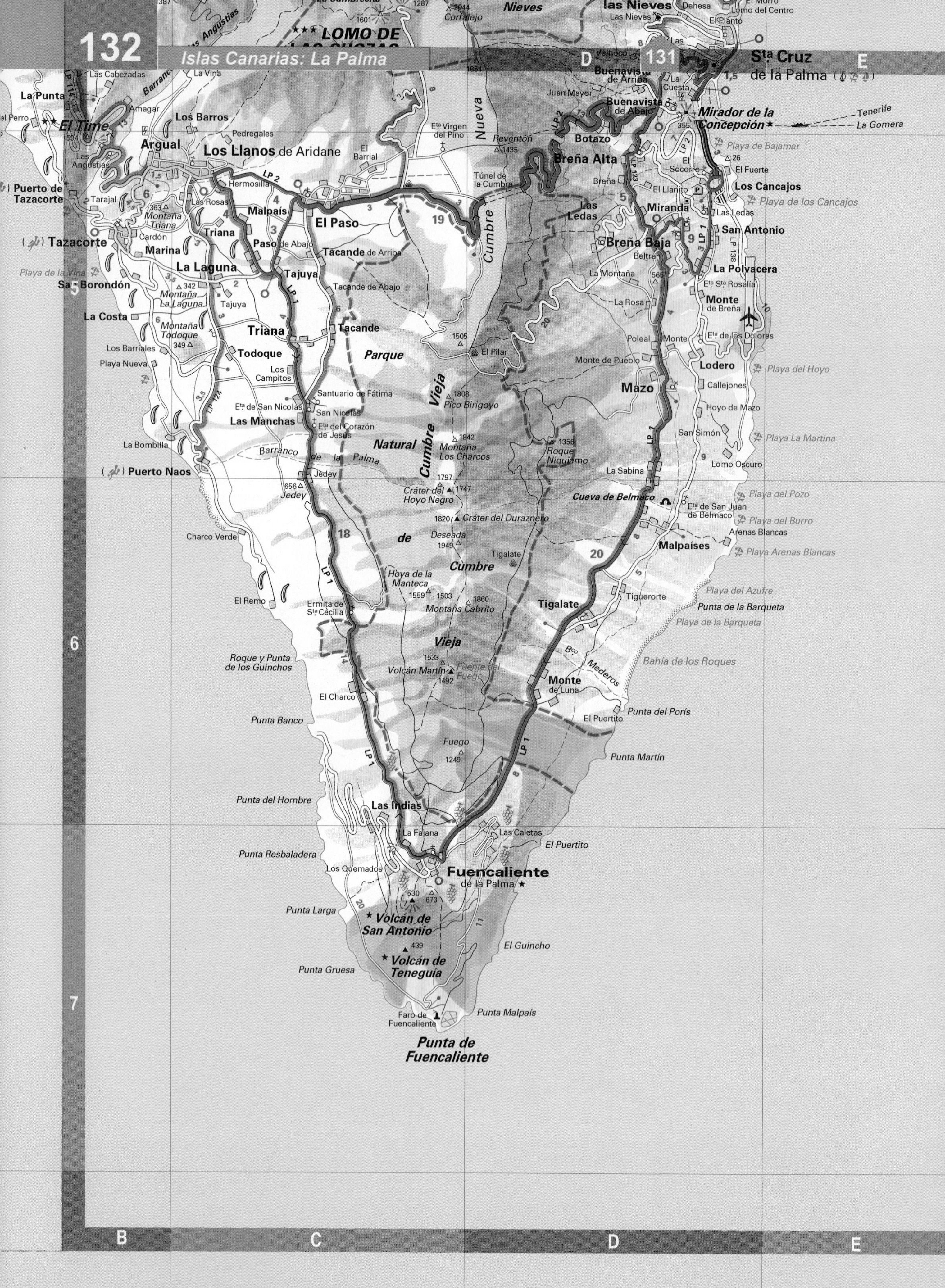

LOMO DE LAS CUCHAS
La Cumbrecita
Nieves
Nª Sª de las Nieves
Sta Cruz de la Palma
131
Mirador de la Concepción
Tenerife
La Gomera
El Time
La Punta
Argual
Los Llanos de Aridane
Los Barros
Puerto de Tazacorte
Tazacorte
El Paso
Malpaís
Triana
Marina
La Laguna
Tajuya
Tacande
Todoque
Las Manchas
Puerto Naos
Breña Alta
Breña Baja
Los Cancajos
San Antonio
La Polvacera
Mazo
Parque Natural de Cumbre Vieja
Cumbre Nueva
Cumbre Vieja
Jedey
Malpaíses
Tigalate
Monte de Luna
Las Indias
Fuencaliente de la Palma
Volcán de San Antonio
Volcán de Teneguía
Punta de Fuencaliente
Faro de Fuencaliente
Punta Malpaís
El Guincho
Punta Gruesa
Punta Larga
Punta Resbaladera
Punta del Hombre
Punta Banco
Roque y Punta de los Guinchos
El Remo
Charco Verde
Bahía de los Roques
Punta Martín
Punta del Porís
Cueva de Belmaco
B
C
D
E
5
6
7

Número de página / Numero da página/ Numéro de page / Page number / Seitenzahl / Paginanummer

Localidad / Localidade / Localité / Place Ort / Plaatsen / Località → Abelgas *LE*..........................15 D 12 ← Coordenadas en los mapas / Referência da quadrícula / Coordonnées de carroyage / Grid coordinates Koordinatenangabe / Verwijstekens ruitsysteem

Provincias / Distritos

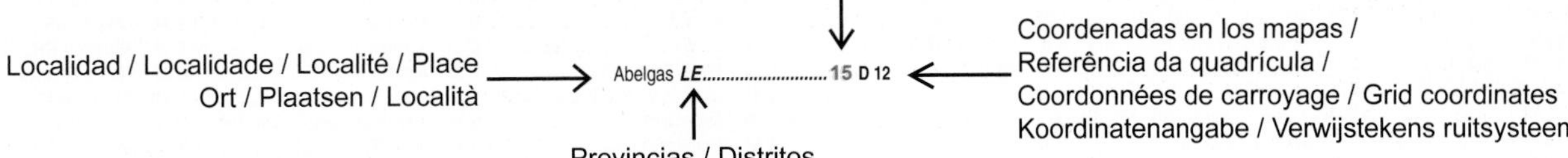

## España: Comunidades autónomas & Provincias

**Andalucía**
- *AL* ........ Almería
- *CA* ........ Cádiz
- *CO* ........ Córdoba
- *GR* ........ Granada
- *H* ........ Huelva
- *J* ........ Jaén
- *MA* ........ Málaga
- *SE* ........ Sevilla

**Aragón**
- *HU* ........ Huesca
- *TE* ........ Teruel
- *Z* ........ Zaragoza

**Canarias**
- *GC* ........ Las Palmas
- *TF* ..... Santa Cruz de Tenerife

**Cantabria**
- *S* ...... Cantabria (Santander)

**Castilla y León**
- *AV* ........ Ávila
- *BU* ........ Burgos
- *LE* ........ León
- *P* ........ Palencia
- *SA* ........ Salamanca
- *SG* ........ Segovia
- *SO* ........ Soria
- *VA* ........ Valladolid
- *ZA* ........ Zamora

**Castilla-La Mancha**
- *AB* ........ Albacete
- *CR* ........ Ciudad Real
- *CU* ........ Cuenca
- *GU* ........ Guadalajara
- *TO* ........ Toledo

**Cataluña**
- *B* ........ Barcelona
- *GI* ........ Girona
- *L* ........ Lleida
- *T* ........ Tarragona

**Comunidad Foral de Navarra**
- *NA* ....... Navarra (Pamplona)

**Comunidad Valenciana**
- *A* ........ Alacant / Alicante
- *CS* ........ Castelló / Castellón
- *V* ........ Valencia

**Comunidad de Madrid**
- *M* ........ Madrid

**Extremadura**
- *BA* ........ Badajoz
- *CC* ........ Cáceres

**Galicia**
- *C* ........ A Coruña
- *LU* ........ Lugo
- *OU* ........ Ourense
- *PO* ........ Pontevedra

**Illes Balears**
- *IB* ........ Balears (Palma de Mallorca)

**La Rioja**
- *LO* ........ La Rioja (Logroño)

**País Vasco**
- *SS* ........ Guipúzcoa (Donostia-San Sebastián)
- *BI* ........ Vizcaya (Bilbao)
- *VI* ..... Álava (Vitoria-Gasteiz)

**Principado de Asturias**
- *O* ........ Asturias (Oviedo)

**Región de Murcia**
- *MU* ........ Murcia

**Ceuta**

**Melilla**

## Portugal: Distritos

- *01* ........ Aveiro
- *02* ........ Beja
- *03* ........ Braga
- *04* ........ Bragança
- *05* ........ Castelo Branco
- *06* ........ Coimbra
- *07* ........ Évora
- *08* ........ Faro
- *09* ........ Guarda
- *10* ........ Leiria
- *11* ........ Lisboa
- *12* ........ Portalegre
- *13* ........ Porto
- *14* ........ Santarém
- *15* ........ Setúbal
- *16* ........ Viana do Castelo
- *17* ........ Vila Real
- *18* ........ Viseu
- *20* ........ Açores
- *31* ........ Ilha da Madeira
- *32* ........ Ilha de Porto Santo

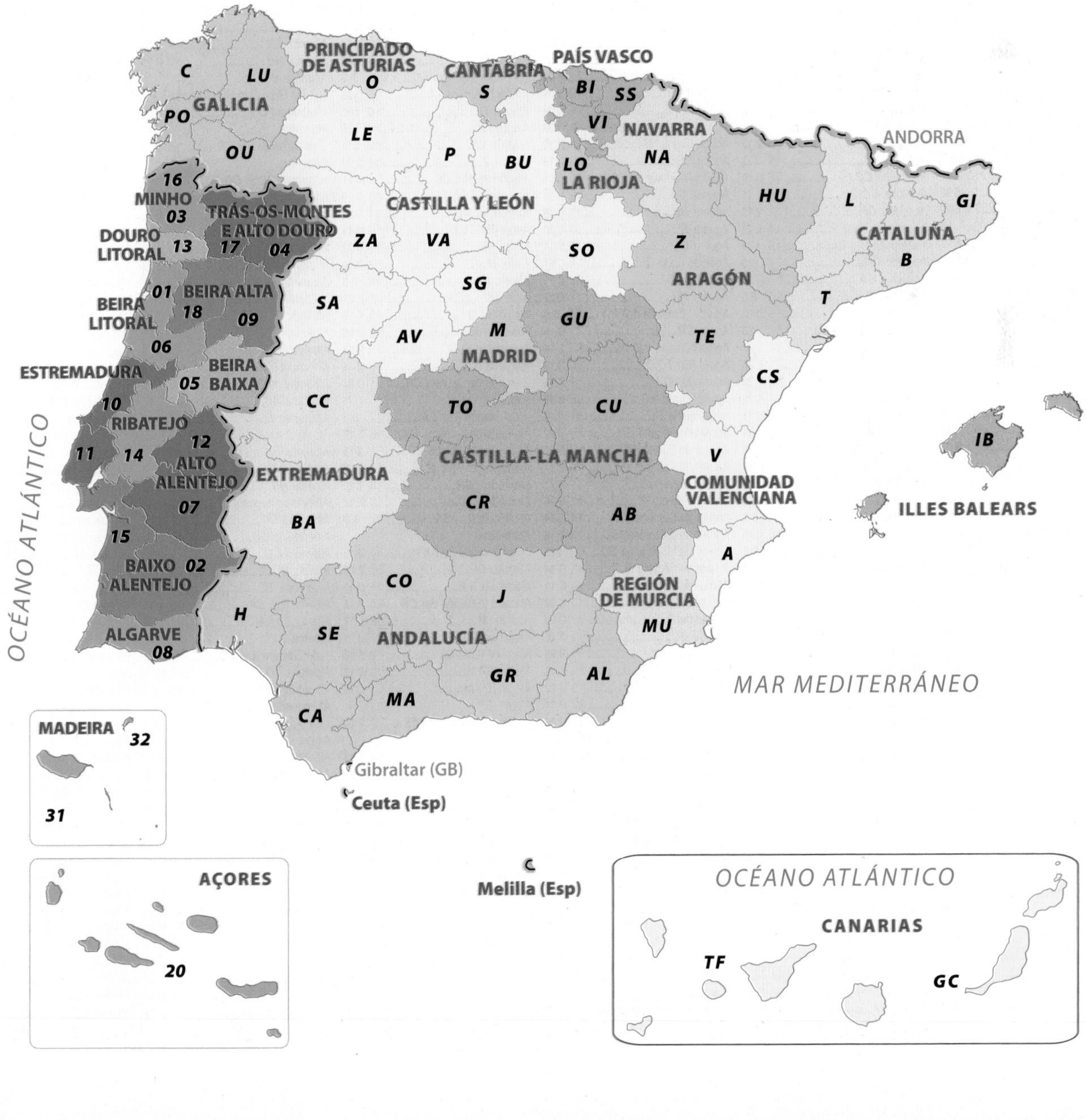

PRINCIPADO DE ASTURIAS
CANTABRIA
PAÍS VASCO
GALICIA
NAVARRA
ANDORRA
LA RIOJA
CASTILLA Y LEÓN
CATALUÑA
ARAGÓN
MADRID
CASTILLA-LA MANCHA
COMUNIDAD VALENCIANA
ILLES BALEARS
EXTREMADURA
REGIÓN DE MURCIA
ANDALUCÍA
MINHO
TRÁS-OS-MONTES E ALTO DOURO
DOURO LITORAL
BEIRA ALTA
BEIRA LITORAL
BEIRA BAIXA
ESTREMADURA
RIBATEJO
ALTO ALENTEJO
BAIXO ALENTEJO
ALGARVE
OCÉANO ATLÁNTICO
MAR MEDITERRÁNEO
Gibraltar (GB)
Ceuta (Esp)
Melilla (Esp)
MADEIRA
AÇORES
CANARIAS

## ANDORRA


Andorra la Vella AND 23 E 34
Arinsal AND 23 E 34
Cabanette (Pic de la) AND 23 E 35
Cabris (Collado de) AND 23 E 34
Canillo AND 23 E 34
Certers AND 23 E 34
Comapedrosa (Alt de) AND 23 E 34
Cortinada (La) AND 23 E 34
Encamp AND 23 E 34
Envalira (Port d') AND 23 E 35
Erts AND 23 E 34
Escaldes Engordany AND 23 E 34
Estanyó (Pic de l') AND 23 E 34
Fontaneda AND 23 E 34
Griu (Alt del) AND 23 E 34
Juberri AND 23 E 34
Llorts AND 23 E 34
Massana (La) AND 23 E 34
Monturull (Pic de) AND 23 E 34
Ordino AND 23 E 34
Pal AND 23 E 34
Pas de la Casa AND 23 E 35
Pessons (Pic dels) AND 23 E 34
Port (Pic du) AND 23 E 34
Ransol AND 23 E 34
Rat (Port de) AND 23 E 34
Sant Julià de Lòria AND 23 E 34
Santa Coloma AND 23 E 34
Serrat (El) AND 23 E 34
Soldeu AND 23 E 35
Valira d'Orient AND 23 E 34


## ESPAÑA

### A


Ababuj TE 49 K 27
Abad C 3 B 6
Abades SG 45 J 17
Abadía CC 56 L 12
Abadía de Lebanza P 17 D 16
Abadín LU 4 B 7
Abadiño BI 10 C 22
Abáigar NA 19 E 23
Abajas BU 18 E 19
Abalario (El) H 91 U 9
Abalos LO 19 E 21
Abaltzisketa SS 10 C 23
Abánades GU 47 J 22
Abanco SO 32 H 21
Abaniella O 5 C 10
Abanilla MU 85 R 26
Abanillas S 7 B 16
Abano LE 15 E 11
Abanqueiro C 12 E 3
Abanto Z 48 I 24
Abarán MU 85 R 25
Abarca P 30 F 15
Abárzuza NA 19 D 23
Abastas P 16 F 15
Abaurrea Alta / Abaurregaina NA 11 D 26
Abaurrea Baja / Abaurrepea NA 11 D 26
Abaurregaina / Abaurrea Alta NA 11 D 26
Abaurrepea / Abaurrea Baja NA 11 D 26
Abay HU 21 E 28
Abdet (L') A 74 P 29
Abegondo C 3 C 5
Abejar SO 33 G 21
Abejas (Puerto de las) MA 100 V 15
Abejera ZA 29 G 11
Abejuela TE 61 M 27
Abejuela AL 96 T 24
Abejuela (La) AB 84 Q 23
Abelgas LE 15 D 12
Abella HU 22 E 31
Abellá C 3 C 5
Abella de la Conca L 23 F 33
Abellada HU 21 E 29
Abelleira C 12 D 2
Abelón ZA 29 H 11
Abena HU 21 E 28
Abenfigo TE 49 J 29
Abengibre AB 73 O 25
Abenilla HU 21 E 29
Abenójar CR 69 P 16
Abenuz AB 72 Q 24
Aberásturi VI 19 D 22
Abertura CC 68 O 12
Abezames ZA 30 H 13
Abezia VI 18 D 21
Abia de la Obispalía CU 60 L 22
Abia de las Torres P 17 E 16
Abiada S 7 C 17
Abiego HU 21 F 29
Abiertas (Las) *Tenerife* TF 126 D 3
Abínzano NA 20 E 25
Abionzo S 7 C 18
Abizanda HU 22 F 30
Abla AL 95 U 21
Ablanque GU 47 J 23
Ablaña O 5 C 12
Ablitas NA 34 G 25
Abona (Punta de) *Tenerife* TF 129 G 4
Abreo *Tenerife* TF 127 F 3
Abrera B 38 H 35
Abrigos TE 48 K 25
Abrigos (Los) *Tenerife* TF 129 E 5
Abril (Collado de) A 85 Q 27
Abrucena AL 95 U 21
Abuime LU 13 E 7
Abulagoso CR 81 Q 17
Abusejo SA 43 J 11
Abuzaderas AB 72 P 24
Acaderas BA 69 O 15
Acebeda (La) M 46 I 19
Acebedo LE 6 C 14
Acebes LE 15 E 12
Acebo LE 15 E 10
Acebo CC 55 L 9
Acebo (Alto de) O 4 C 9
Acebrón (El) CU 59 M 21
Acebrón (El) H 91 U 10
Acebuchal (El) J 82 R 19
Acebuchal (El) SE 80 T 13
Acebuche BA 80 Q 13
Acebuche H 91 U 10
Acebuche (El) H 91 U 10
Acebuche (El) SE 92 U 14
Acebuche (Puerto) SE 79 T 11
Acebuche (Punta) CA 99 X 13
Aceca TO 58 M 18
Acedera BA 68 O 13
Acedo NA 19 D 23
Acehúche CC 55 M 10
Aceituna CC 55 L 11
Acequias GR 101 V 19
Acera de la Vega P 16 E 15
Acered Z 48 I 25
Aceredo OR 27 G 5
Aceuchal BA 67 Q 10
Acibeiro PO 13 E 5
Acilu VI 19 D 22
Acosta (Salinas de) AL 103 V 23
Ácula GR 94 U 18
Acumuer HU 21 E 28
Adahuesca HU 22 F 29
Adaja AV 44 K 15
Adal Treto S 8 B 19
Adalia VA 30 H 14
Adalid (El) CO 81 S 16
Adamuz CO 81 R 16
Adanero AV 45 J 16
Adarra SS 10 C 24
Aday LU 4 D 7
Addaia IB 106 L 42
Adeje *Tenerife* TF 128 D 5
Adelán LU 4 B 7
Adelantado (Parador El) J 83 S 21
Ademuz V 61 L 26
Adi NA 11 C 25
Adina PO 12 E 3
Adino S 8 B 19
Adiós NA 11 D 24
Adoáin NA 11 D 26
Adobes GU 48 J 24
Adra AL 102 V 20
Adrada (La) AV 57 L 16
Adrada de Haza BU 31 H 18
Adrada de Pirón SG 45 I 17
Adradas SO 33 H 22
Adrados SG 31 H 17
Adrados LE 16 D 14
Adrados de Ordás LE 15 D 12
Adrall L 23 F 34
Adriano SE 91 U 12
Adsubia A 74 P 29
Aduanas A 75 P 30
Aduna SS 10 C 23
Agaete *Gran Canaria* GC 114 C 2
Agaete (Valle de) *Gran Canaria* GC 114 C 2
Agalla (Sierra) BA 68 P 12
Agallas SA 43 K 10
Agaró (S') GI 39 G 39
Àger L 22 F 32
Aginaga SS 10 C 23
Agoitz / Aoiz NA 11 D 25
Agolada PO 13 D 5
Agón Z 34 G 25
Agoncillo LO 19 E 23
Agost A 86 Q 28
Agra AB 84 Q 24
Agramaderos (Los) J 94 T 18
Agramón AB 84 Q 25
Agramunt L 37 G 33
Agraviados (Los) CA 99 W 12
Ágreda SO 34 G 24
Agres A 74 P 28
Agrio SE 91 T 11
Agrio (Embalse de) SE 91 T 11
Agrón GR 94 U 18
Agua (Cabo de) MU 97 T 27
Agua (Cueva del) J 83 S 20
Agua Amarga AL 103 V 24
Agua García *Tenerife* TF 124 H 2
Aguacil (Puerto del) CA 99 V 13
Aguada Salada AB 84 Q 23
Aguadulce AL 103 V 22
Aguadulce SE 93 U 15
Aguafría H 79 S 9
Agualada C 2 C 3
Aguamansa *Tenerife* TF 127 G 3
Aguarón Z 34 H 26
Aguarón (Puerto de) Z 34 I 25
Aguas HU 21 F 29
Aguas (Las) *Tenerife* TF 127 E 3
Aguas Cándidas BU 18 D 19
Aguas Vivas (Río) Z 49 I 27
Aguasal VA 31 I 16
Aguasantas *cerca de Ponte-Caldelas* PO 13 E 4
Aguasantas *cerca de Rois* C 12 D 3
Aguasmestas O 5 C 11
Aguasnuevas AB 72 P 24
Aguatón TE 48 J 26
Aguaviva TE 49 J 29
Aguaviva de la Vega SO 33 I 22
Aguda (Sierra) BA 79 R 10
Agudo CR 69 P 15
Agudo *Fuerteventura* GC 113 H 3
Águeda SA 42 K 10
Agüera BU 8 C 19
Agüera S 8 C 20
Agüera O 5 B 11
Agüeras (Las) O 5 C 11
Agüerina O 5 C 11
Agüero HU 21 E 27
Aguijón (Embalse del) BA 67 Q 9
Águila CR 71 Q 19
Águila (Cuevas del) AV 57 L 14
Águila (El) TO 70 N 19
Águila (El) CO 81 R 15
Águila (Punta del) S 8 B 19
Aguilafuente SG 31 I 17
Aguilar de Anguita GU 47 I 22
Aguilar de Bureba BU 18 E 20
Aguilar de Campóo P 17 D 17
Aguilar de Campóo (Embalse de) P 17 D 16
Aguilar de Campos VA 30 G 14
Aguilar de la Frontera CO 93 T 16
Aguilar de Montuenga SO 47 I 23
Aguilar de Segarra B 37 G 34
Aguilar de Tera ZA 29 G 12
Aguilar del Alfambra TE 49 K 27
Aguilar del Río Alhama LO 33 G 24
Águilas MU 97 T 25
Águilas (Las) MU 85 S 25
Aguilera (La) BU 32 G 18
Aguillo BU 19 D 22
Aguiló T 37 H 34
Aguilón Z 34 I 26
Agüimes *Gran Canaria* GC 117 F 3
Aguinaliu HU 22 F 31
Aguiño C 12 E 2
Agullana GI 25 E 38
Agullent V 74 P 28
Agulo *La Gomera* TF 119 C 1
Agurain / Salvatierra VI 19 D 22
Agustín LU 4 D 8
Agustín V 62 M 27
Aguzadera MA 99 W 14
Aguzadera (Castillo) SE 92 U 13
Ahedo de la Sierra BU 32 F 19
Ahedo de las Pueblas BU 7 C 18
Ahedo de Linares BU 18 C 19
Ahedo del Butrón BU 18 D 18
Ahigal CC 55 L 11
Ahigal de los Aceiteros SA 42 J 9
Ahigal de Villarino SA 43 I 10
Ahillas V 61 M 27
Ahillones BA 80 R 12
Aia SS 19 D 23
Aia SS 10 C 23
Aibar / Oibar NA 20 E 25
Aielo de Malferit V 74 P 28
Aiguablava GI 39 G 39
Aiguablava GI 25 G 39
Aiguafreda B 38 G 36
Aiguafreda GI 25 G 39
Aiguamolls de l'Empordà (Parc natural dels) GI 25 F 39
Aiguamúrcia T 37 I 34
Aiguaviva GI 25 G 38
Aiguaviva T 37 H 34
Aigües de Busot A 74 Q 28
Aigües Vives (Santa María d') V 74 O 28
Aigüestortes i Estany de Sant Maurici (Parc nacional d') L 23 E 32
Aín CS 62 M 28
Ainet de Besan L 23 E 33
Ainsa HU 22 E 30
Aintzioa NA 11 D 25
Ainzón Z 34 G 25
Aire (Puerto del) CO 81 R 15
Aisa HU 21 D 28
Aisa (Sierra de) HU 21 D 28
Aisl C 3 B 5
Aitona L 36 H 31
Aizarna SS 10 C 23
Aizarnazabal SS 10 C 23
Aja S 8 C 19
Ajalvir M 46 K 19
Ajamil LO 19 F 22
Ajangiz BI 10 C 22
Ajo S 8 B 19
Ajo (Cabo de) S 8 B 19
Ajo (El) AV 44 J 14
Ajofrín TO 58 M 18
Ajuy *Fuerteventura* GC 110 F 3
Alacant / Alicante A 86 Q 28
Alacón TE 49 I 27
Aladrén Z 34 I 26
Alaejos VA 30 I 14
Alagón Z 34 G 26
Alagón del Río CC 55 M 11
Alagones (Los) TE 49 J 29
Alagüeces MU 84 S 24
Alaior IB 106 M 42
Alaiza VI 19 D 22
Alájar H 79 S 10
Alajeró *La Gomera* TF 118 D 3
Alaló SO 32 H 21
Alalpardo M 46 K 19
Alameda MA 93 U 16
Alameda (La) SO 33 H 23
Alameda (La) CR 70 Q 18
Alameda de Cervera CR 71 O 20
Alameda de Gardón (La) SA 42 K 9
Alameda de la Sagra TO 58 L 18
Alameda del Obispo CO 81 S 15
Alameda del Valle M 45 J 18
Alamedilla GR 95 T 20
Alamedilla TO 58 M 17
Alamedilla (La) SA 42 K 9
Alamedilla del Berrocal (La) AV 44 J 15
Alamillo CR 69 P 15
Alamillo (El) H 91 U 10
Alamillo (Estación de) CR 69 P 15
Alamín M 58 L 17
Alaminos GU 47 J 21
Alamitos (Los) SE 80 S 13
Álamo CA 99 W 12
Álamo (El) M 58 L 18
Álamo (El) *cerca de El Madroño* SE 79 T 10
Álamo (El) *cerca de Lora del Río* SE 80 T 13
Álamos (Los) AL 96 T 23
Alamús (Els) L 36 H 32
Alandre BA 69 O 14
Alange BA 67 P 11
Alanís SE 80 R 12
Alanís (Estación de) SE 80 S 12
Alar del Rey P 17 E 17
Alaraz SA 44 J 14
Alarba Z 48 I 25
Alarcia BU 18 F 20
Alarcón CU 60 N 23
Alarcón (Embalse de) CU 60 N 23
Alarcones J 82 R 18
Alares (Los) TO 57 N 15
Alarilla GU 46 J 20
Alarilla M 59 L 20
Alaró IB 104 M 38
Alàs i Cerc L 23 E 34
Alastuey HU 20 E 26
Alatoz AB 73 O 25
Álava *Provincia* O 19 D 21
Alazores (Puerto de los) GR 93 U 17
Alba TE 48 K 25
Albá *cerca de Palas de Rei* LU 13 D 6
Alba *cerca de Villalba* LU 3 C 6
Alba de Cerrato P 31 G 16
Alba de los Cardaños P 17 D 15
Alba de Tormes SA 44 J 13
Alba de Yeltes SA 43 J 11
Albacete AB 72 P 24
Albagès (L') L 36 H 32
Albaicín MA 93 U 16
Albaida V 74 P 28
Albaida (Port d') A 74 P 28
Albaida del Aljarafe SE 91 T 11
Albaina BU 19 D 22
Albal V 74 N 28
Albalá CC 67 O 11
Albaladejito CU 60 L 23
Albaladejo CR 71 Q 21
Albaladejo del Cuende CU 60 M 23
Albalat de la Ribera V 74 O 28
Albalate de Cinca HU 36 G 30
Albalate de las Nogueras CU 47 K 23
Albalate de Zorita GU 59 L 21
Albalate del Arzobispo TE 49 I 28
Albalatillo HU 35 G 29
Albánchez AL 96 U 23
Albanchez de Mágina J 82 S 19
Albanyà GI 24 F 38
Albarca T 37 I 32
Albarda AB 72 Q 23
Albarda MU 85 R 26
Albarderos (Los) *Gran Canaria* GC 115 F 1
Albarellos PO 13 E 5
Albarellos *cerca de Beariz* OR 13 E 5
Albarellos *cerca de Verín* OR 28 G 7
Albarellos (Embalse de) OR 13 E 5
Albares GU 59 L 20
Albares de la Ribera LE 15 E 10
Albaricoques (Los) AL 103 V 23
Albarín HU 21 E 28
Albariño (Parador del) *Cambados* PO 12 E 3
Albariza O 5 C 11
Albarracín TE 48 K 25
Albarracín (Sierra de) TE 48 K 25
Albarrana (Sierra) CO 80 R 13
Albarreal de Tajo TO 58 M 17
Albatana AB 73 Q 25
Albatàrrec L 36 H 31
Albatera A 85 R 27
Albayate (Sierra) CO 94 T 17
Albeiros LU 4 C 7
Albelda HU 36 G 31
Albelda de Iregua LO 19 E 22
Albendea CU 47 K 22
Albendiego GU 32 I 20
Albendín CO 81 S 17
Albéniz VI 19 D 23
Albentosa TE 61 L 27
Alberca (La) SA 43 K 11
Alberca (La) MU 85 S 26
Alberca de Záncara (La) CU 60 N 22
Alberche TO 57 M 15
Alberguería OR 13 F 7
Alberguería de Argañán (La) SA 42 K 9
Alberic V 74 O 28
Alberite LO 19 E 22
Alberite de San Juan Z 34 G 25
Albero Alto HU 21 F 28
Albero Bajo HU 21 F 28
Alberquilla AL 102 V 21
Alberuela de la Liena HU 22 F 29
Alberuela de Tubo HU 35 G 29
Albesa L 36 G 31
Albeta Z 34 G 25
Albi (L') L 37 H 32
Albilla (Fuente) AB 72 Q 24
Albillos BU 18 F 18
Albinyana T 37 I 34
Albiol (L') T 37 I 33
Albir A 74 Q 29
Albires LE 16 F 14
Albiztur SS 10 C 23
Albocàsser CS 50 K 30
Alboloduy AL 95 U 22
Albolote GR 94 U 19
Albondón GR 102 V 20
Albons GI 25 F 39
Alborache V 73 N 27
Alboraya V 62 N 28
Alborea AB 73 O 25
Alboreca GU 47 I 22
Albores C 2 D 3
Alborge Z 35 H 28
Albornos AV 44 J 15
Albox AL 96 T 23
Albudeite MU 85 R 25
Albuera (La) BA 67 P 9
Albufera (L') V 74 N 28
Albufera de Anna (La) V 74 O 28
Albujón MU 85 S 26
Albujón (Rambla de) MU 85 S 26
Albuñán GR 95 U 20
Albuñol GR 102 V 20
Albuñuelas GR 101 V 19
Alburquerque BA 67 O 9
Alcabala Alta SE 92 U 13
Alcabón TO 57 L 16
Alcachofar (El) SE 92 T 12
Alcadozo AB 72 Q 24
Alcahozo CU 73 N 25
Alcaide AL 84 S 23
Alcaidía (La) CO 93 T 16
Alcaine TE 49 J 27
Alcalá *Tenerife* TF 128 C 4
Alcalá (Puerto de) TE 49 K 27
Alcalá de Ebro Z 34 G 26
Alcalá de Guadaíra SE 92 T 12
Alcalá de Gurrea HU 21 F 27
Alcalá de Henares M 46 K 19
Alcalá de la Selva TE 49 K 27
Alcalá de la Vega CU 61 L 25
Alcalá de los Gazules CA 99 W 12
Alcalá de Moncayo Z 34 G 24
Alcalà de Xivert CS 50 L 30
Alcalá del Júcar AB 73 O 25
Alcalá del Obispo HU 21 F 29
Alcalá del Río SE 91 T 12
Alcalá del Valle CA 92 V 14
Alcalá la Real J 94 T 18
Alcalalí A 74 P 29
Alcalde (El) TO 59 M 20
Alcalfar IB 106 M 42
Alcampel HU 36 G 31
Alcanà A 85 Q 27
Alcanadre LO 19 E 23
Alcanadre (Río) HU 21 E 29
Alcanar T 50 K 31
Alcanar Platje T 50 K 31
Alcanó L 36 H 31
Alcántara CC 55 M 9
Alcántara (Embalse de) CC 55 M 9
Alcantarilla MU 85 S 26
Alcantarillas (Estación de las) SE 92 U 12
Alcantud CU 47 K 23
Alcañices ZA 29 G 10
Alcañiz TE 49 I 29
Alcañizo TO 57 M 14
Alcaparrosa J 82 R 17
Alcaracejos CO 81 Q 15
Alcaraz AB 72 P 22
Alcarràs L 36 H 31
Alcarria (La) GU 47 J 21
Alcàsser V 74 N 28
Alcaucín MA 101 V 17
Alcaudete J 94 T 17
Alcaudete SE 92 T 12
Alcaudete de la Jara TO 57 M 15
Alcaudique AL 102 V 21
Alcazaba BA 67 P 9
Alcazaba (La) AL 103 V 22
Alcázar GR 102 V 19
Alcázar J 94 T 17
Alcázar de San Juan CR 71 N 20
Alcázar del Rey CU 59 L 21
Alcazarén VA 31 H 15
Alcázares (Los) MU 85 S 27
Alceda S 7 C 18
Alcoba de la Torre SO 32 G 19
Alcoba de los Montes CR 69 O 16
Alcobendas M 46 K 19
Alcocer GU 47 K 22
Alcocero de Mola BU 18 E 19
Alcohujate CU 47 K 22
Alcoi / Alcoy A 74 P 28
Alcola (Alto de) V 73 O 26
Alcolea AL 102 V 21
Alcolea CO 81 S 15

Alcolea de Calatrava CR 70 P 17
Alcolea de Cinca HU 36 G 30
Alcolea de las Peñas GU 47 I 21
Alcolea de Tajo TO 57 M 14
Alcolea del Pinar GU 47 I 22
Alcolea del Río SE 80 T 12
Alcoleja A 74 P 29
Alcoletge L 36 H 32
Alcollarín CC 68 O 12
Alconaba SO 33 G 22
Alconada SA 44 J 13
Alconada de Maderuelo SG 32 H 19
Alconchel BA 66 Q 8
Alconchel de Ariza Z 47 I 23
Alconchel de la Estrella CU 59 M 22
Alconera BA 79 Q 10
Alconétar (Puente romano de) CC 55 M 10
Alcóntar AL 95 T 22
Alcor H 90 U 9
Alcor (El) M 45 K 17
Alcora (L') CS 62 L 29
Alcoraya (L') A 86 Q 28
Alcorcillo ZA 29 G 10
Alcorcón M 45 K 18
Alcorisa TE 49 J 28
Alcorlo (Embalse de) GU 46 I 20
Alcorneo CC 66 O 8
Alcornocal SE 80 S 13
Alcornocal (El) CR 69 O 16
Alcornocal (El) CO 80 R 14
Alcornocalejo SE 80 T 12
Alcornocales (Parque natural de los) CA 99 W 13
Alcornocosa CO 80 Q 14
Alcornocosa (La) SE 79 S 11
Alcoroches GU 48 K 24
Alcossebre CS 63 L 30
Alcotas TE 61 L 27
Alcotas V 61 M 27
Alcover T 37 I 33
Alcoy / Alcoi A 74 P 28
Alcozar SO 32 H 20
Alcozarejos AB 73 O 25
Alcubierre HU 35 G 28
Alcubierre (Puerto de) HU 35 G 28
Alcubierre (Sierra de) Z 35 G 28
Alcubilla de Avellaneda SO 32 G 20
Alcubilla de las Peñas SO 33 I 22
Alcubilla de Nogales ZA 15 F 12
Alcubilla del Marqués SO 32 H 20
Alcubillas CR 71 P 20
Alcubillas (Las) AL 95 U 22
Alcubillete TO 58 M 17
Alcublas V 62 M 27
Alcúdia Mallorca IB 105 M 39
Alcúdia (L') V 74 O 28
Alcúdia (L') (Ruines d'Ilici) A 86 R 27
Alcúdia de Crespins (L') V 74 P 28
Alcudia de Guadix GR 95 U 20
Alcudia de Monteagud AL 96 U 23
Alcúdia de Veo CS 62 M 28
Alcuéscar CC 67 O 11
Alcuetas LE 16 F 13
Alcuneza GU 47 I 22
Alda VI 19 D 23
Aldaba NA 10 D 24
Aldaia V 62 N 28
Aldán PO 12 F 3
Aldanas BI 9 C 21
Aldaris C 12 D 3
Aldatz NA 10 C 24
Aldea SO 32 H 20
Aldea LU 3 C 6
Aldea (L') T 50 J 31
Aldea (Punta de la) Gran Canaria GC 114 B 2
Aldea Blanca GC 117 F 4
Aldea Blanca Tenerife TF 128 E 5
Aldea de Arango TO 57 L 15
Aldea de Arriba OR 13 F 6
Aldea de Ebro S 17 D 17
Aldea de Estenas V 61 N 26
Aldea de les Coves V 61 N 26
Aldea de los Corrales V 61 N 26
Aldea de Pallarés BA 79 R 11
Aldea de San Miguel VA 31 H 16
Aldea de San Nicolás (La) Gran Canaria GC 114 B 3
Aldea de Trujillo CC 56 N 12
Aldea del Cano CC 67 O 11
Aldea del Cano (Estación de) CC 67 O 10
Aldea del Fresno M 45 L 17
Aldea del Obispo SA 42 J 9
Aldea del Pinar BU 32 G 20
Aldea del Portillo de Busto (La) BU 18 D 20
Aldea del Puente (La) LE 16 E 14
Aldea del Rey CR 70 P 18
Aldea del Rey Niño AV 44 K 15
Aldea en Cabo TO 57 L 16
Aldea Moret CC 55 N 10
Aldea Quintana CO 81 S 15
Aldea Real SG 45 I 17
Aldeacentenera CC 56 N 13
Aldeacipreste SA 43 K 12
Aldeacueva BI 8 C 19
Aldeadávila (Embalse de) SA 28 I 10
Aldeadávila de la Ribera SA 28 I 10
Aldeahermosa J 83 R 20
Aldealabad del Mirón AV 44 K 13
Aldealafuente SO 33 G 23
Aldealázaro SG 32 H 19
Aldealbar VA 31 H 16
Aldealcardo SO 33 F 23
Aldealcorvo SG 31 I 18
Aldealengua SA 44 J 13
Aldealengua de Pedraza SG 45 I 18
Aldealengua de Santa María SG 32 H 19
Aldealices SO 33 G 23
Aldealpozo SO 33 G 23
Aldealseñor SO 33 G 23
Aldeamayor de San Martín VA 31 H 16
Aldeanueva de Atienza GU 46 I 20
Aldeanueva de Barbarroya TO 57 M 14
Aldeanueva de Cameros LO 19 F 22
Aldeanueva de Ebro LO 20 F 24
Aldeanueva de Figueroa SA 44 I 13
Aldeanueva de Guadalajara GU 46 J 20
Aldeanueva de la Sierra SA 43 K 11
Aldeanueva de la Serrezuela SG 32 H 18
Aldeanueva de la Vera CC 56 L 12
Aldeanueva de Portanobis SA 42 J 10
Aldeanueva de San Bartolomé TO 57 N 14
Aldeanueva de Santa Cruz AV 44 K 13
Aldeanueva del Camino CC 56 L 12
Aldeanueva del Codonal SG 45 I 16
Aldeaquemada J 82 Q 19
Aldearrodrigo SA 43 I 12
Aldearrubia SA 44 I 13
Aldeaseca AV 44 I 15
Aldeaseca de Alba SA 44 J 13
Aldeaseca de la Frontera SA 44 J 14
Aldeasoña SG 31 H 17
Aldeatejada SA 43 J 12
Aldeavieja AV 45 J 16
Aldeavieja de Tormes SA 43 K 13
Aldehorno SG 32 H 18
Aldehuela GU 48 J 24
Aldehuela CC 43 K 10
Aldehuela cerca de Aliaga TE 49 J 27
Aldehuela cerca de Teruel TE 61 L 26
Aldehuela (La) M 59 L 19
Aldehuela (La) AV 44 K 13
Aldehuela de Ágreda SO 34 G 24
Aldehuela de Calatañazor SO 33 G 21
Aldehuela de Jerte CC 55 L 11
Aldehuela de la Bóveda SA 43 J 11
Aldehuela de Liestos Z 48 I 24
Aldehuela de Periáñez SO 33 G 23
Aldehuela de Yeltes SA 43 K 11
Aldehuela del Codonal SG 45 I 16
Aldehuelas (Las) SO 33 G 22
Aldeire GR 95 U 20
Aldeonsancho SG 31 I 18
Aldeonte SG 32 H 18
Aldeyuso VA 31 H 17
Aldige LU 4 C 7
Aldover T 50 J 31
Alea O 6 B 14
Aleas GU 46 J 20
Aledo MU 85 S 25
Alegia SS 10 C 23
Alegranza Lanzarote GC 120 E 1
Alegranza (Isla) Lanzarote GC 120 E 1
Alegría (La) SE 92 U 12
Alegría-Dulantzi VI 19 D 22
Aleixar (L') T 37 I 33
Alejos (Los) AB 84 Q 23
Alella B 38 H 36
Alentisque SO 33 H 23
Aler HU 22 F 31
Alerre HU 21 F 28
Alesanco LO 19 E 21
Alesón LO 19 E 21
Alevia O 7 B 16
Alfacar GR 94 U 19
Alfacs (Port dels) T 50 K 31
Alfafar V 62 N 28
Alfafara A 74 P 28
Alfaix AL 96 U 24
Alfajarín Z 35 H 27
Alfambra TE 49 K 26
Alfambra (Río) TE 49 K 26
Alfamén Z 34 H 26
Alfántega HU 36 G 30
Alfara d'Algímia V 62 M 28
Alfara de Carles T 50 J 31
Alfaraz de Sayago ZA 29 I 12
Alfarb V 74 O 28
Alfarnate MA 101 V 17
Alfarnatejo MA 101 V 17
Alfaro LO 20 F 24
Alfarràs L 36 G 31
Alfarrasí V 74 P 28
Alfàs del Pi (L') A 74 Q 29
Alfera (La) AB 84 Q 23
Alfés L 36 H 31
Alfocea Z 35 G 27
Alfondeguilla CS 62 M 29
Alfonso XIII SE 91 U 11
Alfoquia (La) AL 96 T 23
Alforja T 37 I 32
Alfornón GR 102 V 20
Alforque Z 35 I 28
Alfoz LU 14 D 8
Alfoz Castro de Ouro LU 4 B 7
Algaba (La) SE 91 T 11
Algadefe LE 16 F 13
Algaida IB 104 N 38
Algaida (La) MU 85 R 26
Algaida (La) CA 91 V 11
Algallarín CO 81 R 16
Algámitas SE 92 U 14
Algar CA 99 W 13
Algar (El) MU 85 T 27
Algar (S') IB 106 M 42
Algar de Mesa GU 47 I 24
Algar de Palància V 62 M 28
Algar de Palància (Embassament d') V 62 M 28
Algarabejo (El) SE 92 U 13
Algarín SE 80 T 13
Algarinejo GR 94 U 17
Algarra CU 61 L 25
Algarróbillo (El) SE 92 V 12
Algarrobo MA 101 V 17
Algarrobo Costa MA 101 V 17
Algatocín MA 99 W 14
Algayón HU 36 G 31
Algecira (La) TE 49 J 28
Algeciras CA 99 X 13
Algeciras (Bahía de) CA 99 X 13
Algemesí V 74 O 28
Algendar (Barranc d') IB 106 M 41
Algerri L 36 G 31
Algete M 46 K 19
Algezares cerca de Cehegín MU 84 R 24
Algezares cerca de Murcia MU 85 S 26
Algibillo J 82 R 17
Algímia d'Alfara V 62 M 28
Algimia de Almonacid CS 62 M 28
Alginet V 74 O 28
Algodonales CA 92 V 13
Algodor M 58 M 18
Algodre ZA 30 H 13
Algora GU 47 J 22
Algorfa A 85 R 27
Algorta BI 8 B 20
Algozón LU 13 E 6
Alguaire L 36 G 31
Alguazas MU 85 R 26
Algueña (L') A 85 Q 26
Alhabia AL 102 V 22
Alhama (Tierras de) GR 101 V 17
Alhama de Almería AL 103 V 22
Alhama de Aragón Z 34 I 24
Alhama de Granada GR 94 U 18
Alhama de Murcia MU 85 S 25
Alhambra CR 71 P 20
Alhambra (La) GR 94 U 19
Alhambras (Las) TE 61 L 27
Alhanchete (El) AL 96 U 24
Alharilla J 82 S 17
Alhaurín de la Torre MA 100 W 16
Alhaurín el Grande MA 100 W 15
Alhendín GR 94 U 19
Alhóndiga GU 47 K 21
Alía CC 57 N 14
Aliaga TE 49 J 27
Aliaguilla CU 61 M 26
Alias AL 103 V 23
Alicante / Alacant A 86 Q 28
Alicante (Golfo de) A 86 R 28
Alicún AL 102 V 22
Alicún de las Torres GR 95 T 20
Alicún de Ortega GR 95 T 20
Alienes O 5 B 10
Alija LE 16 E 13
Alija del Infantado LE 15 F 12
Alijar (Puerto de) MA 100 W 14
Alins L 23 E 33
Alíns del Monte HU 22 F 31
Alinyà L 23 F 34
Alió T 37 I 33
Alique GU 47 K 22
Alisar (El) SE 79 T 11
Alisas (Puerto de) S 8 C 19
Aliseda CC 55 N 9
Aliseda (La) J 82 R 19
Aliseda de Tormes (La) AV 44 L 13
Aliste ZA 29 G 11
Aliste (Cabañas de) ZA 29 G 11
Aliud SO 33 H 23
Aljabaras (Las) CO 80 S 14
Aljaraque H 90 U 8
Aljariz AL 96 U 24
Aljibe CA 99 W 13
Aljibe (El) MU 96 T 24
Aljibe (Sierra del) CR 70 Q 19
Aljibe (Sierra del) BA 69 N 15
Aljorra (La) MU 85 S 26
Aljube AB 73 Q 25
Aljucén BA 67 O 11
Aljucén (Estación de) BA 67 P 10
Aljunzarejo (El) MU 85 R 26
Alkiza SS 10 C 23
Alkotz NA 11 C 24
Allariz OR 13 F 6
Allariz (Alto de) OR 13 F 6
Allepuz TE 49 K 27
Allés O 7 B 15
Allín NA 19 D 23
Allo NA 19 E 23
Alloz NA 10 D 24
Alloza TE 49 J 28
Allozo (El) CR 71 P 21
Allueva TE 48 J 26
Almacelles L 36 G 31
Almáchar MA 101 V 17
Almaciles GR 84 S 22
Almadén CR 69 P 15
Almadén (El) J 82 S 19
Almadén de la Plata SE 79 S 11
Almadenejos CR 69 P 15
Almadenes MU 85 R 25
Almadraba (La) CA 98 W 10
Almadraba de Monteleva (La) AL 103 V 23
Almadrava (L') T 51 J 32
Almadrones GU 47 J 21
Almafrà A 85 Q 27
Almagarinos LE 15 D 11
Almagrera (Cabeza) BA 68 P 14
Almagrera (Sierra) AL 96 U 24
Almagro CR 70 P 18
Almagros MU 85 S 26
Almajalejo AL 96 T 24
Almajano SO 33 G 22
Almallá GU 48 J 24
Almaluez SO 33 I 23
Almandoz NA 11 C 25
Almansa AB 73 P 26
Almansa CC 69 O 14
Almansa (Embalse de) AB 73 P 26
Almansas J 83 S 20
Almanza LE 16 E 14
Almanzor (Pico) AV 56 L 14
Almanzora AL 96 T 23
Almarail SO 33 H 22
Almaraz CC 56 M 12
Almaraz de Duero ZA 29 H 12
Almarcha (La) CU 60 M 22
Almarchal (El) CA 99 X 12
Almargen MA 93 U 14
Almarza SO 33 G 22
Almarza de Cameros LO 19 F 22
Almàssera V 62 N 28
Almassora CS 62 M 29
Almatret L 36 I 31
Almayate Bajo MA 101 V 17
Almazán SO 33 H 22
Almázcara LE 15 E 10
Almazorre HU 22 F 30
Almazul SO 33 H 23
Almedíjar cerca de Segorbe CS 62 M 28
Almedina CR 71 Q 21
Almedinilla CO 94 T 17
Almegíjar GR 102 V 20
Almeida ZA 29 I 11
Almenar L 36 G 31
Almenar de Soria SO 33 G 23
Almenara M 45 K 17
Almenara Castelló CS 62 M 29
Almenara de Adaja VA 31 I 15
Almenara de Tormes SA 43 I 12
Almenaras AB 72 Q 22
Almendra SA 29 I 10
Almendra ZA 29 H 12
Almendra (Embalse de) SA 29 I 11
Almendral GR 94 U 17
Almendral BA 67 Q 9
Almendral CC 56 L 11
Almendral (El) AL 95 U 22
Almendral (El) GR 101 V 17
Almendral de la Cañada TO 57 L 13
Almendralejo BA 67 P 10
Almendres BU 18 D 19
Almendricos MU 96 T 24
Almendro (El) H 90 T 8
Almendros CU 59 M 21
Almensilla SE 91 U 11
Almería AL 103 V 22
Almería (Golfo de) AL 103 V 22
Almerimar AL 102 V 21
Almeza (La) V 61 M 27
Almirez AB 84 Q 24
Almiruete GU 46 I 20
Almochuel Z 35 I 28
Almócita AL 102 V 21
Almodóvar CA 99 X 12
Almodóvar del Campo CR 70 P 17
Almodóvar del Pinar CU 60 M 24
Almodóvar del Río CO 81 S 14
Almogía MA 100 V 16
Almoguera GU 59 L 21
Almohaja TE 48 K 25
Almoharín CC 68 O 11
Almoines V 74 P 29
Almolda (La) Z 35 H 29
Almonacid de la Cuba Z 35 I 27
Almonacid de la Sierra Z 34 H 26
Almonacid de Toledo TO 58 M 18
Almonacid de Zorita GU 47 L 21
Almonacid del Marquesado CU 59 M 21
Almonaster la Real H 79 S 9
Almontaras (Las) GR 83 S 21
Almonte H 91 U 10
Almoradí A 85 R 27
Almoraima CA 99 X 13
Almorchón BA 68 P 14
Almorox TO 57 L 16
Almoster T 37 I 33
Almudáfar HU 36 H 30
Almudaina A 74 P 28
Almudena (La) MU 84 R 24
Almudévar HU 21 F 28
Almunia de Doña Godina (La) Z 34 H 25
Almunia de San Juan HU 36 G 30
Almunias (Las) HU 21 F 29
Almuniente HU 35 G 28
Almuña O 5 B 10
Almuñécar GR 101 V 18
Almuradiel CR 82 Q 19
Almurfe O 5 C 11
Almussafes V 74 O 28
Alobras TE 61 L 25
Alocén GU 47 K 21
Alojera La Gomera TF 118 B 2
Alomartes GR 94 U 18
Alonso de Ojeda CC 68 O 12
Alonsótegi BI 8 C 21
Alor BA 66 Q 8
Álora MA 100 V 15
Alòs de Balaguer L 37 G 32
Alòs d'Isil L 23 D 33
Alosno H 90 T 8
Alovera GU 46 K 20
Alozaina MA 100 V 15
Alp GI 24 E 35
Alpandeire MA 99 W 14
Alpanseque SO 33 I 21
Alpartir Z 34 H 25
Alpatró A 74 P 29
Alpedrete M 45 K 17
Alpedroches GU 32 I 21
Alpens B 24 F 36
Alpeñés TE 48 J 26
Alpera AB 73 P 26
Alpicat L 36 G 31
Alpizar H 91 T 10
Alporchones MU 85 T 25
Alpuente V 61 M 26
Alpujarras (Las) GR 102 V 20
Alquería (La) MU 73 Q 26
Alquería (La) AL 102 V 20
Alquería Blanca (S') IB 105 N 39
Alqüería del Fargue GR 94 U 19
Alquerías MU 85 R 26
Alquézar HU 22 F 30
Alquían (El) AL 103 V 22
Alquife GR 95 U 20
Alquité SG 32 I 19
Alsamora L 22 F 32
Alsasua / Altsasu NA 19 D 23
Alsodux AL 95 U 22
Alta LU 3 C 7
Alta Gracia (Ermita de) CC 55 N 10
Altable BU 18 E 20
Altafulla T 37 I 34
Altamira BI 9 B 21
Altamira (Cuevas de) S 7 B 17
Altamiros AV 44 J 15
Altarejos CU 60 M 22
Altavista (Refugio) Tenerife TF 127 E 3
Altea A 74 Q 29
Altea la Vella A 74 Q 29
Altet (L') A 86 R 28
Altico (El) J 82 R 18
Alto (Puntal) GR 95 U 21
Alto de la Madera O 6 B 12
Alto de Ter (Vall) GI 24 F 37
Alto Iso NA 11 D 26
Alto Tajo (Parque natural del) GU 47 J 23
Altobordo MU 96 T 24
Altomira CU 59 L 21
Altorricón HU 36 G 31
Altorricón-Tamarite HU 36 G 31
Altos (Los) TF 18 D 19
Altotero BU 18 D 19
Altron L 23 E 33
Altsasu / Alsasua NA 19 D 23
Altube VI 18 C 21
Altura CS 62 M 28
Altzo SS 10 C 23
Altzola SS 10 C 22
Aluenda Z 34 H 25
Alueza HU 22 E 30
Alumbres MU 97 T 27
Alustante GU 48 K 25
Alvarado BA 67 P 9
Alvarizones (Los) CA 98 W 11
Alvedro (Aeropuerto de) C 3 C 4
Alvidrón LU 13 D 6
Alzira V 74 O 28
Amadòrio (Embassament d') A 74 Q 29
Amaiur / Maya NA 11 C 25
Amandi O 6 B 13
Amasa SS 10 C 23
Amatos SA 44 J 13
Amatriáin NA 20 E 25
Amavida AV 44 K 14
Amaya BU 17 E 17
Amayas GU 47 I 24
Amayuelas P 17 D 16
Ambás cerca de Avilés O 5 B 12
Ambás cerca de Villaviciosa O 6 B 13
Ambasaguas LE 16 D 13
Ambasmestas LE 14 E 9
Ambel Z 34 G 25
Ambite M 46 L 20
Ambosores LU 3 B 6
Amboto BI 10 C 22
Ambrona SO 47 I 22
Ameixenda C 2 D 2
Amer GI 24 F 37
Ames C 2 D 4
Ametlers (Els) CS 50 K 31

Ametlla (L') cerca de Àguer L 22 F 32
Ametlla (L') cerca de Tàrrega L 37 H 33
Ametlla de Mar (L') T 51 J 32
Ametlla de Merola (L') B 38 G 35
Ametlla del Vallès (L') B 38 G 36
Ameyugo BU 18 E 20
Amezketa SS 10 C 23
Amieva O 6 C 14
Amil PO 12 E 4
Amiudal OR 13 E 5
Amoedo PO 12 F 4
Amoeiro OR 13 E 6
Amorebieta BI 9 C 21
Amoroto BI 10 C 22
Amparo (El) Tenerife TF 126 D 3
Ampolla (L') T 50 J 32
Amposta T 50 J 31
Ampudia P 30 G 15
Ampuero S 8 B 19
Ampuyenta (La) Fuerteventura GC 111 H 3
Amurrio VI 8 C 20
Amusco P 17 F 16
Amusquillo VA 31 G 17
Anadón TE 49 J 27
Anafreita LU 3 C 6
Anaga (Punta de) Tenerife TF 125 K 1
Anaya SG 45 J 17
Anaya de Alba SA 44 J 13
Anayet (Coto nacional del) HU 21 D 28
Ancares CR 69 O 15
Ancares (Refugio de) LU 14 D 9
Ancares Leoneses (Reserva nacional de los) LE 14 D 9
Anchuela del Campo GU 47 I 23
Anchuela del Pedregal GU 48 J 24
Anchuelo M 46 K 20
Anchuras CR 57 N 15
Anchurones CR 69 N 16
Anciles HU 22 E 31
Ancillo S 8 C 19
Ancín NA 19 E 23
Ancla (El) CA 98 W 11
Anclas (Las) GU 47 K 21
Anda VI 18 D 21
Andagoya VI 18 D 21
Andaluz SO 33 H 21
Andarax AL 102 V 21
Andatza SS 10 C 23
Andavias ZA 29 H 12
Andilla V 61 M 27
Andiñuela LE 15 E 11
Andoain SS 10 C 23
Andoio C 2 C 4
Andorra TE 49 J 28
Andosilla NA 19 E 24
Andrade (Castillo de) C 3 B 5
Andratx IB 104 N 37
Andrés O 4 B 9
Andrín O 7 B 15
Andújar J 82 R 17
Aneas (Las) AL 95 U 22
Anento Z 48 I 25
Anero S 8 B 19
Aneto (Pico de) HU 22 E 31
Àneu (Vall d') L 23 E 33
Angel (El) MA 100 W 15
Ángeles (Los) CA 99 W 13
Ángeles (Los) CO 81 S 16
Ángeles (Los) / Anxeles (Os) C 12 D 3
Angiozar SS 10 C 22
Anglès GI 24 G 37
Anglesola L 37 H 33
Angón GU 47 I 21
Angostura (Río de la) M 45 J 18
Anguciana LO 18 E 21
Angüés HU 21 F 29
Anguiano LO 19 F 21
Anguijes (Los) AB 72 P 24
Anguila (Cala) IB 105 N 39
Anguita GU 47 I 22
Anguix BU 31 G 18
Anguix GU 47 K 21
Aniago VA 30 H 15
Aniés HU 21 F 28
Anievas S 7 C 17
Aniezo S 7 C 16
Aniñon Z 34 H 24
Anleo O 4 B 9
Anllares LE 15 D 10
Anllarinos LE 15 D 10
Anllóns C 2 C 3
Anna V 74 O 28
Anoeta SS 10 C 23
Anoia (L') B 37 H 34
Anorias (Las) AB 73 P 25
Anós C 2 C 3
Anoz NA 10 D 24
Anquela del Ducado GU 47 J 23
Anquela del Pedregal GU 48 J 24
Ansares (Lucio de los) SE 91 V 10
Anserall L 23 E 34
Ansó HU 11 D 27
Ansó (Valle de) HU 11 D 27
Antas AL 96 U 24
Antas de Ulla LU 13 D 6
Antella V 74 O 28
Antequera MA 93 U 16
Antes C 2 D 3
Antezana VI 18 D 21
Antigua Fuerteventura GC 111 G 3
Antigua (La) LE 15 F 12
Antigüedad P 31 G 17
Antilla (La) H 90 U 8
Antillón HU 21 F 29
Antimio LE 16 E 13
Antoñán del Valle LE 15 E 12
Antoñana VI 19 D 22
Antzuola SS 10 C 22
Anue BI 11 D 25
Anxeles (Os) / Ángeles (Los) C 12 D 3
Anxeriz C 2 C 3
Anya L 37 G 33
Anzánigo HU 21 E 28
Anzur (Río) CO 93 T 16
Añana VI 18 D 21
Añastro BU 19 D 21
Añavieja SO 33 G 24
Añaza Tenerife TF 125 I 2
Añe SG 45 I 17
Añes VI 8 C 20
Añides O 4 B 9
Añisclo (Cañon de) HU 22 E 30
Añón Z 34 G 24
Añora CO 81 Q 15
Añorbe NA 20 E 24
Añover de Tajo TO 58 M 18
Añover de Tormes SA 43 I 12
Añoza P 16 F 15
Aoiz / Agoitz NA 11 D 25
Aos / Aós NA 11 D 25
Aoslos M 46 I 19
Apadreado (El) AB 73 P 25
Aparecida (La) A 85 R 26
Aparecida (La) MU 85 S 27
Apellániz VI 19 D 22
Apiés HU 21 F 28
Apricano VI 18 D 21
Aqua Brava GI 25 F 39
Aquaola GR 94 U 19
Aquijón CC 55 N 11
Aquilué HU 21 E 28
Aquópolis M 45 K 18
Ara HU 21 E 28
Arabayona SA 44 I 13
Arabexo C 2 C 4
Arabí MU 73 P 26
Arabinejo AB 73 P 25
Aracena H 79 S 10
Aracena (Embalse de) H 79 S 10
Aracena (Sierra de) H 79 S 9
Arafo Tenerife TF 127 G 3
Aragó i Catalunya (Canal d') HU 36 H 31
Aragón (Canal Imperial de) Z 34 G 25
Aragón (Río) ESP 21 E 27
Aragón y Cataluña (Canal de) HU 36 F 30
Aragoncillo GU 47 J 23
Aragoncillo (Monte) GU 47 J 23
Aragoneses SG 45 I 16
Aragosa GU 47 J 21
Araguás HU 22 E 30
Araguás del Solano HU 21 E 28
Aragüés del Puerto HU 21 D 27
Arahal (El) SE 92 U 13
Arahuetes SG 45 I 18
Araia CS 62 L 29
Araia / Araya VI 19 D 23
Araitz NA 10 C 23
Arakaldo BI 8 C 21
Aralla LE 15 D 12
Aralla (Collada de) LE 15 D 12
Aramaio BU 10 C 22
Aramil O 6 B 13
Aramunt L 23 F 32
Arán C 50 J 30
Aran (Val d') L 22 D 32
Arana BU 19 D 21
Aranarache NA 19 D 23
Arancedo O 4 B 9
Arancón SO 33 G 23
Aranda MA 100 W 15
Aranda de Duero BU 32 G 18
Aranda de Moncayo Z 34 H 24
Arándiga Z 34 H 25
Arandilla BU 32 G 19
Arandilla del Arroyo CU 47 K 22
Aranga C 3 C 5
Aranga (Estación de) C 3 C 6
Arangas O 6 C 15
Aránguiz VI 19 D 21
Aranguren NA 11 D 25
Aranjuez M 58 L 19
Arano NA 10 C 24
Aranqüite NA 20 E 26
Arànser L 23 E 34
Arante LU 4 B 8
Arantza NA 11 C 24
Arantzazu SS 19 D 22
Arantzazu BI 9 C 21
Aranyó (L') L 37 G 33
Aranza LU 14 D 8
Aranzueque GU 46 K 20
Araña (Cuevas de la) V 73 O 27
Arañuel CS 62 L 28
Araós L 23 E 33
Araoz SS 19 D 22
Arapiles SA 43 J 13
Aras NA 19 E 22
Aras de los Olmos V 61 M 26
Arascués HU 21 F 28
Aratzerreka SS 10 C 23
Arauzo de Miel BU 32 G 19
Arauzo de Salce BU 32 G 19
Arauzo de Torre BU 32 G 19
Aravaca M 45 K 18
Aravell L 23 E 34
Araya / Araia VI 19 D 23
Araya (Cabeza) CC 55 N 10
Araya de Arriba (Embalse de) CC 55 N 9
Arazuri NA 11 D 24
Arba Z 20 F 26
Arba de Biel Z 21 F 27
Arbancón GU 46 J 20
Arbaniés HU 21 F 29
Arbás LE 5 D 12
Arbeca L 37 H 32
Arbedales (Cuevas de) O 5 B 12
Arbejal P 17 D 16
Arbeteta GU 47 J 22
Arbillas (Mirador de) AV 57 L 14
Arbizu NA 19 D 23
Arbo PO 13 F 5
Arboç (L') T 37 I 34
Arboçar de Dalt (L') B 38 I 35
Arbocet (L') T 51 I 32
Arboleas AL 96 T 23
Árboles (Los) CR 71 O 21
Arbolí T 37 I 32
Arbón O 4 B 9
Arbón (Embalse de) O 4 B 9
Arbúcies GI 38 G 37
Arbujuelo SO 47 I 22
Arbuniel J 94 T 19
Arc de Cabanes CS 62 L 30
Arca PO 13 E 4
Arcade PO 12 E 4
Arcallana O 5 B 11
Arcángeles (Los) M 46 K 19
Arcas CU 60 M 23
Arcavell L 23 E 34
Arce NA 11 D 25
Arcediano SA 44 I 13
Arcellana O 5 B 11
Arcenillas ZA 29 H 12
Arcentales BI 8 C 20
Arceo C 3 C 5
Archena MU 85 R 26
Archez MA 101 V 18
Archidona MA 93 U 16
Archidona SE 79 S 11
Archilla GU 46 J 21
Architana MU 84 R 24
Archivel MU 84 R 23
Arcicóllar TO 58 L 17
Arcillera ZA 29 G 11
Arcillo ZA 29 H 12
Arco CC 55 M 10
Arco (El) SA 43 I 12
Arconada BU 18 E 19
Arconada P 17 F 16
Arcones SG 46 I 18
Arcos BU 18 F 18
Arcos LU 13 E 6
Arcos OR 13 E 5
Arcos ZA 29 G 12
Arcos cerca de Carnota C 2 D 2
Arcos cerca de Cuntis PO 12 E 4
Arcos (Embalse de) CA 92 V 12
Arcos (Los) NA 19 E 23
Arcos de Jalón SO 47 I 23
Arcos de la Frontera CA 92 V 12
Arcos de la Sierra CU 47 K 23
Arcos de las Salinas TE 61 M 26
Arcs (Els) L 36 G 32
Arcusa HU 22 F 30
Ardaitz NA 11 D 25
Ardales MA 100 V 15
Ardanaz NA 11 D 25
Ardaña C 2 C 3
Ardèvol L 37 G 34
Ardisa Z 21 F 27
Ardón LE 16 E 13
Ardoncino LE 16 E 13
Ardonsillero SA 43 J 11
Arduas (Las) SE 92 U 12
Area PO 12 F 3
Areas LU 13 D 6
Areas cerca de Ponteareas PO 12 F 4
Areas cerca de Tui PO 12 F 4
Areas (Estación de) LU 13 E 7
Areatza BI 9 C 21
Areeta BI 8 C 20
Arejos (Los) MU 96 T 24
Arellano NA 19 E 23
Arén HU 22 F 32
Arena (La) O 5 B 11
Arenal (El) AV 57 L 14
Arenal (El) SG 45 I 18
Arenal (S') Mallorca IB 104 N 38
Arenal d'en Castell IB 106 L 42
Arenales (Los) SE 92 T 14
Arenales de San Gregorio CR 71 O 20
Arenales del Sol (Los) A 86 R 28
Arenas MA 101 V 17
Arenas de Cabrales O 6 C 15
Arenas de Iguiña S 7 C 17
Arenas de San Juan CR 70 O 19
Arenas de San Pedro AV 57 L 14
Arenas del Rey GR 101 V 18
Arenetes (Les) A 75 P 30
Arenillas SO 33 H 21
Arenillas SE 80 S 12
Arenillas de Muñó BU 17 F 18
Arenillas de Riopisuerga BU 17 E 17
Arenillas de Villadiego BU 17 E 18
Arenoso CO 81 R 16
Arens de Lledó TE 50 J 30
Arenteiro OR 13 E 5
Arenys de Mar B 38 H 37
Arenys de Munt B 38 H 37
Arenzana de Abajo LO 19 E 21
Areños P 17 D 16
Ares C 3 B 5
Ares (Coll d') GI 24 E 37
Ares (Mola d') CS 50 K 29
Ares del Maestrat CS 50 K 29
Areso NA 10 C 24
Areta VI 8 C 21
Aretxabaleta SS 10 C 22
Areu L 23 E 33
Arevalillo AV 44 K 13
Arevalillo de Cega SG 45 I 18
Arévalo AV 44 I 15
Arévalo SO 33 G 22
Argallanes (Sierra de) BA 68 Q 12
Argallón CO 80 R 13
Argalo C 12 D 3
Argamasilla SE 92 T 13
Argamasilla de Alba CR 71 O 20
Argamasilla de Calatrava CR 70 P 17
Argamasón AB 72 P 23
Argamasón AL 96 U 24
Argamassa (S') IB 87 P 34
Arganda del Rey M 59 L 19
Argandoña VI 19 D 22
Arganza O 5 C 10
Arganza LE 14 E 9
Argañín ZA 29 H 11
Argañoso O 6 B 13
Argañoso LE 15 E 11
Argavieso HU 21 F 29
Argecilla GU 47 J 21
Argel AB 84 Q 22
Argelaguer GI 24 F 37
Argelita CS 62 L 28
Argençola B 37 H 34
Argente TE 48 J 26
Argentera (L') T 51 I 32
Argentona B 38 H 37
Argés TO 58 M 17
Argómaniz VI 19 D 22
Argomoso LU 4 B 7
Argoños S 8 B 19
Argos MU 84 R 24
Argovejo LE 16 D 14
Arguedas NA 20 F 25
Argüelles O 5 B 12
Arguellite AB 84 R 22
Argüeña (Serra de la) A 74 Q 27
Argüero O 6 B 13
Arguijuela CC 67 N 10
Arguillos MA 93 U 15
Arguineguín Gran Canaria GC 116 C 4
Arguis HU 21 F 28
Arguis (Embalse de) HU 21 F 28
Arguisuelas CU 60 M 24
Argujillo ZA 30 I 13
Aria NA 11 D 26
Ariany IB 105 N 39
Aribe NA 11 D 26
Arico Tenerife TF 129 G 4
Arico El Nuevo Tenerife TF 129 G 4
Arico Viejo Tenerife TF 129 G 4
Arienza LE 15 D 11
Arija BU 17 D 18
Aríns C 13 D 4
Ariñez VI 19 D 21
Ariño TE 49 I 28
Aripe Tenerife TF 128 C 4
Arisgotas TO 58 N 18
Aristebano (Alto de) O 5 B 10
Aristot L 23 E 34
Ariza Z 33 I 23
Arizala NA 10 D 24
Arizaleta NA 10 D 24
Arizkun NA 11 C 25
Arjona J 82 S 17
Arjonilla J 82 S 17
Arjuá LU 13 E 6
Arlaban (Puerto de) SS 19 D 22
Arlanza LE 15 E 10
Arlanzón BU 18 F 19
Arlos O 5 B 12
Arlucea VI 19 D 22
Armada O 5 C 12
Armada (Castillo de la) SE 80 S 13
Armada (La) OR 13 F 5
Armallones GU 47 J 23
Armañanzas NA 19 E 23
Armas MA 100 W 15
Armellada LE 15 E 12
Armenteira PO 12 E 3
Armentera (L') GI 25 F 39
Armenteros SA 44 K 13
Armentón C 3 C 4
Armeñime Tenerife TF 128 C 5
Armilla GR 94 U 19
Armillas TE 49 J 27
Armíndez J 83 S 20
Armintza BI 8 B 21
Armiñón VI 18 D 21
Armuña SG 45 I 17
Armuña de Almanzora AL 96 T 22
Armuña de Tajuña GU 46 K 20
Arnadelo LE 14 E 9
Arnado LE 14 E 9
Arnao CA 99 W 13
Arnedillo LO 19 F 23
Arnedo LO 19 F 23
Arnego PO 13 D 5
Arnés T 50 J 30
Arneva A 85 R 27
Arnicio (Puerto de) O 6 C 13
Arnoia (Río) OR 13 F 5
Arnuero S 8 B 19
Aroche H 78 S 9
Arona Tenerife TF 128 D 5
Aróstegui NA 11 D 24
Arou C 2 C 2
Arousa (Isla de) PO 12 E 3
Arousa (Ría de) PO 12 E 3
Arquijo SO 33 G 22
Arquillinos ZA 29 G 13
Arquillo de San Blas (Embalse del) TE 48 K 26
Arquillos J 82 R 19
Arrabal PO 12 F 3
Arrabal de Portillo VA 31 H 16
Arrabal Santa Barbara TE 48 K 25
Arrabalde ZA 15 F 12
Arracó (S') IB 104 N 37
Arraia-Maeztu VI 19 D 22
Arraitz-Orkin NA 11 C 25
Arrancacepas CU 60 L 22
Arrankudiaga BI 8 C 21
Arrarats NA 10 C 24
Arrasate / Mondragón SS 10 C 22
Arrate SS 10 C 22
Arratzu BI 10 C 22
Arrazola BI 10 C 22
Arrebatacapas (Collado de) CC 56 N 14
Arrebatacapas (Puerto de) AV 45 K 16
Arrecife Lanzarote GC 123 E 4
Arrecife (El) CO 81 S 15
Arredondo S 8 C 19
Arres L 22 D 32
Arrés HU 21 E 27
Arriano VI 18 D 21
Arriate MA 92 V 14
Arriba TO 58 N 17
Arribe-Atallu NA 10 C 24
Arrieta NA 11 D 25
Arrieta BI 9 B 21
Arrieta Lanzarote GC 123 F 3
Arrigorriaga BI 8 C 21
Arriondas O 6 B 14
Arripas (Las) CR 69 O 16
Arro HU 22 E 30
Arroba de los Montes CR 69 O 16
Arrobuey CC 43 K 11
Arrocampo-Almaraz (Embalse de) CC 56 M 12
Arrojo O 5 C 12
Arrolobos CC 43 K 11
Arróniz NA 19 E 23
Arròs L 22 D 32
Arroyal S 17 D 17
Arroyo S 17 D 17
Arroyo P 16 F 15
Arroyo CR 70 Q 18
Arroyo H 79 S 9
Arroyo VA 30 H 15
Arroyo V 61 N 26
Arroyo Bremudo (Embalse de) CC 55 M 11
Arroyo Cerezo V 61 L 25
Arroyo de Cuéllar SG 31 H 16
Arroyo de la Luz CC 55 N 10
Arroyo de la Miel MA 100 W 16
Arroyo de la Plata SE 79 S 11
Arroyo de las Fraguas GU 46 I 20
Arroyo de Salas BU 32 F 20
Arroyo de San Serván BA 67 P 10
Arroyo de Torote ESP 46 K 19
Arroyo del Ojanco J 83 R 21
Arroyo-Malpartida (Estación) CC 55 N 10
Arroyo Meaques M 45 K 18
Arroyofrío TE 61 L 25
Arroyomolinos M 58 L 18
Arroyomolinos de la Vera CC 56 L 12
Arroyomolinos de León H 79 R 10
Arroyomolinos de Montánchez CC 67 O 11
Arroyomuerto SA 43 K 11
Arroyos (Los) M 45 K 17
Arroyos (Los) J 83 R 22
Arroyuelo BU 18 D 19
Arrozao (Sierra del) BA 68 P 12
Arruazu NA 10 D 24
Arrúbal LO 19 E 23
Ars L 23 E 34
Arsèguel L 23 E 34
Artà IB 105 M 40
Artà (Coves d') IB 105 N 40
Artaiz NA 11 D 25
Artaj V 61 M 27
Artajo / Artaxo NA 11 D 25
Artajona NA 20 E 24
Artana CS 62 M 29
Artariáin NA 20 E 25
Artasona cerca de Almudévar HU 21 F 28
Artasona cerca de El Grado HU 22 F 30
Artavia NA 19 D 23
Artaxo / Artajo NA 11 D 25
Artaza cerca de Subijana VI 18 D 21

Artaza de F. cerca de Vitoria-Gasteiz VI 19 D 21
Artazu NA 10 D 24
Artea BI 9 C 21
Artea (El) AL 96 U 24
Artedo O 5 B 11
Artedosa O 6 C 13
Arteixo C 3 C 4
Artejuela CS 62 L 28
Artekona BI 8 C 20
Artenara Gran Canaria GC 114 D 2
Artés B 38 G 35
Artesa CS 62 M 29
Artesa de Lleida L 36 H 32
Artesa de Segre L 37 G 33
Artesiaga (Puerto de) NA 11 C 25
Arteta NA 10 D 24
Artichuela (La) GR 94 T 19
Artieda NA 11 D 26
Artieda Z 21 E 27
Arties L 22 D 32
Artikutza NA 10 C 24
Arto HU 21 E 28
Artómaña VI 18 D 21
Artrutx (Cap d') IB 106 M 41
Artziniega VI 8 C 20
Arucas Gran Canaria GC 115 E 2
Arucas (Montaña de) Gran Canaria GC 115 E 2
Arure La Gomera TF 118 B 2
Arvas (Ruinas romanas de) SE 80 T 13
Arzádigos OR 28 G 8
Arzón C 2 D 3
Arzoz NA 10 D 24
Arzúa C 3 D 5
Ascara HU 21 E 28
Ascarza BU 19 D 21
Ascaso HU 22 E 30
Ascó T 36 I 31
Ascopalls V 74 O 28
Ascoy MU 85 R 25
Ase (Pas de l') T 50 I 31
Aserradero del Río Tús J 83 Q 22
Asiáin NA 10 D 24
Asiego O 6 C 15
Asientos (Los) CA 91 V 11
Asín Z 20 F 26
Asín de Broto HU 21 E 29
Asma cerca del Río Miño LU 13 E 6
Asma Santa Eugenia LU 13 E 6
Asno (Boca del) MA 100 V 16
Asno (Boca del) SG 45 J 17
Asno (Cabeza del) MU 85 R 25
Aso de Sobremonte HU 21 E 28
Asomadilla AB 73 O 25
Asón S 8 C 19
Asón (Puerto del) S 8 C 19
Aspa L 36 H 32
Aspai LU 3 C 6
Aspariegos ZA 30 G 13
Aspárrena VI 19 D 22
Aspe A 85 Q 27
Asperillas TO 59 M 19
Asperillo H 91 U 10
Aspurz NA 11 D 26
Assa VI 19 E 22
Asso Veral Z 21 E 27
Asteasu SS 10 C 23
Astelarra BI 9 C 21
Astigarraga SS 10 C 24
Astigarreta SS 10 C 23
Astillero (El) S 7 B 18
Astor (L') B 37 G 34
Astorga LE 15 E 11
Astráin NA 10 D 24
Astrana S 8 C 19
Astudillo P 17 F 17
Astún (Valle de) HU 21 D 28
Asturianos ZA 29 F 10
Asua BI 8 C 21
Atajate MA 99 W 14
Atalaya V 62 N 28
Atalaya BA 79 Q 10
Atalaya MA 100 W 14
Atalaya (Estación de) MA 92 V 14
Atalaya (La) AV 45 K 16
Atalaya (La) SA 43 K 10
Atalaya (La) CU 60 M 23
Atalaya (La) MU 97 T 25
Atalaya (La) H 79 S 10
Atalaya (La) SE 92 T 13
Atalaya (La) CC 55 L 10
Atalaya (La) Gran Canaria GC 114 D 1
Atalaya (La) Gran Canaria GC 115 F 2
Atalaya del Alberche TO 57 L 16
Atalaya del Cañavate CU 60 N 23
Atalaya Real M 46 J 19
Atamaría MU 97 T 27
Atán C 2 D 3
Atance (El) GU 47 I 21
Atance (Embalse de) GU 47 I 21
Atanzón GU 46 J 21
Atapuerca BU 18 E 19
Ataquines VA 44 I 15
Atarés HU 21 E 28
Atarfe GR 94 U 18
Ataun SS 10 C 23
Atauri VI 19 D 22
Atauta SO 32 H 20
Atazar (El) M 46 J 19
Atazar (Embalse de El) M 46 J 19
Atea Z 48 I 25
Ateca Z 34 H 24
Atez NA 11 D 24
Atiaga VI 18 D 20
Atienza GU 46 I 21
Atios C 3 B 5
Atlanterra CA 99 X 12
Atochares AL 103 V 23
Atrave OR 28 G 8
Atxondo BI 9 C 22
Atzeneta d'Albaida V 74 P 28
Atzeneta del Maestrat CS 62 L 29
Aubert L 22 D 32
Audanzas LE 15 F 12
Audíkana VI 19 D 22
Aulá (Puerto de) L 23 D 32
Aula Dei (La Cartuja de) Z 35 G 27
Aulaga (La) SE 79 S 10
Aulago AL 95 U 22
Aulesti BI 10 C 22
Auñón GU 47 K 21
Aurín HU 21 E 28
Auritz / Burguete NA 11 D 26
Auritzberri / Espinal NA 11 D 25
Ausejo LO 19 E 23
Ausejo de la Sierra SO 33 G 22
Ausines (Los) BU 18 F 19
Autilla del Pino P 31 G 16
Autillo de Campos P 30 F 15
Autol LO 19 F 23
Autza NA 11 C 25
Auza NA 11 D 24
Avall (S') IB 105 O 39
Ave V 73 O 27
Aveinte AV 44 J 15
Avellà (L') CS 50 K 29
Avellanar TO 58 N 17
Avellanar CC 43 K 10
Avellaneda AV 44 K 13
Avellaneda LO 19 F 22
Avellanes (Les) L 36 G 32
Avellanosa de Muñó BU 31 G 18
Avellanosa del Páramo BU 17 E 18
Avià B 24 F 35
Avia (Río) OR 13 E 5
Aviados LE 16 D 13
Avide LU 13 E 7
Ávila AV 44 K 15
Ávila (Bahía de) Lanzarote GC 122 C 5
Avilés O 5 B 12
Avilés MU 84 S 24
Avileses MU 85 S 27
Avín O 6 B 15
Avinyó B 38 G 35
Avinyonet GI 25 F 38
Avinyonet del Penedès B 38 H 35
Aviñante P 17 D 15
Aviño C 3 B 5
Avión OR 13 E 5
Avión (Faro de) PO 13 F 5
Axpe BI 10 C 22
Aya (Peñas de) / Harria (Aiako) ESP 10 C 24
Ayacata Gran Canaria GC 116 D 3
Ayagaures (Embalse de) Gran Canaria GC 116 D 4
Ayamonte H 90 U 7
Ayaz LU 13 E 7
Ayechu NA 11 D 26
Ayegui NA 19 E 23
Ayera HU 21 F 29
Ayerbe HU 21 F 27
Ayesa NA 20 E 25
Ayllón SG 32 H 19
Ayna AB 72 Q 23
Ayódar CS 62 L 28
Ayoluengo BU 17 D 18
Ayones O 5 B 10
Ayoó de Vidriales ZA 15 F 11
Ayora V 73 O 26
Ayuela P 17 E 16
Ayuela (Embalse de) CC 67 O 11
Ayuelas BU 18 D 20
Azáceta VI 19 D 22
Azáceta (Puerto) VI 19 D 22
Azafor VC 74 P 29
Azagala BA 67 O 9
Azagra NA 20 F 24
Azagra V 61 M 26
Azaila TE 35 I 28
Azanaque SE 80 T 13
Azanúy HU 36 G 30
Azañón GU 47 J 22
Azara HU 22 F 29
Azares del Páramo LE 15 F 12
Azarrulla LO 18 F 20
Azcamellas SO 47 I 22
Azkarate NA 10 C 23
Azkarate (Puerto de) SS 10 C 22
Azkoitia SS 10 C 23
Azlor HU 22 F 29
Aznalcázar SE 91 U 11
Aznalcóllar SE 91 T 11
Azoberines TO 58 M 17
Azofra LO 19 E 21
Azohía (La) MU 97 T 26
Azorejo BA 69 P 15
Azparren NA 11 D 26
Azpeitia SS 10 C 23
Azpilkueta NA 11 C 25
Azpirotz (Puerto de) NA 10 C 24
Azuaga BA 80 R 13
Azuara Z 35 I 27
Azucaica TO 58 M 18
Azud de Matacavas H 90 T 7
Azuébar CS 62 M 28
Azuel CO 81 R 17
Azuelo NA 19 E 22
Azul (Charco) La Palma TF 131 D 3
Azuqueca de Henares GU 46 K 20
Azután TO 57 M 14
Azután (Embalse de) TO 57 M 15


## B


Baamonde LU 3 C 6
Baamorto LU 14 E 7
Babilafuente SA 44 J 13
Bacanera L 22 D 32
Bacares AL 96 U 22
Bacarot A 86 R 28
Bachiller (El) AB 73 P 25
Bachillera CR 71 O 20
Bacoco BA 66 O 8
Bacoi LU 4 B 7
Bacor Olivar GR 95 T 21
Badajoz BA 67 P 9
Badalejos (Los) CA 99 W 12
Badalona B 38 H 36
Bádames S 8 B 19
Badarán LO 19 E 21
Bádenas TE 48 I 26
Badia Gran IB 104 N 38
Badilla ZA 29 H 11
Badolatosa SE 93 U 15
Badostáin NA 20 D 25
Badules Z 48 I 26
Baell (El) GI 24 F 36
Baélls HU 36 G 31
Baélls (Pantà de la) B 24 F 35
Baelo (Ruinas romanas de) CA 99 X 12
Baena CO 93 T 17
Baeza J 82 S 19
Baezuela M 46 K 19
Bàga B 24 F 35
Bagergue L 22 D 32
Báguena TE 48 I 25
Bagüés Z 21 E 27
Bahabón VA 31 H 17
Bahabón de Esgueva BU 32 G 18
Bahia MU 97 T 26
Bahia Dorada MA 99 W 14
Bahíllo P 17 E 16
Baides GU 47 I 21
Bailadero (El) Tenerife TF 125 J 1
Bailén J 82 R 18
Baillo BU 18 D 19
Baillo LE 15 F 10
Bailo HU 21 E 27
Baiña O 5 C 12
Baiñas C 2 C 2
Baio C 2 C 3
Baiona PO 12 F 3
Baiuca (A) Arteixo C 3 C 4
Baja (Punta de la) Lanzarote GC 121 F 2
Bajamar Tenerife TF 124 H 1
Bajauri BU 19 E 22
Bajo (Collado) CU 60 L 24
Bajo Guadalquivir (Canal del) SE 92 T 12
Bakaiku NA 19 D 23
Bakio BI 9 B 21
Balaguer L 36 G 32
Balaitous HU 21 D 29
Balanegra AL 102 V 21
Balazote AB 72 P 23
Balbacil GU 47 I 23
Balbarda AV 44 K 15
Balbases (Los) BU 17 F 17
Balboa LE 14 D 9
Balboa BA 67 P 9
Balcarca HU 36 G 30
Balcón de Bizkaia BI 10 C 22
Balcón de los Alcores (El) SE 92 T 12
Balcón de Madrid (El) M 46 J 19
Balconchán Z 48 I 25
Balcones (Los) A 85 S 27
Balcones (Los) GR 95 T 21
Balconete GU 46 K 21
Baldairan (Pico de) HU 21 D 29
Baldellou HU 36 G 31
Baldio CC 56 M 13
Baldomar L 37 G 33
Baldovar V 61 M 26
Baldrei OR 13 F 7
Baldriz OR 13 F 7
Baleira LU 4 C 8
Balerma AL 102 V 21
Balerma GR 93 U 17
Balisa SG 45 I 16
Balitres (Coll de) GI 25 E 39
Ballabriga HU 22 E 31
Ballena o de Tostón (Punta de la) Fuerteventura GC 111 G 1
Ballestero (El) AB 72 P 22
Ballesteros CR 70 O 18
Ballesteros CU 60 M 23
Ballesteros TO 58 N 18
Ballesteros de Calatrava CR 70 P 18
Ballobar HU 36 H 30
Ballota O 5 B 11
Balluncar SO 33 H 22
Balma (La) CS 49 J 29
Balmaseda BI 8 C 20
Balmonte O 4 B 9
Balmonte LU 4 C 7
Balmori O 6 B 15
Balneario de Jabalcuz J 82 S 18
Balneario de Panticosa HU 21 D 29
Balneario de Raposo BA 79 Q 11
Baloira PO 12 D 4
Balones A 74 P 28
Balouta LE 14 D 9
Balsa LU 3 B 7
Balsa de Ves AB 73 O 26
Balsaín AL 84 S 23
Balsapintada MU 85 S 26
Balsareny B 38 G 35
Balsicas MU 85 S 27
Baltanás P 31 G 17
Baltar OR 27 G 6
Baltar LU 4 C 7
Baltar cerca de Arzua C 3 D 5
Baltar cerca de Ferrol C 3 B 5
Baltasana (Tossal de la) T 37 I 33
Balzaín GR 94 U 19
Bama C 13 D 4
Bamba ZA 30 H 13
Bamio PO 12 E 3
Banaguás HU 21 E 28
Banariés HU 21 F 28
Banastás HU 21 F 28
Bandaliés HU 21 F 29
Bandama (Caldera de) Gran Canaria GC 115 F 2
Bandama (Pico de) Gran Canaria GC 115 F 2
Bande OR 13 F 6
Bandeira PO 13 D 5
Bandereta (La) CS 62 L 29
Banderillas (Las) J 83 R 21
Banecidas LE 16 E 14
Bangueses OR 13 F 5
Baniel SO 33 H 22
Banos de la Peña P 17 D 15
Banuncias LE 16 E 13
Bany de Tredos L 23 E 32
Banya (Far de la) T 50 K 31
Banyalbufar IB 104 M 37
Banyeres de Mariola A 74 P 28
Banyeres del Penedès T 37 I 34
Banyoles GI 25 F 38
Banyoles (Estany de) GI 25 F 38
Banyuls (Coll de) GI 25 E 39
Baña (A) C 2 D 3
Baña (La) LE 14 F 9
Bañaderos Cardonal Gran Canaria GC 115 E 1
Bañares LO 18 E 21
Bañeza (La) LE 15 F 12
Bañistas CR 71 P 19
Baño MU 85 R 26
Bañobárez SA 42 J 10
Bañón TE 48 J 26
Baños (Los) MU 85 R 26
Baños (Los) BA 67 Q 9
Baños (Punta de los) AL 102 V 21
Baños de Alcantud CU 47 K 23
Baños de Arenosillo CO 81 R 16
Baños de Benasque HU 22 E 31
Baños de Cerrato P 31 G 16
Baños de Ebro VI 19 E 21
Baños de Fitero NA 20 F 24
Baños de Fuente Podrida V 73 N 25
Baños de Gigonza CA 99 W 12
Baños de Guardias Viejas (Los) AL 102 V 21
Baños de la Encina J 82 R 18
Baños de la Fuensanta MU 84 S 24
Baños de los Remedios BA 68 Q 11
Baños de Martos J 82 S 18
Baños de Molgas OR 13 F 6
Baños de Montemayor CC 43 L 12
Baños de Mula MU 85 R 25
Baños de Río Tobía LO 19 F 21
Baños de Rioja LO 18 E 21
Baños de Santa Alhamilla AL 103 V 22
Baños de Tajo GU 47 J 24
Baños de Valdearados BU 32 G 19
Baños del Robledillo TO 57 N 16
Baños Gilico MU 84 R 25
Baños y Mendigo MU 85 S 26
Bañuela CR 81 Q 17
Bañuela Alta TO 57 M 15
Bañuelos GU 32 I 21
Bañuelos de Bureba BU 18 E 20
Bañugues O 5 B 12
Bao (Embalse de) OR 14 F 8
Baquedano NA 19 D 23
Baqueira L 23 D 32
Baquerín de Campos P 30 F 15
Barà (Arc romà de) T 37 I 34
Baradal O 5 C 10
Bárago S 7 C 16
Baraguás HU 21 E 28
Barahona SO 33 I 22
Barahona (Altos de) SO 33 H 22
Baraibar NA 10 D 24
Barajas AV 44 K 14
Barajas M 46 K 19
Barajas de Melo CU 59 L 21
Barakaldo BI 8 C 20
Baralla LU 14 D 8
Baranbio VI 8 C 21
Baranda BU 8 C 19
Barásoain NA 20 E 25
Barasona (Embalse de) HU 22 F 31
Barazar(Puerto de) BI 9 C 21
Barbadás OR 13 F 6
Barbadillo SA 43 J 12
Barbadillo de Herreros BU 18 F 20
Barbadillo del Mercado BU 32 F 19
Barbadillo del Pez BU 32 F 20
Barbalimpia CU 60 M 22
Barbalos SA 43 J 12
Barbantes OR 13 E 5
Barbantiño LU 13 E 6
Barbanza (Sierra de) C 12 D 3
Barbaño BA 67 P 10
Barbaría (Cap de) IB 87 Q 34
Barbarroja A 85 R 27
Barbaruéns HU 22 E 31
Barbastro HU 22 F 30
Barbate CA 99 X 12
Barbate (Ensenada de) CA 99 X 12
Barbate (Marismas de) CA 99 X 12
Barbatona GU 47 I 22
Barbeira C 2 D 3
Barbeitos LU 4 C 8
Barbens L 37 G 33
Barberà B 38 H 36
Barberà de la Conca T 37 H 33
Barbero J 83 R 21
Bárboles Z 34 G 26
Barbolla SG 32 I 18
Barbolla (La) GU 47 I 21
Barbudo PO 12 E 4
Barbués HU 35 G 28
Barbuñales HU 21 F 29
Barca SO 33 H 22
Barca (Embalse de la) O 5 C 11
Barca (Punta de la) C 2 C 2
Barca (Soto de la) O 5 C 10
Barca de la Florida (La) CA 99 W 12
Bárcabo HU 22 F 30
Barcala PO 12 D 4
Barcarrota BA 67 Q 9
Barcebal SO 32 H 20
Barcebalejo SO 32 H 20
Barceino SA 43 I 10
Barcelona B 38 H 36
Barcena (Embalse de) LE 15 E 10
Bárcena de Bureba BU 18 E 19
Bárcena de Campos P 17 E 16
Bárcena de Ebro S 17 D 17
Bárcena de la Abadia LE 14 D 10
Bárcena de Pié de Concha S 7 C 17
Bárcena del Monasterio O 5 B 10
Bárcena Mayor S 7 C 17
Bárcena Mayor (Sierra de) S 7 C 17
Bárcenas BU 8 C 19
Barcenillas del Ribero BU 8 C 19
Barceo SA 43 I 10
Barchell (Ermita de) A 74 P 28
Barchín del Hoyo CU 60 N 23
Barcia O 5 B 10
Barciademera PO 13 F 4
Barcial de la Loma VA 30 G 14
Barcial del Barco ZA 29 G 13
Barcience TO 58 M 17
Barcina BU 18 D 20
Barcó (Cala) IB 87 P 33
Barco (O) OR 14 E 9
Barco de Ávila (El) AV 44 K 13
Barcones SO 33 I 21
Bardají (Valle de) HU 22 E 31
Bardallur Z 34 G 26
Bardaos C 3 C 4
Bárdena Z 20 F 26
Bardenas (Canal de las) 20 E 26
Bardullas C 2 C 2
Baredo PO 12 F 3
Bareyo S 8 B 19
Bargas TO 58 M 17
Bargis GR 102 V 20
Bargota NA 19 E 23
Bariáin NA 20 E 25
Barillas NA 34 G 25
Barinaga BI 10 C 22
Barinas MU 85 R 26
Bariones de la Vega LE 16 F 13
Barizo C 2 C 3
Barjacoba ZA 14 F 9
Barjas LE 14 E 9
Barlovento La Palma TF 131 D 3
Barlovento (Punta de) Fuerteventura GC 112 B 5
Barluenga HU 21 F 28
Barniedo de la Reina LE 16 D 15
Baro L 23 E 33
Baroja VI 19 E 21
Barona (La) CS 62 L 29
Baroña C 12 D 2
Barqueira (A) C 3 B 6
Barqueros MU 85 S 25
Barquilla SA 42 J 9
Barquilla de Pinares CC 56 L 13
Barra (Punta de la) GI 25 F 39
Barra de Miño OR 13 E 6
Barraca d'Aigües Vives (La) V 74 O 28
Barracas CS 62 L 27
Barrachina TE 48 J 26
Barrachinas (Las) TE 61 L 27
Barraco AV 45 K 16
Barrado CC 56 L 12
Barragana Baja CO 93 T 16

Barraix ***V*** 62 M 28
Barral ***OR*** 13 F 5
Barranca (La) ***M*** 45 J 18
Barranco Hondo *Tenerife* ***TF*** 127 H 3
Barrancos Blancos (Los) ***SE*** 92 U 14
Barrancos Blancos (Puerto de los) ***SE*** 92 U 14
Barranda ***MU*** 84 R 24
Barranquera (La) *Tenerife* ***TF*** 124 H 1
Barranquete ***AL*** 103 V 23
Barrax ***AB*** 72 O 23
Barreda ***S*** 7 B 17
Barreiros ***LU*** 4 B 8
Barrela (La) ***LU*** 13 E 6
Barreras ***SA*** 42 I 10
Barres ***O*** 4 B 9
Barriada de Alcora (La) ***AL*** 102 V 21
Barriada de Jarana ***CA*** 98 W 11
Barriada San Cristobal ***MU*** 85 T 25
Barrié de la Maza (Embalse) ***C*** 12 D 3
Barrika ***BI*** 8 B 21
Barrillos ***LE*** 16 D 13
Barrillos de las Arrimadas ***LE*** 16 D 14
Barrina ***A*** 74 Q 29
Barrio ***VI*** 18 D 20
Barrio ***S*** 7 C 15
Barrio ***LE*** 14 D 9
Barrio ***OR*** 14 E 8
Barrio de Abajo ***CU*** 72 O 23
Barrio de Enmedio ***MA*** 93 U 16
Barrio de la Estación ***CC*** 54 N 7
Barrio de la Estación ***J*** 82 R 19
Barrio de la Puente ***LE*** 15 D 11
Barrio de Lomba ***ZA*** 14 F 10
Barrio de los Pajares ***BA*** 68 P 12
Barrio de Nuestra Señora ***LE*** 16 D 13
Barrio del Centro ***TE*** 48 J 25
Barrio del Hospital ***TE*** 48 J 25
Barrio-Panizares ***BU*** 17 D 18
Barriobusto ***VI*** 19 E 22
Barriomartín ***SO*** 33 G 22
Barriopedro ***GU*** 47 J 21
Barrios (Los) ***CA*** 99 X 13
Barrios (Los) ***J*** 82 R 17
Barrios de Bureba (Los) ***BU*** 18 E 19
Barrios de Colina ***BU*** 18 E 19
Barrios de Gordón (Los) ***LE*** 15 D 12
Barrios de Luna (Embalse de los) ***LE*** 15 D 12
Barrios de Luna (Los) ***LE*** 15 D 12
Barrios de Villadiego ***BU*** 17 E 17
Barriosuso ***P*** 17 E 16
Barro ***O*** 6 B 15
Barro ***PO*** 12 E 4
Barromán ***AV*** 44 I 15
Barros ***S*** 7 C 17
Barros ***O*** 6 C 12
Barros ***SE*** 92 U 13
Barros (Tierra de) ***BA*** 67 Q 10
Barrosa (La) ***CA*** 98 W 11
Barruecopardo ***SA*** 42 I 10
Barruelo ***BU*** 18 D 19
Barruelo ***VA*** 30 G 14
Barruelo de Santullán ***P*** 17 D 17
Barruera ***L*** 22 E 32
Barués ***Z*** 20 E 26
Barx ***V*** 74 O 29
Barxa (A) ***OR*** 28 G 8
Barxeta ***V*** 74 O 28
Bárzana ***O*** 5 C 12
Basabe ***VI*** 18 D 20
Basaburua ***NA*** 10 C 24
Basadre ***PO*** 13 D 6
Basáran ***HU*** 21 E 29
Basardilla ***SG*** 45 I 17
Basauri ***BI*** 8 C 21
Bàscara ***GI*** 25 F 38
Basconcillos del Tozo ***BU*** 17 D 18
Báscones ***P*** 17 D 17
Báscones de Ojeda ***P*** 17 D 16
Bascuñana de San Pedro ***CU*** 60 L 23
Baseta (Collado de la) ***L*** 23 E 33
Basquiñuelas ***VI*** 18 D 21
Bassa (Coll de la) ***CS*** 62 L 29
Bassacs (Els) ***B*** 24 F 35
Bassars (Els) ***A*** 86 R 28
Bassegoda ***GI*** 24 F 37
Bastaras ***HU*** 21 F 29
Bastiana (La) ***SE*** 79 S 11
Bastida (La) ***SA*** 43 K 11
Bastiments (Pic de) ***GI*** 24 E 36
Batalla ***GU*** 47 J 21
Batán ***AB*** 72 P 23
Batán (El) ***CC*** 55 M 10
Batán de San Pedro ***CU*** 59 M 21
Batán del Puerto ***AB*** 72 Q 23
Batea ***T*** 50 I 30
Baterna ***AV*** 44 K 15
Baterno ***BA*** 69 P 15
Batet ***GI*** 24 F 37
Batllòria (La) ***GI*** 38 G 37
Batoua (Pic de) ***HU*** 22 D 30
Batres ***M*** 58 L 18
Batuecas (Monasterio Las) ***SA*** 43 K 11
Batuecas (Reserva nacional de las) ***SA*** 43 K 11
Batxikabo ***VI*** 18 D 20
Baúl (El) ***GR*** 95 T 21
Baul (Rambla del) ***GR*** 95 T 21
Bausen ***L*** 22 D 32
Bayárcal ***AL*** 95 U 21
Bayarque ***AL*** 96 U 22
Bayas (Las) ***A*** 86 R 28
Bayo ***O*** 5 B 11
Bayo (El) ***Z*** 20 F 26
Bayona (La) ***TO*** 57 M 16
Bayos (Los) ***LE*** 15 D 11
Bayubas de Abajo ***SO*** 32 H 21
Bayubas de Arriba ***SO*** 32 H 21
Baza ***GR*** 95 T 21
Baza (Hoya de) ***GR*** 95 T 21
Bazagona (Estación de la) ***CC*** 56 M 12
Bazán ***CR*** 70 Q 19
Bazana (La) ***BA*** 79 R 9
Bazar ***C*** 2 C 3
Bazar *cerca de Castro* ***LU*** 4 C 7
Bazar *cerca de Lugo* ***LU*** 3 D 7
Bea ***TE*** 48 I 26
Beade ***OR*** 13 E 5
Beade ***PO*** 12 F 3
Beamud ***CU*** 60 L 24
Bearin ***NA*** 19 D 23
Beariz ***OR*** 13 E 5
Beas ***H*** 91 T 9
Beas (Embalse de) ***H*** 91 T 9
Beas de Granada ***GR*** 94 U 19
Beas de Guadix ***GR*** 95 U 20
Beas de Segura ***J*** 83 R 21
Beasain ***SS*** 10 C 23
Beata (La) ***SE*** 93 U 14
Beatas (Las) ***AB*** 72 O 22
Beatas (Las) ***CO*** 93 T 16
Beba ***C*** 2 D 2
Bebares ***O*** 5 C 10
Becedas ***AV*** 43 K 13
Becedillas ***AV*** 44 K 14
Beceite ***TE*** 50 J 30
Becejate ***CR*** 71 N 21
Becerreá ***LU*** 14 D 8
Becerrero (Sierra de) ***SE*** 93 U 15
Becerril ***SG*** 32 I 19
Becerril de Campos ***P*** 17 F 16
Becerril de la Sierra ***M*** 45 J 18
Becerril del Carpio ***P*** 17 D 17
Becerro (Punta del) *La Gomera* ***TF*** 118 C 3
Becilla de Valderaduey ***VA*** 30 F 14
Bedaio ***SS*** 10 C 23
Bédar ***AL*** 96 U 24
Bédar (Sierra de) ***AL*** 96 U 24
Bedaroa ***BI*** 9 B 22
Bedia ***BI*** 9 C 21
Bedmar ***J*** 82 S 19
Bedón ***BU*** 8 C 19
Bedriñana ***O*** 6 B 13
Beget ***GI*** 24 F 37
Begíjar ***J*** 82 S 19
Begonte ***LU*** 3 C 6
Begudà ***GI*** 24 F 37
Begues ***B*** 38 I 35
Begur ***GI*** 25 G 39
Begur (Cap de) ***GI*** 25 G 39
Behobia ***SS*** 10 B 24
Beigondo ***C*** 13 D 5
Beintza-Labaien ***NA*** 10 C 24
Beire ***NA*** 20 E 25
Beires ***AL*** 95 U 21
Beizama ***SS*** 10 C 23
Béjar ***SA*** 43 K 12
Bejarín (El) ***GR*** 95 T 20
Bejes ***S*** 7 C 16
Bejís ***CS*** 62 M 27
Bel ***CS*** 50 K 30
Belagua (Arroyo de) ***NA*** 11 D 27
Belalcázar ***CO*** 69 Q 14
Belalcázar (Estación de) ***CO*** 69 P 14
Belante ***LU*** 14 D 7
Belarra ***HU*** 21 E 28
Belascoáin ***NA*** 10 D 24
Belate (Puerto de) ***NA*** 11 C 25
Belauntza ***SS*** 10 C 23
Belbimbre ***BU*** 17 F 17
Belchite ***Z*** 35 I 27
Belén ***O*** 5 B 10
Belén ***LU*** 4 B 7
Belén ***CC*** 56 N 12
Belén (Ermita de) ***BA*** 68 P 14
Beleña ***SA*** 43 J 13
Beleña (Embalse de) ***GU*** 46 J 20
Beleña de Sorbe ***GU*** 46 J 20
Beleño ***O*** 6 C 14
Belerda ***O*** 6 C 14
Belerda ***J*** 83 S 20
Belerda de Guadix ***GR*** 95 T 20
Belesar ***PO*** 12 F 3
Belesar ***LU*** 13 E 6
Bèlgida ***V*** 74 P 28
Belianes ***L*** 37 H 33
Belicena ***GR*** 94 U 18
Belinchón ***CU*** 59 L 20
Bell-lloc ***CS*** 62 L 30
Bell-lloc d'Urgell ***L*** 36 H 32
Bellaguarda ***L*** 36 H 32
Bellavista ***H*** 90 U 8
Bellavista ***SE*** 91 U 12
Bellcaire d'Empordà ***GI*** 25 F 39
Bellcaire d'Urgell ***L*** 37 G 32
Bellestar *cerca de Grau* ***HU*** 22 F 31
Bellestar *cerca de Huesca* ***HU*** 21 F 28
Bellestar de la Tinença (El) ***CS*** 50 K 30
Bellmunt *cerca de Bellcaire d'Urgell* ***L*** 37 G 32
Bellmunt *cerca de Sta Coloma de Queralt* ***L*** 37 H 34
Bellmunt del Priorat ***T*** 36 I 32
Bello ***TE*** 48 J 25
Bello ***O*** 6 C 13
Bellostas (Las) ***HU*** 22 E 29
Bellprat ***B*** 37 H 34
Bellpuig ***L*** 37 H 33
Bellreguard ***V*** 74 P 29
Belltall ***T*** 37 H 33
Bellús ***V*** 74 P 28
Bellús (Embalse de) ***V*** 74 P 28
Bellvei ***T*** 37 I 34
Bellver ***IB*** 104 N 37
Bellver de Cerdanya ***L*** 23 E 35
Bellvís ***L*** 36 G 32
Belmaco (Cueva de) *La Palma* ***TF*** 132 D 6
Bélmez ***CO*** 80 R 14
Bélmez ***J*** 82 S 19
Bélmez de la Moraleda ***J*** 82 S 19
Belmonte ***O*** 6 B 15
Belmonte ***CU*** 59 N 21
Belmonte (Estación de) ***H*** 90 T 9
Belmonte de Campos ***P*** 30 G 15
Belmonte de Gracian ***Z*** 34 I 25
Belmonte de Miranda ***O*** 5 C 11
Belmonte de San José ***TE*** 50 J 29
Belmonte de Tajo ***M*** 59 L 19
Belmontejo ***CU*** 60 M 22
Belones (Los) ***MU*** 85 T 27
Belorado ***BU*** 18 E 20
Belsué ***HU*** 21 F 28
Beltejar ***SO*** 33 I 22
Beltrana (Puerto) ***BA*** 79 R 9
Beluso ***PO*** 12 F 3
Belver ***HU*** 36 G 30
Belver de los Montes ***ZA*** 30 G 13
Belvis de Jarama ***M*** 46 K 19
Belvís de la Jara ***TO*** 57 M 15
Belvís de Monroy ***CC*** 56 M 13
Bembézar ***CO*** 80 R 13
Bembézar (Embalse de) ***CO*** 80 S 14
Bembézar del Caudillo ***CO*** 80 S 14
Bembibre ***C*** 2 C 4
Bembibre ***LE*** 15 E 10
Bemil ***PO*** 12 E 4
Benabarre ***HU*** 22 F 31
Benablón ***MU*** 84 R 24
Benacazón ***SE*** 91 T 11
Benadalid ***MA*** 99 W 14
Benafarces ***VA*** 30 H 14
Benafer ***CS*** 62 M 28
Benafigos ***CS*** 62 L 29
Benagalbón ***MA*** 101 V 17
Benagéber ***V*** 61 M 26
Benaguasil ***V*** 62 N 28
Benahadux ***AL*** 103 V 22
Benahavís ***MA*** 100 W 14
Benajarafe ***MA*** 101 V 17
Benalauría ***MA*** 99 W 14
Benalmádena ***MA*** 100 W 16
Benalmádena-Costa ***MA*** 100 W 16
Benalúa de Guadix ***GR*** 95 T 20
Benalúa de las Villas ***GR*** 94 T 18
Benalup-Casas Viejas ***CA*** 99 W 12
Benalup de Sidonia ***CA*** 99 W 12
Benamahoma ***CA*** 92 V 13
Benamargosa ***MA*** 101 V 17
Benamariel ***LE*** 16 E 13
Benamaurel ***GR*** 95 T 21
Benamejí ***CO*** 93 U 16
Benamira ***SO*** 47 I 22
Benamocarra ***MA*** 101 V 17
Benamor ***MU*** 84 R 24
Benaocaz ***CA*** 99 V 13
Benaoján ***MA*** 99 V 14
Benaque ***MA*** 101 V 17
Benarrabá ***MA*** 99 W 14
Benasau ***A*** 74 P 28
Benasque ***HU*** 22 E 31
Benasque (Reserva nacional de) ***HU*** 22 D 31
Benasque (Valle de) ***HU*** 22 E 31
Benassal ***CS*** 49 K 29
Benatae ***J*** 83 Q 22
Benavent ***L*** 23 F 33
Benavent de Segrià ***L*** 36 G 31
Benavente ***HU*** 22 F 31
Benavente ***ZA*** 29 F 12
Benavente ***CR*** 70 O 17
Benavente ***BA*** 66 O 8
Benavides ***LE*** 15 E 12
Benavites ***V*** 62 M 29
Benazolve ***LE*** 16 E 13
Benchijigua *La Gomera* ***TF*** 119 C 2
Bendinat ***IB*** 104 N 37
Bendón ***O*** 4 C 9
Benecid ***AL*** 102 V 21
Benegiles ***ZA*** 29 H 13
Beneixama ***A*** 74 P 27
Benejúzar ***A*** 85 R 27
Benés ***L*** 22 E 32
Benetússer ***V*** 62 N 28
Benferri ***A*** 85 R 27
Benia ***O*** 6 B 15
Beniaia ***A*** 74 P 29
Beniaján ***MU*** 85 S 26
Benialfaquí ***A*** 74 P 28
Beniarbeig ***A*** 74 P 29
Beniardà ***A*** 74 P 29
Beniarjó ***V*** 74 P 29
Beniarrés ***A*** 74 P 28
Beniatjar ***V*** 74 P 28
Benicarló ***CS*** 50 K 31
Benicasim / Benicàssim ***CS*** 62 L 30
Benicàssim / Benicasim ***CS*** 62 L 30
Benichembla ***A*** 74 P 29
Benicolet ***V*** 74 P 28
Benicull de Xúquer ***V*** 74 O 28
Benidoleig ***A*** 74 P 29
Benidorm ***A*** 74 Q 29
Beniel ***MU*** 85 R 26
Benifaió ***V*** 74 O 28
Benifairó de les Valls ***V*** 62 M 29
Benifallet ***T*** 50 J 31
Benifallim ***A*** 74 Q 28
Benifallim (Port de) ***A*** 74 Q 28
Benifassà (Convent de) ***CS*** 50 J 30
Benifato ***A*** 74 P 29
Benigànim ***V*** 74 P 28
Benijo *Tenerife* ***TF*** 125 J 1
Benijófar ***A*** 85 R 27
Benilloba ***A*** 74 P 28
Benillup ***A*** 74 P 28
Benimantell ***A*** 74 P 29
Benimarco ***A*** 74 P 30
Benimarfull ***A*** 74 P 28
Benimassot ***A*** 74 P 29
Benimaurell ***A*** 74 P 29
Benimodo ***V*** 74 O 28
Benimuslem ***V*** 74 O 28
Beninar (Embalse de) ***AL*** 102 V 20
Beniparrell ***V*** 74 N 28
Benirrama ***A*** 74 P 29
Benisanó ***V*** 62 N 28
Benissa ***A*** 74 P 30
Benissanet ***T*** 50 I 31
Benitagla ***AL*** 96 U 23
Benitorafe ***AL*** 96 U 23
Benitos ***AV*** 44 J 15
Benizalón ***AL*** 96 U 23
Benizar ***MU*** 84 R 24
Benquerencia ***LU*** 4 B 8
Benquerencia ***CC*** 68 O 11
Benquerencia de la Serena ***BA*** 68 P 13
Bentaíga (Roque) *Gran Canaria* ***GC*** 114 D 3
Bentarique ***AL*** 102 V 22
Bentraces ***OR*** 13 F 6
Bentué de Rasal ***HU*** 21 E 28
Benuza ***LE*** 14 E 9
Benyamina ***MA*** 100 W 16
Benza ***C*** 2 C 4
Beo ***C*** 2 C 3
Beortegui ***NA*** 11 D 25
Bera / Vera de Bidasoa ***NA*** 11 C 24
Beranga ***S*** 8 B 19
Berango ***BI*** 8 B 21
Berantevilla ***VI*** 18 D 21
Beranúy ***HU*** 22 E 31
Berastegi ***SS*** 10 C 24
Beratón ***SO*** 34 G 24
Berbe Bajo ***GR*** 94 U 18
Berbegal ***HU*** 36 G 29
Berberana ***BU*** 18 D 20
Berbes ***O*** 6 B 14
Berbinzana ***NA*** 20 E 24
Berbucido ***PO*** 13 E 4
Bercedo ***BU*** 8 C 19
Berceo ***LO*** 19 E 21
Bercero ***VA*** 30 H 14
Berceruelo ***VA*** 30 H 14
Bérchules ***GR*** 102 V 20
Bercial ***SG*** 45 J 16
Bercial (El) ***TO*** 57 M 14
Bercial de San Rafael (El) ***TO*** 57 M 14
Bercial de Zapardiel ***AV*** 44 I 15
Bercianos de Aliste ***ZA*** 29 G 11
Bercianos de Valverde ***ZA*** 29 G 12
Bercianos de Vidriales ***ZA*** 29 F 12
Bercianos del Páramo ***LE*** 15 E 12
Bercianos del Real Camino ***LE*** 16 E 14
Bercimuel ***SG*** 32 H 19
Bercimuelle ***SA*** 44 K 13
Berdejo ***Z*** 33 H 24
Berdeogas ***C*** 2 C 2
Berdía ***C*** 3 D 4
Berdillo ***C*** 2 C 4
Berdoias ***C*** 2 C 2
Berducedo ***O*** 4 C 9
Berdún ***HU*** 21 E 27
Berengueles (Los) ***GR*** 101 V 18
Beret ***L*** 23 D 32
Beret (Portarró de) ***L*** 23 D 32
Berga ***B*** 24 F 35
Berganciano ***SA*** 43 I 11
Berganúy ***HU*** 22 F 32
Berganza ***VI*** 8 C 21
Berganzo ***VI*** 19 E 21
Bergara ***SS*** 10 C 22
Bergasa ***LO*** 19 F 23
Bergasillas Bajeras ***LO*** 19 F 23
Bergasillas Somera ***LO*** 19 F 23
Berge ***TE*** 49 J 28
Bergondo ***C*** 3 C 5
Bergüenda ***VI*** 18 D 20
Beriaín ***NA*** 11 D 25
Berja ***AL*** 102 V 21
Berlanas (Las) ***AV*** 44 J 15
Berlanga ***BA*** 80 R 12
Berlanga de Duero ***SO*** 32 H 21
Berlanga del Bierzo ***LE*** 15 D 10
Berlangas de Roa ***BU*** 31 G 18
Bermeja (Sierra) ***BA*** 67 O 11
Bermejales (Embalse de los) ***GR*** 101 V 18
Bermejo ***TO*** 56 M 13
Bermejo (Roque) *Tenerife* ***TF*** 125 K 1
Bermellar ***SA*** 42 J 9
Bermeo ***BI*** 9 B 21
Bermés ***PO*** 13 D 5
Bermiego ***O*** 5 C 12
Bermillo de Alba ***ZA*** 29 H 11
Bermillo de Sayago ***ZA*** 29 H 11
Bermún ***C*** 2 D 2
Bernadilla (La) ***GR*** 101 V 19
Bernagoitia ***BI*** 9 C 21
Bernales ***BI*** 8 C 19
Bernardo (El) ***CR*** 71 O 21
Bernardos ***SG*** 45 I 16
Bernedo ***VI*** 19 E 22
Bèrnia ***A*** 74 Q 29
Berninches ***GU*** 47 K 21
Bernués ***HU*** 21 E 28
Bernui ***L*** 23 E 33
Bernuy ***TO*** 57 M 16
Bernuy de Porreros ***SG*** 45 I 17
Bernúy-Salinero ***AV*** 45 J 16
Bernúy-Zapardiel ***AV*** 44 J 15
Berrazales (Los) *Gran Canaria* ***GC*** 114 D 2
Berriatúa ***BI*** 10 C 22
Berrioplano ***NA*** 11 D 24
Berriz ***BI*** 10 C 22
Berrizaun ***NA*** 11 C 24
Berro ***AB*** 72 P 23
Berro (El) ***MU*** 85 S 25
Berrobi ***SS*** 10 C 23
Berrocal ***H*** 79 T 10
Berrocal (El) ***SE*** 79 S 11
Berrocal de Huebra ***SA*** 43 J 12
Berrocal de Salvatierra ***SA*** 43 K 12
Berrocalejo ***CC*** 56 M 13
Berrocalejo de Aragona ***AV*** 45 J 16
Berrocales del Jarama (Los) ***M*** 46 K 19
Berroeta ***NA*** 11 C 25
Berrosteguieta ***VI*** 19 D 21
Berrueces ***VA*** 30 G 14
Berrueco ***Z*** 48 J 25
Berrueco (El) ***M*** 46 J 19
Berrueco (El) ***J*** 82 S 18
Berrueco (Peñón del) ***MA*** 99 W 13
Berrús (Ermita de) ***T*** 36 I 31
Bertamiráns ***C*** 12 D 4
Beruete ***NA*** 10 C 24
Berzalejo ***CC*** 56 M 12
Berzocana ***CC*** 56 N 13
Berzocana (Puerto de) ***CC*** 56 N 13
Berzosa ***SO*** 32 H 20
Berzosa ***CR*** 71 P 19
Berzosa de Bureba ***BU*** 18 E 20
Berzosa de los Hidalgos ***P*** 17 D 16
Berzosa del Lozoya ***M*** 46 J 19
Berzosilla ***P*** 17 D 17
Besalú ***GI*** 24 F 38
Besande ***LE*** 16 D 15
Bescanó ***GI*** 25 G 38
Bescaran ***L*** 23 E 34
Bespén ***HU*** 21 F 29
Besteiros ***OR*** 13 E 6
Bestué ***HU*** 22 E 30
Besullo ***O*** 5 C 10
Betancuria *Fuerteventura* ***GC*** 110 G 3
Betanzos ***C*** 3 C 5
Betanzos (Ría de) ***C*** 3 B 5
Betelu ***NA*** 10 C 24
Bétera ***V*** 62 N 28
Betés ***HU*** 21 E 28
Beteta ***CU*** 47 K 23
Betlem ***IB*** 105 M 39
Betlem (Ermita de) ***IB*** 105 M 39
Betolaza ***VI*** 19 D 21
Betorz ***HU*** 22 F 30
Betren ***L*** 22 D 32
Betxí ***CS*** 62 M 29
Beuda ***GI*** 24 F 38
Beunza ***NA*** 11 D 24
Beyos (Desfiladero de los) ***LE*** 6 C 16
Bezana ***BU*** 17 D 18
Bezanes ***O*** 6 C 14
Bezares ***LO*** 19 E 21
Bezas ***TE*** 48 K 26
Béznar ***GR*** 101 V 19
Béznar (Embalse de) ***GR*** 101 V 19
Bianditz (Alto de) ***NA*** 10 C 24
Biar ***A*** 74 Q 27
Biasteri ***VI*** 19 E 22
Bibéi ***OR*** 14 F 8

Bicorp V 73 O 27
Bidania SS 10 C 23
Bidankoze / Vidángoz NA 11 D 26
Bidasoa SS 11 C 25
Bidasoa (Montes de) NA 10 C 24
Bidaurreta NA 10 D 24
Biduedo OR 13 E 6
Biel-Fuencalderas Z 21 E 27
Bielsa HU 22 E 30
Bielsa (Túnel de) HU 22 D 30
Bielva S 7 C 16
Bien Aparecida (La) S 8 C 19
Bienservida AB 83 Q 22
Bienvenida CR 69 Q 16
Bienvenida BA 79 R 11
Bienvenida
(Ermita de) TO 57 M 14
Bienvenida (Monte) BA 79 R 11
Bierge HU 21 F 29
Biescas HU 21 E 29
Bigastro A 85 R 27
Bigornia (Puerto) SO 33 H 24
Bigues B 38 G 36
Bigüézal NA 11 D 26
Bijuesca Z 34 H 24
Bilbao BI 8 C 21
Bilbao SE 92 U 13
Billelabaso BI 8 B 21
Bimeda O 5 C 10
Bimón S 17 D 18
Binaced HU 36 G 30
Binacua HU 21 E 27
Binéfar HU 36 G 30
Biniali IB 104 N 38
Biniaraix IB 104 M 38
Binibèquer IB 106 M 42
Binidali IB 106 M 42
Biniés HU 21 E 27
Binifabini IB 106 M 42
Binissalem IB 104 M 38
Biosca L 37 G 34
Biota Z 20 F 26
Bisaurri HU 22 E 31
Bisbal de Falset (La) T 36 I 32
Bisbal
del Penedès (La) T 37 I 34
Bisbal
d'Empordà (La) GI 25 G 39
Biscarrués HU 21 F 27
Bisimbre Z 34 G 25
Bisjueces BU 18 D 19
Bitem T 50 J 31
Bitoriano VI 19 D 21
Biure GI 25 E 38
Biurrun NA 11 D 24
Blacos SO 32 G 21
Blanc (Cap) IB 104 N 38
Blanc (Mas) CS 62 L 29
Blanca MU 85 R 25
Blanca (Laguna) AB 71 P 21
Blanca (Punta)
Fuerteventura GC 111 H 2
Blanca (Sierra) MA 100 W 15
Blanca de Solanillos GU 47 J 23
Blancafort T 37 H 33
Blancares Nuevos AB 72 O 23
Blancares Viejos AB 72 O 23
Blancas TE 48 J 25
Blanco SE 93 T 14
Blancos OR 27 G 6
Blanes GI 39 G 38
Blanes
(Costa d'en) IB 104 N 37
Blanquillo J 83 R 21
Blanquitos (Los)
Tenerife TF 129 F 5
Blascoeles AV 45 J 16
Blascomillán AV 44 J 14
Blasconuño
de Matacabras AV 44 I 15
Blascosancho AV 45 J 16
Blázquez (Los) CO 80 Q 13
Blecua HU 21 F 29
Blesa TE 49 I 27
Bliecos SO 33 H 23
Blimea O 6 C 13
Blocona SO 33 I 22
Boa C 12 D 3
Boada SA 43 J 11
Boada de Campos P 30 G 15
Boada de Roa BU 31 G 18
Boadella (Pantà de) GI 25 E 38
Boadella d'Empordà GI 25 F 38
Boadilla SA 43 J 11
Boadilla de Rioseco P 16 F 15
Boadilla del Camino P 17 F 16
Boadilla del Monte M 45 K 18
Boal O 4 B 9
Boalo (El) M 45 J 18
Boaño C 2 C 2
Bobadilla LO 19 F 21
Bobadilla J 82 T 17
Bobadilla MA 93 U 15
Bobadilla del Campo VA 44 I 14
Bobadilla Estación MA 93 U 15
Bobastro MA 100 V 15
Bobia O 4 B 9
Boborás OR 13 E 5
Boca Chanza H 78 T 7
Boca de Huérgano LE 16 D 15
Bocacara SA 43 J 10
Bocairent V 74 P 28
Bocal (El) NA 20 F 25
Boceguillas SG 32 H 19
Boche AB 84 Q 23
Bochones GU 32 I 21
Bocigas VA 31 I 15
Bocigas de Perales SO 32 H 19
Bocinegro (Punta del)
Tenerife TF 129 F 5
Bocos BU 18 D 19
Bocos VA 31 H 17
Bodaño PO 13 D 5
Bodegas
de Pardanchinos V 61 M 27
Bodegones (Los) H 91 U 9
Bodegues
del Camp (Les) V 62 M 27
Bodera (La) GU 46 I 21
Bodón (El) SA 42 K 10
Bodonal de la Sierra BA 79 R 10
Boecillo VA 31 H 15
Boedes OR 13 E 5
Boedo P 17 D 16
Boente C 3 D 5
Boeza LE 15 D 11
Bogajo SA 42 J 10
Bogarra AB 72 Q 23
Bogarre GR 94 T 19
Bogarre (Monte) GR 94 T 19
Bohodón (El) AV 44 J 15
Bohonal BA 69 O 15
Bohonal de Ibor CC 56 M 13
Bohoyo AV 44 L 13
Boí L 22 E 32
Boí (Vall de) L 22 E 32
Boimente LU 4 B 7
Boimorto C 3 D 5
Boiro C 12 E 3
Boiro O 4 D 9
Boixar (El) CS 50 J 30
Bóixols L 23 F 33
Bóixols (Coll de) L 23 F 33
Bojadillas (Las) AB 84 R 23
Bola (A) OR 13 F 6
Bolaño LU 4 C 8
Bolaños CA 98 W 11
Bolaños
de Calatrava CR 70 P 19
Bolaños de Campos VA 30 F 14
Bolarque
(Embalse de) CU 47 K 21
Bolbaite V 74 O 27
Bolea HU 21 F 28
Boliches (Los) MA 100 W 16
Bolla CC 43 K 10
Bólliga CU 60 L 22
Bollullos
de la Mitación SE 91 T 11
Bollullos
Par del Condado H 91 T 10
Bolmir S 17 D 17
Bolnuevo MU 97 T 26
Bolo (O) OR 14 F 8
Bolón A 85 Q 27
Bolonia
(Ensenada de) CA 99 X 12
Bolos CR 71 P 20
Boltaña HU 21 E 30
Bolulla A 74 Q 29
Bolvir de Cerdanya GI 24 E 35
Bon Any IB 105 N 39
Bon Jesus de Trandeiras
(Monasterio) OR 13 F 7
Bonaigua (Port de la) L 23 E 32
Bonal (El) CR 70 O 17
Bonales
(Sierra de los) CR 69 Q 15
Bonansa HU 22 E 32
Bonanza CA 91 V 10
Bonanza (Roque de la)
El Hierro TF 109 D 3
Bonares H 91 U 9
Bonastre T 37 I 34
Bonete AB 73 P 25
Bonge LU 4 C 7
Boniches CU 61 M 25
Bonielles O 5 B 12
Bonilla CU 59 L 22
Bonilla de la Sierra AV 44 K 14
Bonillo (El) AB 72 P 22
Bonita (Cueva)
La Palma TF 130 B 4
Bonmatí GI 24 G 37
Bono HU 22 E 32
Boñar LE 16 D 14
Bóo O 5 C 12
Boo de Guarnizo S 7 B 18
Boós SO 32 H 21
Boqueixón C 13 D 4
Boquerón MU 85 R 26
Boquerón
(Puerto del) AV 45 K 16
Boquiñeni Z 34 G 26
Borau HU 21 E 28
Borbollón
(Embalse de) CC 55 L 10
Bordalba Z 33 H 23
Bordecorex SO 33 H 21
Bordejé SO 33 H 22
Bòrdes (Es) L 22 D 32
Bordils GI 25 F 38
Bordón TE 49 J 29
Borge (El) MA 101 V 17
Borges Blanques (Les) L 37 H 32
Borges del Camp
(Les) T 37 I 33
Borgonyà B 24 F 36
Borja Z 34 G 25
Borjabad SO 33 H 22
Borleña S 7 C 18
Bormate AB 73 O 25
Bormujos SE 91 T 11
Borneiro C 2 C 3
Bornos CA 92 V 12
Bornos (Embalse de) CA 92 V 12
Boroa BI 9 C 21
Borobia SO 34 H 24
Borox TO 58 L 18
Borrachina BA 66 Q 8
Borrassà GI 25 F 38
Borredà B 24 F 35
Borreguilla (Finca la) CR 71 Q 20
Borrenes LE 14 E 9
Borrés HU 21 E 28
Borres O 5 B 10
Borriana / Burriana CS 62 M 29
Borriol CS 62 L 29
Borriquillas (Punta de las)
Fuerteventura GC 113 I 4
Bosque C 2 C 3
Bosque (El) M 45 K 18
Bosque (El) TO 57 M 16
Bosque (El) GR 84 T 22
Bosque (El) CA 92 V 13
Bosque Alto Z 35 H 27
Bossòst L 22 D 32
Bot T 50 I 31
Botarell T 51 I 32
Botaya HU 21 E 28
Boticario TO 70 N 18
Botija CC 68 N 11
Bótoa BA 67 O 9
Bótoa (Ermita de) BA 67 O 9
Botorrita Z 34 H 26
Bou (Cala de) IB 87 P 33
Boumort (Serra de) L 23 F 33
Bousés OR 27 G 7
Boutra (Cabo de la) C 2 C 2
Bouza OR 13 E 5
Bouza (La) SA 42 J 9
Bouzas LE 15 E 10
Bouzas PO 12 F 3
Bóveda VI 18 D 20
Bóveda
cerca de Monforte LU 14 E 7
Bóveda de la Ribera BU 18 D 19
Bóveda de Toro (La) ZA 30 H 13
Bóveda
del Río Almar SA 44 J 14
Bovera L 36 I 31
Box O 5 B 12
Boya ZA 29 G 10
Boyar (Puerto del) CA 92 V 13
Bozoo BU 18 D 20
Brabos AV 44 J 15
Brácana CO 94 T 17
Brácana GR 94 U 18
Bràfim T 37 I 34
Braguia (Puerto de) S 8 C 18
Brahojos de Medina VA 30 I 14
Bramadero H 78 S 8
Brandeso C 13 D 5
Brandilanes ZA 29 H 11
Brandomil C 2 C 3
Brandoñas C 2 C 3
Braña (La) O 4 B 9
Braña (La) LE 14 D 9
Braña Vieja S 7 C 16
Brañalonga O 5 B 10
Brañes O 5 B 12
Brañosera P 17 D 17
Brañuás O 5 B 10
Brañuelas LE 15 E 11
Braojos M 46 I 19
Bravatas GR 83 S 22
Bravo (El) H 78 R 9
Bravos LU 3 B 7
Brazacorta BU 32 G 19
Brazato
(Embalse de) HU 21 D 29
Brazatortas CR 70 Q 17
Brazomar S 8 B 20
Brazuelo LE 15 E 11
Brea Z 34 H 25
Brea de Tajo M 59 L 20
Breda GI 38 G 37
Brence LU 14 E 7
Brenes SE 92 T 12
Breña
(Embalse de la) CO 81 S 14
Breña Alta La Palma TF 132 D 5
Breña Baja
La Palma TF 132 D 5
Breñas (Las)
Lanzarote GC 122 B 5
Bres O 4 B 8
Bretó ZA 29 G 12
Bretocino ZA 29 G 12
Bretoña LU 4 B 8
Bretún SO 33 F 22
Brias SO 32 H 21
Bricia BU 17 D 18
Brieva SG 45 I 17
Brieva AV 45 J 16
Brieva de Cameros LO 19 F 21
Brieva de Juarros BU 18 F 19
Brieves O 5 B 10
Brihuega GU 46 J 21
Brime de Sog ZA 29 F 11
Brime de Urz ZA 29 F 12
Brimeda LE 15 E 11
Brincones SA 43 I 10
Briñas LO 19 E 21
Briones LO 19 E 21
Briongos BU 32 G 19
Brisas (Las) GU 47 K 21
Brisos
(Puerto de los) BA 67 O 9
Briviesca BU 18 E 20
Brizuela BU 18 D 19
Brocos PO 13 D 5
Bronchales TE 48 K 25
Bronco (El) CC 55 L 11
Brosquil (El) V 74 O 29
Broto HU 21 E 29
Brovales BA 79 Q 9
Brovales
(Embalse de) BA 79 Q 9
Broza LU 13 E 7
Brozas CC 55 N 9
Bruc (El) B 38 H 35
Brués OR 13 E 5
Bruguera GI 24 F 36
Bruis HU 22 F 30
Brujas (Cuevas de) NA 11 C 25
Brull (El) B 38 G 36
Brullés BU 17 E 18
Brunales (Los) V 73 P 27
Brunete M 45 K 18
Brunyola GI 24 G 38
Búbal HU 21 D 29
Búbal (Embalse de) HU 21 D 29
Buberos SO 33 H 23
Bubierca Z 34 I 24
Bubión GR 102 V 19
Bucher TO 57 L 14
Buciegas CU 47 K 22
Búcor GR 94 U 18
Buda (Illa de) T 51 J 32
Budia GU 47 K 21
Budián LU 4 B 7
Budiño C 3 D 4
Budiño PO 12 F 4
Buelna O 7 B 16
Buen Amor SA 43 I 12
Buen Retiro CR 71 O 21
Buena Leche V 61 M 26
Buenache
de Alarcón CU 60 N 23
Buenache
de la Sierra CU 60 L 24
Buenafuente
(Monasterio de) GU 47 J 23
Buenamadre SA 43 J 11
Buenas Noches MA 99 W 14
Buenasbodas TO 57 N 15
Buenaventura TO 57 L 15
Buenavista SA 43 J 13
Buenavista GR 94 U 18
Buenavista (Monte) AB 72 O 24
Buenavista-Cala
Abogat A 75 P 30
Buenavista
de Valdavia P 17 E 16
Buenavista del Norte
Tenerife TF 126 B 3
Buendía CU 47 K 21
Buendía
(Embalse de) CU 47 K 21
Bueno (El)
Tenerife TF 129 G 4
Buenos Aires A 86 R 28
Bueña TE 48 J 26
Buera HU 22 F 30
Buerba HU 22 E 30
Bueres O 6 C 13
Buesa HU 21 E 29
Bueu PO 12 F 3
Buey TO 58 M 18
Bufali V 74 P 28
Bugallido C 12 D 4
Bugarra V 61 N 27
Bugedo BU 18 E 20
Búger IB 104 M 38
Buitrago SO 33 G 22
Buitrago (Pinilla de) M 46 J 18
Buitrago del Lozoya M 46 J 19
Buitre MU 84 R 24
Buitre AL 95 U 21
Buitre (Monte) TE 61 L 26
Buitrera GU 32 I 19
Buitrón (El) H 79 T 9
Buitrón (El) Monte H 78 S 8
Buiza LE 16 D 12
Bujalance CO 81 S 16
Bujalaro GU 46 J 21
Bujalcayado GU 47 I 21
Buján C 2 D 2
Bujaraiza J 83 R 21
Bujaraloz Z 35 H 29
Bujarda (La) H 78 S 8
Bujardo BA 78 Q 9
Bujarrabal GU 47 I 22
Bujaruelo HU 21 D 29
Bujeda (La) GU 59 L 21
Bujeo (El) CA 99 X 13
Bujeo (Puerto del) CA 99 X 13
Bujo BA 79 R 11
Bularros AV 44 J 15
Bulbuente Z 34 G 25
Bullaque (El) CR 70 O 17
Bullas MU 84 R 24
Bulnes O 6 C 15
Buniel BU 17 F 18
Bunyola IB 104 M 38
Buñales HU 21 F 28
Buño C 2 C 3
Buñol V 61 N 27
Buñuel NA 34 G 25
Burbáguena TE 48 I 25
Burbia LE 14 D 9
Burceat HU 22 F 30
Burceña BU 8 C 19
Burela LU 4 B 7
Burés C 12 D 3
Bureta Z 34 G 25
Burete MU 84 R 24
Burgal (El) V 61 N 27
Burganes
de Valverde ZA 29 G 12
Burgi / Burgui NA 11 D 26
Burgo LU 3 D 7
Burgo (El) MA 100 V 15
Burgo de Ebro (El) Z 35 H 27
Burgo de Osma (El) SO 32 H 20
Burgo Ranero (El) LE 16 E 14
Burgohondo AV 44 K 15
Burgomillodo SG 31 H 18
Burgos BU 18 E 18
Burgueira PO 12 F 3
Burguete / Auritz NA 11 D 26
Burgui / Burgi NA 11 D 26
Burguilla CC 57 M 14
Burguillos SE 91 T 12
Burguillos de Toledo TO 58 M 18
Burguillos del Cerro BA 79 Q 10
Buriz LU 3 C 6
Burjassot V 62 N 28
Burlada / Burlata NA 11 D 25
Burlata / Burlada NA 11 D 25
Burón LE 6 C 14
Burras MU 84 S 24
Burres C 3 D 5
Burriana / Borriana CS 62 M 29
Burrueco AB 72 P 23
Buruaga VI 19 D 21
Burujón TO 58 M 17
Burunchel J 83 S 21
Busante O 4 D 9
Buscastell IB 87 O 34
Busdongo LE 15 D 12
Busloñe O 5 C 12
Busmente O 4 B 9
Busot A 86 Q 28
Busquístar GR 102 V 20
Bustablado S 8 C 19
Bustamante S 17 C 17
Bustantigo O 4 B 9
Bustares GU 46 I 20
Bustarviejo M 46 J 18
Bustasur S 17 D 17
Buste (El) Z 34 G 25
Bustidoño S 17 D 18
Bustillo de Cea LE 16 E 14
Bustillo de Chaves VA 16 F 14
Bustillo de la Vega P 16 E 15
Bustillo del Monte S 17 D 17
Bustillo del Oro ZA 30 G 13
Bustillo del Páramo LE 15 E 12
Bustillo del Páramo
de Carrión P 16 E 15
Busto cerca de Luarca O 5 B 10
Busto cerca
de Villaviciosa O 6 B 13
Busto (Cabo) O 5 B 10
Busto (El) NA 19 E 23
Busto de Bureba BU 18 E 20
Bustoburniego O 5 B 10
Bustriguado S 7 C 16
Busturia BI 9 B 21
Butihondo
Fuerteventura GC 112 D 5
Butrera BA 79 R 10
Butrón BI 8 B 21
Buxán cerca de Rois C 12 D 3
Buxán
cerca de Val do Dubra C 2 C 4
Buxantes (Monte de) C 2 D 2
Buxu (Cueva del) O 6 B 14


## C


Caamaño C 12 E 2
Caaveiro C 3 B 5
Cabaco (El) SA 43 K 11
Caballar SG 45 I 18
Caballera HU 21 F 28
Caballeros J 82 Q 18
Caballo GR 94 U 19
Caballo (Cerro del) GR 94 U 19
Caballó (Serra El) V 74 O 27
Caballón H 91 T 9
Caballos
(Sierra de los) MA 93 U 15
Cabalos
(Sierra de los) LU 14 E 8
Cabana C 2 C 3
Cabanabona L 37 G 33
Cabanamoura C 2 D 3
Cabanas LU 3 B 6
Cabanas C 3 B 5
Cabanelas OR 13 E 5
Cabanelles GI 25 F 38
Cabanes GI 25 F 38
Cabanes Castelló CS 62 L 30
Cabanes
(Barranc de) CS 62 L 29
Cabanillas NA 20 F 25
Cabanillas SO 33 H 22
Cabanillas
de la Sierra M 46 J 19
Cabanillas
del Campo GU 46 K 20
Cabanyes (Les) B 37 H 35
Cabañaquinta O 6 C 13
Cabañas Z 34 G 26
Cabañas LE 16 F 13
Cabañas (Monte) J 83 S 21
Cabañas (Puerto) CA 92 V 14
Cabañas
de Castilla (Las) P 17 E 16
Cabañas de la Dornilla LE 15 E 10


A B C D E F G H I J K L M N O P Q R S T U V W X Y Z

Cabañas de la Sagra *TO* 58 L 18
Cabañas de Polendos *SG* 45 I 17
Cabañas de Sayago *ZA* 29 I 12
Cabañas de Yepes *TO* 58 M 19
Cabañas del Castillo *CC* 56 N 13
Cabañas Raras *LE* 14 E 9
Cabañeros *LE* 16 F 13
Cabañeros *CR* 69 N 16
Cabañeros (Parque nacional) *CR* 69 N 16
Cabañes de Esgueva *BU* 32 G 18
Cabarga (Peña) *S* 8 B 18
Cabassers *T* 36 I 32
Cabdella *L* 23 E 32
Cabe *LU* 14 E 7
Cabeza (La) *AB* 84 R 23
Cabeza de Béjar (La) *SA* 43 K 13
Cabeza de Buey *CR* 71 Q 20
Cabeza de Campo *LE* 14 E 9
Cabeza de Diego Gómez *SA* 43 J 11
Cabeza de la Viña (Isla) *J* 83 R 21
Cabeza del Buey *BA* 67 P 11
Cabeza del Caballo *SA* 42 I 10
Cabeza Gorda *J* 49 I 28
Cabeza la Vaca *BA* 79 R 10
Cabezabellosa *CC* 56 L 12
Cabezabellosa de la Calzada *SA* 44 I 13
Cabezadas (Las) *GU* 46 I 20
Cabezamesada *TO* 59 M 20
Cabezarados *CR* 70 P 17
Cabezarrubias *CR* 70 Q 17
Cabezas de Alambre *AV* 44 J 15
Cabezas de Bonilla *AV* 44 K 14
Cabezas de San Juan (Las) *SE* 91 V 12
Cabezas del Pasto *H* 78 T 7
Cabezas del Pozo *AV* 44 I 15
Cabezas del Villar *AV* 44 J 14
Cabezas Rubias *H* 78 S 8
Cabezo *CC* 43 K 11
Cabezo (Monte) *TE* 61 L 26
Cabezo de la Plata *MU* 85 S 27
Cabezo de Torres *MU* 85 R 26
Cabezo Jara *AL* 96 T 24
Cabezón *VA* 31 G 16
Cabezón de Cameros *LO* 19 F 22
Cabezón de la Sal *S* 7 C 17
Cabezón de la Sierra *BU* 32 G 20
Cabezón de Liébana *S* 7 C 16
Cabezón de Valderaduey *VA* 16 F 14
Cabezón del Oro (Serra de) *A* 74 Q 28
Cabezudos (Los) *H* 91 U 10
Cabezuela *SG* 31 I 18
Cabezuela (La) *V* 73 O 26
Cabezuela del Valle *CC* 56 L 12
Cabezuelas (Las) *M* 45 K 17
Cabezuelos (Los) *GU* 47 K 22
Cabizuela *AV* 44 J 15
Cabó *L* 23 F 33
Cabo Blanco *Tenerife TF* 128 D 5
Cabo Cervera-Playa La Mata *A* 86 R 28
Cabo de Gata *AL* 103 V 23
Cabo de Gata-Níjar (Parque natural de ) *AL* 96 V 23
Cabo de Palos *MU* 86 T 27
Caboalles de Abajo *LE* 15 D 10
Caboalles de Arriba *LE* 15 D 10
Cabolafuente *Z* 47 I 23
Cabornera *LE* 15 D 12
Caborno *O* 5 B 10
Caborredondo *BU* 18 E 19
Cabra *CO* 93 T 16
Cabra (Cinto) *V* 73 O 27
Cabra de Mora *TE* 49 L 27
Cabra del Camp *T* 37 H 33
Cabra del Santo Cristo *J* 83 S 20
Cabras *GR* 94 U 17
Cabras (Las) *AB* 84 R 22
Cabredo *NA* 19 E 22
Cabreiroá *OR* 28 G 7
Cabreiros *LU* 3 B 6
Cabrejas *CU* 60 L 22
Cabrejas (Altos de) *CU* 60 L 22
Cabrejas (Puerto de) *CU* 60 L 23
Cabrejas del Campo *SO* 33 G 23
Cabrejas del Pinar *SO* 33 G 21
Cabrera *BA* 79 R 11
Cabrera (La) *M* 46 J 19
Cabrera (La) *GU* 47 I 22
Cabrera (La) *V* 61 N 27
Cabrera (Río de la) *J* 82 R 17
Cabrera de Mar *B* 38 H 37
Cabrerizos *SA* 43 J 13
Cabrero *CC* 56 L 12
Cabreros del Monte *VA* 30 G 14
Cabreros del Río *LE* 16 E 13
Cabretón *LO* 34 G 24
Cabril (El) *CO* 80 R 13
Cabrilla (Río de la) *CO* 81 S 14
Cabrillanes *LE* 15 D 11
Cabrillas *SA* 43 J 11
Cabrillas (Puerto de las) *TE* 49 K 29
Cabrils *B* 38 H 37
Cabrito (Alto El) *CA* 99 X 13
Cabruñana *O* 5 B 11
Cabuérniga *S* 7 C 17
Cacabelos *LE* 14 E 9
Cáceres *CC* 55 N 10
Cáceres (Embalse de) *CC* 55 N 11
Caceruela *CR* 69 O 16
Cachafeiro *PO* 13 E 4
Cachaza *CC* 55 L 9
Cacheiras *C* 12 D 4
Cachorilla *CC* 55 M 9
Cacín *GR* 94 U 18
Cacín (Canal del) *GR* 94 U 18
Cadabedo *LU* 4 B 7
Cádabo (O) *LU* 4 C 8
Cadafresnas *LE* 14 E 9
Cadagua *BU* 8 C 19
Cadalso *CC* 55 L 10
Cadalso de los Vidrios *M* 57 L 16
Cadaqués *GI* 25 F 39
Cadavedo *O* 5 B 10
Cádavos *OR* 28 G 8
Cadena (Puerto de la) *MU* 85 S 26
Cadí *L* 23 F 34
Cadí (Serra de) *L* 23 F 34
Cadí (Túnel de) *GI* 24 F 35
Cadí-Moixeró (Parc natural de) *B* 24 F 35
Cádiar *GR* 102 V 20
Cadiñanos *BU* 18 D 19
Cádiz *CA* 98 W 11
Cádiz (Bahía de) *CA* 98 W 11
Cadreita *NA* 20 F 24
Cadrete *Z* 35 H 27
Caicedo Yuso *VI* 18 D 21
Caídero de la Niña (Embalse) *Gran Canaria GC* 114 C 3
Caimari *IB* 104 M 38
Caimodorro *TE* 48 K 24
Caín *LE* 6 C 15
Caión *C* 2 C 4
Cajigar *HU* 22 F 31
Cajiz *MA* 101 V 17
Cala *H* 79 S 11
Cala (Embalse de) *SE* 79 S 11
Cala (La) *A* 74 Q 29
Cala Agulla *IB* 105 M 40
Cala Bassa *IB* 87 P 33
Cala Blanca *Menorca IB* 106 M 41
Cala Blava *IB* 104 N 38
Cala Bona *IB* 105 N 40
Cala de los Tiestos *A* 75 P 30
Cala de Salionç *GI* 39 G 38
Cala Deía *IB* 104 M 37
Cala del Moral *cerca de Rincón de la V. MA* 100 V 17
Cala d'Or *IB* 105 N 39
Cala en Blanes *IB* 106 L 41
Cala en Bosc *IB* 106 M 41
Cala en Porter *IB* 106 M 42
Cala Ferrera *IB* 105 N 39
Cala Figuera *IB* 105 O 39
Cala Fonduco *IB* 106 M 42
Cala Fornells *IB* 104 N 37
Cala Galdana *IB* 106 M 41
Cala Gració *IB* 87 P 33
Cala Llonga *Ibiza IB* 87 P 34
Cala Mesquida *Mallorca IB* 105 M 40
Cala Mesquida *Menorca IB* 106 M 42
Cala Millor *IB* 105 N 40
Cala Montjoi *GI* 25 F 39
Cala Morell *IB* 106 L 41
Cala Murada *IB* 105 N 39
Cala Pi *IB* 104 N 38
Cala Puntal *CS* 50 K 31
Cala Rajada *IB* 105 M 40
Cala Sahona *IB* 87 P 34
Cala Sant Vicenç *IB* 105 M 39
Cala Sant Vicent *Localidad IB* 87 O 34
Cala Santa Galdana *IB* 106 M 41
Cala Santanyí *IB* 105 O 39
Cala Tarida *IB* 87 P 33
Cala Turqueta *IB* 106 M 41
Cala Vallgornera *IB* 104 N 38
Cala Vedella *IB* 87 P 33
Cala Vinyes *IB* 104 N 37
Calabardina *MU* 97 T 25
Calabazar (Embalse del) *H* 78 T 9
Calabazares *H* 79 S 9
Calabazas *SG* 31 H 17
Calabazas *VA* 30 H 15
Calabor *ZA* 28 G 9
Calaburra (Punta de) *MA* 100 W 16
Calaceite *TE* 50 I 30
Caladrones *HU* 22 F 31
Calaf *B* 37 G 34
Calafat *T* 51 J 32
Calafell *T* 37 I 34
Calafell Platja *T* 37 I 34
Calahonda *GR* 102 V 19
Calahonda *MA* 100 W 15
Calahorra *LO* 19 F 24
Calahorra (Estación de La) *GR* 95 U 20
Calahorra (La) *GR* 95 U 20
Calahorra de Boedo *P* 17 E 16
Calalberche *TO* 58 L 17
Calama *CC* 43 K 11
Calamocha *TE* 48 J 26
Calamocos *LE* 15 E 10
Calamonte *BA* 67 P 10
Calanda *TE* 49 J 29
Calanda (Embalse de) *TE* 49 J 29
Calañas *H* 78 T 9
Calar Alto *AL* 95 U 22
Calar de la Santa *MU* 84 R 23
Calar del Mundo *AB* 84 Q 22
Calares (Los) *CR* 71 Q 21
Calasanz *HU* 22 F 31
Calasparra *MU* 84 R 24
Calasparra (Estación de) *MU* 84 R 24
Calatañazor *SO* 33 G 21
Calatayud *Z* 34 H 25
Calatorao *Z* 34 H 25
Calatrava (Campo de) *CR* 70 P 18
Calatrava (Puerto de) *CR* 70 P 18
Calatraveño (Puerto) *CO* 81 R 15
Calaveruela *CO* 80 R 13
Calbinyà *L* 23 E 34
Calcena *Z* 34 H 24
Caldas (Las) *O* 5 C 12
Caldas de Besaya (Las) *S* 7 C 17
Caldas de Luna *LE* 15 D 12
Caldas de Reis *PO* 12 E 4
Calde *LU* 3 D 7
Caldearenas *HU* 21 E 28
Caldebarcos *C* 12 D 2
Caldelas *PO* 12 F 4
Caldera *CO* 93 T 17
Caldereta *Fuerteventura GC* 111 I 2
Calderín (El) *TO* 70 O 18
Calderón *V* 61 L 26
Calderones (Los) *MU* 85 S 25
Calders *B* 38 G 35
Calderuela *SO* 33 G 23
Caldes de Boí *L* 22 E 32
Caldes de Malavella *GI* 25 G 38
Caldes de Montbui *B* 38 H 36
Caldes d'Estrac *B* 38 H 37
Caldones *O* 6 B 13
Caldueño *O* 6 B 15
Caleao *O* 6 C 13
Calella *B* 38 H 37
Calella de Palafrugell *GI* 25 G 39
Calera (La) *CR* 71 P 20
Calera (La) *H* 91 U 10
Calera (La) *CC* 56 N 14
Calera (La) *BA* 67 P 10
Calera de León *BA* 79 R 11
Calera del Prado (La) *BI* 8 C 19
Calera y Chozas *TO* 57 M 15
Caleruega *BU* 32 G 19
Caleruela *TO* 56 M 14
Caleruela *cerca de Los Yébenes TO* 58 N 18
Caleruela (La) *J* 83 R 20
Cales de Mallorca *IB* 105 N 39
Caleta *El Hierro TF* 109 E 2
Caleta (La) *GR* 101 V 19
Caleta (La) *Tenerife TF* 126 C 3
Caleta (La) *Tenerife TF* 128 C 5
Caleta de Famara *Lanzarote GC* 123 E 3
Caleta de Fustes (Castillo de) *Fuerteventura GC* 111 I 3
Caleta de Vélez (La) *MA* 101 V 17
Caleta del Sebo *Lanzarote GC* 121 E 2
Caletas (Las) *La Palma TF* 132 D 7
Caletillas (Las) *Tenerife TF* 127 H 3
Caleyos (Los) *O* 6 C 13
Calicasas *GR* 94 U 19
Càlig *CS* 50 K 31
Callao Salvaje *Tenerife TF* 128 C 5
Calldetenes *B* 38 G 36
Callejas *CU* 60 N 24
Callejones *La Palma TF* 132 D 5
Callejos (Los) *O* 6 B 15
Callén *HU* 35 G 28
Calleras *O* 5 B 10
Calles *V* 61 M 27
Callezuela *O* 5 B 12
Callobre *C* 3 C 5
Callobre *PO* 13 D 4
Callosa de Segura *A* 85 R 27
Callosa d'en Sarrià *A* 74 Q 29
Callús *B* 37 G 35
Calmarza *Z* 48 I 24
Calnegre *MU* 97 T 25
Calnegre (Punta de) *MU* 97 T 25
Calo *C* 2 C 2
Calo *C* 12 D 4
Calobra (Sa) *IB* 104 M 38
Calomarde *TE* 48 K 25
Calonge *GI* 25 G 39
Calonge *Mallorca IB* 105 N 39
Calonge (El) *CO* 80 T 13
Calonge de Segarra *B* 37 G 34
Calp *A* 74 Q 30
Calpes (Los) *CS* 62 L 28
Caltojar *SO* 33 H 21
Calvarrasa de Abajo *SA* 44 J 13
Calvarrasa de Arriba *SA* 44 J 13
Calvera *HU* 22 E 31
Calvestra *V* 61 N 26
Calvià *IB* 104 N 37
Calvín Bajo *TO* 58 M 17
Calvo *BA* 79 Q 11
Calvos de Randín *OR* 27 G 6
Calypo *TO* 58 L 17
Calzada (Atayala de la) *CR* 70 Q 18
Calzada de Béjar (La) *SA* 43 K 12
Calzada de Bureba *BU* 18 E 20
Calzada de Calatrava *CR* 70 P 18
Calzada de los Molinos *P* 17 F 16
Calzada de Oropesa (La) *TO* 56 M 14
Calzada de Tera *ZA* 29 G 11
Calzada de Valdunciel *SA* 43 I 12
Calzada de Vergara *AB* 73 O 25
Calzada del Coto *LE* 16 E 14
Calzadilla *CC* 55 L 10
Calzadilla de la Cueza *P* 16 F 15
Calzadilla de los Barros *BA* 79 R 11
Calzadilla de los Hermanillos *LE* 16 E 14
Calzadilla de Tera *ZA* 29 G 11
Calzadilla del Campo *SA* 43 I 11
Camaleño *S* 7 C 15
Camallera *GI* 25 F 38
Camañas *TE* 48 K 26
Camarasa *L* 37 G 32
Camarasa (Pantà de) *L* 36 G 32
Camarena *TO* 58 L 17
Camarena (Sierra de) *TE* 61 L 27
Camarena de la Sierra *TE* 61 L 26
Camarenilla *TO* 58 L 17
Camarillas *TE* 49 K 27
Camarillas (Embalse de) *AB* 84 Q 25
Camarinal (Punta) *CA* 99 X 12
Camariñas *C* 2 C 2
Camariñas (Ría de) *C* 2 C 2
Camarles *T* 50 J 32
Camarma de Esteruelas *M* 46 K 19
Camarmeña *O* 6 C 15
Camarna del Caño *M* 46 K 19
Camarzana de Tera *ZA* 29 G 11
Camás *O* 6 B 13
Camas *SE* 91 T 11
Camasobres *P* 7 C 16
Camba *OR* 14 F 8
Cambados *PO* 12 E 3
Cambás *C* 3 C 6
Cambela *OR* 14 F 8
Cambeo *OR* 13 E 6
Cambil *J* 82 S 19
Cambre *C* 3 C 4
Cambre *cerca de Malpica C* 2 C 3
Cambrils *L* 23 F 34
Cambrils de Mar *T* 51 I 33
Cambrón *CR* 83 Q 20
Cambrón (Peña) *J* 83 S 20
Cambrón (Sierra del) *CO* 80 Q 13
Camelle *C* 2 C 2
Camello (Punta del) *Tenerife TF* 129 G 5
Cameno *BU* 18 E 20
Camino *S* 7 C 17
Caminomorisco *CC* 43 L 11
Caminreal *TE* 48 J 26
Camocha (La) *O* 6 B 13
Camocho *CC* 56 L 12
Camorro Alto *MA* 100 V 16
Camós *GI* 25 F 38
Camp d'Abaix *V* 61 M 26
Camp d'Arcís *V* 61 N 26
Camp de Mar *IB* 104 N 37
Camp de Mirra (El) *A* 74 P 27
Camp-redo *T* 50 J 31
Campalbo *CU* 61 M 26
Campamento *AL* 103 V 22
Campamento (El) *CA* 99 X 13
Campamento Matallana *SE* 80 T 13
Campana (La) *CR* 71 P 20
Campana (La) *MU* 85 Q 25
Campana (La) *SE* 92 T 13
Campana (Río de) *J* 82 R 18
Campanario *BA* 68 P 13
Campanario (Embalse de) *H* 90 T 9
Campanas *NA* 11 D 25
Campanet *IB* 104 M 38
Campanet (Coves de) *IB* 104 M 38
Campanillas *MA* 100 V 16
Campano *CA* 98 W 11
Camparañón *SO* 33 G 22
Campaspero *VA* 31 H 17
Campazas *LE* 16 F 13
Campdevànol *GI* 24 F 36
Campelles *GI* 24 F 36
Campello (El) *A* 86 Q 28
Campezo *VI* 19 D 22
Campico de los López *MU* 97 T 25
Campillejo *GU* 46 I 20
Campillo *TE* 48 L 26
Campillo *CR* 69 P 16
Campillo (Casa Forestal del) *J* 83 R 22
Campillo (El) *VA* 30 I 14
Campillo (El) *ZA* 29 H 12
Campillo (El) *H* 79 S 10
Campillo (El) *J* 83 R 20
Campillo (El) *SE* 92 T 14
Campillo de Altobuey *CU* 60 N 24
Campillo de Aragón *Z* 48 I 24
Campillo de Aranda *BU* 32 H 18
Campillo de Arenas *J* 94 T 19
Campillo de Azaba *SA* 42 K 9
Campillo de Deleitosa *CC* 56 M 13
Campillo de Dueñas *GU* 48 J 24
Campillo de la Jara (El) *TO* 57 N 14
Campillo de la Virgen *AB* 72 P 24
Campillo de las Doblas *AB* 72 P 24
Campillo de Llerena *BA* 68 Q 12
Campillo de Ranas *GU* 46 I 20
Campillo de Salvatierra *SA* 43 K 12
Campillo del Negro (El) *AB* 73 P 24
Campillo del Río *J* 82 S 19
Campillos *MA* 93 U 15
Campillos (Río) *CU* 60 L 24
Campillos Paravientos *CU* 61 M 25
Campillos Sierra *CU* 60 L 24
Campino *BU* 17 D 18
Campins *B* 38 G 37
Campiña *C* 32 F 20
Campirme *L* 23 E 33
Campisábalos *GU* 32 I 20
Campllong *GI* 39 G 38
Camplongo *LE* 16 D 12
Campo *HU* 22 E 31
Campo *C* 2 C 3
Campo *LE* 6 D 13
Campo *S* 17 D 18
Campo (El) *TE* 61 L 26
Campo (El) *GR* 84 S 22
Campo (Los) *SO* 33 G 22
Campo (O) *C* 3 D 5
Campo Cebas *GR* 83 S 21
Campo da Árbore (Porto de) *LU* 14 D 8
Campo da Feira *Antemil C* 3 C 4
Campo de Arriba *V* 61 M 26
Campo de Caso *O* 6 C 13
Campo de Criptana *CR* 71 N 20
Campo de Cuéllar *SG* 31 I 16
Campo de la Lomba *LE* 15 D 12
Campo de Ledesma (El) *SA* 43 I 11
Campo de Peñaranda (El) *SA* 44 J 14
Campo de San Pedro *SG* 32 H 19
Campo de Villavidel *LE* 16 E 13
Campo del Agua *LE* 14 D 9
Campo del Hospital *C* 3 B 6
Campo Lameiro *PO* 12 E 4
Campo Lugar *CC* 68 O 12
Campo Real *M* 46 K 19
Campo Real (Estación de) *CO* 93 T 15
Campo Xestada *C* 3 C 4
Campoalbillo *AB* 73 O 25
Campobecerros *OR* 14 F 8
Campocámara *GR* 83 S 21
Campocerrado *SA* 43 J 11
Campofrío *H* 79 S 10
Campogrande de Aliste *ZA* 29 G 11
Campohermoso *AL* 103 V 23
Campolar *LE* 16 E 13
Campolara *BU* 32 F 19
Campollo *S* 7 C 16
Campolongo *C* 3 B 5
Campomanes *O* 5 C 12
Campomojado *CR* 70 O 18
Camponaraya *LE* 14 E 9
Campóo (Alto) *S* 7 C 16
Camporredondo *VA* 31 H 16
Camporredondo *J* 83 R 20
Camporredondo (Embalse de) *P* 17 D 15
Camporredondo de Alba *P* 16 D 15
Camporrélls *HU* 36 G 31
Camporrobles *V* 61 N 25
Campos *TE* 49 J 27
Campos *Mallorca IB* 105 N 39
Campos (Los) *O* 5 B 12
Campos del Río *MU* 85 R 25
Camposancos *PO* 26 G 3
Camposo *LU* 14 D 7
Campotéjar *MU* 85 R 26
Campotéjar *GR* 94 T 19
Camprodon *GI* 24 F 37
Camprovín *LO* 19 E 21
Camuñas *TO* 70 N 19
Can Amat *B* 38 H 35
Can Bondia *B* 24 F 36
Can Ferrer *T* 37 I 34
Can Pastilla *IB* 104 N 38
Can Picafort *IB* 105 M 39
Can Vidal *B* 38 G 35
Canabal *LU* 13 E 7
Canajela *CC* 67 O 10
Canal (La) *S* 7 C 18
Canal (Sa) *Ibiza IB* 87 P 34
Canal de las Bárdenas 20 E 26
Canaleja *AB* 72 P 22
Canaleja (La) *CO* 81 R 15
Canalejas *LE* 16 D 15
Canalejas de Peñafiel *VA* 31 H 17
Canalejas del Arroyo *CU* 47 K 22
Canales *AV* 44 I 15
Canales *LO* 18 F 20
Canales *LE* 15 D 12
Canales *Castelló CS* 61 M 27
Canales (Embalse) *GR* 94 U 19
Canales (Mirador de) *GR* 94 U 19
Canales de Molina *GU* 47 J 24
Canales del Ducado *GU* 47 J 22

Canaletes B 37 H 35
Canalosa (La) A 85 R 27
Canals V 74 P 28
Canar (es) IB 87 O 34
Canara MU 84 R 24
Canario (Jardín)
Gran Canaria GC 115 F 2
Cancarix AB 85 Q 25
Cancelada LU 14 D 8
Cancelada MA 100 W 14
Cances C 2 C 3
Canchera CC 43 K 10
Cancías HU 21 E 29
Canda (Portilla de la) ZA 28 F 9
Candado (El) MA 100 V 16
Candai LU 3 C 6
Candamil LU 3 B 6
Candamo O 5 B 11
Candán (Alto de) PO 13 E 5
Cándana
de Curueño (La) LE 16 D 13
Candanal O 6 B 13
Candanchú HU 21 D 28
Candanedo de Fenar LE 16 D 13
Candanosa O 4 C 9
Candás O 5 B 12
Candasnos HU 36 H 30
Candelaria Tenerife TF 127 H 3
Candelario SA 43 K 12
Candeleda AV 57 L 14
Candieira (Punta) C 3 A 5
Candil AB 85 Q 25
Candilichera SO 33 G 23
Candín LE 14 D 9
Candolias S 8 C 18
Candón H 91 T 9
Candoncillo
(Embalse de) H 91 T 9
Candor (Punta) CA 98 W 10
Cánduas C 2 C 3
Canedo C 3 C 5
Canedo LU 14 E 7
Canedo LE 14 E 9
Caneja MU 84 R 24
Canejan L 22 D 32
Canelles (Pantà de) L 36 G 31
Canena J 82 R 19
Canencia M 46 J 18
Canencia (Puerto de) M 46 J 18
Canero O 5 B 10
Canet d'Adri GI 24 F 38
Canet de Mar B 38 H 37
Canet d'en Berenguer V 62 M 29
Canet lo Roig CS 50 K 30
Canfranc HU 21 D 28
Canfranc-Estación HU 21 D 28
Cangas
cerca de Burela LU 4 B 7
Cangas
cerca de Pontón LU 13 E 7
Cangas
cerca de Vigo PO 12 F 3
Cangas de Onís O 6 B 14
Cangas del Narcea O 5 C 10
Canicosa de la Sierra BU 32 G 20
Canido PO 12 F 3
Caniles GR 95 T 21
Canillas TO 58 M 17
Canillas de Abajo SA 43 J 12
Canillas de Albaida MA 101 V 18
Canillas de Esgueva VA 31 G 17
Canizo (Alto do) OR 14 F 8
Canizo (O) OR 14 F 8
Canjáyar AL 95 U 21
Cano J 82 S 19
Canós (El) L 37 G 33
Cánovas (Las) MU 85 S 26
Cànoves B 38 G 37
Canredondo GU 47 J 22
Canseco LE 6 D 13
Cansinos
(Estación de los) CO 81 S 16
Cantacucos AB 72 P 22
Cantagallo M 46 J 18
Cantagallo SA 43 K 12
Cantal (El) MU 97 T 25
Cantal (El) AL 96 T 23
Cantal (Punta del) AL 96 U 24
Cantalapiedra SA 44 I 14
Cantalar (El) J 83 S 21
Cantalejo SG 31 I 18
Cantalgallo BA 79 R 11
Cantallops GI 25 E 38
Cantalobos HU 35 G 28
Cantalojas GU 32 I 20
Cantalpino SA 44 I 14
Cantalucía SO 32 G 21
Cantaracillo SA 44 J 14
Cantareros (Los) MU 85 S 25
Cantarranas SA 43 K 10
Cantarranas CA 99 X 12
Cantavieja TE 49 K 28
Cantera (La) SE 80 S 12
Cantera Blanca J 94 T 18
Canteras MU 97 T 26
Canteras GR 84 S 23
Canteras
(Estación de) MU 85 S 27
Cantillana SE 80 T 12
Cantimpalos SG 45 I 17
Cantiveros AV 44 J 15
Cantó (Coll del) L 23 E 33
Cantoblanco AB 73 O 26
Cantoblanco Universidad M 46 K 18
Cantón (El) MU 85 R 27
Cantonigròs B 24 F 37
Cantoña OR 13 F 6
Cantoral P 17 D 16
Cantoria AL 96 T 23
Canya (La) GI 24 F 37
Canyada (La)
cerca de Sant Vicent A 86 Q 28
Canyamars B 38 H 37
Canyamel IB 105 N 40
Canyelles B 37 I 35
Cañada
cerca de Villena A 73 P 27
Cañada (la) CU 61 N 25
Cañada (La) V 62 N 28
Cañada (Puerto) BA 79 R 11
Cañada Catena J 83 R 21
Cañada de Agra AB 84 Q 24
Cañada
de Benatanduz TE 49 K 28
Cañada
de Caballeros SE 81 S 14
Cañada
de Calatrava CR 70 P 17
Cañada
de Cañepla (La) AL 84 S 23
Cañada
de Herradón (La) AV 45 K 16
Cañada de la Cruz MU 84 R 23
Cañada de la Madera J 83 R 21
Cañada de San Urbano
(La) AL 103 V 22
Cañada
de Verich (La) TE 50 J 29
Cañada del Gamo CO 80 R 13
Cañada del Hoyo CU 60 M 24
Cañada del Provencio AB 84 Q 22
Cañada del Rabadán SE 80 T 14
Cañada del Trigo MU 85 Q 26
Cañada Juncosa AB 72 P 23
Cañada Morales J 83 R 21
Cañada Rosal SE 92 T 14
Cañada Vellida TE 49 J 27
Cañadajuncosa CU 60 N 23
Cañadas (Las) SE 79 T 10
Cañadas
(Las) Tenerife TF 128 E 4
Cañadas de Haches
de Abajo AB 72 Q 23
Cañadas de Haches
de Arriba AB 72 Q 23
Cañadas del Romero SE 80 S 12
Cañadas del Teide
(Las) Tenerife TF 127 F 3
Cañadilla (La) TE 49 J 28
Cañadillas CO 93 T 16
Cañadillas (Monte) GR 94 U 19
Cañamaque SO 33 H 23
Cañamares CU 47 K 23
Cañamares CR 71 P 21
Cañamares GU 46 I 21
Cañamero CC 68 N 13
Cañar GR 102 V 19
Cañares
(Embalse de) TO 57 M 16
Cañas LO 19 E 21
Cañavate (El) CU 60 N 23
Cañaveral CC 55 M 10
Cañaveral de Léon H 79 R 10
Cañaveralejo SE 93 U 15
Cañaveras CU 47 K 22
Cañaveruelas CU 47 K 22
Cañeda S 7 C 17
Cañete CU 60 L 25
Cañete de las Torres CO 81 S 17
Cañete la Real MA 93 V 14
Cañicera SO 32 H 20
Cañicosa SG 45 I 18
Cañigral (El) TE 61 L 25
Cañijal (Sierra de) BA 79 Q 10
Cañiza (A) PO 13 F 5
Cañizal ZA 44 I 13
Cañizar GU 46 J 20
Cañizar (El) CU 60 M 24
Cañizar de Argaño BU 17 E 18
Cañizar del Olivar TE 49 J 28
Cañizares GU 48 J 24
Cañizares CU 47 K 23
Cañizo ZA 30 G 13
Caños de Meca (Los) CA 99 X 12
Cañuelo (El) CO 94 T 17
Cañuelo (El) SE 79 T 11
Cap de Creus
(Parc natural de) GI 25 F 39
Cap d'en Font IB 106 M 42
Cap i Corp CS 63 L 30
Cap Roig A 85 S 27
Capafonts T 37 I 33
Capallón GR 95 T 21
Caparacena GR 94 U 18
Caparra
(Ruinas de) CC 56 L 11
Caparroso NA 20 E 25
Capçanes T 50 I 32
Capdepera IB 105 M 40
Capdepera
(Punta de) IB 105 M 40
Capdesaso HU 35 G 29
Capela C 3 B 5
Capella HU 22 F 31
Capellades B 37 H 35
Capeza
de Framontanos SA 29 I 10
Capileira GR 102 V 19
Capilla BA 69 P 14
Capilla (La) MU 85 Q 26
Capillas P 30 F 15
Capitán J 83 R 21
Capitán (El) AB 72 O 22
Capitán (El) MA 101 V 17
Capmany GI 25 E 38
Capocorp IB 104 N 38
Capolat B 23 F 35
Capones J 82 R 19
Caprés MU 85 R 26
Capricho (El) GR 101 V 18
Capsacosta (Coll de) GI 24 F 37
Capsec GI 24 F 37
Carabanchel M 46 K 18
Carabantes SO 33 H 24
Carabanzo O 5 C 12
Carabaña M 59 L 20
Carabias SG 32 H 19
Carabias GU 47 I 21
Caracena de Valle CU 60 L 22
Caracenilla CU 59 L 22
Caracollera
(Estación de) CR 69 P 16
Caracuel de Calatrava CR 70 P 17
Caramel AL 84 S 23
Caranca VI 18 D 20
Caranga de Abajo O 5 C 11
Carantoña C 2 C 2
Caraño LU 4 C 8
Caraquiz GU 46 J 19
Carasa S 8 B 19
Carataunas GR 102 V 19
Caravaca de la Cruz MU 84 R 24
Carazo BU 32 G 19
Carazuelo SO 33 G 23
Carbajal de Rueda LE 16 D 14
Carbajales de Alba ZA 29 H 12
Carbajalinos ZA 15 F 10
Carbajo CC 54 N 8
Carbajosa ZA 29 H 11
Carbajosa de Armuña SA 43 I 13
Carbajosa
de la Sagrada SA 43 J 13
Carballal LU 3 D 6
Carballeda OR 13 E 5
Carballeda de Avia OR 13 F 5
Carballedo PO 13 E 4
Carballedo LU 13 E 6
Carballido
cerca de Lugo LU 4 C 7
Carballido
cerca de Villalba LU 4 C 7
Carballiño (O) OR 13 E 5
Carballo O 5 C 10
Carballo C 2 C 3
Carballo LU 3 C 6
Carballo OR 13 F 6
Carbasí B 37 H 34
Carbayín O 6 B 13
Carbayo (El) O 6 C 12
Carbellino ZA 29 I 11
Carbes O 6 C 14
Carbia PO 13 D 5
Carboeiro PO 13 D 5
Carbón
Fuerteventura GC 113 G 4
Carbonera P 16 E 15
Carbonera de Frentes SO 33 G 22
Carboneras AL 103 V 24
Carboneras H 79 S 10
Carboneras (Las) BA 67 P 9
Carboneras
de Guadazaón CU 60 M 24
Carbonero Ahusín SG 45 I 17
Carbonero el Mayor SG 45 I 17
Carboneros J 82 R 19
Carcabada O 6 B 13
Carcabal GR 95 U 20
Carcaboso CC 55 L 11
Carcabuey CO 93 T 17
Carcagente / Carcaixent V 74 O 28
Carcaixent / Carcagente V 74 O 28
Cárcar NA 19 E 24
Carcastillo NA 20 E 25
Carcedo
cerca de Luarca O 5 B 10
Carcedo de Bureba BU 18 E 19
Carcedo de Burgos BU 18 F 19
Carcelén AB 73 O 26
Cárcer V 74 O 28
Carche (El) MU 85 Q 26
Cárchel J 82 T 19
Carchelejo J 94 T 19
Carchuna GR 102 V 19
Carchuna o del Llano
(Punta) GR 102 V 19
Cardaño de Abajo P 16 D 15
Cardaño de Arriba P 16 D 15
Cardedeu B 38 H 37
Cardejón SO 33 H 23
Cárdenas LO 19 E 21
Cardenchosa (La) CO 80 R 13
Cardenchosa (La) BA 80 R 13
Cardenete CU 60 M 24
Cardeña CO 81 R 17
Cardeñadijo BU 18 F 19
Cardeñajimeno BU 18 F 19
Cardeñas H 90 U 9
Cardeñosa AV 44 J 15
Cardeñosa GU 47 I 21
Cardeñosa de Volpejera P 17 F 15
Cardiel de los Montes TO 57 L 16
Cardó T 50 J 31
Cardón
Fuerteventura GC 113 F 4
Cardona B 37 G 35
Cardonal (Punta del)
Gran Canaria GC 114 C 2
Cardones
Gran Canaria GC 115 E 2
Cardós (Vall de) L 23 E 33
Cardosa (Balcón de la) S 7 C 17
Cardoso
de la Sierra (El) GU 46 I 19
Caregue L 23 E 33
Carenas Z 34 I 24
Careñes O 6 B 13
Cargadero
(El Cerro del) BU 32 G 21
Cariatiz AL 96 U 23
Caridad (La) O 4 B 9
Caridad (La) CR 70 P 18
Carija BA 67 P 10
Cariñena Z 34 H 26
Cariño C 3 A 6
Cariseda LE 15 D 10
Caritel PO 13 E 4
Carivete MU 85 S 25
Carla Alto
(Observatorio del) AL 95 U 22
Carlet V 74 O 28
Carlota (La) CO 81 S 15
Carme B 37 H 34
Carme (Museu del) CS 62 M 29
Carmen (Ermita del) SE 80 S 12
Carmen (Ermita del)
cerca de Cantavieja TE 49 K 28
Carmen (Ermita del) cerca de
Monreal del Campo TE 48 J 25
Carmena TO 57 M 16
Cármenes LE 16 D 13
Carmolí (El) MU 85 S 27
Carmona S 7 C 16
Carmona SE 92 T 13
Carmonita BA 67 O 10
Carne (Pico de la) GR 94 U 19
Carnero (Punta del) CA 99 X 13
Carneros
(Puerto de los) BA 69 O 14
Carnés C 2 C 2
Carnoedo C 3 B 5
Carnota C 12 D 2
Caro T 50 J 31
Caroch V 73 O 27
Caroi PO 13 E 4
Carolina (La) SA 44 I 14
Carolina (La) J 82 R 19
Carollo C 3 D 4
Carondio (Sierra de) O 4 C 9
Carpio VA 30 I 14
Carpio (El) CO 81 S 16
Carpio (El) H 78 S 9
Carpio
(Embalse de El) TO 57 M 16
Carpio
(Embalse de El) CO 81 S 16
Carpio de Azaba SA 42 K 10
Carpio de Tajo (El) TO 57 M 16
Carraca (La) CA 98 W 11
Carracedelo LE 14 E 9
Carracedo LE 14 E 9
Carracedo OR 13 F 5
Carracedo PO 12 E 4
Carral C 3 C 4
Carrales
(Casa Forestal de) J 83 R 21
Carrales (Puerto de) BU 17 D 18
Carramaiza GR 83 T 21
Carrandi O 6 B 14
Carranque TO 58 L 18
Carrasca (La) J 82 T 18
Carrascal SG 45 I 18
Carrascal ZA 29 H 12
Carrascal (El) T 50 J 31
Carrascal
(Puerto del) NA 20 E 25
Carrascal
de Barregas SA 43 J 12
Carrascal del Obispo SA 43 J 12
Carrascal del Río SG 31 H 18
Carrascalejo CC 57 N 14
Carrascalejo (El) BA 67 O 10
Carrascalejo
(Estación de El) BA 67 O 10
Carrascalejo
de Huebra SA 43 J 11
Carrasco (El) SA 43 I 10
Carrascosa CU 47 K 23
Carrascosa de Abajo SO 32 H 20
Carrascosa de Haro CU 60 N 22
Carrascosa de Henares GU 46 J 20
Carrascosa
de la Sierra SO 33 G 23
Carrascosa de Tajo GU 47 J 22
Carrascosa del Campo CU 59 L 21
Carrascosilla CU 59 L 22
Carrascoy MU 85 S 26
Carrasqueta
(Port de la) A 74 Q 28
Carrasquilla
(Collado de la) CU 60 L 22
Carrasquilla (La) AB 72 Q 24
Carratraca MA 100 V 15
Carrea O 5 C 11
Carreira
cerca de Ribeira C 12 E 2
Carreira cerca de Zás C 2 C 3
Carreña O 6 C 15
Carreño O 5 B 12
Carrera (La) AV 44 K 13
Carreros SA 43 J 12
Carretero (Puerto del) J 94 T 19
Carrias BU 18 E 20
Carriches TO 57 M 16
Carrícola V 74 P 28
Carril PO 12 E 3
Carriles (Los) O 6 B 15
Carrió Bergondo C 3 C 5
Carrión P 17 D 16
Carrión (Ermita de) BA 66 O 8
Carrión de Calatrava CR 70 O 18
Carrión
de los Céspedes SE 91 T 11
Carrión de los Condes P 17 E 16
Carriones (Los) GR 83 S 21
Carrizal
cerca de Cistierna LE 16 D 15
Carrizal cerca
de Soto y Amio LE 15 D 12
Carrizal (El)
Gran Canaria GC 114 C 3
Carrizales (Los)
Tenerife TF 126 B 3
Carrizo de la Ribera LE 15 E 12
Carrizos (Los) SE 80 S 12
Carrizosa CR 71 P 21
Carrizosa (La) SE 93 T 15
Carro AB 72 O 22
Carroja (La) A 74 P 29
Carrova (La) T 50 J 31
Cartagena MU 97 T 27
Cartajima MA 100 W 14
Cártama MA 100 V 16
Cartaojal MA 93 U 16
Cartavio O 4 B 9
Cartaya H 90 U 8
Cartelle OR 13 F 5
Cartes S 7 C 17
Carteya-Guadarranque CA 99 X 13
Cartirana HU 21 E 28
Cartuja
(Monasterio de la) CA 98 W 11
Cartuja
de Monegros (La) HU 35 G 29
Carucedo LE 14 E 9
Carvajal MA 100 W 16
Carvajales (Los) MA 93 U 15
Cas Concos IB 105 N 39
Casa Blanca CU 60 N 22
Casa Blanca AB 72 Q 24
Casa Blanca CR 69 O 16
Casa Blanca GR 84 S 22
Casa Blanca (sa) IB 104 N 38
Casa Cañete AB 72 P 23
Casa de Campo M 46 K 18
Casa de Carta
Tenerife TF 124 H 2
Casa de la Sierra BU 18 F 20
Casa de Navamarín AB 72 P 22
Casa de Uceda GU 46 J 19
Casa de Valdepalacios CC 68 O 13
Casa del Barón
(Parador) PO 12 E 4
Casa del Egidillo CU 60 M 23
Casa del Llèo A 85 R 27
Casa Grande P 31 G 16
Casa Grande AB 72 O 24
Casa la Carriza CR 71 O 21
Casa Longa CU 59 M 22
Casa Meca MU 84 T 24
Casa Mula AL 84 S 23
Casa Nueva TO 58 M 17
Casa Nueva GR 94 U 18
Casa Nueva
de la Torrecilla J 83 Q 20
Casa Sola AB 72 Q 23
Casabermeja MA 100 V 16
Casablanca LU 4 C 7
Casablanca MU 85 R 26
Casablanca AL 84 S 23
Casablanca CA 91 V 11
Casafranca SA 43 K 12
Casaio OR 14 E 9
Casalarreina LO 18 E 21
Casalgordo TO 58 N 18
Casalonga C 12 D 4
Casanova BU 32 G 19
Casanova C 13 D 4
Casar S 7 B 17
El Casar GU 46 J 19
Casar de Cáceres CC 55 N 10
Casar de Cáceres
(Estación de) CC 55 N 10
Casar de Escalona (El) TO 57 L 16
Casar de Miajadas CC 68 O 12
Casar de Palomero CC 43 L 11
Casarabonela MA 100 V 15
Casarejo CA 91 V 11
Casarejo (El) CR 69 O 16
Casarejos SO 32 G 20
Casares MA 99 W 14
Casares
(Cueva de los) GU 47 J 23
Casares de Arbás LE 15 D 12
Casares de las Hurdes CC 43 K 11
Casariche SE 93 U 15
Casariego O 4 B 9
Casarrubios del Monte TO 58 L 17
Casarrubuelos M 58 L 18
Casas (Las) SO 33 G 22
Casas (Las) CR 70 O 18
Casas Altas V 61 L 26
Casas Bajas V 61 L 26
Casas Blancas CR 71 P 21
Casas de Belvís CC 56 M 13
Casas de Benalí (Las) V 73 O 27
Casas de Búcar TE 48 K 24
Casas de Don Antonio CC 67 O 11
Casas de Don Gómez CC 55 L 10
Casas de Don Juan GR 84 S 22
Casas de Don Pedro AB 73 O 25
Casas de Don Pedro BA 68 O 14
Casas de Esper Z 21 F 27

Casas de Eufemia *V* 61 N 26
Casas de Felipe *CC* 55 L 9
Casas de Fernando Alonso *CU* 72 N 23
Casas de Garcimolina *CU* 61 M 25
Casas de Guijarro *CU* 72 N 23
Casas de Guijarro *CU* 60 N 23
Casas de Haches (Las) *AB* 72 Q 23
Casas de Haro *CU* 72 O 23
Casas de Ibañez *A* 85 Q 26
Casas de Juan Fernández *CU* 72 N 24
Casas de Juan Gil *AB* 73 O 26
Casas de Juan Núñez *AB* 73 O 25
Casas de la Alcudilla *CO* 93 U 17
Casas de la Calera *CA* 98 W 11
Casas de la Higuera *AB* 72 Q 24
Casas de la Peña *AB* 72 O 22
Casas de Lázaro *AB* 72 P 23
Casas de los Hierros *CA* 99 X 12
Casas de los Pinos *CU* 72 N 22
Casas de los Puercos *AB* 71 O 22
Casas de Luján *CU* 59 M 21
Casas de Medina *V* 61 N 26
Casas de Millán *CC* 55 M 11
Casas de Miravete *CC* 56 M 12
Casas de Moya *V* 61 N 25
Casas de Orán *AB* 72 P 24
Casas de Penen *V* 73 N 26
Casas de Pradas *V* 61 N 25
Casas de Reina *BA* 79 R 12
Casas de Roldán *CU* 72 O 22
Casas de San Galindo *GU* 46 J 21
Casas de Santa Cruz *CU* 72 N 24
Casas de Soto *V* 73 O 26
Casas de Ves *AB* 73 O 25
Casas de Villalobillos *CO* 81 S 15
Casas de Villava Perea *CU* 59 M 21
Casas del Campillo *AB* 73 P 26
Casas del Castañar *CC* 56 L 12
Casas del Cerro *AB* 73 O 25
Casas del Collado *AB* 84 Q 23
Casas del Conde (Las) *SA* 43 K 11
Casas del Embalse de Alarcón *CU* 60 N 23
Casas del Matado *AB* 72 O 23
Casas del Monte *TO* 58 M 19
Casas del Monte *CC* 56 L 12
Casas del Monte *CR* 71 Q 20
Casas del Olmo *CU* 72 O 22
Casas del Pino *AB* 84 Q 23
Casas del Puerto *AV* 44 K 14
Casas del Puerto *AB* 72 P 23
Casas del Puerto *MU* 85 Q 26
Casas del Rey *V* 61 N 25
Casas del Río *V* 73 O 26
Casas El Pozo *TE* 61 M 27
Casas Ibáñez *AB* 73 O 25
Casas Nuevas *CU* 61 L 25
Casas Nuevas *MU* 84 S 25
Casas Nuevas *cerca de Librilla MU* 85 S 25
Casas Nuevas *cerca de Lorca MU* 84 S 24
Casas Viejas *AB* 72 P 24
Casasana *GU* 47 K 22
Casasbuenas *TO* 58 M 17
Casaseca de Campeán *ZA* 29 H 12
Casaseca de las Chanas *ZA* 29 H 12
Casasimarro *CU* 72 N 23
Casasnovas *HU* 36 G 30
Casasoá *OR* 13 F 6
Casasola *AV* 44 J 15
Casasola (Embalse) *MA* 100 V 16
Casasola de Arión *VA* 30 H 14
Casasuertes *LE* 6 C 15
Casatejada *CC* 56 M 12
Casavegas *P* 7 C 16
Casavieja *AV* 57 L 15
Casbas de Huesca *HU* 21 F 29
Cascaire *AL* 96 T 22
Cascajares *MA* 100 W 14
Cascajares de Bureba *BU* 18 D 20
Cascajares de la Sierra *BU* 32 F 19
Cascajosa *SO* 33 H 21
Cascante *NA* 34 G 24
Cascante del Río *TE* 61 L 26
Cascantes *LE* 16 D 13
Cascón de la Nava *P* 31 F 16
Cáseda *NA* 20 E 25
Caseiro *OR* 13 E 5
Caseres *T* 50 I 30
Caserío de Don Domingo *J* 83 R 22
Caserío de Embid *CU* 60 L 23
Caserío de Torrubia *J* 82 R 19
Caserío los Molinares *TE* 48 L 25
Caserío San José *SG* 31 H 18
Caserres *B* 24 F 35
Cases d'Alcanar (Les) *T* 50 K 31
Cases de Sitjar *CS* 62 L 29
Cases del Senyor (Les) *A* 85 Q 27
Casetas *Z* 34 G 26
Casica del Madroño *AB* 72 P 23
Casicas del Río Segura *J* 83 R 22
Casilla de Moya *V* 61 N 25
Casillas *AV* 45 L 16
Casillas *GU* 32 I 21
Casillas (Embalse de) *CC* 56 N 12
Casillas (Las) *GU* 47 J 23
Casillas (Las) *H* 91 U 10
Casillas (Las) *J* 82 T 17
Casillas (Las) *Gran Canaria GC* 116 C 3
Casillas de Berlanga *SO* 33 H 21
Casillas de Coria *CC* 55 M 10
Casillas de Flores *SA* 42 K 9
Casillas de Marín de Abajo *AB* 73 P 26
Casillas de Marín de Arriba *AB* 73 P 25
Casillas de Ranera *CU* 61 M 26
Casillas de Velasco *CO* 81 R 16
Casillas del Angel *Fuerteventura GC* 111 H 3
Casinos *V* 62 M 27
Casiñas (Las) *CC* 54 N 8
Casitas (Las) *Fuerteventura GC* 113 G 4
Casla *SG* 46 I 19
Casoio *OR* 14 E 9
Casomera *O* 6 C 13
Caspe *Z* 36 I 29
Caspe (Embalse de) *TE* 50 I 29
Caspueñas *GU* 46 J 21
Cassà de la Selva *GI* 25 G 38
Castadón *OR* 13 E 6
Castala *AL* 102 V 21
Castalla *A* 74 Q 27
Castanesa *HU* 22 E 31
Castanyet *GI* 24 G 37
Castañar (El) *TO* 58 N 17
Castañar de Ibor *CC* 56 N 13
Castañares *BU* 18 E 19
Castañares de Rioja *LO* 18 E 21
Castañeda *S* 7 C 18
Castañeda *C* 3 D 5
Castañedo *S* 8 B 18
Castaño *CO* 81 R 15
Castaño (El) *CA* 99 X 13
Castaño del Robledo *H* 79 S 9
Castaños (Los) *AL* 96 U 23
Castaños (Puerto de los) *CC* 55 M 10
Castañuelo *H* 79 S 10
Cástaras *GR* 102 V 20
Castejón *SO* 33 G 23
Castejón *CU* 47 K 22
Castejón *NA* 20 F 24
Castejón de Alarba *Z* 48 I 25
Castejón de Arbaniés *HU* 21 F 29
Castejón de Henares *GU* 47 J 21
Castejón de las Armas *Z* 34 I 24
Castejón de Monegros *HU* 35 H 29
Castejón de Sobrarbe *HU* 22 F 30
Castejón de Sos *HU* 22 E 31
Castejón de Tornos *TE* 48 J 25
Castejón de Valdejasa *Z* 35 G 27
Castejón del Puente *HU* 36 G 30
Castel de Cabra *TE* 49 J 27
Castelflorite *HU* 36 G 29
Castell (El) *T* 50 K 31
Castell (es) *IB* 106 M 42
Castell d'Aro *GI* 25 G 39
Castell de Cabres *CS* 50 K 30
Castell de Castells *A* 74 P 29
Castell de Ferro *GR* 102 V 19
Castell de Guadalest (El) *A* 74 P 29
Castell de l'Areny *B* 24 F 35
Castelladral *B* 37 G 35
Castellana *C* 3 C 5
Castellano *V* 61 M 27
Castellanos *LE* 16 E 14
Castellanos *CR* 71 P 19
Castellanos (Montes) *CR* 71 Q 21
Castellanos de Castro *BU* 17 F 17
Castellanos de Moriscos *SA* 44 I 13
Castellanos de Villiquera *SA* 43 I 12
Castellanos de Zapardiel *AV* 44 I 15
Castellar *TO* 59 L 19
Castellar *B* 37 G 34
Castellar (El) *TE* 49 K 27
Castellar (El) *CO* 94 T 17
Castellar (El) *Z* 34 G 26
Castellar de la Frontera *CA* 99 X 13
Castellar de la Muela *GU* 48 J 24
Castellar de la Ribera *L* 23 F 34
Castellar de N'Hug *B* 24 F 36
Castellar de Santiago *CR* 71 Q 20
Castellar de Santisteban *J* 83 R 20
Castellar de Tost *L* 23 F 34
Castellar del Riu *B* 23 F 35
Castellar del Vallès *B* 38 H 36
Castellás *L* 23 F 33
Castellbell *B* 38 H 35
Castellbisbal *B* 38 H 35
Castellbó *L* 23 E 34
Castellcir *B* 38 G 36
Castellciutat *L* 23 E 34
Castelldans *L* 36 H 32
Castelldefels *B* 38 I 35
Castellet *B* 37 I 34
Castellfollit de la Roca *GI* 24 F 37
Castellfollit de Riubregós *B* 37 G 34
Castellfollit del Boix *B* 37 G 35
Castellfort *CS* 49 K 29
Castellgalí *B* 38 G 35
Castellnou de Bages *B* 38 G 35
Castellnou de Montsec *L* 22 F 32
Castellnou de Seana *L* 37 H 32
Castellnovo *CS* 62 M 28
Castelló de Farfanya *L* 36 G 32
Castelló de la Plana / Castellón de la Plana *CS* 62 M 29
Castelló de la Ribera *V* 74 O 28
Castelló de Rugat *V* 74 P 28
Castelló d'Empúries *GI* 25 F 39
Castellolí *B* 37 H 35
Castellón de la Plana / Castelló de la Plana *CS* 62 M 29
Castellote *TE* 49 J 29
Castells *L* 23 F 33
Castellserà *L* 37 G 32
Castellterçol *B* 38 G 36
Castellvell *T* 37 I 33
Castellví de la Marca *B* 37 H 34
Castellví de Rosanes *B* 38 H 35
Castelnóu *TE* 35 I 28
Castelo *cerca de Cervo LU* 4 B 7
Castelo *cerca de Taboada LU* 13 D 6
Castelserás *TE* 49 J 29
Castelvispal *TE* 62 L 28
Castielfabib *V* 61 L 26
Castiello de Jaca *HU* 21 E 28
Castigaleu *HU* 22 F 31
Castil de Campos *CO* 94 T 17
Castil de Carrias *BU* 18 E 20
Castil de Lences *BU* 18 E 19
Castil de Peones *BU* 18 E 19
Castil de Tierra *SO* 33 H 23
Castil de Vela *P* 30 G 15
Castilblanco *BA* 69 O 14
Castilblanco de los Arroyos *SE* 79 S 12
Castildelgado *BU* 18 E 20
Castilfalé *LE* 16 F 13
Castilforte *GU* 47 K 22
Castilfrío de la Sierra *SO* 33 G 23
Castiliscar *Z* 20 E 26
Castilla (Canal de) *VA* 31 G 15
Castillazuelo *HU* 22 F 30
Castilleja de la Cuesta *SE* 91 T 11
Castilleja del Campo *SE* 91 T 11
Castilléjar *GR* 83 S 22
Castillejo *M* 58 M 18
Castillejo de Azaba *SA* 42 K 9
Castillejo de Dos Casas *SA* 42 J 9
Castillejo de Iniesta *CU* 60 N 24
Castillejo de Martín Viejo *SA* 42 J 10
Castillejo de Mesleón *SG* 32 I 19
Castillejo de Robledo *SO* 32 H 19
Castillejo de San Pedro *SO* 33 G 23
Castillejo del Romeral *CU* 60 L 22
Castillejo Sierra *CU* 47 K 23
Castillejos *MA* 100 W 15
Castillo *CC* 43 K 10
Castillo *cerca de Garbayuela BA* 69 O 15
Castillo *cerca de Monesterio BA* 79 R 11
Castillo (Puerto del) *J* 94 T 18
Castillo Albaráñez *CU* 60 L 22
Castillo de Alba (El) *ZA* 29 H 11
Castillo de Bayuela *TO* 57 L 15
Castillo de Calatrava la Nueva (Convento) *CR* 70 P 18
Castillo de Don Juan *A* 85 S 27
Castillo de Escalona *TO* 57 L 16
Castillo de Garcimuñoz *CU* 60 N 22
Castillo de Huarea (El) *GR* 102 V 20
Castillo de la Mezquita *HU* 21 F 28
Castillo de la Zuda (Parador) *T* 50 J 31
Castillo de las Guardas (El) *SE* 79 S 11
Castillo de Leres *HU* 21 E 28
Castillo de Locubín *J* 94 T 18
Castillo de Tajarja *GR* 94 U 18
Castillo de Tajo *M* 59 L 20
Castillo de Villamalefa *CS* 62 L 28
Castillo del Plá *HU* 22 F 31
Castillo del Romeral *Gran Canaria GC* 117 F 4
Castillo-Nuevo *NA* 11 D 26
Castillo-Pedroso *S* 7 C 18
Castillón *LU* 13 E 7
Castillonroy *HU* 36 G 31
Castilmimbre *GU* 47 J 21
Castilnuevo *GU* 48 J 24
Castilruiz *SO* 33 G 23
Castilsabás *HU* 21 F 29
Castilseco *LO* 18 E 21
Castiltierra *SG* 32 H 19
Castiñeira *OR* 14 F 8
Castiñeiras *C* 12 E 3
Castiñeiros *LU* 3 B 6
Castralvo *TE* 61 L 26
Castraz *SA* 43 J 10
Castrecias *BU* 17 D 17
Castrejón *VA* 30 I 14
Castrejón *TO* 57 M 16
Castrejón (Embalse de) *TO* 58 M 17
Castrejón de la Peña *P* 17 D 16
Castrelo (Estación de) *OR* 14 F 8
Castrelo de Abajo *OR* 28 G 8
Castrelo de Miño *OR* 13 F 5
Castrelo do Val *OR* 28 G 7
Castrelos *PO* 12 F 3
Castrelos *ZA* 28 G 9
Castril *GR* 83 S 21
Castrillo *BU* 32 G 19
Castrillo *S* 17 D 17
Castrillo de Cabrera *LE* 15 E 10
Castrillo de Cepeda *LE* 15 E 11
Castrillo de Don Juan *P* 31 G 17
Castrillo de Duero *VA* 31 H 17
Castrillo de la Guareña *ZA* 30 I 14
Castrillo de la Reina *BU* 32 G 20
Castrillo de la Ribera *LE* 16 E 13
Castrillo de la Valduerna *LE* 15 F 11
Castrillo de la Vega *BU* 32 H 18
Castrillo de los Polvazares *LE* 15 E 11
Castrillo de Matajudios *BU* 17 F 17
Castrillo de Murcia *BU* 17 E 17
Castrillo de Onielo *P* 31 G 17
Castrillo de Porma *LE* 16 E 13
Castrillo de Riopisuerga *BU* 17 E 17
Castrillo de Rucios *BU* 18 E 18
Castrillo de Sepúlveda *SG* 31 H 18
Castrillo de Villavega *P* 17 E 16
Castrillo del Haya *S* 17 D 17
Castrillo del Val *BU* 18 F 19
Castrillo-Tejeriego *VA* 31 G 16
Castrillón *O* 5 B 12
Castrillón *O* 4 B 9
Castriz *C* 2 C 3
Castro *C* 3 B 5
Castro *OR* 13 F 5
Castro *O* 4 C 9
Castro *Carballedo LU* 13 E 6
Castro *cerca de Lugo LU* 4 C 7
Castro *Dozón PO* 13 E 5
Castro *Pantón LU* 13 E 7
Castro (El) *LE* 14 D 8
Castro (Embalse de El) *TO* 58 M 18
Castro Caldelas *OR* 14 E 7
Castro de Alcañices *ZA* 29 H 11
Castro de Amarante *LU* 13 D 6
Castro de Filabres *AL* 96 U 22
Castro de Fuentidueña *SG* 31 H 18
Castro de Ouro *LU* 4 B 7
Castro de Rei *LU* 4 C 7
Castro del Río *CO* 81 S 16
Castro-Urdiales *S* 8 B 20
Castrobarto *BU* 8 C 19
Castrobol *VA* 16 F 14
Castrocalbón *LE* 15 F 12
Castrocontrigo *LE* 15 F 11
Castrodeza *VA* 30 H 15
Castrofuerte *LE* 16 F 13
Castrogonzalo *ZA* 30 G 13
Castrojeriz *BU* 17 F 17
Castrojimeno *SG* 31 H 18
Castromaior *LU* 4 B 7
Castromao *OR* 14 F 8
Castromembibre *VA* 30 G 14
Castromil *ZA* 28 F 9
Castromocho *P* 30 F 15
Castromonte *VA* 30 G 14
Castromudarra *LE* 16 E 14
Castroncán *LU* 14 D 7
Castronuevo *ZA* 30 G 13
Castronuevo de Esgueva *VA* 31 G 16
Castronuño *VA* 30 H 14
Castropepe *ZA* 30 G 13
Castropodame *LE* 15 E 10
Castropol *O* 4 B 8
Castroponce *VA* 16 F 14
Castroquilame *LE* 14 E 9
Castroserna de Abajo *SG* 46 I 18
Castroserracín *SG* 31 H 18
Castrotierra *cerca de la Bañeza LE* 15 F 12
Castrotierra *cerca de Sahagún LE* 16 E 14
Castrove *PO* 12 E 3
Castrovega de Valmadrigal *LE* 16 F 14
Castroverde *LU* 4 C 8
Castroverde de Campos *ZA* 30 G 14
Castroverde de Cerrato *VA* 31 G 17
Castrovido *BU* 32 F 20
Castroviejo *LO* 19 F 22
Castuera *BA* 68 P 13
Castuera (Puerto de) *BA* 68 Q 13
Catadau *V* 74 O 28
Catarroja *V* 62 N 28
Catí *CS* 50 K 30
Catllar (El) *T* 37 I 33
Catoira *PO* 12 E 3
Catral *A* 85 R 27
Cauche (Rio de) *MA* 100 V 16
Caudal (El) *SE* 92 T 12
Caudé *TE* 48 K 26
Caudete *AB* 73 P 27
Caudete de las Fuentes *V* 61 N 26
Caudiel *CS* 62 M 28
Caudilla *TO* 58 L 17
Caunedo *O* 5 C 11
Cauro *GR* 94 T 18
Cautivos (Los) *MU* 84 S 24
Cava *L* 23 F 34
Cava (La) *T* 50 J 32
Cavada (La) *S* 8 B 18
Cavalleria (Cap de) *IB* 106 L 42
Cavia *BU* 17 F 18
Caxado *C* 3 B 6
Cayes *O* 5 B 12
Cayuela *BU* 17 F 18
Cazadores *Gran Canaria GC* 117 E 3
Cazalegas *TO* 57 L 15
Cazalegas (Embalse de) *TO* 57 L 15
Cazalilla *J* 82 S 18
Cazalla de la Sierra *SE* 80 S 12
Cazalla y Constantina (Estación de) *SE* 80 S 12
Cazanuecos *LE* 15 F 12
Cazás *LU* 3 C 6
Cazo *O* 6 C 14
Cazorla *J* 83 S 21
Cazorla (Coto nacional de) *J* 83 R 21
Cazorla (Sierra de) *J* 83 R 21
Cazurra *ZA* 29 H 12
Cea *LE* 16 E 14
Cea *OR* 13 E 6
Cea *PO* 12 E 3
Ceadea *ZA* 29 G 11
Ceal *J* 83 S 20
Cebanico *LE* 16 D 14
Cebes (Cabo) *O* 4 B 9
Cebolla *TO* 57 M 16
Cebollar *H* 90 T 8
Cebolleros *BU* 18 D 19
Cebrecos *BU* 32 G 19
Cebreiro (O) *LU* 14 D 8
Cebreros *AV* 45 K 16
Cebrón *SE* 80 T 12
Cebrones del Río *LE* 15 F 12
Cecebre *C* 3 C 5
Ceceda *O* 6 B 13
Ceclavín *CC* 55 M 9
Cecos *O* 4 C 9
Cedeira *C* 3 B 5
Cedeira (Ría de) *C* 3 A 5
Cedemonio *O* 4 B 9
Cedena (Río) *TO* 57 M 16
Cedillo *CC* 54 N 7
Cedillo (Embalse de) *CC* 54 N 8
Cedillo de la Torre *SG* 32 H 19
Cedillo del Condado *TO* 58 L 18
Cedofeita *LU* 4 B 8
Cedramán *CS* 62 L 28
Cedrillas *TE* 49 K 27
Cedrón *LU* 14 D 8
Cee *C* 2 D 2
Cefiñas (Las) *H* 78 S 9
Cega *SG* 45 I 18
Cegoñal *LE* 16 D 15
Ceguilla *SG* 45 I 18
Cehegín *MU* 84 R 24
Ceinos *VA* 30 F 14
Ceja del Palancar (La) *CU* 60 L 24
Cejancas *S* 17 D 18
Cejo *H* 91 T 10
Cela *LE* 14 D 9
Cela *OR* 27 G 5
Cela *cerca de Becerreá LU* 14 D 9
Cela *cerca de Sarria LU* 14 D 7
Celada *LE* 15 E 11
Celada *S* 17 D 17
Celada (La) *CO* 93 U 17
Celada de Cea *LE* 16 E 15
Celada de la Torre *BU* 18 E 19
Celada de Roblecedo *P* 17 D 16
Celada del Camino *BU* 17 F 18
Celadas *TE* 48 K 26
Celadas (Las) *BU* 17 E 18
Celadilla *LE* 15 E 12
Celadilla del Río *P* 16 E 15
Celanova *OR* 13 F 6
Celas *C* 3 C 4
Celia (La) *MU* 85 Q 25
Celis *S* 7 C 16
Cella *TE* 48 K 26
Celladilla-Sotobrín *BU* 18 E 18
Cellera de Ter (La) *GI* 24 G 37
Cellers *L* 23 F 32
Cellórigo *LO* 18 E 20
Celorio *O* 6 B 15
Celrà *GI* 25 F 38
Celtigos *LU* 14 D 7
Cembranos *LE* 16 E 13
Cenajo *MU* 84 Q 24
Cenajo (Embalse del) *AB* 84 Q 24
Cenegro *SO* 32 H 19
Cenes de la Vega *GR* 94 U 19
Cenicero *LO* 19 E 22
Cenicientos *M* 57 L 16
Cenizas *MU* 97 T 27
Cenizate *AB* 73 O 25
Cenlle *OR* 13 E 5
Cenobio de Valerón *Gran Canaria GC* 114 D 1
Centcelles (Mausoleo de) *T* 37 I 33
Centelles *B* 38 G 36
Centenales *O* 4 C 9
Centenera *HU* 22 F 31
Centenera *GU* 46 K 20
Centenera de Andaluz *SO* 33 H 21

Centenera
del Campo SO 33 H 22
Centenero HU 21 E 28
Centenillo (El) J 82 Q 18
Centinela (Mirador de la)
Tenerife TF 128 E 5
Cepeda PO 12 F 4
Cepeda SA 43 K 11
Cepeda la Mora AV 44 K 14
Cepero (El) CR 70 O 17
Cepillo (El) AB 71 P 22
Cequeril PO 12 E 4
Cera O 5 C 10
Cerbi L 23 E 33
Cerbón SO 33 G 23
Cerca (La) BU 18 D 19
Cerca (La) Monte BU 18 F 19
Cercadillo GU 47 I 21
Cerceda M 45 J 18
Cerceda C 3 D 5
Cercedilla M 45 J 17
Cercio PO 13 D 5
Cercs B 24 F 35
Cerdà V 74 P 28
Cerdanya
(Reserva nacional de) L 23 E 34
Cerdanyola B 38 H 36
Cerdedelo OR 14 F 7
Cerdedo PO 13 E 4
Cerdeira C 2 C 4
Cerdeira OR 13 F 6
Cerdeira (Puerto de) OR 14 E 8
Cerdido C 3 B 6
Cerdido (Estación de) C 3 B 6
Cerdigo S 8 B 20
Cereceda BU 18 D 19
Cereceda S 8 C 19
Cereceda O 6 B 14
Cereceda GU 47 K 22
Cereceda de la Sierra SA 43 K 11
Cerecedo LE 16 D 14
Cerecinos de Campos ZA 30 G 13
Cerecinos del Carrizal ZA 29 G 13
Cereixal LU 14 D 8
Cereixedo LU 14 D 9
Cereo C 2 C 3
Cerésola HU 21 E 29
Cerezal de Alba ZA 29 H 11
Cerezales
del Condado LE 16 D 13
Cerezo CC 55 L 11
Cerezo de Abajo SG 46 I 19
Cerezo de Arriba SG 32 I 19
Cerezo
de Mohernando GU 46 J 20
Cerezo de Riotirón BU 18 E 20
Cerezos (Los) TE 61 L 27
Cerillar (El) CA 92 V 13
Cerler HU 22 E 31
Cerler (Pico de) HU 22 E 31
Cermoño O 5 B 11
Cernadilla ZA 29 F 10
Cernadilla
(Embalse de) ZA 29 G 10
Cernégula BU 18 E 19
Cerollera TE 50 J 29
Cerponzons PO 12 E 4
Cerqueda C 2 C 3
Cerrada OR 13 E 7
Cerrado de Calderon MA 100 V 16
Cerradura (La) J 82 S 19
Cerrajos MU 73 Q 25
Cerralba MA 100 V 15
Cerralbo SA 42 J 10
Cerralbos (Los) TO 57 M 16
Cerrata CR 69 P 15
Cerratón de Juarros BU 18 E 19
Cerrazo S 7 B 17
Cerredo O 15 D 10
Cerredo (Alto de) LU 4 C 8
Cerredo (Puerto de) LE 15 D 10
Cerricos (Los) AL 96 T 23
Cerrillo (El) J 83 S 20
Cerrillo (Punta del)
Gran Canaria GC 116 B 4
Cerro GR 95 T 20
Cerro (El) SA 43 L 12
Cerro (El) BU 32 G 20
Cerro Alarcón M 45 K 17
Cerro Alberche TO 57 L 16
Cerro
de Andévalo (El) H 78 S 9
Cerro del Hierro SE 80 S 13
Cerro Grande GR 95 U 21
Cerro Muriano CO 81 R 15
Cerro Perea SE 93 T 15
Cerroblanco AB 72 P 22
Cerrolobo AB 72 P 24
Cerrón GR 102 V 20
Certascan (Pico de) L 23 D 33
Cervales CC 56 N 14
Cervantes CR 71 Q 19
Cervantes LU 14 D 8
Cervatos S 17 D 17
Cervatos de la Cueza P 16 F 15
Cervela LU 14 D 7
Cervelló B 38 H 35
Cervera L 37 G 33
Cervera (La) TE 61 M 27
Cervera (Peñas de) BU 32 G 19
Cervera (Rambla de) CS 50 K 30
Cervera de Buitrago M 46 J 19
Cervera de la Cañada Z 34 H 24
Cervera de los Montes TO 57 L 15
Cervera de Pisuerga P 17 D 16
Cervera del Llano CU 60 M 22
Cervera del Maestrat CS 50 K 30
Cervera del Rincón TE 49 J 27
Cervera
del Río Alhama LO 33 F 24
Cervero O 4 C 9
Cerveruela Z 34 I 26
Cervià GI 25 F 38
Cervià
de les Garrigues L 37 H 32
Cervillego de la Cruz VA 44 I 15
Cerviñuelo
(Casa Forestal del) CU 47 K 24
Cervo LU 4 A 7
Cesantes PO 12 F 4
César Manrique (Fundación)
Lanzarote GC 123 E 4
Céspedes BU 18 D 19
Céspedes CO 80 S 14
Cespedosa SA 44 K 13
Cespedosa
de Agadones SA 42 K 10
Cespón C 12 D 3
Cesuras C 3 C 5
Cetina Z 33 I 24
Ceutí MU 85 R 26
Cevico de la Torre P 31 G 16
Cevico Navero P 31 G 17
Cezeral
de Peñahorcada SA 42 I 10
Cezura P 17 D 17
Chacín C 2 D 3
Chacón SE 80 S 12
Chacona (La) CA 98 W 11
Chacones (Los) AL 96 T 23
Chagarcía Medianero SA 44 K 13
Chaguazoso OR 14 F 8
Chaherrero AV 44 J 15
Chalamera HU 36 G 30
Chamartín AV 44 J 15
Chamorga Tenerife TF 125 K 1
Chamorro BA 69 O 14
Chan (A) PO 13 E 4
Chana LE 15 E 10
Chanca (La) BA 78 Q 9
Chandávila
(Ermita de) BA 66 O 8
Chandrexa OR 14 F 7
Chandrexa
(Embalse de) OR 14 F 7
Chano LE 14 D 9
Chantada LU 13 E 6
Chanteiro C 3 B 5
Chanza (Embalse del) H 78 T 7
Chanzas (Sierra de) GR 94 U 17
Chañe SG 31 H 16
Chaorna SO 47 I 23
Chapa PO 13 D 5
Chaparral GR 94 U 19
Chaparral (El) M 46 J 19
Chaparral (El) CA 99 X 12
Chapatales SE 91 U 12
Chapela PO 12 F 3
Chapinería M 45 K 17
Charca (La) TO 70 O 18
Charches GR 95 U 21
Charco (El) La Palma TF 132 C 6
Charco
de los Hurones CA 99 W 13
Charco del Pino
Tenerife TF 128 E 5
Charcofrío SE 91 T 10
Charilla J 94 T 18
Charpona TO 57 L 16
Chatún SG 31 I 16
Chauchina GR 94 U 18
Chavaga LU 14 E 7
Chavaler SO 33 G 22
Chave LU 13 D 7
Chavín LU 4 B 7
Chayofa Tenerife TF 128 D 5
Checa GU 48 K 24
Cheles BA 66 Q 8
Chella V 74 O 28
Chelva V 61 M 27
Chenlo PO 12 F 3
Chequilla GU 48 K 24
Chera GU 48 J 24
Chera V 61 N 27
Cherbo AL 96 U 22
Chércoles SO 33 H 23
Chercos AL 96 U 23
Chercos Viejo AL 96 U 23
Cherín GR 102 V 20
Cheste V 62 N 27
Chía HU 22 E 31
Chica Carlota (La) CO 81 S 15
Chícamo MU 85 R 26
Chiclana
de la Frontera CA 98 W 11
Chiclana de Segura J 83 R 20
Chiguergue Tenerife TF 128 C 4
Chilches MA 101 V 17
Chilches / Xilxes CS 62 M 29
Chilladeras (Las) H 78 T 9
Chillarón de Cuenca CU 60 L 23
Chillarón del Rey GU 47 K 21
Chillón CR 69 P 15
Chilluevar J 83 R 20
Chiloeches GU 46 K 20
Chimenea
(Sierra de la) BA 68 O 14
Chimeneas GR 94 U 18
Chimeneas (Las) CR 71 O 20
Chimiche Tenerife TF 129 F 5
Chimillas HU 21 F 28
Chimorra CO 81 R 15
Chimparra C 3 A 5
Chinar AB 73 P 26
Chinas (Las) H 79 S 9
Chinchilla
de Monte Aragón AB 72 P 24
Chinchón M 59 L 19
Chinorla A 85 Q 27
Chinorlet A 85 Q 27
Chío Tenerife TF 128 C 4
Chipeque Tenerife TF 127 G 3
Chipiona CA 91 V 10
Chiprana Z 35 I 29
Chipude La Gomera TF 118 B 2
Chiquero (El) CR 69 O 16
Chira (Embalse de)
Gran Canaria GC 114 D 3
Chirán AL 95 V 21
Chirigota (La) CA 92 V 12
Chirivel AL 96 T 23
Chirivel (Rambla de) AL 96 T 23
Chirlateira (Punta) C 3 B 5
Chispones (Los) AL 95 U 21
Chite GR 101 V 19
Chiva V 62 N 27
Chive (El) AL 96 U 23
Chodes Z 34 H 25
Chopillo (El) MU 84 R 24
Chorillo (El) CS 62 L 28
Chorlo BA 67 O 9
Chorreras CR 69 Q 16
Chorro (El) J 83 S 20
Chorro (El) MA 100 V 15
Chorro
(Garganta del) MA 100 V 15
Chospes (Los) AB 72 P 22
Chóvar CS 62 M 29
Chozas (Lomo de las)
La Palma TF 130 C 4
Chozas de Abajo LE 15 E 12
Chozas de Canales TO 58 L 17
Chucena H 91 T 10
Chuchurumbache
Tenerife TF 129 F 5
Chueca TO 58 M 18
Chulilla V 61 N 27
Chulilla (Baños de) V 61 N 27
Chullera
(Punta de la) CA 99 X 14
Chullo GR 95 U 20
Chumillas CU 60 M 23
Churriana MA 100 V 16
Churriana de la Vega GR 94 U 19
Ciadoncha BU 17 F 18
Ciaño O 6 C 12
Ciaurriz NA 11 D 25
Cibanal ZA 29 I 11
Cibea O 5 C 10
Cibuyo O 5 C 10
Cicero S 8 B 19
Cicujano VI 19 D 22
Cidad de Ebro BU 18 D 18
Cidad
de Valdeporres BU 18 C 18
Cidones SO 33 G 22
Cielo MA 101 V 18
Ciempozuelos M 58 L 19
Cienfuegos (Puerto de) LE 14 D 9
Cierva (La) CU 60 L 24
Cierva (La) SE 92 T 12
Cíes (Islas) PO 12 F 3
Cieza MU 85 R 25
Cieza BI 7 C 18
Cifuentes LE 16 E 14
Cifuentes GU 47 J 22
Cigales VA 31 G 15
Cigudosa SO 33 G 23
Cigüenza BU 18 D 19
Ciguñuela VA 30 H 15
Cihuela SO 33 H 24
Cijara BA 69 O 14
Cijara (Embalse de) CC 69 N 15
Cijara
(Reserva national de) BA 69 O 15
Cijuela GR 94 U 18
Cildoz NA 11 D 24
Cillamayor P 17 D 17
Cillán AV 44 J 15
Cillaperlata BU 18 D 19
Cillas GU 48 J 24
Cillero S 7 C 18
Cilleros CC 55 L 9
Cilleros de la Bastida SA 43 K 11
Cilleros el Hondo SA 43 J 12
Cilleruelo AB 72 P 22
Cilleruelo de Abajo BU 31 G 18
Cilleruelo de Arriba BU 32 G 19
Cilleruelo de Bezana BU 17 D 18
Cilleruelo
de San Mamés SG 32 H 19
Cima da Vila LU 3 C 6
Cimada (La) MA 92 V 14
Cimanes de la Vega LE 16 F 13
Cimanes del Tejar LE 15 E 12
Cimballa Z 48 I 24
Cimbre MU 96 T 24
Cinca (Canal del) HU 21 F 28
Cinca (Río) HU 22 E 30
Cinco Casas CR 71 O 20
Cinco Casas
(Colonia de) TO 70 O 19
Cinco Esquinas
(Castillo) J 83 S 20
Cinco Lindes BA 79 R 9
Cinco Olivas Z 35 H 28
Cinco Villas M 46 J 19
Cinco Villas (Las) Z 20 F 26
Cincovillas GU 47 I 21
Cinctorres CS 49 K 29
Cintruénigo NA 20 F 24
Ciñera LE 16 D 13
Cional ZA 29 G 10
Cipérez SA 43 J 11
Cirat CS 62 L 28
Cirauqui NA 10 D 24
Circos (Reserva nacional
de los) HU 22 D 30
Cirera L 23 F 34
Ciria SO 33 H 24
Cirio LU 4 C 7
Ciriza NA 10 D 24
Ciruela SO 33 H 21
Ciruela CR 70 P 18
Ciruelas GU 46 J 20
Ciruelos SG 32 H 18
Ciruelos TO 58 M 19
Ciruelos de Cervera BU 32 G 19
Ciruelos de Coca SG 31 I 16
Ciruelos del Pinar GU 47 I 23
Cirueña LO 18 E 21
Cirueña J 82 S 19
Cirugeda TE 49 J 27
Cirujales LE 15 D 11
Ciscar HU 22 F 31
Cisla AV 44 J 14
Cisneros P 16 F 15
Cistella GI 25 F 38
Cistérniga VA 31 H 15
Cistierna LE 16 D 14
Citolero (El) CR 70 O 17
Citores BU 17 E 18
Ciudad OR 13 E 5
Ciudad de Osma SO 32 H 20
Ciudad Ducal AV 45 K 16
Ciudad
Encantada(La) CU 60 L 23
Ciudad Real CR 70 P 18
Ciudad Rodrigo SA 42 K 10
Ciudadeja
(Ribera de) SE 80 S 13
Ciudalcampo M 46 K 19
Ciutadella
de Menorca IB 106 M 41
Ciutadilla L 37 H 33
Cívica GU 47 J 21
Civís L 23 E 34
Claras AB 84 R 23
Claraválls HU 22 F 32
Claraválls L 37 G 33
Clares GU 47 I 23
Clarés de Ribota Z 34 H 24
Clariana L 37 G 34
Clariana B 37 H 34
Claveles (Los) SE 92 T 12
Clavería CC 54 N 8
Claverol L 23 F 32
Clavijo LO 19 E 22
Clavín (El) GU 46 K 20
Clavín (Puerto del) CC 67 O 10
Clotes (Les) B 50 J 30
Clunia BU 32 G 19
Coalla O 5 B 11
Coaña O 4 B 9
Coba LU 3 C 6
Coba OR 14 F 8
Coballes O 6 C 13
Cobas OR 13 E 6
Cobatillas TE 49 J 27
Cobatillas AB 84 Q 24
Cobatillas (Las) AL 84 S 23
Cobatillas (Las) CA 99 W 12
Cóbdar AL 96 U 23
Cobeja TO 58 L 18
Cobeña M 46 K 19
Cobertelada SO 33 H 22
Cobeta GU 47 J 23
Cobisa TO 58 M 17
Cobos de Cerrato P 31 F 17
Cobos
de Fuentidueña SG 31 H 18
Cobos de Segovia SG 45 J 16
Cóbreces S 7 B 17
Cobreros ZA 14 F 9
Cobres PO 12 F 4
Cobres
(San Adrián de) PO 12 F 4
Cobujón (El) H 90 T 9
Coca SG 31 I 16
Coca de Alba SA 44 J 13
Cocentaina A 74 P 28
Cocoll A 74 P 29
Cocón (El) AL 96 T 24
Cocosa (La) BA 66 P 9
Coculina BU 17 E 18
Codes GU 47 I 23
Codesal ZA 29 G 10
Codeseda PO 13 E 4
Codeso C 13 D 4
Codo Z 35 H 27
Codoñera (La) TE 50 J 29
Codornillos LE 16 E 14
Codorniz SG 45 I 16
Codos Z 34 I 25
Codosera (La) BA 66 O 8
Coedo OR 13 F 6
Coelleira (Isla) LU 4 A 7
Coeo LU 4 D 7
Coeses LU 4 D 7
Cofete
Fuerteventura GC 112 C 5
Cofiñal LE 6 C 14
Cofio (Río) M 45 K 17
Cofita HU 36 G 30
Cofrentes V 73 O 26
Cofrentes
(Embalse de) AB 73 O 26
Cogeces de Iscar VA 31 H 16
Cogeces del Monte VA 31 H 17
Cogollor GU 47 J 21
Cogollos BU 18 F 18
Cogollos (Sierra de) GR 94 U 19
Cogollos de Guadix GR 95 U 20
Cogollos Vega GR 94 U 19
Cogolludo GU 46 J 20
Cogorderos LE 15 E 11
Cogul (El) L 36 H 32
Cogullada (La) V 74 O 28
Coín MA 100 W 15
Coiro PO 12 F 3
Coirós C 3 C 5
Coitelada (Punta) C 3 B 5
Cojáyar GR 102 V 20
Cojóbar BU 18 F 19
Colativí AL 103 V 23
Colera GI 25 E 39
Colgada
(Laguna de la) AB 71 P 21
Colgadizos ESP 46 I 19
Colilla (La) AV 44 K 15
Colinas SE 91 U 11
Colinas (Las) M 58 L 18
Colinas
de Trasmonte ZA 29 F 12
Colindres S 8 B 19
Colio S 7 C 16
Coll de Nargó L 23 F 33
Coll
d'en Rabassa (es) IB 104 N 38
Collada O 6 B 13
Colladico (El) TE 48 I 26
Collado S 7 C 17
Collado CC 56 L 12
Collado (El) SO 33 G 23
Collado (El) AB 84 R 22
Collado (El) V 61 M 26
Collado de Contreras AV 44 J 15
Collado
de las Carrascas AB 84 Q 22
Collado del Mirón AV 44 K 13
Collado Hermoso SG 45 I 18
Collado Mediano M 45 J 17
Collado
Royo y Poviles TE 62 L 27
Collado Villalba M 45 K 18
Colladona (La) O 6 C 13
Collados TE 48 J 26
Collados CU 60 L 23
Collados (Los) AB 84 Q 23
Collarada HU 21 D 28
Collbató B 38 H 35
Colldejou T 51 I 32
Colldelrat L 37 G 33
Collegats
(Congost de) L 23 F 33
Collera O 6 B 14
Collformic B 38 G 37
Collfred L 37 G 33
Collía O 6 B 14
Cólliga CU 60 L 23
Colliguilla CU 60 L 23
Colloto O 5 B 12
Collsuspina B 38 G 36
Colmenar MA 100 V 17
Colmenar (El) MA 99 W 13
Colmenar
de la Sierra GU 46 I 19
Colmenar
de Montemayor SA 43 K 12
Colmenar de Oreja M 59 L 19
Colmenar del Arroyo M 45 K 17
Colmenar Viejo M 46 K 18
Colmenarejo M 45 K 17
Colmenares P 17 D 16
Colodro J 82 R 17
Colombres O 7 B 16
Colomera GR 94 T 18
Colomera
(Embalse de) GR 94 T 18
Colomers GI 25 F 38
Colón
(Monumento a) H 90 U 9
Colonia (La) MU 85 R 25
Colonia Cinto
de los Abates V 73 N 27
Colonia
de la Estación SA 42 K 9
Colònia
de Sant Jordi IB 105 O 38
Colònia
de Sant Pere IB 105 M 39
Colonia
de Santa Ana MA 93 U 15
Colonia Iberia TO 58 M 18
Colònia Rosal B 23 F 35
Colonia
Santa Eulalia (La) A 73 Q 27
Coloradas (Las)
Lanzarote GC 122 B 5
Coloradas (Punta de las)
Gran Canaria GC 115 E 1
Colorado MU 96 T 24
Colorado BA 68 P 13
Colorado (El) CA 98 W 11
Colorado (Monte) CO 81 R 16
Colsa S 7 C 17
Columbrets (Els) CS 63 M 32
Columbrianos LE 15 E 10
Colunga O 6 B 14
Colungo HU 22 F 30
Coma (La) L 23 F 34
Coma (La) Castelló CS 62 L 29

A B C D E F G H I J K L M N O P Q R S T U V W X Y Z


Coma (Sa) IB 105 N 40
Coma-ruga T 37 I 34
Comaloforno (Pic de) L 22 E 32
Comares MA 101 V 17
Combarro PO 12 E 3
Combarros LE 15 E 11
Comendador (El) V 74 P 27
Comillas S 7 B 17
Comiols (Coll de) L 23 F 33
Compañía (La) SE 91 U 11
Comparada C 12 D 3
Cómpeta MA 101 V 18
Compuerto (Embalse de) P 16 D 15
Comtat de Sant Jordi GI 25 G 39
Con O 6 C 14
Concabella L 37 G 33
Concepción (Ermita de la) GU 48 J 24
Concepción (Finca de la) MA 100 V 16
Concepción (La) SO 33 H 22
Concepción (La) CO 94 T 17
Concepción (La) AL 96 U 24
Concepción (Mirador de la) La Palma TF 131 D 4
Concha BI 8 C 19
Concha GU 47 I 24
Concha (La) cerca de San Roque de Riomeira S 8 C 18
Cónchar GR 101 V 19
Conchas (Embalse de las) OR 27 G 6
Conchel HU 36 G 30
Concilio Z 21 F 27
Concud TE 48 K 26
Condado BU 18 D 19
Condado (El) O 6 C 13
Condado de Castilnovo SG 32 I 18
Conde (Casas del) AB 73 O 26
Conde (Sierra de) BA 67 P 11
Conde de Gondomar (Parador) Baiona PO 12 F 3
Conde de Guadiana J 83 S 20
Condemios de Abajo GU 46 I 20
Condemios de Arriba GU 46 I 20
Condes de Alba y Aliste (Parador) ZA 29 H 12
Condesa (La) J 82 R 18
Conejera SA 42 K 10
Conejeros TO 57 L 16
Conejeros (Puerto de los) BA 67 O 9
Conejo (El) GR 95 T 20
Conesa T 37 H 33
Confital (Punta del) Gran Canaria GC 115 F 1
Conforto LU 4 B 8
Confrides A 74 P 29
Congosta ZA 15 F 11
Congosto BU 17 E 17
Congosto LE 15 E 10
Congosto (El) CU 59 M 22
Congosto de Valdavia P 17 D 16
Congostrina GU 46 I 21
Conil Lanzarote GC 122 C 4
Conil de la Frontera CA 98 X 11
Conill B 37 G 34
Connio (Puerto del) O 4 C 9
Conques L 23 F 33
Conquezuela SO 47 I 22
Conquista CO 81 Q 16
Conquista de la Sierra CC 68 N 12
Conquista del Guadiana BA 68 O 11
Consell IB 104 M 38
Consolación (Ermita de) CR 71 P 19
Consolación (Ermita de la) TE 50 J 29
Consolación (Santuario) J 83 R 20
Consolación (Santuario de la) H 90 U 8
Constantí T 37 I 33
Constantina SE 80 S 13
Constanzana AV 44 J 15
Consuegra TO 58 N 19
Contador (El) AL 96 T 22
Contamina Z 34 I 24
Contar (Sierra del) MU 97 T 25
Conti SE 91 T 11
Contienda (La) H 78 R 9
Contrasta VI 19 D 23
Contreras BU 32 F 19
Contreras J 82 S 18
Contreras (Embalse de) CU 61 N 25
Contreras (Venta de) CU 61 N 25
Convento de San Clemente CC 56 N 12
Convento de San Miguel de las Victorias CU 47 K 23
Convoy (El) AL 96 T 24
Coo S 7 C 17
Coomonte ZA 15 F 12
Copa (La) MU 84 R 25
Cope MU 97 T 25
Cope (Cabo) MU 97 T 25
Copernal GU 46 J 20
Copons B 37 H 34
Corao O 6 B 14
Coratxà CS 50 J 30
Corb (Riu) T 37 H 33
Corbalán TE 49 K 27
Corbatón TE 48 J 26
Corbelle OR 13 F 5
Corbelle LU 14 D 7
Corbera V 74 O 28
Corbera (Punta de la) LU 4 B 8
Corbera de Dalt B 38 H 35
Corbera de Llobregat B 38 H 35
Corbera d'Ebre T 50 I 31
Corbillos de los Oteros LE 16 E 13
Corbins L 36 G 32
Corboeira LU 4 B 7
Corçà L 22 F 32
Corça GI 25 G 39
Corcho BA 68 Q 12
Corchuela TO 57 M 14
Corchuela BA 66 P 8
Corchuela (La) SE 91 U 12
Corchuelo (El) H 91 U 9
Corcoesto C 2 C 3
Córcoles GU 47 K 22
Córcoles (Río) CU 60 N 23
Córcoles (Río) AB 71 O 21
Corcolilla V 61 M 26
Corconte S 7 C 18
Corcos VA 31 G 15
Corcoya SE 93 U 15
Corcubión C 2 D 2
Cordido LU 4 B 7
Cordiñanes LE 6 C 15
Córdoba CO 81 S 15
Cordobilla CO 93 T 15
Cordobilla (Embalse de) CO 93 U 15
Cordobilla de Lácara BA 67 O 10
Cordobillas CO 81 S 16
Cordovilla P 17 D 17
Cordovilla SA 44 J 13
Cordovilla AB 73 Q 25
Cordovilla la Real P 31 F 17
Cordovín LO 19 E 21
Corduente GU 47 J 24
Corella NA 20 F 24
Corera LO 19 E 23
Cores C 2 C 3
Coreses ZA 30 H 13
Corgo LU 4 D 7
Coria CC 55 M 10
Coria (Sierra de) CC 55 L 10
Coria del Río SE 91 U 11
Corias cerca de Cangas de Narcea O 5 C 10
Corias cerca de Pravia O 5 B 11
Coripe SE 92 V 13
Coristanco C 2 C 3
Corme Aldea C 2 C 3
Corme-Porto C 2 C 3
Corme y Laxe (Ría de) C 2 C 3
Corna OR 13 E 5
Cornadelo (Pico de) HU 22 E 32
Cornago LO 33 F 23
Cornalvo (Embalse de) BA 67 P 11
Cornanda C 12 D 3
Corneda C 3 D 5
Corneira C 2 D 3
Cornejo BU 8 C 19
Cornellà de Terri GI 25 F 38
Cornellana O 5 B 11
Corniero LE 16 D 14
Cornisa del Suroeste GC 116 C 4
Cornollo O 4 C 9
Cornón P 16 D 15
Cornoncillo P 17 D 15
Cornudella de Montsant T 37 I 32
Cornudilla BU 18 D 19
Coronada (La) CO 80 R 13
Coronada (La) BA 68 P 12
Coronas (Puerto Las) NA 11 D 26
Coronela (La) SE 92 U 14
Coroneles (Casa de los) Fuerteventura GC 111 H 2
Coronil (El) SE 92 U 13
Corpa M 46 K 20
Corporales LO 18 E 21
Corporales LE 15 F 10
Corral de Almaguer TO 59 M 20
Corral de Ayllón SG 32 H 19
Corral de Calatrava CR 70 P 17
Corral de Cantos TO 57 N 16
Corral de Garcíñigo SA 43 K 12
Corral Rubio AB 73 P 25
Corralejo Fuerteventura GC 111 I 1
Corralejo (El) TO 58 M 19
Corrales H 90 U 9
Corrales LE 14 E 9
Corrales (Los) SE 93 U 15
Corrales de Buelna (Los) S 7 C 17
Corrales de Duero VA 31 G 17
Corrales del Vino ZA 29 H 12
Corralín O 4 D 9
Corrals (Els) V 74 O 28
Correderas (Las) J 82 Q 19
Corredoira PO 13 E 4
Corredoiras C 3 C 5
Correpoco S 7 C 17
Corres VI 19 D 22
Corrocera LE 15 D 12
Corrochana TO 57 M 14
Corrubedo C 12 E 2
Corrubedo (Cabo de) C 12 E 2
Corte (La) H 79 S 9
Corte de Peleas BA 67 P 9
Corteconcepción H 79 S 10
Cortegada PO 13 E 5
Cortegada cerca de Ribadavia OR 13 F 5
Cortegada cerca de Xinzo de Limia OR 13 F 7
Cortegana H 78 S 9
Cortegana BA 67 P 10
Cortelazor H 79 S 10
Corterrangel H 79 S 10
Cortes NA 34 G 25
Cortés V 61 M 26
Cortes de Aragón TE 49 J 27
Cortes de Arenoso CS 62 L 28
Cortes de Baza GR 83 T 21
Cortes de la Frontera MA 99 W 13
Cortes de la Frontera (Reserva nacional de) MA 99 W 13
Cortes de Pallás V 73 O 27
Cortes de Tajuña GU 47 J 22
Cortes y Graena GR 95 U 20
Cortesa (La) AB 72 P 24
Cortijillo (El) TO 70 O 18
Cortijo (El) LO 19 E 22
Cortijo (El) Lanzarote GC 120 E 1
Cortijo de la Herrera CC 56 M 11
Cortijo de la Juliana AB 84 Q 23
Cortijo de Navarro AB 84 R 23
Cortijo Grande AL 96 U 24
Cortijo Nuevo SE 92 V 12
Cortijo Nuevo J 95 T 20
Cortijos (Los) CU 61 L 25
Cortijos de Abajo (Los) CR 70 O 17
Cortijos de Arriba (Los) CR 70 O 17
Cortijos Nuevos J 83 R 21
Cortijos Nuevos de la Sierra GR 83 S 22
Cortijuelos (Los) cerca de Andújar J 82 R 18
Cortijuelos (Los) cerca de Martos J 82 S 17
Cortos AV 45 J 16
Cortos SO 33 G 23
Cortos de la Sierra SA 43 J 12
Corullón LE 14 E 9
Corumbel H 91 T 10
Corumbela MA 101 V 17
Coruña (A) C 3 B 4
Coruña (Ría de La) C 3 B 4
Coruña del Conde BU 32 G 19
Coruxou C 3 C 5
Corvelle LU 4 B 7
Corvera MU 85 S 26
Corvera de Asturias O 5 B 12
Corvera de Toranzo S 7 C 18
Corvillón OR 13 F 6
Corvio P 17 D 17
Corvite LU 4 C 7
Corzos OR 14 F 8
Cosa TE 48 J 26
Coscó L 37 G 33
Coscojuela HU 22 E 30
Coscojuela de Fantova HU 22 F 30
Coscollet (El) L 23 F 33
Cosculluno HU 21 F 29
Coscurita SO 33 H 22
Cosgaya S 7 C 15
Cosio S 7 C 16
Coslada M 46 K 19
Cospedal LE 15 D 11
Cospeito LU 4 C 7
Cospindo C 2 C 3
Costa Ballena CA 91 V 10
Costa Blanca VC 86 R 29
Costa Blanca (Parador) Jávea A 75 P 30
Costa Brava CT 39 H 39
Costa Brava (Parador de la) Aiguablava GI 25 G 39
Costa Calma Fuerteventura GC 112 E 5
Costa Daurada / Costa Dorada CT 51 J 33
Costa de Almería AL 102 V 21
Costa de Cantabria CB 7 B 17
Costa de Canyamel IB 105 N 40
Costa de la Calma IB 104 N 37
Costa de la Luz AN 90 U 8
Costa de Madrid M 45 K 16
Costa de Maresme B 38 H 37
Costa del Azahar / Costa dels Tarongers VC 63 M 30
Costa del Azahar (Parador) Benicarló CS 50 K 31
Costa del Montseny (La) B 38 G 37
Costa del Silencio Tenerife TF 128 E 5
Costa del Sol AN 100 X 14
Costa dels Pins IB 105 N 40
Costa dels Tarongers / Costa del Azahar VC 63 M 30
Costa Dorada / Costa Daurada CT 51 J 33
Costa Esuri HU 90 U 7
Costa Teguise Lanzarote GC 123 F 4
Costa Vasca PV 9 B 22
Costa Verde AS 5 B 10
Costabona GI 24 E 37
Costacabana AL 103 V 22
Costana (La) S 7 C 17
Costas de Garraf B 38 I 35
Costeán HU 22 F 30
Costitx IB 104 N 38
Costur CS 62 L 29
Cosuenda Z 34 H 26
Cota LU 3 C 6
Cotanes ZA 30 G 14
Cotefablo (Puerto de) HU 21 E 29
Cotelas OR 13 E 6
Cotiella HU 22 E 30
Cotilfar Baja GR 94 T 19
Cotillas AB 83 Q 22
Cotillas CU 60 L 24
Cotillo S 7 C 17
Cotillo (El) Fuerteventura GC 111 G 1
Coto O 5 C 11
Coto de Bornos CA 92 V 12
Coto de Buzalén BA 67 Q 11
Coto de Puenteviejo AV 45 J 16
Coto Redondo PO 12 E 3
Cotobade PO 13 E 4
Cotorios J 83 R 21
Cotorredondo M 58 L 18
Cotos (Puerto de) ESP 45 J 18
Cotos de Monterrey (Los) M 46 J 19
Coubet (Coll de) GI 24 F 37
Courel (Sierra del) LU 14 E 8
Couso (Alto del) OR 13 F 6
Couso (Punta de) PO 12 F 3
Couto LU 13 D 6
Couto PO 13 F 5
Couzadoiro C 3 B 6
Couzo (Punta de) C 12 E 2
Cova Santa (La) CS 62 M 28
Covacha BA 67 N 9
Covacha (Puerto de la) CC 67 O 10
Covadonga O 6 C 14
Covalanas (Cuevas de) S 8 C 19
Covaleda SO 32 G 21
Covarrubias SO 33 H 22
Covarrubias BU 32 F 19
Covas cerca de Carucedo OR 14 E 9
Covas cerca de Pereiro OR 13 E 6
Covas cerca de Vivero LU 4 A 7
Covas cerca de Xinzo OR 27 G 6
Covas (As) PO 12 E 3
Covelo PO 13 F 4
Covelo (Alto de) OR 14 F 8
Coves de Vinromà (Les) CS 50 L 30
Coves dels Canelobres A 74 Q 28
Coves Noves (Urbanització) IB 106 L 42
Covet L 23 F 33
Coveta Fumá (La) A 86 Q 28
Cox A 85 R 27
Coy MU 84 S 24
Coyote (El) AL 103 V 23
Cózar CR 71 Q 20
Cozcurrita ZA 29 H 11
Cozuelos de Fuentidueña SG 31 H 17
Cozuelos de Ojeda P 17 D 16
Cozvíjar GR 101 V 19
Crecente PO 13 F 5
Cregenzán HU 22 F 30
Creixell T 37 I 34
Crémenes LE 16 D 14
Crende LU 4 C 8
Crendes C 3 C 5
Crespos AV 44 J 15
Cretas TE 50 J 30
Creu de Codo L 23 F 34
Creu de Perves (Coll de) L 22 E 32
Creus (Cap de) GI 25 F 39
Crevillent A 85 R 27
Criaderas (Las) SE 79 T 11
Criales BU 18 D 20
Criptana (Ermita de) CR 71 N 20
Crispinejo SE 79 T 11
Cristal L 23 F 34
Cristales (Los) H 90 T 9
Cristiano GR 101 V 18
Cristianos (Los) Tenerife TF 128 D 5
Cristina BA 68 P 11
Cristiñade PO 12 F 4
Cristo CR 71 P 20
Cristo (Ermita del) GU 46 L 20
Cristo de la Laguna SA 43 J 11
Cristo del Espíritu Santo CR 70 O 17
Cristóbal SA 43 K 12
Crivillén TE 49 J 28
Crivillén (Mases de) TE 49 J 28
Cruceiro OR 13 E 5
Cruceras (Las) AV 45 K 16
Crucero (El) O 5 B 10
Cruces C 3 C 5
Cruces AB 72 Q 24
Cruces CO 81 R 15
Cruces (Cuevas de las) Gran Canaria GC 114 C 2
Cruces (Ermita de las) BA 68 P 12
Cruces (Las) O 5 B 12
Cruceta (Puerto de) VI 10 C 22
Cruïlles GI 25 G 39
Cruz cerca de Puebla de Almenara CU 59 M 21
Cruz (Cerro de la) MA 100 V 16
Cruz (Ermita de la) CR 70 O 17
Cruz (La) O 6 B 13
Cruz (La) CR 70 P 17
Cruz (La) CO 81 S 16
Cruz (La) GR 94 T 18
Cruz (La) J 82 R 19
Cruz (Pico de la) La Palma TF 131 C 3
Cruz (Puerto de la) PO 12 D 4
Cruz (Sierra de la) J 82 S 19
Cruz de Alpera AB 73 P 26
Cruz de Cancela (Puerto) LU 4 B 8
Cruz de Cofrentes (Puerto de) V 73 N 26
Cruz de Hierro (Puerto) AV 45 J 16
Cruz de Incio LU 14 E 7
Cruz de Piedra CR 70 O 18
Cruz de Tea Tenerife TF 129 E 4
Cruz de Tejeda Gran Canaria GC 114 D 2
Cruz del Carmen (Mirador de) Tenerife TF 125 I 2
Cruz del Roque Tenerife TF 129 G 4
Cruz Grande (Puerto de) Gran Canaria GC 116 D 3
Cruz Uzano S 8 C 19
Cua O 14 D 9
Cuacos de Yuste CC 56 L 12
Cuadradillo CO 81 S 16
Cuadrado (Cerro) AB 73 P 25
Cuadramón LU 4 B 7
Cuadrón (El) M 46 J 19
Cuadros LE 16 D 13
Cuadros J 82 S 19
Cualedro OR 27 G 7
Cuarenta (Las) SE 92 T 13
Cuarte HU 21 F 28
Cuarte de Huerva Z 35 H 27
Cuartico (El) AB 72 P 23
Cuartillejo TO 58 M 18
Cuarto Pelado (Puerto de) TE 49 K 28
Cuartón (El) CA 99 X 13
Cuatro Calzadas SA 43 J 13
Cuatro Puertas Gran Canaria GC 117 G 3
Cuatrocorz HU 36 G 31
Cuatrovitas (Santuario de) SE 91 U 11
Cuba (La) TE 49 K 29
Cubas AB 73 O 25
Cubas CO 81 S 16
Cubas de la Sagra M 58 L 18
Cubel Z 48 I 25
Cubelles B 37 I 35
Cubells L 37 G 32
Cubells (es) IB 87 P 33
Cubia O 5 C 11
Cubilla BU 18 D 20
Cubilla SO 32 G 21
Cubilla (Puerto de la) O 5 D 12
Cubillas GU 47 I 22
Cubillas (Embalse del) GR 94 U 18
Cubillas de Cerrato P 31 G 16
Cubillas de los Oteros LE 16 E 13
Cubillas de Rueda LE 16 E 14
Cubillas de Santa Marta VA 31 G 16
Cubillejo de la Sierra GU 48 J 24
Cubillejo del Sitio GU 48 J 24
Cubillo P 17 D 16
Cubillo SG 45 I 18
Cubillo (El) AB 72 P 22
Cubillo (El) CU 61 L 25
Cubillo de Uceda (El) GU 46 J 19
Cubillo del Campo BU 18 F 19
Cubillos ZA 29 H 12
Cubillos BU 18 C 19
Cubillos del Rojo BU 18 D 18
Cubillos del Sil LE 15 E 10
Cubla TE 61 L 26
Cubo GR 83 S 21
Cubo de Benavente ZA 15 F 11
Cubo de Bureba BU 18 E 20
Cubo de Don Sancho (El) SA 43 J 11
Cubo de Hogueras SO 33 G 22
Cubo de la Sierra SO 33 G 22
Cubo de la Solana SO 33 H 22
Cubo de Tierra del Vino (El) ZA 29 I 12
Cucalón TE 48 I 26
Cucalón (Sierra de) TE 48 J 26
Cucayo S 7 C 16
Cucharal AB 72 P 23
Cucharas (Laguna de) CR 70 P 17
Cucharón MU 85 Q 25
Cuchía S 7 B 17
Cuchillo (El) Lanzarote GC 123 D 3
Cucho BU 19 D 21
Cucos (Los) MU 97 T 25
Cudillero O 5 B 11
Cué O 7 B 15
Cuelgamures ZA 29 I 13
Cuéllar SG 31 H 17
Cuénabres LE 6 C 15
Cuenca CO 80 R 13
Cuenca CU 60 L 23
Cuenca (La) SO 33 G 21
Cuenca Alta del Manzanares (Parque Regional) M 45 K 18
Cuenca de Campos VA 30 F 14
Cuencabuena TE 48 I 26
Cuérigo O 6 C 13
Cuerlas (Las) Z 48 J 25
Cuerva TO 58 N 17
Cuervo CR 70 Q 19
Cuervo (El) TE 61 L 26

Cuervo (El) SE 91 V 11
Cuervo (Nacimiento del) CU 48 K 24
Cuesta LU 4 B 7
Cuesta (La) SG 45 I 18
Cuesta (La) SO 33 F 23
Cuesta (La) MA 93 U 15
Cuesta (La) BI 8 B 20
Cuesta (La) *Tenerife* TF 125 I 2
Cuesta Blanca MU 85 T 26
Cuesta de la Villa *Tenerife* TF 124 F 2
Cueta (La) LE 5 C 11
Cueto BI 8 C 20
Cueto (Ermita de El) SA 43 J 12
Cueto Negro LE 15 D 12
Cueva BU 8 C 19
Cueva AL 84 S 23
Cueva (La) CU 48 K 24
Cueva (Punta de la) *Gran Canaria* GC 115 G 3
Cueva de Ágreda SO 34 G 24
Cueva de Juarros BU 18 F 19
Cueva de la Mora H 79 S 9
Cueva de la Mora (Embalse) H 78 S 9
Cueva de Las Niñas (Embalse) GC 116 C 3
Cueva de Roa (La) BU 31 G 18
Cueva del Agua *La Palma* TF 130 B 3
Cueva del Beato (Ermita de la) GU 47 J 22
Cueva del Hierro CU 47 K 23
Cueva del Pájaro (La) AL 96 U 24
Cueva Foradada (Embalse de) TE 49 J 27
Cuevarruz (La) V 61 M 27
Cuevas SO 32 H 20
Cuevas O 5 C 11
Cuevas (Las) A 85 Q 27
Cuevas Bajas MA 93 U 16
Cuevas de Almudén TE 49 J 27
Cuevas de Amaya BU 17 E 17
Cuevas de Ambrosio J 83 R 21
Cuevas de Cañart (Las) TE 49 J 28
Cuevas de los Medinas (Las) AL 103 V 23
Cuevas de los Úbedas AL 103 V 23
Cuevas de Moreno (Las) AL 84 S 23
Cuevas de Portalrubio TE 49 J 27
Cuevas de Provanco SG 31 H 18
Cuevas de Reillo MU 85 S 26
Cuevas de San Clemente BU 18 F 19
Cuevas de San Marcos MA 93 U 16
Cuevas de Soria (Las) SO 33 G 22
Cuevas de Velasco CU 60 L 22
Cuevas del Almanzora AL 96 U 24
Cuevas del Becerro MA 92 V 14
Cuevas del Campo GR 95 T 21
Cuevas del Sil LE 15 D 10
Cuevas del Valle AV 57 L 14
Cuevas Labradas TE 48 K 26
Cuevas Labradas GU 47 J 23
Cuevas Minidas GU 47 J 23
Cuiña C 3 A 6
Cuiña LU 4 A 7
Culebra (Reserva nacional de la Sierra de la) ZA 29 G 11
Culebras CU 60 L 22
Culebrón A 85 Q 27
Culebros LE 15 E 11
Culla CS 49 K 29
Cullar GR 95 T 21
Cúllar Baza GR 95 T 22
Cúllar Vega GR 94 U 18
Cullera V 74 O 29
Cullera (Far de) V 74 O 29
Culleredo C 3 C 4
Cumbre (La) CC 56 N 12
Cumbre Alta TO 57 N 15
Cumbre del Sol A 75 P 30
Cumbrecita (La) *La Palma* TF 131 C 4
Cumbres de Calicanto V 62 N 28
Cumbres de En Medio H 79 R 9
Cumbres de San Bartolomé H 79 R 9
Cumbres de Valencia V 73 P 27
Cumbres Mayores H 79 R 10
Cumplida (Punta) *La Palma* TF 131 D 2
Cuna (Peñón de la) J 82 R 17
Cunas LE 15 F 10
Cunchillos Z 34 G 24
Cundins C 2 C 3
Cunit T 37 I 34
Cuntis PO 12 E 4
Cuñas OR 13 E 5
Cura (Casas del) M 58 L 19
Cura (El) CR 70 P 18
Cura (El) GR 83 S 22
Cura (Monestir de) IB 104 N 38
Curbe HU 35 G 29
Cures C 12 D 3
Curiel VA 31 H 17
Curillas LE 15 E 11
Curota (Mirador de la) C 12 E 3
Currás PO 12 E 4
Currelos LU 13 D 7
Curtis *Teixeiro* C 3 C 5
Cusanca OR 13 E 5
Cutanda TE 48 J 26
Cútar MA 101 V 17
Cuzcurrita BU 32 G 19
Cuzcurrita de Río Tirón LO 18 E 21
Cuzna CO 81 R 15

D

Dacón OR 13 E 5
Dadín OR 13 E 5
Daganzo de Arriba M 46 K 19
Daimalos MA 101 V 17
Daimiel CR 70 O 19
Daimús V 74 P 29
Dalías AL 102 V 21
Dalias (Campo de) AL 102 V 21
Dallo VI 19 D 22
Dalt (Conca de) L 23 F 32
Dama (La) *La Gomera* TF 118 B 3
Damas (Las) AV 45 K 17
Damil LU 3 C 7
Dantxarinea NA 11 C 25
Dañador J 83 Q 20
Darnius GI 25 E 38
Daró (El) GI 25 G 39
Daroca Z 48 I 25
Daroca de Rioja LO 19 E 22
Darrícal AL 102 V 20
Darro GR 95 T 20
Das GI 24 E 35
Daya Nueva A 85 R 27
Deba SS 10 C 22
Degaña O 15 D 10
Degollada (La) *Tenerife* TF 129 G 4
Degollados (Puerto Los) NA 20 F 24
Degrada (A) LU 14 D 9
Dehesa BA 68 P 12
Dehesa (La) CR 70 P 19
Dehesa (La) H 79 S 10
Dehesa (La) *cerca de Casa del Pino* AB 84 Q 23
Dehesa (La) *cerca de El Griego* AB 72 Q 23
Dehesa de Campoamor A 85 S 27
Dehesa de Montejo P 17 D 16
Dehesa de Romanos P 17 E 16
Dehesa del Horcajo TO 57 M 14
Dehesa del Moncayo (Parque natural de la) Z 34 G 24
Dehesa Mayor SG 31 H 17
Dehesa Media Matilla BA 67 Q 9
Dehesa Nueva TO 57 M 14
Dehesas LE 14 E 9
Dehesas de Guadix GR 95 T 20
Dehesas Viejas GR 94 T 19
Dehesilla CU 47 K 22
Dehesilla (La) CU 59 M 20
Dehesón (El) TO 57 L 15
Deifontes GR 94 U 19
Deleitosa CC 56 N 13
Delgadas (Las) H 79 T 10
Delgadillo GR 95 T 20
Délika VI 18 D 21
Deltebre T 50 J 32
Demanda (Reserva nacional de la Sierra de la) BU 18 F 20
Demúes O 6 C 15
Dena PO 12 E 3
Dénia A 75 P 30
Denúy HU 22 E 31
Derio BI 8 C 21
Derramadero AB 84 Q 23
Derramador V 61 N 26
Derrasa (La) OR 13 F 6
Desamparados (Los) CR 71 P 21
Descargamaría CC 42 L 10
Desesperada CR 82 Q 19
Desierto (El) *Tenerife* TF 129 F 5
Deskarga (Alto) SS 10 C 22
Desojo NA 19 E 23
Despeñaperros (Desfiladero de) J 82 Q 19
Despeñaperros (Parque natural de) J 82 Q 19
Destriana LE 15 F 11
Deva OR 13 F 5
Dévanos SO 33 G 24
Devesa LU 4 B 8
Devesa OR 13 E 5
Deveso C 3 B 6
Devesos C 3 B 6
Devotas (Congosto de las) HU 22 E 30
Deyá IB 104 M 37
Deza SO 33 H 23
Deza (Río) PO 13 D 5
Diamondi LU 13 E 6
Diego Álvaro AV 44 J 14
Diego del Carpio AV 44 J 14
Diezma GR 94 U 20
Diezmo (Peña del) M 45 J 18
Dílar GR 94 U 19
Dima BI 9 C 21
Dios le Guarde SA 43 K 11
Dique (El) Z 36 I 29
Discatillo NA 19 E 23
Distriz LU 3 C 6
Diustes SO 33 F 22
Doade LU 14 E 7
Doade OR 13 E 5
Doade PO 13 E 5
Dobro BU 18 D 19
Doctor (Casas del) V 73 N 26
Doctor (El) CR 70 P 19
Doctoral (El) *Gran Canaria* GC 117 F 4
Dodro C 12 D 3
Doiras O 4 B 9
Doiras LU 14 D 9
Doiras (Embalse de) O 4 B 9
Dólar GR 95 U 21
Dolores A 85 R 27
Dolores MU 85 S 27
Dolores (Los) MU 85 T 26
Domaio PO 12 F 3
Domeño NA 11 D 26
Domeño V 61 M 27
Dómez ZA 29 G 11
Domingo García SG 45 I 16
Domingo Pérez TO 57 M 16
Domingo Pérez GR 94 T 19
Domingos (es) IB 105 N 39
Don Álvaro BA 67 P 11
Don Benito BA 68 P 12
Don Diego GR 95 U 21
Don Gaspar de Portolá (Parador de) *Artiés de* L 22 D 32
Don Gonzalo MU 84 S 24
Don Jaume (Ermita) A 86 Q 28
Don Jerónimo CR 71 O 20
Don Jerónimo Tapia (Casa de) TO 70 N 18
Don Juan CR 71 O 19
Don Juan (Cueva de) V 73 O 26
Don Martin (Mirador de) *Tenerife* TF 127 H 3
Don Miguel de Unamuno (Monumento a) *Fuerteventura* GC 111 H 2
Don Pedro MA 99 W 14
Don Pedro (Cabeza de) CU 60 L 24
Don Pedro (Casas de) AB 72 O 24
Don Rodrigo (Estación de) SE 92 U 12
Donadío J 82 S 19
Donado ZA 15 F 10
Donalbai LU 3 C 6
Donamaria NA 11 C 24
Donar (La) AB 84 R 22
Donarque (Puerto de) TE 48 K 25
Donas PO 12 F 3
Doncos LU 14 D 8
Done Bikendi Harana VI 19 D 22
Doney de la Requejada ZA 15 F 10
Doneztebe / Santesteban NA 11 C 24
Donhierro SG 44 I 15
Doniños C 3 B 5
Donis LU 14 D 9
Donjimeno AV 44 J 15
Donón PO 12 F 3
Donostia-San Sebastián SS 10 C 24
Donramiro PO 13 E 5
Donvidas AV 44 I 15
Donzell L 37 G 33
Doña Aldonza (Embalse de) J 83 S 20
Doña Ana GR 83 S 22
Doña Ana J 83 R 21
Doña Blanca CA 98 W 11
Doña Blanca de Navarra (Castillo de) NA 20 F 25
Doña Inés MU 84 S 24
Doña Justa CR 69 P 15
Doña María BA 66 P 8
Doña María Ocaña AL 95 U 21
Doña Marina GR 95 T 20
Doña Mencía CO 93 T 16
Doña Rama CO 80 R 14
Doña Santos BU 32 G 19
Doñana MA 100 V 16
Doñana (Parque Nacional de) H 91 V 10
Doñinos de Ledesma SA 43 I 11
Doñinos de Salamanca SA 43 J 12
Dóriga O 5 B 11
Dormea C 3 D 5
Dornillas ZA 15 F 10
Dorrao / Torrano NA 19 D 23
Dòrria GI 24 E 36
Dos Aguas V 73 O 27
Dos Hermanas SE 91 U 12
Dos Picos AL 95 U 21
Dos Torres CO 81 Q 15
Dos Torres de Mercader TE 49 J 28
Dosante BU 8 C 18
Dosbarrios TO 58 M 19
Dosrius B 38 H 37
Dozón PO 13 E 5
Drach (Coves del) IB 105 N 39
Dragonte LE 14 E 9
Draguillo (El) *Tenerife* TF 125 J 1
Driebes GU 59 L 20
Drova (La) V 74 O 29
Duañez SO 33 G 23
Dúas Igréxas PO 13 E 4
Ducs (Els) V 61 N 26
Duda (Sierra de) GR 83 S 21
Dúdar GR 94 U 19
Dueña Baja (La) SE 92 U 14
Dueñas P 31 G 16
Dueñas (Las) TE 61 L 26
Duerna LE 15 F 11
Duesaigües T 51 I 32
Dueso S 8 B 19
Dumbría C 2 C 2
Duques de Cardona (Parador de) *Cardona* B 37 G 35
Duquesa (La) CR 70 O 19
Duquesa (La) MA 99 W 14
Durana VI 19 D 22
Duranes CR 69 P 16
Durango BI 10 C 22
Duratón SG 32 I 18
Dúrcal GR 101 V 19
Durón GU 47 K 21
Durro L 22 E 32
Duruelo SO 32 G 21
Duxame PO 13 D 5

E

Ea BI 9 B 22
Ebre (Delta de l') T 50 J 32
Ebrón V 61 L 26
Ecay / Ekai de Lóguida NA 11 D 25
Echagüe NA 20 E 25
Echálaz NA 11 D 25
Echarren de Guirguillano *cerca de Puente la Reina* NA 10 D 24
Echedo *El Hierro* TF 109 D 1
Écija SE 92 T 14
Edrada OR 13 F 7
Egea HU 22 E 31
Egino VI 19 D 23
Egozkue NA 11 D 25
Eguaras NA 11 D 24
Egüés NA 11 D 25
Eguílaz VI 19 D 23
Eguileor VI 19 D 22
Eguileta VI 19 D 22
Eibar SS 10 C 22
Eidos PO 12 F 4
Eiras OR 13 E 5
Eiras (Embalse de) PO 12 E 4
Eiré LU 13 E 7
Eirón C 2 D 3
Eivissa / Ibiza IB 87 P 34
Ejea de los Caballeros Z 20 F 26
Ejeme SA 44 J 13
Ejep HU 22 F 30
Ejido (El) TO 57 M 14
Ejido (El) AL 102 V 21
Ejulve TE 49 J 28
Ekai de Lóguida / Ecay NA 11 D 25
Ekain SS 10 C 23
Elantxobe BI 9 B 22
Elbete NA 11 C 25
Elburgo VI 19 D 22
Elche / Elx A 85 R 27
Elche de la Sierra AB 84 Q 23
Elciego VI 19 E 22
Elcóaz NA 11 D 26
Elda A 85 Q 27
Elduain SS 10 C 24
Elgeta SS 10 C 22
Elgoibar SS 10 C 22
Elgorriaga NA 11 C 24
Eliana (L') V 62 N 28
Elice (Puerto) CC 55 N 9
Elizondo NA 11 C 25
Eljas CC 55 L 9
Eller L 23 E 35
Elorregi SS 10 C 22
Elorrieta GR 94 U 19
Elorrio BI 10 C 22
Elortz / Elorz NA 11 D 25
Elorz / Elortz NA 11 D 25
Elosu VI 19 D 21
Elosua SS 10 C 22
Els Munts T 37 I 34
Els Poblets A 74 P 30
Eltzaburu NA 11 C 24
Elvillar VI 19 E 22
Elvira (Sierra) GR 94 U 18
Elviria MA 100 W 15
Elx / Elche A 85 R 27
Embid GU 48 J 24
Embid de Ariza Z 33 H 24
Embid de la Ribera Z 34 H 25
Embún HU 21 E 27
Empalme (El) H 90 U 8
Emperador (El) TO 70 O 18
Empuriabrava GI 25 F 39
Empúries GI 25 F 39
Ena HU 21 E 27
Enamorados MA 93 U 16
Encantada (Embalse de) CO 81 S 15
Encarnación (Ermita de La) MU 84 R 24
Encarnación (La) CR 70 O 18
Encebras A 85 Q 27
Encima-Angulo BU 8 C 20
Encina (La) SA 42 K 10
Encina (La) A 73 P 27
Encina de San Silvestre SA 43 I 11
Encinacaída CR 57 N 15
Encinacorba Z 34 I 26
Encinar (El) M 46 K 19
Encinar (Ermita del) CC 55 M 9
Encinar del A. M 58 L 16
Encinarejo CO 81 S 15
Encinarejo (El) J 82 R 18
Encinarejo (Embalse del) J 82 R 18
Encinares AV 44 K 13
Encinares de Sanlúcar la Mayor (Los) SE 91 T 11
Encinas SG 32 H 19
Encinas (Las) SE 92 T 12
Encinas (Monte) CR 82 Q 18
Encinas de Abajo SA 44 J 13
Encinas de Arriba SA 44 J 13
Encinas de Esgueva VA 31 G 17
Encinas Reales CO 93 U 16
Encinasola H 78 R 9
Encinasola de los Comendadores SA 42 I 10
Encinedo LE 15 F 10
Encinetas MA 100 W 14
Encinilla (La) SE 92 V 12
Encinillas SG 45 I 17
Encío BU 18 E 20
Enciso LO 19 F 23
Encomienda (La) *cerca de Badajoz* BA 66 P 8
Encomienda (La) *cerca de Villanueva de la Serena* BA 68 O 12
Endrinal SA 43 K 12
Endrinales (Los) M 46 J 18
Enériz NA 11 D 24
Enfesta C 3 D 4
Enguera V 74 P 27
Enguera (Serra de) V 73 P 27
Enguídanos CU 61 M 25
Enillas (Las) ZA 29 H 12
Enix AL 102 V 22
Enjambre (La) CR 57 N 15
Enmedio TO 70 N 18
Enmedio V 61 M 26
Enmedio S 17 D 17
Enmedio (Sierra de) AB 85 Q 25
Enol (Lago de) O 6 C 15
Ènova (L') V 74 O 28
Enroig CS 50 K 30
Entallada (La) *Fuerteventura* GC 113 H 4
Enterrias S 7 C 15
Entinas (Punta) AL 102 V 21
Entis C 2 D 3
Entrago O 5 C 11
Entrala ZA 29 H 12
Entrambasaguas S 8 B 18
Entrambasmestas S 7 C 18
Entrecinsa OR 14 F 8
Entrecruces C 2 C 3
Entredicho (El) AB 84 Q 23
Entredicho (El) CO 80 R 14
Entredicho (Embalse de) CR 69 P 15
Entredichos CU 60 M 22
Entrego (El) O 6 C 13
Entremont (Congosto del) HU 22 F 30
Entrena LO 19 E 22
Entrepeñas (Embalse de) GU 47 K 21
Entrepinos M 57 L 16
Entrerrios BA 68 P 12
Entrimo OR 27 G 5
Entrines (Los) BA 67 Q 9
Envernallas LU 4 D 9
Envía (Ermita de la) CU 47 K 22
Enviny L 23 E 33
Eo LU 4 B 8
Epároz NA 11 D 26
Épila Z 34 H 26
Epina *La Gomera* TF 118 B 2
Eras (Las) TE 61 L 26
Eras (Las) AB 73 O 25
Eratsun NA 10 C 24
Eraul NA 19 D 23
Erbecedo C 2 C 3
Erbedeiro LU 13 E 6
Ercina (La) LE 16 D 14
Ercina (Lago de la) O 6 C 15
Erdoizta SS 10 C 23
Ereño BI 9 B 22
Ereñozu SS 10 C 24
Eresma SG 45 J 17
Ergoien BI 9 C 21
Ería CL 15 F 12
Erias CC 43 K 10
Erice NA 11 D 24
Erice *cerca de Eguaras* NA 10 D 24
Erill la Vall L 22 E 32
Erillas CO 80 R 14
Erinyà L 23 F 32
Eripol HU 22 F 30
Eripol (Collado de) HU 22 F 30
Eriste HU 22 E 31
Erjas CC 55 L 9
Erjos *Tenerife* TF 126 C 3
Erla Z 21 F 27
Ermida LU 14 E 8
Ermida (A) OR 13 E 5
Ermita T 50 J 31
Ermita (La) AL 96 T 22
Ermita (S') IB 105 N 39
Ermita de Nuestra Santa Fátima BA 80 Q 13
Ermita Nueva J 94 T 18
Ermitas (Las) CO 81 S 15
Ermua BI 10 C 22
Eroles L 22 F 32
Erratzu NA 11 C 25
Errazkin NA 10 C 24
Errea NA 11 D 25
Errenteria / Renteria SS 10 C 24
Errezil SS 10 C 23
Errigoiti BI 9 C 21

Erro NA 11 D 25
Erronkari / Roncal NA 11 D 27
Errotz NA 10 D 24
Erustes TO 57 M 16
Es Caló IB 87 P 34
Esanos S 7 C 16
Esblada T 37 H 34
Escacena del Campo H 91 T 10
Escairón LU 13 E 7
Escala (L') /
La Escala GI 25 F 39
Escala (La) /
Escala (L') GI 25 F 39
Escalada BU 18 D 18
Escaladei T 36 I 32
Escalante S 8 B 19
Escalar
(Garganta del) HU 21 D 29
Escale (Pantá d') HU 22 E 32
Escalera GU 47 J 23
La Escaleruela TE 61 L 27
Escaleta (Punta de l') A 74 Q 29
Escaló L 23 E 33
Escalona HU 22 E 30
Escalona TO 57 L 16
Escalona (La) TF 128 E 5
Escalona del Prado SG 45 I 17
Escalonilla TO 57 M 16
Escamilla GU 47 K 22
Escandón
(Puerto de) TE 61 L 27
Escañuela J 82 S 17
Escarabajosa
de Cabezas SG 45 I 17
Escarabote C 12 E 3
Escariche GU 46 K 20
Escarihuela (La) MU 96 T 24
Escaro LE 6 C 14
Escarrilla HU 21 D 29
Escatrón Z 35 I 29
Escatrón
(Estación de) TE 35 I 29
Esclavitud C 12 D 4
Escó Z 20 E 26
Escobar SE 91 U 11
Escobar (El) MU 85 S 26
Escobar de Campos LE 16 F 15
Escobar
de Polendos SG 45 I 17
Escobedo S 7 B 18
Escober ZA 29 G 12
Escobonal
(El) Tenerife TF 129 G 4
Escobosa SO 33 H 22
Escombreras MU 97 T 27
Escopete GU 46 K 20
Escorca IB 104 M 38
Escorial (El) M 45 K 17
Escorial
(Monasterio de El) M 45 K 17
Escoriales (Los) J 82 R 18
Escorihuela TE 49 K 27
Escornabois OR 13 F 7
Escóznar GR 94 U 18
Escriche TE 49 K 27
Escrita (La) S 8 C 20
Escuadro de Sayago ZA 29 I 11
Escuaín HU 22 E 30
Escucha TE 49 J 27
Escudero V 73 P 27
Escudo (Puerto del) S 7 C 18
Escuelas (Las) J 82 S 19
Escuernavacas SA 43 J 10
Escullar AL 95 U 21
Escullos (Los) AL 103 V 23
Esculqueira OR 28 G 8
Escunhau L 22 D 32
Escuredo LE 15 D 12
Escuredo ZA 15 F 10
Escurial CC 68 O 12
Escurial de la Sierra SA 43 K 12
Escusa PO 12 E 3
Escúzar GR 94 U 18
Esdolomada HU 22 F 31
Esera HU 22 F 31
Esfiliana GR 95 U 20
Esglëieta (S') IB 104 N 37
Esgos OR 13 F 6
Esgueva BU 32 G 19
Esguevillas de Esgueva VA 31 G 16
Eskoriatza SS 10 C 22
Eslava NA 20 E 25
Esles S 8 C 18
Eslida CS 62 M 29
Esmerode C 2 C 3
Esnotz NA 11 D 25
Espà (L') B 23 F 35
Espadà CS 62 M 28
Espadaña SA 43 I 11
Espadañedo ZA 15 F 10
Espadilla CS 62 L 28
Espaén L 23 F 33
Espantaperros SE 92 U 12
Esparra (L') GI 24 G 37
Esparragal MU 85 R 26
Esparragal
(Embalse del) SE 91 T 11
Esparragalejo BA 67 P 10
Esparragosa
de la Serena BA 68 Q 13
Esparragosa
de Lares BA 68 P 14
Esparreguera B 38 H 35
Esparreguera (Monte) CS 62 L 29
Espartal (El) M 46 J 19
Esparteros SE 92 U 13
Espartinas SE 91 T 11
Espartosa (La) MU 85 R 26
Esparza de Salazar
cerca de Ochagavía NA 11 D 26
Espasante C 3 A 6
Espeja SA 42 K 9
Espeja
de San Marcelino SO 32 G 20
Espejo VI 18 D 20
Espejo CO 81 S 16
Espejón SO 32 G 20
Espelt (L') B 37 H 34
Espelúy J 82 R 18
Espera CA 92 V 12
Esperante C 12 D 3
Esperanza
(Ermita de la) CO 93 T 16
Esperanza (La) SE 92 U 14
Esperanza (La)
Tenerife TF 124 H 2
Espés HU 22 E 31
Espiel CO 81 R 14
Espiel (Puerto de) CO 81 R 14
Espierba HU 22 E 30
Espín HU 21 E 29
Espina (Collado de) HU 22 E 31
Espina (La) O 5 B 10
Espina (La) LE 16 D 15
Espina de Tremor LE 15 D 11
Espinal / Auritzberri NA 11 D 25
Espinama S 6 C 15
Espinar (El) SG 45 J 17
Espinardo MU 85 R 26
Espinaredo O 6 C 13
Espinavell GI 24 E 37
Espinelves GI 24 G 37
Espinilla S 7 C 17
Espino (Cuesta del) CO 81 S 15
Espino
(Ermita Virgen del) AV 44 J 14
Espino de la Orbada SA 44 I 13
Espino de los Doctores SA 43 I 12
Espinosa de Bricia S 17 D 18
Espinosa de Cerrato P 31 G 18
Espinosa de Cervera BU 32 G 19
Espinosa de Henares GU 46 J 20
Espinosa de la Ribera LE 15 D 12
Espinosa
de los Caballeros AV 45 I 16
Espinosa
de los Monteros BU 8 C 19
Espinosa de Villagonzalo P 17 E 16
Espinosa del Camino BU 18 E 20
Espinosa del Monte BU 18 E 20
Espinoso
de Compludo LE 15 E 10
Espinoso del Rey TO 57 N 15
Espiñaredo C 3 B 6
Espirdo SG 45 J 17
Espíritu Santo
(Ermita del) O 5 B 11
Esplegares GU 47 J 22
Espluga HU 22 E 31
Espluga Calba (L') L 37 H 33
Espluga de Francolí (L') T 37 H 33
Espluga de Serra L 22 F 32
Esplús HU 36 G 30
Espolla GI 25 E 39
Esponellà GI 25 F 38
Esporles IB 104 M 37
Esposa HU 21 E 28
Espot L 23 E 33
Espot (Portarró d') L 23 E 32
Espotz / Espoz NA 11 D 25
Espoz / Espotz NA 11 D 25
Espronceda NA 19 E 23
Espuéndolas HU 21 E 28
Espui L 23 E 32
Espunyola (L') B 23 F 35
Esquedas HU 21 F 28
Esquinazo
(Puerto del) TE 49 J 27
Esquivel SE 91 T 12
Esquivias TO 58 L 18
Establés GU 47 I 23
Establiments IB 104 N 37
Estaca de Bares
(Punta de la) C 3 A 6
Estacas
cerca de Cuntis PO 12 E 4
Estacas cerca
de Ponte-Caldelas PO 13 E 4
Estacas de Trueba
(Puerto de las) BU 8 C 18
Estacio (Faro del) MU 86 S 27
Estació
de Novelda (La) A 85 Q 27
Estación (La) M 45 K 18
Estación (La) M 45 K 17
Estación (La) SE 92 T 12
Estación (La) M 45 K 17
Estación (La)
cerca de Arévalo AV 44 I 15
Estación (La) cerca
de Sanchidrián AV 45 J 16
Estación Cártama MA 100 V 16
Estación
de Agramón AB 84 Q 25
Estación de Algodor M 58 M 18
Estación
de Archidona MA 93 U 16
Estación de Baeza J 82 R 19
Estación de Cabra
del Santo Cristo
y Alicún J 83 T 20
Estación de Huelma J 95 T 20
Estación de la Puebla
de Híjar TE 35 I 28
Estación
de Las Mellizas MA 100 V 15
Estación de las Minas AB 84 R 25
Estación de los Molinos M 45 J 17
Estación de Matallana LE 16 D 13
Estación de Mora
de Rubielos TE 61 L 27
Estación de Obejo CO 81 R 15
Estación de Ordes C 3 C 4
Estación de Páramo LE 15 D 10
Estación de Salinas MA 93 U 17
Estación
de San Roque CA 99 X 13
Estación y Pajares (La) M 45 K 17
Estada HU 22 F 30
Estadilla HU 22 F 30
Estallo HU 21 E 28
Estamariu L 23 E 34
Estana L 23 F 34
Estanca
(Embalse de la) TE 49 I 29
Estany (L') B 38 G 36
Estany d'en Mas (S') IB 105 N 39
Estanyol (S') Ibiza IB 87 P 33
Estanyol (S')
Mallorca IB 104 N 38
Estaña HU 22 F 31
Estaon L 23 E 33
Estaràs L 37 G 34
Estartit (L') GI 25 F 39
Estasen (L') B 23 F 35
Estats (Pico d') L 23 E 34
Estavillo VI 18 D 21
Estebanvela SG 32 H 20
Esteiro
cerca de Cedeira C 3 B 5
Esteiro cerca de Muros C 12 D 3
Estelas (As) PO 12 F 3
Estella / Lizarra NA 19 D 23
Estella del Marqués CA 98 V 11
Estellencs IB 104 N 37
Estena CC 67 O 10
Estena (Río) CR 69 N 16
Estepa SE 93 U 15
Estepa de San Juan SO 33 G 23
Estépar BU 17 F 18
Estepas (Los) CO 81 S 15
Estepona MA 100 W 14
Esteras SO 33 G 23
Esteras (Puerto) SO 47 I 22
Esteras de Medinaceli SO 47 I 22
Estercuel TE 49 J 28
Esteribar NA 11 D 25
Esteros (Los) AB 71 P 22
Esterri d'Àneu L 23 E 33
Esterri de Cardós L 23 E 33
Estévez (Las) BA 67 P 10
Estiche HU 36 G 30
Estivadas OR 27 F 7
Estivadas (Alto de) OR 27 F 7
Estivella V 62 M 28
Estiviel TO 58 M 17
Esto C 2 C 3
Estollo LO 19 F 21
Estopiñán HU 36 G 31
Estorninos CC 55 M 9
Estrada (A) PO 13 D 4
Estrecho (El) AL 84 S 23
Estrecho (El)
cerca de Lobosillo MU 85 S 26
Estrecho
(Mirador El) CA 99 X 13
Estrecho de San Ginés (El)
cerca de
Llano del Beal MU 85 T 27
Estrella
(Castillo de la) MA 100 V 15
Estrella (La) TO 57 M 14
Estremera M 59 L 20
Estremera
(Embalse de) CU 59 L 21
Estriégana GU 47 I 22
Estubeny V 74 O 28
Etayo NA 19 E 23
Eterna BU 18 E 20
Etreros SG 45 J 16
Etsain NA 11 D 25
Etxabarri-Ibiña VI 19 D 21
Etxalar NA 11 C 25
Etxaleku NA 10 D 24
Etxano BI 9 C 21
Etxarri-Aranatz NA 19 D 23
Etxauri NA 10 D 24
Etxebarri BI 8 C 21
Etxebarria BI 10 C 22
Etxeberri NA 10 D 24
Etxegarate
(Puerto de) SS 19 D 23
Euba BI 9 C 21
Eugenio (Casa de) AB 71 O 21
Eugi NA 11 D 25
Eulate NA 19 D 23
Eume C 3 B 5
Eume (Embalse de) C 3 B 6
Eume (Río) C 3 B 5
Europa (Picos de) O 6 C 15
Eurovillas-Las Villas M 46 K 20
Extramiana BU 18 D 20
Ézaro C 2 D 2
Ezcaray LO 18 F 20
Ezcároz / Ezkaroze NA 11 D 26
Ezkaroze / Ezcároz NA 11 D 26
Ezkio SS 10 C 23
Ezkurra NA 10 C 24
Ezprogui NA 20 E 25

## F

Faba (La) LE 14 D 8
Fabara Z 36 I 30
Fabara (Estación de) Z 36 I 30
Fabares O 6 B 13
Fabero LE 15 D 10
Fábrica de Orbaitzeta NA 11 D 26
Fábrica del Pedroso SE 80 S 12
Fábricas (Las) TE 49 J 28
Fábricas de Riópar AB 84 Q 22
Facheca A 74 P 29
Facinas CA 99 X 12
Fadas (Collado de) HU 22 E 31
Fado TO 58 L 17
Fadón ZA 29 H 11
Faedo O 5 B 11
Faeira C 3 B 6
Fago HU 11 D 27
Faidella (Coll de) L 23 F 33
Faido VI 19 D 22
Fajana
(Punta de la) TF 126 D 2
Fajanita (La)
Gran Canaria GC 114 B 2
Faladoira (Sierra de) C 3 B 6
Falces NA 20 E 24
Falcones (Punta)
La Gomera TF 118 B 3
Falgons GI 24 F 37
Falset T 51 I 32
Famara Lanzarote GC 123 E 3
Famorca A 74 Q 29
Fanadix A 75 Q 30
Fangar (El) T 51 J 32
Fanlo HU 22 E 29
Fanzara CS 62 L 29
Fañanás HU 21 F 29
Fao C 13 D 5
Farajàn MA 99 W 14
Farallós (Isla Os) LU 4 A 7
Faramontanos
de Tábara ZA 29 G 12
Faramontaos OR 13 E 6
Farasdués Z 20 F 26
Farena T 37 I 33
Fariza ZA 29 H 11
Farlete Z 35 G 28
Faro LU 4 A 7
Faro (Porto do) PO 13 E 6
Faro (Sierra del) LU 13 E 6
Farrera L 23 E 33
Fasgar LE 15 D 11
Fasnia Tenerife TF 129 G 4
Fastias O 5 B 10
Fataga (Barranco de)
Gran Canaria GC 116 D 4
Fatarella (La) T 50 I 31
Fátima GR 83 S 21
Fátima (Castillo de) CA 99 V 13
Faura V 62 M 29
Faustino SE 79 S 12
Favara V 74 O 29
Favàritx (Cap de) IB 106 M 42
Faxilda (Punta) PO 12 E 3
Fayón Z 36 I 31
Fayón-Pobla de Massaluca
(Estació) T 36 I 31
Fayos (Los) Z 34 G 24
Fazay LU 4 C 7
Fazouro LU 4 B 8
Féa OR 13 F 6
Feáns C 3 C 4
Feás C 3 A 6
Feás OR 13 E 5
Febró (La) T 37 I 32
Feces de Abaixo OR 28 G 7
Feixa L 23 E 33
Felanitx IB 105 N 39
Felechares LE 15 F 11
Felechas LE 16 D 14
Felechosa O 6 C 13
Felguera (La) O 6 C 13
Felgueras O 5 C 12
Felipa (La) AB 72 O 24
Felipes (Los) V 61 M 26
Felix AL 102 V 22
Félix Méndez GR 94 U 19
Felmín LE 16 D 13
Femés Lanzarote GC 122 B 5
Fenazar MU 85 R 26
Fene C 3 B 5
Férez AB 84 Q 23
Feria BA 67 Q 10
Feria do Monte LU 4 C 7
Ferial
(Embalse de El) NA 20 F 25
Fermoselle ZA 29 I 10
Fernán Caballero CR 70 O 18
Fernán Núñez CO 81 S 15
Fernán Núñez
(Estación de) CO 81 S 16
Fernán Pérez AL 103 V 23
Fernandina J 82 R 19
Fernandina
(Embalse de la) J 82 R 19
Fernando de Aragón (Parador)
Sos del Rey Católico Z 20 E 26
Ferral del Bernesga LE 16 E 13
Ferreira LU 3 D 6
Ferreira GR 95 U 20
Ferreira Valadouro LU 4 B 7
Ferreiras LU 14 D 8
Ferreiravella LU 4 C 8
Ferreiro C 3 D 5
Ferreiros
cerca de Baralla LU 14 D 8
Ferreiros cerca de Puebla
de Brollón LU 14 E 7
Ferrer (Son) IB 104 N 37
Ferreras de Abajo ZA 29 G 11
Ferreras de Arriba ZA 29 G 11
Ferreres
(Aqüeducte de les) T 37 I 33
Ferreries IB 106 M 42
Ferreruela ZA 29 G 11
Ferreruela de Huerva TE 48 I 26
Ferro (Monte) PO 12 F 3
Ferrol C 3 B 5
Ferrol (Ría de) C 3 B 5
Fervenza
(Embalse de) C 12 D 3
Fesnedo O 5 C 11
Figal (La) O 5 B 10
Figaredo O 5 C 12
Figaró (El) B 38 G 36
Figarol NA 20 E 25
Figols L 22 F 32
Fígols B 24 F 35
Fígols d'Organyà L 23 F 34
Figueirido PO 12 E 4
Figuera (La) T 36 I 32
Figueral (es) IB 87 O 34
Figueras O 4 B 8
Figueres GI 25 F 38
Figuerola del Camp T 37 H 33
Figuerola d'Orcau L 23 F 32
Figueroles CS 62 L 29
Figuerosa (La) L 37 G 33
Figueruela de Arriba ZA 29 G 10
Figueruela de Sayago ZA 29 I 12
Figueruelas Z 34 G 26
Filgueira LU 13 D 6
Filgueira PO 13 F 5
Filgueiras C 3 B 5
Filiel LE 15 E 11
Filipinas (Las) A 85 S 27
Finca Villalpardillo CU 72 O 23
Fincas la Dehesilla
y Carazo BA 66 Q 8
Fines AL 96 T 23
Finestrat A 74 Q 29
Finestrelles (Pic de) GI 24 E 36
Finisterre (Cabo) /
Fisterra (Cabo) C 2 D 2
Finisterre
(Embalse de) TO 58 N 19
Finolledo LE 15 E 10
Fiñana AL 95 U 21
Fiobre C 3 C 5
Fiolleda LU 14 E 7
Fión LU 13 E 7
Fíos O 6 B 14
Firgas
Gran Canaria GC 115 E 2
Fiscal HU 21 E 29
Fisterra C 2 D 2
Fisterra (Cabo) /
Finisterre (Cabo) C 2 D 2
Fistéus LU 14 E 8
Fitero NA 20 F 24
Fito (Mirador del) O 6 B 14
Fitoiro OR 14 F 7
Flaçà GI 25 F 38
Flariz OR 27 G 7
Flix T 36 I 31
Flix (Pantà de) T 36 I 31
Florderrei OR 28 G 8
Florejacs L 37 G 33
Flores de Ávila AV 44 J 14
Floresta (La) L 37 H 32
Florida (La) H 91 T 9
Florida (La) Tenerife TF 127 G 3
Florida de Liébana SA 43 I 12
Flumen HU 21 F 28
Fluvià (El) GI 24 F 37
Fofe PO 13 F 4
Fogars B 38 G 38
Fogars de Montclús B 38 G 37
Foia (La) A 86 R 27
Foia (La) Castelló CS 62 L 29
Foixà GI 25 F 38
Foldada P 17 D 16
Folgosa LU 4 D 8
Folgoso PO 13 E 4
Folgoso de la Ribera LE 15 E 11
Folgoso do Courel LU 14 E 8
Folgueiras O 4 B 8
Folgueiro LU 4 A 7
Folgueras O 5 B 11
Folgueroles B 38 G 36
Folladela C 3 D 5
Folledo LE 15 D 12
Fombellida S 17 D 17
Fombellida VA 31 G 17
Fombuena Z 48 I 26
Fompedraza VA 31 H 17
Foncastín VA 30 H 14
Foncea LO 18 E 20
Foncebadón LE 15 E 10
Fondarella L 37 H 32
Fondevila OR 27 G 5
Fondó de les Neus (El) /
Hondón de las Nieves A 85 R 27
Fondón AL 102 V 21
Fondos de Vega O 15 D 10
Fonelas GR 95 T 20
Fonfría TE 48 J 26
Fonfría cerca
de Fonsagrada LU 4 C 9
Fonfría cerca
de Triacastela LU 14 D 8
Fonfría (Puerto de) TE 48 J 26

Fonolleres *L* 37 H 33
Fonollosa *B* 37 G 35
Fonsagrada (A) *LU* 4 C 8
Font Calders *B* 23 F 35
Font de la Figuera
(Estació de la) *V* 73 P 27
Font de la Figuera (La) *V* 73 P 27
Font d'en Carròs (La) *V* 74 P 29
Font d'en Segures (La) *CS* 50 K 29
Font-Mezquitas *A* 86 Q 28
Font Roja
(Santuari de la) *A* 74 Q 28
Font-rubí *B* 37 H 34
Fontán *C* 3 B 5
Fontanar *GU* 46 J 20
Fontanar *CO* 93 T 15
Fontanar *J* 83 S 21
Fontanarejo *CR* 69 O 16
Fontanars dels Alforins *V* 74 P 27
Fontaneira *LU* 4 C 8
Fontanella
(Serra de la) *A* 74 P 27
Fontanil de los Oteros *LE* 16 E 13
Fontanillas de Castro *ZA* 29 G 12
Fontanilles *GI* 25 F 39
Fontanosas *CR* 69 P 16
Fontañera (La) *CC* 54 N 8
Fontcoberta *GI* 25 F 38
Fontdepou *L* 36 G 32
Fonte da Cova *LE* 14 F 9
Fontecha *VI* 18 D 20
Fontecha *S* 7 C 17
Fontecha *P* 17 D 15
Fontecha *LE* 15 E 12
Fontefría *OR* 14 F 7
Fontellas *NA* 20 F 25
Fontelles *B* 37 G 34
Fontenebro-Mirador de la Sierra
(Dominio de) *M* 45 K 18
Fonteo *LU* 4 C 8
Fontibre *S* 7 C 17
Fontihoyuelo *VA* 16 F 14
Fontioso *BU* 32 G 18
Fontiveros *AV* 44 J 15
Fontllonga *L* 36 G 32
Fontoria *LE* 14 D 10
Fontoria de Cepeda *LE* 15 E 11
Fonts (Les) *Castelló CS* 63 L 30
Fontscaldes *T* 37 I 33
Fonz *HU* 22 F 30
Fonzaleche *LO* 18 E 20
Foradada *L* 37 G 33
Foradada *Mallorca IB* 104 M 37
Foradada
(Collado de) *HU* 22 E 31
Foradada del Toscar *HU* 22 E 31
Forca *L* 21 D 27
Forcadas (Embalse de) *C* 3 B 5
Forcadela *PO* 12 G 3
Forcall *CS* 49 K 29
Forcarei *PO* 13 E 4
Forcat *HU* 22 E 32
Forcayao (Alto de) *O* 5 B 10
Forès *T* 37 H 33
Forfoleda *SA* 43 I 12
Forgoselo (Sierra de) *C* 3 B 5
Formariz *ZA* 29 H 11
Formentera del Segura *A* 85 R 27
Formentor
(Cap de) *IB* 105 M 39
Formiche Alto *TE* 49 L 27
Formiche Bajo *TE* 61 L 27
Formiga *O* 21 F 29
Formigal (El) *HU* 21 D 28
Formigales *HU* 22 E 30
Formigones *LE* 15 D 12
Formigueiro (O) *OR* 14 F 8
Forna *LE* 14 F 10
Forna *A* 74 P 29
Fornalutx *IB* 104 M 38
Fornelas *LU* 14 E 7
Fornells
*cerca de Girona GI* 25 G 38
Fornells *cerca de Ribes GI* 24 F 36
Fornells *Menorca IB* 106 L 42
Fornells (Badía de) *IB* 106 L 42
Fornells de Mar *GI* 25 G 39
Fornelos *C* 2 C 3
Fornelos
*cerca de A Garda PO* 26 G 3
Fornelos
*cerca de Ponteareas PO* 12 F 4
Fornelos de Montes *PO* 13 E 4
Fornes *GR* 101 V 18
Fornillos *HU* 36 G 30
Fornillos de Alba *ZA* 29 H 11
Fornillos de Fermoselle *ZA* 29 H 11
Fornis *C* 2 D 2
Fórnoles *TE* 50 J 30
Fórnols *L* 23 F 34
Foronda *VI* 19 D 21
Forriolo (Alto de) *OR* 13 F 6
Fortaleny *V* 74 O 29
Fortanete *TE* 49 K 28
Fortià *GI* 25 F 39
Fortuna *MU* 85 R 26
Forua *BI* 9 C 21
Forxa (A)
*A Porqueira OR* 13 F 6
Forzans *PO* 13 E 4
Fosado *HU* 22 E 30
Fosca (Vall) *L* 23 E 32
Foxo *PO* 13 D 4
Foz *LU* 4 B 8
Foz Calanda *TE* 49 J 29
Foz de Biniés *HU* 21 E 27
Foz de Mieres (La) *O* 5 C 12
Fradellos *ZA* 29 G 11
Frades *LU* 14 D 7
Frades *C* 3 C 5
Frades de la Sierra *SA* 43 K 12
Fraella *HU* 35 G 29
Fraga *HU* 36 H 31
Fraga (A) *OR* 13 F 5
Frage (El) *GR* 94 T 19
Fragén *HU* 21 E 29
Frago (El) *Z* 21 F 27
Fragosa *CC* 43 K 11
Fraguas (Las) *S* 7 C 17
Fraguas (Las) *SO* 33 G 21
Fraile (Peña del) *S* 8 B 19
Fraile (Rivera del) *BA* 66 O 8
Frailes *J* 94 T 18
Frailes (Los) *CR* 71 O 19
Frairia *LU* 4 C 8
Fraja *CA* 99 W 12
Frameán *LU* 13 D 6
Franca (La) *O* 7 B 16
Francas (Las) *SE* 80 S 13
Francelos *OR* 13 F 5
Franceses *La Palma TF* 131 C 3
Francho *Z* 20 F 25
Francolí (El) *T* 37 H 33
Francos *SG* 32 H 19
Francos *LU* 14 D 8
Frandoviñez *BU* 17 F 18
Franqueira (A) *PO* 13 F 4
Franza *C* 3 B 5
Frasno (El) *Z* 34 H 25
Frasno (Puerto del) *Z* 34 H 25
Fraussa (Roc de) *GI* 24 E 38
Frayás *LU* 4 B 7
Frecha (La) *O* 5 C 12
Frechilla *P* 16 F 15
Frechilla *SO* 33 H 22
Fredes *CS* 50 J 30
Fregenal
de la Sierra *BA* 79 R 10
Fregeneda (La) *SA* 42 J 9
Freginals *T* 50 J 31
Freigamuñoz
(Arroyo) *BA* 66 Q 8
Freila *GR* 95 T 21
Freixeiro *LU* 14 E 7
Freixeiro *C* 2 C 3
Freixial *BA* 66 P 8
Freixido *OR* 14 E 8
Freixo *C* 3 B 6
Freixo *LU* 14 D 8
Freixo *OR* 13 F 6
Fréscano *Z* 34 G 25
Freser i Setcases
(Reserva nacional de) *GI* 24 E 36
Fresnadillo *ZA* 29 H 11
Fresneda *VI* 18 D 20
Fresneda *BU* 18 F 20
Fresneda *CR* 82 Q 19
Fresneda (La) *MA* 100 V 16
Fresneda (La) *TE* 50 J 30
Fresneda (La) *TO* 57 M 15
Fresneda
de Altarejos *CU* 60 M 23
Fresneda de Cuéllar *SG* 31 I 16
Fresneda
de la Sierra *CU* 47 K 23
Fresnedelo *LE* 15 D 10
Fresnedilla *AV* 57 L 16
Fresnedilla
(Casa Forestal La) *J* 83 R 21
Fresnedilla (La) *J* 83 R 21
Fresnedillas
de la Oliva *M* 45 K 17
Fresnedo *S* 8 C 19
Fresnedo *LE* 15 D 10
Fresnedo
de Valdellorma *LE* 16 D 14
Fresnedoso *SA* 43 K 12
Fresnedoso de Ibor *CC* 56 M 13
Fresneña *BU* 18 E 20
Fresnillo
de las Dueñas *BU* 32 H 19
Fresno (El) *AV* 44 K 15
Fresno (El) *CR* 69 P 16
Fresno (El) *CC* 55 L 10
Fresno (Portillo de) *BU* 18 E 18
Fresno Alhándiga *SA* 43 J 13
Fresno
de Cantespino *SG* 32 H 19
Fresno de Caracena *SO* 32 H 20
Fresno de la Fuente *SG* 32 H 19
Fresno
de la Polvorosa *ZA* 29 F 12
Fresno de la Ribera *ZA* 30 H 13
Fresno de la Vega *LE* 16 E 13
Fresno de Riotirón *BU* 18 E 20
Fresno de Rodilla *BU* 18 E 19
Fresno de Sayago *ZA* 29 I 12
Fresno de Torote *M* 46 K 19
Fresno del Río *P* 16 D 15
Fresno el Viejo *VA* 44 I 14
Freu (Cap d'es) *IB* 105 M 40
Frexulfe *LU* 4 B 7
Frías *BU* 18 D 20
Frías de Albarracín *TE* 48 K 25
Frieira
(Embalse de) *OR* 13 F 5
Friera *LE* 14 E 9
Friera de Valverde *ZA* 29 G 12
Frigiliana *MA* 101 V 18
Frio *GR* 93 U 17
Friol *LU* 3 C 6
Frixe *C* 2 C 2
Frollais *LU* 14 D 7
Frómista *P* 17 F 16
Fronfría *ZA* 29 H 11
Frontera *El Hierro TF* 108 C 2
Frontera (La) *CU* 47 K 23
Frontón *LU* 13 E 7
Frouxeira (Punta) *C* 3 B 5
Fruiz *BI* 9 C 21
Frula *HU* 35 G 28
Frumales *SG* 31 H 17
Fuego (Montañas del)
*Lanzarote GC* 122 C 4
Fuejo *O* 5 B 12
Fuembellida *GU* 47 J 24
Fuen del Cepo *TE* 61 L 27
Fuen-Vich *V* 73 N 26
Fuencalderas *Z* 21 E 27
Fuencalenteja *BU* 17 E 17
Fuencaliente *SO* 32 G 20
Fuencaliente *GR* 83 S 22
Fuencaliente
*cerca de Bañuela CR* 81 Q 17
Fuencaliente *cerca
de Las Peralosas CR* 70 O 17
Fuencaliente (Punta de)
*La Palma TF* 132 C 7
Fuencaliente de la Palma
*La Palma TF* 132 C 7
Fuencaliente
de Lucio *BU* 17 D 17
Fuencarral *M* 46 K 19
Fuencemillán *GU* 46 J 20
Fuencubierta *CO* 81 S 15
Fuendecampo *HU* 22 E 30
Fuendejalón *Z* 34 G 25
Fuendelada (La) *TE* 49 K 27
Fuendetodos *Z* 35 H 27
Fuenferrada *TE* 49 J 26
Fuengirola *MA* 100 W 16
Fuenlabrada *M* 58 L 18
Fuenlabrada *AB* 72 Q 23
Fuenlabrada
de los Montes *BA* 69 O 15
Fuenllana *CR* 71 P 21
Fuenmayor *LO* 19 E 22
Fuensaldaña *VA* 30 G 15
Fuensalida *TO* 58 L 17
Fuensanta *O* 6 B 13
Fuensanta *AB* 72 O 23
Fuensanta *GR* 94 U 18
Fuensanta
(Ermita de la) *J* 82 S 19
Fuensanta
(Ermita de la) *SE* 93 U 15
Fuensanta (La) *AB* 72 P 23
Fuensanta
(Santuario de la) *MU* 85 S 26
Fuensanta
de Martos *J* 82 T 18
Fuensaúco *SO* 33 G 22
Fuensaviñán (La) *GU* 47 J 22
Fuente *H* 91 T 10
Fuente (La) *AL* 96 T 24
Fuente
(Santibáñez de la) *O* 6 C 13
Fuente Álamo *AB* 73 P 25
Fuente Álamo *MU* 85 S 26
Fuente Alamo *J* 94 T 17
Fuente Alhama *CO* 93 T 17
Fuente Amarga *AL* 96 T 24
Fuente Arcada
(Ermita de) *CC* 55 L 9
Fuente Blanca *MU* 85 R 26
Fuente Caldera *GR* 95 T 20
Fuente Camacho *GR* 93 U 17
Fuente Carreteros *CO* 80 S 14
Fuente Dé *S* 6 C 15
Fuente de Cantos *BA* 79 R 11
Fuente de la Corcha *H* 90 T 9
Fuente de la Torre *J* 83 R 20
Fuente
de Pedro Naharro *CU* 59 M 20
Fuente de Piedra *MA* 93 U 15
Fuente
de San Esteban (La) *SA* 43 J 11
Fuente
de Santa Cruz *SG* 45 I 16
Fuente de Taif *AB* 84 Q 23
Fuente del Arco *BA* 80 R 12
Fuente del Fresno *M* 46 K 19
Fuente del Gallo *CA* 98 X 11
Fuente del Maestre *BA* 67 Q 10
Fuente del Pino *MU* 73 Q 26
Fuente del Villar *CU* 60 M 24
Fuente El Carnero *ZA* 29 I 12
Fuente el Fresno *CR* 70 O 18
Fuente el Olmo
de Fuentidueña *SG* 31 H 18
Fuente el Olmo
de Iscar *SG* 31 I 16
Fuente el Sauz *AV* 44 J 15
Fuente el Saz
de Jarama *M* 46 K 19
Fuente el Sol *VA* 44 I 15
Fuente Encalada *ZA* 15 F 12
Fuente Grande *GR* 94 U 19
Fuente Higuera *AB* 84 Q 23
Fuente la Lancha *CO* 81 Q 14
Fuente la Reina *CS* 62 L 28
Fuente Librilla *MU* 85 S 25
Fuente Obejuna *CO* 80 R 13
Fuente Olmedo *VA* 31 I 16
Fuente Palmera *CO* 80 S 14
Fuente Pardiñas
(Balneario de) *LU* 3 C 6
Fuente Pinilla *J* 83 R 21
Fuente Santa
(Estación de) *AL* 95 U 22
Fuente Segura *J* 83 R 21
Fuente Tójar *CO* 94 T 17
Fuente-Urbel *BU* 17 E 18
Fuente Vaqueros *GR* 94 U 18
Fuente Victoria *AL* 102 V 21
Fuentealbilla *AB* 73 O 25
Fuentearmegil *SO* 32 G 20
Fuentebravía *CA* 98 W 11
Fuentecambrón *SO* 32 H 20
Fuentecantales *SO* 32 G 21
Fuentecantos *SO* 33 G 22
Fuentecén *BU* 31 H 18
Fuentefría (Puerto de) *PO* 13 F 5
Fuentegelmes *SO* 33 H 22
Fuenteguinaldo *SA* 42 K 9
Fuenteheridos *H* 79 S 10
Fuentelahiguera
de Albatages *GU* 46 J 20
Fuentelapeña *ZA* 30 I 13
Fuentelárbol *SO* 33 H 21
Fuentelcarro *SO* 33 H 22
Fuentelcésped *BU* 32 H 19
Fuentelencina *GU* 46 K 21
Fuentelespino de Haro *CU* 59 M 21
Fuentelespino de Moya *CU* 61 M 25
Fuenteliante *SA* 42 J 10
Fuentelmonge *SO* 33 H 23
Fuentelsaz *SO* 33 G 22
Fuentelsaz *GU* 48 I 24
Fuentelviejo *GU* 46 K 21
Fuentemilanos *SG* 45 J 17
Fuentemizarra *SG* 32 H 19
Fuentemolinos *BU* 31 H 18
Fuentenebro *BU* 32 H 18
Fuentenovilla *GU* 46 K 20
Fuentepelayo *SG* 31 I 17
Fuentepinilla *SO* 33 H 21
Fuentepiñel *SG* 31 H 17
Fuenterrabía /
Hondarribia *SS* 10 B 24
Fuenterrabiosa *BU* 8 C 19
Fuenterrebollo *SG* 31 I 18
Fuenterroble
de Salvatierra *SA* 43 K 12
Fuenterrobles *V* 61 N 25
Fuentes *CU* 60 M 23
Fuentes *TO* 57 M 14
Fuentes (Las) *CR* 82 Q 19
Fuentes (Las) *AB* 73 O 26
Fuentes
(Puerto de las) *AV* 44 K 14
Fuentes Calientes *TE* 49 J 27
Fuentes Carrionas *P* 17 D 16
Fuentes Carrionas
(Reserva nacional) *P* 17 D 15
Fuentes Claras *TE* 48 J 26
Fuentes de Ágreda *SO* 34 G 24
Fuentes
de Andalucía *SE* 92 T 13
Fuentes de Año *AV* 44 I 15
Fuentes de Ayódar *CS* 62 L 28
Fuentes de Béjar *SA* 43 K 12
Fuentes de Carbajal *LE* 16 F 13
Fuentes de Cesna *GR* 93 U 17
Fuentes de Cuéllar *SG* 31 H 17
Fuentes de Ebro *Z* 35 H 28
Fuentes de Jiloca *Z* 34 I 25
Fuentes de la Alcarria *GU* 46 J 21
Fuentes de León *BA* 79 R 10
Fuentes de los Oteros *LE* 16 E 13
Fuentes de Masueco *SA* 42 I 10
Fuentes de Nava *P* 30 F 15
Fuentes de Oñoro *SA* 42 K 9
Fuentes de Piedralá *CR* 70 O 17
Fuentes de Ropel *ZA* 30 F 13
Fuentes de Rubielos *TE* 62 L 28
Fuentes de Valdepero *P* 31 F 16
Fuentesanta
(Ermita de) *CC* 68 O 12
Fuentesaúco *ZA* 30 I 13
Fuentesaúco
de Fuentidueña *SG* 31 H 17
Fuentesbuenas *CU* 60 L 22
Fuentesclaras *CU* 60 L 23
Fuentesecas *ZA* 30 H 13
Fuentesoto *SG* 31 H 18
Fuentespalda *TE* 50 J 30
Fuentespina *BU* 32 H 18
Fuentespreadas *ZA* 29 I 13
Fuentestrún *SO* 33 G 23
Fuentetecha *SO* 33 G 23
Fuentetoba *SO* 33 G 22
Fuentetovar *SO* 33 H 21
Fuentidueña *SG* 31 H 18
Fuentidueña *CO* 81 S 17
Fuentidueña de Tajo *M* 59 L 20
Fuerte del Rey *J* 82 S 18
Fuertescusa *CU* 47 K 23
Fueva (La) *HU* 22 E 30
Fuliola (La) *L* 37 G 33
Fulleda *L* 37 H 33
Fumaces (Alto de) *OR* 28 G 7
Funes *NA* 20 F 24
Furco *LU* 13 E 6
Fustiñana *NA* 20 F 25


## G


Gabaldón *CU* 60 N 24
Gabar *AL* 84 S 23
Gabarda / Gavarda *V* 74 O 28
Gabás *HU* 22 E 31
Gabasa *HU* 22 F 31
Gabía la Chica *GR* 94 U 19
Gabia la Grande *GR* 94 U 18
Gabica *BI* 9 B 22
Gabiria *SS* 10 C 23
Gabriel Y Galán
(Embalse de) *CC* 56 L 11
Gádor *AL* 103 V 22
Gaena *CO* 93 T 16
Gafarillos *AL* 96 U 23
Gaià *B* 38 G 35
Gaià (El) *T* 37 H 34
Gaianes *A* 74 P 28
Gaibiel *CS* 62 M 28
Gaintza *SS* 10 C 23
Gainzta *NA* 10 C 23
Gaioso *LU* 3 C 6
Gaitanejo
(Embalse de) *MA* 100 V 15
Gaitanes
(Desfiladero de los) *MA* 100 V 15
Gajanejos *GU* 46 J 21
Gajates *SA* 44 J 13
Galachar *AL* 103 V 22
Galapagar *M* 45 K 17
Galapagar *J* 82 S 18
Galapagares *SO* 32 H 21
Galápagos *GU* 46 J 19
Galarde *BU* 18 E 19
Galaroza *H* 79 S 9
Galatzó *IB* 104 N 37
Galbarra *NA* 19 D 23
Galbarros *BU* 18 E 19
Galbárruli *LO* 18 E 21
Galdakao *BI* 9 C 21
Galdames *BI* 8 C 20
Gáldar
*Gran Canaria GC* 114 D 1
Galende *ZA* 14 F 10
Galera *GR* 83 S 22
Galera (La) *T* 50 J 31
Galga (La) *La Palma TF* 131 D 3
Galho (Cresta del) *MU* 85 S 26
Galilea *LO* 19 E 23
Galilea *Mallorca IB* 104 N 37
Galinduste *SA* 44 K 13
Galiñeiro *PO* 12 F 3
Galisancho *SA* 44 J 13
Galisteo *CC* 55 M 11
Galiz (Puerto de) *CA* 99 W 13
Galizano *S* 8 B 18
Galizuela *BA* 68 P 14
Gallardo *AB* 72 P 22
Gallardos (Cuesta los) *J* 94 T 19
Gallardos (Los) *AL* 96 U 24
Gallartu *BI* 9 C 21
Gallega (La) *BU* 32 G 20
Gallega (Marisma) *SE* 91 U 11
Gallego (Río) *AR* 21 E 29
Gallegos *SG* 45 I 18
Gallegos
*Gran Canaria GC* 117 E 4
Gallegos *La Palma TF* 131 C 3
Gallegos
de Altamiros *AV* 44 J 15
Gallegos de Argañán *SA* 42 K 9
Gallegos de Hornija *VA* 30 H 14
Gallegos
de San Vicente *AV* 45 J 16
Gallegos
de Sobrinos *AV* 44 J 14
Gallegos
de Solmirón *SA* 44 K 13
Gallegos del Campo *ZA* 29 G 10
Gallegos del Pan *ZA* 30 H 13
Gallegos del Río *ZA* 29 G 11
Galleguillos *SA* 44 J 13
Galleguillos
de Campos *LE* 16 F 14
Galleiro *PO* 12 F 4
Gallejones *BU* 18 D 18
Galletas (Las)
*Tenerife TF* 128 E 5
Gallifa *B* 38 G 36
Gallina (Cerro de la) *GR* 94 U 17
Gallinero *SO* 33 G 22
Gallinero *AB* 73 P 26
Gallinero
de Cameros *LO* 19 F 22
Gallinero de Rioja *LO* 18 E 21
Galliners *GI* 25 F 38
Gallipienzo *NA* 20 E 25
Gallipienzo Nuevo *NA* 20 E 25
Gallo (El) *SE* 93 T 15
Gallocanta *Z* 48 J 25
Gallos (Los) *CA* 98 W 11
Gallués / Galoze *NA* 11 D 26
Gallur *Z* 34 G 26
Galoze / Gallués *NA* 11 D 26
Galve *TE* 49 K 27
Galve de Sorbe *GU* 46 I 20
Galves (Los) *GR* 102 V 20
Gálvez *TO* 58 M 17
Gama *S* 8 B 19
Gamero *CR* 58 N 17
Gamiz-Fika *BI* 9 C 21
Gamo *BA* 44 J 14
Gamonal *AV* 44 J 14
Gamonal *BU* 18 E 18
Gamonal *S* 7 C 18
Gamonal *TO* 57 M 15
Gamonero *CR* 69 N 15
Gamones *ZA* 29 H 11
Ganadera *TO* 57 L 15
Gáname *ZA* 29 H 11
Ganchoza (La) *SE* 80 S 12
Gándara *Boimorto C* 3 C 5
Gándara *Narón C* 3 B 5
Gandarela *PO* 13 F 5
Gandarilla *S* 7 B 16
Gandesa *T* 50 I 31

Gandia **V** 74 P 29
Gando (Punta de) *Gran Canaria* **GC** 117 G 3
Gandul **SE** 92 T 12
Gandullas **M** 46 I 19
Ganillas de Aceituno **MA** 101 V 17
Ganso (El) **LE** 15 E 11
Ganuza **NA** 19 D 23
Gañidoira (Porto da) **LU** 3 B 6
Gañinas **P** 17 E 15
Gañuelas *cerca de Alhama de Murcia* **MU** 85 S 25
Gañuelas *cerca de La Majada* **MU** 85 T 25
Garaballa **CU** 61 M 25
Garabás **OR** 13 E 5
Garabato (El) **CO** 81 S 15
Garachico *La Palma* **TF** 131 D 3
Garachico *Tenerife* **TF** 126 C 3
Garafía *La Palma* **TF** 130 B 3
Garai **BI** 10 C 22
Garaioa **NA** 11 D 26
Garajonay *La Gomera* **TF** 118 C 2
Garapacha (La) **MU** 85 R 26
Garapinillos **Z** 34 G 26
Garbayuela **BA** 69 O 15
Garcia **T** 50 I 31
García (Collado) **AL** 96 U 23
García de Sola (Embalse de) **BA** 69 O 14
Garciaz **CC** 56 N 13
Garcibuey **SA** 43 K 12
Garcíez *cerca de Jaén* **J** 82 S 18
Garcíez *cerca de Jódar* **J** 82 S 19
Garcíez Jimena (Estación de) **J** 82 S 19
Garcihernández **SA** 44 J 13
Garcillán **SG** 45 J 17
Garcinarro **CU** 59 L 21
Garciotún **TO** 57 L 16
Garcipollera (La) **HU** 21 E 28
Garcirrey **SA** 43 J 11
Garcisobaco **CA** 99 W 13
Garde **NA** 11 D 27
Garfín **LE** 16 D 14
Gargaligas **BA** 68 O 13
Gargallà **B** 37 G 35
Gargallo **TE** 49 J 28
Garganchón **BU** 18 F 20
Garganta **BA** 69 P 15
Garganta (La) **CR** 81 Q 16
Garganta (La) **CC** 43 L 12
Garganta (Puerto de la) **O** 4 B 8
Garganta de la Yecla **BU** 32 G 19
Garganta de los Montes **M** 46 J 18
Garganta del Villar **AV** 44 K 14
Garganta la Olla **CC** 56 L 12
Gargantiel **CR** 69 P 15
Gargantilla **TO** 57 N 15
Gargantilla **CC** 56 L 12
Gargantilla del Lozoya **M** 46 J 18
Gargantón (El) **CR** 70 O 17
Gárgoles de Abajo **GU** 47 J 22
Gárgoles de Arriba **GU** 47 J 22
Gargüera **CC** 56 L 12
Gargüera (Embalse de) **CC** 56 M 12
Garidells (Els) **T** 37 I 33
Garínoain **NA** 20 E 25
Garísoain **NA** 10 D 24
Garita (La) **GC** 115 G 2
Garlitos **BA** 69 P 14
Garnatilla (La) **GR** 102 V 19
Garos **L** 22 D 32
Garraf **B** 38 I 35
Garraf (Parc natural de) **B** 38 I 35
Garrafe de Torío **LE** 16 D 13
Garralda **NA** 11 D 26
Garrapata (Sierra de la) **CC** 55 M 9
Garray **SO** 33 G 22
Garriga (La) **B** 38 G 36
Garrigàs **GI** 25 F 38
Garrigoles **GI** 25 F 39
Garriguella **GI** 25 E 39
Garrobillo **MU** 97 T 25
Garrobo (El) **SE** 79 T 11
Garrofa (La) **AL** 103 V 22
Garrotxa (Parc natural de la) **GI** 24 F 37
Garrovilla (La) **BA** 67 P 10
Garrovillas de Alconétar **CC** 55 M 10
Garrucha **AL** 96 U 24
Garsola **L** 37 G 33
Garvín **CC** 56 M 13
Garza (Embalse de la) **BA** 68 P 11
Garza (La) **BA** 68 P 11
Gascones **M** 46 I 19
Gasconilla (Ermita de) **TE** 49 L 27
Gascueña **CU** 60 L 22
Gascueña de Bornova **GU** 46 I 20
Gasset (Embalse de) **CR** 70 O 18
Gastiáin **NA** 19 D 23
Gastor (El) **CA** 92 V 14
Gasulla (Barranc de la) **CS** 50 K 29
Gata **CC** 55 L 10
Gata (Cabo de) **AL** 103 V 23
Gata (Faro de) **AL** 103 V 23
Gata de Gorgos **A** 74 P 30
Gatika **BI** 8 B 21
Gato **CO** 81 R 15
Gato **GR** 84 S 23
Gatón de Campos **VA** 30 F 15
Gatos **H** 91 T 10
Gátova **V** 62 M 28
Gaucín **MA** 99 W 14
Gautegiz-Arteaga **BI** 9 B 22
Gavà **B** 38 I 36
Gavarda / Gabarda **V** 74 O 28
Gavarra **L** 23 F 33
Gavarres (Les) **GI** 25 G 38
Gavàs **L** 23 E 33
Gavet **L** 23 F 32
Gavilanes **AV** 57 L 15
Gavín **HU** 21 E 29
Gaviota (Punta) *La Gomera* **TF** 119 D 3
Gaviotas (Las) **GU** 47 K 21
Gayangos **BU** 18 C 19
Gazeo **VI** 19 D 22
Gázquez (Los) **AL** 96 T 24
Gaztelu **SS** 10 C 23
Gaztelugatxe **BI** 9 B 21
Gea de Albarracín **TE** 48 K 25
Gebas **MU** 85 S 25
Gejo de Diego Gómez **SA** 43 J 11
Gejo de los Reyes (El) **SA** 43 I 11
Gejuelo del Barro **SA** 43 I 11
Geldo **CS** 62 M 28
Gelgaiz **LU** 3 B 6
Gelida **B** 38 H 35
Gelsa **Z** 35 H 28
Gelves **SE** 91 T 11
Gema **ZA** 29 H 13
Gemuño **AV** 44 K 15
Genal **MA** 100 W 14
Genalguacil **MA** 99 W 14
Génave **J** 83 Q 21
Genestacio **LE** 15 F 12
Genestosa **LE** 5 C 11
Genestoso **O** 5 C 10
Genevilla **NA** 19 E 22
Genicera **LE** 16 D 13
Genovés (El) **V** 74 P 28
Ger **GI** 24 E 35
Geras **LE** 15 D 12
Gerb **L** 36 G 32
Gerbe **HU** 22 E 30
Gerena **SE** 91 T 11
Gérgal **AL** 95 U 22
Gergal (El) **SE** 79 T 11
Gergal (Embalse de) **SE** 91 T 11
Geria **VA** 30 H 15
Geria (La) *Lanzarote* **GC** 122 C 4
Gerindote **TO** 58 M 17
Gernika-Lumo **BI** 9 C 21
Gerri de la Sal **L** 23 F 33
Gertusa **Z** 35 I 28
Ges (El) **L** 23 F 34
Gesalibar **SS** 10 C 22
Gésera **HU** 21 E 29
Gessa **L** 22 D 32
Gestalgar **V** 61 N 27
Gestoso **LE** 14 E 8
Getafe **M** 58 L 18
Getaria **SS** 10 C 23
Gete **BU** 32 G 20
Getxo **BI** 8 B 21
Gévora del Caudillo **BA** 67 P 9
Gibaja **S** 8 C 19
Gibalbín **CA** 91 V 12
Gibarrayo **SE** 80 S 13
Gibraleón **H** 90 T 9
Gibralgalia **MA** 100 V 15
Gibraltar (Estrecho de) **CA** 99 X 13
Gigante **MU** 84 S 24
Gigante (Sierra) **AL** 84 S 23
Gigantes (Los) *Tenerife* **TF** 128 B 4
Gigonza **BA** 79 R 10
Gijano **BU** 8 C 20
Gijón **O** 6 B 13
Gil-García **AV** 43 L 13
Gil Márquez **H** 78 S 9
Gila (La) **AB** 73 O 25
Gila (La) **TO** 57 N 15
Gilbuena **AV** 43 K 13
Gilena **SE** 93 U 15
Giles (Los) **AL** 96 U 23
Gilet **V** 62 M 29
Gilierna **VI** 18 D 21
Gimenells **L** 36 H 31
Gimialcón **AV** 44 J 14
Ginebrosa (La) **TE** 49 J 29
Ginés **SE** 91 T 11
Ginés (Punta) *Lanzarote* **GC** 122 A 5
Ginesta (La) **B** 38 I 35
Ginestar **T** 50 I 31
Gineta (La) **AB** 72 O 23
Ginete (El) **AB** 84 Q 23
Giniginamar *Fuerteventura* **GC** 113 G 4
Gío **O** 4 B 9
Giraba **CS** 62 L 28
Giralda **GR** 101 V 19
Girona **GI** 25 G 38
Gironda (La) **SE** 92 U 13
Gironella **B** 24 F 35
Gisclareny **B** 23 F 35
Gistaín **HU** 22 E 30
Gizaburuaga **BI** 10 C 22
Gloria (La) **SE** 92 T 13
Gobantes **BU** 18 D 19
Gobantes (Estación de) **MA** 100 V 15
Gobernador **GR** 95 T 20
Gobiendes **O** 6 B 14
Godall **T** 50 K 31
Godán **O** 5 B 11
Godelleta **V** 62 N 27
Godojos **Z** 34 I 24
Godóns **PO** 13 F 5
Godos **TE** 48 J 26
Goente **C** 3 B 6
Goián **LU** 14 D 7
Goián **PO** 26 G 3
Goiás **PO** 13 D 5
Goiriz **LU** 3 C 7
Goizueta **NA** 10 C 24
Gójar **GR** 94 U 19
Gola de Migjorn **T** 51 J 32
Gola del Nord **T** 51 J 32
Gola del Perelló **V** 74 O 29
Golán **C** 3 D 5
Golfo (El) *Lanzarote* **GC** 122 B 4
Golfo (El)(Localidad) *Lanzarote* **GC** 122 B 4
Golilla **BA** 67 O 9
Gollino **TO** 59 M 20
Golmayo **SO** 33 G 22
Golmés **L** 37 H 32
Golondrinas (Las) **CC** 56 N 11
Golopón (R.) **GR** 95 T 21
Golosalvo **AB** 73 O 25
Goloso (El) **M** 46 K 18
Golpejas **SA** 43 I 12
Gómara **SO** 33 H 23
Gombrèn **GI** 24 F 36
Gomeán **LU** 4 D 7
Gomecello **SA** 44 I 13
Gomeciego **SA** 43 I 11
Gomesende **OR** 13 F 5
Gómez Yáñez **AB** 73 P 25
Gómeznarro **SG** 32 I 19
Gómeznarro **VA** 30 I 15
Gomezserracín **SG** 31 I 17
Gonce **LU** 3 C 6
Gondar **LU** 4 C 7
Gondar **PO** 12 E 3
Gondomar **PO** 12 F 3
Gondrame **LU** 14 D 7
Gondulfes **OR** 28 G 7
Góngora (Punta de) *Gran Canaria* **GC** 114 B 2
Gontán **LU** 4 B 7
Gonte **C** 2 D 3
Gonzar **LU** 13 D 6
Góñar **MU** 96 T 24
Goñi **NA** 10 D 24
Gopegui **VI** 19 D 21
Gor **GR** 95 T 21
Gorafe **GR** 95 T 20
Gorbeia **PV** 9 C 21
Gorbeia (Parque Natural de) **PV** 9 C 21
Gorda (Punta) *Lanzarote* **GC** 120 E 2
Gorda (Punta) *La Palma* **TF** 130 A 3
Gorda (Sierra) **GR** 93 U 17
Gordaliza de la Loma **VA** 16 F 14
Gordaliza del Pino **LE** 16 E 14
Gordéliz **VI** 8 C 20
Gordo **AL** 84 S 23
Gordo (Cabezo) **H** 78 S 8
Gordo (El) **CC** 56 M 13
Gordo (Monte) **H** 90 T 7
Gordoa **VI** 19 D 22
Gordoncillo **LE** 16 F 13
Gorga **A** 74 P 28
Gorgullos Tordoia (Estación de) **C** 3 C 4
Gorliz **BI** 8 B 21
Gormaz **SO** 32 H 20
Gornal (La) **B** 37 I 34
Goroeta **SS** 10 C 22
Gorozika **BI** 9 C 21
Gorramakil (Pico) **NA** 11 C 25
Gorriti **NA** 10 C 24
Gorza / Güesa **NA** 11 D 26
Gósol **L** 23 F 34
Gotarrendura **AV** 44 J 15
Gotor **Z** 34 H 25
Gozón de Ucieza **P** 17 E 16
Gózquez de Abajo **M** 58 L 19
Gózquez de Arriba **M** 58 L 19
Graba **PO** 13 D 5
Graceas (Las) **J** 83 Q 21
Gracia (Cabo de) **CA** 99 X 12
Graciosa (Isla) *Lanzarote* **GC** 120 E 2
Gradefes **LE** 16 E 14
Graderas (Cueva de las) **TE** 49 J 28
Grado **O** 5 B 11
Grado (El) **HU** 22 F 30
Grado del Pico **SG** 32 I 20
Grado I (Embalse de) **HU** 22 F 30
Graja (Cueva de la) **J** 82 S 19
Graja (La) **CO** 80 S 14
Graja de Campalbo **CU** 61 M 26
Graja de Iniesta **CU** 60 N 24
Grajal **LE** 15 F 12
Grajal de Campos **LE** 16 F 14
Grajalejo de las Matas **LE** 16 E 13
Grajales **J** 82 S 18
Grajera **SG** 32 H 19
Grajo **MA** 100 V 15
Grajuela (La) **AB** 72 O 24
Gramedo **P** 17 D 16
Gramuntell **L** 37 H 33
Gran Alacant **A** 86 R 28
Gran Canaria (Aeropuerto de) *Gran Canaria* **GC** 117 G 3
Gran Montaña *Fuerteventura* **GC** 113 G 3
Gran Tarajal *Fuerteventura* **GC** 113 G 4
Grana (La Casa de la) **AB** 73 O 25
Grana (Sierra de la) **CO** 80 Q 13
Grana (Sierra de la) **J** 82 S 18
Granada **GR** 94 U 19
Granada (La) **B** 37 H 35
Granada (Vega de) **GR** 94 U 17
Granada de Riotinto (La) **H** 79 S 10
Granadella (La) **L** 36 H 31
Granadella (La) **A** 75 P 30
Granadilla **CC** 56 L 11
Granadilla de Abona *Tenerife* **TF** 129 F 5
Granado **H** 90 T 7
Granado (Canal de El) **H** 90 T 7
Granado (El) **H** 90 T 7
Granátula de Calatrava **CR** 70 P 18
Grandas de Salime **O** 4 C 9
Grande **C** 2 C 2
Grande (Embalse) **H** 78 T 8
Grande (Laguna) **TO** 59 N 19
Grande (Puerto) **CR** 69 P 15
Grande (Sierra) **BA** 68 Q 11
Grande (Sierra) **CC** 55 M 10
Grande Fache **HU** 21 D 29
Grandes **SA** 43 J 11
Grandes **AV** 44 J 15
Grandiella **O** 5 C 12
Grandoso **LE** 16 D 14
Granera **B** 38 G 36
Granja (La) **S** 8 B 20
Granja (La) **CC** 56 L 12
Granja (Puerto de la) **BA** 79 R 10
Granja (Sa) *Mallorca* **IB** 104 N 37
Granja Asumesa **SE** 92 U 12
Granja de Moreruela **ZA** 29 G 12
Granja de Rocamora **A** 85 R 27
Granja de San Ildefonso (Los Jardines de La) **SG** 45 J 18
Granja de Torrehermosa **BA** 80 R 13
Granja d'Escarp (La) **L** 36 H 31
Granja Muedra **VA** 31 G 16
Granjas (Las) **TE** 48 K 26
Granjuela (La) **CO** 80 Q 13
Granollers **B** 38 H 36
Granón **LO** 18 E 20
Granucillo **ZA** 29 F 12
Granyanella **L** 37 H 33
Granyena de les Garrigues **L** 36 H 31
Granyena de Segarra **L** 37 H 33
Graña (A) **PO** 13 F 5
Grañas **C** 3 B 6
Grañén **HU** 35 G 28
Grañena (Estación de) **J** 82 S 18
Grañeras **LE** 16 E 14
Grao de Gandía **V** 74 P 29
Gratallops **T** 36 I 32
Grau (es) *Menorca* **IB** 106 M 42
Grau d'Almassora (El) **CS** 62 M 29
Grau de Borriana (El) **CS** 62 M 29
Grau de Castelló **CS** 62 M 30
Grau de la Granta **L** 23 F 33
Grau de València (El) **V** 62 N 29
Graus **HU** 22 F 31
Grávalos **LO** 33 F 24
Graya (La) **AB** 84 R 22
Grazalema **CA** 92 V 13
Gredilla **BU** 18 D 18
Gredos (Parador de) **AV** 44 K 14
Gredos (Reserva nacional de) **AV** 57 L 14
Gregorio **PO** 13 F 5
Gréixer **B** 24 F 35
Gresande **PO** 13 E 5
Griego (El) **AB** 72 Q 23
Griegos **TE** 48 K 24
Grijalba **BU** 17 E 17
Grijota **P** 31 F 16
Grimaldo **CC** 55 M 10
Griñón **M** 58 L 18
Grisel **Z** 34 G 24
Grisén **Z** 34 G 26
Grisuela **ZA** 29 G 11
Grisuela del Páramo **LE** 15 E 12
Grixoa **C** 2 C 3
Grolos **LU** 13 D 7
Gros (Cap) **GI** 25 E 39
Grossa (Serra) **V** 74 P 27
Grovas **OR** 13 E 5
Grove (O) **PO** 12 E 3
Grulla (La) **BA** 66 Q 8
Grullos **O** 5 B 11
Gúa **O** 5 C 11
Guadahortuna **GR** 94 T 19
Guadajira **BA** 67 P 9
Guadajoz **SE** 92 T 13
Guadalajara **GU** 46 K 20
Guadalaviar **TE** 48 K 24
Guadalbarbo **CO** 81 R 15
Guadalcacín **CA** 91 V 11
Guadalcacín (Canal del) **CA** 98 W 11
Guadalcanal **SE** 80 R 12
Guadalcázar **CO** 81 S 15
Guadalema de los Quinteros **SE** 92 U 12
Guadalén (Embalse de) **J** 82 R 19
Guadalén del Caudillo **J** 82 R 19
Guadalerzas (Las) **TO** 58 N 17
Guadalevin **MA** 100 V 14
Guadalimar **J** 82 R 19
Guadalix de la Sierra **M** 46 J 18
Guadalmansa **MA** 100 W 14
Guadalmar-San Julián **MA** 100 W 16
Guadalmedina **MA** 100 V 16
Guadalmellato (Canal del) **CO** 81 S 15
Guadalmellato (Embalse del) **CO** 81 R 16
Guadalmena **J** 83 Q 21
Guadalmez-Los Predroches **CR** 69 P 15
Guadalmina **MA** 100 W 15
Guadalope **TE** 49 K 27
Guadalperales (Los) **BA** 68 O 13
Guadalporcún **SE** 92 V 13
Guadalquivir (Garganta) **J** 83 R 21
Guadalquivir (Marismas del) **H** 91 U 10
Guadalteba **MA** 100 V 15
Guadalteba-Guadalhorce (Embalse del) **MA** 100 V 15
Guadalupe **AL** 84 S 23
Guadalupe **CC** 56 N 14
Guadalupe (Monasterio de) **CC** 56 N 14
Guadalupe (Santuario de) **J** 82 R 19
Guadalupe (Sierra de) **CC** 56 N 13
Guadamatilla **CO** 69 Q 14
Guadamojete (Punta de) *Tenerife* **TF** 125 I 3
Guadamur **TO** 58 M 17
Guadapero **SA** 43 K 10
Guadarrama **M** 45 J 17
Guadarranque (Río) **CC** 57 N 14
Guadassuar **V** 74 O 28
Guadiamar (Caño de) **SE** 91 U 11
Guadiana del Caudillo **BA** 67 P 9
Guadianeja (La) **CR** 71 Q 20
Guadiaro **CA** 99 X 14
Guadiel **J** 82 R 18
Guadilla de Villamar **BU** 17 E 17
Guadix **GR** 95 U 20
Guadix (Hoya de) **GR** 95 T 20
Guadramiro **SA** 43 I 10
Guainos Bajos **AL** 102 V 20
Guájar Alto **GR** 101 V 19
Guájar Faragüit **GR** 101 V 19
Guájar Fondón **GR** 101 V 19
Guajara *Tenerife* **TF** 128 E 4
Guajaraz (Embalse de) **TO** 58 M 17
Guajardo y Malhincada **CC** 55 L 10
Gualba **B** 38 G 37
Gualchos **GR** 102 V 19
Gualda **GU** 47 J 21
Gualta **GI** 25 F 39
Gualter **L** 37 G 33
Guamasa *Tenerife* **TF** 124 H 2
Guancha (La) *Tenerife* **TF** 126 E 3
Guancha (Necrópolis de la) *Gran Canaria* **GC** 114 D 1
Guara (Sierra de) **HU** 21 F 29
Guarazoca *El Hierro* **TF** 109 D 2
Guarbes (Sierra de) **L** 22 D 32
Guarda (A) **PO** 26 G 3
Guarda (La) **BA** 68 P 12
Guarda de la Alameda (Casas del) **J** 83 Q 20
Guarda Forestal (Mirador del) **MA** 100 V 15
Guardamar de la Safor **V** 74 P 29
Guardamar del Segura **A** 86 R 28
Guàrdia (La) **L** 37 G 33
Guardia (La) **TO** 58 M 19
Guàrdia d'Ares (La) **L** 23 F 33
Guardia de Jaén (La) **J** 82 S 18
Guàrdia de Tremp **L** 22 F 32
Guàrdia dels Prats (La) **T** 37 H 33
Guàrdia Lada (La) **L** 37 H 33
Guardilama *Lanzarote* **GC** 122 C 4
Guardiola **MU** 85 Q 26
Guardiola de Berguedà **B** 24 F 35
Guardiola de Font-rubí **B** 37 H 34
Guardo **P** 16 D 15
Guareña **AV** 44 K 15
Guareña **BA** 67 P 11
Guaro **MA** 100 W 15
Guarrate **ZA** 30 I 13
Guarrizas **J** 82 R 19
Guarromán **J** 82 R 18
Guasa **HU** 21 E 28

Guaso HU 22 E 30
Guatiza GC 123 F 3
Guayente HU 22 E 31
Guaza Tenerife TF 128 D 5
Guaza de Campos P 16 F 15
Guazamara AL 96 T 24
Gúdar TE 49 K 27
Gúdar (Puerto de) TE 49 K 27
Gúdar (Sierra de) TE 49 K 27
Gudillos SG 45 J 17
Gudiña (A) OR 14 F 8
Guéa (La) TE 48 K 26
Güéjar Sierra GR 94 U 19
Güeñes BI 8 C 20
Gueral OR 13 E 6
Guerechal (El) BA 68 P 12
Guereñu VI 19 D 22
Guerra CR 71 O 20
Guerragos (Santa Cruz de los) ZA 29 G 10
Güesa / Gorza NA 11 D 26
Guesálaz NA 10 D 24
Guevara VI 19 D 22
Güevéjar GR 94 U 19
Guía de Isora Tenerife TF 128 C 4
Guiamets (Els) T 50 I 32
Guiana LE 15 E 10
Guiar O 4 B 8
Guijar (El) SG 45 I 18
Guijarral AB 72 P 23
Guijarro (Collado del) CC 68 N 12
Guijarrosa (La) CO 81 T 15
Guijasalbas SG 45 J 17
Guijo GU 47 J 23
Guijo (El) CO 81 Q 15
Guijo de Ávila SA 43 K 13
Guijo de Coria CC 55 L 10
Guijo de Galisteo CC 55 L 10
Guijo de Granadilla CC 55 L 11
Guijo de Santa Bárbara CC 56 L 13
Guijosa GU 47 I 22
Guijosa SO 32 G 20
Guijoso BU 32 G 20
Guijoso (El) AB 71 P 21
Guijuelo SA 43 K 12
Guilfrei LU 14 D 8
Guillade PO 13 F 4
Guillar PO 13 D 6
Guillarei PO 12 F 4
Guillena SE 91 T 11
Guillena (Embalse de) SE 79 T 11
Guils L 23 E 33
Guils de Cerdanya GI 24 E 35
Guilué HU 21 E 29
Güimar Tenerife TF 127 G 3
Guimara LE 14 D 9
Guimarei LU 3 D 6
Güime Lanzarote GC 123 D 4
Guimerà L 37 H 33
Guincho (El) Tenerife TF 126 D 3
Guincho (El) Tenerife TF 128 E 5
Guindos (Los) J 82 R 18
Guindos (Sierra de los) CR 69 O 16
Guinea VI 18 D 20
Guingueta (La) L 23 E 33
Guinicio BU 18 D 20
Guirguillano NA 10 D 24
Guisando AV 57 L 14
Guisatecha LE 15 D 11
Guisguey Fuerteventura GC 111 I 2
Guissona L 37 G 33
Guistolas (Embalse de) OR 14 E 7
Guitiriz LU 3 C 6
Guixers L 23 F 34
Guizán PO 12 F 4
Guláns PO 12 F 4
Gumiel de Hizán BU 32 G 18
Gumiel de Mercado BU 31 G 18
Guntín de Pallares LU 13 D 6
Gurb B 38 G 36
Gurp L 22 F 32
Gurrea de Gállego HU 21 F 27
Gurugu (El) M 46 K 19
Gusandanos ZA 15 F 10
Gusendos de los Oteros LE 16 E 13
Guspí L 37 G 34
Gustei OR 13 E 6
Gutar J 83 R 21
Gutierre Muñoz AV 45 J 16
Gutur LO 33 G 24
Guxinde OR 27 G 5
Guzmán BU 31 G 18


## H


Haba (La) BA 68 P 12
Hacho MA 100 V 15
Hacinas BU 32 G 20
Haedillo BU 32 F 20
Hamapega SE 80 R 12
Hams (Coves des) IB 104 N 38
Haría Lanzarote GC 123 F 3
Harinosa (La) SE 92 V 12
Haro LO 19 E 21
Harria (Aiako) / Aya (Peñas de) ESP 10 C 24
Hato Verde SE 91 T 11
Hatoqueo CC 67 O 10
Haza BU 31 H 18
Haza Alta J 83 Q 21
Haza del Trigo GR 102 V 20
Hazas de Cesto S 8 B 19
Hazuelas (Las) CO 81 S 16
Hecho HU 21 D 27
Hecho (Valle de) HU 21 D 27
Hedradas (Las) ZA 28 F 9
Hedroso ZA 28 F 9
Helado (El) CR 70 P 18
Helechal BA 68 P 13
Helechosa BA 69 O 15
Helgueras S 8 B 19
Hellín AB 84 Q 24
Henajeros CU 61 M 25
Henares MU 96 T 24
Henche GU 47 J 21
Herada S 8 C 19
Heras GU 46 J 20
Heras (Las) P 16 D 15
Herbés CS 50 J 29
Herbeset CS 50 K 29
Herbogo C 12 D 3
Herbón C 12 D 4
Herbosa BU 17 D 18
Herce LO 19 F 23
Hércules (Torre de) C 3 B 4
Herdadiña OR 27 G 5
Heredia VI 19 D 22
Herencia CR 71 N 19
Herencias (Las) TO 57 M 15
Hereña VI 18 D 21
Herguijuela CC 68 N 12
Herguijuela (La) AV 44 K 14
Herguijuela de Ciudad Rodrigo SA 42 K 10
Herguijuela de la Sierra SA 43 K 11
Herguijuela del Campo SA 43 K 12
Hermanas (Dos) BA 67 O 9
Hermanas (Las) AB 85 Q 25
Hérmedes de Cerrato P 31 G 17
Hermida (Desfiladero de la) S 7 C 16
Hermida (La) S 7 C 16
Hermigua La Gomera TF 118 C 1
Hermisende ZA 28 G 9
Hermo (Monasterio de) O 5 D 10
Hermosilla BU 18 E 19
Hernán Cortés BA 68 O 12
Hernán Pérez CC 55 L 10
Hernán Valle GR 95 T 20
Hernani SS 10 C 24
Hernansancho AV 44 J 15
Hernialde SS 10 C 23
Herradón (El) AV 45 K 16
Herradura (La) TO 70 O 18
Herradura (La) GR 101 V 18
Herradura (Punta de la) Fuerteventura GC 110 F 3
Herramélluri LO 18 E 21
Herraña MU 85 S 25
Herrera J 83 R 20
Herrera cerca de El Coronil SE 92 U 12
Herrera cerca de Estepa SE 93 T 15
Herrera (La) AB 72 P 23
Herrera (Puerto de) VI 19 E 22
Herrera de Alcántara CC 54 N 7
Herrera de Duero VA 31 H 16
Herrera de la Mancha CR 71 O 20
Herrera de los Navarros Z 34 I 26
Herrera de Pisuerga P 17 E 17
Herrera de Soria SO 32 G 20
Herrera de Valdecañas P 31 F 17
Herrera del Duque BA 69 O 14
Herrería GU 47 J 24
Herrería LU 14 E 8
Herrería (La) AB 72 Q 23
Herrería (La) CO 80 S 14
Herrerías S 7 C 16
Herrerías (Las) AL 96 U 24
Herrerías (Las) H 78 T 8
Herrerías (Las) J 83 R 22
Herrero GR 101 V 18
Herreros SO 33 G 21
Herreros (Los) V 73 O 27
Herreros de Jamuz LE 15 F 12
Herreros de Rueda LE 16 E 14
Herreros de Suso AV 44 J 14
Herreruela CC 55 N 9
Herreruela de Castillería P 17 D 16
Herreruela de Oropesa TO 57 M 14
Herrezuelo SA 44 J 13
Herrín de Campos VA 16 F 15
Herriza (La) MA 93 U 15
Herrumblar (El) CU 73 N 25
Hervás CC 56 L 12
Herves C 3 C 4
Hervías LO 18 E 21
Hervideros (Los) V 73 O 26
Hervideros (Los) Lanzarote GC 122 B 4
Hidalgo (Punta del) Tenerife TF 125 I 1
Hiendelaencina GU 46 I 20
Hierro BU 18 D 19
Hierro M 45 J 18
Hierro (Puerto del) SO 32 G 21
Higares TO 58 M 18
Higuera (La) SG 45 I 17
Higuera (La) AB 73 P 25
Higuera de Albalat CC 56 M 13
Higuera de Calatrava J 82 S 17
Higuera de la Serena BA 68 Q 12
Higuera de la Sierra H 79 S 10
Higuera de las Dueñas AV 57 L 16
Higuera de Llerena BA 79 Q 11
Higuera de Vargas BA 78 Q 9
Higuera la Real BA 79 R 9
Higueral AL 95 T 22
Higueral (El) CO 93 U 17
Higueras CS 62 M 28
Higueras (Las) CO 94 T 17
Higuerón MA 101 V 18
Higuerón (El) CO 81 S 15
Higuerón (Puerto del) CA 99 X 13
Higüeros AL 103 V 22
Higueruela AB 73 P 25
Higueruela (La) cerca de Belvis de la Jara TO 57 M 15
Higueruela (La) cerca de Toledo TO 58 M 17
Higueruelas V 61 M 27
Hija de Dios (La) AV 44 K 15
Híjar TE 49 I 28
Híjar AB 72 Q 23
Hijate (El) AL 95 T 22
Hijes GU 32 I 21
Hijosa P 17 E 17
Hilario (Islote de) Lanzarote GC 122 C 4
Hincada (Puerto) LO 19 F 21
Hinestrosa BU 17 F 17
Hiniesta (La) ZA 29 H 12
Hinojal CC 55 M 10
Hinojales H 79 R 10
Hinojar CR 70 Q 17
Hinojar MU 85 S 25
Hinojar del Rey BU 32 G 20
Hinojares J 83 S 20
Hinojedo S 7 B 17
Hinojora GR 95 T 22
Hinojos H 91 U 10
Hinojos (Marisma de) H 91 U 10
Hinojosa GU 48 I 24
Hinojosa (La) SO 32 G 20
Hinojosa (La) CU 60 M 22
Hinojosa de Duero SA 42 J 9
Hinojosa de Jarque TE 49 J 27
Hinojosa de la Sierra SO 33 G 22
Hinojosa de San Vicente TO 57 L 15
Hinojosa del Campo SO 33 G 23
Hinojosa del Cerro SG 31 H 18
Hinojosa del Duque CO 80 Q 14
Hinojosa del Valle BA 67 Q 11
Hinojosas de Calatrava CR 70 Q 17
Hinojosos (Los) CU 59 N 21
Hío PO 12 F 3
Hiriberri / Villanueva de Aézkoa NA 11 D 26
Hirmes AL 102 V 21
Hiruela (La) M 46 I 19
Hita GU 46 J 20
Hito (El) CU 59 M 21
Hito (Laguna de El) CU 59 M 21
Hoces (Desfiladero Las) LE 16 D 13
Hoces de Bárcena S 7 C 17
Hoja (Embalse de la) H 78 T 9
Holguera CC 55 M 10
Hombrados GU 48 J 24
Home (Cabo de) PO 12 F 3
Hondarribia / Fuenterrabía SS 10 B 24
Hondón A 85 Q 27
Hondón de las Nieves / Fondó de les Neus (El) A 85 R 27
Hondón de los Frailes A 85 R 27
Hondura SA 43 K 12
Honduras (Puerto de) CC 56 L 12
Honduras (Punta de) Tenerife TF 129 G 4
Honquilana VA 44 I 15
Honrubia CU 60 N 23
Honrubia de la Cuesta SG 32 H 18
Hontalbilla SG 31 H 17
Hontana (El) V 61 M 26
Hontanar TO 57 N 16
Hontanar V 61 L 25
Hontanar (Collado de) J 82 Q 17
Hontanar (El) cerca de La Hunde V 73 O 26
Hontanares AV 57 L 15
Hontanares GU 47 J 21
Hontanares de Eresma SG 45 J 17
Hontanas BU 17 F 17
Hontanaya CU 59 M 21
Hontangas BU 31 H 18
Hontecillas CU 60 M 23
Hontoba GU 46 K 20
Hontomín BU 18 E 19
Hontoria SG 45 J 17
Hontoria O 6 B 15
Hontoria de Cerrato P 31 G 16
Hontoria de la Cantera BU 18 F 19
Hontoria de Valdearados BU 32 G 19
Hontoria del Pinar BU 32 G 20
Horca (La) AB 84 Q 25
Horcajada (La) AV 44 K 13
Horcajada de la Torre CU 59 L 22
Horcajo CR 81 Q 16
Horcajo CC 43 K 10
Horcajo (El) AB 72 P 22
Horcajo de la Ribera AV 44 K 13
Horcajo de la Sierra M 46 I 19
Horcajo de las Torres AV 44 I 14
Horcajo de los Montes CR 69 O 16
Horcajo de Montemayor SA 43 K 12
Horcajo de Santiago CU 59 M 21
Horcajo Medianero SA 44 K 13
Horcajuelo de la Sierra M 46 I 19
Horche GU 46 K 20
Horcón CO 69 Q 15
Horconera (Sierra de la) CO 93 T 17
Hormazas (Las) BU 17 E 18
Hormazuela BU 17 E 18
Hormigos TO 57 L 16
Hormilla LO 19 E 21
Hormilleja LO 19 E 21
Horna BU 18 D 19
Horna GU 47 I 22
Horna AB 73 P 25
Hornachos BA 68 Q 11
Hornachuelos CO 80 S 14
Hornachuelos (Estación de) CO 80 S 14
Hornias Bajas CR 70 O 17
Hornico (El) MU 84 R 23
Hornija LE 14 E 9
Hornillatorre BU 8 C 19
Hornillayuso BU 18 C 19
Hornillo (El) AV 57 L 14
Hornillo (El) MU 97 T 25
Hornillos VA 30 H 15
Hornillos de Cameros LO 19 F 22
Hornillos de Cerrato P 31 G 17
Hornillos del Camino BU 17 E 18
Hornos J 83 R 21
Hornos (Garganta de los) AV 44 K 14
Hornos de la Mata S 7 C 17
Hornos de Peal J 83 S 20
Horra (La) BU 31 G 18
Horsavinyà B 38 G 37
Hort de la Rabassa (L') V 74 N 28
Horta (Cap de l') A 86 Q 28
Horta (S') IB 105 N 39
Horta de Sant Joan T 50 J 30
Hortas C 13 D 5
Hortells CS 49 J 29
Hortezuela SO 32 H 21
Hortezuela de Océn (La) GU 47 J 22
Hortezuelos BU 32 G 19
Hortichuela (La) J 94 T 18
Hortigüela BU 32 F 19
Hortizuela CU 60 L 23
Hortoneda L 23 F 33
Hortunas de Arriba V 73 N 26
Hospital cerca de Fonsagrada LU 4 C 8
Hospital cerca de Linares LU 14 D 8
Hospital (Collado del) CC 56 N 14
Hospital de Órbigo LE 15 E 12
Hospitalet de l'Infant (L') T 51 J 32
Hospitalet de Llobregat (L') B 38 H 36
Hosquillo (El) CU 48 K 24
Hostal de Ipiés HU 21 E 28
Hostalets (Els) L 23 F 34
Hostalets (Els) cerca de Esparreguera B 38 H 35
Hostalets (Els) cerca de Tona B 38 G 36
Hostalets d'En Bas (Els) GI 24 F 37
Hostalric GI 38 G 37
Hoya (La) M 45 K 17
Hoya (La) SA 43 K 12
Hoya (La) MU 84 S 25
Hoya (La) MA 100 V 16
Hoya (La) Lanzarote GC 122 B 4
Hoya de la Carrasca TE 61 L 26
Hoya del Campo MU 85 R 25
Hoya del Espino (La) GR 83 R 22
Hoya del Peral CU 61 L 25
Hoya Gonzalo AB 73 P 25
Hoya Santa Ana AB 73 P 25
Hoyales de Roa BU 31 H 18
Hoyas (Altura Las) La Palma TF 130 C 2
Hoyas (Las) AL 95 U 22
Hoyo (El) CR 82 Q 18
Hoyo (El) CO 80 R 14
Hoyo de Manzanares M 45 K 18
Hoyo de Pinares (El) AV 45 K 16
Hoyocasero AV 44 K 15
Hoyorredondo AV 44 K 13
Hoyos CC 55 L 9
Hoyos de Miguel Muñoz AV 44 K 14
Hoyos del Collado AV 44 K 14
Hoyos del Espino AV 44 K 14
Hoyuelos SG 45 I 16
Hoyuelos (Los) CR 71 P 21
Hoz (Collado de) S 7 C 16
Hoz (Cueva de la) GU 47 J 23
Hoz (La) AB 72 P 22
Hoz (La) CO 93 U 16
Hoz de Abajo SO 32 H 20
Hoz de Anero S 8 B 19
Hoz de Arreba BU 18 D 18
Hoz de Arriba SO 32 H 20
Hoz de Barbastro HU 22 F 30
Hoz de Beteta (Desfiladero) CU 47 K 23
Hoz de Jaca HU 21 D 29
Hoz de la Vieja (La) TE 49 J 27
Hoz de Valdivielso BU 18 D 19
Hozabejas BU 18 D 19
Hozgarganta CA 99 W 13
Hoznayo S 8 B 18
Huarte / Uharte NA 11 D 25
Huebra SA 42 I 10
Huebro AL 96 V 23
Huecas TO 58 L 17
Huécija AL 102 V 22
Huefor Tájar GR 94 U 17
Huélaga CC 55 L 10
Huélago GR 95 T 20
Huélamo CU 60 L 24
Huelga (La) AL 96 U 23
Huelgas Reales (Las) BU 18 F 18
Huelgueras S 7 B 16
Huelma J 82 T 19
Huelva H 90 U 9
Huelves CU 59 L 21
Huéneja GR 95 U 21
Huéneja (Estación de) GR 95 U 21
Huércal de Almería AL 103 V 22
Huércal Overa AL 96 T 24
Huércanos LO 19 E 21
Huerce (La) GU 46 I 20
Huércemes CU 60 M 24
Huerces O 6 B 12
Huerga de Frailes LE 15 E 12
Huergas LE 15 D 11
Huérguina CU 61 L 25
Huérmeces BU 18 E 18
Huérmeces del Cerro GU 47 I 21
Huérmeda Z 34 H 25
Hueros (Los) M 46 K 19
Huerrios HU 21 F 28
Huerta SG 46 I 18
Huerta SA 44 J 13
Huerta (La) AL 96 U 24
Huerta de Abajo BU 32 F 20
Huerta de Arriba BU 32 F 20
Huerta de Cuarto Holgado CC 55 L 11
Huerta de la Obispalía CU 60 M 22
Huerta de Valdecarábanos TO 58 M 19
Huerta de Vero HU 22 F 30
Huerta del Marquesado CU 60 L 24
Huerta del Rey BU 32 G 19
Huertahernando GU 47 J 23
Huertapelayo GU 47 J 23
Huertas (Ermita Las) MU 85 S 25
Huertas (Las) CC 54 N 8
Huertas Bocas del Salado CO 93 T 15
Huertas de Ánimas CC 56 N 12
Huertas de la Magdalena CC 56 N 12
Huérteles SO 33 F 23
Huertezuelas CR 82 Q 18
Huerto HU 35 G 29
Huertos (Los) SG 45 I 17
Huerva (La) Z 48 I 26
Huesa J 83 S 20
Huesa (Estación de) J 83 S 20
Huesa del Común TE 49 I 27
Huesas (Las) CR 70 Q 18
Huesas (Las) GC 115 G 3
Huesca HU 21 F 28
Huéscar GR 83 S 22
Huesna (Embalse de) SE 80 S 12
Huéspeda BU 18 D 19
Huete CU 59 L 21
Huétor Santillán GR 94 U 19
Huétor Tájar GR 94 U 17
Huétor-Vega GR 94 U 19
Huetos GU 47 J 22
Huevá GU 46 K 21
Huévar SE 91 T 11
Huma MA 100 V 15
Humada BU 17 D 17
Humanes GU 46 J 20
Humanes de Madrid M 58 L 18
Humboldt (Mirador de) Tenerife TF 124 F 2
Humera M 45 K 18
Humilladero MA 93 U 15
Humilladero (Ermita del) CC 56 N 13
Humo de Muro (El) HU 22 E 30
Humosa (La) AB 72 P 24

Hunde (La) V 73 O 26
Hurchillo A 85 R 27
Hurdes (Las) CC 43 K 11
Hurones BU 18 E 19
Hurones
(Embalse de los) CA 99 V 13
Hurtado CR 71 O 19
Hurtumpascual AV 44 J 14
Husillos P 31 F 16

## I

Ibahernando CC 68 O 12
Ibañeta (Puerto) NA 11 C 26
Ibarra VI 10 C 22
Ibarra SS 10 C 23
Ibarra BI 8 C 21
Ibarrangelu BI 9 B 22
Ibárruri BI 9 C 21
Ibdes Z 34 I 24
Ibeas de Juarros BU 18 F 19
Ibi A 74 Q 28
Ibieca HU 21 F 29
Ibiricu NA 19 D 23
Ibisate VI 19 D 22
Ibiur (Embalse de) SS 10 C 23
Ibiza / Eivissa IB 87 P 34
Ibrillos BU 18 E 20
Ibros J 82 R 19
Icod de los Vinos TF 126 D 3
Idafe (Roque de)
La Palma TF 130 C 4
Idiazabal SS 10 C 23
Idocín NA 11 D 25
Ifach (Peñón de) A 75 Q 30
Ifonche Tenerife TF 128 D 4
Igal / Igari NA 11 D 26
Igantzi NA 11 C 24
Igari / Igal NA 11 D 26
Igea LO 33 F 23
Igeldo SS 10 C 23
Iglesiarrubia BU 31 G 18
Iglesias BU 17 F 18
Iglesuela (La) TO 57 L 15
Iglesuela del Cid (La) TE 49 K 29
Igorre BI 9 C 21
Igrexafeita C 3 B 5
Igriés HU 21 F 28
Igualada B 37 H 34
Igualeja MA 100 W 14
Igualero La Gomera TF 118 B 2
Igüeña LE 15 D 11
Igueste Tenerife TF 127 H 3
Igueste de San Andrés
Tenerife TF 125 K 2
Igúzquiza NA 19 E 23
Ihabar NA 10 D 24
Ikaztegieta SS 10 C 23
Ilarraza VI 19 D 22
Ilche HU 36 G 30
Illa OR 27 G 5
Illa (L') T 37 H 33
Illa de Arousa PO 12 E 3
Illán de Vacas TO 57 M 16
Illana GU 59 L 21
Illano O 4 C 9
Illar AL 102 V 22
Illaso O 4 B 9
Illescas TO 58 L 18
Illora GR 94 U 18
Illot (S') IB 105 N 40
Illueca Z 34 H 25
Ilurdotz NA 11 D 25
Imón GU 47 I 21
Imotz NA 10 D 24
Ina (La) CA 98 W 11
Inagua
Gran Canaria GC 114 C 3
Inazares MU 84 R 23
Inca IB 104 M 38
Incinillas BU 18 D 19
Incio LU 14 E 7
Indiana
(Estación de la) MA 92 V 14
Indiano (El) SE 91 T 11
Indias (Las)
La Palma TF 132 C 6
Induráin NA 11 D 25
Ines SO 32 H 20
Inestrillas LO 33 G 24
Infantas (La) J 82 S 18
Infantas (Las) M 58 L 18
Infierno (Picos del) HU 21 D 29
Infiernos (Los) GR 94 U 17
Infiesto O 6 B 13
Ingenio
Gran Canaria GC 117 F 3
Iniesta CU 60 N 24
Iniéstola GU 47 J 22
Inogés Z 34 H 25
Inoso VI 18 C 21
Instinción AL 102 V 22
Insúa C 3 B 6
Insúa
cerca de Taboada LU 13 D 6
Insúa
cerca de Villalba LU 3 C 6
Insúa (Punta) C 2 C 2
Intza NA 10 C 24
Inviernas (Las) GU 47 J 21
Iñigo SA 43 K 12
Iragi NA 11 D 25
Iranzu (Monasterio de) NA 19 D 23
Irañeta NA 10 D 24
Ircio BU 18 E 21
Irede LE 15 D 12
Iregua (Valle del) LO 19 F 22
Iribas NA 10 D 24
Iriépal GU 46 K 20
Irixo OR 13 E 5
Irixoa C 3 C 5
Irta (Cap d') CS 50 L 31
Iruecha SO 47 I 23
Iruela LE 15 F 10
Iruela (La) J 83 S 21
Iruelos SA 43 I 11
Irueste GU 46 K 21
Irumugarrieta NA 10 C 23
Irún SS 10 B 24
Irura SS 10 C 23
Iruraiz-Gauna VI 19 D 22
Irurita NA 11 C 25
Irurozqui NA 11 D 26
Irurtzun NA 10 D 24
Irús BU 8 C 19
Iruz S 7 C 18
Iruzubieta BI 10 C 22
Isaba / Izaba NA 11 D 27
Isabel (La) H 78 T 7
Isabela J 82 R 19
Isar BU 17 E 18
Iscar VA 31 H 16
Isidro BA 78 R 9
Isidros (Los) V 61 N 26
Isil L 23 D 33
Isín HU 21 E 28
Isla S 8 B 19
Isla (La) O 6 B 14
Isla Canela H 90 U 7
Isla Cristina H 90 U 8
Isla de Luna CO 93 T 15
Isla del Vicario SE 92 T 14
Isla Plana MU 97 T 26
Isla Playa S 8 B 19
Isla Ravenna IB 105 M 39
Isla Redonda SE 93 T 15
Islares S 8 B 20
Islas Menores MU 85 T 27
Isleta (La) AL 103 V 23
Isleta (La)
Gran Canaria GC 115 G 1
Isleta (La)
Lanzarote GC 122 D 3
Islote (El)
Fuerteventura GC 112 C 5
Isoba LE 6 C 14
Isona L 23 F 33
Isora El Hierro TF 109 D 3
Isóvol GI 23 E 35
Ispater BI 9 B 22
Isso AB 84 Q 24
Istán MA 100 W 15
Isuerre Z 20 E 26
Itálica
(Ruinas de) SE 91 T 11
Itero de la Vega P 17 F 17
Itero del Castillo BU 17 F 17
Itoiz
(Embalse de) NA 11 D 26
Itrabo GR 101 V 19
Itrabo (Cerro de) GR 101 V 19
Itsaso SS 10 C 23
Itsasondo SS 10 C 23
Ituero SO 33 H 22
Ituero AB 72 P 23
Ituero de Azaba SA 42 K 9
Ituero y Lama SG 45 J 16
Ituren NA 11 C 24
Iturgoyen NA 10 D 24
Iturmendi NA 19 D 23
Iturreta BI 10 C 22
Itzalle / Izal NA 11 D 26
Itzaltzu / Izalzu NA 11 D 26
Itzarri (Punta) SS 10 C 23
Itziar SS 10 C 23
Iurreta BI 10 C 22
Ivars de Noguera L 36 G 31
Ivars d'Urgell L 37 G 32
Ivarsos (Els) CS 62 L 29
Ivorra L 37 G 34
Izaba / Isaba NA 11 D 27
Izagaondoa NA 11 D 25
Izagre LE 16 F 14
Izal / Itzalle NA 11 D 26
Izalzu / Itzaltzu NA 11 D 26
Izana SO 33 G 22
Izaña Tenerife TF 127 F 3
Izarra VI 18 D 21
Izarraitz
(Monte) SS 10 C 23
Ízbor GR 101 V 19
Izcar CO 81 S 16
Izco NA 20 E 25
Izki
(Parque natural de) VI 19 D 22
Iznájar CO 93 U 17
Iznalloz GR 94 T 19
Iznate MA 101 V 17
Iznatoraf J 83 R 20
Izurtza BI 10 C 22

## J

Jábaga CU 60 L 23
Jabalcón GR 95 T 21
Jabalcuz J 82 S 18
Jabalera CU 59 L 21
Jabaloyas TE 61 L 25
Jabalquinto J 82 R 18
Jabarrella HU 21 E 28
Jabarriega BA 67 O 9
Jabata H 79 S 10
Jable (El)
Lanzarote GC 123 D 3
Jabugo H 79 S 9
Jabuguillo H 79 S 10
Jaca HU 21 E 28
Jaca J 94 T 18
Jacarilla A 85 R 27
Jacintos BA 79 R 10
Jadraque GU 46 J 21
Jaén J 82 S 18
Jafre GI 25 F 39
Jaganta TE 49 J 29
Jalama CC 55 L 9
Jalance V 73 O 26
Jalón (Río) Z 33 I 23
Jalón de Cameros LO 19 F 22
Jalvegada CR 82 Q 18
Jama
Tenerife TF 128 E 5
Jambrina ZA 29 H 13
Jameos del Agua
Lanzarote GC 121 F 3
Jamilena J 82 S 18
Jana (La) CS 50 K 30
Jandía
Fuerteventura GC 112 C 5
Jandía (Península de)
Fuerteventura GC 112 B 5
Jandía (Punta de)
Fuerteventura GC 112 A 5
Jandilla CA 99 X 12
Jandulilla J 83 S 20
Janubio (Salinas de)
Lanzarote GC 122 B 4
Jara (La) TO 57 M 14
Jara (La) CA 91 V 10
Jaraba Z 48 I 24
Jarafuel V 73 O 26
Jaraguas V 61 N 25
Jaraicejo CC 56 N 12
Jaraiz de la Vera CC 56 L 12
Jarales El Hierro TF 109 D 2
Jarama (Circuito del) M 46 K 19
Jaramillo
de la Fuente BU 32 F 20
Jaramillo Quemado BU 32 F 19
Jarandilla de la Vera CC 56 L 13
Jaras (Las) CO 81 S 15
Jarastepar MA 99 V 14
Jaray SO 33 G 23
Jarceley O 5 C 10
Jardín (El) AB 72 P 23
Jardines
(Puerto de los) J 82 Q 19
Jarilla CC 56 L 11
Jarilla (La) SE 92 T 12
Jarillas (Las) SE 80 S 12
Jarlata HU 21 E 28
Jarosa AL 84 S 23
Jarosa
(Embalse de la) M 45 J 17
Jarosa (La) CR 71 P 20
Jarque Z 34 H 24
Jarque de la Val TE 49 J 27
Jártos AB 84 Q 23
Jasa HU 21 D 28
Jata GR 84 S 22
Játar GR 101 V 18
Jatiel TE 35 I 28
Jau (El) GR 94 U 18
Jauja CO 93 U 16
Jaulín Z 35 H 27
Jauntsarats NA 10 C 24
Jaurrieta NA 11 D 26
Jautor (El) CA 99 W 13
Javalambre TE 61 L 26
Javalambre
(Sierra de) TE 61 L 27
Javalón TE 61 L 25
Javana (Punta) AL 103 V 24
Jávea / Xàbia A 75 P 30
Javier NA 20 E 26
Javierre HU 21 E 29
Javierre
del Obispo HU 21 E 29
Javierregay HU 21 E 27
Javierrelatre HU 21 E 28
Jayena GR 101 V 18
Jedey La Palma TF 132 C 5
Jédula CA 91 V 12
Jemenuño SG 45 J 16
Jerez de la Frontera CA 98 V 11
Jerez
de los Caballeros BA 79 R 9
Jerez
del Marquesado GR 95 U 20
Jérica CS 62 M 28
Los Jerónimos MU 85 S 26
Jerte CC 56 L 12
Jesús (Iglesia) IB 87 P 34
Jesús i María T 50 J 32
Jesús Pobre A 74 P 30
Jete GR 101 V 18
Jiloca Z 48 I 25
Jimena J 82 S 19
Jimena de la Frontera CA 99 W 13
Jimenado MU 85 S 26
Jiménez de Jamuz LE 15 F 12
Jimera de Líbar (La) MA 99 W 14
Jinama (Mirador de)
El Hierro TF 109 D 2
Jinamar
Gran Canaria GC 115 F 2
Jinetes (Los) SE 92 T 12
Joanetes GI 24 F 37
Joanín LU 13 E 6
Joara LE 16 E 15
Joarilla de las Matas LE 16 F 14
Jócano VI 18 D 21
Jódar J 82 S 19
Jodra de Cardos SO 33 H 22
Jola CC 66 O 8
Jolúcar GR 102 V 19
Joncosa
de Montmell (La) T 37 I 34
Jonquera (La) GI 25 E 38
Jorairátar GR 102 V 20
Jorba B 37 H 34
Jorcas TE 49 K 27
Jorquera AB 73 O 25
Josa TE 49 J 27
Josa del Cadí L 23 F 34
José Antonio CA 99 V 12
José Díez BA 79 R 10
Jose Toran
(Embalse de) SE 80 S 13
Jou L 23 E 33
Jou (Coll de) L 23 F 34
Joya (La) H 78 S 8
Joya (La) Ibiza IB 87 O 34
Joyosa (La) Z 34 G 26
Juan Antón SE 79 T 10
Juan Gallego SE 79 T 10
Juan Grande
Gran Canaria GC 117 F 4
Juan Martín CO 81 S 16
Juan Navarro V 61 N 26
Juan Quílez AB 84 Q 23
Juán Rico (Casas de) A 73 Q 27
Juanar
(Refugio de) MA 100 W 15
Juarros
de Riomoros SG 45 J 17
Juarros de Voltoya SG 45 I 16
Jubera LO 19 F 23
Jubera SO 47 I 22
Jubera J 82 S 18
Jubiley (Puerto) GR 102 V 19
Jubrique MA 99 W 14
Judes SO 47 I 23
Judio CR 69 Q 16
Judío
(Embalse del) MU 85 R 25
Jumilla MU 85 Q 26
Jumilla (Puerto de) MU 73 Q 26
Juncalillo
Gran Canaria GC 114 D 2
Juncar (El) CS 62 L 29
Junciana AV 44 K 13
Juncosa L 36 H 32
Juneda L 36 H 32
Junquera (La) MU 84 S 23
Junquera de Tera ZA 29 F 11
Junquillo J 82 R 17
Juntas J 94 T 18
Juntas
de Arriba (Las) AL 84 S 23
Junzano HU 21 F 29
Jurado CO 81 R 16
Jurados (Los) SE 92 U 12
Juseu HU 22 F 31
Juslibol Z 35 G 27
Justel ZA 15 F 11
Justo (San) LO 19 F 23
Juviles GR 102 V 20
Juzbado SA 43 I 12
Júzcar MA 100 W 14

## K

Kanala BI 9 B 21
Kanpazar
(Puerto de) PV 10 C 22
Kortezubi BI 9 B 22
Kripan VI 19 E 22

## L

Labacengos C 3 B 6
Labacolla C 3 D 4
Labajos SG 45 J 16
Labarces S 7 C 16
Labastida VI 19 E 21
Labata HU 21 F 29
Labiano NA 11 D 25
Labor de Acequión AB 72 O 23
Laborcillas GR 95 T 20
Labores (Las) CR 70 O 19
Labra O 6 B 14
Labrada
cerca de Abadín LU 4 B 7
Labrada
cerca de Germade LU 3 C 6
Labraza VI 19 E 22
Labros GU 48 I 24
Labuerda HU 22 E 30
Lacabe NA 11 D 25
Lácara BA 67 P 10
Lacervilla VI 19 D 21
Láchar GR 94 U 18
Lacorvilla Z 21 F 27
Lada O 5 C 12
Laderas
del Campillo MU 85 R 26
Ladines O 6 C 13
Ladrillar CC 43 K 11
Ladronera CO 81 R 16
Ladrones MU 73 P 25
Ladrones (Punta) MA 100 W 15
Ladruñán TE 49 J 28
Lafortunada HU 22 E 30
Lafuente S 7 C 16
Lagar O 4 B 9
Lagar
de San Antonio CO 93 T 15
Lagarejos ZA 29 F 10
Lagarín CA 92 V 14
Lagartera TO 57 M 14
Lagartos P 16 E 15
Lagata Z 35 I 27
Lago O 4 C 9
Lago LU 4 A 7
Lago Menor IB 105 M 39
Lagoa (A) PO 12 E 4
Lagos MA 101 V 17
Lagrán VI 19 E 22
Laguarres HU 22 F 31
Laguarta HU 21 E 29
Lagueruela TE 48 I 26
Laguna (La) CR 70 P 18
Laguna (La) GR 93 U 17
Laguna (La)
La Palma TF 132 C 5
Laguna (La)
Tenerife TF 125 I 2
Laguna Chica TO 59 N 20
Laguna Dalga LE 15 F 12
Laguna de Cameros LO 19 F 22
Laguna
de Contreras SG 31 H 17
Laguna de Duero VA 30 H 15
Laguna de Negrillos LE 16 F 13
Laguna de Somoza LE 15 E 11
Laguna
del Marquesado CU 60 L 24
Laguna Grande CU 71 N 21
Laguna Negra
de Neila BU 32 F 20
Laguna Negra
de Urbión SG 33 F 21
Laguna Rodrigo SG 45 J 16
Lagunarrota HU 36 G 29
Lagunas de Ruidera
(Parque natural) CR 71 P 21
Lagunaseca CU 47 K 23
Lagunazo H 78 T 8
Lagunazo
(Embalse de) H 78 T 8
Lagunilla SA 43 L 12
Lagunilla (La) CR 69 O 16
Lagunilla del Jubera LO 19 E 23
Lagunillas (Las) CO 93 T 17
Lahiguera J 82 S 18
Laida BI 9 B 21
Laíño C 12 D 3
Laiosa LU 14 E 7
Lajares
Fuerteventura GC 111 H 1
Lajita (La)
Fuerteventura GC 113 F 4
Lakuntza NA 19 D 23
Lalastra VI 18 D 20
Lalín PO 13 E 5
Laluenga HU 22 F 29
Lalueza HU 35 G 29
Lama PO 13 E 4
Lamalonga OR 14 F 9
Lamas LU 3 C 6
Lamas LU 13 E 6
Lamas cerca
de San Sadurniño C 3 B 5
Lamas cerca de Zás C 2 C 3
Lamas (As) OR 13 F 6
Lamas (Las) LE 14 D 9
Lamas de Moreira LU 4 C 8
Lamata HU 22 F 30
Laminoria
(Cantera de) VI 19 D 22
Lamosa PO 13 F 4
Lanaja HU 35 G 29
Lanave HU 21 E 28
Láncara LU 14 D 7
Lancha (La) J 82 R 18
Lancha
(Puerto de la) AV 45 K 16
Lanchar MU 84 R 23
Lanchares S 7 C 18
Lanciego VI 19 E 22
Landete CU 61 M 25
Landrove LU 4 B 7
Lanestosa BI 8 C 19
Langa AV 44 I 15
Langa (La) CU 59 L 22
Langa de Duero SO 32 H 19
Langa del Castillo Z 34 I 25
Langayo VA 31 H 17
Langosto SO 33 G 22
Langre LE 15 D 10
Langreo O 6 C 13
Languilla SG 32 H 19
Lanjarón GR 101 V 19
Lanseros ZA 29 F 10
Lantadilla P 17 E 17
Lantaño PO 12 E 3
Lantarón VI 18 D 20
Lantéira GR 95 U 20
Lantejuela SE 92 T 14
Lantz NA 11 D 25
Lanuza
(Embalse de) HU 21 D 29
Lanza C 3 C 5
Lanzahita AV 57 L 15
Lanzas Agudas BI 8 C 19
Lanzós LU 3 B 7
Lanzuela TE 48 I 26
Laño BU 19 E 22
Lapa (La) SE 91 T 11
Lapa (La) BA 79 Q 10
Lapa (Sierra de la) BA 68 P 12
Lapela OR 13 F 5
Laperdiguera HU 36 G 29
Lapoblación NA 19 E 22
Lapones CC 54 N 8
Lapuebla de Labarca VI 19 E 22

Lara BU 18 F 19
Lara CR 70 O 18
Laracha (A) C 2 C 4
Laranueva GU 47 J 22
Laraxe C 3 B 5
Lardero LO 19 E 22
Laredo S 8 B 19
Larga (Laguna) TO 59 N 20
Larga (Sierra) AL 84 S 23
Largas TO 58 N 19
Largo (El) AL 96 T 24
Lariño C 12 D 2
Lario LE 6 C 14
Laro PO 13 E 5
Laroá OR 27 F 6
Laroles GR 95 U 20
Larón O 5 D 10
Larouco OR 14 E 8
Laroya AL 96 U 23
Larrabasterra BI 8 B 21
Larrabetzu BI 9 C 21
Larraga NA 20 E 24
Larraintzar NA 11 D 24
Larraitz (Ermita de) SS 10 C 23
Larraona NA 19 D 23
Larrau (Puerto de) NA 11 D 27
Larraul SS 10 C 23
Larraun NA 10 D 24
Larráun NA 19 D 24
Lárrede HU 21 E 29
Larreineta BI 8 C 20
Larrés HU 21 E 28
Larriba LO 19 F 22
Larrión NA 19 D 23
Larrodrigo SA 44 J 13
Larruskain BI 10 C 22
Larués HU 21 E 27
Larumbe NA 10 D 24
Larva J 83 S 20
Larva (Estacíon de) J 83 S 20
Larxentes LU 4 D 9
Lasao SS 10 C 23
Lasaosa HU 21 E 29
Lasarte-Oria SS 10 C 23
Lascasas HU 21 F 28
Lascellas HU 21 F 29
Lascuarre HU 22 F 31
Lasieso HU 21 E 28
Laspaúles HU 22 E 31
Laspuña HU 22 E 30
Laspuña
(Embalse de) HU 22 E 30
Lastanosa HU 35 G 29
Lastra (A) LU 4 C 8
Lastra (La) S 7 C 16
Lastra (La) P 17 D 16
Lastra del Cano (La) AV 44 K 13
Lastras S 8 C 19
Lastras de Cuéllar SG 31 I 17
Lastras de la Torre BU 18 C 20
Lastras de las Eras BU 8 C 19
Lastras del Pozo SG 45 J 16
Lastres O 6 B 14
Lastrilla (La) SG 45 J 17
Latasa
cerca de Lekunberri NA 10 D 24
Latasa
cerca de Lizaso NA 11 D 25
Latedo ZA 29 G 10
Latorrecilla HU 22 E 30
Latre HU 21 E 28
Laudio / Llodio VI 8 C 21
Laujar de Andarax AL 102 V 21
Laukiz BI 8 B 21
Lavaderos TE 49 J 27
Lavadores PO 12 F 3
Lavandeira C 3 B 5
Lavern B 38 H 35
Lavid de Ojeda P 17 E 16
Lavio O 5 B 10
Laxe C 2 C 2
Laxe LU 13 E 6
Laxosa LU 4 D 7
Layana Z 20 F 26
Layna SO 47 I 23
Layón AL 95 U 22
Layos TO 58 M 17
Laza OR 14 F 7
Lazagurría NA 19 E 23
Lázaro CU 60 M 24
Lazkao SS 10 C 23
Lea LU 4 C 7
Leache NA 20 E 25
Lebanza P 17 D 16
Lebeña S 7 C 16
Leboreiro C 13 D 6
Leboreiro OR 14 F 7
Lebozán PO 13 E 5
Lebozán OR 13 E 5
Lebrancón GU 47 J 23
Lebredo O 4 B 9
Lebrija SE 91 V 11
Lécera Z 35 I 27
Leces O 6 B 14
Lechago TE 48 J 26
Lechina AB 72 O 22
Lechón Z 48 I 26
Lechugales
(Morra de) ESP 7 C 15
Lecina HU 22 F 30
Leciñena Z 35 G 28
Lecrín GR 101 V 19
Lecrín (Valle de) GR 101 V 19
Ledanca GU 47 J 21
Ledaña CU 72 N 24
Ledesma SA 43 I 11
Ledesma
de la Cogolla LO 19 F 21
Ledesma de Soria SO 33 H 23
Ledigos P 16 E 15
Ledrada SA 43 K 12
Leganés M 46 L 18
Leganiel CU 59 L 21
Legarda NA 10 D 24
Legazpi SS 10 C 22
Legorreta SS 10 C 23
Legutiano VI 19 D 22
Leiloio C 2 C 3
Leintz-Gatzaga SS 19 D 22
Leioa BI 8 B 20
Leioa BI 8 B 21
Leioa BI 8 C 21
Leira C 3 C 4
Leirado PO 13 F 4
Leiro C 3 B 5
Leiro OR 13 E 5
Leis C 2 C 2
Leitariegos O 5 D 10
Leitariegos
(Puerto de) LE 5 D 10
Leitza NA 10 C 24
Leiva LO 18 E 20
Lekeitio BI 9 B 22
Lekunberri NA 10 C 24
Lemoa BI 9 C 21
Lemoiz BI 8 B 21
Lences BU 18 E 19
Lendínez J 82 S 17
Lentejí GR 101 V 18
Lentellais OR 14 F 8
Lentiscal (El) CA 99 X 12
León LE 16 E 13
León (Isla de) CA 98 W 11
León (Montes de) LE 15 E 10
León (Puerto del) MA 100 V 16
Leones (Los) CO 93 T 16
Leoz NA 20 E 25
Lepe H 90 U 8
Leranotz NA 11 D 25
Lérez PO 12 E 4
Lerga NA 20 E 25
Lerín NA 19 E 24
Lerma BU 32 F 18
Lermilla BU 18 E 19
Lerones S 7 C 16
Les L 22 D 32
Lesaka NA 11 C 24
Lesón C 12 E 3
Letreros
(Cuevas de los) AL 84 S 23
Letur AB 84 Q 23
Letux Z 35 I 27
Levante (Peñas de) CC 55 L 10
Levinco O 6 C 13
Leyre
(Monasterio de) NA 20 E 26
Leza VI 19 E 22
Leza de Río Leza LO 19 F 22
Lezama BI 9 C 21
Lezama VI 8 C 21
Lezáun NA 10 D 24
Lezo SS 10 C 24
Lezuza AB 72 P 22
Liandres S 7 B 17
Libardón O 6 B 14
Liber LU 14 D 8
Librán LE 15 D 10
Libreros CA 99 X 12
Librilla MU 85 S 25
Libros TE 61 L 26
Liceras SO 32 H 20
Lidón TE 48 J 26
Liebres BA 67 O 9
Liédena NA 20 E 26
Liegos LE 6 C 14
Liencres S 7 B 18
Liendo S 8 B 19
Lieres O 6 B 13
Liérganes S 8 B 18
Lierta HU 21 F 28
Liesa HU 21 F 29
Liétor AB 72 Q 24
Ligos SO 32 H 20
Ligüerre de Ara HU 21 E 29
Ligüerzana P 17 D 16
Líjar AL 96 U 23
Lillo TO 59 M 20
Lillo del Bierzo LE 15 D 10
Limaria AL 96 T 23
Limia (Río) OR 13 F 6
Limodre C 3 B 5
Limones GR 94 T 18
Limonetes
de Villalobos (Los) BA 67 P 9
Limpias S 8 B 19
Linarejos ZA 29 G 10
Linarejos J 82 R 19
Linares S 7 C 16
Linares J 82 R 19
Linares cerca de Cangas
de Narcea O 5 C 10
Linares cerca de Salas O 5 B 11
Linares (Puerto de) TE 49 L 28
Linares de la Sierra H 79 S 10
Linares de Mora TE 49 L 28
Linares de Riofrío SA 43 K 12
Linares del Arroyo
(Embalse de) SG 32 H 19
Linás de Broto HU 21 E 29
Linás de Marcuello HU 21 F 27
Linde (La) O 5 C 10
Lindín LU 4 B 8
Línea
de la Concepción (La) CA 99 X 13
Lintzoain NA 11 D 25
Linyola L 37 G 32
Liñaio C 2 D 3
Liñares LU 14 D 8
Liñares
cerca de Beariz OR 13 E 5
Liñares
cerca de Orense OR 13 E 6
Lira C 12 D 2
Lires C 2 D 2
Liri HU 22 E 31
Liria / Llíria V 62 N 28
Litago Z 34 G 24
Litera HU 22 F 31
Litos ZA 29 G 11
Lituelo TE 48 J 26
Lituénigo Z 34 G 24
Lizarra / Estella NA 19 D 23
Lizarraga cerca
de Echarri Aranaz NA 19 D 23
Lizarraga
cerca de Urroz NA 11 D 25
Lizarraga
(Puerto de) NA 19 D 23
Lizarrieta NA 11 C 25
Lizarrusti
(Puerto de) 19 D 23
Lizartza SS 10 C 23
Lizaso NA 11 D 24
Lizóain NA 11 D 25
Llabería T 51 I 32
Llacuna (La) B 37 H 34
Lladó GI 25 F 38
Lladorre L 23 E 33
Lladrós L 23 E 33
Lladurs L 23 F 34
Llafranc GI 25 G 39
Llagosta (La) B 38 H 36
Llagostera GI 25 G 38
Llagunes L 23 E 33
Llamas O 6 C 13
Llamas de Cabrera LE 14 E 10
Llamas de la Ribera LE 15 E 12
Llamas de Rueda LE 16 E 14
Llamas del Mouro O 5 C 10
Llambilles GI 25 G 38
Llames O 6 B 15
Llamo O 5 C 12
Llamoso O 5 C 11
Llana (Punta)
La Gomera TF 119 D 2
Llana (Sierra de la) BU 18 D 19
Llanars GI 24 F 37
Llanas (Las) BI 8 C 20
Llánaves
de la Reina LE 6 C 15
Llançà GI 25 E 39
Llanelo O 14 D 9
Llanera O 5 B 12
Llanera de Ranes V 74 O 28
Llanes O 6 B 15
Llanillo BU 17 D 17
Llano S 17 D 18
Llano (El) O 4 B 8
Llano (Puerto) CC 68 N 14
Llano (Puerto) BA 67 Q 11
Llano de Brujas MU 85 R 26
Llano de Bureba BU 18 E 19
Llano de la Torre AB 84 Q 23
Llano de Olmedo VA 31 I 16
Llano del Beal MU 85 T 27
Llano Don Antonio AL 103 V 24
Llano Negro La Palma TF 130 B 3
Llanos (Los) AB 72 P 24
Llanos
de Antequera (Los) MA 93 U 16
Llanos de Aridane
(Los) La Palma TF 132 C 5
Llanos de Arriba (Los) J 83 Q 21
Llanos de Don Juan CO 93 T 16
Llanos de la Concepción
Fuerteventura GC 111 G 3
Llanos
de Tormes (Los) AV 44 L 13
Llanos del Caudillo CR 71 O 19
Llanos del Valle CA 99 W 12
Llanteno VI 8 C 20
Llanuces O 5 C 12
Llardecans L 36 H 31
Llares (Los) S 7 C 17
Llaurí V 74 O 29
Llavorsí L 23 E 33
Lledó TE 50 J 30
Lleida L 36 H 31
Llén SA 43 J 12
Llena (Pic de) L 23 E 32
Llera BA 79 Q 11
Llerana S 7 C 18
Llerandi O 6 C 14
Llerena BA 79 R 11
Llers GI 25 F 38
Llert HU 22 E 31
Lles de Cerdanya L 23 E 35
Llesp L 22 E 32
Llessui L 23 E 33
Llessui (Vall de) L 23 E 33
Llíber A 74 P 30
Lliçà d'Amunt B 38 H 36
Llimiana L 23 F 32
Llinars L 23 F 34
Llinars
de l'Aigua d'Ora B 23 F 35
Llinars del Vallès B 38 H 37
Llíria / Liria V 62 N 28
Llívia GI 24 E 35
Lloà T 36 I 32
Llobera cerca
de Organyà L 23 F 34
Llobera cerca
de Solsona L 37 G 34
Llobregat (El)(Riu) B 24 F 35
Llocnou
de Sant Jeroni V 74 P 29
Llocnou d'en Fenollet V 74 O 28
Llodio / Laudio VI 8 C 21
Lloma (La)
cerca de Marines V 62 M 28
Lloma (La)
cerca de Nàquera V 62 N 28
Llombai V 74 O 28
Llombarts (es) IB 105 N 39
Llombera LE 16 D 13
Llonín O 7 B 16
Llor (El) L 37 G 33
Llorac T 37 H 33
Lloreda S 7 C 18
Llorenç de Vallbona L 37 H 33
Llorenç del Penedès T 37 I 34
Llorengoz BU 18 D 20
Lloret de Mar GI 39 G 38
Lloret
de Vistalegre IB 104 N 38
Llosa (La) CS 62 M 29
Llosa de Camacho A 74 P 29
Llosa de Ranes (La) V 74 O 28
Lloseta IB 104 M 38
Llosses (Les) GI 24 F 36
Llovio O 6 B 14
Llubí IB 105 M 39
Lluçà B 24 F 36
Lluçars L 37 G 33
Llucena CS 62 L 29
Llucmajor IB 104 N 38
Llumes Z 48 I 24
Llusías (Monte) S 8 C 19
Llutxent V 74 P 28
Lo Ferro MU 85 S 27
Loarre HU 21 F 28
Loarre (Castillo de) HU 21 F 28
Loba (Puerto de la) BA 79 R 10
Loba (Sierra de la) LU 3 C 6
Lobatejo CO 93 T 17
Lobeira OR 27 G 5
Lobeira (Mirador de) PO 12 E 3
Lobeiras LU 4 B 7
Lobera de Onsella Z 20 E 26
Loberuela (La) V 61 M 25
Lobillo (El) CR 71 P 20
Lobios OR 27 G 5
Lobo (Pico del) GU 46 I 19
Lobo (Pilón del) CR 69 P 15
Lobo (Puerto) GR 94 U 19
Lobón BA 67 P 10
Lobos GR 83 S 22
Lobos (Isla de los)
Fuerteventura GC 111 J 1
Lobos (Los) AL 96 U 24
Lobosillo MU 85 S 26
Lobras GR 102 V 20
Lobres GR 101 V 19
Lodares cerca de El Burgo
de Osma SO 32 H 20
Lodares
cerca de Medinaceli SO 47 I 22
Lodares del Monte SO 33 H 22
Lodosa NA 19 E 23
Lodoso BU 17 E 18
Loeches M 46 K 19
Logroño LO 19 E 22
Logrosán CC 68 N 13
Loiba C 3 A 6
Lois LE 16 D 14
Loiti (Puerto) NA 20 E 25
Loiu BI 8 C 21
Loja GR 94 U 17
Lojilla GR 94 T 17
Loma (La) GU 47 J 23
Loma (La) GR 94 U 18
Loma Badada A 85 Q 27
Loma de Piqueras AB 72 Q 22
Loma del Ucieza P 17 E 16
Loma Gerica J 83 R 22
Loma Gorda TE 61 L 26
Loma Pelada
(Punta de) AL 103 V 23
Lomana BU 18 D 20
Lomas P 17 F 16
Lomas (Las) MU 85 S 26
Lomas (Las) CA 99 X 12
Lomas (Las) MA 100 W 15
Lomas (Las) M 45 K 18
Lomas (Las) Z 35 G 27
Lomba (La) S 7 C 17
Lomeña S 7 C 16
Lomero H 78 S 9
Lominchar TO 58 L 18
Lomo
de Mena Tenerife TF 127 G 3
Lomoviejo VA 44 I 15
Longares Z 34 H 26
Longás Z 21 E 27
Loña del Monte OR 13 E 6
Lope Amargo CO 81 S 16
Lopera J 81 S 17
Lopera GR 95 U 20
Loporzano HU 21 F 29
Lor LU 14 E 7
Lora CA 92 V 14
Lora de Estepa SE 93 U 15
Lora del Río SE 80 T 13
Loranca de Tajuña GU 46 K 20
Loranca del Campo CU 59 L 21
Loranquillo BU 18 E 20
Lorbé C 3 B 5
Lorca MU 84 S 24
Loredo S 8 B 18
Lorenzana LE 16 D 13
Lores P 17 D 16
Loreto GR 94 U 18
Loriguilla V 62 N 28
Loriguilla (Ruinas
del pueblo de) V 61 M 27
Lorilla BU 17 D 18
Lorqui MU 85 R 26
Losa AB 72 Q 24
Losa (La) SG 45 J 17
Losa (La) GR 83 S 22
Losa del Obispo V 61 M 27
Losacino ZA 29 G 11
Losacio ZA 29 G 11
Losadilla LE 14 F 10
Losana del Pirón SG 45 I 17
Losar (El) AV 44 K 13
Losar de la Vera CC 56 L 13
Losares CU 60 L 23
Loscorrales HU 21 F 28
Loscos TE 48 I 26
Losetares GR 84 S 23
Losilla ZA 29 G 12
Losilla (La) SO 33 G 23
Losilla (La) AB 72 P 24
Losilla de Aras V 61 M 26
Lougares PO 13 F 4
Loureda C 13 D 4
Loureiro LU 14 D 7
Loureiro PO 13 E 4
Lourenzá LU 4 B 8
Loureza PO 12 G 3
Louro C 12 D 2
Louro (Punta) C 12 D 2
Lousada LU 13 D 7
Lousadela LU 13 D 6
Lousame Portobravo C 12 D 3
Lousame Portobravo C 12 D 3
Louseiro LU 14 D 8
Loza VI 19 E 21
Lozoya M 45 J 18
Lozoyuela M 46 J 19
Luaces LU 4 C 7
Luanco O 5 B 12
Luarca O 5 B 10
Lubia SO 33 H 22
Lubián ZA 28 F 9
Lubrín AL 96 U 23
Lucainena AL 102 V 20
Lucainena
de las Torres AL 96 U 23
Lúcar AL 96 T 22
Lucena CO 93 T 16
Lucena de Jalón Z 34 H 26
Lucena del Puerto H 91 U 9
Lucencia LU 13 D 6
Luceni Z 34 G 26
Lucenza OR 27 G 7
Luces O 6 B 14
Luchena MU 84 S 24
Luciana CR 70 P 17
Lucillo LE 15 E 11
Lucillos TO 57 M 16
Luco de Bordón TE 49 J 29
Luco de Jiloca TE 48 J 26
Ludiente CS 62 L 28
Ludrio LU 4 C 7
Lueje O 6 C 15
Luelmo ZA 29 H 11
Luesia Z 20 E 26
Luesma Z 48 I 26
Lugán LE 16 D 13
Lugar Nuevo
(Coto nacional de) J 82 R 17
Lugar Nuevo (El) J 82 R 17
Lugareja (Ermita La) AV 44 I 15
Lugo LU 4 C 7
Lugo de Llanera O 5 B 12
Lugones O 5 B 12
Lugros GR 95 U 20
Lugueros LE 16 D 13
Luíntra (Nogueira
de Ramuín) OR 13 E 6
Luiña O 14 D 9
Luis Díaz CO 81 S 16
Luisiana (La) SE 92 T 14
Luján HU 22 E 30
Lújar GR 102 V 19
Lumajo LE 5 D 11
Lumbier NA 20 E 26
Lumbier (Hoz de) NA 20 E 26
Lumbrales SA 42 J 9
Lumbreras LO 33 F 22
Lumias SO 32 H 21
Lumpiaque Z 34 H 26
Luna Z 21 F 27
Lunada (Portillo de) BU 8 C 19
Luneda PO 13 F 5
Luou C 12 D 4
Lupiana GU 46 K 20
Lupiñén HU 21 F 28
Lupiñén-Ortilla HU 21 F 28
Lupión J 82 S 19
Luque CO 93 T 17
Luquiano VI 18 D 21
Luquin NA 19 E 23
Lurda (La) SA 44 J 13
Luriana BA 67 O 10
Lusio LE 14 E 9
Luyando VI 8 C 21
Luyego LE 15 E 11
Luz BA 66 Q 8

Luz (La) VA 31 H 15
Luzaga GU 47 J 22
Luzaide / Valcarlos NA 11 C 26
Luzás HU 22 F 31
Luzmela S 7 C 17
Luzón GU 47 I 23

## M

Mabegondo C 3 C 5
Macael AL 96 U 23
Macalón AB 84 Q 23
Maçanet de Cabrenys GI 24 E 38
Maçanet de la Selva GI 39 G 38
Macarra CC 56 M 12
Macastre V 73 N 27
Maceda cerca de Corgo LU 14 D 7
Maceda cerca de Orense OR 13 F 7
Maceda cerca de Palas de Rei LU 13 D 6
Maceira PO 13 F 4
Macetua (Estación de la) MU 85 R 25
Machacón SA 44 J 13
Machal (El) BA 67 O 10
Macharaviaya MA 101 V 17
Mácher Lanzarote GC 122 C 4
Machero CR 70 N 17
Machimala HU 22 D 31
Macisvenda MU 85 R 26
Macotera SA 44 J 14
Madarcos M 46 I 19
Madariaga SS 10 C 22
Madera J 83 R 22
Maderal (El) ZA 29 I 13
Madero (Puerto del) SO 33 G 23
Maderuelo SG 32 H 19
Madre de las Marismas del Rocío H 91 U 10
Madremanya GI 25 G 38
Madrero (El) TO 57 N 15
Madrid M 46 K 19
Madridanos ZA 30 H 13
Madridejos TO 58 N 19
Madrideña (La) CR 70 P 19
Madrigal GU 33 I 21
Madrigal TO 57 M 16
Madrigal de la Vera CC 56 L 13
Madrigal de las Altas Torres AV 44 I 15
Madrigal del Monte BU 18 F 18
Madrigalejo CC 68 O 13
Madrigalejo del Monte BU 18 F 18
Madriguera SG 32 I 20
Madrigueras AB 72 O 24
Madrigueras (Estacíon de) J 82 R 19
Madroa PO 12 F 3
Madrona SG 45 J 17
Madroñal SA 43 K 11
Madroñera CC 56 N 12
Madroñera BA 67 Q 10
Madroñera (Embalse de) CC 56 N 12
Madroñera (Sierra) H 78 T 7
Madroño AB 73 Q 25
Madroño MU 84 S 24
Madroño MU 84 S 23
Madroño (El) AB 72 P 23
Madroño (El) SE 79 T 10
Madroños MU 84 S 23
Madruédano SO 32 H 20
Maella Z 50 I 30
Maello AV 45 J 16
Maestrat (El) CS 49 K 29
Maestre SE 92 U 14
Mafet L 37 G 33
Magacela BA 68 P 12
Magallón Z 34 G 25
Magaluf IB 104 N 37
Magán TO 58 M 18
Magaña SO 33 G 23
Magaz P 31 G 16
Magaz de Abajo LE 14 E 9
Magaz de Cepeda LE 15 E 11
Magazos AV 44 I 15
Magazos LU 4 B 7
Magdalena (Ermita) C 12 E 3
Magdalena (Ermita de la) cerca de Aguaviva TE 49 J 29
Magdalena (Ermita de la) cerca de Mora de Rubielos TE 62 L 27
Magdalena (La) LE 15 D 12
Magdalena (Puerto de la) LE 15 D 11
Mágina J 82 S 19
Magrero CR 70 P 19
Máguez GC 121 F 3
Maguilla BA 80 Q 12
Maguma BI 10 C 22
Mahamud BU 17 F 18
Mahide ZA 29 G 10
Mahón / Maó IB 106 M 42
Mahora AB 72 O 24
Mahoya MU 85 R 26
Maià de Montcal GI 24 F 38
Maials L 36 H 31
Maians B 37 H 35
Maicas TE 49 J 27
Maigmó A 74 Q 28
Maíllo (El) SA 43 K 11
Maimón AL 96 U 23
Mainar Z 48 I 26
Mainar (Puerto de) Z 34 I 26
Maire de Castroponce ZA 15 F 12
Mairena GR 95 U 20
Mairena del Alcor SE 92 T 12
Mairena del Aljarafe SE 91 T 11
Maitena GR 95 U 19
Majada (La) MU 85 T 25
Majada Blanca Fuerteventura GC 113 H 3
Majada de la Peña BA 68 P 14
Majada Madrid MA 99 W 14
Majada Ruiz CA 99 V 13
Majadahonda M 45 K 18
Majadas CC 56 M 12
Majadas (Las) CU 60 L 23
Majaelrayo GU 46 I 20
Majalinos (Puerto de) TE 49 J 28
Maján SO 33 H 23
Majanicho Fuerteventura GC 111 H 1
Majano AB 72 O 24
Majazul TO 58 L 17
Majogazas AB 72 P 23
Majona (Punta) La Gomera TF 119 D 2
Majones HU 21 E 27
Majúa (La) LE 5 D 11
Majuelos CR 70 P 19
Majuges SA 43 I 10
Mal Pas (es) IB 105 M 39
Mala Lanzarote GC 123 F 3
Mala (Punta) CA 99 X 14
Malacuera GU 47 J 21
Maladeta HU 22 D 31
Maladeta (Pico de la) HU 22 E 31
Málaga MA 100 V 16
Málaga (Ensenada de) MA 100 W 16
Málaga (Hoya de) MA 100 V 15
Málaga del Fresno GU 46 J 20
Malagón CR 70 O 18
Malagraner CS 50 J 30
Malaguilla GU 46 J 20
Malahá (La) GR 94 U 18
Malandar (Punta de) CA 91 V 10
Malanquilla Z 34 H 24
Malcocinado BA 80 R 12
Maldà L 37 H 33
Malefatón AB 73 O 25
Malején Z 34 G 25
Malgrat de Mar B 39 H 38
Maliaño S 7 B 18
Malillos LE 16 E 13
Malillos ZA 29 H 12
Malla B 38 G 36
Mallá (La) V 62 N 28
Mallabia BI 10 C 22
Mallas C 2 D 2
Mallén Z 34 G 25
Malleza O 5 B 11
Mallo LE 15 D 12
Mallol (El) GI 24 F 37
Mallón C 2 C 3
Mallona (La) SO 33 G 21
Mallorca IB 104 O 37
Mallos (Los) HU 21 E 27
Malón Z 34 G 25
Malpaís cerca de Las Cuevecitas TF 127 H 3
Malpaís Grande Fuerteventura GC 113 H 4
Malpaíses La Palma TF 132 D 6
Malpartida SA 44 J 14
Malpartida de Cáceres CC 55 N 10
Malpartida de Corneja AV 44 K 13
Malpartida de la Serena BA 68 P 13
Malpartida de Plasencia CC 56 M 11
Malpás L 22 E 32
Malpasillo (Embalse de) CO 93 U 16
Malpaso El Hierro TF 108 C 3
Malpelo AB 72 O 24
Malpica de Arba Z 20 F 26
Malpica de Bergantiños C 2 C 3
Malpica de España BA 66 P 8
Malpica de Tajo TO 57 M 16
Maluenda Z 34 I 25
Maluque SG 32 H 19
Malva ZA 30 H 13
Malva-rosa (La) V 62 M 29
Malvana (Sierra de la) CC 55 L 9
Malvas PO 12 F 3
Malvedo O 5 C 12
Mamblas AV 44 I 14
Mambliga BU 18 D 20
Mambrilla de Castrejón BU 31 H 18
Mambrillas de Lara BU 32 F 19
Mamillas Z 20 E 26
Mamola (La) GR 102 V 20
Mamolar BU 32 G 19
Mámoles ZA 29 H 11
Mampodre (Reserva nacional de) LE 6 C 13
Manacor IB 105 N 39
Manán LU 4 D 7
Manantial (El) CA 98 W 11
Manar (Sierra del) GR 94 U 19
Mancera de Abajo SA 44 J 14
Mancera de Arriba AV 44 J 14
Mancha (La) TF 71 O 19
Mancha Real J 82 S 19
Manchas (Las) Tenerife TF 126 C 3
Manchego (Collado) CU 48 K 24
Manchica (A) OR 13 F 6
Manchita BA 68 P 11
Manchones Z 48 I 25
Manchoya HU 21 E 29
Manciles BU 17 E 18
Mancor de la Vall IB 104 M 38
Mandaio C 3 C 5
Mandayona GU 47 J 21
Mandeo C 3 C 5
Mandiá C 3 B 5
Mandín OR 28 G 7
Maneta MU 73 Q 26
Manga (Cañada de la) AB 71 P 21
Manga del Mar Menor (La) MU 86 T 27
Manganese ZA 29 F 12
Manganeses de la Lampreana ZA 29 G 12
Manilla MU 84 S 25
Manilva MA 99 W 14
Maniños C 3 B 5
Manises V 62 N 28
Manjabálago AV 44 K 14
Manjarín LE 15 E 10
Manjarrés LO 19 E 21
Manjavacas (Ermita de) CU 59 N 21
Manjirón M 46 J 19
Manlleu B 24 F 36
Manojar (El) CR 70 N 17
Manquillo (Collado El) BU 18 F 20
Manquillos P 17 F 16
Manresa B 38 G 35
Mansilla BU 17 E 18
Mansilla SG 46 I 19
Mansilla de la Sierra LO 18 F 21
Mansilla de las Mulas LE 16 E 13
Mansilla del Páramo LE 15 E 12
Mansilla Mayor LE 16 E 13
Mantet (Portella de) GI 24 E 36
Mantiel GU 47 K 22
Mantinos P 16 D 15
Manuel V 74 O 28
Manuelas CO 81 R 16
Manurga VI 19 D 21
Manyà A 85 Q 27
Manzalvos OR 28 G 8
Manzanal (Puerto del) LE 15 E 11
Manzanal de los Infantes ZA 29 F 10
Manzanal del Barco ZA 29 H 12
Manzanal del Puerto LE 15 E 11
Manzanares CR 71 O 19
Manzanares de Rioja LO 18 E 21
Manzanares el Real M 45 J 18
Manzaneda O 5 C 12
Manzaneda OR 14 F 8
Manzaneda cerca de Truchas LE 15 F 11
Manzaneda (Cabeza de) OR 14 F 8
Manzaneda de Torío cerca de Garrafe de Torío LE 16 D 13
Manzanedo BU 18 D 18
Manzaneque TO 58 N 18
Manzanera TE 61 L 27
Manzaneruela CU 61 M 26
Manzanilla H 91 T 10
Manzanillo VA 31 H 17
Manzano SA 42 K 10
Manzano (El) SA 29 I 11
Mañaria BI 10 C 22
Mañeru NA 10 D 24
Mañón C 3 B 6
Mao OR 14 F 7
Maó / Mahón IB 106 M 42
Maqueda TO 57 L 16
Mar y Land IB 87 Q 34
Mara Z 34 I 25
Maracena GR 94 U 19
Marachón (Puerto de) GU 47 I 23
Maranchón GU 47 I 23
Maraña LE 6 C 14
Maraña (La) MU 85 R 25
Marañón NA 19 E 22
Marañón CR 71 O 20
Marañosa (La) M 58 L 19
Marauri BU 19 D 22
Maravillas (Gruta de las) H 79 S 10
Marazoleja SG 45 J 16
Marazovel SO 33 I 21
Marazuela SG 45 J 16
Marbella CO 93 T 17
Marbella MA 100 W 15
Marbella (Ensenada de) MA 100 W 15
Marboré HU 22 D 30
Marçà T 50 I 32
Marcaláin NA 11 D 24
Marce LU 13 E 6
Marcén HU 35 G 29
Marchagaz CC 55 L 11
Marchal GR 95 U 20
Marchal (El) AL 96 U 23
Marchal de Antón López (El) AL 102 V 22
Marchamalo GU 46 J 20
Marchena SE 92 U 13
Marchenilla CA 99 W 13
Marchenilla (Castillo) SE 92 U 12
Marcilla NA 20 F 24
Marcilla de Campos P 17 F 16
Marco LU 13 D 6
Marco (El) BA 66 O 8
Marco (Puerto El) PO 13 D 6
Marco de Alvare (Puerto) LU 4 C 8
Marco Fabio Quintiliano (Parador) Calahorra LO 19 F 24
Marcón PO 12 E 4
Marcos (Los) V 61 N 26
Marea (La) O 6 C 13
Marentes O 4 C 9
Mareny Blau (El) V 74 O 29
Mareny de Barraquetes (El) V 74 O 29
Mareny de Sant Llorenç (El) V 74 O 29
Mareny de Vilxes V 74 O 29
Mareo O 6 B 12
Mares (Hacienda Dos) MU 86 S 27
Mareta (Punta de la) Lanzarote GC 120 E 1
Marey LU 14 D 7
Margalef T 36 I 32
Marganell B 38 H 35
Margarida A 74 P 29
Margen (El) GR 83 T 22
Margolles O 6 B 14
María AL 84 S 23
María Andrés (Sierra de) BA 67 Q 9
María Cristina (Embassament de) CS 62 L 29
María de Huerva Z 35 H 27
Maria de la Salut IB 105 M 39
Mariana CU 60 L 23
Marías (Las) GU 47 K 21
Maribáñez SE 92 U 12
Maribáñez BA 68 O 13
Maridos (Los) J 83 Q 22
Marifranca CC 55 L 10
Marigenta H 79 T 10
Marigutiérrez AB 72 O 22
Marimínguez AB 73 O 25
Marín PO 12 E 3
Marín AL 103 V 22
Marina (La) T 51 I 33
Marina (La) A 86 R 28
Marina (La) V 74 O 29
Marina-Oasis A 86 R 27
Marinaleda SE 93 T 15
Marinas (Las) AL 102 V 22
Marines Llíria V 62 M 28
Marines Olocau V 62 M 28
Marines (Las) A 74 P 30
Marines (Los) H 79 S 10
Les Marines (Platjas) A 74 Q 30
Mariña (A) C 3 B 5
Maripérez AB 72 O 23
Marisán V 62 N 28
Marisánchez CR 71 P 20
Marismas (Puerto de las) BA 79 S 11
Marismilla SE 91 U 12
Mariz LU 3 C 6
Marjaliza TO 58 N 18
Markina BI 10 C 22
Marlín AV 44 J 15
Marmellar de Abajo BU 17 E 18
Marmellar de Arriba BU 18 E 18
Mármol J 82 R 19
Marmolejo J 82 R 17
Maro MA 101 V 18
Maroma MA 101 V 17
Maroñas C 2 D 3
Marqués (Casa del) AB 84 Q 24
Marqués de Vallejo LO 19 E 22
Marquina VI 19 D 21
Marquínez VI 19 D 22
Marracos Z 21 F 27
Marrero (Punta de) TF 126 E 2
Marroquí o de Tarifa (Punta) CA 99 X 13
Marrupe TO 57 L 15
Martés HU 21 E 27
Martiago SA 43 K 10
Martialay SO 33 G 22
Martiherrero AV 44 J 15
Martillán SA 42 J 9
Martimporra O 6 C 13
Martín LU 4 C 8
Martín (Río) TE 49 I 28
Martín (Río) CU 61 M 25
Martín de la Jara SE 93 U 15
Martín de Yeltes SA 43 J 11
Martín del Río TE 49 J 27
Martín Malo J 82 R 19
Martín Miguel SG 45 J 17
Martín Muñoz SG 32 I 19
Martín Muñoz de la Dehesa SG 45 I 15
Martín Muñoz de las Posadas SG 45 J 16
Martinet L 23 E 35
Martinete CO 93 T 16
Martínez AV 44 K 13
Martínez del Puerto (Los) MU 85 S 26
Martiñán LU 4 B 7
Martiño (Punta) Fuerteventura GC 111 J 1
Martorell B 38 H 35
Martorelles B 38 H 36
Martos J 82 S 18
Martos (Portillo de) J 94 T 17
Martul LU 3 C 7
Maruanas CO 81 S 16
Marugán SG 45 J 16
Maruri-Jatabe BI 8 B 21
Marzà GI 25 F 39
Marzales VA 30 H 14
Marzán LE 15 D 11
Marzoa C 3 C 4
Mas Boscà GI 25 F 39
Mas de Barberáns T 50 J 31
Mas de Batxero (El) CS 62 L 29
Mas de Bondia (El) L 37 H 33
Mas de Caballero V 61 N 26
Mas de Cortitxelles (El) V 74 N 28
Mas de Flors CS 62 L 29
Mas de Jacinto V 61 L 26
Mas de la Montalvana CS 50 K 29
Mas de las Altas TE 49 J 29
Mas de las Matas TE 49 J 29
Mas de Llorenç CS 62 L 29
Mas de Llosa CS 62 L 29
Mas de Pessetes CS 49 K 29
Mas-de-riudoms T 51 I 32
Mas del Carril V 62 N 27
Mas del Olmo V 61 L 26
Mas Llunés GI 24 G 38
Mas Nou GI 25 G 39
Masa BU 18 E 18
Masada (La) CS 62 L 28
Masada del Sordo CS 62 M 28
Masadas (Alto de) NA 20 F 25
Masarac GI 25 E 38
Masca Tenerife TF 126 B 3
Mascaraque TO 58 M 18
Mascarat (Barranc del) A 74 Q 30
Mascún (Barranco de) HU 21 F 29
Masdenverge T 50 J 31
Masegosa CU 47 K 23
Masegoso AB 72 P 23
Masegoso de Tajuña GU 47 J 21
Masella GI 24 E 35
Masía de los Pérez CS 62 M 27
Maside OR 13 E 5
Masies de Voltregà (Les) B 24 F 36
Masllorenç T 37 I 34
Masma LU 4 B 8
Masma (Golfo de la) LU 4 B 8
Masnou (El) B 38 H 36
Masos (Els) GI 25 G 39
Maspalomas Gran Canaria GC 117 E 4
Masquefa B 38 H 35
Masroig (El) T 50 I 32
Massalavés V 74 O 28
Massalcoreig L 36 H 31
Massalfassar V 62 N 29
Massamagrell V 62 N 29
Massanassa V 62 N 28
Massanes GI 38 G 37
Massoteres L 37 G 33
Masueco SA 28 I 10
Mata BU 18 E 18
Mata S 7 C 17
Mata CO 93 T 16
Mata (La) SG 45 I 18
Mata (La) LE 16 D 13
Mata (La) A 86 R 28
Mata (La) SE 92 U 13
Mata (La) Castelló CS 49 K 29
Mata (La) cerca de Carmena TO 57 M 16
Mata (La) cerca de Los Yébenes TO 58 N 18
Mata (Salines de la) A 86 R 27
Mata de Alcántara CC 55 M 9
Mata de Armuña (La) SA 43 I 13
Mata de Cuéllar SG 31 H 16
Mata de Hoz S 17 D 17
Mata de la Riba (La) LE 16 D 13
Mata de Ledesma (La) SA 43 J 12
Mata de los Olmos (La) TE 49 J 28
Mata de Monteagudo (La) LE 16 D 14
Mata del Páramo (La) LE 15 E 12
Matabuena SG 46 I 18
Matacas J 82 S 18
Matadeón de los Oteros LE 16 E 13
Matadepera B 38 H 36
Mataelpino M 45 J 18
Matagalls B 38 G 37
Matagorda AL 102 V 21
Matagorda CA 98 W 11
Matal de Toscal CO 81 S 16
Matalascañas H 91 U 10
Matalavilla LE 15 D 10
Matalebreras SO 33 G 23
Matalindo BU 18 F 19
Matallana GU 46 I 19
Matallana SE 92 U 12
Matallana de Torío LE 16 D 13
Matallana de Valmadrigal LE 16 E 13
Matalloso CR 69 P 16
Matalobos del Páramo LE 15 E 12
Mataluenga LE 15 D 12
Matamá PO 12 F 3
Matamala SG 46 I 18

Matamala
de Almazán SO 33 H 22
Matamorisca P 17 D 17
Matamorosa S 17 D 17
Matanza LE 16 F 13
Matanza (La) A 85 R 26
Matanza de Acentejo (La)
*Tenerife* TF 124 G 2
Matanza de Soria SO 32 H 20
Matanzas TE 49 K 28
Mataparta V 61 M 26
Mataporquera S 17 D 17
Matapozuelos VA 30 H 15
Matapuercas CO 81 R 16
Mataró B 38 H 37
Matarraña TE 50 J 30
Matarredonda SE 93 T 15
Matarrosa del Sil LE 15 D 10
Matarrubia GU 46 J 20
Matas (Las) M 45 K 18
Matas Blancas
*Fuerteventura* GC 113 E 4
Matas
de Lubia (Alto de) SO 33 H 22
Matas Verdes AB 72 O 22
Matasanos SE 92 T 13
Matasejún SO 33 G 23
Matea J 83 R 22
Mateo (Puerto de) MA 93 U 16
Matet CS 62 M 28
Matián GR 96 T 22
Matienzo S 8 C 19
Matilla (La) SG 45 I 18
Matilla (La)
*Fuerteventura* GC 111 H 2
Matilla de Arzón ZA 16 F 13
Matilla de los Caños VA 30 H 15
Matilla de los Caños
del Río SA 43 J 12
Matilla la Seca ZA 30 H 13
Matillas GU 47 J 21
Mato LU 3 C 7
Matola A 85 R 27
Matorro (Puerto El) BU 18 F 19
Matueca de Torío LE 16 D 13
Matute LO 19 F 21
Matute SO 33 H 22
Mauberme (Pic de) L 22 D 32
Maus de Salas OR 27 G 6
Mave P 17 D 17
Maxal LU 13 D 6
Maya / Amaiur NA 11 C 25
Maya (La) SA 43 J 13
Mayalde ZA 29 I 12
Mayor LU 4 B 8
Mayor (Cabo) S 8 B 18
Mayor (Isla) MU 85 S 27
Mayor (Isla) SE 91 U 11
Mayor (Río) LO 33 F 21
Mayorga VA 16 F 14
Mayorga BA 66 O 8
Mazagón H 90 U 9
Mazaleón TE 50 I 30
Mazalvete SO 33 G 23
Mazarabeas Altas TO 58 M 17
Mazarambroz TO 58 M 17
Mazarete GU 47 I 23
Mazaricos C 2 D 3
Mazariegos P 31 F 15
Mazariegos (Puerto) BU 32 F 19
Mazarracín TO 58 M 18
Mazarrón MU 97 T 26
Mazarrón H 91 T 10
Mazarrón (Golfo de) MU 97 T 26
Mazarulleque CU 59 L 21
Mazaterón SO 33 H 23
Mazo O 7 C 16
Mazo *La Palma* TF 132 D 5
Mazo (Collado del) CC 56 N 13
Mazorra
(Puerto de La) BU 18 D 19
Mazueco BU 18 F 19
Mazuecos GU 59 L 20
Mazuecos
de Valdeginate P 16 F 15
Mazuela BU 17 F 18
Mazuelo de M. BU 17 F 18
Meabia PO 13 E 4
Meaga SS 10 C 23
Meano NA 19 E 22
Meaño PO 12 E 3
Meca TO 98 X 11
Mecerreyes BU 32 F 19
Mecina Alfahar GR 102 V 20
Mecina Bombarón GR 102 V 20
Mecina Fondales GR 102 V 20
Meco M 46 K 20
Meda LU 4 C 7
Meda OR 13 E 7
Médano (El) *Tenerife* TF 129 F 5
Medeiros OR 27 G 7
Medellín BA 68 P 12
Medes (Illes) GI 25 F 39
Media Naranja
(Punta de la) AL 103 V 24
Mediana Z 35 H 27
Mediana (La) H 91 U 10
Mediana de Voltoya AV 45 J 16
Medianero (Carpio) AV 44 K 13
Mediano
(Embalse de) HU 22 E 30
Medida (La) *Tenerife* TF 127 H 3
Medín C 3 D 5
Medina Azahara CO 81 S 15
Medina de las Torres BA 79 Q 10
Medina de Pomar BU 18 D 19
Medina de Rioseco VA 30 G 14
Medina del Campo VA 30 I 15
Medina-Sidonia CA 99 W 12
Medinaceli SO 47 I 22
Medinilla AV 43 K 13
Medinyà GI 25 F 38
Mediona B 37 H 34
Medranda GU 46 J 21
Medrano LO 19 E 22
Medro MU 96 T 24
Medua OR 14 E 9
Médulas (Las) LE 14 E 9
Médulas (Las)
(Localidad) LE 14 E 9
Megeces VA 31 H 16
Megina GU 48 K 24
Meilán LU 4 C 7
Meilán *Mondoñedo* LU 4 B 8
Meira LU 4 C 8
Meira PO 12 F 3
Meira (Sierra de) LU 4 C 8
Meirama C 3 C 4
Meirás *cerca de Sada* C 3 B 5
Meirás
*cerca de Valdoviño* C 3 B 5
Meis PO 12 E 3
Mejara (Puerto) BA 68 P 13
Mejorada TO 57 L 15
Mejorada del Campo M 46 K 19
Melegís GR 101 V 19
Melegriz AB 72 P 24
Melendreros O 6 C 13
Melgar de Abajo VA 16 F 14
Melgar de Arriba VA 16 F 14
Melgar de Fernamental BU 17 E 17
Melgar de Tera ZA 29 G 11
Melgar de Yuso P 17 F 17
Melgarejo CR 71 P 20
Melgosa (La) CU 60 L 23
Melgoso MU 84 S 24
Meliana V 62 N 28
Melias OR 13 E 6
Melicena GR 102 V 20
Mélida NA 20 E 25
Melide C 3 D 5
Mellanzos LE 16 E 14
Melón OR 13 F 5
Melque SG 45 I 16
Membibre de la Hoz SG 31 H 17
Membribe SA 43 J 12
Membrilla CR 71 P 19
Membrilla CO 81 T 15
Membrillar P 17 E 15
Membrillera GU 46 J 21
Membrillo (El) TO 57 M 15
Membrillo (El) SE 79 S 12
Membrillo (Lucio del) CA 91 V 10
Membrillo Alto H 79 T 10
Membrío CC 54 N 8
Mena LE 29 G 11
Menagaray VI 8 C 20
Menárguens L 36 G 32
Menas (Las) AL 95 U 22
Menas (Los) AL 96 T 24
Menasalbas TO 58 N 17
Menaza P 17 D 17
Mencal GR 95 T 20
Menchón de Abril (El) GR 94 T 18
Mendaro SS 10 C 22
Mendata BI 10 C 22
Mendavia NA 19 E 23
Mendaza NA 19 E 23
Mendeika BI 8 C 20
Mendexa BI 9 B 22
Méndez AB 84 Q 24
Mendigorría NA 20 E 24
Mendijur VI 19 D 22
Mendióroz NA 11 D 25
Mendoza VI 19 D 21
Menera (Sierra de) TE 48 J 25
Meneses CU 60 N 23
Meneses de Campos P 30 G 15
Menga (Puerto de) AV 44 K 14
Menga y Viera
(Cuevas de) MA 93 U 16
Mengabril BA 68 P 12
Mengamuñoz AV 44 K 15
Mengíbar J 82 S 18
Menjillán SE 92 U 13
Menor (Isla) SE 91 U 11
Menor (Mar) MU 85 S 27
Menorca IB 106 M 41
Menoyo VI 8 C 20
Mens C 2 C 3
Mentera S 8 C 19
Mentiras J 83 R 22
Méntrida TO 58 L 17
Menudero O 5 B 10
Menuza (Ermita de) Z 35 I 28
Meñaka BI 9 B 21
Meotz / Meoz NA 11 D 25
Meoz / Meotz NA 11 D 25
Mequinenza Z 36 H 30
Mequinenza
(Embalse de) Z 36 H 30
Mera LU 3 D 6
Mera *cerca de Ortigueira* C 3 A 6
Mera
*cerca de Santa Cruz* C 3 B 4
Meranges GI 23 E 35
Merás O 5 B 10
Merca (A) OR 13 F 6
Mercadal (es) IB 106 M 42
Mercadillo BI 8 C 20
Mercadillo BU 8 C 20
Mercadillos de Abajo AB 72 P 24
Meré O 6 B 15
Meredo O 4 B 8
Merelas C 3 C 5
Merendero LU 3 C 6
Meréns OR 13 F 5
Mérida BA 67 P 10
Merille LU 4 B 7
Merlán LU 3 D 6
Merli HU 22 E 31
Mero C 3 C 5
Merodio O 7 C 16
Merolla (Coll de) GI 24 F 36
Merou O 4 B 9
Merujal O 6 C 13
Merza PO 13 D 5
Mesa (La) J 82 R 19
Mesa (La) LO 33 F 22
Mesa del Mar
*Tenerife* TF 124 G 2
Mesa Roldán (La) AL 103 V 24
Mesas (Las) CU 71 N 21
Mesas (Las) MA 92 V 14
Mesas de Asta CA 91 V 11
Mesas de Ibor CC 56 M 13
Mesas de Santiago CA 91 V 12
Mesas
del Guadalora CO 80 S 14
Mesegar de Corneja AV 44 K 14
Mesegar de Tajo TO 57 M 16
Mesía C 3 C 5
Mesillas CC 56 L 12
Mesón do Vento C 3 C 4
Mesones GU 46 J 19
Mesones AB 84 Q 22
Mesones (Los) SA 43 I 12
Mesones de Isuela Z 34 H 25
Mesta AB 72 Q 22
Mesta de Con O 6 B 14
Mestanza CR 70 Q 17
Mestanza
(Puerto de) CR 70 Q 17
Mestas O 5 C 10
Las Mestas CC 43 K 11
Metauten NA 19 D 23
Mezalocha Z 34 H 26
Mezkiritz NA 11 D 25
Mezpelerreka-
El Regato BI 8 C 20
Mezquetillas SO 33 I 22
Mezquita (A) OR 28 F 8
Mezquita
(Estación de la) H 90 T 9
Mezquita (La) MA 93 U 15
Mezquita de Jarque TE 49 J 27
Mezquita de Loscos TE 48 I 26
Mezquitilla MA 101 V 17
Mezquitilla (La) SE 92 U 14
Miajadas CC 68 O 12
Miami Platja T 51 I 32
Mianos Z 21 E 27
Micereces de Tera ZA 29 G 12
Michos CR 69 P 16
Micieces de Ojeda P 17 D 16
Miedes Z 34 I 25
Miedes de Atienza GU 32 I 21
Miengo S 7 B 18
Miera S 8 C 18
Miera (La) CR 71 O 21
Mieres GI 24 F 37
Mieres O 5 C 12
Mierla (La) GU 46 J 20
Mieza SA 28 I 9
Migjorn Gran (es) IB 106 M 42
Miguel Esteban TO 59 N 20
Miguel Ibáñez SG 45 I 16
Miguelagua TO 58 N 18
Migueláñez SG 45 I 16
Miguelturra CR 70 P 18
Mijancas VI 19 D 21
Mijares AV 57 L 15
Mijares V 73 N 27
Mijares (Puerto de) AV 44 K 15
Mijas MA 100 W 16
Milagres
(Santuario Os) OR 13 F 7
Milagro NA 20 F 24
Milagro (El) CR 58 N 17
Milagro (Puerto del) TO 58 N 17
Milagros BU 32 H 18
Milán *Tenerife* TF 124 H 1
Milano SA 42 I 10
Milano AB 71 P 22
Milanos GR 94 U 17
Milanos
(Estación de los) H 78 T 9
Miliana T 50 K 31
Miliario del Caudillo SG 32 H 18
Milla (Perales de) M 45 K 17
Milladoiro C 12 D 4
Millana GU 47 K 22
Millanes CC 56 M 13
Millarada (A) PO 13 E 5
Millares V 73 O 27
Millares (Los) H 90 T 7
Millares (Salto de) V 74 O 27
Millarón (El) CC 54 N 8
Miller J 83 R 22
Milles
de la Polvorosa ZA 29 G 12
Millón C 12 D 3
Milmarcos GU 48 I 24
Mina (La) HU 21 D 27
Mina de Rodes A 73 Q 27
Minas (La) TE 49 J 27
Minas (Las) CU 61 M 25
Minas (Las) AB 84 R 24
Minas (Las) AL 103 V 22
Minas de Cala H 79 S 10
Minas de Riotinto H 79 S 10
Minas
del Marquesado GR 95 U 20
Minateda AB 84 Q 25
Minateda
(Cuevas de) AB 84 Q 25
Minaya AB 72 O 23
Mingarnao AB 84 R 23
Minglanilla CU 61 N 25
Mingogil AB 84 Q 24
Mingorría AV 45 J 15
Mingorrubio M 45 K 18
Mingrano MU 84 S 24
Mínguez (Puerto) TE 49 J 26
Mini Hollywood AL 96 U 22
Minilla
(Embalse de la) SE 79 S 11
Mínima (Isla) SE 91 U 11
Miñagón O 4 B 9
Miñana SO 33 H 23
Miñano MU 84 R 24
Miñano Mayor VI 19 D 22
Miñarros MU 97 T 25
Miño C 3 B 5
Miño Cuevo ZA 29 G 11
Miño de Medina SO 47 I 22
Miño
de San Esteban SO 32 H 19
Miñons C 2 D 2
Miñosa (La) GU 46 I 21
Miñotos LU 4 B 7
Mioma VI 18 D 20
Mioño S 8 B 20
Mira CU 61 M 25
Mira (La) CR 70 P 17
Mirabel SE 92 U 12
Mirabel CC 55 M 11
Mirabel (Ermita de) CC 56 N 13
Mirabueno GU 47 J 21
Miracle (El) L 37 G 34
Miradera
(Sierra de la) BA 68 Q 11
Mirador (El) MU 85 S 27
Mirador (Sierra del) LU 4 C 8
Mirador de Oseja LE 6 C 14
Mirador
del Romero (El) M 45 K 17
Miraelrío J 82 R 19
Miraflores BU 18 E 19
Miraflores de la Sierra M 46 J 18
Mirafuentes NA 19 E 23
Miralcamp L 37 H 32
Miralcampo AB 72 O 24
Miralrío GU 46 J 21
Miralsot de Abajo HU 36 H 30
Miramar IB 104 M 37
Mirambel TE 49 K 28
Miranda LU 4 D 8
Miranda MU 85 S 26
Miranda de Arga NA 20 E 24
Miranda de Azán SA 43 J 12
Miranda de Ebro BU 18 D 21
Miranda
del Castañar SA 43 K 12
Miranda del Rey J 82 Q 19
Mirandilla BA 67 O 11
Mirantes de Luna LE 15 D 12
Miravalles LE 14 D 9
Miraveche BU 18 D 20
Miravet T 50 I 31
Miravete TE 49 K 27
Miravete (Puerto de) CC 56 M 12
Miraz
*cerca de Guitiriz* LU 3 C 6
Miraz
*cerca de Xermade* LU 3 B 6
Mirón (El) AV 44 K 13
Mironcillo AV 44 K 15
Mirones S 8 C 18
Mirones (Los) CR 70 Q 18
Mirueña
de los Infanzones AV 44 J 14
Miyares O 6 B 14
Moal O 5 C 10
Moanes O 5 B 10
Moaña PO 12 F 3
Moar C 3 C 5
Moarves P 17 D 16
Mocanal *El Hierro* TF 109 D 2
Mocasilla GU 47 J 22
Mocejón TO 58 M 18
Mochales GU 47 I 23
Mochales SE 80 T 13
Mochila GR 94 T 19
Mochuelos (Los) J 83 Q 20
Moclín GR 94 T 18
Moclinejo MA 101 V 17
Modino LE 16 D 14
Modubar BU 18 F 19
Modúbar
de San Cibrián BU 18 F 19
Moeche C 3 B 6
Mogábar CO 81 Q 16
Mogán
*Gran Canaria* GC 116 C 3
Mogarraz SA 43 K 11
Mogatar ZA 29 H 12
Mogón J 83 R 20
Mogor PO 12 E 3
Mogorrita CU 48 K 24
Mogorrita GU 47 J 23
Mogro S 7 B 18
Moguer H 90 U 9
Moharras AB 72 O 22
Moheda (La) CC 55 L 10
Mohedas CC 55 L 11
Mohedas (Las) AB 72 Q 23
Mohedas de la Jara TO 57 N 14
Mohernando GU 46 J 20
Mohias O 4 B 9
Mohorte CU 60 L 23
Moià B 38 G 36
Moixent V 74 P 27
Mojácar AL 96 U 24
Mojados VA 31 H 16
Mojares GU 47 I 22
Mojón AL 95 T 22
Mojón (El) V 61 L 25
Mojón (El) A 85 S 27
Mojón (El) MU 85 R 27
Mojón Alto CU 60 M 22
Mojón Alto CO 93 T 16
Mojón Blanco TE 48 K 24
Mojón Gordo MA 92 V 14
Mojón Pardo (Puerto) SO 32 G 21
Mojonera AL 102 V 21
Mola IB 87 Q 34
Mola (Cap de Sa) IB 104 N 37
Mola (Castell de la) A 85 Q 27
Mola (Far de la) IB 87 Q 34
Mola (La) B 38 H 36
Mola (La) *Menorca* IB 106 M 42
Molacillos ZA 29 H 13
Molar (El) T 36 I 32
Molar (El) M 46 J 19
Molar (El) J 83 S 20
Molares H 79 S 9
Molares (Los) SE 92 U 12
Molata MU 84 R 23
Molata (La) AB 72 P 23
Molatón AB 73 P 25
Moldes C 13 D 5
Moldones ZA 29 G 10
Molezuelas
de la Carballeda ZA 15 F 11
Molí (es) IB 87 P 33
Molí Azor (El) CS 49 L 28
Molí de l'Abad (El) CS 50 J 30
Molina (La) GI 24 E 35
Molina (La) BU 18 D 20
Molina de Aragón GU 48 J 24
Molina de Segura MU 85 R 26
Molina
de Ubierna (La) BU 18 E 19
Molinaferrera LE 15 E 10
Molinas (Los) AL 96 U 23
Molinaseca LE 15 E 10
Molinicos AB 84 Q 23
Molinilla VI 18 D 21
Molinillo SA 43 K 12
Molinillo (El) CR 58 N 17
Molinillo (El) GR 94 U 19
Molino (El) BA 66 P 8
Molino Blanco TO 57 M 16
Molinos TE 49 J 28
Molinos C 2 C 2
Molinos (Los) HU 22 E 30
Molinos (Los) M 45 J 17
Molinos (Los)
*Fuerteventura* GC 110 G 2
Molinos (Los)
*Gran Canaria* GC 114 B 3
Molinos de Duero SO 33 G 21
Molinos de Matachel
(Embalse de los) BA 67 Q 11
Molinos de Papel CU 60 L 23
Molinos de Razón SO 33 G 22
Molinos
del Río Aguas (Los) AL 96 U 23
Molinos
Marfagones MU 85 T 26
Molins de Rei B 38 H 36
Molledo S 7 C 17
Mollerussa L 37 H 32
Mollet GI 25 E 39
Mollet B 38 H 36
Mollina MA 93 U 16
Mollinedo S 8 C 20
Molló GI 24 E 37
Molsosa (La) L 37 G 34
Moluengo V 61 N 25
Molvízar GR 101 V 19
Momán
*cerca de Cospeito* LU 4 C 7
Momán
*cerca de Xermade* LU 3 C 6
Mombeltrán AV 57 L 14
Momblona SO 33 H 22
Mombuey ZA 29 F 11
Momediano BU 18 D 19
Momia CA 99 W 12
Mompichel AB 73 P 25
Mona (Punta de la) GR 101 V 18
Monachil GR 94 U 19
Monasterio SO 33 H 21
Monasterio GU 46 J 20
Monasterio
de la Sierra BU 32 F 20
Monasterio
de Rodilla BU 18 E 19
Monasterio de Vega VA 16 F 14
Monasterio del Coto O 4 C 9
Monasterioguren VI 19 D 22
Moncalián S 8 B 19
Moncalvillo BU 32 G 20
Moncalvillo
del Huete CU 59 L 21
Moncalvo SA 14 F 9
Moncayo GR 83 S 22
Moncayo
(Santuario del) Z 34 G 24
Moncelos LU 4 C 7

Moncelos (Puerto de) PO 13 F 5
Monclova (La) SE 92 T 14
Moncofa CS 62 M 29
Monda MA 100 W 15
Mondalindo M 46 J 18
Mondariz PO 13 F 4
Mondéjar GU 59 L 20
Mondoñedo LU 4 B 7
Mondragón / Arrasate SS 10 C 22
Mondreganes LE 16 D 14
Mondriz LU 4 C 7
Mondrón MA 101 V 17
Mondújar GR 101 V 19
Mondúver (El) V 74 O 29
Monegrillo Z 35 H 28
Monegros (Canal de) HU 21 F 28
Monegros (Los) Z 35 H 28
Monells GI 25 G 38
Moneo BU 18 D 19
Mones O 5 B 10
Monesma HU 36 G 30
Monesma HU 21 F 28
Monesterio BA 79 R 11
Moneva Z 49 I 27
Moneva (Embalse de) Z 49 I 27
Monfarracinos ZA 29 H 12
Monfero C 3 C 5
Monfero (Monasterio de) C 3 B 5
Monflorite HU 21 F 28
Monforte de la Sierra SA 43 K 11
Monforte de Lemos LU 14 E 7
Monforte de Moyuela TE 49 I 26
Monforte del Cid A 85 Q 27
Monfragüe (Santuario de) CC 56 M 11
Monistrol de Calders B 38 G 36
Monistrol de Montserrat B 38 H 35
Monistrolet B 37 G 35
Monjas (Las) CR 71 O 19
Monjas (Las) V 61 N 26
Monjas (Las) SE 92 U 13
Monleón SA 43 K 12
Monleras SA 29 I 11
Monòver A 85 Q 27
Monrabana V 62 M 27
Monreal NA 11 D 25
Monreal de Ariza Z 33 I 23
Monreal del Campo TE 48 J 25
Monreal del Llano CU 59 N 21
Monrepós (Puerto de) HU 21 E 28
Monroy CC 55 N 11
Monroyo TE 50 J 29
Monsagro SA 43 K 11
Monsalud BA 67 Q 9
Monsalupe AV 44 J 15
Mont Cristina CS 62 L 29
Mont Horquera V 62 N 28
Mont-i-sol V 62 N 28
Mont-ral T 37 I 33
Mont-ras GI 25 G 39
Mont-roig del Camp T 51 I 32
Mont-ros L 23 E 32
Monta (La) TO 70 O 18
Montagut i Oix GI 24 F 37
Montalbán TE 49 J 27
Montalbán TO 57 M 16
Montalbán de Córdoba CO 93 T 15
Montalbanejo CU 60 M 22
Montalbo CU 59 M 21
Montalbos TE 49 J 28
Montalvos AB 72 O 23
Montamarta ZA 29 H 12
Montan L 23 F 34
Montán *Castelló* CS 62 L 28
Montánchez CC 67 O 11
Montanchuelos CR 70 P 19
Montanejos CS 62 L 28
Montanúy HU 22 E 32
Montaña Blanca *Lanzarote* GC 123 D 4
Montaña Clara (Isla de) *Lanzarote* GC 120 E 2
Montañana HU 22 F 32
Montañana Z 35 G 27
Montañas (Ermita de las) CA 92 V 13
Montañesa (Peña) HU 22 E 30
Montañeta (La) *Tenerife* TF 127 F 3
Montaos C 3 C 4
Montardo L 22 E 32
Montareño L 23 E 33
Montargull L 37 G 33
Montarrón GU 46 J 20
Montaverner V 74 P 28
Montaves SO 33 F 23
Montblanc T 37 H 33
Montblanquet L 37 H 33
Montbrió de la Marca T 37 H 33
Montbrió del Camp T 51 I 33
Montcada V 62 N 28
Montcada i Reixac B 38 H 36
Montclar B 23 F 35
Montclar d'Urgell L 37 G 33
Montcortès L 23 F 33
Monte C 3 B 5
Monte LU 4 B 7
Monte (El) AB 72 P 23
Monte (Ermita del) SE 80 S 12
Monte Aloya (Parque natural del) PO 12 F 3
Monte Alto CO 81 T 15
Monte Aragón (Cordillera de) AB 73 P 24
Monte Aragón (Monasterio de) HU 21 F 28
Monte Calderón GU 46 J 19
Monte de Luna *La Palma* TF 132 D 6
Monte de Meda LU 3 D 7
Monte Hueco GU 46 J 20
Monte la Reina ZA 30 H 13
Monte Lope Álvarez J 82 S 17
Monte Perdido (Paradorde) *Bielsa* HU 22 D 30
Monte Redondo GU 47 J 21
Monte Robledal M 59 L 20
Monteagú CR 82 Q 19
Monteagudo NA 34 G 24
Monteagudo MU 85 R 26
Monteagudo (Isla de) PO 12 F 3
Monteagudo de las Salinas CU 60 M 24
Monteagudo de las Vicarías SO 33 H 23
Monteagudo del Castillo TE 49 K 27
Montealegre VA 30 G 15
Montealegre del Castillo AB 73 P 26
Montearagón TO 57 M 16
Montecillo S 17 D 18
Monteclaro-La Cabaña M 45 K 18
Montecorto MA 92 V 14
Montecubeiro LU 4 C 8
Montederramo OR 14 F 7
Montefrío GR 94 U 17
Montehermoso CC 55 L 10
Monteixo L 23 E 34
Montejaque MA 92 V 14
Montejícar GR 94 T 19
Montejo SA 43 K 13
Montejo de Arévalo SG 45 I 16
Montejo de Bricia BU 17 D 18
Montejo de Cebas BU 18 D 20
Montejo de la Sierra M 46 I 19
Montejo de la Vega SG 32 H 19
Montejo de Tiermes SO 32 H 20
Montejos del Camino LE 15 E 12
Montellà L 23 E 35
Montellano BI 8 C 20
Montellano SE 92 V 13
Montemayor AB 73 P 23
Montemayor CO 81 T 15
Montemayor (Ermita de) H 90 U 9
Montemayor de Pililla VA 31 H 16
Montemayor del Río SA 43 K 12
Montemolín BA 79 R 11
Montenartró L 23 E 33
Montenebro M 46 J 19
Montenegro AL 95 U 21
Montenegro de Cameros SO 33 F 21
Montepalacio SE 92 U 13
Monterde Z 48 I 24
Monterde de Albarracín TE 48 K 25
Monteros (Los) TO 57 L 16
Monteros (Los) MA 100 W 15
Monterreal PO 12 F 3
Monterredondo OR 13 F 5
Monterrei OR 28 G 7
Monterrey TO 58 M 17
Monterroso LU 13 D 6
Monterrubio SG 45 J 16
Monterrubio ZA 15 F 10
Monterrubio de Armuña SA 43 I 13
Monterrubio de Demanda BU 18 F 20
Monterrubio de la Serena BA 68 Q 13
Monterrubio de la Sierra SA 43 J 12
Montes (Los) GR 94 T 18
Montes de Málaga (Parque natural de los) MA 93 V 16
Montes de Mora TO 70 N 17
Montes de San Benito H 78 S 8
Montes de Valdueza LE 15 E 10
Montes Universales (Reserva nacional de los) TE 48 K 24
Montesa V 74 P 28
Montesalgueiro C 3 C 5
Montesclaros TO 57 L 15
Montesinos (Los) A 85 R 27
Montesión (Santuari de) IB 105 N 39
Montesol A 74 P 28
Montesquiu B 24 F 36
Montesusín HU 35 G 28
Monteviejo (Puerto de) LE 16 D 15
Montferrer i Castellbò L 23 E 34
Montferri T 37 I 34
Montgai L 37 G 32
Montgarri L 23 D 33
Montgat B 38 H 36
Montgó GI 25 F 39
Montgó (El) A 75 P 30
Montiano BU 8 C 20
Montico (El) VA 30 H 15
Montiel CR 71 P 21
Montiel (Campo de) AB 71 P 21
Montiela (La) CO 93 T 15
Montijo BA 67 P 10
Montilla CO 93 T 16
Montillana GR 94 T 18
Montinier HU 22 E 30
Montitxelvo V 74 P 28
Montizón J 83 Q 20
Montjuïc B 38 H 36
Montllats (Els) CS 49 K 29
Montmagastre L 37 G 33
Montmajor B 23 F 35
Montmaneu B 37 H 34
Montmany B 38 G 36
Montmeló B 38 H 36
Montnegre B 38 G 37
Montnegre GI 25 G 38
Montnegre A 86 Q 28
Montnegre (Serra de) B 38 H 37
Montnoso BA 79 Q 11
Montoliu L 36 H 31
Montón Z 48 I 25
Montorio BU 18 E 18
Montornès B 38 H 36
Montornès de Segarra L 37 H 33
Montoro CO 81 R 16
Montoro (Embalse de) CR 70 Q 17
Montoro de Mezquita TE 49 J 28
Montortal V 74 O 28
Montoso CR 71 P 20
Montoto P 17 D 16
Montouto C 3 C 5
Montouto LU 4 B 7
Montoxo (San Román) C 3 B 6
Montoxo (San Xulián) C 3 B 6
Montpalau L 37 H 34
Montroi V 74 N 28
Montsant (Serra) T 36 I 32
Montsec d'Ares L 22 F 32
Montsec de Rúbies L 23 F 32
Montsent (Serra de) B 38 G 37
Montseny B 38 G 37
Montseny (Parc natural del) B 38 G 36
Montserrat V 74 N 28
Montserrat (Monestir) B 38 H 35
Montserrat (Serra de) B 38 H 35
Montsià (Serra del) T 50 K 31
Montuenga BU 18 F 18
Montuenga SG 45 I 16
Montuenga de Soria SO 33 I 23
Montuïri IB 104 N 38
Montuno CO 93 T 16
Monumenta ZA 29 H 11
Monzalbarba Z 35 G 27
Monzón HU 36 G 30
Monzón de Campos P 17 F 16
Moñux SO 33 H 22
Mor LU 4 B 7
Mora LE 15 D 12
Mora TO 58 M 18
Mora (La) T 51 I 34
Mora (Puerto de la) GR 94 U 19
Mora de Rubielos TE 61 L 27
Mora de Santa Quiteria AB 73 Q 25
Móra d'Ebre T 50 I 31
Móra la Nova T 50 I 31
Moradas TO 57 N 15
Moradillo BU 18 D 18
Moradillo de Roa BU 31 H 18
Moradillo del Castillo BU 17 D 18
Moragete V 73 O 26
Moraira A 75 P 30
Moral MU 84 R 23
Moral (El) MU 84 S 23
Moral de Calatrava CR 70 P 19
Moral de Hornuez SG 32 H 19
Moral de la Reina VA 30 G 14
Moral de Sayago ZA 29 H 11
Moral de Valcarce LE 14 E 9
Moraleda de Zafayona GR 94 U 18
Moraleja CC 55 L 9
Moraleja de Coca SG 45 I 16
Moraleja de Cuéllar SG 31 H 17
Moraleja de Enmedio M 58 L 18
Moraleja de las Panaderas VA 30 I 15
Moraleja de Matacabras AV 44 I 15
Moraleja de Sayago ZA 43 I 11
Moraleja del Vino ZA 29 H 13
Moralejo MU 84 S 23
Morales SO 32 H 21
Morales LE 15 E 11
Morales CR 82 Q 18
Morales (Los) GR 94 T 18
Morales (Rambla de) AL 103 V 23
Morales de Campos VA 30 G 14
Morales de Rey ZA 29 F 12
Morales de Toro ZA 30 H 14
Morales de Valverde ZA 29 G 12
Morales del Vino ZA 29 H 12
Moralico (El) J 83 Q 21
Moralina ZA 29 H 11
Moralita (La) SA 43 J 11
Moralzarzal M 45 J 18
Morancelle C 2 D 2
Moranchel GU 47 J 22
Morante H 78 T 9
Moraña PO 12 E 4
Morás LU 4 A 7
Morasverdes SA 43 K 11
Morata MU 97 T 25
Morata (Puerto de) Z 34 H 25
Morata de Jalón Z 34 H 25
Morata de Jiloca Z 34 I 25
Morata de Tajuña M 59 L 19
Moratalla MU 84 R 24
Moratalla CO 80 S 14
Moratilla de Henares GU 47 I 21
Moratilla de los Meleros GU 46 K 21
Moratillas (Las) V 73 N 27
Moratinos P 16 E 15
Moratones ZA 29 F 12
Morche (El) MA 101 V 18
Morcillo CC 55 L 10
Morcuera SO 32 H 20
Morcuera (Puerto de la) M 45 J 18
Moreda LU 13 D 6
Moreda GR 94 T 20
Moreda de Álava VI 19 E 22
Moreda de Aller O 5 C 12
Moredo (Pico de) L 23 D 33
Moreiras *cerca de Orense* OR 13 F 6
Moreiras *cerca de Xinzo de Limia* OR 13 F 6
Morell (El) T 37 I 33
Morella CS 50 K 29
Morella la Vella CS 49 K 29
Morellana CO 93 T 17
Morena BA 79 R 11
Morenilla GU 48 J 24
Morenos (Los) CO 80 R 13
Morente CO 81 S 16
Morentin NA 19 E 23
Morera (Ermita) V 74 P 27
Morera (La) BA 67 Q 10
Morera de Montsant (La) T 37 I 32
Moreruela (Monasterio de) ZA 29 G 12
Moreruela de los Infanzones ZA 29 H 12
Moreruela de Tábara ZA 29 G 12
Morés Z 34 H 25
Morga BI 9 C 21
Morgana (La) GR 102 V 20
Morgovejo LE 16 D 15
Moriles CO 93 T 16
Morilla HU 36 G 30
Morilla S 8 C 18
Morille SA 43 J 12
Morillejo GU 47 J 22
Morillo de Liena HU 22 E 31
Morillo de Monclús HU 22 E 30
Morillo de Tou HU 22 E 30
Moriñigo SA 44 J 13
Moriscote AB 72 Q 23
Morla LE 15 F 11
Moro GR 83 S 21
Moro (Coll del) T 50 I 31
Moro (El) CR 70 P 19
Moro (Rambla del) MU 85 R 25
Morón de Almazán SO 33 H 22
Morón de la Frontera SE 92 U 13
Moronta SA 43 J 10
Moropeche AB 84 Q 22
Moror L 22 F 32
Moros Z 34 H 24
Morquitián C 2 C 2
Morrablancar AB 73 P 25
Morrano HU 21 F 29
Morras (Las) CO 81 Q 15
Morrazo (Península de) PO 12 F 3
Morredero (Alto El) LE 15 E 10
Morredero (El) LE 15 E 10
Morriondo LE 15 E 12
Morro Jable *Fuerteventura* GC 112 C 5
Morrón AB 73 Q 24
Morrón AL 102 V 21
Morrón de los Genoveses AL 103 V 23
Morrón del Puerto MU 73 Q 26
Morrones (Los) CR 71 Q 20
Morrones (Los) GR 94 T 19
Mortera (La) O 5 C 10
Mos PO 12 F 4
Moscán LU 14 D 7
Moscardón TE 48 L 25
Moscari IB 104 M 38
Moscaril GR 101 V 18
Moscoso PO 12 F 4
Mosende LU 3 A 7
Mosende PO 12 F 4
Mosqueruela TE 49 K 28
Mosqueruela (Puerto de) TE 49 K 28
Mosquete C 12 E 3
Mosteiro OR 13 F 5
Mosteiro *Meis* PO 12 E 3
Mosteiro *Pol* LU 4 C 7
Móstoles M 58 L 18
Mota (Fortaleza de la) J 94 T 18
Mota (La) GI 25 F 38
Mota (La) CA 92 V 14
Mota de Altarejos CU 60 M 23
Mota del Cuervo CU 59 N 21
Mota del Marqués VA 30 H 14
Motilla del Palancar CU 60 N 24
Motilleja AB 72 O 24
Motos GU 48 K 25
Motril GR 101 V 19
Moucide LU 4 B 7
Mougás PO 12 F 3
Mourentán PO 13 F 5
Mourisca OR 14 F 8
Mouriscados PO 13 F 4
Mourulle LU 13 D 6
Mousende LU 4 B 8
Moutas O 5 B 11
Moveros ZA 29 H 11
Moya CU 61 M 25
Moya *Gran Canaria* GC 115 D 2
Moyas (Las) CR 71 O 20
Moyuela Z 49 I 27
Mozaga *Lanzarote* GC 123 D 4
Mózar de Valverde ZA 29 G 12
Mozárbez SA 43 J 13
Mozas (Monte de las) CU 72 O 23
Mozoncillo SG 45 I 17
Mozóndiga LE 15 E 12
Mozos de Cea LE 16 E 14
Mozota Z 34 H 26
Muchachos (Roque de los) *La Palma* TF 130 C 3
Mucientes VA 30 G 15
Mudá P 17 D 16
Mudapelos J 82 S 17
Mudela CR 70 Q 19
Muduex GU 46 J 21
Mudurra (La) VA 30 G 15
Muel Z 34 H 26
Muela AB 73 P 25
Muela MU 85 S 25
Muela CO 80 R 13
Muela BU 32 F 19
Muela *cerca de Cantavieja* TE 49 K 28
Muela *cerca de Manzanera* TE 61 L 27
Muela (La) Z 34 H 26
Muela (La) V 61 M 26
Muela (La) *cerca de Algodonales* CA 92 V 13
Muela (La) *cerca de Vejer* CA 99 X 12
Muela (Sierra de la) GU 47 I 21
Muela (Sierra de la) *cerca de Cartagena* MU 97 T 26
Muela de Cortes (Reserva nacional de la) V 73 O 27
Muelas de los Caballeros ZA 15 F 10
Muelas del Pan ZA 29 H 12
Mués NA 19 E 23
Muez NA 10 D 24
Muga BU 34 G 24
Muga (La) (Riu) GI 24 E 37
Muga de Alba ZA 29 G 11
Muga de Sayago ZA 29 H 11
Mugardos C 3 B 5
Mugares OR 13 F 6
Mugueimes OR 27 G 6
Muides O 4 B 9
Muimenta LU 4 C 7
Muimenta PO 13 D 5
Muíña LU 4 C 8
Muíños OR 27 G 6
Mujeres Muertas (Pozo de las) O 4 C 9
Mula MU 85 R 25
Mulato (Embalse del) *Gran Canaria* GC 116 C 3
Mulería (La) AL 96 U 24
Mulhacén GR 95 U 20
Mullidar AB 72 Q 24
Mulva (Castillo de) SE 80 S 12
Munárriz NA 10 D 24
Mundaka BI 9 B 21
Mundo (Nacimiento del Río) AB 84 Q 22
Munébrega Z 34 I 24
Munera AB 72 O 22
Munguía BI 9 B 21
Múnia (La) B 37 I 34
Munia (Mont la) HU 22 D 30
Muniáin de la Solana NA 19 E 23
Muniellos (Coto national de) O 4 C 9
Muniesa TE 49 I 27
Muniferral C 3 C 5
Munilla LO 19 F 23
Munitibar-Arbatzegui Gerrikaitz BI 10 C 22
Muntanyola B 38 G 36
Muntells (Els) T 50 K 32
Muña (La) J 82 S 18
Muñana AV 44 K 14
Muñas O 5 B 10
Muñecas SO 32 G 20
Muñecas (Las) BI 8 C 20
Múñez AV 44 K 15
Muñico AV 44 J 14
Muñique *Lanzarote* GC 123 D 3
Muñís LU 4 D 9
Muño O 6 B 13
Muñoces (Los) MU 85 S 26
Muñogalindo AV 44 K 15
Muñogrande AV 44 J 15
Muñomer del Peco AV 44 J 15
Muñopedro SG 45 J 16
Muñopepe AV 44 K 15
Muñosancho AV 44 J 14
Muñotello AV 44 K 14
Muñoveros SG 45 I 18
Muñoyerro AV 44 J 15
Muñoz SA 43 J 11
Mur (Castell de) L 22 F 32
Mura B 38 G 35
Muradelle LU 13 E 6
Muras LU 3 B 6

Murchante NA 20 F 25
Murchas GR 101 V 19
Murcia MU 85 S 26
Murciélagos (Cueva de los) CO 93 T 17
Murero Z 48 I 25
Mures J 94 T 18
Murguía VI 19 D 21
Murias LE 15 E 11
Murias ZA 14 F 10
Murias *cerca de Santibáñez* O 6 C 12
Murias de Paredes LE 15 D 11
Murias de Ponjos LE 15 D 11
Muriedas S 7 B 18
Muriel GU 46 J 20
Muriel de la Fuente SO 32 G 21
Muriel de Zapardiel VA 44 I 15
Muriel Viejo SO 32 G 21
Muriellos O 5 C 12
Murieta NA 19 E 23
Murillo Berroya NA 11 D 26
Murillo de Calahorra LO 19 E 24
Murillo de Gállego Z 21 E 27
Murillo de Río Leza LO 19 E 23
Murillo el Cuende NA 20 E 25
Murillo el Fruto NA 20 E 25
Murla A 74 Q 29
Muro IB 105 M 39
Muro de Ágreda SO 33 G 24
Muro de Aguas LO 19 F 23
Muro de Alcoy A 74 P 28
Muro en Cameros LO 19 F 22
Muros C 12 D 2
Muros de Nalón O 5 B 11
Muros y Noia (Ría de) PO 12 D 2
Murta (La) MU 85 S 26
Murtas GR 102 V 20
Murtas (Las) MU 84 R 24
Murtiga H 78 R 9
Muruarte de Reta NA 11 D 25
Murueta BI 9 B 21
Muruzábal NA 10 D 24
Muruzábal de Andión NA 20 E 24
Musel (El) O 6 B 12
Museros V 62 N 28
Musitu VI 19 D 22
Muskilda (Santuario de) NA 11 D 26
Mussara (La) T 37 I 33
Mussara (Serra de la) T 37 I 33
Mustio (El) H 78 S 8
Mutiloa SS 10 C 23
Mutiloagoiti / Mutilva Alta NA 11 D 25
Mutilva Alta / Mutiloagoiti NA 11 D 25
Mutriku SS 10 C 22
Mutxamel A 86 Q 28
Muxia C 2 C 2
Muyo (El) SG 32 I 20

## N

Na Macaret IB 106 L 42
Na Xamena IB 87 O 34
Nabarniz BI 10 C 22
Nacha HU 36 G 31
Nacimiento CO 93 T 16
Nacimiento AL 95 U 22
Nadela LU 4 D 7
Nafría de Ucero SO 32 G 20
Nafría la Llana SO 33 H 21
Naharros GU 46 J 21
Naharros CU 60 L 22
Najarra M 45 J 18
Nájera LO 19 E 21
Najurrieta NA 11 D 25
Nalda LO 19 E 22
Nalec L 37 H 33
Nambroca TO 58 M 18
Nambroca (Sierra de) TO 58 M 18
Nanclares *cerca de Ariñez* VI 19 D 21
Nanclares de Gamboa *cerca de Embalse de Ullíva* VI 19 D 22
Napal NA 11 D 26
Náquera V 62 N 28
Naraío C 3 B 5
Naranjal (Sierra del) BA 66 O 8
Naranjeros (Los) *Tenerife* TF 124 H 2
Naraval O 5 B 10
Narbarte NA 11 C 25
Narboneta CU 61 M 25
Nariga (Punta de) C 2 C 3
Narila GR 102 V 20
Nariz (Punta de la) *La Gomera* TF 118 B 3
Narla LU 3 C 6
Narón LU 13 D 6
Narón C 3 B 5
Narrillos del Álamo AV 44 K 13
Narrillos del Rebollar AV 44 K 15
Narros SO 33 G 23
Narros de Cuéllar SG 31 I 16
Narros de Matalayegua SA 43 J 12
Narros de Saldueña AV 44 J 15
Narros del Castillo AV 44 J 14
Narros del Puerto AV 44 K 15
Narvaja VI 19 D 22
Nati (Punta) IB 106 L 41
Natón C 2 C 3
Natxitua BI 9 B 22
Nau (Cap de la) A 75 P 30
Nava O 6 B 13
Nava (Estación de la) H 79 S 9
Nava (La) CR 82 Q 19
Nava (La) H 79 S 9
Nava (La) SE 80 R 13
Nava (La) BA 68 P 13
Nava (Laguna la) CR 70 O 18
Nava (Puerto de la) BA 68 P 14
Nava de Abajo AB 72 Q 24
Nava de Arévalo AV 44 J 15
Nava de Arriba AB 72 P 24
Nava de Béjar SA 43 K 12
Nava de Campana AB 84 Q 25
Nava de Francia SA 43 K 11
Nava de Jadraque (La) GU 46 I 20
Nava de la Asunción SG 45 I 16
Nava de los Caballeros LE 16 E 14
Nava de Mena BU 8 C 20
Nava de Pablo J 83 S 21
Nava de Ricomalillo (La) TO 57 N 15
Nava-de Roa BU 31 H 18
Nava de San Pedro J 83 S 21
Nava de Santiago (La) BA 67 O 10
Nava de Sotrobal SA 44 J 14
Nava del Barco AV 56 L 13
Nava del Rey VA 30 I 14
Nava el Zar J 82 Q 18
Navacarros SA 43 K 12
Navacepeda de Tormes AV 44 K 14
Navacepedilla de Corneja AV 44 K 14
Navacerrada M 45 J 17
Navacerrada CR 69 P 16
Navacerrada (Puerto de) M 45 J 17
Navachica MA 101 V 18
Navaconcejo CC 56 L 12
Navadijos AV 44 K 14
Navaescurial AV 44 K 14
Navafría SG 45 I 18
Navafría LE 16 E 13
Navafría (Puerto de) M 45 J 18
Navahermosa TO 57 N 16
Navahermosa MA 93 U 15
Navahermosa *cerca de Aracena* H 79 S 9
Navahermosa *cerca de Valdeverde del C.* H 91 T 9
Navaholguín SE 80 S 12
Navahombela SA 44 K 13
Navahondilla AV 45 L 16
Navajarra CR 69 O 16
Navajarra (Sierra de) CR 69 O 16
Navajas CS 62 M 28
Navajún LO 33 G 23
Naval HU 22 F 30
Navalacruz AV 44 K 15
Navalafuente M 46 J 18
Navalagamella M 45 K 17
Navalatienda CR 69 P 15
Navalavaca CR 71 Q 20
Navalcaballo SO 33 G 22
Navalcán TO 57 L 14
Navalcán (Embalse de) TO 57 L 14
Navalcarnero M 58 L 17
Navalcuervo CO 80 R 14
Navalengua AB 72 P 23
Navaleno SO 32 G 20
Navales SA 44 J 13
Navalguijo AV 56 L 13
Navalices CR 58 N 17
Navalilla SG 31 H 18
Navalmanzano SG 45 I 17
Navalmoral AV 44 K 15
Navalmoral (Puerto de) AV 44 K 15
Navalmoral de Béjar SA 43 K 12
Navalmoral de la Mata CC 56 M 13
Navalmoralejo TO 57 M 14
Navalmorales (Los) TO 57 M 16
Navalón CU 60 L 23
Navalón de Abajo V 73 P 27
Navalón de Arriba V 73 P 27
Navalonguilla AV 56 L 13
Navalosa AV 44 K 15
Navalperal de Pinares AV 45 K 16
Navalperal de Tormes AV 44 K 14
Navalpino CR 69 O 16
Navalpotro GU 47 J 22
Navalrincón CR 69 O 16
Navalsáuz AV 44 K 14
Navaltoril TO 57 N 15
Navalucillos (Los) TO 57 M 16
Navaluenga AV 44 K 15
Navalvillar SE 80 S 13
Navalvillar de Ibor CC 56 N 13
Navalvillar de Pela BA 68 O 13
Navamorales SA 44 K 13
Navamorcuende TO 57 L 15
Navamuel S 17 D 17
Navandrinal AV 44 K 15
Navapalos SO 32 H 20
Navaquesera AV 44 K 15
Navarcles B 38 G 35
Navardún Z 20 E 26
Navares MU 84 R 24
Navares de Ayuso SG 32 H 18
Navares de Enmedio SG 32 H 18
Navares de las Cuevas SG 32 H 18
Navaridas VI 19 E 22
Navarredonda M 46 J 18
Navarredonda SE 92 U 14
Navarredonda de Gredos AV 44 K 14
Navarredonda de la Rinconada SA 43 K 11
Navarredonda de Salvatierra SA 43 K 12
Navarredondilla AV 44 K 15
Navarrés V 74 O 27
Navarrete VI 19 E 22
Navarrete LO 19 E 22
Navarrete del Río TE 48 J 26
Navarrevisca AV 44 K 15
Navàs B 38 G 35
Navas (Embalse de las) HU 21 F 28
Navas (Las) TO 57 N 17
Navas (Las) CO 94 T 17
Navas (Las) SE 91 V 12
Navas de Buitrago M 46 J 19
Navas de Bureba BU 18 D 20
Navas de Estena CR 57 N 16
Navas de Jadraque GU 46 I 20
Navas de Jorquera AB 72 O 24
Navas de la Concepción (Las) SE 80 S 13
Navas de Oro SG 45 I 16
Navas de Riofrío SG 45 J 17
Navas de San Antonio SG 45 J 17
Navas de San Juan J 83 R 20
Navas de Selpillar CO 93 T 16
Navas de Tolosa (Las) J 82 R 19
Navas del Madroño CC 55 N 10
Navas del Marqués (Las) AV 45 K 17
Navas del Pinar BU 32 G 20
Navas del Rey M 45 K 17
Navasa HU 21 E 28
Navascués NA 11 D 26
Navasfrías SA 42 L 9
Navata GI 25 F 38
Navata (La) M 45 K 17
Navatalgordo AV 44 K 15
Navatejares AV 44 L 14
Navatrasierra CC 56 N 14
Navazos (Los) CR 71 P 21
Navazuelo CO 93 T 16
Navazuelo (El) GR 94 T 19
Návea OR 14 F 7
Navelgas O 5 B 10
Navelonga (Ermita de) CC 55 L 9
Naveros CA 99 W 12
Navès L 37 G 34
Naveta des Tudons IB 106 M 41
Navezuelas *cerca de Mirabel* CC 56 M 11
Navezuelas *cerca de Roturas* CC 56 N 13
Navia O 4 B 9
Navia (Río) ESP 4 C 9
Navia (Valle del) O 4 C 9
Navia de Suarna LU 4 D 8
Navianos de Alba ZA 29 G 12
Navianos de Valverde ZA 29 G 12
Navilla BA 68 P 11
Navillas (Las) TO 57 N 16
Naya (La) H 79 S 10
Nazar NA 19 E 23
Nazaret V 62 N 29
Nazaret (Ermita de) J 83 Q 20
Neblines SE 92 T 13
Nebra C 12 D 3
Nebreda BU 32 G 19
Nechite GR 95 U 20
Neda C 3 B 5
Neda (Cordal de) LU 4 B 7
Negra (Punta) MU 97 T 27
Negra (Punta) GR 102 V 20
Negra (Punta) *Tenerife* TF 126 B 3
Negra (Punta) *Tenerife* TF 128 C 5
Negra (Punta) *Tenerife* TF 128 E 5
Negradas LU 3 A 6
Negrales- Los Llanos (Los) M 45 K 17
Negras (Las) AL 103 V 23
Negredo GU 46 I 21
Negredo (El) SG 32 I 20
Negreira C 2 D 3
Negrete (Cabo) MU 97 T 27
Negrilla de Palencia SA 44 I 13
Negrón V 61 L 25
Negrón (Túnel de) LE 15 D 12
Negueira de Muñiz LU 4 C 9
Neguillas SO 33 H 22
Neila BU 32 F 21
Neila de San Miguel AV 43 K 13
Neira LU 4 D 8
Neiro LU 4 C 8
Nela BU 18 D 19
Nembro O 5 B 12
Nemeño C 2 C 3
Nemiña C 2 C 2
Nepas SO 33 H 22
Nerín HU 22 E 30
Nerja MA 101 V 18
Nerja (Cueva de) MA 101 V 18
Nerpio AB 84 R 23
Nerva H 79 S 10
Nespereira LU 13 D 6
Nestar P 17 D 17
Nestares LO 19 F 22
Neulos (Pic) GI 25 E 38
Neves (As) PO 13 F 4
Neves (As) C 3 B 6
Nicho (Ermita del) J 83 S 20
Niebla H 91 T 9
Niefla (Puerto de) CR 69 Q 16
Nietos (Los) MU 85 T 27
Nieva SG 45 I 16
Nieva de Cameros LO 19 F 21
Nieve (Pozo de la) AL 95 U 22
Nieves C 3 B 5
Nieves CU 60 L 24
Nieves (Ermita de las) *Lanzarote* GC 123 E 3
Nieves (Las) TO 58 M 18
Nieves (Las) SE 79 T 11
Nieves (Pozo de las) *Gran Canaria* GC 117 E 3
Nigoi PO 13 E 4
Nigrán PO 12 F 3
Nigüelas GR 101 V 19
Nigüella Z 34 H 25
Niharra AV 44 K 15
Níjar AL 103 V 23
Níjar (Campo de) AL 103 V 23
Niñas (Las) CO 81 S 15
Niño (El) MU 85 R 25
Niñodaguia OR 13 F 7
Niñons C 2 C 3
Nistal LE 15 E 11
Niveiro C 2 C 4
Noáin NA 11 D 25
Noalejo J 94 T 19
Noalla PO 12 E 3
Noarre L 23 D 33
Nobeda CU 60 L 23
Noblejas TO 59 M 19
Noceco *cerca de Espinosa de los M.* BU 8 C 19
Noceda LU 14 D 8
Noceda *cerca de Castrillo de Cabrera* LE 15 E 10
Noceda del Bierzo *cerca de Toreno* LE 15 D 10
Nocedo *cerca de Sedano* BU 18 D 18
Nocedo de Curueño LE 16 D 13
Nocedo do Val OR 28 F 7
Noche LU 3 C 6
Nocito HU 21 F 29
Nódalo SO 33 G 21
Nodar LU 3 C 6
Noez TO 58 M 17
Nofuentes BU 18 D 19
Nogais (As) LU 14 D 8
Nogal de las Huertas P 17 E 16
Nogales MA 100 V 16
Nogales BA 67 Q 9
Nogales P 17 D 17
Nogales (Embalse de) BA 67 Q 9
Nogales (Los) TO 57 L 16
Nogalte (Rambla de) MU 96 T 24
Nogar LE 15 F 10
Nogarejas LE 15 F 11
Nograles SO 32 H 21
Nograro VI 18 D 20
Nogueira LU 13 E 6
Nogueira OR 13 E 5
Nogueira PO 12 E 3
Noguera TE 48 K 25
Noguera de Tort (La) (Riu) L 22 E 32
Noguera Pallaresa (Vall de la) L 23 E 33
Noguera Ribagorçana (Vall del) HU 22 E 32
Nogueras TE 48 I 26
Nogueras (Las) V 61 N 26
Noguero HU 22 F 31
Noguerones (Los) J 82 T 17
Nogueruela (La) CU 61 L 25
Nogueruelas TE 62 L 28
Nohalos TO 58 M 17
Noharre AV 44 J 15
Noia C 12 D 3
Noicela C 2 C 4
Nois LU 4 B 8
Noja S 8 B 19
Nolay SO 33 H 22
Nombela TO 57 L 16
Nombrevilla Z 48 I 25
Nomparedes SO 33 H 23
Nonaspe Z 36 I 30
Nora BA 78 R 9
Nora (La) LE 15 F 12
Noreña O 5 B 12
Norfeu (Cap de) GI 25 F 39
Norias (Las) CR 70 Q 19
Norias (Las) *cerca de Huércal Overa* AL 96 T 24
Norias de Daza (Las) *cerca de Almerimar* AL 102 V 21
Noriega O 7 B 16
Norís L 23 E 34
Norte (Punta) *El Hierro* TF 109 D 1
Nostra Senyora de Bellmunt B 24 F 36
Nostra Senyora de la Misericordia B 38 H 37
Nostra Senyora de la Salut GI 24 F 37
Nostra Senyora de Lluc (Monestir de) IB 104 M 38
Nostra Senyora de Queralt B 24 E 35
Nostra Senyora del Far GI 24 F 37
Nostra Senyora del Mont GI 24 F 38
Nostra Senyora dels Àngels GI 25 G 38
Notáez GR 102 V 20
Nou (La) B 24 F 35
Nou de Gaià (La) T 37 I 34
Novales HU 21 F 29
Novales S 7 B 17
Novaliches CS 62 M 28
Novallas Z 34 G 24
Novelda A 85 Q 27
Novelda del Guadiana BA 67 P 9
Novellaco Z 20 E 26
Novellana O 5 B 11
Novés HU 21 E 28
Novés TO 58 L 17
Noves de Segre L 23 F 34
Noviales SO 32 H 20
Noviercas SO 33 G 23
Novillas Z 34 G 25
Novo Sancti Petri CA 98 W 11
Nuarbe SS 10 C 23
Nubledo O 5 B 12
Nublo (Roque) *Gran Canaria* GC 116 D 3
Nucia (La) A 74 Q 29
Nueno HU 21 F 28
Nueros TE 48 J 26
Nuestra Santa Fátima (Ermita de) BA 80 Q 13
Nuestra Señora de Alarcos CR 70 P 17
Nuestra Señora de Altagracia (Ermita de) BA 69 P 14
Nuestra Señora de Angosto VI 18 D 20
Nuestra Señora de Araceli CO 93 T 16
Nuestra Señora de Aranz (Ermita de) GU 47 J 22
Nuestra Señora de Arnotegui NA 10 D 24
Nuestra Señora de Bella H 90 U 8
Nuestra Señora de Chilla (Santuario de) AV 56 L 14
Nuestra Señora de Codés NA 19 E 22
Nuestra Señora de Cortés (Santuario) AB 72 P 22
Nuestra Señora de Escardiel (Ermita) SE 79 S 11
Nuestra Señora de Fuensanta MA 100 W 15
Nuestra Señora de Gadór AL 102 V 21
Nuestra Señora de Garón (Ermita de) P 31 G 17
Nuestra Señora de Gracia BA 78 R 9
Nuestra Señora de Gràcia (Ermita de) CS 62 M 29
Nuestra Señora de Guadalupe SS 10 B 24
Nuestra Señora de Guadalupe (Ermita de) *La Gomera* TF 119 E 2
Nuestra Señora de Hontanares (Ermita de) SG 32 I 19
Nuestra Señora de la Antigua (Ermita de) BA 68 P 12
Nuestra Señora de la Antigua (Santuario de) CR 71 P 20
Nuestra Señora de la Anunciada VA 30 G 14
Nuestra Señora de la Bienvenida GU 47 K 22
Nuestra Señora de la Cabeza GU 48 J 24
Nuestra Señora de la Carrasca (Ermita) TE 48 J 25
Nuestra Señora de la Consolación SE 92 U 12
Nuestra Señora de la Esperanza MU 84 R 24
Nuestra Señora de la Estrella J 82 R 19
Nuestra Señora de la Fuensanta CO 81 S 15
Nuestra Señora de la Fuensanta J 83 R 21
Nuestra Señora de la Hoz GU 47 J 23
Nuestra Señora de la Luz (Ermita de) CC 55 N 10
Nuestra Señora de la Luz (Santuario de) CA 99 X 13
Nuestra Señora de la Misericordia (Santuario de) Z 34 G 25
Nuestra Señora de la Peña (Ermita de) CC 55 L 9
Nuestra Señora de la Peña (Ermita de) *Fuerteventura* GC 110 F 3
Nuestra Señora de la Rosa (Ermita de) TE 49 J 27

Nuestra Señora de la Sierra (Ermita de) CO 93 T 16
Nuestra Señora de la Soledad H 90 U 9
Nuestra Señora de las Nieves BU 8 C 19
Nuestra Señora de las Nieves CR 70 P 19
Nuestra Señora de las Viñas BU 18 F 19
Nuestra Señora de Lebeña S 7 C 16
Nuestra Señora de Linares CO 81 S 15
Nuestra Señora de los Ángeles H 79 S 9
Nuestra Señora de los Desamparados CU 47 K 21
Nuestra Señora de los Hilos (Ermita de) CC 55 M 9
Nuestra Señora de los Reyes (Ermita) El Hierro TF 108 B 3
Nuestra Señora de Melque TO 57 M 16
Nuestra Señora de Monlora (Santuario de) Z 21 F 27
Nuestra Señora de Oca BU 18 E 20
Nuestra Señora de Piedras Albas H 90 T 8
Nuestra Señora de Pineta HU 22 D 30
Nuestra Señora de Regla CA 91 V 10
Nuestra Señora de Setefilla SE 80 S 13
Nuestra Señora de Valvanera (Monasterio) LO 18 F 21
Nuestra Señora de Vico (Monasterio de) LO 19 F 23
Nuestra Señora de Zuqueca CR 70 P 18
Nuestra Señora del Campo (Ermita de) TE 48 J 26
Nuestra Señora del Campo (Ermita de) CC 55 N 9
Nuestra Señora del Castillo BU 17 E 18
Nuestra Señora del Castillo (Ermita de) SA 43 I 11
Nuestra Señora del Llano AB 72 O 23
Nuestra Señora del Oro VI 19 D 21
Nuestra Señora del Pasico (Ermita) MU 85 S 27
Nuestra Señora del Prado (Ermita de) H 79 S 10
Nuestra Señora del Puerto H 79 S 11
Nuestra Señora del Puerto (Ermita de) CC 56 L 11
Nuestra Señora del Pueyo Z 35 I 27
Nuestra Señora del Remedio (Ermita de) V 61 N 26
Nuestra Señora del Remedio (Santuario) V 61 M 27
Nuestra Señora del Tremedal (Ermita de) TE 48 K 25
Nuestra Señora del Yugo NA 20 F 25
Nuestra Señora dels Àngels (Ermita de) CS 50 K 30
Nueva O 6 B 15
Nueva (La) O 6 C 12
Nueva Andalucía MA 100 W 15
Nueva Carteya CO 93 T 16
Nueva Jarilla CA 91 V 11
Nueva Villa de las Torres VA 30 I 14
Nuévalos Z 48 I 24
Nuevo Baztán M 46 K 20
Nuevo Chinchón M 59 L 19
Nuevo Guadiaro CA 99 X 14
Nuevo Rocío SE 91 U 11
Nuevo Toboso M 46 K 18
Nuevos J 83 Q 21
Nuez ZA 29 G 10
Nuez de Abajo (La) BU 17 E 18
Nuez de Arriba (La) BU 17 E 18
Nuez de Ebro Z 35 H 27
Nules CS 62 M 29
Nullán LU 14 D 8
Nulles T 37 I 33
Numancia SO 33 G 22
Numancia de la Sagra TO 58 L 18
Nuño Gómez TO 57 L 16
Nuñomoral CC 43 K 11
Núria GI 24 E 36
Ñora (La) MU 85 S 26

## O

O Burgo C 3 C 4
Oba BI 9 C 21
Obando BA 68 O 13
Obanos NA 10 D 24
Obejo CO 81 R 15
Obispo (Torre del) J 82 R 19
Obispo Hernandez V 61 M 26
Oblea SA 43 J 11
Obón TE 49 J 27
Obona O 5 B 10
Obra C 13 D 4
Obregón S 7 B 18
Oca BU 18 E 19
Oca (Montes de) BU 18 E 19
Ocaña TO 58 M 19
Ocaña AL 95 U 21
Oceja de Valdellorma LE 16 D 14
Ocejo de la Peña LE 16 D 14
Ocejón GU 46 I 20
Ocentejo GU 47 J 22
Ocero LE 14 D 10
Ochagavía NA 11 D 26
Ochando SG 45 I 16
Ochavillo del Río CO 80 S 14
Ochíchar GR 94 U 18
Ocio VI 19 E 21
Oco NA 19 E 23
Oco AV 44 K 15
Ocón LO 19 F 23
Odèn L 23 F 34
Odena B 37 H 34
Oderitz NA 10 D 24
Odiel (Embalse de) H 79 S 10
Odollo LE 15 E 10
Odón TE 48 J 25
Odres (Los) MU 84 R 23
Oencia LE 14 E 9
Ogassa GI 24 F 36
Ogern L 23 F 34
Ogíjares GR 94 U 19
Oguina VI 19 D 22
Ohanes AL 95 U 21
Oia PO 12 F 3
Oiartzun SS 10 C 24
Oibar / Aibar NA 20 E 25
Oieregi NA 11 C 25
Oimbra OR 28 G 7
Oíns C 3 D 5
Oirán LU 4 B 7
Oirás LU 4 B 7
Ois C 3 C 5
Oitura Z 34 G 26
Oitz NA 11 C 24
Oix GI 24 F 37
Ojacastro LO 18 E 20
Ojebar S 8 C 19
Ojedo S 7 C 16
Ojén MA 100 W 15
Ojén (Puerto de) CA 99 X 13
Ojén (Puerto de) MA 100 W 15
Ojo Guareña BU 8 C 19
Ojós MU 85 R 25
Ojos-Albos AV 45 J 16
Ojos de Garza GC 117 G 3
Ojos Negros TE 48 J 25
Ojuel SO 33 G 23
Ojuelos CO 80 R 13
Ojuelos (Los) SE 92 U 14
Okondo BI 8 C 20
Ola HU 21 F 29
Olaberri NA 11 D 25
Olaberria SS 10 C 23
Olaeta VI 10 C 22
Olague NA 11 D 25
Oláiz NA 11 D 25
Olalla TE 48 J 26
Olas (Punta de las) C 2 C 4
Olatz SS 10 C 22
Olave NA 11 D 25
Olaz (Puerto) NA 20 E 25
Olazagutia / Olazti NA 19 D 23
Olazti / Olazagutia NA 19 D 23
Olba TE 62 L 28
Olcoz NA 20 E 24
Olea S 17 D 17
Olea de Boedo P 17 E 16
Oleiros LU 3 C 7
Oleiros *cerca de Ribeira* C 12 E 2
Oleiros *cerca de Sada* C 3 B 5
Olejua NA 19 E 23
Olelas OR 27 G 5
Olèrdola B 37 I 35
Olesa de Bonesvalls B 38 H 35
Olesa de Montserrat B 38 H 35
Oliana L 23 F 33
Oliana (Pantà d') L 23 F 34
Olías MA 100 V 17
Olías del Rey TO 58 M 18
Oliete TE 49 J 27
Oliola L 37 G 33
Olite NA 20 E 25
Olius L 23 F 34
Oliva V 74 P 29
Oliva (Ermita de la) CA 99 X 12
Oliva (La) *Fuerteventura* GC 111 H 2
Oliva (Monasterio de la) NA 20 E 25
Oliva de la Frontera BA 78 R 9
Oliva de Mérida BA 67 P 11
Oliva de Plasencia CC 56 L 11
Oliván HU 21 E 29
Olivar (Convento del) TE 49 J 28
Olivar (El) LO 19 E 23
Olivar (El) GU 47 K 21
Olivares SE 91 T 11
Olivares (Los) GR 94 T 18
Olivares de Duero VA 31 H 16
Olivares de Júcar CU 60 M 22
Oliveira PO 12 F 4
Olivella B 38 I 35
Olivenza BA 66 P 8
Olives PO 13 D 4
Olivillo (El) CA 91 V 11
Olivos NA 20 F 24
Olla (L') A 74 Q 29
Ollauri LO 19 E 21
Olleria (L') V 74 P 28
Olleros LE 16 D 14
Olleros (Ullíbarri de los) VI 19 D 22
Olleros de Alba LE 15 D 12
Olleros de Paredes Rubias P 17 D 17
Olleros de Pisuerga P 17 D 17
Olleros de Tera ZA 29 G 11
Olleta NA 20 E 25
Ollo NA 10 D 24
Olloniego O 5 C 12
Olmeda (La) SO 32 H 20
Olmeda (La) CU 61 M 26
Olmeda de Cobeta GU 47 J 23
Olmeda de Eliz CU 60 L 22
Olmeda de Jadraque (La) GU 47 I 21
Olmeda de la Cuesta CU 60 L 22
Olmeda de las Fuentes M 46 K 20
Olmeda del Extremo GU 47 J 21
Olmeda del Rey CU 60 M 23
Olmedilla de Alarcón CU 60 N 23
Olmedilla del Campo CU 59 L 21
Olmedillas GU 47 I 22
Olmedillas (Las) V 61 M 26
Olmedillo de Roa BU 31 G 18
Olmedo VA 31 I 15
Olmedo de Camaces SA 42 J 10
Olmillos SO 32 H 20
Olmillos de Castro ZA 29 G 12
Olmillos de Muñó BU 17 F 18
Olmillos de Sasamón BU 17 E 17
Olmillos de Valverde ZA 29 G 12
Olmo (El) SG 32 I 19
Olmo de la Guareña ZA 44 I 14
Olmos (Los) TE 49 J 28
Olmos de Esgueva VA 31 G 16
Olmos de la Picaza BU 17 E 18
Olmos de Ojeda P 17 D 16
Olmos de Peñafiel VA 31 H 17
Olmos de Pisuerga P 17 E 17
Olocau V 62 M 28
Olocau (Barranco de) V 62 N 28
Olocau del Rey CS 49 K 28
Olombrada SG 31 H 17
Olóriz NA 20 E 25
Olost B 38 G 36
Olot GI 24 F 37
Olp L 23 E 33
Olsón HU 22 F 30
Oluges (Les) L 37 G 33
Olula de Castro AL 95 U 22
Olula del Río AL 96 T 23
Olvan B 24 F 35
Olveda LU 13 D 6
Ólvega SO 33 G 24
Olveira C 12 E 2
Olveiroa C 2 D 2
Olvena HU 22 F 30
Olvera CA 92 V 14
Olvés Z 34 I 25
Olza NA 10 D 24
Olzinelles B 38 H 37
Omañas (Embalse de) LE 15 D 12
Omañas (Las) LE 15 D 12
Omañón LE 15 D 11
Ombreiro LU 3 C 7
Omellons (Els) L 37 H 32
Omells de Na Gaia (Els) L 37 H 33
Omeñaca SO 33 G 23
Onamio LE 15 E 10
Oncala SO 33 G 23
Oncala (Puerto de) SO 33 G 23
Oncebreros AB 73 P 25
Onceta (Isla de) PO 12 E 3
Onda CS 62 M 29
Ondara A 74 P 30
Ondarroa BI 10 C 22
Ondes O 5 C 11
Ongoz NA 11 D 26
Onil A 74 Q 27
Onón O 5 C 10
Ons PO 12 E 3
Ons (Isla de) PO 12 E 3
Onsares J 83 Q 22
Ontalafia (Laguna de) AB 72 P 24
Ontalafia (Sierra de) AB 72 P 24
Ontalvilla de Almazan SO 33 H 22
Ontaneda S 7 C 18
Ontano (El) TO 70 O 18
Ontígola TO 58 L 19
Ontinar del Salz Z 35 G 27
Ontinyent V 74 P 28
Ontiñena HU 36 G 30
Onton S 8 B 20
Ontur AB 73 Q 25
Onza SE 80 R 13
Onzonilla LE 16 E 13
Oña BU 18 D 19
Oña (Sierra de) BU 18 D 19
Oñati SS 10 C 22
Opacua VI 19 D 22
Opacua (Puerto de) VI 19 D 23
Oqueales GR 95 T 20
Oquillas BU 32 G 18
Orallo LE 15 D 10
Oraque H 90 T 9
Orba A 74 P 29
Orbada (La) SA 44 I 13
Orbaitzeta NA 11 D 26
Orbaneja del Castillo BU 18 D 18
Orbaneja-Riópico BU 18 E 19
Orbara NA 11 D 26
Órbigo CL 15 F 12
Orbiso VI 19 D 23
Orbita AV 45 I 16
Orcajo Z 48 I 25
Orcau L 23 F 32
Orce GR 83 S 22
Orcera J 83 R 22
Orchilla (Punta de) *El Hierro* TF 108 B 3
Ordal B 38 H 35
Ordaliego O 6 C 13
Ordejón de Arriba BU 17 E 17
Orden (Pozo de la) J 82 S 17
Ordes C 3 C 4
Ordes (Les) T 37 H 34
Ordesa (Valle de) HU 21 E 29
Ordesa y Monte Perdido (Parque nacional de) HU 22 D 29
Ordial (El) GU 46 I 20
Ordis GI 25 F 38
Ordizia SS 10 C 23
Ordoeste C 2 D 3
Ordunte (Embalse de) BU 8 C 20
Ordunte (Montes de) BU 8 C 19
Orduña BI 18 D 20
Orduña (Monte) GR 94 U 19
Orduña (Puerto de) BU 18 D 20
Orea GU 48 K 24
Oreja TO 58 L 19
Orejana SG 46 I 18
Orejanilla SG 45 I 18
Orellan LE 14 E 9
Orellana (Embalse de) BA 68 P 13
Orellana de la Sierra BA 68 O 13
Orellana la Vieja BA 68 O 13
Oreña S 7 B 17
Orera Z 34 I 25
Orés Z 20 F 27
Orexa SS 10 C 24
Orfes GI 25 F 38
Órganos (Los) *La Gomera* TF 118 B 1
Organos de Montoro TE 49 J 28
Organyà L 23 F 33
Orgaz TO 58 N 18
Orgiva GR 102 V 19
Oria AL 96 T 23
Oria (Rambla de) AL 96 T 22
Oria (Sierra de) AL 96 T 23
Oricáin NA 11 D 25
Orient IB 104 M 38
Orihuela A 85 R 27
Orihuela del Tremedal TE 48 K 25
Orillares SO 32 G 20
Orille OR 13 F 6
Orillena HU 35 G 29
Oriñón S 8 B 20
Orio SS 10 C 23
Orís B 24 F 36
Orísoain NA 20 E 25
Orístà B 38 G 36
Orito A 86 Q 27
Orjal C 3 D 5
Orlé O 6 C 14
Ormaiztegi SS 10 C 23
Ormijana VI 18 D 21
Orna de Gállego HU 21 E 28
Oro SS 4 C 9
Oro (El) V 73 O 27
Oro (Sierra del) BA 68 Q 13
Oroel HU 21 E 28
Oroel (Puerto de) HU 21 E 28
Orokieta-Erbiti NA 10 C 24
Orón BU 18 D 21
Oronoz-Mugairi NA 11 C 25
Oronz NA 11 D 26
Oropesa TO 57 M 14
Oropesa del Mar / Orpesa CS 62 L 30
Ororbia NA 10 D 24
Oros HU 21 E 29
Orosa LU 13 D 6
Oroso OR 13 E 5
Orotava (La) *Tenerife* TF 127 F 3
Oroz-Betelu NA 11 D 26
Orozketa BI 9 C 21
Orpesa / Oropesa del Mar CS 62 L 30
Orpí B 37 H 34
Orreaga / Roncesvalles NA 11 C 26
Orriols GI 25 F 38
Orrios TE 49 K 27
Òrrius B 38 H 37
Ortedó L 23 E 34
Ortegal (Cabo) C 3 A 6
Ortegas (Los) CO 80 S 14
Ortegicar MA 100 V 15
Ortiga BA 68 P 12
Ortigosa AB 71 P 21
Ortigosa LO 19 F 21
Ortigosa de Pestaño SG 45 I 16
Ortigosa de Rioalmar AV 44 J 14
Ortigosa del Monte SG 45 J 17
Ortigueira C 3 A 6
Ortiguera O 4 B 9
Ortilla HU 21 F 28
Ortuella BI 8 C 20
Orús HU 21 E 29
Orusco de Tajuña M 59 L 20
Orxa (L') A 74 P 29
Orxeta A 74 Q 29
Orzanzurieta NA 11 C 26
Orzola *Lanzarote* GC 121 F 2
Orzonaga LE 16 D 13
Os de Balaguer L 36 G 32
Os de Civís L 23 E 34
Osa de la Vega CU 59 N 21
Osácar NA 10 D 24
Oscuro GR 94 T 19
Oseja Z 34 H 24
Oseja de Sajambre LE 6 C 14
Oselle LU 14 D 8
Osera Z 35 H 28
Oset V 61 M 27
Osia HU 21 E 27
Osinaga NA 10 D 24
Osma VI 18 D 20
Oso (El) AV 44 J 15
Osona SO 33 H 21
Osonilla SO 33 H 21
Osor GI 24 G 37
Osornillo P 17 E 17
Osorno la Mayor P 17 E 16
Ossa de Montiel AB 71 P 21
Ossero (El) AB 71 P 21
Osso HU 36 G 30
Ossó de Sió L 37 G 33
Ostiz NA 11 D 25
Osuna SE 92 U 14
Otano NA 11 D 25
Otañes S 8 C 20
Otazu VI 19 D 22
Oteiza NA 19 E 24
Oteo BU 18 C 20
Oter GU 47 J 22
Oterico LE 15 D 12
Otero LE 15 E 11
Otero LU 4 C 7
Otero TO 57 L 16
Otero (El) VA 31 H 16
Otero de Bodas ZA 29 G 11
Otero de Guardo P 16 D 15
Otero de Herreros SG 45 J 17
Otero de las Dueñas LE 15 D 12
Otero de Naragantes LE 15 D 10
Otero de Sanabria ZA 29 F 10
Otero de Sariegos ZA 30 G 13
Oteros (Los) CU 60 L 24
Oteruelo del Valle M 45 J 18
Oteruelos SO 33 G 22
Otilla GU 48 J 24
Otiñano NA 19 E 23
Otita Leitzaran SS 10 C 24
Otívar GR 101 V 18
Oto HU 21 E 29
Oto Goien VI 19 D 21
Otones de Benjumez SG 45 I 17
Otos MU 84 R 23
Otos V 74 P 28
Otur O 5 B 10
Otura GR 94 U 19
Oturia HU 21 E 29
Otxandio BI 10 C 22
Otxaran BI 8 C 20
Otxondo (Puerto de) NA 11 C 25
Oubiña PO 12 E 3
Oulego OR 14 E 9
Oural LU 14 D 7
Ourense OR 13 E 6
Ouría O 4 B 8
Ouro LU 4 B 7
Ourol LU 3 B 7
Outara LU 14 E 7
Outeiro LU 14 E 8
Outeiro OR 13 E 6
Outeiro de Augas (Puerto de) OR 13 F 5
Outeiro de Rei LU 3 C 7
Outes C 12 D 3
Outomuro OR 13 F 5
Ouviaño LU 4 C 9
Ouzande PO 13 D 4
Ovanes O 5 B 11
Ove LU 4 B 8
Oviedo O 5 B 12
Oville LE 16 D 13
Oyón VI 19 E 22
Oza *cerca de Carballo* C 2 C 3
Oza *cerca de Teo* C 12 D 4
Oza dos Ríos C 3 C 5
Ozaeta VI 19 D 22
Ozón C 2 C 2
Ozuela LE 14 E 10

## P

Paca (La) MU 84 S 24
Pachecas (Las) CR 71 O 20
Pacios *cerca de Baamonde* LU 3 C 6
Pacios *cerca de Castro de Rei* LU 4 C 7
Pacios *Paradella* LU 14 D 7
Pacs del Penedès B 37 H 35
Padastro MA 93 V 14
Paderne C 3 C 5
Paderne de Allariz OR 13 F 6
Padiernos AV 44 K 15
Padilla de Abajo BU 17 E 17
Padilla de Arriba BU 17 E 17
Padilla de Duero VA 31 H 17
Padilla de Hita GU 46 J 21
Padilla del Ducado GU 47 J 22
Padornelo ZA 28 F 9
Padrastro AB 72 Q 23
Padre Caro H 79 S 10

Padrenda OR 13 F5
Padrón C 12 D4
Padrón (O) LU 4 C8
Padrona (Puerto) SE 79 S11
Padrones de Bureba BU 18 D19
Padróns PO 12 F4
Padul GR 94 U19
Padules AL 102 V21
Pagán (Lo) MU 85 S27
Paganes (Los) MU 85 S26
Páganos VI 19 E22
Pago del Humo CA 98 W11
Pagoaga SS 10 C24
Pagoeta SS 10 C23
Paja (La) GR 83 S21
Pajanosas (Las) SE 91 T11
Pajar de Marta AB 71 P22
Pájara Fuerteventura GC 113 F3
Pajarejos SG 32 H19
Pajares VA 30 F14
Pajares O 5 C12
Pajares CU 60 L23
Pajares GU 47 J21
Pajares (Los) SE 80 T12
Pajares (Puerto de) LE 5 D12
Pajares de Adaja AV 45 J16
Pajares de Fresno SG 32 H19
Pajares de Hinojosos de Abajo TO 57 M14
Pajares de la Laguna SA 44 I13
Pajares de la Lampreana ZA 29 G12
Pajares de los Oteros LE 16 F13
Pajarete CA 99 W12
Pajarón CU 60 M24
Pajaroncillo CU 60 M24
Pajonales (Morro) Gran Canaria GC 116 D3
Pal (Collado de) B 24 F35
Palacio de Jamuz LE 15 F11
Palacio de las Cabezas CC 56 M12
Palacio de Torío LE 16 D13
Palacio de Valdellorma LE 16 D14
Palacio Quemado BA 67 P11
Palacios (Los) CR 71 P20
Palacios de Benaver BU 17 E18
Palacios de Campos VA 30 G15
Palacios de Goda AV 44 I15
Palacios de la Sierra BU 32 G20
Palacios de la Valduerna LE 15 E12
Palacios de Riopisuerga BU 17 E17
Palacios de Salvatierra SA 43 K12
Palacios de Sanabria ZA 29 F10
Palacios del Alcor P 17 F16
Palacios del Arzobispo SA 43 I12
Palacios del Pan ZA 29 H12
Palacios del Sil LE 15 D10
Palacios Rubios AV 44 I15
Palacios y Villafranca (Los) SE 91 U12
Palaciosrubios SA 44 I14
Palafolls B 39 G38
Palafrugell GI 25 G39
Palamós GI 25 G39
Palancar CC 55 M10
Palancares GU 46 I20
Palancares (Estación de) CU 60 M24
Palancas CR 71 O19
Palanques CS 49 J29
Palas (Las) MU 85 T26
Palas de Rei LU 13 D6
Palau d'Anglesola (El) L 37 H32
Palau de Noguera L 23 F32
Palau-sator GI 25 F39
Palau-saverdera GI 25 F39
Palau-solità i Plegamans B 38 H36
Palazuelo BA 68 O12
Palazuelo cerca de Boñar LE 16 D14
Palazuelo de las Cuevas ZA 29 G11
Palazuelo de Torío cerca de León LE 16 D13
Palazuelo de Vedija VA 30 G14
Palazuelo-Empalme (Estación de) CC 56 M11
Palazuelos GU 47 I21
Palazuelos de Eresma SG 45 J17
Palazuelos de la Sierra BU 18 F19
Palazuelos de Muñó BU 17 F18
Palazuelos de Villadiego BU 17 E17
Paleira LU 3 B6
Palencia P 31 F16
Palencia de Negrilla SA 44 I13
Palenciana CO 93 U16
Palenzuela P 31 F17
Pallaresos (Els) T 37 I33
Pallargues (Les) L 37 G33
Pallars-Aran (Reserva nacional de Alto) L 23 D32
Pallaruelo de Monegros HU 35 G29
Pallejà B 38 H35
Paller B 24 F35
Pallerol HU 22 E32
Pallerols L 23 E33
Palm-Mar Tenerife TF 128 D5
Palma (La) MU 85 S27
Palma de Gandia V 74 P29
Palma de Mallorca IB 104 N37
Palma d'Ebre (La) T 36 I31
Palma del Condado (La) H 91 T10
Palma del Río CO 80 S14
Pálmaces (Embalse de) GU 46 I21
Pálmaces de Jadraque GU 46 I21
Palmanova IB 104 N37
Palmanyola IB 104 N37
Palmar (El) MU 85 S26
Palmar (El) V 74 O29
Palmar (El) CA 98 X11
Palmar de Troya (El) SE 92 U12
Palmas de Gran Canaria (Las) Gran Canaria GC 115 G2
Palmeira C 12 E3
Palmer (es) IB 105 N39
Palmeral (El) A 86 R27
Palmeras (Las) Mallorca IB 104 N38
Palmeres (Les) V 74 O29
Palmeritas (Las) H 90 U8
Palmerola GI 24 F36
Palmés OR 13 E6
Palmes (Desert de les) CS 62 L29
Palmitos Park Gran Canaria GC 116 D4
Palmones CA 99 X13
Palo HU 22 F30
Palo (El) MA 100 V16
Palo (Puerto del) O 4 C9
Palo (Punta del) Gran Canaria GC 115 G2
Palojo CO 93 T16
Palol de Revardit GI 25 F38
Paloma (Lagunas de) TO 59 N20
Paloma (Punta) CA 99 X12
Palomar CO 93 T15
Palomar (El) V 74 P28
Palomar (El) AB 71 Q22
Palomar (El) SE 92 T13
Palomar de Arroyos TE 49 J27
Palomares AL 96 U24
Palomares de Alba SA 44 J13
Palomares del Campo CU 59 M22
Palomares del Río SE 91 U11
Palomas BA 67 P11
Palomas (Las) Tenerife TF 129 F5
Palomas (Puerto de las) CA 92 V13
Palombera (Puerto de) S 7 C17
Palomeque TO 58 L18
Palomera CU 60 L23
Palomera (Monte) V 73 O26
Palomera (Sierra) TE 48 K26
Palomero CC 55 L11
Palomes (Puerto de Las) J 94 T18
Palomitas (Casas de) TE 49 K28
Palos de la Frontera H 90 U9
Palou de Sanaüja L 37 G33
Palou de Torà L 37 G34
Pals GI 25 G39
Pámanes S 8 B18
Pampaneira GR 102 V19
Pampanico AL 102 V21
Pampliega BU 17 F18
Pamplona NA 11 D25
Panadella (La) B 37 H34
Pánchez (Los) CO 80 R14
Pancorbo BU 18 E20
Pancrudo TE 49 J26
Pandenes O 6 B13
Panderruedas (Puerto de) LE 6 C15
Pandetrave (Puerto de) LE 6 C15
Pando BI 8 C20
Pando (Puerto del) LE 16 D14
Pandorado LE 15 D12
Pandos (Casa de los) AB 73 P26
Panera CC 56 L12
Panes O 7 C16
Panillo HU 22 F30
Paniza Z 34 I26
Paniza (Puerto de) Z 34 I26
Panizares BU 18 D19
Pano HU 22 F30
Pansas MU 85 Q26
Pantano de Navabuena CC 56 M12
Panticosa HU 21 D29
Pantoja TO 58 L18
Pantón LU 13 E7
Panxón PO 12 F3
Panzano HU 21 F29
Paones SO 32 H21
Papagayo (Punta del) Lanzarote GC 122 B5
Papatrigo AV 44 J15
Papiol (El) B 38 H36
Paracuellos CU 60 M24
Paracuellos de Jarama M 46 K19
Paracuellos de Jiloca Z 34 I25
Paracuellos de la Ribera Z 34 H25
Parada C 3 C4
Parada (Monte) CU 60 M24
Parada de Arriba SA 43 J12
Parada de Rubiales SA 44 I13
Parada do Sil OR 13 E7
Parada dos Montes LU 14 E8
Paradas SE 92 U13
Paradaseca LE 14 D9
Paradaseca OR 14 F7
Paradasolana LE 15 E10
Paradavella LU 4 C8
Paradela C 3 D6
Paradela PO 13 D4
Paradela LU 13 D7
Paradilla LE 16 E13
Paradilla (La) M 45 K17
Paradilla de Gordón LE 15 D12
Paradinas SG 45 I16
Paradinas de San Juan SA 44 J14
Parador (El) AL 102 V22
Paraisás OR 14 F8
Paraíso (Balneario del) TE 61 L27
Paraíso (El) M 45 K17
Paraíso Alto TE 61 L27
Paraíso Bajo TE 61 L27
Paraiso-Barronal MA 100 W14
Parajas O 5 C10
Parajes LU 4 C8
Paralacuesta BU 18 D19
Paramera (Puerto de la) AV 45 K16
Paramíos O 4 B8
Páramo LU 14 D7
Páramo O 5 C11
Paramo de Boedo P 17 E16
Parámo de Masa (Puerto de) BU 18 E18
Páramo del Sil LE 15 D10
Paramos C 2 D3
Paraño (Alto de) OR 13 E5
Paraños PO 13 F4
Parapanda GR 94 U18
Parauta MA 100 W14
Paraya (La) O 6 C13
Parbayón S 7 B18
Parcelas (Las) CR 81 Q16
Parcent A 74 P29
Parchel (Punta del) Gran Canaria GC 116 C4
Parchite (Estación de) MA 92 V14
Parda (Cabeza) J 82 R18
Pardal (El) AB 84 Q23
Pardavé LE 16 D13
Pardellas LU 3 C6
Pardemarín PO 13 D4
Pardesivil LE 16 D13
Pardilla BU 32 H18
Pardines GI 24 F36
Pardo (El) M 45 K18
Pardo (Embalse de El) M 45 K18
Pardornelo (Portilla de) ZA 28 F9
Pardos GU 48 J24
Pardos (Rambla de los) AL 96 T23
Pared AL 95 U22
Pared (La) AB 73 O26
Pared (La) Fuerteventura GC 112 E4
Paredes O 5 B10
Paredes OR 14 F7
Paredes PO 12 E4
Paredes CU 59 L21
Paredes de Buitrago M 46 I19
Paredes de Escalona TO 57 L16
Paredes de Monte P 31 G16
Paredes de Nava P 17 F15
Paredes de Sigüenza GU 33 I21
Paredesroyas SO 33 H23
Paredón BA 69 O14
Pareja GU 47 K22
Parellades (Les) T 50 J31
Parets B 38 H36
Parga LU 3 C6
Parilla (La) MA 93 U16
Parla M 58 L18
Parladé SE 79 S11
Parlavà GI 25 F39
Parlero O 4 B9
Parolis las Juntas AB 84 R22
Parque Calablanca A 75 P30
Parque Coimbra M 58 L18
Parque del Cubillas GR 94 U18
Parque Robledo SG 45 J17
Parquelagos M 45 K18
Parra TO 70 N19
Parra (La) AV 57 L14
Parra (La) AL 102 V20
Parra (La) BA 67 Q10
Parra de las Vegas (La) CU 60 M23
Parral (El) AV 44 J15
Parralejo (El) cerca de Casicas del Río Segura J 83 R22
Parralejo Nuevo CA 99 W12
Parralillo (Embalse de El) GC 114 C3
Parras de Castellote (Las) TE 49 J29
Parras de Martín (Las) TE 49 J27
Parres O 6 B15
Parres Arriondas O 6 B14
Parrilla (La) VA 31 H16
Parrilla (La) SE 79 S12
Parrillas TO 57 L14
Parrillas (Las) CU 60 L24
Parroquia (La) MU 84 S24
Parróquia d'Hortó (La) L 23 F34
Parsa SE 92 T13
Partaloa AL 96 T23
Parte de Bureba (La) BU 18 D19
Parte de Sotoscueva (La) BU 8 C18
Partidor (El) MU 85 R26
Partidores (Los) AB 72 P23
Partija-Santa Mónica (La) M 46 K19
Partovía OR 13 E5
Parzán HU 22 E30
Pas (El) T 50 K31
Pasai Donibane SS 10 C24
Pasai San Pedro / Pasajes de San Pedro SS 10 C24
Pasajes de San Pedro / Pasai San Pedro SS 10 C24
Pasarela C 2 C2
Pasariegos ZA 29 H11
Pasarón de la Vera CC 56 L12
Pascualcobo AV 44 K14
Pascuales SG 45 I16
Pascuales (Los) J 83 Q21
Paso Tenerife TF 125 J1
Paso (El) La Palma TF 132 C5
Paso Chico (Punta de) Fuerteventura GC 111 G2
Passanant T 37 H33
Pasteral (El) GI 24 G37
Pasteral (Pantà del) GI 24 G37
Pastillos (Sierra de los) BA 68 O14
Pastor C 3 C5
Pastor (Monumento al) BU 18 E20
Pastores SA 42 K10
Pastores (Los) TE 62 L28
Pastores (Los) CA 99 X13
Pastoriza C 3 A6
Pastoriza LU 4 C7
Pastrana GU 46 K21
Pastrana MU 97 T25
Pastriz Z 35 H27
Pata de Mulo CO 93 T15
Pata del Caballo (Coto nacional de la) H 91 T10
Paterna V 62 N28
Paterna de Rivera CA 99 W12
Paterna del Campo H 91 T10
Paterna del Madera AB 72 Q22
Paterna del Río AL 95 U21
Paternáin NA 10 D24
Patones de Abajo M 46 J19
Patrás H 79 S9
Patrite CA 99 W12
Patrocinio (El) J 82 Q18
Patudas (Las) CO 80 Q14
Pau GI 25 F39
Paul (El) TE 61 L27
Paúl (La) HU 35 G27
Paular (El) M 45 J18
Paulenca AL 103 V22
Paúles HU 22 F30
Paules Z 21 F27
Paúles AB 84 R22
Paules de Lara BU 18 F19
Paules del Agua BU 31 F18
Paúls T 50 J31
Pava MU 73 Q26
Pavías CS 62 M28
Paxareiras C 2 D2
Paymogo H 78 S7
Payo (El) SA 42 L9
Payo de Ojeda P 17 D16
Payosaco C 3 C4
Payueta VI 19 E21
Paz (La) CO 81 T15
Pazo LU 3 B6
Pazo de Mariñan C 3 C5
Pazo de Oca PO 13 D4
Pazos cerca de Cortegada OR 13 F7
Pazos cerca de Lamas C 2 C3
Pazos cerca de Leiro OR 13 E5
Pazos cerca de Ponte-Ceso C 2 C3
Pazos de Borbén PO 12 F4
Pazuengos LO 18 F21
Peal de Becerro J 83 S20
Peares (Embalse de los) LU 13 E6
Peares (Os) OR 13 E6
Pecá CU 60 L23
Pechina AL 103 V22
Pechiquera (Punta) Lanzarote GC 122 A5
Pechón S 7 B16
Pedernoso (El) CU 59 N21
Pedra C 3 A6
Pedra (La) L 23 F34
Pedrafita Camporredondo LU 4 D8
Pedrafita do Cebreiro LU 14 D8
Pedrafita do Cebreiro (Puerto de) LU 14 D8
Pedraja SO 32 H20
Pedraja de Portillo (La) VA 31 H16
Pedrajas SO 33 G22
Pedrajas de San Esteban VA 31 H16
Pedralba V 62 N27
Pedralba de la Pradería ZA 28 F9
Pedraza LU 13 D6
Pedraza de Alba SA 44 J13
Pedraza de Campos P 30 G15
Pedraza de la Sierra SG 45 I18
Pedre PO 13 E4
Pedredo LE 15 E11
Pedregal (El) GU 48 J25
Pedreguer A 74 P30
Pedreira C 13 D5
Pedreira PO 13 E4
Pedreiro LU 3 B6
Pedreña S 8 B18
Pedrera TO 58 N18
Pedrera SE 93 U15
Pedrera (Embassament de la) A 85 R27
Pedret GI 25 F39
Pedrezuela M 46 J19
Pedrezuela (Embalse de) M 46 J19
Pedro SO 32 I20
Pedro Abad CO 81 S16
Pedro Andrés AB 84 R22
Pedro Barba Lanzarote GC 121 F2
Pedro Bernardo AV 57 L15
Pedro Díaz CO 80 S14
Pedro Gómez (Sierra de) CC 56 N12
Pedro Izquierdo CU 61 M25
Pedro Malo CR 71 O20
Pedro Marín (Embalse de) J 82 S19
Pedro Martínez GR 95 T20
Pedro Muñoz CR 71 N21
Pedro Pidal O 6 C15
Pedro Rodríguez AV 44 J15
Pedroche CO 81 Q15
Pedrola Z 34 G26
Pedrones (Los) V 73 N26
Pedroñeras (Las) CU 59 N21
Pedrosa (La) CA 99 V12
Pedrosa de Duero BU 31 G18
Pedrosa de la Vega P 16 E15
Pedrosa de Muñó BU 17 F18
Pedrosa de Río Urbel BU 17 E18
Pedrosa de Tobalina BU 18 D19
Pedrosa del Páramo BU 17 E18
Pedrosa del Príncipe BU 17 F17
Pedrosa del Rey VA 30 H14
Pedrosas (Las) Z 21 F27
Pedrosillo (El) SE 79 T10
Pedrosillo de Alba SA 44 J13
Pedrosillo de los Aires SA 43 J12
Pedrosillo el Ralo SA 44 I13
Pedroso LO 19 F21
Pedroso O 6 B15
Pedroso C 3 B5
Pedroso (El) O 6 B13
Pedroso (El) CA 99 W12
Pedroso (El) SE 80 S12
Pedroso (Sierra del) MA 93 U16
Pedroso de Acim CC 55 M10
Pedroso de la Armuña (El) SA 44 I13
Pedroso de la Carballeda ZA 29 G10
Pedrotoro SA 43 K10
Pedrouzo (O) C 3 D4
Pedrouzos C 12 D3
Pedroveya O 5 C12
Pedrún de Torío LE 16 D13
Pegalajar J 82 S19
Pego A 74 P29
Pego (El) ZA 30 I13
Peguera IB 104 N37
Peguerillas H 90 T9
Peguerinos AV 45 K17
Peinao (El) TE 48 K25
Pela (Sierra de) GU 32 I20
Pela (Sierra de) BA 68 O13
Pelabravo SA 44 J13
Pelada (Sierra) CR 70 P19
Pelada (Sierra) H 78 S9
Pelado AL 96 T22
Pelahustán TO 57 L16
Pelarda (Santuario de) TE 48 J26
Pelarrodríguez SA 43 J11
Pelayo CO 81 R14
Pelayos SA 44 K13
Pelayos de la Presa M 45 K17
Pelayos del Arroyo SG 45 I18
Peleagonzalo ZA 30 H13
Peleas de Abajo ZA 29 H12
Peleas de Arriba ZA 29 I12
Pelegrina GU 47 I22
Pelejaneta (La) CS 62 L29
Peligro (Punta del) La Gomera TF 118 B1
Peligros GR 94 U19
Pellila SA 29 I11
Peloche BA 69 O14
Pelugano O 6 C13

Pembes *S* 6 C 15
Pena *LU* 3 C 6
Pena (A) *C* 2 D 3
Pena (A) *OR* 13 F 6
Penacaballera *SA* 43 K 12
Penagos *S* 7 B 18
Penàguila *A* 74 P 28
Penamil *LU* 14 D 8
Penarrubia *LU* 4 D 8
Penas *LU* 13 D 6
Pendilla *LE* 5 C 12
Pendones *O* 6 C 14
Pendueles *O* 7 B 16
Penedo (Punta de) *Lanzarote GC* 123 D 3
Penela *LU* 14 E 7
Penelles *L* 37 G 32
Penilla *S* 7 C 18
Penilla (La) *S* 7 C 18
Peníscola / Peñíscola *CS* 50 K 31
Peníscola (Estació de) *CS* 50 K 31
Penoselo *LE* 14 D 9
Penouta *O* 4 B 9
Pentedura *BU* 32 F 19
Pentes *OR* 28 F 8
Penyagolosa *CS* 62 L 28
Penyal d'Ifac *A* 74 Q 30
Penzol *O* 4 B 9
Peña (La) *SA* 29 I 10
Peña (Mirador de la) *El Hierro TF* 109 D 2
Peña (Montes La) *BU* 8 C 19
Peña (Sierra de la) *HU* 21 E 27
Peña de Cabra *SA* 43 J 12
Peña de Francia *SA* 43 K 11
Peña del Águila *CA* 98 V 10
Peña Migjorn *A* 74 Q 28
Peña Mira *ZA* 29 G 10
Peña Negra *LE* 15 F 10
Peña Negra *SO* 33 F 21
Peña Negra *O* 5 C 11
Peña Negra (Puerto de la) *AV* 44 K 14
Peña Sacra *M* 45 J 18
Peña Santa *LE* 6 C 15
Peña-Tú *O* 7 B 15
Peña Utrera *BA* 67 Q 9
Peñablanca *TE* 48 K 24
Peñacerrada *VI* 19 E 21
Peñadiz *OR* 13 F 7
Peñafiel *VA* 31 H 17
Peñaflor *Z* 35 G 27
Peñaflor *O* 5 B 11
Peñaflor *SE* 80 S 13
Peñaflor de Hornija *VA* 30 G 15
Peñafuente *O* 4 C 9
Peñagua *SE* 92 U 13
Peñahorada *BU* 18 E 19
Peñalagos *GU* 47 K 21
Peñalajos *CR* 70 Q 19
Peñalba *HU* 36 H 29
Peñalba *SO* 32 H 20
Peñalba *Castelló CS* 62 M 28
Peñalba de Ávila *AV* 44 J 15
Peñalba de Castro *BU* 32 G 19
Peñalba de Cilleros *LE* 15 D 11
Peñalba de la Sierra *GU* 46 I 19
Peñalba de Santiago *LE* 15 E 10
Peñalén *GU* 47 K 23
Peñalosa *CO* 80 S 14
Peñaloscintos *LO* 19 F 21
Peñalsordo *BA* 69 P 14
Peñalver *GU* 46 K 21
Peñaparda *SA* 42 L 9
Peñaranda de Bracamonte *SA* 44 J 14
Peñaranda de Duero *BU* 32 G 19
Peñarandilla *SA* 44 J 13
Peñarrodrigo *CR* 81 Q 16
Peñarroya *TE* 49 K 28
Peñarroya (Embalse de) *CR* 71 O 21
Peñarroya (Ermita de) *CR* 71 O 20
Peñarroya de Tastavíns *TE* 50 J 30
Peñarroya-Pueblonuevo *CO* 80 R 14
Peñarroyas *TE* 49 J 27
Peñarrubia *S* 7 C 16
Peñarrubia *cerca de Elche AB* 84 Q 23
Peñarrubia *cerca de Peñascosa AB* 72 P 23
Peñarrubia (Monte) *AB* 73 O 25
Peñarrubias de Pirón *SG* 45 I 17
Peñas (Cabo de) *O* 5 B 12
Peñas Blancas (Puerto de) *MA* 99 W 14
Peñas de Riglos (Las) *HU* 21 E 27
Peñas de San Pedro *AB* 72 P 23
Peñas Negrillas (Coto nacional de) *CR* 82 Q 19
Peñascales (Los) *M* 45 K 18
Peñascosa *AB* 72 P 22
Peñaullán *O* 5 B 11
Peñausende *ZA* 29 I 12
Peñillas *CO* 93 T 17
Peñíscola / Peníscola *CS* 50 K 31
Peñita *CO* 80 R 13
Peñolite *J* 83 R 21
Peñón (Alto del) *ZA* 15 F 10
Peñón (El) *AB* 84 R 23
Peñón (El) *GR* 95 T 20
Peñoso *MU* 84 S 24
Peñuela *GR* 94 T 18
Peñuela (La) *H* 91 T 9
Peñuelas *GR* 94 U 18
Peón *O* 6 B 13
Pepino *TO* 57 L 15
Pepino (El) *GU* 46 K 20
Peque *ZA* 15 F 11
Pera (La) *GI* 25 F 38
Pera (Sierra de) *GR* 94 U 18
Peracense *TE* 48 K 25
Perafita *cerca de Calaf B* 37 G 34
Perafita *cerca de Prats de Lluçanes B* 24 F 36
Perafort *T* 37 I 33
Peral (Barranco del) *AL* 96 U 23
Peral (El) *CU* 60 N 24
Peral (La) *O* 5 B 12
Peral de Arlanza *BU* 31 F 17
Peralada *GI* 25 F 39
Peralba *L* 37 G 32
Peraleda de la Mata *CC* 56 M 13
Peraleda de San Román *CC* 56 M 13
Peraleda del Zaucejo *BA* 80 Q 13
Peraleja (La) *CU* 59 L 22
Peralejo *M* 45 K 17
Peralejo *SO* 32 I 20
Peralejo (El) *SE* 79 S 10
Peralejos *TE* 49 K 26
Peralejos de Abajo *SA* 43 I 10
Peralejos de Arriba *SA* 43 I 10
Peralejos de las Truchas *GU* 48 K 24
Perales *P* 17 F 16
Perales (Los) *CC* 55 N 9
Perales (Puerto de) *CC* 55 L 9
Perales de Tajuña *M* 59 L 19
Perales del Alfambra *TE* 49 K 26
Perales del Puerto *CC* 55 L 9
Perales del Río *M* 58 L 19
Peralosa (Puerto de la) *CR* 70 O 17
Peralosas (Las) *CR* 70 O 17
Peralta *NA* 20 E 24
Peralta de Alcofea *HU* 35 G 29
Peralta de la Sal *HU* 36 G 31
Peraltilla *HU* 22 F 29
Peralveche *GU* 47 K 22
Peralvillo Alto *CR* 70 O 18
Peramato *SA* 43 J 11
Peramea *L* 23 F 33
Peramola *L* 23 F 33
Peranzanes *LE* 15 D 10
Perarrúa *HU* 22 F 31
Peratallada *GI* 25 G 39
Perazancas *P* 17 D 16
Perbes *C* 3 B 5
Perdices *SO* 33 H 22
Perdido (Monte) *HU* 22 D 30
Perdigón *BA* 78 R 8
Perdigón (El) *ZA* 29 H 12
Perdiguera *Z* 35 G 28
Perdiguero *HU* 22 D 31
Perdoma (La) *Tenerife TF* 127 F 3
Perdón *NA* 11 D 24
Perdón (Puerto del) *NA* 10 D 24
Perea *GR* 83 T 22
Pereda (La) *O* 6 B 15
Pereda de Ancares *LE* 14 D 9
Peredilla *LE* 16 D 13
Peregrina (La) *LE* 16 E 14
Pereira *C* 2 D 3
Pereira *LU* 13 E 6
Pereiriña *C* 2 C 2
Pereiro *OR* 28 F 8
Pereiro de Aguiar *OR* 13 E 6
Pereje *LE* 14 E 9
Perelló (El) *T* 50 J 32
Perelló (El) *V* 74 O 29
Perellonet (El) *V* 74 O 29
Perenos (Los) *SE* 93 U 15
Pereña *SA* 29 I 10
Perera (La) *SO* 32 H 20
Perero *H* 78 S 8
Pereruela *ZA* 29 H 12
Perex *BU* 18 D 20
Pérez (Los) *SE* 93 U 15
Periana *MA* 101 V 17
Pericay (Sierra del) *MU* 84 S 24
Pericón (El) *MU* 85 S 26
Perilla de Castro *ZA* 29 G 12
Perín *MU* 85 T 26
Perla-Torremuelle (La) *MA* 100 W 16
Pernía *SE* 93 T 15
Pernia (La) *P* 17 D 16
Perobéques *TO* 58 M 16
Perogordo *SG* 45 J 17
Peromingo *SA* 43 K 12
Perona (Monte) *MU* 85 S 25
Perorrubio *SG* 32 I 18
Perosillo *SG* 31 H 17
Peroxa (A) *OR* 13 E 6
Perro (Punta del) *CA* 91 V 10
Perrunal (El) *H* 78 S 9
Pertusa *HU* 35 G 29
Peruyes *O* 6 B 14
Pesadas de Burgos *BU* 18 D 19
Pesadoira *C* 2 D 3
Pesaguero *S* 7 C 16
Pescadores (Puerto de los) *MA* 100 W 15
Pescadores (Refugio de) *HU* 36 H 30
Pescueza *CC* 55 M 10
Pesebre *AB* 72 P 22
Pesebre (Punta) *Fuerteventura GC* 112 B 5
Pesga (La) *CC* 43 L 11
Pesoz *O* 4 C 9
Pesqueira *C* 12 E 3
Pesquera *BU* 18 D 18
Pesquera *S* 7 C 17
Pesquera *LE* 16 D 14
Pesquera (Dársena) *Tenerife TF* 125 J 2
Pesquera (La) *CU* 61 N 25
Pesquera de Duero *VA* 31 H 17
Pesquerín *O* 6 B 14
Pesqueruela *VA* 30 H 15
Pessó (Pic del) *L* 23 E 32
Pesués *S* 7 B 16
Petilla de Aragón *NA* 20 E 26
Petín *OR* 14 E 8
Petit I (Embalse de) *CC* 55 N 10
Petra *IB* 105 N 39
Petrer *A* 85 Q 27
Petrés *V* 62 M 29
Pétrola *AB* 73 P 25
Pétrola (Laguna de) *AB* 73 P 25
Peza (La) *GR* 95 U 20
Pezuela de las Torres *M* 46 K 20
Pi de Sant Just (El) *L* 37 G 34
Pías *ZA* 14 F 9
Pías (Embalse de) *ZA* 14 F 9
Piatones (Sierra de) *CC* 56 M 12
La Pica *H* 79 S 9
Picacho *CA* 92 V 13
Picacho de la Barre (Faro El) *H* 90 U 9
Picaio *V* 62 N 29
Picamoixons *T* 37 I 33
Picanya *V* 62 N 28
Picassent *V* 74 N 28
Picazo *GU* 47 J 21
Picazo (El) *CU* 60 N 23
Picazo (Embalse de El) *CU* 60 N 23
Picena *GR* 102 V 20
Pico (Puerto del) *AV* 44 L 14
Pico de las Flores (Mirador) *Tenerife TF* 124 H 2
Pico del Castrón (Mirador del) *S* 7 C 17
Pico del Inglés (Mirador de) *Tenerife TF* 125 I 2
Picón *CR* 70 O 17
Piconcillo *CO* 80 R 13
Picones *SA* 42 I 10
Picorzo *CU* 59 M 21
Picorzos *AB* 84 Q 23
Picos de Europa (Parque nacional de los) *LE* 6 C 15
Picota *C* 2 D 3
Picouto *OR* 13 F 6
Piedra *Z* 48 I 24
Piedra (La) *BU* 17 E 18
Piedra (La) *GR* 84 S 22
Piedra (Monasterio de) *Z* 48 I 24
Piedra Aguda (Embalse de) *BA* 66 Q 8
Piedra del Sol *OR* 14 E 7
Piedra Escrita (Ermita de) *BA* 68 P 13
Piedra San Martin (Collado de la) *NA* 11 D 27
Piedrabuena *BA* 67 O 9
Piedrabuena *CR* 70 O 17
Piedraescrita *TO* 57 N 15
Piedrafita *HU* 21 D 29
Piedrafita *LE* 6 C 13
Piedrafita de Babia *LE* 15 D 11
Piedrafitas (Mirador de) *LE* 6 C 15
Piedrahita *AV* 44 K 14
Piedrahita *TE* 48 I 26
Piedrahita de Castro *ZA* 29 G 12
Piedralá *CR* 70 O 17
Piedralaves *AV* 44 L 15
Piedramillera *NA* 19 E 23
Piedras *H* 90 U 8
Piedras (Canal del) *H* 90 U 8
Piedras (Embalse) *H* 90 T 8
Piedras (Las) *CO* 93 T 17
Piedras Albas *CC* 55 M 9
Piedras Blancas *O* 5 B 12
Piedrasluengas *P* 7 C 16
Piedrasluengas (Puerto de) *P* 7 C 16
Piedratajada *Z* 21 F 27
Piedros (Los) *CO* 93 T 16
Piera *B* 37 H 35
Piérnigas *BU* 18 E 19
Pierola *B* 38 H 35
Pieros *LE* 14 E 9
Pierre *GR* 95 T 20
Piescolgados *AL* 96 U 22
Pigüeña *O* 5 C 11
Pijotilla (La) *BA* 67 P 10
Pila *MU* 85 R 26
Pila (Sierra de la) *GU* 47 I 21
Pilar (El) *AL* 96 U 23
Pilar (Ermita del) *TE* 49 K 27
Pilar de Jaravía *AL* 96 T 24
Pilar de la Horadada *A* 85 S 27
Pilar de Moya *J* 82 S 17
Pilar del Prado *MA* 100 V 16
Pilares *SE* 92 U 13
Pilas *SE* 91 U 11
Pilas (Casas de) *BA* 80 R 12
Pilas (Puerto de las) *AV* 45 K 16
Pilas Verdes *AB* 71 Q 21
Piles *V* 74 P 29
Piles (Les) *T* 37 H 34
Pileta (Cueva de la) *MA* 99 V 14
Pililla *CU* 60 M 23
Pilillas *CO* 81 S 15
Piloño *PO* 13 D 5
Pilzán *HU* 22 F 31
Pimpollar (El) *M* 45 K 17
Pina *Mallorca IB* 104 N 38
Pina de Ebro *Z* 35 H 28
Pina de Montalgrao *CS* 62 L 28
Pinar *CA* 92 V 13
Pinar (Cap des) *cerca de Alcúdia IB* 105 M 39
Pinar (El) *M* 45 K 18
Pinar (El) *Castelló CS* 63 L 30
Pinar (Ermita del) *SG* 31 I 18
Pinar (Monte) *CU* 59 L 21
Pinar de Almorox (El) *TO* 57 L 16
Pinar de Antequera *VA* 30 H 15
Pinar de C. (El) *A* 85 S 27
Pinar de la Mola (El) *IB* 87 P 34
Pinar de los Franceses *CA* 98 W 11
Pinar de Puenteviejo *AV* 45 J 16
Pinar Negro *MU* 84 R 24
Pinarejo *CU* 60 N 22
Pinarejos *SG* 31 I 17
Pinarnegrillo *SG* 45 I 17
Pindo (O) *C* 2 D 2
Pineda de Gigüela *CU* 60 L 22
Pineda de la Sierra *BU* 18 F 20
Pineda de Mar *B* 38 H 38
Pineda-Trasmonte *BU* 32 G 18
Pinedas *SA* 43 K 12
Pinedas (Las) *CO* 81 S 15
Pinedillo *BU* 31 F 18
Pinel *LU* 14 E 7
Pinell *L* 37 G 34
Pinell de Brai (El) *T* 50 I 31
Pinet (El) *V* 86 R 28
Pineta (Valle de) *HU* 22 E 30
Pinganillo *SE* 92 U 12
Pinilla *LE* 15 F 11
Pinilla *cerca de Fuente Alamo AB* 73 P 25
Pinilla *cerca de Fuente-Higuera AB* 84 Q 23
Pinilla *cerca de Salinas de Pinilla AB* 71 P 22
Pinilla (Embalse de) *M* 45 J 18
Pinilla (La) *SG* 46 I 19
Pinilla (La) *MU* 85 S 26
Pinilla Ambroz *SG* 45 I 16
Pinilla de Fermoselle *ZA* 29 H 10
Pinilla de Jadraque *GU* 46 I 21
Pinilla de los Barruecos *BU* 32 G 20
Pinilla de los Moros *BU* 32 F 20
Pinilla de Molina *GU* 48 J 24
Pinilla de Toro *ZA* 30 H 13
Pinilla del Campo *SO* 33 G 23
Pinilla del Olmo *SO* 33 I 22
Pinilla del Valle *M* 45 J 18
Pinilla-Trasmonte *BU* 32 G 19
Pinillos *BU* 31 G 18
Pinillos *LO* 19 F 22
Pinillos de Polendos *SG* 45 I 17
Pino *BU* 18 D 19
Pino *LU* 14 E 7
Pino (Cuerda del) *AL* 84 S 23
Pino (El) *BA* 67 P 10
Pino (O) *C* 3 D 4
Pino (Puerto del) *HU* 22 F 30
Pino Alto *M* 45 K 17
Pino de Tormes (El) *SA* 43 I 12
Pino de Valencia *CC* 66 O 8
Pino del Oro *ZA* 29 H 11
Pino del Río *P* 16 E 15
Pino do Val *C* 2 D 3
Pino Grande *SE* 92 T 12
Pinofranqueado *CC* 43 L 10
Pinós *L* 37 G 34
Pinos *LE* 5 D 12
Pinós *A* 74 P 29
Pinós (El) / Pinoso *A* 85 Q 26
Pinos (Los) *CC* 68 O 13
Pinos de Mar *H* 90 U 9
Pinos del Valle *GR* 101 V 19
Pinos Genil *GR* 94 U 19
Pinos Puente *GR* 94 U 18
Pinosa *AL* 84 S 24
Pinoso (Monte) *GU* 47 J 22
Pinseque *Z* 34 G 26
Pinsoro *Z* 20 F 25
Pintado (Contraembalse de) *SE* 80 S 12
Pintado (El) *SE* 79 S 12
Pintado (Embalse del) *SE* 80 S 12
Pintano *Z* 20 E 26
Pintín *LU* 14 D 7
Pinto *M* 58 L 18
Pinto (O) *OR* 13 F 6
Pintueles *O* 6 B 13
Pinzales *O* 5 B 12
Pinzón *SE* 91 U 11
Piña *C* 2 C 4
Piña de Campos *P* 17 F 16
Piña de Esgueva *VA* 31 G 16
Piñar *GR* 94 T 19
Piñar (Estación de) *GR* 94 T 19
Piñeira *LU* 14 E 7
Piñeira *OR* 13 F 6
Piñeira *cerca de Germadé LU* 3 B 6
Piñeiro *cerca de Lugo LU* 14 D 7
Piñeiro *cerca de Marín PO* 12 E 3
Piñeiro *cerca de Meira LU* 4 C 8
Piñeiro *cerca de Mondariz PO* 13 F 4
Piñel de Abajo *VA* 31 G 17
Piñel de Arriba *VA* 31 G 17
Piñera *O* 4 B 9
Piñeres *O* 6 C 12
Piñero (El) *ZA* 30 H 13
Piñor *OR* 13 E 5
Piñuécar *M* 46 I 19
Piñuel *ZA* 29 H 11
Pío *LE* 6 C 14
Piornal *CC* 56 L 12
Piornal (Puerto del) *CC* 56 L 12
Piornedo *OR* 28 F 7
Piorno *AL* 102 V 22
Pioz *GU* 46 K 20
Pipaón *VI* 19 E 22
Piquera *SO* 32 H 20
Piqueras *GU* 48 K 24
Piqueras (Puerto de) *LO* 33 F 22
Piqueras del Castillo *CU* 60 M 23
Pira *T* 37 H 33
Piracés *HU* 21 F 29
Pisueña *S* 8 C 18
Pitarque *TE* 49 K 28
Pitiegua *SA* 44 I 13
Pitillas *NA* 20 E 25
Pitres *GR* 102 V 20
Piúca (A) *OR* 13 F 6
Piúgos *LU* 4 D 7
Pixeiros *OR* 14 F 8
Pizarra *MA* 100 V 15
Pizarral *SA* 43 K 13
Pizarrera (La) *M* 45 K 17
Pizarro *CC* 68 O 12
Pizarroso (Embalse del) *CC* 56 M 14
Pla de la Font *L* 36 G 31
Pla de Manlleu (El) *T* 37 H 34
Pla de Sant Tirs (El) *L* 23 F 34
Pla de Santa Maria (El) *T* 37 H 33
Pla del Penedès (El) *B* 37 H 35
Pla dels Hospitalets *GI* 24 E 36
Pla dels Pitxells *CS* 50 K 31
Placín *OR* 14 F 8
Plan *HU* 22 E 31
Plana (La) *L* 23 E 32
Planas (Las) *TE* 49 J 29
Plandogau *L* 37 G 33
Planes *A* 74 P 28
Planes (Les) *T* 51 I 32
Planes d'Hostoles (Les) *GI* 24 F 37
Planoles *GI* 24 F 36
Plantío (El) *M* 45 K 18
Plasencia *CC* 56 L 11
Plasencia (Embalse de) *CC* 56 L 11
Plasencia de Jalón *Z* 34 G 26
Plasencia del Monte *HU* 21 F 28
Plasenzuela *CC* 56 N 11
Platera (La) *J* 83 R 21
Platgetes (Les) *CS* 62 L 30
Platja Ben Afeli *CS* 62 M 30
Platja d'Alboraya *V* 62 N 29
Platja d'Aro (Ciutat) *GI* 25 G 39
Platja de Bellreguard *V* 74 P 29
Platja de Canyelles *GI* 39 G 38
Platja de Casa Blanca *CS* 62 M 29
Platja de Corint *V* 62 M 29
Platja de Cova Fumada *B* 38 I 35
Platja de Covafumada *B* 38 I 35
Platja de Daimús *V* 74 P 29
Platja de Fanals *GI* 39 G 38
Platja de Formentor *IB* 105 M 39
Platja de Gavamar *B* 38 I 36
Platja de Guardamar *A* 86 R 28
Platja de la Conxa *CS* 62 L 30
Platja de la Devesa *V* 74 N 29
Platja de la Fosca *GI* 25 G 39
Platja de la Granadella *A* 75 P 30
Platja de la Malvarrosa *V* 62 N 29
Platja de la Pineda *T* 51 I 33
Platja de la Pobla de Farnals *V* 62 N 29
Platja de l'Albufereta *A* 86 Q 28
Platja de les Fonts *CS* 63 L 30
Platja de les Villes *CS* 62 L 30
Platja de Llevante *A* 74 Q 29
Platja de Marianeta Cassiana *A* 75 P 30
Platja de Moncofa *CS* 62 M 29
Platja de Moraira *A* 75 P 30
Platja de Mutxavista *A* 86 Q 28
Platja de Nules *CS* 62 M 29
Platja de Pals *GI* 25 F 39
Platja de Piles *V* 74 P 29

Platja de Pinedo V 62 N 29
Platja de Ponente A 74 Q 29
Platja de Puçol V 62 N 29
Platja de Rifa T 51 I 32
Platja de Sabanell GI 39 H 38
Platja de Salou T 51 I 33
Platja de Sant Joan A 86 Q 28
Platja de Sant Pol GI 39 G 39
Platja de Sant Tomás IB 106 M 42
Platja de Son Bou IB 106 M 42
Platja de Xeresa V 74 O 29
Platja de Xilxes CS 62 M 29
Platja del Arenal A 75 P 30
Platja del Carregador CS 63 L 30
Platja del Morro de Gos CS 62 L 30
Platja del Parais A 86 Q 29
Platja del Pinar CS 62 M 30
Platja del Pinet A 86 R 28
Platja del Saler V 74 N 29
Platja dels Eucaliptus TE 49 K 32
Platja d'en Bossa IB 87 P 34
Platja d'Oliva V 74 P 29
Platja i Grau de Gandia V 74 O 29
Platja Larga T 51 I 33
Platja Lissa (La) A 86 R 28
Platja los Arenales del Sol A 86 R 28
Platja Miramar V 74 P 29
Platja Mitjorn IB 87 P 34
Platjas de Orihuela A 86 S 28
Platosa (La) SE 92 T 14
Playa Amanay Fuerteventura GC 112 E 4
Playa América PO 12 F 3
Playa Barca Fuerteventura GC 112 E 5
Playa Bella MA 100 W 14
Playa Berruguete Tenerife TF 125 I 2
Playa Blanca Fuerteventura GC 111 I 3
Playa Blanca Lanzarote GC 122 B 5
Playa Canela H 90 U 7
Playa Colmenares Tenerife TF 128 E 5
Playa de Alcalá Tenerife TF 128 C 4
Playa de Area LU 4 A 7
Playa de Arinaga Gran Canaria GC 117 G 4
Playa de Arriba o las Bajas Tenerife TF 127 H 3
Playa de Avalo La Gomera TF 119 D 2
Playa de Balarés C 2 C 3
Playa de Baldaio C 2 C 3
Playa de Balerma AL 102 V 21
Playa de Balito Gran Canaria GC 116 C 4
Playa de Barlovento de Jandía Fuerteventura GC 112 C 5
Playa de Bateles CA 98 X 11
Playa de Benalmádena MA 100 W 16
Playa de Ber C 3 B 5
Playa de Bozo O 5 B 10
Playa de Burriana MA 101 V 18
Playa de Butihondo Fuerteventura GC 112 D 5
Playa de Calabardina MU 97 T 25
Playa de Canelas PO 12 E 3
Playa de Carnota C 12 D 2
Playa de Castilla H 91 U 9
Playa de Cerillos AL 102 V 22
Playa de Cofete Fuerteventura GC 112 C 5
Playa de Cortadura CA 98 W 11
Playa de Cuevas del Mar O 6 B 15
Playa de Doniños C 3 B 5
Playa de Ereses La Gomera TF 118 C 3
Playa de Famara Lanzarote GC 123 E 3
Playa de Fontanilla CA 98 X 11
Playa de Fuentebravía CA 98 W 11
Playa de Garcey GC 113 E 3
Playa de Getares CA 99 X 13
Playa de Guayedra Gran Canaria GC 114 C 2
Playa de Isla Cristina H 90 U 8
Playa de Janubio Lanzarote GC 122 B 4
Playa de Juan Gómez Fuerteventura GC 112 B 5
Playa de la Antilla H 90 U 8
Playa de la Ballena CA 98 V 10
Playa de la Barqueta La Palma TF 132 D 6
Playa de la Barrosa CA 98 W 11
Playa de la Calera La Gomera TF 118 A 2
Playa de la Caleta La Gomera TF 119 D 1
Playa de la Costilla CA 98 W 10
Playa de la Enramada Tenerife TF 128 C 5
Playa de la Entrada Tenerife TF 127 H 3
Playa de la Garita Lanzarote GC 123 F 3
Playa de la Guancha La Gomera TF 119 D 3
Playa de la Hullera Gran Canaria GC 117 G 3
Playa de la Laja Gran Canaria GC 115 G 2
Playa de la Lanzada PO 12 E 3
Playa de la Madera Lanzarote GC 122 B 4
Playa de la Margallera Tenerife TF 129 H 4
Playa de la Reya MU 97 T 26
Playa de la Solapa GC 113 F 3
Playa de la Tejita Tenerife TF 129 F 5
Playa de la Verga Gran Canaria GC 116 C 4
Playa de la Victoria CA 98 W 11
Playa de Ladeira C 12 E 2
Playa de Lapamán PO 12 E 3
Playa de Lariño C 12 D 2
Playa de las Américas Tenerife TF 128 D 5
Playa de las Canteras Gran Canaria GC 115 F 1
Playa de las Casillas Gran Canaria GC 117 F 4
Playa de las Conchas Lanzarote GC 120 E 2
Playa de las Cruces Gran Canaria GC 117 G 3
Playa de las Pilas Fuerteventura GC 112 B 5
Playa de las Teresitas Tenerife TF 125 J 2
Playa de Levante CA 98 W 11
Playa de Linés El Hierro TF 108 C 3
Playa de los Abrigos Tenerife TF 128 E 5
Playa de los Abrigos Tenerife TF 129 G 4
Playa de los Cancajos La Palma TF 132 D 5
Playa de los Cardones El Hierro TF 109 D 3
Playa de los Mozos El Hierro TF 108 B 3
Playa de los Palos El Hierro TF 108 B 2
Playa de los Pocillos Lanzarote GC 123 D 5
Playa de los Troches Tenerife TF 125 I 1
Playa de Louro C 12 D 2
Playa de Marchamalo MU 86 S 27
Playa de Maspalomas Gran Canaria GC 116 D 5
Playa de Matagorda Lanzarote GC 123 D 5
Playa de Matalascañas CA 91 V 10
Playa de Mazagón H 90 U 9
Playa de Mont-roig T 51 I 32
Playa de Montalvo PO 12 E 3
Playa de Ojos Fuerteventura GC 112 B 5
Playa de Puerto Rey AL 96 U 24
Playa de Punta Umbría H 90 U 8
Playa de Rapadoira LU 4 B 8
Playa de Regla CA 91 V 10
Playa de Riazor C 3 B 4
Playa de Roda PO 12 F 3
Playa de Rodiles O 6 B 13
Playa de Samil PO 12 F 3
Playa de San Cristóbal GR 101 V 18
Playa de San Juan Tenerife TF 128 C 4
Playa de San Marcos Tenerife TF 126 D 3
Playa de San Xorxe C 3 B 5
Playa de Santa Catalina La Gomera TF 118 B 1
Playa de Santa Comba C 3 B 5
Playa de Santiago La Gomera TF 119 C 3
Playa de Sotavento Fuerteventura GC 112 E 5
Playa de Tarajalejo Fuerteventura GC 113 F 4
Playa de Tasarte Gran Canaria GC 116 B 3
Playa de Tebeto Fuerteventura GC 111 G 2
Playa de Torre del Mar MA 101 V 17
Playa de Torremolinos MA 100 W 16
Playa de Traba C 2 C 2
Playa de Vallehermoso La Gomera TF 118 C 1
Playa de Velilla GR 101 V 19
Playa de Vila-seca T 51 I 33
Playa del Abrigo Tenerife TF 129 H 4
Playa del Asno Gran Canaria GC 116 B 3
Playa del Azufre La Palma TF 132 D 6
Playa del Bajo de la Burra Fuerteventura GC 111 I 1
Playa del Cabrito La Gomera TF 119 D 3
Playa del Cantadal El Hierro TF 109 D 2
Playa del Cardón Gran Canaria GC 117 F 4
Playa del Castro LU 4 B 8
Playa del Hoyo La Palma TF 132 D 5
Playa del Inglés Gran Canaria GC 117 E 4
Playa del Matorral Fuerteventura GC 111 I 3
Playa del Matorral Fuerteventura GC 112 D 5
Playa del Médano Tenerife TF 129 F 5
Playa del Medio Tenerife TF 129 G 5
Playa del Mojón A 85 S 27
Playa del Muerto Tenerife TF 125 I 2
Playa del Pedrucho MU 85 S 27
Playa del Pudrimal MU 85 S 27
Playa del Puerco CA 98 X 11
Playa del Reducto Lanzarote GC 123 E 4
Playa del Río Tenerife TF 129 G 5
Playa del Risco Gran Canaria GC 114 C 2
Playa del Risco Lanzarote GC 121 F 2
Playa del Rostro C 2 D 2
Playa del Socorro Tenerife TF 127 E 3
Playa del Tarajalillo Gran Canaria GC 117 E 4
Playa del Viejo Rey GC 112 E 4
Playa Francesa Lanzarote GC 120 E 2
Playa Granada GR 101 V 19
Playa Honda MU 85 T 27
Playa Honda Lanzarote GC 123 D 4
Playa Pozo Negro Fuerteventura GC 113 I 4
Playa Quemada Lanzarote GC 122 C 5
Playa Río Sieira C 12 E 2
Playas (Las) El Hierro TF 109 D 3
Playas (Mirador de las) El Hierro TF 109 D 3
Playas de Chacón Z 36 I 29
Playas de Corralejo Fuerteventura GC 111 I 1
Playas de Estepona MA 100 W 14
Playas de Fuengirola MA 100 W 16
Playas de Marbella MA 100 W 15
Playas de Troya Tenerife TF 128 D 5
Playas Largas El Hierro TF 109 E 2
Playas Negras Fuerteventura GC 112 E 4
Playitas (Las) Fuerteventura GC 113 H 4
Plaza CU 59 M 20
Plaza CR 70 O 19
Plaza (La) O 5 C 11
Pleitas Z 34 G 26
Plenas Z 49 I 27
Plentzia BI 8 B 21
Pliego MU 85 S 25
Plomo (El) AL 103 V 24
Plou TE 49 J 27
Poal (El) L 37 G 32
Pobelnou del Delta (El) T 50 K 32
Pobes VI 18 D 21
Pobla (A) OR 14 E 8
Pobla (Sa) IB 105 M 39
Pobla de Benifassà (La) CS 50 K 30
Pobla de Cérvoles (La) L 37 H 32
Pobla de Claramunt (La) B 37 H 35
Pobla de Farnals (La) / Puebla de Farnals V 62 N 29
Pobla de Lillet (La) B 24 F 35
Pobla de Mafumet (La) T 37 I 33
Pobla de Massaluca (La) T 36 I 31
Pobla de Montornès (La) T 37 I 34
Pobla de Segur (La) L 23 F 32
Pobla de Vallbona (La) V 62 N 28
Pobla del Duc (La) V 74 P 28
Pobla Llarga (La) V 74 O 28
Pobla Tornesa (La) CS 62 L 29
Población (La) S 7 C 18
Población de Abajo S 17 D 18
Población de Arroyo P 16 E 15
Población de Campos P 17 F 16
Población de Cerrato P 31 G 16
Población de Valdivielso BU 18 D 19
Poblado de Santiago CR 69 O 16
Pobladura de Aliste ZA 29 G 10
Pobladura de la Sierra LE 15 E 10
Pobladura de las Regueras LE 15 D 11
Pobladura de Pelayo García LE 15 F 12
Pobladura de Sotiedra VA 30 H 14
Pobladura de Valderaduey ZA 30 G 13
Pobladura del Valle ZA 15 F 12
Poble de Tous V 74 O 28
Poble Nou de Benitatxell (El) A 75 P 30
Pobles (Les) T 37 H 34
Poblet (Monestir de) T 37 H 33
Pobleta (La) Castelló CS 50 J 29
Pobleta (La) cerca de Andilla V 61 M 27
Pobleta (La) cerca de Serra V 62 M 28
Pobleta de Bellveí (La) L 23 E 32
Poblete CR 70 P 18
Poblets (Els) A 74 P 30
Pobo (El) TE 49 K 27
Pobo (Sierra del) TE 49 K 27
Pobo de Dueñas (El) GU 48 J 25
Poboleda T 37 I 32
Pobra de Brollón (A) LU 14 E 7
Pobra do Caramiñal (A) C 12 E 3
Pobre (Punta del) Lanzarote GC 120 E 2
Pocetas (Las) GC 111 G 3
Pocicas (Las) AL 96 T 23
Pocico (El) AL 96 U 23
Pocicos (Los) AB 72 P 24
Podes O 5 B 12
Poio PO 12 E 3
Pol OR 13 E 5
Pol cerca de Reguntille LU 4 C 8
Pola de Allande O 5 C 10
Pola de Gordón (La) LE 16 D 13
Pola de Laviana O 6 C 13
Pola de Lena O 5 C 12
Pola de Siero O 6 B 13
Pola de Somiedo O 5 C 11
Pola del Pino O 6 C 13
Polacra (Punta de la) AL 103 V 24
Polán TO 58 M 17
Polanco S 7 B 17
Polentinos P 17 D 16
Poleñino HU 35 G 29
Polícar GR 95 U 20
Polientes S 17 D 18
Polinyà de Xúquer V 74 O 28
Polinyà del Vallès B 38 H 36
Pollença IB 104 M 39
Pollos VA 30 H 14
Pollosa (Coll de la) B 38 G 36
Polop A 74 Q 29
Polop (Ermita del) A 74 P 28
Polopos GR 102 V 20
Poloria GR 94 T 19
Polvoredo LE 6 C 14
Polvorosa P 17 E 16
Pomaluengo S 7 C 18
Pomar HU 36 G 30
Pomar de Valdivia P 17 D 17
Pombeiro LU 13 E 6
Pombriego LE 14 E 9
Pomer Z 34 H 24
Pompajuela TO 57 M 15
Pompenillo HU 21 F 28
Poncebos O 6 C 15
Ponferrada LE 15 E 10
Ponjos LE 15 D 11
Pons T 50 J 32
Pont d'Armentera (El) T 37 H 34
Pont d'Arròs L 22 D 32
Pont de Bar (El) L 23 E 34
Pont de Molins GI 25 F 38
Pont de Suert L 22 E 32
Pont de Vilomara (El) B 38 G 35
Pont d'Inca (es) IB 104 N 38
Ponte (A) OR 14 F 9
Ponte (A) Arnoia OR 13 F 5
Ponte Albar C 2 D 4
Ponte Ambía OR 13 F 6
Ponte Barxas OR 13 F 5
Ponte-Caldelas PO 12 E 4
Ponte Carreira C 3 C 5
Ponte do Porto C 2 C 2
Ponte Ledesma PO 13 D 4
Ponte Nafonso C 12 D 3
Ponte Ulla C 13 D 4
Ponte Valga PO 12 D 4
Ponteareas PO 12 F 4
Ponteceso C 2 C 3
Pontecesures PO 12 D 4
Pontedeume C 3 B 5
Pontedeva OR 13 F 5
Pontedo LE 16 D 13
Pontejos ZA 29 H 12
Pontenova (A) LU 4 B 8
Pontepedra C 2 C 4
Pontes de García Rodríguez (As) C 3 B 6
Pontevedra PO 12 E 4
Pontevedra (Ría de) PO 12 E 3
Ponticiella O 4 B 9
Pontigón O 5 B 10
Pontils T 37 H 34
Pontón (El) V 61 N 26
Pontón (Puerto del) LE 6 C 14
Pontón Alto J 83 R 21
Pontón de la Oliva (Embalse del) M 46 J 19
Pontones J 83 R 21
Pontons B 37 H 34
Pontós GI 25 F 38
Ponts L 37 G 33
Ponzano HU 21 F 29
Póo O 6 B 15
Porciles (Alto de) O 5 C 10
Porcún SE 92 T 13
Porcuna J 82 S 17
Poreño O 6 B 13
Porís de Abona Tenerife TF 129 G 4
Porma (Embalse del) LE 16 D 14
Porqueira (A) OR 13 F 6
Porquera P 17 D 17
Porquera (Ermita de la) CA 99 X 12
Porqueres GI 24 F 38
Porqueriza SA 43 J 12
Porquero LE 15 E 11
Porrejón M 46 I 19
Porrera T 37 I 32
Porreres IB 105 N 39
Porriño PO 12 F 4
Porrón AB 84 Q 24
Porrosa (La) J 83 R 21
Porrosillo J 82 R 19
Porrúa O 6 B 15
Port (El) Castelló CS 62 M 29
Port Ainé L 23 E 33
Port Aventura T 51 I 33
Port d'Alcúdia IB 105 M 39
Port d'Andratx IB 104 N 37
Port de Beseit (Reserva nacional de) T 50 J 30
Port de Caldes L 22 E 32
Port de la Selva (El) GI 25 E 39
Port de Llançà (El) GI 25 E 39
Port de Pollença / Puerto de Pollença IB 105 M 39
Port de Sagunt (El) V 62 N 29
Port de Sant Miquel IB 87 O 34
Port de Sóller / Puerto de Sóller IB 104 M 38
Port de Valldemossa IB 104 M 37
Port del Balís B 38 H 37
Port del Comte L 23 F 34
Port des Canonge IB 104 M 37
Port des Torrent IB 87 P 33
Port Vell IB 105 N 40
Portaceli (Monestir de) V 62 M 28
Portaje CC 55 M 10
Portaje (Embalse de) CC 55 M 10
Portal (El) CA 98 W 11
Portalet (Puerto del) HU 21 D 28
Portalrubio TE 49 J 26
Portalrubio de Guadamajud CU 59 L 22
Portals Nous IB 104 N 37
Portals Vells IB 104 N 37
Portas PO 12 E 4
Portas (Embalse de Las) OR 14 F 8
Portazgo Z 35 G 27
Portbou GI 25 E 39
Portela C 3 D 5
Portela OR 14 E 9
Portela cerca de Barro PO 12 E 4
Portela cerca de Bueu PO 12 F 3
Portela de Aguiar LE 14 E 9
Portelárbol SO 33 G 22
Portell L 37 G 34
Portell de Morella CS 49 K 29
Portella (La) L 36 G 31
Portellada (La) TE 50 J 30
Portera (La) V 73 N 26
Portet de Moraira (El) A 75 P 30
Portezuelo CC 55 M 10
Portichol A 85 Q 27
Portichuelo MU 73 Q 26
Portil (El) H 90 U 8
Portilla VI 19 D 21
Portilla CU 60 L 23
Portilla (La) LE 15 F 12
Portilla (La) AL 96 U 24
Portilla Alta CC 43 K 11
Portilla de la Reina LE 6 C 15
Portilla de Luna LE 15 D 12
Portillas (Alto de las) LE 16 D 15
Portillejo P 17 E 16
Portillinas (Alto Las) LE 15 E 10
Portillo VA 31 H 16
Portillo (El) SA 43 K 11
Portillo (El) V 61 N 27
Portillo de la Villa (El) Tenerife TF 127 F 3
Portillo de Soria SO 33 H 23
Portillo de Toledo TO 58 L 17
Portillón (Collado del) L 22 D 31
Portinatx IB 87 O 34
Portiña (Embalse de la) TO 57 L 15
Portlligat GI 25 F 39
Portman MU 97 T 27
Porto ZA 14 F 9
Porto Cristo IB 105 N 40
Porto de Abaixo LU 4 B 8
Porto de Bares C 3 A 6
Porto de Celeiro LU 4 A 7
Porto de Espasante C 3 A 6
Porto do Barqueiro C 3 A 6
Porto do Son C 12 D 2
Portobravo C 12 D 3
Portocamba OR 14 F 7
Portocelo LU 4 A 7

Portocolom IB 105 N 39
Portocristo Novo IB 105 N 39
Portodemouros (Embalse de) C 13 D 5
Portol IB 104 N 38
Portomarín LU 13 D 7
Portomourisco OR 14 E 8
Portomouro C 2 D 4
Portonovo PO 12 E 3
Portopetro IB 105 N 39
Portosín C 12 D 3
Ports (Els) CS 50 K 29
Portugalete BI 8 C 20
Portugos GR 102 V 20
Portuguesa (La) BA 67 P 9
Pórtus (Coll de) GI 25 E 38
Portús (El) MU 97 T 26
Porvenir (El) CO 80 R 14
Porzomillos C 3 C 5
Porzún O 4 B 8
Porzuna CR 70 O 17
Posada O 5 B 12
Posada de Llanes O 6 B 15
Posada de Omaña LE 15 D 11
Posada de Valdeón LE 6 C 15
Posadas LO 18 F 20
Posadas CO 80 S 14
Posadilla LE 15 E 12
Posadilla CO 80 R 14
Posets HU 22 E 31
Potes S 7 C 16
Potiche AB 72 Q 23
Potríes V 74 P 29
Poublanc A 85 Q 27
Poulo OR 13 F 5
Poutomillos LU 3 D 7
Poveda AV 44 K 14
Poveda (La) M 58 L 19
Poveda de la Obispalía CU 60 M 22
Poveda de la Sierra GU 47 K 23
Poveda de las Cintas SA 44 I 14
Póveda de Soria (La) SO 33 F 22
Povedilla AB 71 P 22
Povedillas (Las) CR 70 O 17
Poyales del Hoyo AV 57 L 14
Poyatas (Las) BA 67 P 11
Poyato MA 99 W 14
Poyatos CU 47 K 23
Poyo (El) ZA 29 G 10
Poyo (Puerto El) LU 14 D 8
Poyo del Cid (El) TE 48 J 25
Poza de la Sal BU 18 E 19
Poza de la Vega P 16 E 15
Pozal de Gallinas VA 30 I 15
Pozáldez VA 30 H 15
Pozalet (Mas de) V 62 N 28
Pozalmuro SO 33 G 23
Pozán de Vero HU 22 F 30
Pozancos P 17 D 17
Pozancos GU 47 I 22
Pozazal (Puerto) S 17 D 17
Pozo (El) AB 83 R 22
Pozo Alcón J 83 S 21
Pozo Aledo MU 85 S 27
Pozo Amargo CA 92 U 13
Pozo Cañada AB 72 P 24
Pozo de Abajo AB 83 Q 22
Pozo de Almoguera GU 46 K 20
Pozo de Guadalajara GU 46 K 20
Pozo de la Peña AB 72 P 24
Pozo de la Rueda GR 84 S 23
Pozo de la Serna CR 71 P 20
Pozo de las Calcosas El Hierro TF 109 D 1
Pozo de los Frailes AL 103 V 23
Pozo de Sabinosa El Hierro TF 108 B 2
Pozo de Urama P 16 F 15
Pozo del Camino H 90 U 8
Pozo del Esparto (El) AL 96 T 24
Pozo Estrecho MU 85 S 27
Pozo Higuera MU 96 T 24
Pozo Lorente AB 73 O 25
Pozo Negro Fuerteventura GC 113 I 4
Pozo Usero (El) AL 103 V 23
Pozoamargo CU 72 N 23
Pozoantiguo ZA 30 H 13
Pozoblanco CO 81 Q 15
Pozohondo AB 72 P 24
Pozondón TE 48 K 25
Pozorrubio CU 59 M 21
Pozos LE 15 F 11
Pozos de Hinojo SA 43 J 10
Pozoseco CU 60 N 24
Pozuel de Ariza Z 33 H 23
Pozuel del Campo TE 48 J 25
Pozuelo AB 72 P 23
Pozuelo (El) CU 47 K 23
Pozuelo (El) GR 102 V 20
Pozuelo (El) H 79 T 9
Pozuelo (Monte) GR 94 T 18
Pozuelo de Alarcón M 45 K 18
Pozuelo de Aragón Z 34 G 25
Pozuelo de Calatrava CR 70 P 18
Pozuelo de la Orden VA 30 G 14
Pozuelo de Tábara ZA 29 G 12
Pozuelo de Vidriales ZA 29 F 12
Pozuelo de Zarzón CC 55 L 10
Pozuelo del Páramo LE 15 F 12
Pozuelo del Rey M 46 K 20
Pozuelos de Calatrava (Los) CR 70 P 17
Pozuelos del Rey P 16 F 15
Prada OR 14 F 8
Prada (Embalse de) OR 14 F 8
Pradales SG 32 H 18
Prádanos de Bureba BU 18 E 19
Prádanos de Ojeda P 17 D 16
Pradejón LO 19 E 23
Pradela LE 14 E 9
Pradell T 37 I 32
Prádena SG 46 I 18
Prádena de Atienza GU 46 I 20
Prádena del Rincón M 46 I 19
Pradera de Navalhorno (La) SG 45 J 17
Prades T 37 I 32
Pradet L 22 D 32
Pradilla GU 48 J 24
Pradilla de Ebro Z 34 G 26
Prado O 5 C 11
Prado LU 3 C 6
Prado OR 13 F 7
Prado ZA 30 G 13
Prado Caravia O 6 B 14
Prado cerca de Maceira PO 13 F 5
Prado cerca de Ponteareas PO 12 F 4
Prado cerca de Silleda PO 13 D 5
Prado (Sierra del) BA 80 Q 12
Prado de la Guzpeña LE 16 D 14
Prado del Rey CA 92 V 13
Prado Llano GR 94 U 19
Prado Norte M 46 K 19
Prado y Eritas H 78 S 9
Pradoalvar OR 14 F 8
Pradochano CC 55 L 11
Pradolongo OR 14 F 8
Pradoluengo BU 18 F 20
Pradorredondo AB 72 P 23
Pradorrey LE 15 E 11
Prados MU 84 R 24
Prados (Los) AB 84 Q 22
Prados (Los) CO 94 T 17
Prados de Armijo J 83 R 21
Prados Redondos GU 48 J 24
Pradosegar AV 44 K 14
Pradoviejo (Alto de) BU 17 E 18
Pradreiro C 2 C 3
Prat de Llobregat (El) B 38 I 36
Prat del Comte T 50 J 31
Pratdip T 51 I 32
Prats de Cerdanya L 24 E 35
Prats de Lluçanès B 24 F 36
Prats de Rei (Els) B 37 G 34
Praves S 8 B 19
Pravia O 5 B 11
Predaja (Puerto de la) BU 18 E 19
Preixana L 37 H 33
Preixens L 37 G 33
Préjano LO 19 F 23
Premià de Dalt B 38 H 37
Premià de Mar B 38 H 37
Prenafeta T 37 H 33
Prendes O 5 B 12
Prendones O 4 B 9
Prenyanosa (La) L 37 G 33
Presa BI 8 C 19
Présaras C 3 C 5
Presas (Las) CO 81 R 17
Presedo C 3 C 5
Presencio BU 17 F 18
Preses (Les) GI 24 F 37
Presillas Bajas (Las) AL 103 V 23
Preso (El) CR 71 O 20
Presqueira PO 13 E 4
Prevediños C 13 D 4
Prexigueiro OR 13 F 5
Priaranza de la Valduerna LE 15 F 11
Priaranza del Bierzo LE 14 E 10
Priego CU 47 K 23
Priego de Córdoba CO 93 T 17
Priero O 5 B 11
Priesca O 6 B 13
Priescas O 6 C 14
Prieta MA 100 V 15
Prieta (Punta) Lanzarote GC 121 F 2
Prieto MA 100 V 15
Prim (Castillo de) CR 70 N 17
Primajas LE 16 D 14
Príncipe de Viana (Parador) Olite NA 20 E 25
Prioiro C 3 B 5
Prior (Cabo) C 3 B 5
Priorato SE 80 S 13
Prioriño (Cabo) C 3 B 4
Prioro LE 16 D 15
Pris (El) Tenerife TF 124 G 2
Proacina cerca de Proaza O 5 C 11
Proaño S 7 C 17
Proaza O 5 C 11
Progo OR 28 G 8
Propios del Guadiana (Los) J 83 S 20
Proserpina (Embalse de) BA 67 P 10
Provadura OR 13 E 6
Provencio (El) CU 71 N 22
Providencia (La) O 6 B 13
Pruit B 24 F 37
Prullans L 23 E 35
Pruna SE 92 V 14
Pruvia O 5 B 12
Púbol GI 25 F 38
Puçol V 62 N 29
Puebla (La) CR 70 P 18
Puebla (La) MU 85 S 27
Puebla de Albortón Z 35 H 27
Puebla de Alcocer BA 68 P 14
Puebla de Alcollarín BA 68 O 12
Puebla de Alfindén Z 35 H 27
Puebla de Almenara CU 59 M 21
Puebla de Almoradiel (La) TO 59 N 20
Puebla de Arenoso CS 62 L 28
Puebla de Arganzón (La) BU 19 D 21
Puebla de Argeme CC 55 M 10
Puebla de Azaba SA 42 K 9
Puebla de Beleña GU 46 J 20
Puebla de Castro (La) HU 22 F 30
Puebla de Cazalla (Embalse de la) SE 92 U 14
Puebla de Cazalla (La) SE 92 U 14
Puebla de Don Fadrique GR 84 S 22
Puebla de Don Rodrigo CR 69 O 16
Puebla de Eca SO 33 H 22
Puebla de Fantova (La) HU 22 F 31
Puebla de Farnals / Pobla de Farnals (La) V 62 N 29
Puebla de Guzmán H 78 T 8
Puebla de Híjar (La) TE 35 I 28
Puebla de la Calzada BA 67 P 10
Puebla de la Reina BA 67 Q 11
Puebla de la Sierra M 46 I 19
Puebla de Lillo LE 6 C 14
Puebla de los Infantes (La) SE 80 S 13
Puebla de Montalbán (La) TO 57 M 16
Puebla de Mula (La) MU 85 R 25
Puebla de Obando BA 67 O 10
Puebla de Pedraza SG 45 I 18
Puebla de Roda (La) HU 22 F 31
Puebla de San Julián LU 14 D 7
Puebla de San Medel SA 43 K 12
Puebla de Sanabria ZA 28 F 10
Puebla de Sancho Pérez BA 79 Q 10
Puebla de Trives OR 14 E 8
Puebla de Valdavia (La) P 17 D 16
Puebla de Valles GU 46 J 20
Puebla de Valverde (La) TE 61 L 27
Puebla de Yeltes SA 43 K 11
Puebla del Maestre BA 79 R 11
Puebla del Príncipe CR 71 Q 21
Puebla del Prior BA 67 Q 11
Puebla del Río (La) SE 91 U 11
Puebla del Salvador CU 60 N 24
Pueblanueva (La) TO 57 M 15
Pueblica de Valverde ZA 29 G 12
Pueblo O 30 H 13
Pueblo Nuevo de Miramontes CC 56 L 13
Puebloblanco AL 103 V 23
Pueblonuevo del Guadiana BA 67 P 9
Puelo O 5 C 10
Puendeluna Z 21 F 27
Puente (El) S 8 B 20
Puente (La) CR 71 O 20
Puente Agüera O 6 B 14
Puente Almuhey LE 16 D 15
Puente Arce S 7 B 18
Puente de Domingo Flórez LE 14 E 9
Puente de Génave J 83 Q 21
Puente de Híjar AB 84 Q 24
Puente de la Cerrada (Embalse del) J 83 S 20
Puente de la Sierra J 82 S 18
Puente de la Sierra M 45 K 17
Puente de las Herrerías J 83 S 21
Puente de los Fierros O 5 C 12
Puente de Montañana HU 22 F 32
Puente de San Martín O 5 B 11
Puente de San Miguel S 7 B 17
Puente de Sanabria ZA 14 F 10
Puente de Vadillos CU 47 K 23
Puente de Valderredible S 17 D 18
Puente del Arzobispo (El) TO 57 M 14
Puente del Congosto SA 44 K 13
Puente del Obispo J 82 S 19
Puente del Río AL 102 V 21
Puente del Villar J 82 S 18
Puente Duda GR 83 S 22
Puente Duero VA 30 H 15
Puente-Genil CO 93 T 15
Puente Grande CO 94 T 17
Puente la Reina NA 10 D 24
Puente la Reina de Jaca HU 21 E 27
Puente Nuevo AV 45 K 16
Puente Nuevo J 82 S 18
Puente Nuevo (Embalse de) CO 81 R 14
Puente Porto (Embalse de) ZA 14 F 9
Puente Pumar S 7 C 16
Puente Torres AB 73 O 25
Puente Viesgo S 7 C 18
Puenteciella O 5 C 10
Puentedey BU 18 D 18
Puentenansa S 7 C 16
Puentes (Embalse de) MU 84 S 24
Puentevea C 12 D 4
Puercas ZA 29 G 11
Puerta (La) GU 47 K 22
Puerta de Segura (La) J 83 Q 21
Puertas SA 43 I 11
Puertas de Villafranca (Las) TO 59 N 19
Puertecico AL 96 T 24
Puertito (El) Fuerteventura GC 111 J 1
Puertito de Güimar (El) Tenerife TF 127 H 3
Puerto GR 101 V 18
Puerto (El) CU 61 M 26
Puerto (El) AL 102 V 22
Puerto (El) H 78 S 9
Puerto Alegre CO 93 T 15
Puerto Alto J 82 S 18
Puerto Banús MA 100 W 15
Puerto Cabopino MA 100 W 15
Puerto Calero Lanzarote GC 122 C 5
Puerto Castilla AV 56 L 13
Puerto de Béjar SA 43 K 12
Puerto de Cotos ESP 45 J 18
Puerto de la Cruz Fuerteventura GC 112 B 5
Puerto de la Cruz Tenerife TF 124 F 2
Puerto de la Encina SE 92 U 14
Puerto de la Estaca El Hierro TF 109 E 2
Puerto de la Peña Fuerteventura GC 110 F 3
Puerto de la Torre MA 100 V 16
Puerto de las Nieves Gran Canaria GC 114 C 2
Puerto de Mazarrón MU 97 T 26
Puerto de Mogán Gran Canaria GC 116 B 4
Puerto de Motril GR 101 V 19
Puerto de Pollença / Port de Pollença IB 105 M 39
Puerto de San Vicente TO 57 N 14
Puerto de Santa Cruz CC 68 O 12
Puerto de Santa María (El) CA 98 W 11
Puerto de Santiago Tenerife TF 128 B 4
Puerto de Sardina Gran Canaria GC 114 C 1
Puerto de Sóller / Port de Sóller IB 104 M 38
Puerto de Tazacorte La Palma TF 130 B 5
Puerto de Vega O 5 B 10
Puerto del Carmen Lanzarote GC 123 D 5
Puerto del Castaño CA 99 W 13
Puerto del Pino AB 84 Q 23
Puerto del Rosario Fuerteventura GC 111 I 3
Puerto Espíndola La Palma TF 131 D 3
Puerto Gil H 79 S 10
Puerto Haza de Lino GR 102 V 20
Puerto Hurraco BA 68 Q 13
Puerto Lajas Fuerteventura GC 111 I 2
Puerto Lápice CR 70 O 19
Puerto López GR 94 T 18
Puerto-Lucía H 79 S 9
Puerto Lumbreras MU 96 T 24
Puerto Moral H 79 S 10
Puerto Naos La Palma TF 132 C 5
Puerto Nuevo Gran Canaria GC 114 D 1
Puerto Real CA 98 W 11
Puerto Rey TO 57 N 14
Puerto Rey AL 96 U 24
Puerto Rico Gran Canaria GC 116 C 4
Puerto San Nicolás Gran Canaria GC 114 B 2
Puerto Seguro SA 42 J 9
Puerto Serrano CA 92 V 13
Puértolas HU 22 E 30
Puertollanillo CA 92 V 12
Puertollano CR 70 P 17
Puertomingalvo TE 62 L 28
Puertos (Los) T 50 J 31
Pueyo NA 20 E 25
Pueyo (El) HU 21 D 29
Pueyo (Monasterio de) HU 22 F 30
Pueyo (Monte) HU 21 E 29
Pueyo de Araguás (El) HU 22 E 30
Pueyo de Fañanás HU 21 F 29
Pueyo de Santa Cruz HU 36 G 30
Puibolea HU 21 F 28
Puig V 62 N 29
Puig campana A 74 Q 29
Puig Moreno TE 49 I 29
Puig-reig B 38 G 35
Puig Rom GI 25 F 39
Puigcercós L 22 F 32
Puigcerdà GI 24 E 35
Puigdàlber B 37 H 35
Puiggròs L 37 H 32
Puigmal GI 24 E 36
Puigmoreno de Franco TE 49 I 29
Puigpedrós GI 23 E 35
Puigpelat T 37 I 33
Puigpunyent IB 104 N 37
Puigsacalm GI 24 F 37
Puigverd d'Agramunt L 37 G 33
Puigverd de Lleida L 36 H 32
Puilatos Z 35 G 27
Pujal (El) L 23 F 33
Pujalt B 37 G 34
Pujarnol GI 24 F 38
Pujayo S 7 C 17
Pujerra MA 100 W 14
Pujols (es) IB 87 P 34
Pulgar TO 58 M 17
Pulgosa (La) AB 72 P 24
Pulido (Puerto) CR 69 Q 16
Pulpí AL 96 T 24
Pulpite GR 95 T 22
Pulpites (Los) MU 85 R 26
Pumalverde S 7 C 17
Pumarejo de Tera ZA 29 G 11
Pumares OR 14 E 9
Punta (Sa) GI 25 G 39
Punta (Sa) Mallorca IB 105 N 39
Punta Alta L 22 E 32
Punta Bombarda A 74 Q 29
Punta Brava Tenerife TF 124 F 2
Punta de Deía IB 104 M 37
Punta de Moraira A 75 P 30
Punta Mala CA 99 X 14
Punta Mujeres Lanzarote GC 121 F 3
Punta ó Sénia Sevilla (La) CS 62 L 30
Punta Prima A 86 S 27
Punta Prima Menorca IB 106 M 42
Punta Umbría H 90 U 9
Puntagorda La Palma TF 130 B 3
Puntal MA 93 U 16
Puntal (El) O 6 B 13
Puntal (El) V 73 P 27
Puntal de la Mina AB 71 Q 22
Puntales (Sierra de los) CO 81 R 15
Puntallana La Palma TF 131 E 4
Puntalón GR 101 V 19
Punxín OR 13 E 5
Puras BU 18 E 20
Puras VA 45 I 16
Purchena AL 96 T 22
Purchena H 91 T 10
Purchil GR 94 U 19
Purias MU 96 T 25
Purias (Puerto) MU 96 T 25
Purón O 7 B 15
Purroy Z 34 H 25
Purroy de la Solana HU 22 F 31
Purujosa Z 34 G 24
Purullena GR 95 U 20
Puyarruego HU 22 E 30

## Q

Quar (La) B 24 F 35
Quart de les Valls V 62 M 29
Quart de Poblet V 62 N 28
Quart d'Onyar GI 25 G 38
Quatretonda V 74 P 28
Quatretondeta A 74 P 29
Quebrada (Sierra) BA 79 R 11
Quebradas AB 84 Q 24
Quecedo BU 18 D 19
Queguas OR 27 G 5
Queimada C 3 C 5
Queipo de Llano SE 91 U 11
Queirogás OR 28 G 7
Queiruga C 12 D 2
Queixa (Sierra de) OR 14 F 7
Queixans GI 24 E 35
Queixas C 3 C 4
Queizán LU 4 D 8
Quejana VI 8 C 20
Quejigal SA 43 J 12
Quejigo BA 69 O 15
Quejo VI 18 D 20
Quel LO 19 F 23
Quemada BU 32 G 19
Quéntar GR 94 U 19
Quéntar (Embalse de) GR 94 U 19
Quer GU 46 K 20
Quer Foradat (El) L 23 F 34
Queralbs GI 24 E 36
Queralt B 37 H 34
Querencia GU 47 I 21
Quero TO 59 N 20
Querol T 37 H 34
Querolt L 23 F 34
Ques O 6 B 13
Quesa V 74 O 27
Quesada J 83 S 20
Quesada (Estación de) J 83 S 20
Quesada (Peña de) GR 83 S 21
Quesera (Collado de la) GU 46 I 19
Queveda S 7 B 17
Quicena HU 21 F 28
Quiebrajano (Embalse de) J 94 T 18
Quijas S 7 B 17

Quijorna M 45 K 17
Quiles (Los) CR 70 O 18
Quilmas C 2 D 2
Quilós LE 14 E 9
Quincoces de Yuso BU 18 D 20
Quindous LU 14 D 9
Quines OR 13 F 5
Quinta (la) M 46 K 18
Quinta (La) MA 92 V 14
Quintana VI 19 E 22
Quintana ZA 14 F 9
Quintana cerca de Albariza O 5 C 11
Quintana cerca de Astrana S 8 C 19
Quintana cerca de Nava O 6 B 13
Quintana cerca de Vega O 6 B 13
Quintana cerca de Villegar S 7 C 18
Quintana (La) S 17 D 17
Quintana (Sierra de) J 81 Q 17
Quintana de Fuseros LE 15 D 11
Quintana de la Serena BA 68 P 12
Quintana de Rueda LE 16 E 14
Quintana del Castillo LE 15 E 11
Quintana del Marco LE 15 F 12
Quintana del Monte LE 16 E 14
Quintana del Pidio BU 32 G 18
Quintana del Puente P 31 F 17
Quintana María BU 18 D 20
Quintana-Martín Galíndez BU 18 D 20
Quintana Redonda SO 33 H 22
Quintana y Congosto LE 15 F 11
Quintanabureba BU 18 E 19
Quintanadueñas BU 18 E 18
Quintanaélez BU 18 E 20
Quintanaloma BU 18 D 18
Quintanaloranco BU 18 E 20
Quintanamanvirgo BU 31 G 18
Quintanaopio BU 18 D 19
Quintanaortuño BU 18 E 18
Quintanapalla BU 18 E 19
Quintanar (Collado de) BU 32 F 20
Quintanar de la Orden TO 59 N 20
Quintanar de la Sierra BU 32 G 20
Quintanar del Rey CU 72 N 24
Quintanarejo (El) SO 33 G 21
Quintanarraya BU 32 G 19
Quintanarruz BU 18 E 19
Quintanas de Gormaz SO 32 H 21
Quintanas de Valdelucio BU 17 D 17
Quintanas Rubias de Abajo SO 32 H 20
Quintanas Rubias de Arriba SO 32 H 20
Quintanatello de Ojeda P 17 D 16
Quintanavides BU 18 E 19
Quintanilla S 7 C 16
Quintanilla BU 17 F 18
Quintanilla de Arriba VA 31 H 17
Quintanilla de Babia LE 15 D 11
Quintanilla de Flórez LE 15 F 11
Quintanilla de la Berzosa P 17 D 16
Quintanilla de la Cueza P 16 F 15
Quintanilla de la Mata BU 32 G 18
Quintanilla de las Torres P 17 D 17
Quintanilla de las Viñas BU 18 F 19
Quintanilla de los Oteros LE 16 F 13
Quintanilla de Losada LE 15 F 10
Quintanilla de Nuño Pedro SO 32 G 20
Quintanilla de Onésimo VA 31 H 16
Quintanilla de Onsoña P 17 E 16
Quintanilla de Pienza BU 18 D 19
Quintanilla de Riopisuerga BU 17 E 17
Quintanilla de Rueda LE 16 D 14
Quintanilla de Sollamas LE 15 E 12
Quintanilla de Somoza LE 15 E 11
Quintanilla de Tres Barrios SO 32 H 20
Quintanilla de Trigueros VA 31 G 16
Quintanilla de Urz ZA 29 F 12
Quintanilla de Yuso LE 15 F 10
Quintanilla del Agua BU 32 F 19
Quintanilla del Coco BU 32 G 19
Quintanilla del Molar VA 30 G 13
Quintanilla del Monte ZA 30 G 13
Quintanilla del Monte LE 15 E 12
Quintanilla del Olmo ZA 30 G 13
Quintanilla del Valle LE 15 E 12
Quintanilla la Ojada BU 18 D 20
Quintanilla-Pedro Abarca BU 17 E 18
Quintanilla San García BU 18 E 20
Quintanilla-Sobresierra BU 18 E 18
Quintanilla-Vivar BU 18 E 18
Quintanillabón BU 18 E 20
Quintanillas (Las) BU 17 E 18
Quintás C 3 C 5
Quintás OR 27 G 5
Quintela LE 14 D 9
Quintela LU 4 C 7
Quintela de Leirado OR 13 F 5
Quintera (La) SE 80 S 13
Quintería (La) J 82 R 18
Quintes O 6 B 13
Quintillo (El) CR 70 P 19
Quintinilla-Rucandio S 17 D 18
Quinto Z 35 H 28
Quintos de Mora (Coto nacional) TO 70 N 17
Quintueles O 6 B 13
Quinzano HU 21 F 28
Quiñonería (la) SO 33 H 23
Quireza PO 13 E 4
Quiroga LU 14 E 8
Quiruelas ZA 29 F 12
Quismondo TO 58 L 17


## R


Rabadá y Navarro TE 61 L 26
Rábade LU 3 C 7
Rabadeira C 2 C 3
Rábago S 7 C 16
Rabal cerca de Chandrexa OR 14 F 7
Rabal cerca de Verín OR 28 G 7
Rabanal de Fenar LE 16 D 13
Rabanal del Camino LE 15 E 11
Rabanales ZA 29 G 11
Rabanera LO 19 F 22
Rabanera del Pinar BU 32 G 20
Rábano VA 31 H 17
Rábano de Aliste ZA 29 G 10
Rábano de Sanabria ZA 14 F 10
Rábanos BU 18 F 20
Rábanos Los) SO 33 G 22
Rabassa (La) L 37 H 34
Rabassa (La) BA 66 O 8
Rabé BU 32 G 18
Rábida (Monasterio de la) H 90 U 9
Rabinadas (Las) CR 70 O 17
Rabisca (Punta de) La Palma TF 130 B 2
Rábita MA 93 U 15
Rábita (La) GR 102 V 20
Rábita (La) J 94 T 17
Rabizo (Alto del) LE 16 D 13
Rabós GI 25 E 39
Racó de Loix A 74 Q 29
Racó de Santa Llucía B 37 I 35
Rad (La) SA 43 J 12
Rada (La) NA 20 F 25
Rada de Haro CU 59 N 22
Radiquero HU 22 F 30
Radona SO 33 I 22
Rafal A 85 R 27
Ráfales TE 50 J 30
Rafalet A 75 P 30
Rafelbunyol V 62 N 28
Rafelguaraf V 74 O 28
Ràfol d'Almunia (El) A 74 P 29
Rágama SA 44 J 14
Rágol AL 102 V 21
Ragua (Puerto de la) GR 95 U 20
Ragudo (Cuesta de) CS 62 M 28
Raguero de Bajo MU 85 S 25
Raíces C 12 D 4
Raíces (Las) Tenerife TF 124 H 2
Raigada OR 14 F 8
Raimat L 36 G 31
Rairiz de Veiga OR 13 F 6
Raixa IB 104 M 38
Rajadell B 37 G 35
Rajita (La) La Gomera TF 118 B 3
Rala AB 84 Q 23
Ramacastañas AV 57 L 14
Ramales de la Victoria S 8 C 19
Ramallosa C 12 D 4
Ramallosa (A) PO 12 F 3
Rambla (La) AB 72 P 23
Rambla (La) CO 93 T 15
Rambla Aljibe (La) GR 95 U 23
Rambla de Castellar CR 71 Q 20
Rambla de Martín (La) TE 49 J 27
Rambla del Agua AL 95 U 21
Ramblas (Las) AB 84 Q 24
Ramil LU 4 C 7
Ramilo OR 14 F 9
Ramirás OR 13 F 5
Ramiro VA 30 I 15
Ramonete (Ermita del) MU 97 T 25
Rancajales (Los) M 46 J 18
Randa IB 104 N 38
Randín OR 27 G 6
Ranedo BU 18 D 20
Ranera BU 18 D 20
Ranera (Monte) CU 61 M 26
Ranero BI 8 C 19
Raneros LE 16 E 13
Ranin HU 22 E 30
Rante OR 13 F 6
Rañadoiro (Puerto de) O 4 C 9
Rañadoiro (Sierra de) O 4 C 9
Rañas del Avellanar CR 57 N 15
Rao LU 4 D 9
Rapariegos SG 45 I 16
Rápita (La) B 37 I 34
Ràpita (sa) Mallorca IB 104 N 38
Rasa (La) SO 32 H 20
Rasal HU 21 E 28
Rasca (Faro de la) Tenerife TF 128 D 6
Rasca (Punta de la) Tenerife TF 128 D 5
Rascafría M 45 J 18
Rascanya (La) V 62 N 28
Rasillo (El) LO 19 F 21
Rasines S 8 C 19
Raso (El) AV 56 L 13
Rasos de Peguera B 23 F 35
Raspay MU 85 Q 26
Raspilla AB 84 Q 22
Rasquera T 50 I 31
Rasueros AV 44 I 14
Rates (Coll de) A 74 P 29
Rauric T 37 H 34
Raval de Crist T 50 J 31
Raval de Jesús T 50 J 31
Raxo PO 12 E 3
Raxón C 3 B 5
Raya del Palancar-Guadamonte (La) M 45 K 18
Rayo (Puerto del) CR 69 P 15
Rayo (Sierra del) TE 49 K 28
Razbona GU 46 J 20
Razo C 2 C 3
Real (Caño) SE 91 V 10
Real (Lucio) CA 91 V 11
Real Cortijo de San Isidro cerca de Aranjuez M 58 L 19
Real de la Jara (El) SE 79 S 11
Real de Montroi V 74 N 28
Real de San Vicente (El) TO 57 L 15
Realejo Alto Tenerife TF 127 E 3
Realejo Bajo Tenerife TF 127 E 3
Realejos (Los) Tenerife TF 127 E 3
Reales MA 99 W 14
Rebanal de las Llantas P 17 D 16
Rebide LU 14 E 8
Reboiró LU 14 D 7
Rebolado de Traspeña BU 17 D 17
Rebollada cerca de Laviana O 6 C 13
Rebollada cerca de Mieres O 5 C 12
Rebollar SO 33 G 22
Rebollar O 15 D 10
Rebollar V 61 N 26
Rebollar CC 56 L 12
Rebolledo (El) A 86 Q 28
Rebolledo de la Torre BU 17 D 17
Rebollera CR 82 Q 17
Rebollo SG 45 I 18
Rebollo SO 33 H 21
Rebollo (Monte) CU 61 M 25
Rebollo (Monte) CU 60 M 22
Rebollosa de Hita GU 46 J 20
Rebollosa de Jadraque GU 47 I 21
Rebollossa de Pedro SO 32 I 20
Reboredo cerca de Boiro C 12 D 3
Reboredo cerca de O Grove PO 12 E 3
Reboredo cerca de Oza dos Ríos C 3 C 5
Rebost B 24 F 35
Recajo LO 19 E 23
Recaré LU 4 B 7
Recas TO 58 L 18
Recueja (La) AB 73 O 25
Recuenco (El) GU 47 K 22
Recuerda SO 32 H 21
Redal (El) LO 19 E 23
Redecilla del Campo BU 18 E 20
Redipollos LE 6 C 14
Redipuertas LE 6 C 13
Redonda C 2 D 2
Redonda (La) SA 42 J 9
Redonda (Peña) LU 14 E 8
Redondal LE 15 E 10
Redondela PO 12 F 4
Redondela (La) H 90 U 8
Redondo BU 8 C 19
Redondo Tenerife TF 126 D 3
Redondo (Puerto) BU 32 G 20
Redován A 85 R 27
Redueña M 46 J 19
Refoxos PO 13 E 5
Refugi (El) CS 62 L 30
Regadas OR 13 F 5
Regencós GI 25 G 39
Regla (La) O 5 C 10
Régola (La) L 36 G 32
Reguengo PO 12 F 4
Regueral O 5 B 12
Regueras de Arriba LE 15 F 12
Reguérs (Els) T 50 J 31
Regumiel de la Sierra BU 32 G 21
Reguntille LU 4 C 7
Reigada O 5 C 10
Reigosa LU 4 C 7
Reillo CU 60 M 24
Reina BA 80 R 12
Reina (Mirador de la) O 6 C 14
Reinante LU 4 B 8
Reino (El) OR 13 E 5
Reinosa S 17 C 17
Reinosilla S 17 D 17
Reinoso BU 18 E 19
Reinoso de Cerrato P 31 G 16
Rejano SE 93 U 15
Rejas SO 32 H 20
Rejas de Ucero SO 32 G 20
Relaño (El) MU 85 R 26
Relea P 17 E 15
Reliegos LE 16 E 13
Rellanos O 5 B 10
Relleu A 74 Q 29
Rellinars B 38 H 35
Rello SO 33 H 21
Reloj CA 92 V 13
Relumbrar AB 83 Q 21
Remedios (Ermita de los) BA 79 R 10
Remedios (Punta dos) C 12 D 2
Remendia NA 20 D 26
Remolina LE 16 D 14
Remolino (El) CO 93 T 15
Remolinos Z 34 G 26
Remondo SG 31 H 16
Rena BA 68 O 12
Renales GU 47 J 22
Renales (Cabeza) SG 45 J 17
Renche LU 14 D 8
Rendona (La) CA 99 W 12
Renedo VA 31 H 16
Renedo S 7 B 18
Renedo de Cabuérniga S 7 C 17
Renedo de la Vega P 17 E 15
Renedo de Valdavia P 17 E 16
Renedo de Valderaduey LE 16 E 15
Renedo de Valdetuéjar LE 16 D 14
Renera GU 46 K 20
Rengos O 5 C 10
Renieblas SO 33 G 22
Renodo P 17 D 17
Rentería / Errenteria SS 10 C 24
Renúñez Grande CR 71 P 20
Reocín S 7 B 17
Reolid AB 71 Q 22
Repilado (El) H 79 S 9
Repollés (Masía del) TE 49 K 28
Repostería LU 13 D 6
Represa LE 16 E 13
Requejada (Embalse de la) P 17 D 16
Requejo S 17 C 17
Requejo ZA 28 F 9
Requena V 61 N 26
Requena de Campos P 17 F 16
Requiás OR 27 G 6
Requijada SG 45 I 18
Resconorio S 7 C 18
Residencial Montelar GU 46 J 19
Resinera (La) GR 101 V 18
Resinera-Voladilla MA 100 W 14
Resoba P 17 D 16
Respaldiza VI 8 C 20
Respenda de la Peña P 17 D 15
Restábal GR 101 V 19
Restiello O 5 C 11
Restinga (La) El Hierro TF 109 D 4
Retama CR 69 O 16
Retamal BA 67 P 10
Retamal de Llerena BA 68 Q 12
Retamar CR 70 P 17
Retamar AL 103 V 23
Retamar (El) Tenerife TF 126 C 3
Retamosa CC 56 N 13
Retamosa (La) CR 69 P 16
Retamoso de la Jara TO 57 M 15
Retascón Z 48 I 25
Retiendas GU 46 J 20
Retorno (El) V 73 N 25
Retorta LU 3 D 6
Retorta OR 28 F 7
Retortillo S 17 D 17
Retortillo SA 43 J 10
Retortillo (Embalse de derivación del) SE 80 S 14
Retortillo de Soria SO 32 I 21
Retuerta BU 32 F 19
Retuerta del Bullaque CR 57 N 16
Retuerto LE 6 C 14
Reus T 37 I 33
Revalbos SA 44 K 13
Revell (Coll de) GI 24 G 37
Revellinos ZA 30 G 13
Revenga BU 17 F 18
Revenga SG 45 J 17
Revenga de Campos P 17 F 16
Reventón La Palma TF 132 D 5
Reventón (Puerto del) CR 70 P 18
Revilla S 7 B 18
Revilla P 17 D 17
Revilla HU 22 E 30
Revilla (La) BU 32 F 20
Revilla (La) S 7 B 16
Revilla de Calatañazor (La) SO 33 H 21
Revilla de Campos P 31 F 15
Revilla de Collazos P 17 E 16
Revilla del Campo BU 18 F 19
Revilla-Vallegera BU 17 F 17
Revillaruz BU 18 F 19
Revolcadores MU 84 R 23
Rey (Embalse del) M 58 L 19
Rey (Sierra del) CR 81 Q 17
Reyero LE 16 D 14
Reyertas (Las) SE 92 V 13
Reyertilla SE 92 U 13
Reyes (Bahía de los) El Hierro TF 108 B 3
Reznos SO 33 H 23
Ría de Abres O 4 B 8
Riaguas de San Bartolomé SG 32 H 19
Riahuelas SG 32 H 19
Rial C 2 C 4
Rial cerca de Rianxo C 12 E 3
Rial Soutomaior PO 12 F 4
Rialb (Pantà de) L 23 F 33
Rialp L 23 E 33
Riancho S 8 C 19
Riano O 5 C 12
Riánsares (Estación de) CU 59 L 21
Rianxo C 12 E 3
Riaño S 8 B 19
Riaño LE 16 D 15
Riaño (Embalse de) LE 16 D 14
Riaño (Reserva nacional de) LE 6 C 14
Rías Altas C 3 B 4
Rías Baixas / Rías Bajas PO 12 E 2
Rías Bajas / Rías Baixas PO 12 E 2
Rías Gallegas C 2 C 2
Riaza SG 32 I 19
Riba S 8 C 19
Riba (La) T 37 I 33
Riba de Escalote (La) SO 33 H 21
Riba de Saelices GU 47 J 23
Riba de Santiuste GU 47 I 21
Riba de Valdelucio (La) BU 17 D 17
Riba-roja (Pantà de) T 36 I 31
Riba-roja de Túria V 62 N 28
Riba-roja d'Ebre T 36 I 31
Ribabellosa VI 18 D 21
Ribadavia OR 13 F 5
Ribadedeva O 7 B 16
Ribadelago ZA 14 F 9
Ribadeo LU 4 B 8
Ribadeo (Ría de) LU 4 B 8
Ribadesella O 6 B 14
Ribadeume C 3 B 6
Ribadulla C 13 D 4
Ribadumia PO 12 E 3
Ribaforada NA 34 G 25
Ribafrecha LO 19 E 22
Ribagorda CU 47 K 23
Ribagorda (Ermita de) GU 48 K 24
Ribarredonda GU 47 J 23
Ribarroya SO 33 H 22
Ribarteme PO 13 F 4
Ribas LE 15 F 12
Ribas de Campos P 17 F 16
Ribas de Miño LU 13 E 6
Ribas de Sil LU 14 E 8
Ribas de Sil (Monasterio de) OR 13 E 6
Ribas Pequeñas LU 14 E 7
Ribasaltas LU 14 E 7
Ribatajada CU 47 K 23
Ribatajadilla CU 60 L 23
Ribatejada M 46 K 19
Ribeira LU 14 D 8
Ribeira C 12 E 3
Ribeira (Embalse de la) C 3 B 6
Ribera J 94 T 18
Ribera (La) LE 15 E 10
Ribera Baja J 94 T 18
Ribera de Arriba O 5 C 12
Ribera de Cabanes CS 62 L 30
Ribera de Cardós L 23 E 33
Ribera de Los Molinos BA 79 R 11
Ribera de Molina MU 85 R 26
Ribera de Piquín LU 4 C 8
Ribera de Vall HU 22 F 32
Ribera del Fresno BA 67 Q 11
Ribera-Oveja CC 43 L 11
Riberas O 5 B 11
Riberas de Lea LU 4 C 7
Riberos de la Cueza P 16 F 15
Ribes de Freser GI 24 F 36
Ribesalbes CS 62 L 29
Ribota BU 8 C 20
Ribota SG 32 H 19
Ricabo O 5 C 12
Ricardo Roca (Mirador) IB 104 N 37
Ricla Z 34 H 25
Ricobayo ZA 29 H 12
Ricote MU 85 R 25
Riego de Ambros LE 15 E 10
Riego de la Vega LE 15 E 12
Riego del Camino ZA 29 G 12
Riego del Monte LE 16 E 13
Riegoabajo O 5 B 11
Riello LE 15 D 12
Riells cerca de Breda GI 38 G 37
Riells cerca de l'Escala GI 25 F 39
Riells del Fai B 38 G 36
Rielves TO 58 M 17
Rienda GU 33 I 21
Riensena O 6 B 14

Riera (La) T 37 I 34
Riera (La) LE 15 D 11
Riera (La) cerca de Aguasmestas O 5 C 11
Riera (La) cerca de Covadonga O 6 C 14
Riera (Sa) GI 25 G 39
Riglos HU 21 E 27
Rigueira LU 4 B 7
Rigüelo SE 93 U 15
Rilleira C 3 C 6
Rillo TE 49 J 27
Rillo de Gallo GU 48 J 24
Rincón (El) AB 73 P 25
Rincón (El) MU 84 S 24
Rincón de Ballesteros CC 67 O 10
Rincón de la Victoria MA 101 V 17
Rincón de Olivedo LO 33 F 24
Rincón de Soto LO 20 F 24
Rincón del Moro AB 72 Q 24
Rincón del Obispo CC 55 M 10
Rinconada AV 44 J 14
Rinconada (La) AV 45 K 16
Rinconada (La) AB 72 P 23
Rinconada (La) SE 91 T 12
Rinconada de la Sierra (La) SA 43 K 11
Rinconadas (Las) CU 61 M 26
Rinconcillo (El) CA 99 X 13
Rinconcillo (El) CO 81 S 15
Riner L 37 G 34
Rinlo LU 4 B 8
Río OR 14 E 8
Río LU 14 D 8
Río (El) CR 70 O 17
Río (El) LO 18 F 21
Río (El) Tenerife TF 129 F 4
Río (Mirador del) Lanzarote GC 121 F 2
Río (Punta del) AL 103 V 22
Río Aragón ESP 21 E 27
Río Cedena TO 57 N 16
Río Chico (El) AL 102 V 21
Río Cofio M 45 K 17
Río de Losa BU 18 D 20
Río de Lunada BU 8 C 19
Río de Trueba BU 8 C 19
Río Duero CL 33 G 22
Río Ería CL 15 F 12
Río Frío CR 69 O 16
Río Gállego AR 21 E 29
Río Juanes V 73 N 27
Río Madera AB 72 Q 23
Río Órbigo CL 15 F 12
Río Sil ESP 14 E 7
Río Tajo (Estación de) CC 55 M 10
Río Tirón ESP 18 F 20
Río Valderaduey CL 16 E 15
Riobarba LU 3 A 6
Riocabado AV 44 J 15
Riocavado de la Sierra BU 18 F 20
Riocerezo BU 18 E 19
Riocobo LU 4 A 7
Rioconejos ZA 15 F 10
Riocorvo S 7 C 17
Riodeva TE 61 L 26
Riofabar O 6 C 13
Riofrío AV 44 K 15
Riofrío LE 15 E 12
Riofrío GR 93 U 17
Riofrío de Aliste ZA 29 G 11
Riofrío de Riaza SG 32 I 19
Riofrío del Llano GU 47 I 21
Ríogordo MA 101 V 17
Rioja AL 103 V 22
Riola V 74 O 29
Riolago LE 15 D 11
Riolobos CC 55 M 11
Riomalo de Arriba CC 43 K 11
Riomanzanas ZA 29 G 10
Ríomao OR 14 E 8
Rionegro del Puente ZA 29 F 11
Riópar AB 84 Q 22
Riós OR 28 G 8
Ríos (Los) J 82 R 18
Ríos de Abajo CS 62 M 27
Ríos Menudos P 17 D 16
Riosalido GU 47 I 21
Ríoscuro LE 15 D 11
Rioseco O 6 C 13
Rioseco cerca de Laredo S 8 B 20
Rioseco cerca de Reinosa S 7 C 17
Rioseco de Soria SO 33 H 21
Rioseco de Tapia LE 15 D 12
Riosequillo (Embalse de ) M 46 J 18
Riosequino de Torío LE 16 D 13
Rioseras BU 18 E 19
Riospaso O 5 C 12
Riotorto LU 4 B 8
Rioxuán LU 4 C 8
Rípodas NA 11 D 26
Ripoll GI 24 F 36
Ripollet B 38 H 36
Ris S 8 B 19
Risco BA 69 P 14
Risco (Embalse del) H 78 T 8
Risco de las Moras CC 57 N 14
Riudarenes GI 24 G 38
Riudaura GI 24 F 37
Riudecanyes T 51 I 32
Riudecols T 37 I 32
Riudellots de la Selva GI 25 G 38
Riumar T 51 J 32
Riumors GI 25 F 39
Riva (La) S 7 C 18
Rivas Z 20 F 26
Rivas de Tereso LO 19 E 21
Rivas-Vaciamadrid M 46 L 19
Rivero S 7 C 17
Rivero de Posadas CO 80 S 14
Rivilla de Barajas AV 44 J 15
Roa de Duero BU 31 G 18
Roales VA 30 F 13
Roales ZA 29 H 12
Robla (La) LE 16 D 13
Robladillo VA 30 H 15
Robladillo de Ucieza P 17 E 16
Roble AB 72 P 23
Robleda SA 42 K 10
Robleda-Cervantes ZA 14 F 10
Robledillo AV 44 K 15
Robledillo TO 57 N 15
Robledillo (El) TO 70 N 18
Robledillo de Gata CC 43 L 10
Robledillo de la Jara M 46 J 19
Robledillo de la Vera CC 56 L 13
Robledillo de Mohernando GU 46 J 20
Robledillo de Trujillo CC 68 O 12
Robledo O 6 B 14
Robledo LE 15 F 11
Robledo LU 14 D 9
Robledo OR 14 E 9
Robledo ZA 29 F 10
Robledo AB 72 P 22
Robledo (El) CR 70 O 17
Robledo (El) J 83 R 21
Robledo de Caldas LE 15 D 12
Robledo de Chavela M 45 K 17
Robledo de Corpes GU 46 I 21
Robledo de las Traviesas LE 15 D 10
Robledo del Buey TO 57 N 15
Robledo del Mazo TO 57 N 15
Robledo Hermoso SA 43 I 10
Robledollano CC 56 N 13
Robledondo M 45 K 17
Roblelacasa GU 46 I 20
Robleluengo GU 46 I 20
Robles de la Valcueva LE 16 D 13
Roblido OR 14 E 8
Robliza de Cojos SA 43 J 12
Robredo BU 18 D 20
Robredo-Temiño BU 18 E 19
Robregordo M 46 I 19
Robres HU 35 G 28
Robres del Castillo LO 19 F 23
Robriguero O 7 C 16
Roca LU 3 C 6
Roca (La) M 45 J 18
Roca de la Sierra (La) BA 67 O 9
Roca del Vallès (La) B 38 H 36
Roca Grossa GI 39 G 38
Roca Llisa IB 87 P 34
Rocabruna GI 24 E 37
Rocacorba GI 24 F 38
Rocafort L 37 H 33
Rocafort B 38 G 35
Rocafort V 62 N 28
Rocafort de Queralt T 37 H 33
Rocaforte NA 20 E 26
Rocagrossa GI 39 G 38
Rocallaura L 37 H 33
Rocamudo S 17 D 18
Rocas Doradas T 51 J 32
Rocha (Puerto de la) PO 13 E 5
Roche MU 85 T 27
Roche CA 98 W 11
Roche (Cabo) CA 98 X 11
Rociana del Condado H 91 U 10
Rocina (El) H 91 U 10
Rocío (El) H 91 U 10
Roda MU 85 S 27
Roda (La) O 4 B 9
Roda (La) AB 72 O 23
Roda de Andalucía (La) SE 93 U 15
Roda de Barà T 37 I 34
Roda de Eresma SG 45 I 17
Roda de Isábena HU 22 F 31
Roda de Ter B 38 G 36
Rodalquilar AL 103 V 23
Rodanas (Santuario de) Z 34 H 25
Rodanillo LE 15 E 10
Rodeche TE 62 L 28
Rodeiro PO 13 E 6
Rodellar HU 21 F 29
Rodén Z 35 H 28
Ródenas TE 48 K 25
Rodeos (Embalse de los) MU 85 R 26
Rodeos (Los) MU 85 R 26
Rodezno LO 19 E 21
Rodical (El) O 5 C 10
Rodicio (Alto del) OR 13 F 7
Rodiezmo LE 15 D 12
Rodilana VA 30 H 15
Rodiles O 5 B 11
Rodillazo LE 16 D 13
Rodiño C 13 D 4
Rodonyà T 37 I 34
Rodrigas LU 4 B 8
Rodrigatos de la Obispalía LE 15 E 11
Rodrigatos de las Regueras LE 15 D 11
Rodriguillo A 85 Q 26
Roelos ZA 29 I 11
Roglà i Corberà V 74 O 28
Roig (Cap) (Jardín botànic) GI 25 G 39
Roimil LU 3 C 6
Rois C 12 D 3
Roitegui VI 19 D 22
Roiz S 7 C 16
Roja (Punta) Tenerife TF 129 F 5
Rojal (El) C 3 B 5
Rojales A 85 R 27
Rojals T 37 H 33
Rojas BU 18 E 19
Roldán MU 85 S 26
Roldán (Faro) AL 103 V 24
Roldán (Salto de) HU 21 F 28
Rollamienta SO 33 G 22
Rollán SA 43 J 12
Roma V 61 N 26
Romai PO 12 D 3
Romana (La) A 85 Q 27
Romana (Villa) VA 45 I 15
Romancos GU 46 J 21
Romanes (Los) MA 101 V 17
Romaneta (La) A 85 Q 27
Romangordo CC 56 M 12
Romaní (El) V 74 O 28
Romanillos de Atienza GU 32 I 21
Romanillos de Medinaceli SO 33 I 22
Romanones GU 46 K 21
Romanos Z 48 I 26
Romanyà de la Selva GI 25 G 38
Romariz LU 4 B 7
Romeán LU 4 C 7
Romedales (Los) CU 60 L 23
Romedios (Ermita de los) BA 68 P 12
Romelle C 2 C 3
Romera AB 71 O 21
Romeral TO 59 N 19
Romeral (Cueva del) MA 93 U 16
Romeral (El) TO 59 M 19
Romeral (El) V 62 M 28
Romeral (El) MA 100 V 16
Romerano (El) H 90 T 7
Romeros (Los) H 79 S 9
Rompido (Barra de El) H 90 U 8
Rompido (El) H 90 U 8
Roncadoira (Punta) LU 4 A 7
Roncal / Erronkari NA 11 D 27
Roncesvalles / Orreaga NA 11 C 26
Roncudo (Punta) C 2 C 3
Ronda MA 92 V 14
Ronda (Serranía de) MA 100 V 14
Ronda la Vieja MA 92 V 14
Rondín CR 70 P 18
Roní L 23 E 33
Ronquillo (El) SE 79 S 11
Ronquillo (El) BA 67 P 9
Ropera (La) J 82 R 17
Roperuelos del Páramo LE 15 F 12
Roque Fuerteventura GC 111 H 1
Roque del Faro La Palma TF 130 C 3
Roques (Bahía de los) La Palma TF 132 D 6
Roquetas de Mar AL 102 V 22
Roquetas de Mar (Urbanización) AL 102 V 22
Roquetes T 50 J 31
Ros BU 17 E 18
Rosa (La) BA 67 P 9
Rosal PO 26 G 3
Rosal (El) CO 81 S 15
Rosal Alto (El) SE 92 T 12
Rosal de la Frontera H 78 S 8
Rosalejo CC 56 M 13
Rosales BU 18 D 19
Rosales (Los) TO 57 L 16
Rosales (Los) J 83 S 20
Rosales (Los) SE 92 T 12
Rosamar GI 39 G 38
Rosario (Ermita del) V 73 O 26
Rosarito (Embalse de) TO 56 L 14
Rosas / Roses GI 25 F 39
Rosas (Las) La Gomera TF 118 C 1
Rosas (Las) Tenerife TF 124 H 2
Roscales P 17 D 16
Roses / Rosas GI 25 F 39
Roses (Golf de) GI 25 F 39
Rosildos (Els) CS 50 L 29
Rosinos de la Requejada ZA 15 F 10
Rossell CS 50 K 30
Rosselló L 36 G 31
Rosso SE 93 U 14
Rostro (El) CR 69 O 16
Rota CA 98 W 10
Rotes (Les) A 75 P 30
Rótova V 74 P 29
Roturas VA 31 G 17
Roturas CC 56 N 13
Rouch (Monte) L 23 D 33
Roupar LU 3 B 6
Rourell (El) T 37 I 33
Royo AB 72 P 23
Royo (El) SO 33 G 22
Royo Odrea AB 72 Q 23
Royos (Los) MU 84 S 23
Royuela TE 48 K 25
Royuela de Río Franco BU 31 G 18
Rozadas cerca de Boal O 4 B 9
Rozadas cerca de El Pedroso O 6 B 13
Rozadas cerca de Sotrondio O 6 C 13
Rozadio S 7 C 16
Rozalejo (El) SE 92 U 13
Rozalén del Monte CU 59 M 21
Rozas S 8 C 19
Rozas ZA 14 F 10
Rozas (Embalse de las) LE 15 D 10
Rozas (Las) S 17 D 17
Rozas (Monte) M 45 K 18
Rozas de Madrid (Las) M 45 K 18
Rozas de Puerto Real M 57 L 16
Rúa LU 4 B 7
Rúa (A) OR 14 E 8
Rúanales S 17 D 18
Ruanes CC 68 O 11
Rubalcaba S 8 C 18
Rubayo S 8 B 18
Rubena BU 18 E 19
Rubí B 38 H 36
Rubí de Bracamonte VA 30 I 15
Rubia OR 14 E 9
Rubia (La) SO 33 G 22
Rubia (Peña) cerca de Lorca MU 84 T 24
Rubiales TE 61 L 26
Rubiales BA 80 Q 12
Rubián LU 14 E 7
Rubiáns PO 12 E 3
Rubiás LU 4 C 7
Rubiás OR 14 F 8
Rubielos Altos CU 60 N 23
Rubielos Bajos CU 60 N 23
Rubielos de la Cérida TE 48 J 26
Rubielos de Mora TE 62 L 28
Rubillas Bajas CO 81 S 16
Rubinat L 37 H 33
Rubió B 37 H 34
Rubió cerca de Foradada L 37 G 32
Rubió cerca de Sort L 23 E 33
Rubio (El) cerca de Montellano SE 92 V 12
Rubio (El) cerca de Osuna SE 93 T 15
Rubiós PO 13 F 4
Rubios (Los) BA 80 R 13
Rubite GR 102 V 19
Rublacedo de Abajo BU 18 E 19
Rucandio S 8 B 18
Rucandio BU 18 D 19
Rucayo LE 16 D 14
Rudilla TE 49 J 26
Rudilla (Puerto de) TE 48 I 26
Ruecas BA 68 O 12
Ruecas (Río) BA 68 O 12
Rueda VA 30 H 15
Rueda GU 48 J 24
Rueda (Monasterio de) Z 35 I 29
Rueda de Jalón Z 34 H 26
Rueda de Pisuerga P 17 D 16
Ruedas de Ocón (Las) LO 19 F 23
Ruenes O 7 C 15
Ruente S 7 C 17
Rúerrero S 17 D 18
Ruesca Z 34 I 25
Ruescas AL 103 V 23
Ruesga P 17 D 16
Rugat V 74 P 28
Ruguilla GU 47 J 22
Ruices (Los) AB 73 P 25
Ruices (Los) MU 85 T 26
Ruices (Los) V 61 N 26
Ruidera CR 71 P 21
Ruidera (Lagunas de) AB 71 P 21
Ruidoms T 51 I 33
Ruiforco de Torío LE 16 D 13
Ruiloba S 7 B 17
Ruiseñada S 7 B 17
Rumblar J 82 R 18
Rumblar (Embalse del) J 82 R 18
Rupià GI 25 F 39
Rupit B 24 F 37
Rus C 2 C 3
Rus J 82 R 19
Rus (Río) CU 60 N 22
Rute CO 93 U 16
Ruyales del Agua BU 31 F 18
Ruyales del Páramo BU 17 E 18

## S

Saavedra LU 3 C 7
Sabadell B 38 H 36
Sabadelle LU 13 E 6
Sabadelle OR 13 E 6
Sabando VI 19 D 22
Sabar MA 101 V 17
Sabardes C 12 D 3
Sabariego J 94 T 17
Sabataia (Coll de) IB 104 M 38
Sabatera (La) A 75 Q 30
Sabayés HU 21 F 28
Sabero LE 16 D 14
Sabinar Z 20 F 26
Sabinar (El) AB 71 P 21
Sabinar (El) MU 84 R 23
Sabinar (Punta) AL 102 V 21
Sabinas (Collado de las) GR 94 U 19
Sabinita (La) Tenerife TF 129 G 4
Sabinosa El Hierro TF 108 B 3
Sabiñánigo HU 21 E 28
Sabiote J 83 R 20
Saboredo (Tuc de) L 23 E 32
Sabucedo OR 13 F 6
Sabucedo PO 13 E 4
Sacañet CS 62 M 27
Sacecorbo GU 47 J 22
Saceda LE 15 F 10
La Saceda GU 47 J 23
Saceda del Río CU 59 L 22
Saceda Trasierra CU 59 L 21
Sacedillas (Las) J 83 Q 20
Sacedón GU 47 K 21
Sacedoncillo CU 60 L 23
Saceruela CR 69 P 16
Saceruela (Sierra de) CR 69 O 16
Sacos PO 12 E 4
Sacramenia SG 31 H 18
Sacramento SE 92 U 12
Sacratif (Cabo) GR 101 V 19
Sacristanía (La) CR 70 P 18
Sada C 3 B 5
Sada NA 20 E 25
Sádaba Z 20 F 26
Sadernes GI 24 F 37
Saelices CU 59 M 21
Saelices de la Sal GU 47 J 22
Saelices de Mayorga VA 16 F 14
Saelices del Payuelo LE 16 E 14
Saelices del Río LE 16 E 14
Saelices el Chico SA 42 J 10
Safari Madrid M 58 L 17
Sagallos ZA 29 G 10
Saganta HU 36 G 31
Sagàs B 24 F 35
Sagides SO 47 I 23
Sagra A 74 P 29
Sagra GR 83 S 22
Sagrada (La) SA 43 J 11
Sagrajas BA 67 P 9
Sagunt / Sagunto V 62 M 29
Sagunto / Sagunt V 62 M 29
Sahagún LE 16 E 14
Sahechores LE 16 E 14
Sahuco (El) AB 72 P 23
Sahún HU 22 E 31
Saja S 7 C 17
Saja-Besaya (Parque natural) S 7 C 17
Sajazarra LO 18 E 21
Sal (Punta de la) Gran Canaria GC 117 G 3
Salada (La) SE 93 U 15
Saladar (El) A 85 R 27
Saladillo-Benamara MA 100 W 14
Salado (El) GR 83 S 22
Salado (Río) GU 47 I 21
Salado de los Villares J 82 S 17
Salamanca SA 43 J 12
Salamir O 5 B 11
Salamón LE 16 D 14
Salanova HU 22 F 31
Salar GR 94 U 17
Salardú L 22 D 32
Salares MA 101 V 17
Salas O 5 B 11
Salas (Embalse de) OR 27 G 6
Salas (Las) LE 16 D 14
Salas Altas HU 22 F 30
Salas Bajas HU 22 F 30
Salas de Bureba BU 18 D 19
Salas de la Ribera LE 14 E 9
Salas de los Barrios LE 15 E 10
Salas de los Infantes BU 32 F 20
Salàs de Pallars L 23 F 32
Salave O 4 B 9
Salazar BU 18 D 19
Salazar GR 95 T 21
Salce ZA 29 I 11
Salce LE 15 D 11
Salceda (La) SG 45 I 18
Salceda de Caselas PO 12 F 4
Salcedillo P 17 D 17
Salcedillo TE 49 J 26
Salcedo VI 18 D 21
Salcedo (El) J 82 R 18
Salces S 17 C 17
Salcidos PO 26 G 3
Saldaña P 16 E 15
Saldaña de Ayllón SG 32 H 19
Saldeana SA 42 I 10
Saldes B 23 F 35
Saldías NA 10 C 24
Saldoira LU 4 B 8
Saldón TE 48 L 25
Salduero SO 33 G 21
Salem V 74 P 28
Saler (El) V 74 N 29
Saler (Parador de El) V 74 O 29
Saleres GR 101 V 19
Sales de Llierca GI 24 F 37
Salgueiros C 2 C 2
Salgueiros LU 13 D 6
Salguerias C 2 C 3
Salgüero de Juarros BU 18 F 19
Salí (El) B 37 G 35
Salicor (Laguna de) CR 59 N 20

Saliencia O 5 C 11
Saliente AL 96 T 23
Salientes LE 15 D 11
Salillas HU 35 G 29
Salillas de Jalón Z 34 H 26
Salime (Embalse de) O 4 C 9
Salina Grande ZA 30 G 13
Salinas O 5 B 12
Salinas A 73 Q 27
Las Salinas MU 85 S 27
Salinas (Las) CU 59 L 20
Salinas (Las) Fuerteventura GC 113 I 3
Salinas (Monte) Fuerteventura GC 111 G 2
Salinas (Punta) La Palma TF 131 E 4
Salinas de Hoz HU 22 F 30
Salinas de Ibargoiti NA 11 D 25
Salinas de Jaca HU 21 E 27
Salinas de Medinaceli SO 47 I 22
Salinas de Oro NA 10 D 24
Salinas de Pinilla AB 71 P 22
Salinas de Pisuerga P 17 D 16
Salinas de Sin HU 22 E 30
Salinas del Manzano CU 61 L 25
Salines GI 24 E 36
Salines (Les) GI 24 E 38
Salinillas de Buradón VI 19 E 21
Salinillas de Bureba BU 18 E 19
Saliñas (Llacuna de) A 85 Q 27
Salitja GI 25 G 38
Sallent B 38 G 35
Sallent (El) GI 24 F 37
Sallent de Gállego HU 21 D 29
Sallfort (Pic de) GI 25 E 39
Salmantón VI 8 C 20
Salmerón GU 47 K 22
Salmerón MU 84 Q 24
Salmeroncillos de Abajo CU 47 K 22
Salmeroncillos de Arriba CU 47 K 22
Salmor (Roque) El Hierro TF 109 D 2
Salmoral SA 44 J 14
Salo B 37 G 34
Salobral AV 44 K 15
Salobral (El) AB 72 P 24
Salobralejo AV 44 K 15
Salobralejo (Laguna del) AB 73 P 25
Salobre cerca de Alcaraz AB 72 Q 22
Salobre cerca de Munera AB 72 O 22
Salobreña GR 101 V 19
Salomó T 37 I 34
Salón BU 8 C 19
Salor (Embalse del) CC 67 N 11
Salorino CC 55 N 8
Salou T 51 I 33
Salou (Cabo) T 51 I 33
Salse (El) A 74 P 27
Salt GI 25 G 38
Saltador (El) AL 96 T 24
Salteras SE 91 T 11
Saltes (Isla de) H 90 U 9
Salto al Cielo (Ermita) CA 99 W 11
Salto de Bolarque GU 47 K 21
Salto de Villalba CU 60 L 23
Salto de Villora CU 61 M 25
Salto del Ciervo SE 93 T 14
Salto del Negro MA 101 V 17
Salto Saucelle SA 42 I 9
Saltor GI 24 F 36
Saltos (Punta de los) El Hierro TF 109 D 4
Saludes de Castroponce LE 15 F 12
Salvacañete CU 61 L 25
Salvadiós AV 44 J 14
Salvador (Ermita El) CS 62 M 29
Salvador de Zapardiel VA 44 I 15
Salvaje (Punta del) Fuerteventura GC 110 G 2
Salvaleón BA 67 Q 9
Salvaterra de Miño PO 12 F 4
Salvatierra / Agurain VI 19 D 22
Salvatierra de Escá Z 11 D 26
Salvatierra de los Barros BA 67 Q 9
Salvatierra de Santiago CC 68 O 11
Salvatierra de Tormes SA 43 K 13
Sálvora (Isla de) C 12 E 2
Salzadella (La) CS 50 K 30
Sama de Grado O 5 C 11
Sama de Langreo O 6 C 12
Samaniego VI 19 E 21
Sámano S 8 B 20
Samara (Montaña) Tenerife TF 126 D 3
Sambana CA 99 W 13
Samboal SG 31 I 16
Sambreixo LU 13 D 6
Sames O 6 C 14
Samieira PO 12 E 3
Samir de los Caños ZA 29 G 11
Samos LU 14 D 8
Samper HU 22 E 30
Samper de Calanda TE 49 I 28
Samper del Salz Z 35 I 27
Samprizón PO 13 E 5
San Adrián LE 16 D 14
San Adrián NA 19 E 24
San Adrián (Cabo de) C 2 B 3
San Adrián de Juarros BU 18 F 19
San Adrián de Sasabe (Ermita de) HU 21 D 28
San Adrián del Valle LE 15 F 12
San Adriano LU 4 B 8
San Agustín TE 62 L 27
San Agustín AL 102 V 21
San Agustín Gran Canaria GC 117 E 4
San Agustín (Convento de) CU 60 L 24
San Agustín (Ermita de) Fuerteventura GC 111 H 2
San Agustín del Guadalix M 46 J 19
San Agustín del Pozo ZA 30 G 13
San Amancio (Ermita de) GU 48 J 24
San Amaro OR 13 E 5
San Andrés O 5 C 12
San Andrés O 6 C 13
San Andrés LO 33 F 22
San Andrés cerca de Potes S 7 C 16
San Andrés cerca de San Miguel S 7 C 18
San Andrés El Hierro TF 109 D 2
San Andrés La Palma TF 131 D 3
San Andrés Tenerife TF 125 J 2
San Andrés de Arroyo P 17 D 16
San Andrés de la Regla P 16 E 15
San Andrés de las Puentes LE 15 E 10
San Andrés de San Pedro SO 33 G 23
San Andrés de Teixido C 3 A 6
San Andrés del Congosto GU 46 J 20
San Andrés del Rabanedo LE 16 E 13
San Andrés del Rey GU 47 K 21
San Antolín (Monasterio de) O 6 B 15
San Antolín de Ibias O 4 C 9
San Antón SE 93 T 14
San Antón BU 17 E 18
San Antón (Ermita de) GU 47 K 21
San Antón (Ermita de) CC 54 N 8
San Antón (Puerto de) SS 10 C 24
San Antoniño PO 12 E 4
San Antonio V 61 N 26
San Antonio CO 81 S 16
San Antonio (Ermita de) C 3 B 6
San Antonio (Ermita de) cerca de Aliaguilla CU 61 M 26
San Antonio (Ermita de) cerca de Cardenete CU 60 M 25
San Antonio (Ermita de) La Palma TF 130 C 3
San Antonio (Volcán de) La Palma TF 132 C 7
San Antonio de Banaixeve V 62 N 28
San Antonio de Portmany / Sant Antoni de Portmany IB 87 P 33
San Antonio del Fontanar SE 92 U 14
San Asensio LO 19 E 21
San Bartolomé CU 59 L 21
San Bartolomé LO 19 F 23
San Bartolomé Lanzarote GC 123 D 4
San Bartolomé (Ermita de) TE 48 J 26
San Bartolomé (Ermita de) CC 68 O 12
San Bartolomé de Béjar AV 43 K 13
San Bartolomé de Corneja AV 44 K 13
San Bartolomé de la Torre H 90 T 8
San Bartolomé de las Abiertas TO 57 M 15
San Bartolomé de Pinares AV 45 K 16
San Bartolomé de Rueda LE 16 D 14
San Bartolomé de Tirajana Gran Canaria GC 117 E 3
San Bartolomé de Tormes AV 44 K 14
San Baudelio (Ermita de) SO 33 H 21
San Benito V 73 P 26
San Benito cerca de Almadén CR 69 Q 15
San Benito cerca de Ciudad Real CR 70 P 17
San Benito (Convento) CC 55 M 9
San Benito (Ermita de) TE 49 K 27
San Benito (Ermita de) SE 80 S 12
San Benito de la Contienda BA 66 Q 8
San Bernabé CA 99 X 13
San Bernabé (Sierra de) CC 56 L 11
San Bernado de Valbuena VA 31 H 17
San Bernardino CA 92 V 12
San Bernardo (Sierra de) BA 79 R 11
San Blas TE 48 K 26
San Blas ZA 29 G 10
San Bruno CR 82 Q 18
San Calixto CO 80 S 14
San Caprasio (Collado de) HU 22 F 30
San Carlos BU 32 G 19
San Carlos del Valle CR 71 P 20
San Cebrián P 17 D 16
San Cebrián de Campos P 17 F 16
San Cebrián de Castro ZA 29 G 12
San Cebrián de Mazote VA 30 G 14
San Cibrao OR 14 F 8
San Cibrau OR 28 G 7
San Cibrián de Arriba LE 16 E 13
San Cibrián de la Somoza LE 16 D 14
San Ciprián LU 4 A 7
San Ciprián ZA 14 F 10
San Ciprían cerca de Hermisende ZA 28 G 9
San Ciprián de Viñas OR 13 F 6
San Cipriano del Condado LE 16 E 13
San Claudio O 5 B 12
San Claudio C 3 B 6
San Clemente CU 72 N 22
San Clemente de Valdueza LE 15 E 10
San Clodio LU 14 E 8
San Cosme O 5 B 11
San Cosme LU 4 B 8
San Crispín M 46 K 18
San Cristóbal NA 11 D 25
San Cristóbal CU 60 L 22
San Cristóbal CR 71 Q 21
San Cristóbal SE 80 S 13
San Cristóbal BA 79 R 9
San Cristóbal CC 68 O 13
San Cristóbal Gran Canaria GC 115 G 2
San Cristóbal (Ermita de) CA 98 W 11
San Cristóbal (Ermita de) cerca de Andorra TE 49 J 28
San Cristóbal (Ermita de) cerca de Barrachina TE 48 J 26
San Cristóbal (Ermita de) cerca de Bronchales TE 48 K 25
San Cristóbal (Ermita de) cerca de Sarrión TE 61 L 27
San Cristóbal (Santuario) Z 48 I 25
San Cristóbal de Boedo P 17 E 16
San Cristóbal (Ermita de) TE 48 J 26
San Cristóbal de Cea OR 13 E 6
San Cristóbal de Chamoso LU 4 D 7
San Cristóbal de Cuéllar SG 31 H 16
San Cristóbal de Entreviñas ZA 30 F 13
San Cristóbal de la Cuesta SA 43 I 13
San Cristóbal de la Polantera LE 15 E 12
San Cristóbal de la Vega SG 45 I 16
San Cristóbal de Segovia SG 45 J 17
San Cristóbal de Trabancos AV 44 J 14
San Cristóbal de Valdueza LE 15 E 10
San Cristóbal del Monte BU 18 E 20
San Cristóbal I TE 48 J 26
San Cristobo OR 28 G 8
San Cucao O 5 B 12
San Diego CA 99 X 14
San Diego (Ermita de) SE 80 R 13
San Emiliano O 4 C 9
San Emiliano LE 15 D 12
San Enrique de Guadiaro CA 99 X 14
San Esteban O 5 B 11
San Esteban de Gormaz SO 32 H 20
San Esteban de la Sierra SA 43 K 12
San Esteban de Litera HU 36 G 30
San Esteban de los Buitres O 4 C 9
San Esteban de los Patos AV 45 J 16
San Esteban de Nogales LE 15 F 12
San Esteban de Valdueza LE 15 E 10
San Esteban de Zapardiel AV 44 I 15
San Esteban del Molar ZA 30 G 13
San Esteban del Valle AV 57 L 15
San Facundo OR 13 E 5
San Felices BU 17 D 18
San Felices SO 33 G 23
San Felices de los Gallegos SA 42 J 9
San Felipe C 3 B 5
San Felipe CU 48 K 24
San Feliú HU 22 E 31
San Feliú de Guixols / Sant Feliu de Guíxols GI 39 G 39
San Feliz de las Lavanderas LE 15 D 12
San Feliz de Torío LE 16 D 13
San Fernando CA 98 W 11
San Fernando Gran Canaria GC 115 D 2
San Fernando de Henares M 46 K 19
San Fiz do Seo LE 14 E 9
San Francisco AL 96 T 24
San Francisco Mallorca IB 104 N 38
San Francisco (Convento de) VA 30 G 14
San Francisco (Mirador) BU 32 F 20
San Francisco de Olivenza BA 66 P 8
San Franscisco (Ermita de) Fuerteventura GC 111 H 3
San Frutos (Ermita de) SG 31 I 18
San Fulgencio A 85 R 27
San Gabriel Lanzarote GC 123 E 4
San García de Ingelmos AV 44 J 14
San Gil CC 55 M 11
San Gil (Ermita de) Z 21 F 27
San Ginés TE 48 K 25
San Glorio (Puerto de) S 6 C 15
San Gregorio SS 19 D 23
San Gregorio TO 59 N 20
San Gregorio CO 81 Q 16
San Gregorio (Basilica de) NA 19 E 23
San Gregorio (Ermita de) GU 48 J 24
San Gregorio (Ermita de) BA 67 P 10
San Ignacio de Loiola SS 10 C 23
San Ignacio del Viar SE 91 T 12
San Ildefonso o la Granja SG 45 J 17
San Isidoro (Ermita de) BA 68 P 13
San Isidro CR 70 P 19
San Isidro GU 59 L 21
San Isidro AB 73 O 25
San Isidro cerca de Berlangua BA 80 R 12
San Isidro cerca de Huérca Overa AL 96 T 24
San Isidro cerca de Navalmorales TO 57 M 16
San Isidro cerca de Níjar AL 103 V 23
San Isidro Gran Canaria GC 114 D 2
San Isidro Gran Canaria GC 115 E 2
San Isidro Tenerife TF 125 I 2
San Isidro Tenerife TF 129 F 5
San Isidro (Ermita de) CU 60 N 24
San Isidro (Ermita de) V 61 M 26
San Isidro (Ermita de) BA 79 R 10
San Isidro (Puerto de) LE 6 C 13
San Isidro de Guadalete CA 99 W 12
San Isidro del Pinar NA 20 E 25
San Javier MU 85 S 27
San Jerónimo CO 81 S 15
San Jerónimo de Lagar (Ermita de) CC 55 N 10
San Joaquím GU 59 L 20
San Jorge HU 35 G 28
San Jorge BA 67 Q 10
San Jorge / Sant Jordi CS 50 K 30
San Jorge (Ermita de) V 61 N 27
San Jorge de Alor BA 66 Q 8
San José AB 71 P 21
San José AL 103 V 23
San José BA 79 Q 9
San José Lanzarote GC 123 E 4
San José (Embalse de) VA 30 H 14
San José (Ermita) MU 84 R 24
San José (Ermita de) TE 50 J 29
San José (Ermita de) J 82 R 17
San José (Ermita de) Tenerife TF 126 C 3
San José de la Rábita J 94 T 17
San José de la Rinconada SE 91 T 12
San José de Malcocinado CA 99 W 12
San José del Valle CA 99 W 12
San Juan M 45 K 17
San Juan V 61 N 26
San Juan MA 93 U 16
San Juan CC 55 L 10
San Juan (Embalse de) M 45 K 16
San Juan (Ermita de) cerca de Cedrillas TE 49 K 27
San Juan (Ermita de) cerca de Montalbán TE 49 J 28
San Juan (Sierra de) SE 92 U 13
San Juan de Aznalfarache SE 91 T 11
San Juan de Gredos AV 44 K 14
San Juan de la Cuesta ZA 14 F 10
San Juan de la Encinilla AV 44 J 15
San Juan de la Mata LE 14 E 10
San Juan de la Nava AV 44 K 15
San Juan de la Peña (Monasterio de) HU 21 E 27
San Juan de la Rambla Tenerife TF 126 E 3
San Juan de los Terreros AL 96 T 25
San Juan de Mozarrifar Z 35 G 27
San Juan de Nieva O 5 B 12
San Juan de Ortega BU 18 E 19
San Juan de Plan HU 22 E 31
San Juan del Flumen HU 35 G 29
San Juan del Molinillo AV 44 K 15
San Juan del Monte BU 32 G 19
San Juan del Olmo AV 44 K 14
San Juan del Puerto H 90 U 9
San Juan del Rebollar ZA 29 G 10
San Juan-Los Vallejos (Valle de) M 59 L 19
San Juan Muskiz BI 8 C 20
San Juan Perales Tenerife TF 124 H 2
San Juanico el Nuevo ZA 29 F 11
San Julián O 6 B 13
San Julián C 12 D 2
San Julián J 81 R 17
San Julián MU 97 T 27
San Julián de Banzo HU 21 F 28
San Julián de Sales / San Xulian de Sales C 13 D 4
San Just (Ermita de) TE 49 J 27
San Just (Puerto de) TE 49 J 27
San Just (Sierra de) TE 49 J 27
San Justo ZA 14 F 10
San Justo de Cabanillas LE 15 D 10
San Justo de la Vega LE 15 E 11
San Leandro SE 91 U 12
San Leonardo de Yagüe SO 32 G 20
San Llorente VA 31 G 17
San Llorente de la Vega BU 17 E 17
San Llorente del Páramo P 16 E 15
San Lorenzo ZA 29 G 12
San Lorenzo HU 35 G 29
San Lorenzo LO 18 F 21
San Lorenzo Gran Canaria GC 115 F 2
San Lorenzo (Ermita de) TE 48 J 26
San Lorenzo (Ermita de) GU 48 K 24
San Lorenzo de Calatrava CR 82 Q 18
San Lorenzo de El Escorial M 45 K 17
San Lorenzo de la Parrilla CU 60 M 22
San Lorenzo de Tormes AV 44 K 13
San Lourenzo OR 28 G 8
San Luis Tenerife TF 124 H 2
San Luis de Sabinillas MA 99 W 14
San Mamed ZA 29 G 10
San Mamed cerca de Viana do Bolo OR 14 F 8
San Mamede C 3 B 6
San Mamede cerca de Xinzo OR 27 F 6
San Mamés BU 17 E 18
San Mamés M 46 J 18
San Mamés de Abar BU 17 D 17
San Mamés de Campos P 17 E 16
San Mamés de Meruelo S 8 B 19
San Marcial ZA 29 H 12
San Marco C 3 C 5
San Marcos C 3 B 5
San Marcos CA 98 W 11
San Marcos CC 56 M 13
San Marcos NA 19 E 24
San Marcos (Ermita de) cerca de Alustante GU 48 K 24
San Marcos (Ermita de) cerca de Tordesilos GU 48 J 25
San Martín HU 22 E 31
San Martín BU 18 D 18
San Martín NA 19 D 23
San Martín O 5 C 11
San Martín AV 44 J 15
San Martín de Boniches CU 61 M 25
San Martín de Castañeda ZA 14 F 9

San Martín de Don BU 18 D 20
San Martín de Elines S 17 D 18
San Martín de Galvarín BU 19 D 21
San Martín de la Falamosa LE 15 D 12
San Martín de la Tercia LE 15 D 12
San Martín de la Vega M 58 L 19
San Martín de la Vega del Alberche AV 44 K 14
San Martín de la Virgen de Moncayo Z 34 G 24
San Martín de los Herreros P 17 D 16
San Martín de Luiña O 5 B 11
San Martín de Mondoñedo LU 4 B 8
San Martín de Montalbán TO 57 M 16
San Martín de Moreda LE 14 D 9
San Martín de Oscos O 4 C 9
San Martín de Pusa TO 57 M 16
San Martín de Rubiales BU 31 H 18
San Martín de Tábara ZA 29 G 12
San Martín de Torres LE 15 F 12
San Martín de Trevejo CC 55 L 9
San Martín de Unx NA 20 E 25
San Martín de Valdeiglesias M 45 K 16
San Martín de Valderaduey ZA 30 G 13
San Martín de Valvení VA 31 G 16
San Martín del Camino LE 15 E 12
San Martín del Castañar SA 43 K 11
San Martín del Monte P 17 E 16
San Martín del Pedreso ZA 29 G 10
San Martín del Pimpollar AV 44 K 14
San Martín del Río TE 48 I 25
San Martín del Rojo BU 18 D 18
San Martín del Tesorillo CA 99 W 14
San Martín del Valledor O 4 C 9
San Martín y Mudrián SG 31 I 17
San Martiño *cerca de Castro Caldelas* OR 14 E 7
San Martiño *cerca de Cualedro* OR 27 G 7
San Martiño (Isla de) PO 12 F 3
San Martzial SS 10 C 24
San Mateo de Gállego Z 35 G 27
San Mauro C 3 C 5
San Medel SA 43 K 12
San Miguel HU 36 G 30
San Miguel S 7 C 18
San Miguel M 58 L 19
San Miguel Z 34 H 26
San Miguel O 5 C 12
San Miguel OR 14 F 8
San Miguel J 83 S 20
San Miguel *Tenerife* TF 128 E 5
San Miguel (Ermita de) CU 47 K 22
San Miguel (Ermita de) *cerca de la Virgen de la Vega* TE 49 K 28
San Miguel (Ermita de) *cerca de Orrios* TE 61 K 27
San Miguel (Ermita de) *cerca de Valderrobres* TE 50 J 30
San Miguel de Aguayo S 7 C 17
San Miguel de Aralar (Santuario de) NA 10 D 24
San Miguel de Aras S 8 C 19
San Miguel de Bernuy SG 31 H 18
San Miguel de Corneja AV 44 K 14
San Miguel de Escalada LE 16 E 14
San Miguel de Foces HU 21 F 29
San Miguel de la Dueñas LE 15 E 10
San Miguel de la Puebla CS 49 K 29
San Miguel de la Ribera ZA 30 I 13
San Miguel de Lillo O 5 B 12
San Miguel de Meruelo S 8 B 19
San Miguel de Montañán LE 16 F 14
San Miguel de Pedroso BU 18 E 20
San Miguel de Serrezuela AV 44 J 14
San Miguel de Tajao *Tenerife* TF 129 G 5
San Miguel de Valero SA 43 K 12
San Miguel del Arroyo VA 31 H 16
San Miguel del Camino LE 15 E 12
San Miguel del Pino VA 30 H 15
San Miguel del Valle ZA 30 F 13
San Millán BU 18 D 20
San Millán OR 27 G 7
San Millán (Monte) BU 18 F 20
San Millán de Juarros BU 18 F 19
San Millán de la Cogolla LO 18 F 21
San Millán de Lara BU 18 F 19
San Millán de los Caballeros LE 16 F 13
San Millán de Yécora LO 18 E 20
San Morales SA 44 J 13
San Muñoz SA 43 J 11
San Nicolás *La Palma* TF 132 C 5
San Nicolás del Puerto SE 80 S 13
San Pablo SE 92 T 12
San Pablo de Buceite CA 99 W 13
San Pablo de la Moraleja VA 44 I 15
San Pablo de los Montes TO 58 N 17
San Paio OR 27 G 6
San Pantaleón de Losa BU 18 D 20
San Pascual AV 44 J 15
San Payo LU 4 C 7
San Pedro S 8 C 19
San Pedro P 17 D 16
San Pedro LU 14 D 8
San Pedro PO 13 E 5
San Pedro CC 54 N 8
San Pedro AL 103 V 24
San Pedro *cerca de Grado* O 5 B 11
San Pedro *cerca de Oviedo* O 5 B 12
San Pedro *cerca de Parres* O 6 B 14
San Pedro *cerca de Segovia* SG 45 I 17
San Pedro (Embalse de) OR 13 E 6
San Pedro (Ermita de) LU 4 C 8
San Pedro (Puerto de) MU 85 S 27
San Pedro (Sierra de) CC 67 O 10
San Pedro (Torrico de) CC 55 N 9
San Pedro Bercianos LE 15 E 12
San Pedro Cansoles P 16 D 15
San Pedro de Alcantara AV 57 L 14
San Pedro de Alcántara MA 100 W 15
San Pedro de Arlanza (Ermita) BU 32 F 19
San Pedro de Cardeña BU 18 F 19
San Pedro de Ceque ZA 29 F 11
San Pedro de Gaíllos SG 31 I 18
San Pedro de la Nave ZA 29 H 12
San Pedro de la Viña ZA 15 F 11
San Pedro de las Herrerías ZA 29 G 10
San Pedro de Latarce VA 30 G 14
San Pedro de Mérida BA 67 P 11
San Pedro de Olleros LE 14 D 9
San Pedro de Paradela LE 15 D 10
San Pedro de Rozados SA 43 J 12
San Pedro de Rudaguera S 7 B 17
San Pedro de Valderaduey LE 16 E 15
San Pedro de Viveiro LU 4 B 7
San Pedro de Zamudia ZA 29 G 12
San Pedro del Arroyo AV 44 J 15
San Pedro del Pinatar MU 85 S 27
San Pedro del Romeral S 7 C 18
San Pedro del Valle SA 43 I 12
San Pedro Manrique SO 33 F 23
San Pedro Palmiches CU 47 K 22
San Pedro Samuel BU 17 E 18
San Pelayo BU 8 C 19
San Pelayo VA 30 G 14
San Pelayo BI 9 B 21
San Pelayo de Guareña SA 43 I 12
San Quintín CR 70 P 17
San Quirce de Riopisuerga P 17 E 17
San Rafael SG 45 J 17
San Rafael CA 92 V 12
San Rafael de Navallana (Embalse de) CO 81 S 16
San Rafael de Olivenza BA 66 P 8
San Ramón M 45 K 16
San Ramón C 3 B 5
San Román S 7 B 18
San Román ZA 29 F 12
San Román *cerca de Bembibre* LE 15 E 10
San Román *cerca de Piloña* O 6 B 14
San Román *cerca de Portomarín* LU 14 D 7
San Román *cerca de Pravia* O 5 B 11
San Román *cerca de Santas Martas* LE 16 E 13
San Román *Cervantes* LU 14 D 8
San Román de Basa HU 21 E 29
San Román de Cameros LO 19 F 22
San Román de Campezo VI 19 D 22
San Román de Castro HU 22 F 30
San Román de Hornija VA 30 H 14
San Román de la Cuba P 16 F 15
San Román de la Vega LE 15 E 11
San Román de los Caballeros LE 15 E 12
San Román de los Infantes ZA 29 H 12
San Román de los Montes TO 57 L 15
San Román de San Millán VI 19 D 22
San Roque O 7 B 15
San Roque C 2 C 3
San Roque OR 13 F 5
San Roque CA 99 X 13
San Roque (Ermita de) TE 61 L 26
San Roque (Ermita de) *cerca de Alustante* GU 48 K 25
San Roque (Ermita de) *cerca de la Yunta* GU 48 J 24
San Roque de Riomiera S 8 C 18
San Roque Torre Guadiaro CA 99 X 14
San Sadurniño C 3 B 5
San Salvador VA 30 H 14
San Salvador LU 3 C 6
San Salvador *cerca de Teverga* O 5 C 11
San Salvador de Cantamuda P 17 D 16
San Salvador de Meis PO 12 E 3
San Salvador de Poyo PO 12 E 3
San Salvador del Valledor *cerca de Negueira* O 4 C 9
San Saturio (Ermita de) SO 33 G 22
San Sebastián PO 13 D 4
San Sebastián (Castillo de) CA 98 W 11
San Sebastián (Embalse de) ZA 14 F 9
San Sebastián (Ermita de) Z 34 G 25
San Sebastián (Ermita de) BA 69 P 14
San Sebastián de Garabandal S 7 C 16
San Sebastián de la Gomera *La Gomera* TF 119 D 2
San Sebastián de los Ballesteros CO 81 T 15
San Sebastián de los Reyes M 46 K 19
San Segundo (Ermita de) GU 48 J 24
San Serván BA 67 P 10
San Silvestre de Guzmán H 90 T 7
San Telmo H 78 S 9
San Telmo (Parador) *Tui* PO 12 F 4
San Tirso LE 14 E 9
San Tirso *cerca de Oviedo* O 5 C 12
San Tirso *cerca de Pravia* O 5 B 11
San Torcuato LO 18 E 21
San Urbez (Santuario de) HU 21 F 29
San Vicente NA 11 D 26
San Vicente OR 14 E 8
San Vicente SA 44 J 13
San Vicente de Alcántara BA 54 N 8
San Vicente de Arévalo AV 44 J 15
San Vicente de la Barquera S 7 B 16
San Vicente de la Sonsierra LO 19 E 21
San Vicente de León S 7 C 17
San Vicente de Robres LO 19 F 23
San Vicente de Toranzo S 7 C 18
San Vicente del Grove PO 12 E 3
San Vicente del Mar PO 12 E 3
San Vicente del Monte S 7 C 17
San Vicente del Palacio VA 30 I 15
San Vicente Ferrer SE 91 U 11
San Vicentejo BU 19 D 21
San Victorian (Monasterio de) HU 22 E 30
San Vincente de la Cabeza ZA 29 G 11
San Vincente del Valle BU 18 E 20
San Vitero ZA 29 G 10
San Xulian de Sales / San Julián de Sales C 13 D 4
San Xurxo de Piquín LU 4 C 8
San Zadornil BU 18 D 20
Sanabria (Lago de) ZA 14 F 9
Sanabria (Valle de) ZA 14 F 9
Sanatorio de Abona *Tenerife* TF 129 G 4
Sanaüja L 37 G 33
Sancedo LE 14 E 10
Sanchicorto AV 44 K 15
Sanchidrián AV 45 J 16
Sancho (Embalse de) H 90 T 8
Sancho Abarca Z 34 G 26
Sancho Abarca (Monte) Z 20 F 26
Sancho Leza (Collado de) LO 19 F 22
Sanchogómez SA 43 J 12
Sanchón de la Ribera SA 43 I 10
Sanchón de la Sagrada SA 43 J 11
Sanchonuño SG 31 I 17
Sanchorreja AV 44 K 15
Sanchotello SA 43 K 12
Sancti Petri CA 98 W 11
Sancti Petri (Isla) CA 98 W 11
Sancti-Spíritus SA 43 J 10
Sancti Spíritus BA 69 P 14
Sandamías O 5 B 11
Sande OR 13 F 5
Sandiás OR 13 F 6
Sandiche O 5 B 11
Sandín ZA 29 G 10
Sandinies HU 21 D 29
Sando SA 43 J 11
Sandoval de la Reina BU 17 E 17
Sanet y Negrals A 74 P 29
Sangarcía SG 45 J 16
Sangarrén HU 21 F 28
Sangenjo / Sanxenxo PO 12 E 3
Sangonera la Verde MU 85 S 26
Sangüesa / Zangoza NA 20 E 26
Sanlúcar de Barrameda CA 91 V 10
Sanlúcar de Guadiana H 90 T 7
Sanlúcar la Mayor SE 91 T 11
Sansoáin *cerca de Lumbier* NA 11 D 26
Sansoáin *cerca de Taffala* NA 20 E 25
Sansol NA 19 E 23
Sansomain NA 20 E 25
Sant Adrià de Besòs B 38 H 36
Sant Agustí *Ibiza* IB 87 P 33
Sant Agustí de Lluçanès B 24 F 36
Sant Andreu L 23 E 33
Sant Andreu de la Barca B 38 H 35
Sant Andreu de Llavaneres B 38 H 37
Sant Andreu Salou GI 25 G 38
Sant Aniol GI 24 F 37
Sant Aniol de Finestres GI 24 F 37
Sant Antolí i Vilanova L 37 H 34
Sant Antoni (Cap de) A 75 P 30
Sant Antoni (Ermita de) A 74 P 28
Sant Antoni (Pantà de) L 23 F 32
Sant Antoni de Calonge GI 25 G 39
Sant Antoni de Portmany / San Antonio de Portmany IB 87 P 33
Sant Bartolomeu del Grau B 38 G 36
Sant Bartomeu d'Almisdrà A 85 R 27
Sant Bernabé de les Tenes GI 24 F 36
Sant Boi B 38 H 36
Sant Boi de Lluçanès B 24 F 36
Sant Carles *Ibiza* IB 87 O 34
Sant Carles de la Ràpita T 50 K 31
Sant Cebrià de Vallalta B 38 H 37
Sant Celoni B 38 G 37
Sant Cerni L 23 F 32
Sant Climent *Menorca* IB 106 M 42
Sant Climent de Llobregat B 38 H 35
Sant Climent Sescebes GI 25 E 38
Sant Cristòfol V 74 O 28
Sant Cugat del Vallès B 38 H 36
Sant Doménec V 62 N 28
Sant Elm *Mallorca* IB 104 N 37
Sant Esperit (Monestir) V 62 M 28
Sant Esteve de la Sarga L 22 F 32
Sant Esteve de Palautordera B 38 G 37
Sant Esteve d'En Bas GI 24 F 37
Sant Esteve Sesrovires B 38 H 35
Sant Felip de Neri A 85 R 27
Sant Feliu B 38 H 36
Sant Feliu de Boada GI 25 G 39
Sant Feliu de Buixalleu GI 38 G 37
Sant Feliu de Codines B 38 G 36
Sant Feliu de Guíxols / San Feliú de Guixols GI 39 G 39
Sant Feliu de Pallerols GI 24 F 37
Sant Feliu del Racó B 38 H 36
Sant Feliu Sasserra B 38 G 36
Sant Ferran *Formentera* IB 87 P 34
Sant Francesc IB 87 P 34
Sant Francesc de s'Estany IB 87 P 34
Sant Fruitós de Bages B 38 G 35
Sant Genís B 39 H 38
Sant Gerard V 62 N 28
Sant Grau GI 39 G 38
Sant Gregori GI 24 G 38
Sant Gregori (Mont) GI 24 G 37
Sant Guim de Freixenet L 37 H 34
Sant Guim de la Plana L 37 G 33
Sant Hilari Sacalm GI 24 G 37
Sant Hipòlit de Voltregà B 24 F 36
Sant Iscle de Vallalta B 38 H 37
Sant Isidre V 62 N 28
Sant Isidre d'Albatera A 85 R 27
Sant Jaume (Ermita de) V 74 P 28
Sant Jaume de Frontanyà B 24 F 36
Sant Jaume de Llierca GI 24 F 37
Sant Jaume dels Domenys T 37 I 34
Sant Jaume d'Enveja T 50 J 32
Sant Jeroni B 38 H 35
Sant Jeroni (Convent de) V 74 P 29
Sant Joan IB 105 N 39
Sant Joan (Banyos de) IB 105 N 39
Sant Joan d'Alacant A 86 Q 28
Sant Joan de Labritja IB 87 O 34
Sant Joan de l'Erm L 23 E 33
Sant Joan de les Abadesses GI 24 F 36
Sant Joan de Mollet GI 25 F 38
Sant Joan de Moró CS 62 L 29
Sant Joan de Penyagolosa CS 62 L 28
Sant Joan de Vilatorrada B 38 G 35
Sant Joan de Vinyafrescal L 23 F 32
Sant Joan Fumat L 23 E 34
Sant Joan les Fonts GI 24 F 37
Sant Joaquim CS 49 J 29
Sant Jordi A 74 Q 29
Sant Jordi *Ibiza* IB 87 P 34
Sant Jordi *Mallorca* IB 104 N 38
Sant Jordi / San Jorge CS 50 K 30
Sant Jordi (Golf de) T 51 J 32
Sant Jordi d'Alfama T 51 J 32
Sant Jordi Desvalls GI 25 F 38
Sant Josep *Ibiza* IB 87 P 33
Sant Josep (Grutes de) CS 62 M 29
Sant Julià GI 24 F 37
Sant Julià de Cerdanyola B 24 F 35
Sant Julià de Vilatorta B 38 G 36
Sant Llorenç GI 25 G 38
Sant Llorenç *Ibiza* IB 87 O 34
Sant Llorenç de la Muga GI 25 F 38
Sant Llorenç de Montgai L 36 G 32
Sant Llorenç de Morunys L 23 F 34
Sant Llorenç del Munt B 38 H 36
Sant Llorenç del Munt (Parc natural de) B 38 G 35
Sant Llorenç des Cardassar IB 105 N 39
Sant Llorenç d'Hortons B 38 H 35
Sant Llorenç Savall B 38 G 36
Sant Lluís IB 106 M 42
Sant Magí (Santuari) T 37 H 34
Sant Marçal (Ermita) B 38 G 37
Sant Martí (Cap de) A 75 P 30
Sant Martí d'Albars B 24 F 36
Sant Martí de Barcedana L 23 F 32
Sant Martí de Centelles B 38 G 36
Sant Martí de Llémena GI 24 F 37
Sant Martí de Ogassa GI 24 F 36
Sant Martí de Riucorb L 37 H 33
Sant Martí de Surroca GI 24 F 36
Sant Martí de Torroella B 38 G 35
Sant Martí de Tous B 37 H 34
Sant Martí Sacalm GI 24 F 37
Sant Martí Sapresa GI 24 G 37
Sant Martí Sarroca B 37 H 34
Sant Martí Sescorts B 24 F 36
Sant Martí Sesgueioles B 37 G 34
Sant Martí Sesserres GI 25 F 38
Sant Martí Vell GI 25 F 38
Sant Mateu GI 25 G 38
Sant Mateu *Castelló* CS 50 K 30
Sant Mateu *Ibiza* IB 87 O 34
Sant Mateu de Bages B 37 G 35
Sant Maurici B 24 F 35
Sant Maurici (Estany de) L 23 E 32
Sant Miguel de Salinas A 85 S 27
Sant Miquel *Ibiza* IB 87 O 34
Sant Miquel *Mallorca* IB 105 N 39
Sant Miquel (Ermita de) *Castelló* CS 63 L 30
Sant Miquel de Campmajor GI 24 F 38

Sant Miquel de Cladells ***GI*** 24 G 37
Sant Miquel de Fluvià ***GI*** 25 F 38
Sant Miquel de la Pobla ***V*** 61 L 26
Sant Miquel de la Pobla ***CS*** 49 K 29
Sant Miquel del Fai ***B*** 38 G 36
Sant Mori ***GI*** 25 F 38
Sant Nicolau ***L*** 22 E 32
Sant Pasqual (Ermita de) ***A*** 86 Q 28
Sant Pau ***CS*** 50 K 29
Sant Pau de Segúries ***GI*** 24 F 37
Sant Pau d'Ordal ***B*** 38 H 35
Sant Pere de Casserres ***B*** 24 G 37
Sant Pere de Ribes ***B*** 38 I 35
Sant Pere de Riudebitlles ***B*** 37 H 35
Sant Pere de Rodes (Monestir de) ***GI*** 25 F 39
Sant Pere de Torelló ***B*** 24 F 36
Sant Pere de Vilamajor ***B*** 38 G 37
Sant Pere Despuig ***GI*** 24 F 37
Sant Pere i Sant Pau ***T*** 51 I 33
Sant Pere Pescador ***GI*** 25 F 39
Sant Pere Sallavinera ***B*** 37 G 34
Sant Pol de Mar ***B*** 38 H 37
Sant Ponç (Pantà de) ***L*** 37 G 34
Sant Privat d'En Bas ***GI*** 24 F 37
Sant Quintí de Mediona ***B*** 37 H 34
Sant Quirze ***B*** 38 H 36
Sant Quirze de Besora ***B*** 24 F 36
Sant Quirze de Pedret ***B*** 24 F 35
Sant Quirze Safaja ***B*** 38 G 36
Sant Rafael ***A*** 74 Q 29
Sant Rafel ***A*** 74 P 28
Sant Rafel *Ibiza* ***IB*** 87 P 34
Sant Rafel del Riu ***CS*** 50 K 31
Sant Ramon ***L*** 37 G 34
Sant Romà d'Abella ***L*** 23 F 33
Sant Sadurní d'Anoia ***B*** 38 H 35
Sant Sadurní de l'Heura ***GI*** 25 G 38
Sant Sadurní d'Osormort ***B*** 24 G 37
Sant Salvador ***T*** 37 I 34
Sant Salvador (Monestir) *Mallorca* ***IB*** 105 N 39
Sant Salvador (Monte) ***GI*** 25 F 39
Sant Salvador de Bianya ***GI*** 24 F 37
Sant Salvador de Guardiola ***B*** 37 G 35
Sant Salvador de Toló ***L*** 23 F 33
Sant Sebastià (Cap de) ***GI*** 25 G 39
Sant Sebastià (Ermita de) ***V*** 74 P 27
Sant Sebastià de Montmajor ***B*** 38 H 36
Sant Tomàs ***IB*** 106 M 42
Sant Vicenç de Castellet ***B*** 38 G 35
Sant Vicenç de Montalt ***B*** 38 H 37
Sant Vicenç de Torelló ***B*** 24 F 36
Sant Vicenç dels Horts ***B*** 38 H 36
Sant Vicent *Castelló* ***CS*** 62 L 28
Sant Vicent *Ibiza* ***IB*** 87 O 34
Sant Vicent (Ermita de) ***V*** 62 N 28
Sant Vicent (Ermita de) ***A*** 86 R 28
Sant Vicent del Raspeig ***A*** 86 Q 28
Santa (Cova) ***IB*** 87 P 33
Santa (La) ***LO*** 19 F 22
Santa (La) *Lanzarote* ***GC*** 122 C 3
Santa (Monasterio La) ***MU*** 85 S 25
Santa Afra ***GI*** 24 F 38
Santa Àgata *Castelló* ***CS*** 50 K 30
Santa Agnès *Ibiza* ***IB*** 87 O 34
Santa Agnès de Malanyanes ***B*** 38 H 37
Santa Agueda *Menorca* ***IB*** 106 L 42
Santa Agueda (Ermita de) ***H*** 91 T 10
Santa Amalia ***BA*** 68 O 11
Santa Ana ***O*** 6 C 13
Santa Ana ***ZA*** 29 G 10
Santa Ana ***TO*** 58 L 17
Santa Ana ***MU*** 85 S 26
Santa Ana ***J*** 94 T 18
Santa Ana ***CC*** 68 O 12
Santa Ana *cerca de Albacete* ***AB*** 72 P 24
Santa Ana *cerca de Alcadozo* ***AB*** 72 P 23
Santa Ana (Ermita de) ***CC*** 68 O 12
Santa Ana (Ermita de) *cerca de Alfambra* ***TE*** 48 K 26
Santa Ana (Ermita de) *cerca de Rubielos de la Cérida* ***GU*** 48 J 26
Santa Ana (Monasterio de) ***MU*** 85 Q 26
Santa Ana (Sierra) ***MU*** 85 Q 26
Santa Ana de Abajo ***AB*** 72 P 24
Santa Ana de Arriba ***AB*** 72 P 23
Santa Ana de Pusa ***TO*** 57 M 15
Santa Ana la Real ***H*** 79 S 9
Santa Anastasia ***Z*** 20 F 26
Santa Anna (Pantà de) ***L*** 36 G 31
Santa Bárbara ***T*** 50 J 31
Santa Bárbara ***O*** 6 C 13
Santa Bárbara ***AL*** 96 T 24
Santa Bárbara ***CC*** 56 L 11
Santa Bárbara ***NA*** 20 D 27
Santa Barbara (Alto de) ***HU*** 21 E 27
Santa Bárbara (Ermita de) ***GI*** 24 G 37
Santa Bárbara (Ermita de) ***HU*** 21 E 27
Santa Bárbara (Ermita de) ***CU*** 47 L 22
Santa Bárbara (Ermita de) *cerca de Alcañiz* ***TE*** 50 J 29
Santa Bárbara (Ermita de) *cerca de Calamocha* ***TE*** 48 J 25
Santa Bárbara (Ermita de) *cerca de Camarena de la Sierra* ***TE*** 61 L 26
Santa Bárbara (Ermita de) *cerca de Celadas* ***TE*** 49 K 26
Santa Bárbara (Ermita de) *cerca de Perales del Alfambra* ***TE*** 48 K 26
Santa Bárbara (Ermita de) *cerca de Teruel* ***TE*** 48 K 26
Santa Bárbara (Ermita de) *cerca de Villalba Baja* ***TE*** 49 K 26
Santa Bárbara (Monte) ***GR*** 95 T 21
Santa Bárbara de Casa ***H*** 78 S 8
Santa Brígida *Gran Canaria* ***GC*** 115 F 2
Santa Brígida (Ermita de) ***CR*** 70 P 17
Santa Casilda (Santuario de) ***BU*** 18 E 19
Santa Catalina ***C*** 2 C 3
Santa Catalina ***TO*** 58 M 17
Santa Catalina ***J*** 82 S 18
Santa Catalina ***SE*** 92 T 12
Santa Catalina (Ermita de) ***V*** 61 M 26
Santa Cecilia ***BU*** 31 F 18
Santa Cecilia ***SO*** 33 F 22
Santa Cecília (Ermita) ***B*** 38 H 35
Santa Cecília de Voltregà ***B*** 38 G 36
Santa Cecilia del Alcor ***P*** 31 G 16
Santa Cilia ***HU*** 21 F 29
Santa Cilia de Jaca ***HU*** 21 E 27
Santa Clara ***CR*** 69 P 16
Santa Clara ***CO*** 69 Q 14
Santa Clara de Avedillo ***ZA*** 29 H 12
Santa Coloma ***LO*** 19 E 22
Santa Coloma de Farners ***GI*** 24 G 38
Santa Coloma de Queralt ***T*** 37 H 34
Santa Colomba de Curueño ***LE*** 16 D 13
Santa Colomba de la Carabias ***ZA*** 30 F 13
Santa Colomba de las Monjas ***ZA*** 29 G 12
Santa Colomba de Somoza ***LE*** 15 E 11
Santa Comba ***C*** 2 C 3
Santa Comba ***LU*** 4 D 7
Santa Comba de Bande ***OR*** 27 G 6
Santa Cova ***B*** 38 H 35
Santa Cristina ***CU*** 47 K 23
Santa Cristina (Ermita de) ***GI*** 39 G 38
Santa Cristina d'Aro ***GI*** 25 G 39
Santa Cristina de la Polvorosa ***ZA*** 29 F 12
Santa Cristina de Lena ***O*** 5 C 12
Santa Cristina de Valmadrigal ***LE*** 16 E 14
Santa Croya de Tera ***ZA*** 29 G 12
Santa Cruz ***SG*** 32 I 18
Santa Cruz ***BI*** 8 C 20
Santa Cruz ***O*** 5 B 12
Santa Cruz ***CO*** 81 S 16
Santa Cruz ***MU*** 85 R 26
Santa Cruz *cerca de A Coruña* ***C*** 3 B 4
Santa Cruz *cerca de Espiñaredo* ***C*** 3 B 6
Santa Cruz (Ermita de) ***TE*** 49 K 27
Santa Cruz (Sierra de) ***CC*** 68 O 12
Santa Cruz de Abranes ***ZA*** 28 G 9
Santa Cruz de Bezana ***S*** 7 B 18
Santa Cruz de Boedo ***P*** 17 E 16
Santa Cruz de Campezo ***VI*** 19 D 22
Santa Cruz de Grío ***Z*** 34 H 25
Santa Cruz de Juarros ***BU*** 18 F 19
Santa Cruz de la Palma *La Palma* ***TF*** 131 D 4
Santa Cruz de la Salceda ***BU*** 32 H 19
Santa Cruz de la Serós ***HU*** 21 E 27
Santa Cruz de la Sierra ***CC*** 68 N 12
Santa Cruz de la Zarza ***TO*** 59 M 20
Santa Cruz de los Cañamos ***CR*** 71 Q 21
Santa Cruz de Marchena ***AL*** 95 U 22
Santa Cruz de Mieres ***O*** 5 C 12
Santa Cruz de Moncayo ***Z*** 34 G 24
Santa Cruz de Moya ***CU*** 61 M 26
Santa Cruz de Mudela ***CR*** 70 Q 19
Santa Cruz de Nogueras ***TE*** 48 I 26
Santa Cruz de Paniagua ***CC*** 55 L 11
Santa Cruz de Pinares ***AV*** 45 K 16
Santa Cruz de Tenerife *Tenerife* ***TF*** 125 J 2
Santa Cruz de Yanguas ***SO*** 33 F 22
Santa Cruz del Comercio ***GR*** 94 U 18
Santa Cruz del Monte ***P*** 17 E 16
Santa Cruz del Retamar ***TO*** 58 L 17
Santa Cruz del Tozo ***BU*** 17 E 18
Santa Cruz del Valle ***AV*** 57 L 15
Santa Cruz del Valle Urbión ***BU*** 18 F 20
Santa Elena ***HU*** 21 D 29
Santa Elena ***J*** 82 Q 19
Santa Elena (Ermita de) ***TE*** 61 L 26
Santa Elena (Monasterio de) ***HU*** 21 E 29
Santa Elena de Jamuz ***LE*** 15 F 12
Santa Emilia ***TO*** 57 M 15
Santa Engracia ***Z*** 34 G 26
Santa Engracia ***HU*** 21 E 27
Santa Engracia del Jubera ***LO*** 19 F 23
Santa Eufemia ***CO*** 69 Q 15
Santa Eufemia del Arroyo ***VA*** 30 G 14
Santa Eufemia del Barco ***ZA*** 29 G 12
Santa Eugenia ***C*** 12 E 3
Santa Eugènia *Mallorca* ***IB*** 104 N 38
Santa Eugènia de Berga ***B*** 38 G 36
Santa Eulalia ***S*** 7 C 16
Santa Eulalia ***TE*** 48 K 26
Santa Eulalia ***ZA*** 29 F 11
Santa Eulalia ***J*** 82 R 19
Santa Eulalia *Cabranes* ***O*** 6 B 13
Santa Eulalia *Morcín* ***O*** 5 C 12
Santa Eulalia (Ermita de) ***H*** 79 S 10
Santa Eulalia Bajera ***LO*** 19 F 23
Santa Eulalia de Bóveda ***LU*** 3 D 6
Santa Eulalia de Cabrera ***LE*** 15 F 10
Santa Eulalia de Gállego ***Z*** 21 F 27
Santa Eulalia de la Peña ***HU*** 21 F 28
Santa Eulalia de Oscos ***O*** 4 C 8
Santa Eulàlia de Puig-oriol ***B*** 24 F 36
Santa Eulàlia de Riuprimer ***B*** 38 G 36
Santa Eulàlia de Ronçana ***B*** 38 H 36
Santa Eulalia de Tábara ***ZA*** 29 G 12
Santa Eulalia del Río / Santa Eulària des Riu ***IB*** 87 P 34
Santa Eulalia La Mayor ***HU*** 21 F 29
Santa Eulària des Riu / Santa Eulalia del Río ***IB*** 87 P 34
Santa Euxea ***LU*** 13 D 7
Santa Faç ***A*** 86 Q 28
Santa Fe ***L*** 37 G 34
Santa Fe ***GR*** 94 U 18
Santa Fe (Pantà de) ***B*** 38 G 37
Santa Fe de Mondújar ***AL*** 103 V 22
Santa Filomena (Ermita de) ***A*** 85 R 27
Santa Gadea ***BU*** 17 D 18
Santa Gadea del Cid ***BU*** 18 D 20
Santa Genoveva ***SE*** 92 T 12
Santa Gertrudis ***IB*** 87 P 34
Santa Iglesia ***SE*** 92 T 13
Santa Inés ***BU*** 32 F 18
Santa Inés ***SA*** 44 J 13
Santa Inés ***BA*** 68 Q 13
Santa Inés (Puerto de) ***SO*** 33 F 21
Santa Isabel ***Z*** 35 H 27
Santa Juliana ***SE*** 92 T 13
Santa Lecina ***HU*** 36 G 30
Santa Liestra y San Quilez ***HU*** 22 F 31
Santa Linya ***L*** 36 G 32
Santa Lucia ***LO*** 19 F 23
Santa Lucía ***PO*** 12 E 4
Santa Lucía *Gran Canaria* ***GC*** 117 E 3
Santa Lucía (Ermita de) ***TE*** 48 K 25
Santa Lucía de Valdueza ***LE*** 14 E 10
Santa Magdalena ***IB*** 104 M 38
Santa Magdalena (Ermita de) ***T*** 50 J 31
Santa Magdalena de Pulpís ***CS*** 50 K 30
Santa Margalida *Mallorca* ***IB*** 105 M 39
Santa Margarida ***GI*** 25 F 39
Santa Margarida de Montbui ***B*** 37 H 34
Santa Margarida i els Monjós ***B*** 37 I 35
Santa Margarita ***CA*** 99 X 14
Santa Margarita (Ermita de) ***TE*** 61 M 27
Santa Margarita (Portillo de) 20 F 25
Santa María ***HU*** 21 E 27
Santa María ***O*** 5 B 12
Santa María ***CR*** 71 P 21
Santa María ***BA*** 67 P 10
Santa María ***P*** 17 D 16
Santa María *cerca de Luciana* ***CR*** 69 O 16
Santa María (Ermita de) ***SG*** 31 I 17
Santa María (Sierra de) ***BA*** 67 Q 9
Santa María de Bellpuig ***L*** 36 G 32
Santa María de Bendones ***O*** 5 B 12
Santa María de Besora ***B*** 24 F 36
Santa María de Cayón ***S*** 7 C 18
Santa María de Corcó ***B*** 24 F 37
Santa María de Guía *Gran Canaria* ***GC*** 114 D 1
Santa María de Huerta ***SO*** 33 I 23
Santa María de la Alameda ***M*** 45 K 17
Santa María de la Isla ***LE*** 15 E 12
Santa María de la Vega ***ZA*** 15 F 12
Santa María de las Hoyas ***SO*** 32 G 20
Santa María de las Lomas ***CC*** 56 L 13
Santa María de Llorell ***GI*** 39 G 38
Santa María de los Caballeros ***AV*** 44 K 13
Santa María de los Llanos ***CU*** 59 N 21
Santa María de Mave ***P*** 17 D 17
Santa María de Meià ***L*** 37 G 32
Santa María de Mercadillo ***BU*** 32 G 19
Santa María de Merlès ***B*** 24 F 35
Santa María de Mezonzo ***C*** 3 C 5
Santa María de Miralles ***B*** 37 H 34
Santa María de Nieva ***AL*** 96 T 24
Santa María de Ordás ***LE*** 15 D 12
Santa María de Palautordera ***B*** 38 G 37
Santa María de Redondo ***P*** 17 D 16
Santa María de Riaza ***SG*** 32 H 19
Santa María de Sando ***SA*** 43 J 11
Santa María de Siones ***BU*** 8 C 20
Santa María de Tentudia (Santuario de) ***BA*** 79 R 10
Santa María de Trassierra ***CO*** 81 S 15
Santa María de Valverde ***ZA*** 29 G 12
Santa María de Zújar (Ermita de) ***BA*** 68 P 12
Santa María del Águila ***AL*** 102 V 21
Santa María del Arroyo ***AV*** 44 K 15
Santa María del Berrocal ***AV*** 44 K 13
Santa María del Camí ***B*** 37 H 34
Santa María del Camí *Mallorca* ***IB*** 104 N 38
Santa María del Campo ***BU*** 17 F 18
Santa María del Campo Rus ***CU*** 60 N 22
Santa María del Cerro ***SG*** 46 I 18
Santa María del Cubillo ***AV*** 45 J 16
Santa María del Espino ***GU*** 47 J 23
Santa María del Invierno ***BU*** 18 E 19
Santa María del Mar ***O*** 5 B 11
Santa María del Monte de Cea ***LE*** 16 E 14
Santa María del Monte del Condado ***LE*** 16 D 13
Santa María del Páramo ***LE*** 15 E 12
Santa María del Prado ***SO*** 33 H 22
Santa María del Puerto ***O*** 5 C 11
Santa María del Río ***LE*** 16 E 14
Santa María del Tietar ***AV*** 57 L 16
Santa María del Val ***CU*** 47 K 23
Santa María d'Oló ***B*** 38 G 36
Santa María la Real de Nieva ***SG*** 45 I 16
Santa María La Real de Oseira (Monasterio) ***OR*** 13 E 6
Santa María Magdalena ***A*** 85 Q 27
Santa María-Ribarredonda ***BU*** 18 E 20
Santa Marina ***O*** 5 C 12
Santa Marina ***LE*** 15 E 10
Santa Marina ***PO*** 12 D 4
Santa Marina ***LO*** 19 F 22
Santa Marina de Somoza ***LE*** 15 E 11
Santa Marina de Valdeón ***LE*** 6 C 15
Santa Marina del Rey ***LE*** 15 E 12
Santa Mariña ***C*** 2 C 3
Santa Mariña de Augas Santas ***OR*** 13 F 6
Santa Marta ***AB*** 72 O 23
Santa Marta ***BA*** 67 Q 10
Santa Marta ***MA*** 100 W 14
Santa Marta de Magasca ***CC*** 56 N 11
Santa Marta de Ortigueira (Ría de) ***C*** 3 A 6
Santa Marta de Tera ***ZA*** 29 G 12
Santa Marta de Tormes ***SA*** 43 J 13
Santa Olaja ***BU*** 8 C 20
Santa Olaja ***LE*** 16 D 14
Santa Olaja de la Varga ***LE*** 16 D 14
Santa Olaja de la Vega ***P*** 16 E 15
Santa Olalla ***TO*** 57 L 16
Santa Olalla (Sierra de) ***CC*** 55 L 9
Santa Olalla de Bureba ***BU*** 18 E 19
Santa Olalla de Yeltes ***SA*** 43 J 11
Santa Olalla del Cala ***H*** 79 S 11
Santa Oliva ***T*** 37 I 34
Santa Pau ***GI*** 24 F 37
Santa Paula ***TO*** 57 M 15
Santa Pelada (Ermita de la) ***CR*** 70 P 19
Santa Pellaia ***GI*** 25 G 38
Santa Perpètua ***T*** 37 H 34
Santa Perpètua ***B*** 38 H 36
Santa Pola ***A*** 86 R 28
Santa Pola (Cap de) ***A*** 86 R 28
Santa Pola de l'Est ***A*** 86 R 28
Santa Ponça ***IB*** 104 N 37
Santa Quiteria ***CR*** 69 O 16
Santa Quiteria ***TO*** 57 N 15
Santa Quiteria (Ermita de) ***TE*** 49 K 27
Santa Quitería (Ermita de) ***GU*** 48 K 24
Santa Rita ***AB*** 71 P 21
Santa Rosa ***O*** 5 C 12
Santa Rosa (Casa de) ***AB*** 73 P 26
Santa Rosalia ***MU*** 85 S 27
Santa Rosalía ***MA*** 100 V 16
Santa Sabiña ***C*** 2 C 3
Santa Susanna ***B*** 38 H 38
Santa Tecla ***PO*** 26 G 3
Santa Teresa ***SA*** 44 J 13
Santa Teresa ***CA*** 98 W 11
Santa Teresa (Embalse de) ***SA*** 43 K 13
Santa Teresa (Ermita) ***MU*** 84 S 24
Santa Úrsula *Tenerife* ***TF*** 124 G 2
Santaballa ***LU*** 3 C 6
Santacara ***NA*** 20 E 25
Santaella ***CO*** 93 T 15
Santalavilla ***LE*** 14 E 10
Santamera ***GU*** 47 I 21
Santander ***S*** 8 B 18
Santandria ***IB*** 106 M 41
Santanyí ***IB*** 105 N 39
Santaolalla ***GR*** 95 T 21
Santas (Las) ***OR*** 13 E 5
Santas Martas ***LE*** 16 E 13
Santaya ***C*** 3 C 5
Sante ***O*** 4 B 9
Sante ***LU*** 4 B 8
Santed ***Z*** 48 I 25
Santed (Puerto de) ***Z*** 48 I 25
Santeles ***PO*** 13 D 4
Santelices ***BU*** 18 D 18
Santervás ***SO*** 32 G 20
Santervás de Campos ***VA*** 16 F 14
Santervás de la Vega ***P*** 16 E 15
Santes Creus ***T*** 37 G 33
Santes Creus (Monestir) ***T*** 37 H 34

Santesteban / Doneztebe NA 11 C 24
Santi Petri MA 100 V 16
Santiago J 82 S 17
Santiago CC 54 N 8
Santiago (Ermita de) CR 70 P 19
Santiago (Sierra de) BA 67 O 9
Santiago de Alcántara CC 54 N 8
Santiago de Calatrava J 82 S 17
Santiago de Compostela C 12 D 4
Santiago de la Espada J 83 R 22
Santiago de la Puebla SA 44 J 14
Santiago de la Requejada ZA 15 F 10
Santiago de la Ribera MU 85 S 27
Santiago de Mora AB 73 Q 25
Santiago de Tormes AV 44 L 13
Santiago del Arroyo VA 31 H 16
Santiago del Campo CC 55 N 10
Santiago del Collado AV 44 K 13
Santiago del Monte O 5 B 11
Santiago del Teide Tenerife TF 126 C 3
Santiago Millas LE 15 E 11
Santiagos (Los) CR 70 P 17
Santianes cerca de Tineo O 5 C 10
Santianes cerca de Pravia O 5 B 11
Santianes cerca de Ribadesella O 6 B 14
Santianes cerca de Santo Adriano O 5 C 11
Santibánez S 7 C 18
Santibáñez O 6 C 13
Santibáñez LE 16 D 13
Santibáñez de Ayllón SG 32 H 20
Santibáñez de Béjar SA 43 K 13
Santibañez de Ecla P 17 D 16
Santibáñez de Esgueva BU 32 G 18
Santibáñez de la Peña P 17 D 15
Santibáñez de la Sierra SA 43 K 12
Santibáñez de Montes LE 15 E 11
Santibáñez de Porma LE 16 E 13
Santibáñez de Resoba P 17 D 16
Santibáñez de Rueda LE 16 D 14
Santibáñez de Tera ZA 29 G 12
Santibáñez de Valcorba VA 31 H 16
Santibáñez de Vidriales ZA 29 F 11
Santibáñez del Val BU 32 G 19
Santibáñez el Alto CC 55 L 10
Santibáñez el Bajo CC 55 L 11
Santibáñez-Zarzaguda BU 18 E 18
Santidad Gran Canaria GC 115 E 2
Santigosa (Coll de) GI 24 F 36
Santigoso OR 14 E 9
Santillán P 17 E 15
Santillana AL 95 U 21
Santillana (Embalse de) M 45 J 18
Santillana de Castilla P 17 E 16
Santillana del Mar S 7 B 17
Santimamiñe BI 9 B 22
Santiorxo LU 13 E 7
Santiponce SE 91 T 11
Santiscal (El) CA 92 V 12
Santísima Trinidad NA 10 D 24
Santiso C 13 D 5
Santisteban del Puerto J 83 R 20
Santiurde de Reinosa S 7 C 17
Santiurde de Toranzo S 7 C 18
Santiuste SO 32 H 21
Santiuste GU 47 I 21
Santiuste de Pedraza SG 45 I 18
Santiuste de San Juan Bautista SG 45 I 16
Santiz SA 29 I 12
Santo (Ermita del) CC 68 O 12
Santo (Peñon del) GR 101 V 18
Santo Adriano O 5 C 11
Santo Domingo M 46 K 19
Santo Domingo CO 81 S 15
Santo Domingo SE 92 T 13
Santo Domingo BA 66 Q 8
Santo Domingo Z 21 E 27
Santo Domingo (Ermita de) CC 55 N 10
Santo Domingo (Puerto de) BA 79 Q 10
Santo Domingo (Punta y Prois de) La Palma TF 130 B 3
Santo Domingo de Huebra SA 43 K 12
Santo Domingo de la Calzada LO 18 E 21
Santo Domingo de las Posadas AV 45 J 16
Santo Domingo de Moya CU 61 M 25
Santo Domingo de Pirón SG 45 I 18
Santo Domingo de Silos BU 32 G 19
Santo Estevo (Embalse de) LU 14 E 7
Santo Niño (Ermita del) TO 58 M 19
Santo Tomé LU 4 B 8
Santo Tomé OR 13 F 5
Santo Tomé J 83 R 20
Santo Tomé de Rozados SA 43 J 12
Santo Tomé de Zabarcos AV 44 J 15
Santo Tomé del Puerto SG 46 I 19
Santo Toribio de Liébana S 7 C 16
Santolea TE 49 J 28
Santolea (Embalse de) TE 49 J 29
Santomera MU 85 R 26
Santoña S 8 B 19
Santopétar AL 96 T 23
Santopitar MA 101 V 17
Santorcaz M 46 K 20
Santoréns HU 22 E 32
Santos (Ermita de los) TE 50 J 30
Santos (Ermita de los) CA 99 W 12
Santos (Los) SA 43 K 12
Santos (Los) V 61 L 26
Santos (Los) CO 93 T 16
Santos (Sierra de los) CO 80 R 13
Santos (Sierra de los) BA 79 Q 11
Santos de la Humosa (Los) M 46 K 20
Santos de la Piedra (Ermita de los) TE 48 K 25
Santos de Maimona (Los) BA 79 Q 10
Santoseco O 5 B 11
Santotis BU 18 D 19
Santotis S 7 C 16
Santovenia ZA 29 G 12
Santovenia SG 45 J 16
Santovenia de la Valdoncina LE 16 E 13
Santovenia de Oca BU 18 E 19
Santovenia de Pisuerga VA 31 G 15
Santovenia del Monte LE 16 E 13
Santoveña O 6 B 15
Santoyo P 17 F 16
Santpedor B 38 G 35
Santuario de Belén AB 73 P 26
Santullán S 8 B 20
Santullano O 5 B 12
Santurde de Rioja LO 18 E 21
Santurdejo LO 18 E 21
Santurio O 6 B 13
Santurtzi BI 8 B 20
Sanxenxo / Sangenjo PO 12 E 3
Sanxián PO 26 G 3
Sanzo O 4 C 9
Sanzoles ZA 30 H 13
Saornil de Voltoya AV 45 J 16
Sapeira L 22 F 32
Sar C 12 D 4
Sarandón C 13 D 4
Sarasa NA 10 D 24
Saraso BU 19 D 22
Saratxo VI 8 C 20
Saravillo HU 22 E 30
Sarceda S 7 C 16
Sarces C 2 C 2
Sardas HU 21 E 29
Sardina Gran Canaria GC 117 F 4
Sardina (Punta de) Gran Canaria GC 114 C 1
Sardinas J 83 R 20
Sardinero SE 80 S 13
Sardinero (El) S 8 B 18
Sardineros (Los) V 73 N 26
Sardinilla J 82 R 17
Sardiñeiro de Abaixo C 2 D 2
Sardón de Duero VA 31 H 16
Sardón de los Frailes SA 29 I 11
Sarga (Pico de la) AB 83 Q 22
Sargadelos LU 4 B 7
Sargentes de la Lora BU 17 D 18
Sargilla (La) AB 72 Q 23
Sariego O 6 B 13
Sariegos LE 16 E 13
Sariñena HU 35 G 29
Saro S 7 C 18
Sarón S 7 C 18
Sarrablo (Puerto del) HU 21 E 29
Sarracín BU 18 F 18
Sarracín de Aliste ZA 29 G 11
Sarral T 37 H 33
Sarreaus OR 13 F 7
Sarria LU 14 D 7
Sarrià de Ter GI 25 F 38
Sarriés / Sartze NA 11 D 26
Sarrión TE 61 L 27
Sarroca de Bellera L 22 E 32
Sarroca de Lleida L 36 H 31
Sarroqueta L 22 E 32
Sarsamarcuello HU 21 F 27
Sartaguda NA 19 E 23
Sartajada TO 57 L 15
Sartze / Sarriés NA 11 D 26
Sarvisé HU 21 E 29
Sarzol O 4 C 9
Sas de Penelas OR 14 E 7
Sasa del Abadiado HU 21 F 29
Sasal HU 21 E 28
Sasamón BU 17 E 17
Sasdónigas LU 4 B 7
Sáseta BU 19 D 22
Sástago Z 35 I 28
Sastres CR 69 O 16
Saturrarán SS 10 C 22
Sau (Pantà de) B 24 G 37
Sauca GU 47 I 22
Saúca (Ermita de) GU 47 K 21
Sauceda CC 43 L 10
Sauceda (La) MA 99 W 13
Saucedilla CC 56 M 12
Saucejo (El) SE 92 U 14
Saucelle SA 42 I 9
Sauceral (El) TO 58 N 17
Sauces (Los) La Palma TF 131 D 3
Sauco AL 95 U 22
Saúgo (El) SA 42 K 10
Sauquillo de Boñices SO 33 H 22
Sauquillo de Cabezas SG 45 I 17
Sauquillo de Paredes SO 32 H 21
Sauquillo del Campo SO 33 H 22
Saus GI 25 F 38
Sauvegarde (Pico de) HU 22 D 31
Sauzal (El) Tenerife TF 124 G 2
Savallà del Comtat T 37 H 33
Savina (La) IB 87 P 34
Saviñán Z 34 H 25
Saviñao LU 13 E 7
Sax A 73 Q 27
Sayago (Palazuelo de) ZA 29 H 11
Sayalonga MA 101 V 17
Sayatón GU 47 K 21
Sazadón (Portillo de) ZA 29 G 11
Seadur OR 14 E 8
Seara LU 14 E 8
Seara (A) OR 13 F 5
Seares O 4 B 8
Seavia C 2 C 3
Sebo (Punta del) H 90 U 9
Sebúlcor SG 31 I 18
Seca (La) SO 33 H 21
Seca (La) VA 30 H 15
Seca (La) LE 16 D 13
Secastilla HU 22 F 30
Secuita (La) T 37 I 33
Sedano BU 18 D 18
Sedella MA 101 V 17
Sedes C 3 B 5
Sediles Z 34 H 25
Segán LU 13 D 6
Segarró (El) CS 50 K 29
Segart V 62 M 28
Sege AB 84 R 23
Segóbriga (Ruinas romanas de) CU 59 M 21
Segorbe CS 62 M 28
Segovia SG 45 J 17
Segoyuela de los Cornejos SA 43 K 11
Segre (Vall du) L 23 E 34
Segur de Calafell T 37 I 34
Segura T 37 H 33
Segura SS 10 C 23
Segura (Puerto de) TE 49 J 27
Segura de la Sierra J 83 R 22
Segura de Léon BA 79 R 10
Segura de los Baños TE 49 J 27
Segura de Toro CC 56 L 12
Segurilla TO 57 L 15
Seguro (El) S 7 C 18
Seira HU 22 E 31
Seixido PO 13 E 4
Seixo PO 12 E 3
Seixo (O) PO 12 G 3
Seixón LU 3 C 6
Sejas de Aliste ZA 29 G 10
Sel de la Carrera S 7 C 18
Sela PO 13 F 4
Selas GU 47 J 23
Selaya S 7 C 18
Selgas O 5 B 11
Selgua HU 36 G 30
Sella A 74 Q 29
Selladores (Casa Forestal de) J 82 Q 18
Sellent V 74 O 28
Selorio O 6 B 13
Selva MU 84 S 24
Selva Mallorca IB 104 M 38
Selva de Mar (La) GI 25 F 39
Selva del Camp (La) T 37 I 33
Selvanera L 37 G 33
Selviella O 5 C 11
Semillas GU 46 I 20
Sena HU 36 G 29
Sena de Luna LE 15 D 12
Senan T 37 H 33
Senande C 2 C 2
Sencelles IB 104 N 38
Sendadiano VI 18 D 21
Sendelle C 3 D 5
Senegüe HU 21 E 28
Senés AL 96 U 22
Senés de Alcubierre HU 35 G 28
Senet L 22 E 32
Senet (Pantà de) HU 22 E 32
Sénia (La) T 50 K 30
Sénia (Riu de la) CS 50 K 31
Senija A 74 P 30
Seno TE 49 J 29
Senra LE 15 D 11
Senterada L 23 F 32
Sentfores B 38 G 36
Sentiu de Sió (La) L 37 G 32
Sentmenat B 38 H 36
Senz HU 22 E 31
Seña S 8 B 19
Señales (Las) LE 6 C 14
Señora BA 66 Q 8
Señorío de Bertiz (Parque natural) NA 11 C 25
Señuela SO 33 H 22
Señuela (La) SE 91 U 11
Seo de Urgel / Seu d'Urgell (La) L 23 E 34
Seoane cerca de Fonsagrada LU 4 C 8
Seoane cerca de Monforte LU 14 E 7
Seoane cerca del Puerto El Buey LU 14 E 8
Sepulcro Hilario SA 43 J 11
Sepúlveda SG 32 I 18
Sequera de Fresno SG 32 H 19
Sequera de Haza (La) BU 31 H 18
Sequero (Ermita de) CC 55 M 9
Sequeros SA 43 K 11
Ser C 2 C 3
Serandinas O 4 B 9
Seranillo CR 70 Q 18
Seráns C 12 E 2
Serantes M 58 L 17
Serantes O 4 B 9
Serantes cerca de Ferrol C 3 B 5
Serantes cerca de Melide C 13 D 5
Serena AL 96 U 24
Serena (La) BA 68 P 13
Serín O 5 B 12
Serinyà GI 24 F 38
Serna (La) P 17 E 16
Serna del Monte (La) M 46 I 19
Serón AL 95 T 22
Serón de Nágima SO 33 H 23
Serones (Embalse de) AV 45 J 16
Serós L 36 H 31
Serpos H 79 S 9
Serra V 62 M 28
Serra d'Almos (La) T 50 I 32
Serra de Daró GI 25 F 39
Serra de Outes C 12 D 3
Serra d'en Galceran CS 62 L 29
Serra Perenxisa V 62 N 28
Serracines M 46 K 19
Serrada VA 30 H 15
Serrada (La) AV 44 K 15
Serrada de la Fuente M 46 J 19
Serradell L 23 F 32
Serradero (Punta del) La Palma TF 130 A 3
Serradiel AB 73 O 25
Serradilla CC 56 M 11
Serradilla del Arroyo SA 43 K 10
Serradilla del Llano SA 43 K 10
Serradúy HU 22 F 31
Serramo C 2 C 3
Serrana (Puerto de la) CC 56 M 11
Serranía de Cuenca CU 47 K 23
Serranía de Cuenca (Reserva nacional) CU 60 L 23
Serranillo SA 42 J 9
Serranillo CR 71 P 20
Serranillos AV 44 K 15
Serranillos (Collado de) AV 44 L 15
Serranillos del Valle M 58 L 18
Serranillos Playa TO 57 L 15
Serrano MU 85 R 26
Serrapio PO 13 E 4
Serrata MU 84 R 23
Serrateix B 37 G 35
Serratella (La) CS 50 L 30
Serrato MA 100 V 15
Serrejón CC 56 M 12
Serrejón (Sierra de) CC 56 M 12
Serrella (La) A 74 P 29
Serres C 12 D 2
Serreta MU 96 T 24
Serreta GR 95 T 20
Serué HU 21 E 28
Serval GR 94 T 17
Serveto HU 22 E 30
Servoi OR 28 F 7
Ses Illetes IB 104 N 37
Ses Meravelles IB 104 N 38
Ses Salines IB 105 N 39
Ses Salines (Cap de) IB 105 O 39
Sesa HU 35 G 29
Sésamo LE 14 D 10
Sesnández ZA 29 G 11
Sestao BI 8 C 21
Sestorraso O 5 C 10
Sestrica Z 34 H 25
Sesué HU 22 E 31
Setcases GI 24 E 36
Setefilla SE 80 S 13
Setenil (Estación de) CA 92 V 14
Setenil de las Bodegas CA 92 V 14
Seteventos LU 14 D 8
Setiles GU 48 J 25
Seu d'Urgell (La) / Seo de Urgel L 23 E 34
Seva B 38 G 36
Sevares O 6 B 14
Sever CC 54 N 7
Sevilla SE 91 T 12
Sevilla (Puerto de) BA 67 P 10
Sevilla la Nueva M 45 K 17
Sevilleja J 82 R 18
Sevilleja de la Jara TO 57 N 15
Sevillejas (Sierra de) TO 57 N 15
Sexmiro SA 42 J 9
Sexmo (El) MA 100 V 16
Shangril-La IB 106 M 42
Sía (Puerto de la) S 8 C 19
Sidamon L 36 H 32
Sienes GU 47 I 22
Siero O 5 B 12
Siero de la Reina LE 16 D 15
Sierpe (La) SA 43 K 12
Sierra AB 73 Q 25
Sierra (Faramontanos de la) ZA 15 F 10
Sierra (La) HU 22 E 30
Sierra (La) AB 83 Q 22
Sierra (La) CA 91 V 12
Sierra (Pico de la) BU 32 G 19
Sierra (Villarejo de la) ZA 15 F 10
Sierra Boyera (Embalse de) CO 80 R 14
Sierra Brava (Embalse de) CC 68 O 13
Sierra de Andújar (Parque natural de la) J 82 Q 17
Sierra de Aracena y Picos de Aroche (Parque natural de la) H 79 R 9
Sierra de Baza (Parque natural de la) GR 95 T 21
Sierra de Cobeza Llana AB 84 Q 24
Sierra de España (Parque natural de la) MU 85 S 25
Sierra de Fuentes CC 55 N 11
Sierra de Grazalema (Parque natural de la) CA 99 W 13
Sierra de Hornachuelos (Parque natural de la) CO 80 S 13
Sierra de Huétor (Parque natural) GR 94 U 19
Sierra de las Nieves SE 92 V 14
Sierra de Luna Z 21 F 27
Sierra de Tejeda (Reserva nacional de) MA 101 V 18
Sierra de Yeguas MA 93 U 15
Sierra Mágina (Parque natural de la) J 82 S 19
Sierra Mayor (Puerto) HU 21 F 27
Sierra Nevada AN 95 U 19
Sierra Nevada (Parque natural de la) GR 94 U 19
Sierra Nevada (Reserva nacional de) GR 94 U 19
Sierra Norte de Sevilla (Parque natural de la) SE 80 S 12
Sierro AL 96 U 22
Sieso de Huesca HU 21 F 29
Siesta IB 87 P 34
Siétamo HU 21 F 29
Siete Aguas V 61 N 27
Siete Iglesias de Trabancos VA 30 H 14
Sieteiglesias M 46 J 19
Sieteiglesias de Tormes SA 44 J 13
Sietes O 6 B 13
Sigena (Monasterio de) HU 36 G 29
Sigeres AV 44 J 15
Sigrás C 3 C 4
Sigüeiro C 3 D 4
Sigüenza GU 47 I 22
Siguero SG 46 I 19
Sigueruelo SG 46 I 19
Sigüés Z 20 E 26
Sigüeya LE 14 E 10
Sil (Gargantas del) OR 13 E 6
Sil (Río) ESP 14 E 7
Silán LU 4 B 7
Silanes BU 18 D 20
Sileras CO 94 T 17
Siles J 83 Q 22
Silillos CO 80 S 14
Silillos (Embalse de) H 79 T 9
Silió S 7 C 17
Silla V 74 N 28
Silla de Felipe II M 45 K 17
Silladores J 82 Q 18
Sillar Baja GR 94 T 19
Silleda PO 13 D 5
Silleiro (Cabo) PO 12 F 3
Silleta CC 55 M 10
Silos (Los) H 78 S 9
Silos (Los) Tenerife TF 126 C 3
Sils GI 39 G 38
Silva C 2 C 4
Silva (La) LE 15 E 11
Silván LE 14 E 9
Silvón O 4 B 9
Silvosa C 12 D 3
Silvoso PO 12 E 4
Simancas VA 30 H 15
Simarro (El) CU 72 N 23
Simat de la Valldigna V 74 O 29

Simón AL 96 T 23
Sín HU 22 E 30
Sinarcas V 61 M 26
Sineu IB 105 N 39
Singla MU 84 R 24
Singra TE 48 K 26
Sinlabajos AV 44 I 15
Sinués HU 21 E 28
Sió (El) (Riu) L 37 G 33
Sios LU 13 E 7
Sipán HU 21 F 29
Siresa HU 21 D 27
Siruela BA 69 P 14
Sisamo C 2 C 3
Sisamón Z 47 I 23
Sisante CU 72 N 23
Sisargas (Illas) C 2 B 3
Sisca (Masía de la) TE 49 J 28
Siscar MU 85 R 26
Sistallo LU 4 C 7
Sisterna O 14 D 10
Sistín OR 14 E 7
Sisto LU 3 B 6
Sit (Penya del) A 85 Q 27
Sitges B 38 I 35
Sitrama de Trasmonte ZA 29 F 12
Siurana GI 25 F 38
Siurana de Prades T 37 I 32
Sober LU 13 E 7
Sobradelo OR 14 E 9
Sobradiel Z 34 G 26
Sobradillo SA 42 J 9
Sobradillo (El) *Tenerife* TF 125 I 2
Sobradillo de Palomares ZA 29 H 12
Sobrado O 5 C 10
Sobrado LE 14 E 9
Sobrado LU 14 D 7
Sobrado OR 14 F 8
Sobrado dos Monxes C 3 C 5
Sobredo LE 14 E 9
Sobrefoz O 6 C 14
Sobrelapeña S 7 C 16
Sobremunt B 24 F 36
Sobrón VI 18 D 20
Socorro (El) SE 92 T 12
Socorro (El) *Tenerife* TF 124 H 2
Socorro (El) *Tenerife* TF 127 H 3
Socovos AB 84 Q 24
Socuéllamos CR 71 O 21
Sodupe BI 8 C 20
Sofán C 2 C 4
Sofuentes Z 20 E 26
Soga (Punta de la) *Gran Canaria* GC 116 B 3
Sogo ZA 29 H 12
Sograndio O 5 B 12
Soguillo LE 15 F 12
Sojo VI 8 C 20
Sojuela LO 19 E 22
Sol MU 84 Q 24
Sol MA 94 V 18
Sol (Punta del) *Tenerife* TF 124 G 2
Sol (Valle del) M 45 K 17
Sol i Mar CS 62 L 30
Solán de Cabras CU 47 K 23
Solana CC 56 N 13
Solana (La) AB 72 P 23
Solana (La) CR 71 P 20
Solana (Serra de la) V 73 P 27
Solana de Ávila AV 43 L 13
Solana de los Barros BA 67 P 10
Solana de Rioalmar AV 44 J 14
Solana del Pino CR 82 Q 17
Solana del Valle SE 80 S 12
Solanara BU 32 G 19
Solanas de Valdelucio BU 17 D 17
Solanazo CR 69 O 16
Solanell L 23 E 34
Solanilla AB 72 P 22
Solanillos del Extremo GU 47 J 21
Solares S 8 B 18
Solbeira OR 14 F 8
Solduengo BU 18 E 19
Solera J 82 S 19
Solera del Gabaldón CU 60 M 24
Soleràs (El) L 36 H 32
Soliedra SO 33 H 22
Solipueyo HU 22 E 30
Solius GI 25 G 38
Solivella T 37 H 33
Sollana V 74 O 28
Sollavientos TE 49 K 28
Sollavientos (Puerto de) TE 49 K 27
Sóller IB 104 M 38
Sollube BI 9 B 21
Sollube (Alto del) BI 9 B 21
Solórzano S 8 B 19
Solosancho AV 44 K 15
Solsía MU 85 Q 26
Solsona L 37 G 34
Solvito CO 94 T 17
Solyplayas *Fuerteventura* GC 111 I 1
Somaén SO 47 I 23
Somanés HU 21 E 27
Sombrera (La) *Tenerife* TF 129 G 4
Somiedo (Parque natural de) O 5 C 11
Somió O 6 B 13
Somo S 8 B 18
Somolinos GU 32 I 20
Somontín AL 96 T 22
Somosierra M 46 I 19
Somosierra (Puerto de) M 46 I 19
Somozas C 3 B 6
Somport (Puerto de) HU 21 D 28
Somport (Túnel de) HU 21 D 28
Son L 23 E 33
Son LU 14 D 8
Son Bou IB 106 M 42
Son Carrió IB 105 N 39
Son del Puerto TE 49 J 27
Son Ferriol IB 104 N 38
Son Marroig IB 104 M 37
Son Moll IB 105 M 40
Son Moro IB 105 N 40
Son Olivaret IB 106 M 41
Son Sardina IB 104 N 37
Son Serra de Marina IB 105 M 39
Son Servera IB 105 N 40
Son Vida IB 104 N 37
Soncillo BU 18 D 18
Sondika BI 8 C 21
Soneja CS 62 M 28
Sonseca TO 58 M 18
Sonsoto SG 45 J 17
Sóo *Lanzarote* GC 123 D 3
Sopalmo AL 96 U 24
Sopeira HU 22 F 32
Sopelana BI 8 B 21
Soportújar GR 102 V 19
Sopuerta BI 8 C 20
Sor C 3 B 6
Sora B 24 F 36
Soraluze-Placencia de las Armas SS 10 C 22
Sorana de Torralba J 83 S 20
Sorbas AL 96 U 23
Sorbeda LE 15 D 10
Sorbeira LE 14 D 9
Sorbito (Estación El) SE 92 U 12
Sordillos BU 17 E 17
Sordo MU 84 S 24
Sordo (El) H 91 U 10
Soria SO 33 G 22
Soria (Embalse de) *Gran Canaria* GC 116 D 3
Soria (Parador) SO 33 G 22
Soriguera L 23 E 33
Sorihuela SA 43 K 12
Sorihuela del Guadalimar J 83 R 20
Sorita CS 49 J 29
Sorlada NA 19 E 23
Sorogain-Lastur NA 11 C 25
Sorpe L 23 E 33
Sorre L 23 E 33
Sorriba LE 16 D 14
Sorribes L 23 F 34
Sorribos de Alba LE 16 D 13
Sort L 23 E 33
Sorvilán GR 102 V 20
Sorzano LO 19 E 22
Sos (Puerto de) Z 20 E 26
Sos del Rey Católico Z 20 E 26
Soses L 36 H 31
Sot de Chera V 61 N 27
Sot de Ferrer CS 62 M 28
Sotalvo AV 44 K 15
Sotés LO 19 E 22
Sotiel Coronada H 78 T 9
Sotiello *cerca de Gijón* O 5 B 12
Sotiello *cerca de Lena* O 5 C 12
Sotillo SG 32 I 19
Sotillo CR 70 O 17
Sotillo (El) GU 47 J 22
Sotillo (Sierra de) CR 82 Q 19
Sotillo de la Adrada AV 57 L 16
Sotillo de la Ribera BU 31 G 18
Sotillo de las Palomas TO 57 L 15
Sotillo de Sanabria ZA 14 F 9
Sotillo del Rincón SO 33 G 22
Sotillos SO 32 I 20
Sotillos LE 16 D 14
Soto SO 32 H 20
Soto (El) S 7 C 18
Soto (El) M 46 K 19
Soto de Cangas O 6 B 14
Soto de Caso O 6 C 14
Soto de Cerrato P 31 G 16
Soto de Dueñas O 6 B 14
Soto de la Marina S 7 B 18
Soto de la Vega LE 15 F 12
Soto de los Infantes O 5 B 11
Soto de Luiña O 5 B 11
Soto de Ribera O 5 C 12
Soto de Sajambre LE 6 C 14
Soto de Trevias O 5 B 10
Soto de Viñuelas M 46 K 18
Soto del Barco O 5 B 11
Soto del Real M 45 J 18
Soto en Cameros LO 19 F 22
Soto y Amío LE 15 D 12
Sotobañado y Priorato P 17 E 16
Sotoca CU 60 L 22
Sotoca de Tajo GU 47 J 22
Sotodosos GU 47 J 22
Sotogrande CA 99 X 14
Sotojusto PO 12 F 4
Sotón (Río) HU 21 F 28
Sotonera (Embalse de) HU 21 F 27
Sotonera (La) HU 21 F 28
Sotopalacios BU 18 E 18
Sotos CU 60 L 23
Sotos del Burgo SO 32 H 20
Sotosalbos SG 45 I 18
Sotoserrano SA 43 K 11
Sotovellanos BU 17 E 17
Sotragero BU 18 E 18
Sotres O 7 C 15
Sotresgudo BU 17 E 17
Sotrondio O 6 C 13
Sotuélamos AB 71 O 22
Sousas OR 28 G 7
Soutelo PO 13 E 5
Soutelo Verde OR 14 F 7
Souto *cerca de Betanzos* C 3 C 5
Souto *Toques* C 3 D 6
Soutochao OR 28 G 8
Soutolongo PO 13 E 5
Soutomaior PO 12 E 4
Soutopenedo OR 13 F 6
Su L 37 G 34
Suances S 7 B 17
Suano S 17 D 17
Suarbol LE 14 D 9
Suarna LU 4 C 8
Subijana VI 18 D 21
Subirats B 38 H 35
Subiza NA 11 D 24
Sucs L 36 G 31
Sucina MU 85 S 27
Sudanell L 36 H 31
Sueca V 74 O 29
Sueiro O 4 B 9
Suellacabras SO 33 G 23
Suelza (Punta) HU 22 E 30
Suera CS 62 M 28
Sueros de Cepeda LE 15 E 11
Suertes LE 14 D 9
Suevos *cerca de Carnota* C 2 D 2
Suevos *cerca de La Coruña* C 3 B 4
Suflí AL 96 T 22
Suido (Sierra del) PO 13 F 4
Sukarieta BI 9 B 21
Sumacàrcer V 74 O 28
Sumoas LU 4 A 7
Sunbilla NA 11 C 24
Sunyer L 36 H 31
Super Molina GI 24 F 35
Sureste (Parque regional del) M 58 L 19
Súria B 37 G 35
Surp L 23 E 33
Susana C 13 D 4
Susañe LE 15 D 10
Susinos del Páramo BU 17 E 18
Suso (Monasterio de) LO 18 F 21
Suspiro del Moro (Puerto del) GR 94 U 19
Susqueda (Pantà de) GI 24 G 37
Suterranya L 23 F 32


## T


Taale GR 83 S 22
Tabagón PO 26 G 3
Tabanera de Cerrato P 31 F 17
Tabanera de Valdavia P 17 E 15
Tabanera la Luenga SG 45 I 17
Tabaqueros AB 73 N 25
Tabar NA 11 D 25
Tábara ZA 29 G 12
Tabarca (Illa de) A 86 R 28
Tabayesco *Lanzarote* GC 121 F 3
Tabaza O 5 B 12
Tabeaio C 3 C 4
Tabeirós PO 13 E 4
Tabera de Abajo SA 43 J 11
Tabera de Arriba SA 43 J 11
Tabernanova C 2 C 2
Tabernas AL 96 U 22
Tabernas (Rambla de) AL 103 V 22
Tabernas de Isuela HU 21 F 28
Taberno AL 96 T 23
Tablada M 45 J 17
Tablada de Villadiego BU 17 E 18
Tablada del Rudrón BU 17 D 18
Tabladillo SG 45 I 16
Tabladillo LE 15 E 11
Tabladillo GU 47 K 21
Tablado (El) *La Palma* TF 130 C 3
Tablado (Puerto de) BA 79 R 9
Tablado de Riviella O 5 B 10
Tablas de Daimiel (Parque nacional) CR 70 O 19
Tablero (El) *Gran Canaria* GC 116 D 4
Tablillas (Embalse de) CR 70 Q 17
Tablones (Los) GR 102 V 19
Taboada C 3 B 5
Taboada LU 13 D 6
Taboada PO 13 D 5
Taboada dos Freires LU 13 D 6
Taboadela OR 13 F 6
Taborno *Tenerife* TF 125 I 1
Tabuenca Z 34 G 25
Taburiente (Caldera de) *La Palma* TF 130 C 4
Tabuyo del Monte LE 15 F 11
Taca *Fuerteventura* GC 111 G 2
Taco *Tenerife* TF 125 I 2
Tacones TO 57 M 16
Tacoronte *Tenerife* TF 124 H 2
Tafalla NA 20 E 24
Tafira Alta *Gran Canaria* GC 115 F 2
Tagamanent B 38 G 36
Taganana *Tenerife* TF 125 J 1
Tagarabuena ZA 30 H 13
Tagle S 7 B 17
Taguluche *La Gomera* TF 118 B 2
Tahal AL 96 U 23
Tahiche *Lanzarote* GC 123 E 4
Tahivilla CA 99 X 12
Taialà GI 25 F 38
Taibilla (Embalse de) AB 84 R 23
Taibique *El Hierro* TF 109 D 3
Taja O 5 C 11
Tajahuerce SO 33 G 23
Tajera (Embalse de la) GU 47 J 22
Tajo de la Encantada (Embalse) MA 100 V 15
Tajo de las Figuras (Cuevas del) CA 99 X 12
Tajo-Urtajo (Balcón del) M 58 L 19
Tajonar / Taxoare NA 11 D 25
Tajonera TO 59 M 20
Tajoneras (Las) CR 71 Q 20
Tajueco SO 33 H 21
Tajuya *La Palma* TF 132 C 5
Tal C 12 D 2
Tala (La) SA 44 K 13
Talaies (Les) CS 50 K 31
Talaies d'Alcalà (Les) CS 50 K 30
Talamanca B 38 G 35
Talamanca *Ibiza* IB 87 P 34
Talamanca de Jarama M 46 J 19
Talamantes Z 34 G 24
Talamillo del Tozo BU 17 E 18
Talarn L 23 F 32
Talarrubias BA 68 O 14
Talatí de Dalt IB 106 M 42
Talaván CC 55 M 11
Talaván (Embalse de) CC 55 M 11
Talave AB 84 Q 24
Talave (Embalse de) AB 84 Q 24
Talavera L 37 H 34
Talavera AL 95 T 22
Talavera de la Reina TO 57 M 15
Talavera la Nueva TO 57 M 15
Talavera la Real BA 67 P 9
Talaveruela CC 56 L 13
Talayón CU 61 L 25
Talayón MU 97 T 25
Talayuela CC 56 M 13
Talayuelas CU 61 M 26
Talayuelo CU 60 M 23
Tales CS 62 M 29
Táliga BA 66 Q 8
Talisca Negra (Punta) *La Gomera* TF 118 A 2
Tallada (La) GI 25 F 39
Tallante MU 85 T 26
Tállara C 12 D 3
Tallón HU 21 D 29
Talltendre L 23 E 35
Talveila SO 32 G 21
Tama S 7 C 16
Tamadaba *Gran Canaria* GC 114 C 2
Tamadaba (Pinar de) *Gran Canaria* GC 114 C 2
Tamadite (Punta de) *Tenerife* TF 125 I 1
Tamaduste *El Hierro* TF 109 E 2
Tamaguelos OR 28 G 7
Tamaimo *Tenerife* TF 128 C 4
Tamajón GU 46 I 20
Tamallancos OR 13 E 6
Tamallanes O 5 C 10
Tamame ZA 29 I 12
Tamames SA 43 K 11
Támara P 17 F 16
Tamaraceite *Gran Canaria* GC 115 F 2
Tamaral (El) CR 82 Q 18
Tamarinda IB 106 M 41
Tamarite de Litera HU 36 G 31
Tamariu GI 25 G 39
Tamariz de Campos VA 30 G 14
Tamarón BU 17 F 18
Tamayo V 73 N 25
Tambor (Monumento al) TE 49 I 29
Tambre C 3 D 3
Tameirón OR 28 F 8
Támoga LU 3 C 7
Tamurejo BA 69 P 15
Tanes (Embalse de) O 6 C 13
Tangel A 86 Q 28
Taniñe SO 33 F 23
Tanorio PO 12 E 4
Tanque (El) *Tenerife* TF 126 C 3
Tanque del Vidrio (Punta del) *Tenerife* TF 129 F 5
Tañabuyes BU 18 F 19
Tao *Lanzarote* GC 123 D 4
Tapia BU 17 E 17
Tapia (Paso) NA 11 D 26
Tapia de Casariego O 4 B 9
Tapioles ZA 30 G 13
Tàpis GI 24 E 38
Tapuelo (El) TO 57 L 16
Tara LE 14 E 9
Taracena GU 46 K 20
Taradell B 38 G 36
Taragoña C 12 D 3
Taragudo GU 46 J 20
Taraguilla CA 99 X 13
Tarajalejo *Fuerteventura* GC 113 F 4
Taramay GR 101 V 18
Taramundi O 4 B 8
Tarancón CU 59 L 20
Tarancueña SO 32 H 20
Taranes O 6 C 14
Taranilla LE 16 D 15
Taravilla GU 47 J 24
Taray (Laguna del) TO 59 N 20
Tarayuela TE 49 K 28
Tarazona Z 34 G 24
Tarazona de Guareña SA 44 I 14
Tarazona de la Mancha AB 72 O 24
Tàrbena A 74 P 29
Tardáguila SA 44 I 13
Tardajos BU 17 E 18
Tardajos de Duero SO 33 G 22
Tardelcuende SO 33 H 22
Tardesillas SO 33 G 22
Tardienta HU 35 G 28
Tardobispo ZA 29 H 12
Tariego de Cerrato P 31 G 16
Tarifa CA 99 X 13
Tariquejo H 90 T 8
Tarna O 6 C 14
Tarna (Puerto de) LE 6 C 14
Taroda SO 33 H 22
Tarragolla MU 84 S 23
Tarragona T 51 I 33
Tarrasa / Terrassa B 38 H 36
Tàrrega L 37 H 33
Tarrés L 37 H 33
Tarrío C 3 C 4
Tarro (El) BA 67 O 9
Tarroja de Segarra L 37 G 33
Tarrós (El) L 37 G 33
Tartanedo GU 48 J 24
Tasarte *Gran Canaria* GC 116 B 3
Tauce (Boca de) *Tenerife* TF 128 D 4
Taüll L 22 E 32
Taús L 23 F 33
Tauste Z 34 G 26
Tauste (Canal) Z 34 G 26
Tavascan L 23 E 33
Tavernes Blanques V 62 N 28
Tavernes de la Valldigna V 74 O 29
Tavèrnoles B 38 G 36
Tavertet B 24 G 37
Taxoare / Tajonar NA 11 D 25
Tazacorte *La Palma* TF 130 B 5
Tazo *La Gomera* TF 118 B 1
Tazona AB 84 R 24
Tazones O 6 B 13
Tazones (Punta de) O 6 B 13
Tea PO 13 F 4
Teatinos (Los) J 83 R 20
Teayo C 12 D 3
Teba MA 100 V 15
Tébar CU 60 N 23
Tebongo O 5 C 10
Tebra PO 12 F 3
Tedín C 2 D 2
Tefía *Fuerteventura* GC 111 H 2
Tegueste *Tenerife* TF 124 H 2
Teguise *Lanzarote* GC 123 E 4
Teià B 38 H 36
Teide (Pico del) *Tenerife* TF 127 E 3
Teixeira (A) OR 14 E 7
Teixeiro LU 4 C 7
Teixeiro C 3 C 5
Teixeta (Coll de la) T 37 I 32
Teja Chueca CR 69 O 16
Tejada BU 32 G 19
Tejada H 91 T 10
Tejadillos CU 61 L 25
Tejado SO 33 H 23
Tejado (El) SA 44 K 13
Tejados LE 15 E 11
Tejar (El) CO 93 U 16
Tejarejo BA 67 N 9
Tejares SG 31 H 18
Tejares SA 43 J 12
Tejares Abarca V 73 O 26
Tejeda *Gran Canaria* GC 114 D 3
Tejeda de Tiétar CC 56 L 12
Tejeda y Segoyuela SA 43 K 11
Tejedo de Ancares LE 14 D 9
Tejedo del Sil LE 15 D 10
Tejera (La) ZA 28 G 9
Tejerina LE 16 D 14
Tejerizas SO 33 H 22
Tejina *Tenerife* TF 124 H 2
Tejina *Tenerife* TF 128 C 4
Tejo V 61 N 27
Telde *Gran Canaria* GC 115 G 3
Tella HU 22 E 30
Telledo O 5 C 12
Tello AL 84 S 23

Tembleque TO 58 M 19
Temerón CO 93 T 16
Temijiraque (Punta de)
El Hierro TF 109 E 2
Temiño BU 18 E 19
Temple (El) GR 94 U 18
Temple (El) HU 35 G 27
Tempul CA 99 W 12
Ten-Bel Tenerife TF 128 E 5
Tendeñera (Sierra de) HU 21 D 29
Tendilla GU 46 K 21
Tenebrón SA 43 K 10
Tenefé (Punta de)
Gran Canaria GC 117 F 4
Teneguía (Volcán de)
La Palma TF 132 C 7
Tenerife Sur (Aeropuerto)
Tenerife TF 129 F 5
Teno (Punta de)
Tenerife TF 126 A 3
Tenoya
Gran Canaria GC 115 F 2
Tentudia BA 79 R 10
Teo C 12 D 4
Ter (El) (Riu) GI 24 F 36
Tera ZA 14 F 9
Tera SO 33 G 22
Tera (Espejo de) SO 33 G 22
Terenosa (La) O 6 C 15
Teresa CS 62 M 28
Teresa de Cofrentes V 73 O 26
Térmens L 36 G 32
Término (El) SE 92 T 14
Terminón BU 18 D 19
Teroleja GU 48 J 24
Teror
Gran Canaria GC 115 E 2
Terque AL 102 V 22
Terrachán OR 27 G 5
Terrades GI 25 F 38
Terradets (Pantà del) L 23 F 32
Terradillos SA 44 J 13
Terradillos
de Esgueva BU 31 G 18
Terradillos
de los Templarios P 16 E 15
Terradillos
de Sedano BU 17 E 18
Terrassa / Tarrasa B 38 H 36
Terrateig V 74 P 29
Terraza GU 48 J 24
Terrazas SO 33 G 22
Terrazos BU 18 E 19
Terrente GR 94 T 19
Terreorgaz CC 55 N 11
Terrer Z 34 I 24
Terreras (Las) MU 84 S 24
Terrerazo V 61 N 26
Terriente TE 61 L 25
Terriente (Puerto) TE 61 L 25
Terril SE 92 U 14
Terrinches CR 71 Q 21
Terroba LO 19 F 22
Terrón (El) H 90 U 8
Tertanga VI 18 D 20
Teruel TE 48 K 26
Terzaga GU 48 J 24
Tesejerague
Fuerteventura GC 113 F 4
Tesjuates
Fuerteventura GC 111 H 3
Tesoro (Cueva del) MA 101 V 17
Testa (Sierra de la) BU 18 D 19
Tetas GU 47 K 22
Tetas (Las)
Gran Canaria GC 116 A 3
Tetica AL 96 U 22
Tetir Fuerteventura GC 111 H 2
Teulada A 75 P 30
Teulada V 62 N 27
Teverga
(Desfiladero del) O 5 C 11
Texós OR 27 G 6
Teza BU 18 D 20
Tezanos S 7 C 18
Tharsis H 78 T 8
Tiagua Lanzarote GC 123 D 4
Tiana B 38 H 36
Tías Lanzarote GC 123 D 4
Tibi A 74 Q 28
Tibidabo B 38 H 36
Tices AL 95 U 21
Tiebas NA 11 D 25
Tiedra VA 30 H 14
Tielmes M 59 L 20
Tielve O 6 C 15
Tiemblo (El) AV 45 K 16
Tiena GR 94 U 18
Tienda AB 85 Q 25
Tiendas (Las) BA 67 P 10
Tienera Vieja (La) CA 99 W 13
Tierga Z 34 H 25
Tiermas Z 20 E 26
Tiermes SO 32 I 20
Tierra de Campos
(Mirador de) P 31 F 16
Tierra del Trigo (La)
Tenerife TF 126 C 3
Tierra Negra (Punta de)
Lanzarote GC 123 F 4
Tierrantona HU 22 E 30
Tierz HU 21 F 28
Tierzo GU 48 J 24
Tiesa CO 80 S 13
Tietar del Caudillo CC 56 L 13
Tigaday El Hierro TF 108 C 2
Tigalate La Palma TF 132 D 6
Tiguerorte La Palma TF 132 D 6
Tijarafe La Palma TF 130 B 4
Tíjola AL 96 T 22
Tilos (Los) La Palma TF 131 D 3
Time (El)
Fuerteventura GC 111 I 2
Time (El) La Palma TF 130 B 5
Tinadas GU 32 I 20
Tinajas CU 47 K 22
Tinajeros AB 72 O 24
Tinajo Lanzarote GC 122 C 3
Tinajones (Los) J 83 Q 21
Tindaya
Fuerteventura GC 111 H 2
Tineo O 5 C 10
Tines C 2 C 3
Tinieblas BU 18 F 19
Tinizara La Palma TF 130 B 4
Tiñor El Hierro TF 109 D 2
Tiñosa (Punta de la)
Fuerteventura GC 111 J 2
Tiñosillos AV 44 J 15
Tiñoso (Cabo) MU 97 T 26
Tirajana (Embalse de)
Gran Canaria GC 117 E 3
Tiraña O 6 C 13
Tirapu NA 20 E 24
Tirez (Laguna de) TO 59 N 19
Tirgo LO 18 E 21
Tiriez AB 72 P 23
Tírig CS 50 K 30
Tirón ESP 18 F 20
Tiros BA 68 P 14
Tiros (Sierra de) BA 68 P 13
Tirteafuera CR 70 P 17
Tírvia L 23 E 33
Tiscamanita
Fuerteventura GC 113 G 3
Tiscar J 83 S 20
Tiscar (Puerto de) J 83 S 20
Titaguas V 61 M 26
Tito Bustillo
(Cuevas de) O 6 B 14
Titulcia M 58 L 19
Tivenys T 50 J 31
Tivissa T 50 I 32
Tivoli World MA 100 W 16
Tixera (Punta de la)
Tenerife TF 128 C 4
Toba C 2 D 2
Toba (La) CU 60 L 24
Toba (La) GU 46 I 21
Toba (La) GR 93 U 17
Toba de Valdivielso BU 18 D 19
Tobalina SE 91 U 11
Tobar BU 17 E 18
Tobar (El) CU 47 K 23
Tobarra AB 72 Q 24
Tobaruela J 82 R 18
Tobed Z 34 H 25
Tobera VI 19 D 21
Tobes GU 47 I 22
Tobes y Rahedo BU 18 E 19
Tobia LO 19 F 21
Tobillas AB 84 Q 23
Tobillos GU 47 J 23
Toboso (El) TO 59 N 21
Tocina SE 80 T 12
Tocinillos BA 79 R 10
Tocón GR 94 U 19
Todolella (La) CS 49 K 29
Todoque La Palma TF 132 C 5
Todosaires CO 94 T 17
Toén OR 13 F 6
Toga CS 62 L 28
Toiríz PO 13 D 5
Toja (La) / A Toxa PO 12 E 3
Tojo (El) S 7 C 17
Tojos (Los) S 7 C 17
Tol O 4 B 9
Tola ZA 29 G 10
Tolbaños AV 45 J 16
Tolbaños de Arriba BU 32 F 20
Toldaos LU 14 D 8
Toledana (La) CR 70 O 17
Toledillo SO 33 G 22
Toledo TO 58 M 17
Tolibia de Abajo LE 16 D 13
Tolibia de Arriba LE 16 D 13
Tolilla ZA 29 G 11
Tolinas O 5 C 11
Tolivia O 6 C 13
Tollón (Laguna del) CA 91 V 11
Tollos A 74 P 29
Tolmo
(Ensenada del) CA 99 X 13
Tolocirio SG 45 I 16
Toloriu L 23 E 34
Tolosa SS 10 C 23
Tolosa AB 73 O 25
Tolox MA 100 V 15
Tolva HU 22 F 31
Tomares SE 91 T 11
Tomas Maestre MU 85 S 27
Tombrio de Abajo LE 15 D 10
Tomellosa GU 46 K 21
Tomelloso CR 71 O 20
Tomillar (El) SA 44 J 13
Tomillosas (Sierra de) BA 68 Q 12
Tomiño PO 12 G 3
Tona B 38 G 36
Tondos CU 60 L 23
Tonín LE 6 C 12
Tonosas (Los) AL 96 T 23
Topares AL 84 S 23
Topas SA 43 I 13
Toques C 3 D 6
Tor L 23 E 34
Tor LU 13 E 7
Torà L 37 G 34
Toral LE 15 E 12
Toral
de los Guzmanes LE 16 F 13
Toral de los Vados LE 14 E 9
Toranzo S 34 G 24
Torás CS 62 M 27
Torás Bejís
(Estación de) CS 62 M 27
Torazo O 6 B 13
Torcal de Antequera
(Parque Natural) MA 100 V 16
Torcas
(Embalse de las) Z 34 I 26
Torcas (Las) CU 60 L 24
Torcón
(Embalse del) TO 57 N 16
Tordehumos VA 30 G 14
Tordellego GU 48 J 24
Tordelpalo GU 48 J 24
Tordelrábano GU 47 I 21
Tordera B 39 G 38
Tordera (La) (Riu) B 38 G 37
Tordesillas VA 30 H 14
Tordesilos GU 48 J 25
Tordillos SA 44 J 13
Tordoia C 2 C 4
Tordómar BU 31 F 18
Tordueles BU 32 F 19
Torelló B 24 F 36
Toreno LE 15 D 10
Torerera (La) H 78 T 9
Torete GU 47 J 23
Torga O 4 D 9
Torija GU 46 J 20
Toril CC 56 M 12
Toril TE 61 L 25
Toril (El) SE 92 T 13
Torina (Embalse de) S 7 C 18
Torío LE 6 C 13
Torla HU 21 E 29
Torlengua SO 33 H 23
Tormaleo O 14 D 9
Tormantos LO 18 E 20
Torme BU 18 D 19
Tormellas AV 44 L 13
Tormillo (El) HU 36 G 29
Tormo (El) CS 62 L 28
Tormón TE 61 L 25
Tormos HU 21 F 27
Torms (Els) L 36 H 32
Torn (El) GI 24 F 37
Tornabous L 37 G 33
Tornadijo BU 18 F 19
Tornadizo (El) SA 43 K 12
Tornadizos de Ávila AV 45 K 16
Tornafort L 23 E 33
Tornajo MU 84 S 24
Tornajuelos GR 83 S 21
Tornavacas CC 56 L 12
Tornavacas
(Puerto de) CC 56 L 13
Torneiros OR 27 G 5
Torneiros LU 4 C 7
La Tornera GU 46 I 19
Torneros cerca
de Castrocontrigo LE 15 F 11
Torneros
cerca de León LE 16 E 13
Torneros de Jamuz LE 15 F 11
Tornín O 6 C 14
Torno (El) CR 70 O 17
Torno (El) CA 99 W 12
Torno (El) CC 56 L 12
Tornos TE 48 J 25
Tornos (Alto de los) S 8 C 19
Toro ZA 30 H 13
Toro OR 14 F 7
Toro (El) H 78 S 8
Toro (El) Castelló CS 61 M 27
Toro (El) Mallorca IB 104 N 37
Toro (Mont) IB 106 M 42
Torongil BA 67 P 10
Toros de Guisando AV 45 K 16
Torote (Arroyo de) ESP 46 K 19
Torozo (Sierra del) CR 69 P 16
Torozo (Sierra del) BA 69 P 14
Torquemada P 31 F 17
Torralba CU 60 L 23
Torralba cerca
de Mecinaceli SO 47 I 22
Torralba
cerca de Soria SO 33 H 23
Torralba de Aragón HU 35 G 28
Torralba
de Calatrava CR 70 O 18
Torralba de los Frailes Z 48 I 25
Torralba
de los Sisones TE 48 J 25
Torralba de Oropesa TO 57 M 14
Torralba de Ribota Z 34 H 24
Torralba del Burgo SO 32 H 21
Torralba del Pinar CS 62 M 28
Torralba del Río NA 19 E 23
Torralbilla Z 48 I 25
Torrano / Dorrao NA 19 D 23
Torraño SO 32 H 20
Torre cerca
de Taboada LU 13 D 6
Torre cerca de Villalba LU 3 C 6
Torre (Brazo de la) SE 91 U 11
Torre (La) AV 44 K 15
Torre (La) MU 85 R 25
Torre (La) CA 92 V 12
Torre (La) cerca
de Losilla de Aras V 61 M 26
Torre (La) cerca
de Utiel V 61 M 26
Torre (Rambla de la) A 86 Q 28
Torre Abraham
(Embalse) CR 70 N 17
Torre Alháquime CA 92 V 14
Torre Alta MU 85 R 26
Torre Alta V 61 L 26
Torre Arboles CO 81 S 15
Torre Cardela GR 94 T 19
Torre Castiel TE 49 J 29
Torre Cerredo LE 6 C 15
Torre de Alcotas TE 61 M 27
Torre de Arcas TE 50 J 29
Torre de Babia LE 5 D 11
Torre de Benagalbón MA 101 V 17
Torre de Cabdella (La) L 23 E 32
Torre
de Claramunt (La) B 37 H 34
Torre de Cullera (La) V 74 O 29
Torre de Don Miguel CC 55 L 10
Torre de Esgueva VA 31 G 17
Torre de Esteban
Hambrán (La) TO 58 L 17
Torre de Fluvià (La) L 37 G 32
Torre
de Fontaubella (La) T 51 I 32
Torre de Juan Abad CR 71 Q 20
Torre de la Higuera H 91 U 10
Torre de la Horadada A 85 S 27
Torre de la Reina SE 91 T 11
Torre de la Sal CS 63 L 30
Torre de la Vall V 74 O 29
Torre de las Arcas TE 49 J 27
Torre
de les Maçanes (La) A 74 Q 28
Torre
de l'Espanyol (La) T 36 I 31
Torre de Miguel
Sesmero BA 67 Q 9
Torre de Oristà (La) B 38 G 36
Torre de Peña NA 20 E 26
Torre de Peñafiel VA 31 H 17
Torre de Pinet A 74 P 28
Torre
de Santa María CC 68 O 11
Torre del Águila SE 92 U 12
Torre del Águila
(Embalse de) SE 92 U 12
Torre del Bierzo LE 15 E 11
Torre del Burgo GU 46 J 20
Torre del Campo J 82 S 18
Torre del Compte TE 50 J 30
Torre del Mar MA 101 V 17
Torre del Oro H 91 U 9
Torre del Rei CS 63 L 30
Torre del Río Real MA 100 W 15
Torre del Valle (La) ZA 15 F 12
Torre
d'en Besora (La) CS 50 L 29
Torre
d'en Doménec (La) CS 62 L 30
Torre en Cameros LO 19 F 22
Torre Gorda CA 98 W 11
Torre la Cárcel TE 48 K 26
Torre la Ribera HU 22 E 31
Torre los Negros TE 48 J 26
Torre Pacheco MU 85 S 27
Torre Pedro AB 84 Q 23
Torre-saura IB 106 M 41
Torre-serona L 36 G 31
Torre-solí Nou IB 106 M 42
Torre Tallada V 73 P 27
Torre Uchea AB 84 Q 25
Torre Val
de San Pedro SG 45 I 18
Torreadrada SG 31 H 18
Torreagüera MU 85 S 26
Torrealba
(Ermita de) CC 67 N 11
Torreandaluz SO 33 H 21
Torrearévalo SO 33 G 22
Torrebaja V 61 L 26
Torrebarrio LE 5 C 12
Torrebeleña GU 46 J 20
Torrebesses L 36 H 31
Torreblacos SO 32 G 21
Torreblanca CS 63 L 30
Torreblanca
de los Caños SE 92 T 12
Torreblanca del Sol MA 100 W 16
Torreblascopedro J 82 S 19
Torrebuceit CU 60 M 22
Torrec L 37 G 33
Torrecaballeros SG 45 J 17
Torrecampo CO 81 Q 15
Torrecera CA 99 W 12
Torrechiva CS 62 L 28
Torrecica (La) AB 72 O 24
Torrecilla CR 70 P 18
Torrecilla CU 60 L 23
Torrecilla MA 100 V 14
Torrecilla de Alcañiz TE 50 J 29
Torrecilla
de la Abadesa VA 30 H 14
Torrecilla de la Jara TO 57 M 15
Torrecilla de la Orden VA 30 I 14
Torrecilla de la Torre VA 30 H 14
Torrecilla
de los Ángeles CC 55 L 10
Torrecilla de Valmadrid Z 35 H 27
Torrecilla
del Ducado GU 47 I 22
Torrecilla del Monte BU 32 F 18
Torrecilla del Pinar SG 31 H 17
Torrecilla del Pinar GU 47 J 23
Torrecilla
del Rebolar TE 48 J 26
Torrecilla del Valle VA 30 H 14
Torrecilla
en Cameros LO 19 F 22
Torrecillas CO 93 T 15
Torrecillas (Las)
cerca de Badajoz BA 67 P 9
Torrecillas (Las)
cerca de Mengaloril BA 68 P 12
Torrecillas de la Tiesa CC 56 N 12
Torrecitores BU 31 G 18
Torreciudad HU 22 F 30
Torrecuadrada
de los Valles GU 47 J 22
Torrecuadrada
de Molina GU 48 J 24
Torrecuadradilla GU 47 J 22
Torrecuadros H 91 U 10
Torredembarra T 37 I 34
Torredonjimeno J 82 S 18
Torrefarrera L 36 G 31
Torrefeta L 37 G 33
Torrefrades ZA 29 H 11
Torrefresneda BA 67 P 11
Torrefuente CU 61 L 25
Torregalindo BU 32 H 18
Torregamones ZA 29 H 11
Torregrossa L 36 H 32
Torrehermosa Z 33 I 23
Torreiglesias SG 45 I 17
Torrejón CC 66 N 8
Torrejón de Ardoz M 46 K 19
Torrejón
de la Calzada M 58 L 18
Torrejón de Velasco M 58 L 18
Torrejón del Rey GU 46 K 19
Torrejón el Rubio CC 56 M 11
Torrejón-Tajo
(Embalse de) CC 56 M 12
Torrejón-Tiétar
(Embalse de) CC 56 M 12
Torrejoncillo CC 55 M 10
Torrejoncillo del Rey CU 59 L 22
Torrelaguna M 46 J 19
Torrelameu L 36 G 32
Torrelapaja Z 33 H 24
Torrelara BU 18 F 19
Torrelavandeira C 3 C 5
Torrelavega S 7 B 17
Torrelavit B 37 H 35
Torrelengua CU 59 M 21
Torrelengua SE 92 U 12
Torrellano A 86 R 28
Torrellas Z 34 G 24
Torrelles de Foix B 37 H 34
Torrelles de Llobregat B 38 H 35
Torrelobatón VA 30 H 14
Torrelodones M 45 K 18
Torremayor BA 67 P 10
Torremegía BA 67 P 10
Torremelgarejo CA 91 V 11
Torremendo A 85 S 27
Torremenga CC 56 L 12
Torremocha CC 67 N 11
Torremocha
de Ayllón SO 32 H 20
Torremocha
de Jadraque GU 46 I 21
Torremocha
de Jarama M 46 J 19
Torremocha de Jiloca TE 48 K 26
Torremocha
del Campo GU 47 J 22
Torremocha
del Pinar GU 47 J 23
Torremochuela GU 48 J 24
Torremolinos MA 100 W 16
Torremontalbo LO 19 E 21
Torremormojón P 30 G 15
Torrenostra CS 63 L 30
Torrent GI 25 G 39
Torrent V 62 N 28
Torrente de Cinca HU 36 H 31
Torrenueva CR 71 Q 19
Torrenueva GR 101 V 19
Torrenueva MA 100 W 15
Torrepadre BU 31 F 18
Torreparedones CO 81 S 16
Torreperogil J 83 R 20
Torrequebradilla J 82 S 19
Torrequemada CC 67 N 11
Torres NA 11 D 25
Torres Z 34 H 25
Torres J 82 S 19
Torres (Las) Z 34 H 26
Torres (Las) SA 43 J 13
Torres Cabrera CO 81 S 15
Torres de Albánchez J 83 Q 21
Torres de Albarracín TE 48 K 25
Torres de Alcanadre HU 35 G 29
Torres de Aliste (Las) ZA 29 G 11
Torres de Barbués HU 35 G 28
Torres de Berellén Z 34 G 26
Torres
de Cotillas (Las) MU 85 R 26
Torres de la Alameda M 46 K 19
Torres de Montes HU 21 F 29
Torres de Segre L 36 H 31
Torres del Carrizal ZA 29 H 12
Torres del Obispo HU 22 F 31
Torres del Río NA 19 E 23
Torres-Torres V 62 M 28
Torresandino BU 31 G 18

Torresaviñán (La) GU 47 J 22
Torrescárcela VA 31 H 17
Torresmenudas SA 43 I 12
Torrestio LE 5 C 11
Torresuso SO 32 H 20
Torreta de l'Orri L 23 E 33
Torrevelilla TE 50 J 29
Torrevicente SO 32 H 21
Torrevieja A 86 S 27
Torrevieja (Salines de) A 85 S 27
Torrico TO 57 M 14
Torrijas TE 61 L 27
Torrijo Z 34 H 24
Torrijo del Campo TE 48 J 25
Torrijos TO 58 M 17
Torroella de Fluvià GI 25 F 39
Torroella de Montgrí GI 25 F 39
Torroja del Priorat T 36 I 32
Torronteras GU 47 K 22
Torroña PO 12 F 3
Torrox MA 101 V 18
Torrox (Punta de) MA 101 V 18
Torrox Costa MA 101 V 18
Torrubia GU 48 J 24
Torrubia CO 81 Q 16
Torrubia de Soria SO 33 H 23
Torrubia del Campo CU 59 M 21
Torrubia del Castillo CU 60 M 23
Tortajada TE 48 K 26
Tortas AB 72 Q 22
Tortellà GI 24 F 37
Tórtola CU 60 M 23
Tórtola de Henares GU 46 J 20
Tórtoles AV 44 K 14
Tórtoles Z 34 G 24
Tórtoles de Esgueva BU 31 G 17
Tortonda GU 47 J 22
Tortosa T 50 J 31
Tortosa (Cap de) T 51 J 32
Tortuera GU 48 J 24
Tortuero GU 46 J 19
Torviscal BA 68 O 12
Torviscal (El) SE 92 U 12
Torvizcón GR 102 V 20
Tosa d'Alp B 24 F 35
Tosalet A 75 P 30
Tosantos BU 18 E 20
Tosca
(Embalse de la) CU 47 K 23
Toscana (La) GR 84 S 22
Toscas (Las)
La Gomera TF 119 C 3
Toscón (El)
Gran Canaria GC 115 F 2
Toscón (El)
Gran Canaria GC 116 C 3
Tosende OR 27 G 6
Toses GI 24 F 36
Toses (Collada de) GI 24 E 35
Tosos Z 34 I 26
Tospe O 6 C 14
Tossa de Mar GI 39 G 38
Tossa de Montbui (La) B 37 H 34
Tossa Pelada L 23 F 34
Tossal (El) A 74 Q 29
Tossal (El) L 37 G 33
Tossal de la Nevera CS 50 K 29
Totalán MA 101 V 17
Totana MU 85 S 25
Totanés TO 58 M 17
Toto Fuerteventura GC 113 F 3
Toural PO 12 E 4
Touriñán C 2 C 2
Touriñán (Cabo) C 2 C 2
Touro C 13 D 5
Tourón PO 12 E 4
Tous V 74 O 28
Tous
(Embassament de) V 74 O 27
Tóvedas V 61 L 25
Tox O 5 B 10
Toxa (A) /
La Toja PO 12 E 3
Toya J 83 S 20
Tozalmoro SO 33 G 23
Tózar GR 94 T 18
Tozo O 56 N 11
Tozo (Embalse del) CC 56 N 12
Traba C 2 C 2
Traba (La) LU 4 C 8
Trabada LU 4 B 8
Trabadelo LE 14 E 9
Trabakua
(Puerto de) BI 10 C 22
Trabanca SA 29 I 10
Trabazos ZA 29 G 10
Tracastro LU 14 E 8
Trafalgar (Cabo de) CA 98 X 11
Tragacete CU 48 K 24
Tragó L 23 F 33
Tragoncillo AB 84 R 22
Traguntía SA 43 J 10
Traibuenas NA 20 E 25
Traid GU 48 J 24
Traiguera CS 50 K 30
Trajano SE 92 U 12
Tramacastilla TE 48 K 25
Tramacastilla
de Tena HU 21 D 29
Tramaced HU 35 G 29
Tramascatiel TE 61 L 26
Tranco J 83 R 21
Tranquera
(Embalse de la) Z 34 I 24
Tranquera (La) Z 34 I 24
Trapera CO 80 Q 13
Trapiche MA 101 V 17
Tras la Sierra
(Montes de) CC 56 L 12
Trasancos C 3 B 5
Trasanquelos C 3 C 5
Trascastro O 5 C 10
Trascastro LE 14 D 10
Trascatro PO 13 D 6
Trashaedo BU 17 D 18
Trasierra BA 79 R 12
Traslaloma BU 8 C 19
Traslasierra H 79 S 10
Traslasierra BA 67 P 11
Trasmiras OR 27 F 7
Trasmonte C 3 C 4
Trasmonte LU 3 C 6
Trasmoz Z 34 G 24
Trasmulas GR 94 U 18
Trasobares Z 34 H 25
Traspeña P 17 D 16
Traspinedo VA 31 H 16
Travesas C 2 C 3
Traviesa (Sierra) SE 80 S 12
Traviesas C 3 C 4
Travieso (El) SE 80 S 13
Trazo C 2 C 4
Trebujena CA 91 V 11
Treceño S 7 C 17
Tredós L 23 D 32
Trefacio ZA 14 F 10
Tregurà de Dalt GI 24 E 36
Trejo CA 92 V 14
Trelle OR 13 F 6
Trelles O 4 B 9
Tremañes O 6 B 12
Tremedal AV 43 K 13
Tremedal (Puerto) AV 43 K 13
Tremedal de Tormes SA 43 I 11
Tremor de Abajo LE 15 E 11
Tremor de Arriba LE 15 D 11
Tremp L 23 F 32
Tres Arroyos BA 67 P 9
Tres Cantos M 46 K 18
Tres Huelgas
(Mirador de las) Z 35 G 28
Tres Mares (Pico de) P 7 C 16
Tres Picos
(Embalse de) H 90 T 8
Tresabuela S 7 C 16
Trescares O 7 C 15
Trescasas SG 45 J 17
Tresgrandas O 7 B 16
Tresjuncos CU 59 M 21
Tresmonte O 6 B 14
Trespaderne BU 18 D 19
Tresponts
(Congost de) L 23 F 34
Trespuentes VI 19 D 21
Tresviso S 7 C 15
Trévago SO 33 G 23
Trevejo CC 55 L 9
Trevélez GR 95 U 20
Trevélez
(Horcajo de) GR 95 U 20
Treviana LO 18 E 20
Trevijano LO 19 F 22
Treviño BU 19 D 21
Triacastela LU 14 D 8
Triana MA 101 V 17
Triana Gran Canaria GC 115 G 2
Tribaldos CU 59 M 21
Tricias (Las)
La Palma TF 130 B 3
Tricio LO 19 E 21
Trigaza BU 18 F 20
Trigueros H 90 T 9
Trigueros
del Valle VA 31 G 16
Trijueque GU 46 J 21
Trillo GU 47 J 22
Trincheto (El) CR 70 O 17
Trinidad (La) SE 92 T 13
Triollo P 17 D 15
Triongo O 6 B 14
Triquivijate
Fuerteventura GC 111 H 3
Triste HU 21 E 27
Trobajo LE 16 E 13
Trobal (El) SE 91 U 12
Trobo
cerca de Cospeito LU 3 C 7
Trobo (O)
cerca de Fonsagrada LU 4 C 8
Tronceda C 13 D 5
Troncedo HU 22 F 30
Troncedo O 5 B 11
Tronchón TE 49 K 28
Trubia O 5 B 12
Truchas LE 15 F 10
Truchillas LE 15 F 10
Trucios-Turtzioz BI 8 C 20
Trujillanos BA 67 P 11
Trujillo CC 56 N 12
Tubilla del Agua BU 17 D 18
Tubilla del Lago BU 32 G 19
Tubilleja BU 18 D 18
Tuca L 22 D 32
Tuda (La) ZA 29 H 12
Tudanca S 7 C 16
Tudela NA 20 F 25
Tudela GI 25 F 39
Tudela Agüeria O 5 C 12
Tudela de Duero VA 31 H 16
Tudela de Segre L 37 G 33
Tudelilla LO 19 F 23
Tudera ZA 29 H 11
Tuéjar V 61 M 26
Tuela ZA 14 F 9
Tuelas (Los) MU 85 S 25
Tuerto LE 15 E 11
Tuesta VI 18 D 20
Tufiones C 2 C 2
Tui PO 12 F 4
Tuilla O 6 C 13
Tuineje
Fuerteventura GC 113 G 4
Tuiriz LU 13 E 7
Tuiza O 5 C 12
Tujena H 91 T 10
Tulebras NA 34 G 24
Tumbalejo (El) H 91 T 10
Tumbo LU 4 C 7
Tuna (Sa) GI 25 G 39
Túnez Tenerife TF 128 E 5
Tuña O 5 C 10
Tuñón O 5 C 12
Turbón HU 22 E 31
Turca GR 94 U 17
Turces C 13 D 5
Turcia LE 15 E 12
Turégano SG 45 I 17
Turieno S 7 C 16
Turienzo Castañero LE 15 E 10
Turillas AL 96 U 23
Turillas (Peñón de) AL 96 U 23
Turís V 74 N 27
Turiso VI 18 D 21
Turleque TO 58 N 19
Turmell (El) CS 50 K 30
Turmiel GU 47 I 23
Turó de l'Home B 38 G 37
Turón O 5 C 12
Turón GR 102 V 20
Turones SA 42 J 9
Turquillas (Las) SE 92 T 14
Turra de Alba SA 44 J 13
Turre AL 96 U 24
Turrilla AB 84 R 23
Turrilla MU 84 S 24
Turrillas AL 96 U 23
Turro (El) GR 94 U 18
Turrubuelo SG 32 I 19
Turruncún LO 19 F 23
Tús AB 84 Q 22
Tús (Balneario de) AB 84 Q 22
Txindoki (Pico) SS 10 C 23


## U


Ubeda A 85 Q 27
Úbeda J 82 R 19
Ubide BI 9 C 21
Ubierna BU 18 E 18
Ubiña (Peña) LE 5 C 12
Ubrique CA 99 V 13
Úcar NA 11 D 24
Uceda GU 46 J 19
Ucedo LE 15 E 11
Ucero SO 32 G 20
Uces (Las) SA 43 I 10
Ucieda S 7 C 17
Uclés CU 59 M 21
Udalla S 8 C 19
Udra (Cabo de) PO 12 E 3
Uga Lanzarote GC 122 C 4
Ugalde VI 8 C 21
Ugao-Miraballes BI 8 C 21
Ugarteberri SS 10 C 23
Ugena TO 58 L 18
Uges C 3 C 4
Ugíjar GR 102 V 20
Uharte / Huarte NA 11 D 25
Uharte-Arakil NA 10 D 24
Uitzi NA 10 C 24
Uitzi (Alto) NA 10 C 24
Ujados GU 32 I 20
Ujo O 5 C 12
Ujué NA 20 E 25
Ulea MU 85 R 26
Uleila del Campo AL 96 U 23
Ulíbarri NA 19 D 23
Ullà GI 25 F 39
Ulla (Río) C 13 D 4
Ullastrell B 38 H 35
Ullastret GI 25 F 39
Ulldecona T 50 K 31
Ulldemolins T 37 I 32
Ullíbarri (Embalse de) VI 19 D 22
Ullíbarri-Arrazua VI 19 D 22
Ullíbarri-Gamboa VI 19 D 22
Ulloa LU 3 D 6
Ultramort GI 25 F 39
Ultzama NA 11 C 24
Ulzurrun (Puerto de) NA 10 D 24
Umbralejo GU 46 I 20
Umbrete SE 91 T 11
Umbria TE 49 K 28
Umbría MU 84 S 24
Umbría GR 95 V 20
Umbría (La) H 79 S 10
Umbría
(Sierra de la) GR 84 S 22
Umbría
de Fresnedas CR 70 Q 19
Umbría
de las Lomas MU 84 S 24
Umbría del Oso CU 60 L 25
Umbrías AV 43 L 13
Umbrías MU 97 T 25
Umia PO 13 E 4
Unarre L 23 E 33
Uncastillo Z 20 E 26
Unciti NA 11 D 25
Undués de Lerda Z 20 E 26
Undués-Pintano Z 20 E 26
Undurraga BI 9 C 21
Ungilde ZA 28 F 10
Unión (La) MU 85 T 27
Unión
de Campos (La) VA 30 F 14
Universales (Montes) TE 48 K 24
Unquera S 7 B 16
Unzué NA 20 E 25
Uña CU 60 L 24
Uña (La) LE 6 C 14
Uña de Quintana ZA 15 F 11
Urbanización
Vista Los Angeles AL 96 U 24
Urbanova A 86 R 28
Urbasa (Puerto de) NA 19 D 23
Urbel del Castillo BU 17 E 18
Urberuaga BI 10 C 22
Urbies O 6 C 12
Urbina VI 19 D 22
Urbión (Monte) SG 32 F 21
Urbión (Reserva
nacional de) SG 33 G 21
Urbión (Sierra de) SO 33 G 21
Urcal AL 96 T 24
Urculu NA 11 C 26
Urda TO 70 N 18
Urdaburu (Monte) SS 10 C 24
Urdaitz / Urdániz NA 11 D 25
Urdanta LO 18 F 21
Urdazubi / Urdax NA 11 C 25
Urdelar SS 10 C 24
Urdiales del Páramo LE 15 E 12
Urdian NA 19 D 23
Urdilde C 12 D 3
Urdués HU 21 D 27
Urduliz BI 8 B 21
Ures GU 47 I 21
Ures de Medina SO 47 I 23
Urgell
(Canal auxiliar d') L 37 G 32
Urgell (Canal d') L 37 G 33
Urgón CR 70 Q 17
Uria (Sierra de) LU 4 C 9
Uribarri-Dibiña VI 19 D 21
Urigoiti BI 9 C 21
Uritz / Úriz NA 11 D 25
Uriz LU 3 C 7
Úriz / Uritz NA 11 D 25
Urkabustaiz VI 18 D 21
Urkuleta BI 10 C 22
Urmella HU 22 E 31
Urmi CS 50 K 31
Urnieta SS 10 C 24
Urones
de Castroponce VA 16 F 14
Uroz NA 11 D 25
Urquiola (Puerto) BI 10 C 22
Urraca-Miguel AV 45 J 16
Urrácal AL 96 T 22
Urrea de Gaén TE 49 I 28
Urrea de Jalón Z 34 H 26
Urrestieta-Avellaneda BI 8 C 20
Urrestilla SS 10 C 23
Urretxu SS 10 C 23
Urrexola SS 10 C 22
Urrez BU 18 F 19
Urria BU 18 D 19
Urriello (Vega de) O 6 C 15
Urriés Z 20 E 26
Urrotz NA 11 C 24
Urroz-Villa NA 11 D 25
Urrúnaga VI 19 D 22
Urrutias (Los) MU 85 S 27
Urtasun NA 11 D 25
Urturi VI 19 E 22
Urtx GI 24 E 35
Urueña VA 30 G 14
Urueñas SG 32 H 18
Uruñuela LO 19 E 21
Urús GI 24 E 35
Urz (La) LE 15 D 12
Urzainqui NA 11 D 27
Usagre BA 79 Q 11
Usana HU 22 E 30
Usanos GU 46 J 20
Usánsolo BI 9 C 21
Usategieta
(Puerto de) NA 10 C 24
Uscarrés / Uskartze NA 11 D 26
Used Z 48 I 25
Used (Puerto de) Z 48 I 25
Useres (Les) CS 62 L 29
Usi NA 11 D 24
Uskartze / Uscarrés NA 11 D 26
Usón HU 35 G 29
Ustés NA 11 D 26
Usún NA 20 E 26
Usurbil SS 10 C 23
Utande GU 46 J 21
Utebo Z 35 G 27
Uterga NA 10 D 24
Utiel V 61 N 26
Utrera SE 92 U 12
Utrera BA 68 P 12
Utrilla SO 33 I 23
Utrillas TE 49 J 27
Utxesa (Pantà d') L 36 H 31
Uznayo S 7 C 16
Uzquiano BU 19 D 21
Uztárroz / Uztarroze NA 11 D 27
Uztarroze / Uztárroz NA 11 D 27


## V


Vaca (La) H 78 S 7
Vacar (El) CO 81 R 15
Vacarisses B 38 H 35
Vadiello
(Embalse de) HU 21 F 29
Vadillo SO 32 G 20
Vadillo
de la Guareña ZA 30 I 13
Vadillo de la Sierra AV 44 K 14
Vadillos LO 19 F 22
Vado
(Embalse de El) GU 46 I 20
Vado Baena J 82 S 17
Vado del Álamo MA 100 V 15
Vadocondes BU 32 H 19
Vadofresno CO 93 U 16
Vadollano
(Estación de) J 82 R 19
Vados (Los) MA 101 V 17
Vados de Torralba J 82 S 19
Vajol (La) GI 25 E 38
Val C 3 B 5
Val
(Embalse de El) Z 34 G 24
Val (Río) SO 34 G 24
Val de Castillo LE 16 D 14
Val de la Sabina V 61 L 26
Val de San García GU 47 J 22
Val de San Lorenzo LE 15 E 11
Val de San Martín Z 48 I 25
Val de San Román LE 15 E 11
Val de Santa María ZA 29 G 11
Val de Santo Domingo TO 58 L 17
Val do Dubra C 2 C 4
Valacloche TE 61 L 26
Valadares C 2 D 3
Valadares PO 12 F 3
Valadouro LU 4 B 7
Valareña Z 20 F 26
Valberzoso P 17 D 17
Valboa PO 13 D 4
Valbona TE 61 L 27
Valbonilla BU 17 F 17
Valbuena SA 43 K 12
Valbuena de Duero VA 31 H 17
Valbuena
de Pisuerga P 17 F 17
Valbueno GU 46 K 20
Valbuxán OR 14 F 8
Valcabadillo P 16 E 15
Valcabado ZA 29 H 12
Valcabra
(Rambla de) GR 95 T 21
Valcaliente CC 56 N 12
Valcarce (Moral de) LE 14 E 9
Valcárceres (Los) BU 17 E 18
Valcarlos / Luzaide NA 11 C 26
Valcavado LE 15 F 12
Valchillón CO 81 S 15
Valcotos M 45 J 18
Valcovero P 16 D 15
Valcueva-
Palazuelo (La) LE 16 D 13
Valdajos TO 59 L 20
Valdanzo SO 32 H 19
Valdanzuelo SO 32 H 19
Valdaracete M 59 L 20
Valdarachas GU 46 K 20
Valdastillas CC 56 L 12
Valdavida LE 16 E 14
Valde-Ucieza P 17 E 16
Valdeagorfa TE 50 J 29
Valdeajos BU 17 D 18
Valdealbín SO 32 G 20
Valdealcón LE 16 E 14
Valdealiso LE 16 E 14
Valdealvillo SO 32 H 21
Valdeande BU 32 G 19
Valdearcos VA 31 H 17
Valdearcos LE 16 E 13
Valdearenas GU 46 J 21
Valdeavellano GU 46 J 21
Valdeavellano
de Tera SO 33 G 22
Valdeavellano de Ucero SO 32 G 20
Valdeavero M 46 K 20
Valdeaveruelo GU 46 K 20
Valdeazogues CR 69 P 16
Valdeazores TO 57 N 15
Valdebótoa BA 67 P 9
Valdecaballeros BA 69 O 14
Valdecabras CU 60 L 23
Valdecabrillas CU 60 L 22
Valdecañas CR 70 P 18
Valdecañas CU 60 L 23
Valdecañas (Centro
Agronómico de) TO 56 L 14
Valdecañas
(Embalse de) CC 56 M 13
Valdecañas
de Campos P 31 G 17
Valdecañas de Tajo CC 56 M 13
Valdecarpinteros SA 43 K 10
Valdecarros SA 44 J 13
Valdecasa AV 44 K 14
Valdecazorla J 83 S 20
Valdecebro TE 49 K 26
Valdecevillo
(Yacimientos de) LO 19 F 23
Valdecilla S 8 B 18
Valdecolmenas
de Abajo CU 60 L 22
Valdecolmenas
de Arriba CU 60 L 22
Valdeconcha GU 46 K 21
Valdeconejos TE 49 J 27
Valdecuenca TE 61 L 25
Valdecuenca
(Puerto de) TE 61 L 25

Valdecuna O 5 C 12
Valdedíos O 6 B 13
Valdedo O 4 B 9
Valdefinjas ZA 30 H 13
Valdeflores SE 79 S 10
Valdefresno LE 16 E 13
Valdefuentes CC 67 O 11
Valdefuentes (Santuario de) CC 55 L 11
Valdefuentes de Sangusín SA 43 K 12
Valdefuentes del Páramo LE 15 F 12
Valdeganga AB 72 O 24
Valdeganga de Cuenca CU 60 M 23
Valdegeña SO 33 G 23
Valdegovía VI 18 D 20
Valdegrudas GU 46 J 20
Valdegutur LO 34 G 24
Valdehermoso de la Fuente CU 60 N 23
Valdeherreros BA 67 O 10
Valdehierro CR 70 O 17
Valdehijaderos SA 43 K 12
Valdehorna Z 48 I 25
Valdehornillo BA 68 O 12
Valdehoyas TO 58 L 18
Valdehúncar CC 56 M 13
Valdeíñigos CC 56 M 12
Valdejimena (Ermita de) SA 44 K 13
Valdelacalzada BA 67 P 9
Valdelacasa SA 43 K 12
Valdelacasa de Tajo CC 56 M 14
Valdelafuente LE 16 E 13
Valdelageve SA 43 K 12
Valdelagrana CA 98 W 11
Valdelagua M 46 K 19
Valdelagua GU 47 J 21
Valdelagua del Cerro SO 33 G 23
Valdeláguila-El Robledal M 46 K 20
Valdelaguna M 59 L 19
Valdelamadera CR 70 O 17
Valdelamusa H 78 S 9
Valdelarco H 79 S 9
Valdelatas M 46 K 17
Valdelateja BU 18 D 18
Valdelavia (Alto de) AV 45 K 16
Valdelcubo GU 33 I 21
Valdelinares TE 49 K 28
Valdelinares SO 32 G 20
Valdellosa TE 48 J 25
Valdelobos (Cañada de) AB 71 O 22
Valdelosa SA 43 I 12
Valdeltormo TE 50 J 30
Valdelugueros LE 16 D 13
Valdemadera LO 33 G 23
Valdemaluque SO 32 G 20
Valdemanco M 46 J 19
Valdemanco del Esteras CR 69 P 15
Valdemaqueda M 45 K 17
Valdemarías TO 57 M 16
Valdemarín (Casa Forestal de) J 83 R 21
Valdemeca CU 60 L 24
Valdemerilla ZA 29 F 10
Valdemierque SA 44 J 13
Valdemora LE 16 F 13
Valdemorales CC 68 O 11
Valdemorilla LE 16 F 14
Valdemorillo M 45 K 17
Valdemorillo de la Sierra CU 60 L 24
Valdemoro M 58 L 18
Valdemoro del Rey CU 59 L 22
Valdemoro Sierra CU 60 L 24
Valdenarros SO 32 H 21
Valdenebro SO 32 H 21
Valdenebro de los Valles VA 30 G 15
Valdenegrillos SO 33 G 23
Valdenoceda BU 18 D 19
Valdenoches GU 46 J 20
Valdenoguera SA 42 J 9
Valdenuño Fernández GU 46 J 19
Valdeobispo CC 55 L 11
Valdeobispo (Embalse de) CC 55 L 11
Valdeolivas CU 47 K 22
Valdeolmillos P 31 F 16
Valdeolmos M 46 K 19
Valdepalacios TO 57 M 14
Valdepares O 4 B 9
Valdepeñas CR 71 P 19
Valdepeñas de Jaén J 94 T 18
Valdepeñas de la Sierra GU 46 J 19
Valdeperales M 59 L 19
Valdeperdices ZA 29 H 12
Valdeperillo LO 33 F 23
Valdepiélago LE 16 D 13
Valdepiélagos M 46 J 19
Valdepolo LE 16 E 14
Valdeprado S 7 C 16
Valdeprado SO 33 G 23
Valdeprado del Río S 17 D 17
Valdeprados SG 45 J 17
Valderaduey CL 16 E 15
Valderas LE 30 F 13
Valderías BU 17 D 18
Valderrábano P 17 E 16
Valderrama BU 18 D 20
Valderrebollo GU 47 J 21
Valderrepisa (Puerto) CR 81 Q 16
Valderrey LE 15 E 11
Valderrobres TE 50 J 30
Valderrodilla SO 33 H 21
Valderrodrigo SA 43 I 10
Valderrosas CC 55 L 11
Valderrubio GR 94 U 18
Valderrueda SO 33 H 21
Valderrueda LE 16 D 15
Valdés MA 101 V 17
Valdesalor CC 55 N 10
Valdesamario LE 15 D 12
Valdesamario (Embalse Azud de) LE 15 D 11
Valdesaz GU 46 J 21
Valdescorriel ZA 30 F 13
Valdesimonte SG 31 I 18
Valdesoto O 6 B 13
Valdesotos GU 46 J 20
Valdespina P 17 F 16
Valdespina SO 33 H 22
Valdespino Cerón LE 16 F 13
Valdespino de Somoza LE 15 E 11
Valdesquí M 45 J 18
Valdestillas VA 30 H 15
Valdeteja LE 16 D 13
Valdeteja (Collada de) LE 16 D 13
Valdeterrazo del Marqués BA 78 Q 8
Valdetorres BA 68 P 11
Valdetorres de Jarama M 46 J 19
Valdevacas de Montejo SG 32 H 19
Valdevacas y Guijar SG 45 I 18
Valdevaqueros (Ensenada de) CA 99 X 12
Valdeverdeja TO 57 M 14
Valdevimbre LE 16 E 13
Valdezate BU 31 H 18
Valdezcaray LO 18 F 21
Valdezufre H 79 S 10
Valdilecha M 59 L 20
Valdín OR 14 F 9
Valdivia BA 68 O 12
Valdomar LU 3 C 6
Valdoré LE 16 D 14
Valdoro (Sierra de) CR 82 Q 17
Valdorros BU 18 F 18
Valdoviño C 3 B 5
Valdunciel SA 43 I 12
Valdunquillo VA 30 F 14
Valduro Nuevo BA 67 P 9
Valduvieco LE 16 E 14
Valeixe PO 13 F 5
Valencia V 62 N 29
Valencia (Golf de) V 62 N 29
Valencia d'Àneu L 23 E 33
Valencia de Alcántara CC 54 N 8
Valencia de Don Juan LE 16 F 13
Valencia de las Torres BA 79 Q 12
Valencia del Mombuey BA 78 R 8
Valencia del Ventoso BA 79 R 10
Valencina de la Concepción SE 91 T 11
Valenoso P 17 E 16
Valentín MU 84 R 24
Valentins (Els) T 50 K 31
Valenzuela CO 81 S 17
Valenzuela de Calatrava CR 70 P 18
Valer ZA 29 G 11
Valera BA 79 R 10
Valera de Abajo CU 60 M 23
Valeria CU 60 M 23
Valeriano GR 94 T 18
Valero SA 43 K 12
Vales OR 13 E 6
Valfarta HU 35 H 29
Valfermoso de las Monjas GU 46 J 21
Valfermoso de Tajuña GU 46 K 21
Valfonda de Santa Ana HU 35 G 28
Valga PO 12 D 4
Valgañón LO 18 F 20
Valgrande O 15 D 12
Valhermoso GU 47 J 24
Valientes (Los) MU 85 R 26
Valiñas PO 12 E 4
Valjunquera TE 50 J 30
Vall Alto del Ter GI 24 F 37
Vall d'Alba CS 62 L 29
La Vall d'Alcalà A 74 P 29
Vall d'Alcalà A 74 P 28
Vall d'Àngel (Serra de la) CS 50 K 30
Vall de Almonacid CS 62 M 28
Vall de Bianya (La) GI 24 F 37
Vall de Ebo A 74 P 29
Vall de Gallinera A 74 P 29
La Vall de Laguar A 74 P 29
Vall de Laguart A 74 P 29
Vall de Varradòs L 22 D 32
Vall d'Uixó (La) CS 62 M 29
Vall Llebrera L 37 G 33
Vall-Llobrega GI 25 G 39
Vallada V 74 P 27
Valladares SO 33 I 22
Vallado O 5 C 10
Valladolid VA 30 H 15
Valladolises MU 85 S 26
Vallanca V 61 L 25
Vallarta de Bureda BU 18 E 20
Vallat CS 62 L 28
Vallbona d'Anoia B 37 H 35
Vallbona de les Monges L 37 H 33
Vallcarca B 38 I 35
Vallcebre B 23 F 35
Vallclara T 37 H 32
Valldan (La) B 24 F 35
Valldemossa IB 104 M 37
Valldoreix B 38 H 36
Valle S 8 C 19
Valle (El) LE 15 E 10
Valle (El) CA 99 X 12
Valle-Brosque TF 125 J 2
Valle de Abdalajís MA 100 V 15
Valle de Arán (Parador de) Vielha L 22 D 32
Valle de Arriba Tenerife TF 126 C 3
Valle de Cabuerniga S 7 C 17
Valle de Cerrato P 31 G 16
Valle de Finolledo LE 14 D 9
Valle de Guerra Tenerife TF 124 H 2
Valle de la Serena BA 68 P 12
Valle de la Venta CC 55 L 9
Valle de la Viuda (El) CR 69 O 16
Valle de Lago O 5 C 11
Valle de las Casas (El) LE 16 D 14
Valle de los Caídos M 45 K 17
Valle de Matamoros BA 79 Q 9
Valle de S. Agustín (El) O 4 B 9
Valle de Santa Ana BA 79 Q 9
Valle de Santa Inés GC 111 G 3
Valle de Santullan P 17 D 16
Valle de Tabladillo SG 31 H 18
Valle de Trapaga BI 8 C 20
Valle de Vegacervera LE 16 D 13
Valle Gran Rey (Barranco) La Gomera TF 118 B 2
Valle Retortillo P 16 F 15
Vallebrón Fuerteventura GC 111 H 2
Vallecas M 46 K 19
Vallecillo LE 16 E 14
Vallecillo (El) TE 61 L 25
Valledor (Sierra de) O 4 C 9
Vallegera BU 17 F 17
Vallehermoso TO 57 M 16
Vallehermoso La Gomera TF 118 C 1
Valleja CA 99 V 12
Vallejera de Riofrío SA 43 K 12
Vallejimeno BU 32 F 20
Vallejo P 17 D 17
Vallejo de Mena BU 8 C 20
Vallelado SG 31 H 16
Valleluengo ZA 29 F 11
Vallequillas M 58 L 19
Valleruela de Pedraza SG 45 I 18
Valleruela de Sepúlveda SG 46 I 18
Valles S 7 B 17
Valles (Los) Lanzarote GC 123 E 3
Valles (Reserva nacional de los) HU 21 D 27
Valles de Ortega Fuerteventura GC 113 G 3
Valles de Palenzuela BU 17 F 17
Valles de Valdavia P 17 E 16
Vallesa ZA 44 I 14
Valleseco GC 115 E 2
Vallespinosa T 37 H 34
Vallespinoso de Aguilar P 17 D 16
Vallfogona de Balaguer L 36 G 32
Vallfogona de Ripolles GI 24 F 36
Vallfogona de Riucorb T 37 H 33
Vallgorguina B 38 H 37
Vallibierna (Pico de) HU 22 E 31
Vallibona CS 50 K 30
Vallirana B 38 H 35
Vallivana CS 50 K 30
Vallmanya cerca de Cardona L 37 G 34
Vallmanya cerca de Lérida L 36 H 31
Vallmoll T 37 I 33
Vallobal O 6 B 14
Valloria SO 33 F 22
Vallromanas B 38 H 36
Valls T 37 I 33
Vallter 2000 GI 24 E 36
Valltorta (Barranc de la) CS 50 K 30
Valluerca VI 18 D 20
Valluercanes BU 18 E 20
Vallunquera BU 17 F 17
Vallverd L 37 G 32
Vallverd T 37 H 33
Valmadrid Z 35 H 27
Valmala BU 18 F 20
Valmartino LE 16 D 14
Valmayor J 81 Q 17
Valmayor (Embalse de) M 45 K 17
Valmojado TO 58 L 17
Valmuel del Caudillo TE 49 I 29
Valonga HU 36 G 30
Válor GR 102 V 20
Valoria de Aguilar P 17 D 17
Valoria del Alcor P 30 G 15
Valoria la Buena VA 31 G 16
Valpalmas Z 21 F 27
Valparaiso cerca de Cuelgamures ZA 29 I 12
Valparaiso cerca de Mombuey ZA 29 G 11
Valparaíso de Abajo CU 59 L 22
Valparaíso de Arriba CU 59 L 22
Valporquero de Rueda LE 16 D 14
Valporquero de Torío LE 16 D 13
Valrío CC 55 L 10
Valronquillo CR 70 O 17
Valsain SG 45 J 17
Valsalabroso SA 43 I 10
Valsalada HU 21 F 28
Valsalobre CU 47 K 23
Valsalobre GU 48 J 24
Valseca SG 45 I 17
Valseco LE 15 D 10
Valsemana LE 16 D 12
Valsequillo CO 80 Q 13
Valsequillo de Gran Canaria Gran Canaria GC 115 F 3
Valtablado del Río GU 47 J 22
Valtajeros SO 33 G 23
Valtiendas SG 31 H 18
Valtierra NA 20 F 25
Valtorres Z 34 I 24
Valtueña SO 33 H 23
Valuengo BA 79 R 9
Valuengo (Embalse de) BA 79 R 10
Valvaler O 4 C 9
Valvenedizo SO 32 I 20
Valverde BU 32 G 19
Valverde SO 34 G 24
Valverde TE 48 J 26
Valverde CR 70 P 17
Valverde A 86 R 28
Valverde LO 34 G 24
Valverde El Hierro TF 109 D 2
Valverde de Alcalá M 46 K 20
Valverde de Burguillos BA 79 R 10
Valverde de Campos VA 30 G 14
Valverde de Júcar CU 60 M 23
Valverde de la Sierra LE 16 D 15
Valverde de la Vera CC 56 L 13
Valverde de la Virgen LE 15 E 12
Valverde de Leganés BA 66 P 9
Valverde de Llerena BA 80 R 12
Valverde de los Arroyos GU 46 I 20
Valverde de Mérida BA 67 P 11
Valverde de Valdelacasa SA 43 K 12
Valverde del Camino H 91 T 9
Valverde del Fresno CC 55 L 9
Valverde del Majano SG 45 J 17
Valverde Enrique LE 16 F 14
Valverdejo CU 60 N 23
Valverdín LE 16 D 13
Valverdón SA 43 I 12
Valvieja SG 32 H 19
Vanacloig V 61 M 27
Vandellós T 51 I 32
Vanidodes LE 15 E 11
Vara C 12 D 3
Vara (Alto de la) GU 32 I 21
Vara de Rey CU 72 N 23
Varas CO 81 R 16
Varelas C 13 D 5
Vargas S 7 C 18
Vascos (Ruinas romanas) TO 57 M 14
Veciana B 37 H 34
Vecilla (La) LE 16 D 13
Vecindario Gran Canaria GC 117 F 4
Vecinos SA 43 J 12
Vedat de Torrent (El) V 62 N 28
Vedra C 13 D 4
Vega S 7 C 18
Vega (Ermita de la) AV 44 K 13
Vega (La) S 7 C 16
Vega (La) BA 66 O 8
Vega (La) cerca de Ribadesella O 6 B 14
Vega (La) cerca de Tineo O 5 C 11
Vega (La) Riosa O 5 C 12
Vega (La) Sariego O 6 B 13
Vega de Almanza (La) LE 16 D 14
Vega de Anzo O 5 B 11
Vega de Bur P 17 D 16
Vega de Caballeros LE 15 D 12
Vega de Doña Olimpa P 17 E 16
Vega de Espinareda LE 14 D 10
Vega de Gordón LE 16 D 13
Vega de Infanzones LE 16 E 13
Vega de los Viejos (La) LE 15 D 11
Vega de Magaz LE 15 E 11
Vega de Pas S 8 C 18
Vega de Rengos O 5 C 10
Vega de Río Palmas Fuerteventura GC 110 F 3
Vega de Ruiponce VA 16 F 14
Vega de San Mateo Gran Canaria GC 115 E 2
Vega de Santa María AV 45 J 16
Vega de Tera ZA 29 G 11
Vega de Tirados SA 43 I 12
Vega de Valcarce LE 14 E 9
Vega de Valdetronco VA 30 H 14
Vega de Villalobos ZA 30 G 13
Vega de Yeres LE 14 E 9
Vega del Castillo ZA 15 F 10
Vega del Codorno CU 48 K 24
Vega del Rey O 5 C 12
Vega Esquivia TO 70 N 18
Vegacerneja LE 6 C 14
Vegacervera LE 16 D 13
Vegadeo O 4 B 8
Vegafría SG 31 H 17
Vegalagar O 4 C 10
Vegalatrave ZA 29 G 11
Vegallera AB 72 Q 23
Vegameoro O 5 C 10
Veganzones SG 45 I 18
Vegaquemada LE 16 D 14
Vegarada (Puerto de) LE 6 C 13
Vegarienza LE 15 D 11
Vegarredonda O 6 C 14
Vegas Altás BA 68 O 13
Vegas de Almenara SE 80 S 13
Vegas de Coria CC 43 K 11
Vegas de Domingo Rey SA 43 K 10
Vegas de Matute SG 45 J 17
Vegas de San Antonio (Las) TO 57 M 15
Vegas del Condado LE 16 D 13
Vegaviana CC 55 L 9
Veguellina de Órbigo LE 15 E 12
Veguilla S 8 C 19
Veguillas GU 46 J 20
Veguillas (Las) SA 43 J 12
Veguillas de la Sierra TE 61 L 25
Veiga C 3 C 4
Veiga (A) cerca de Celanova OR 13 F 6
Veiga (A) cerca de O Barco OR 14 E 9
Veiga (A) cerca de Viana do Bolo OR 14 F 8
Veiga de Logares (A) LU 4 C 8
Vejer de la Frontera CA 99 X 12
Vejo S 7 C 15
Vela CO 93 T 17
Velada TO 57 M 15
Velamazán SO 33 H 21
Velascálvaro VA 30 I 15
Velate (Castillo de) NA 11 C 25
Velayos AV 45 J 16
Veldedo LE 15 E 11
Velefique AL 96 U 22
Veleta (Pico) GR 94 U 19
Vélez Blanco AL 84 S 23
Vélez de Benaudalla GR 101 V 19
Vélez Málaga MA 101 V 17
Vélez Málaga (Punta de) MA 101 V 17
Vélez Rubio AL 84 T 23
Velilla VA 30 H 14
Velilla cerca de San Esteban de Gormaz SO 32 H 20
Velilla cerca de Soria SO 33 G 22
Velilla (La) SG 45 I 18
Velilla de Cinca HU 36 H 30
Velilla de Ebro Z 35 H 28
Velilla de Jiloca Z 34 I 25
Velilla de la Reina LE 15 E 12
Velilla de los Ajos SO 33 H 23
Velilla de los Oteros LE 16 E 13
Velilla de Medinaceli SO 47 I 22
Velilla de San Antonio M 46 K 19
Velilla de Valderaduey LE 16 E 15
Velilla del Río Carrión P 16 D 15
Velillas HU 21 F 29
Velle (Embalse de) OR 13 E 6
Vellés (La) SA 44 I 13
Vellila de Tarilonte P 17 D 15
Vellisca CU 59 L 21
Velliza VA 30 H 15
Vellón (El) M 46 J 19
Vellosillo SG 32 I 18
Vences OR 28 G 7
Vencillon HU 36 G 30
Vendas da Barreira OR 28 G 8
Vendelaras de Abajo AB 72 P 23
Vendelaras de Arriba AB 72 P 23
Vendrell (El) T 37 I 34
Venero CC 68 N 13
Veneros (Los) SE 92 U 14
Venialbo ZA 30 H 13
Venta (La) CR 70 O 18
Venta (La) cerca de Almedinilla CO 94 T 17
Venta (La) cerca de Baza GR 95 T 21
Venta Cerezo CO 81 R 17
Venta de Ballerías HU 35 G 29
Venta de Baños P 31 G 16
Venta de Cañete SE 92 U 14
Venta de Cárdenas CR 82 Q 19
Venta de Culebrín BA 79 R 11
Venta de Don Quijote TO 59 N 21
Venta de Gaeta (La) V 73 O 27
Venta de la Muela J 83 R 21
Venta de los Santos J 83 Q 20

Venta de Micena GR 84 S 22
Venta del Charco CO 81 R 17
Venta del Cruce SE 91 U 11
Venta del Fraile GR 101 V 18
Venta del Moro V 61 N 25
Venta del Obispo AV 44 K 14
Venta del Ojo de Mierla TE 48 J 25
Venta del Palmar (La) SE 92 T 14
Venta del Peral (La) GR 95 T 22
Venta del Probe AL 103 V 23
Venta del Puerto CO 81 R 16
Venta del Tarugo GR 102 V 20
Venta Nueva O 5 C 10
Venta Pantalones J 82 T 17
Venta Quemada V 61 N 27
Venta Quemada GR 96 T 22
Venta Santa Bárbara GR 93 U 17
Venta Valero CO 94 T 17
Ventalles (Les) T 50 K 31
Ventalló GI 25 F 39
Ventamillo (Congosto de) HU 22 E 31
Ventamira V 61 N 27
Ventana (Puerto) LE 5 C 11
Ventaniella (Puerto de) O 6 C 14
Ventanilla P 17 D 16
Ventano del Diablo CU 60 L 23
Ventas (Las) O 5 C 11
Ventas Blancas LO 19 E 23
Ventas con Peña Aguilera TO 58 N 17
Ventas de Arriba H 79 S 10
Ventas de Huelma GR 94 U 18
Ventas de Muniesa TE 49 I 27
Ventas de Retamosa (Las) TO 58 L 17
Ventas de San Julián (Las) TO 56 L 14
Ventas de Zafarraya GR 101 V 17
Ventas del Carrizal J 94 T 18
Vente de las Ranas O 6 B 13
Venterros de Balerma GR 93 U 17
Ventilla (La) CR 71 O 20
Ventilla (La) CO 80 S 14
Ventillas CR 81 Q 17
Ventín PO 13 F 4
Ventolà GI 24 F 36
Ventorrillo (El) S 7 C 17
Ventorros de San José GR 94 U 17
Ventosa PO 13 D 6
Ventosa GU 47 J 24
Ventosa cerca de Medinaceli SO 47 I 22
Ventosa cerca de Soria SO 33 G 22
Ventosa (La) CU 60 L 22
Ventosa de Fuentepinilla SO 33 H 21
Ventosa de la Cuesta VA 30 H 15
Ventosa de Pisuerga P 17 E 17
Ventosa de San Pedro SO 33 F 23
Ventosa del Río Almar SA 44 J 13
Ventosela OR 13 F 5
Ventoses (Les) L 37 G 33
Ventosilla SO 33 G 22
Ventosilla J 82 S 18
Ventosilla (La) TO 58 M 17
Ventosilla y Tejadilla SG 46 I 18
Ventoso O 4 C 8
Ventrosa LO 19 F 21
Venturada M 46 J 19
Veo CS 62 M 28
Ver LU 14 E 7
Vera AL 96 U 24
Vera BA 69 P 14
Vera (La) CC 56 L 13
Vera de Bidasoa / Bera NA 11 C 24
Vera de Moncayo Z 34 G 24
Veracruz J 83 R 20
Veracruz HU 22 E 31
Veral LU 21 E 27
Verde GR 101 V 18
Verdegàs A 86 Q 28
Verdelpino de Huete CU 59 L 22
Verdeña P 17 D 16
Verdes (Cuevas de los) Lanzarote GC 121 F 3
Verdiago LE 16 D 14
Verdicio O 5 B 12
Verdú L 37 H 33
Verdugo Río PO 12 E 4
Verea OR 13 F 6
Veredas CR 69 Q 16
Veredas H 78 S 9
Veredón CO 81 S 15
Vergaño P 17 D 16
Verger (El) A 74 P 30
Verges GI 25 F 39
Vergós L 37 H 33
Verín OR 28 G 7
Veriña O 5 B 12
Verís C 3 C 5
Verjaga J 83 Q 21
Vertavillo P 31 G 17
Vertientes (Las) GR 96 T 22
Veruela (Monasterio de) Z 34 G 24
Vescar (Sierra El) BA 78 R 8
Vesgas (Las) BU 18 E 19
Vespella T 37 I 34
Vetaherrado SE 91 U 12
Vezdemarbán ZA 30 H 13
Viacamp HU 22 F 31
Viados HU 22 E 31
Viana NA 19 E 22
Viana de Cega VA 30 H 15
Viana de Duero SO 33 H 22
Viana de Jadraque GU 47 I 21
Viana de Mondéjar GU 47 K 22
Viana do Bolo OR 14 F 8
Viandar de la Vera CC 56 L 13
Vianos AB 72 Q 22
Viaña S 7 C 17
Viaño Pequeño C 3 C 4
Viar SE 92 T 12
Viar (Canal del) SE 80 S 12
Viariz LE 14 E 9
Viascón PO 12 E 4
Viator AL 103 V 22
Víboras J 94 T 17
Vic B 38 G 36
Vic (Parador) B 24 G 37
Vícar AL 102 V 22
Vicario (Embalse de El) CR 70 O 18
Vicedo LU 3 A 6
Vicente TO 57 N 16
Vicentes (Los) A 85 R 27
Vicfred L 37 G 34
Vicién HU 21 F 28
Vicinte LU 3 C 6
Vico CA 91 V 12
Vicolozano AV 45 J 16
Vicorto AB 84 Q 23
Victoria (La) CO 81 S 15
Victoria de Acentejo (La) Tenerife TF 124 G 2
Vid (La) BU 32 H 19
Vid (La) LE 16 D 13
Vid de Bureba (La) BU 18 E 20
Vid III (Embalse de la) CC 56 M 12
Vidanes LE 16 D 14
Vidángoz / Bidankoze NA 11 D 26
Vidayanes ZA 30 G 13
Vide cerca de Cenlle OR 13 F 5
Vide cerca de Maceda OR 13 F 7
Vide de Alba ZA 29 G 11
Videferre OR 27 G 7
Videmala ZA 29 H 11
Vidiago O 7 B 16
Vidio (Cabo) O 5 B 11
Vídola (La) SA 43 I 10
Vidrà GI 24 F 36
Vidreres GI 39 G 38
Vidrieros P 17 D 15
Vidrio (Sierra del) BA 67 O 10
Vidural O 5 B 10
Vieiro (Alto de) OR 13 F 6
Vieja (Cueva de la) AB 73 O 26
Vieja (Sierra) BA 67 Q 10
Viejas CR 71 O 20
Viejas (Sierra de) CC 56 N 13
Viejo (El) TO 59 N 20
Viejo (Pico) Tenerife TF 128 D 4
Vielha L 22 D 32
Vielha (Túnel de) L 22 E 32
Viella O 5 B 12
Viento MA 100 V 16
Viento (Puerto del) MA 92 V 14
Viento (Punta del) Tenerife TF 124 G 2
Viento (Sierra del) SE 80 R 12
Viergol BU 8 C 20
Vierlas Z 34 G 24
Viernoles S 7 C 17
Viforcos LE 15 E 11
Vigaña cerca de Grado O 5 C 11
Vigaña cerca de Peña Manteca O 5 C 11
Vignemale HU 21 D 29
Vigo PO 12 F 3
Vigo C 3 C 5
Vigo (El) BU 8 C 20
Vigo (Ría de) PO 12 F 3
Viguera LO 19 F 22
Vila L 22 D 32
Vila de Bares C 3 A 6
Vila de Cruces PO 13 D 5
Vila Joiosa (La) / Villajoyosa A 74 Q 29
Vila-real / Villarreal CS 62 M 29
Vila-rodona T 37 I 34
Vila-sacra GI 25 F 39
Vila-sana L 37 H 32
Vila-seca T 51 I 33
Vilabade LU 4 C 8
Vilabella T 37 I 33
Vilabertran GI 25 F 38
Vilablareix GI 25 G 38
Vilaboa C 3 B 5
Vilaboa PO 12 E 4
Vilaboa LU 4 C 8
Vilac L 22 D 32
Vilacampa LU 4 B 7
Vilachá C 3 B 5
Vilachá cerca de Liber LU 14 D 8
Vilachá cerca de Monforte LU 14 E 7
Vilachá de Mera LU 3 D 7
Vilacoba PO 13 F 4
Vilacova C 12 D 3
Vilada B 24 F 35
Viladabade C 2 C 4
Viladamat GI 25 F 39
Viladasens GI 25 F 38
Viladavil C 3 D 5
Viladecans B 38 I 36
Viladecavalls B 38 H 35
Vilademuls GI 25 F 38
Viladequinta OR 14 E 9
Viladordis B 38 G 35
Viladrau GI 24 G 37
Vilaesteva LU 14 D 8
Vilaestrofe LU 4 B 7
Vilafamés CS 62 L 29
Vilafant GI 25 F 38
Vilaflor Tenerife TF 128 E 4
Vilaformán LU 4 B 8
Vilaframil LU 4 B 8
Vilafranca / Villafranca del Cid CS 49 K 29
Vilafranca de Bonany IB 105 N 39
Vilafranca del Penedès B 37 H 35
Vilagarcía de Arousa PO 12 E 3
Vilagrassa L 37 H 33
Vilajuïga GI 25 F 39
Vilalba / Villalba LU 3 C 6
Vilalba dels Arcs T 50 I 31
Vilalba Sasserra B 38 H 37
Vilalbite LU 3 C 6
Vilaleo LU 14 D 7
Vilalle LU 4 C 8
Vilalleons B 38 G 36
Vilaller L 22 E 32
Vilallobent GI 24 E 35
Vilallonga V 74 P 29
Vilallonga de Ter GI 24 E 36
Vilallonga del Camp T 37 I 33
Vilalonga PO 12 E 3
Vilalpape LU 14 E 7
Vilamacolum GI 25 F 39
Vilamaior C 3 B 5
Vilamaior LU 14 D 7
Vilamaior OR 27 G 6
Vilamaior de Negral LU 3 D 6
Vilamajor B 38 G 37
Vilamalla GI 25 F 38
Vilamaniscle GI 25 E 39
Vilamarín OR 13 E 6
Vilamartín LU 4 B 8
Vilamartín de Valdeorras OR 14 E 8
Vilamarxant V 62 N 28
Vilamateo C 3 B 5
Vilameá OR 27 G 5
Vilameá LU 4 B 8
Vilameán PO 12 F 3
Vilamitjana L 23 F 32
Vilamor C 3 D 6
Vilamós L 22 D 32
Vilamur L 23 E 33
Vilán (Cabo) C 2 C 2
Vilanant GI 25 F 38
Vilanova OR 14 F 9
Vilanova PO 12 F 3
Vilanova V 61 M 26
Vilanova cerca de Monterroso LU 13 D 6
Vilanova cerca de Sarria LU 14 D 7
Vilanova Lourenzá LU 4 B 8
Vilanova d'Alcolea CS 62 L 30
Vilanova de Arosa PO 12 E 3
Vilanova de Bellpuig L 37 H 32
Vilanova de la Barca L 36 G 32
Vilanova de l'Aguda L 37 G 33
Vilanova de les Avellanes L 36 G 32
Vilanova de Meià L 37 G 33
Vilanova de Prades T 37 H 32
Vilanova de Sau B 24 G 37
Vilanova de Segrià L 36 G 31
Vilanova d'Escornalbou T 51 I 32
Vilanova i la Geltrú / Villanueva y Geltrú B 37 I 35
Vilaosende LU 4 B 8
Vilapedre cerca de Sarria LU 14 D 7
Vilapedre cerca de Villalba LU 3 B 7
Vilapene LU 4 C 7
Vilaplana T 37 I 33
Vilaquinte LU 13 E 6
Vilar OR 27 G 6
Vilar cerca de A Cañiza PO 13 F 5
Vilar cerca de Vigo PO 12 F 4
Vilar (El) L 23 F 33
Vilar de Barrio OR 13 F 7
Vilar de Canes CS 50 K 29
Vilar de Cervos OR 28 G 7
Vilar de Donas LU 13 D 6
Vilar de Lor LU 14 E 8
Vilar de Moros LU 4 C 8
Vilar de Rei OR 27 F 7
Vilar de Santos OR 13 F 6
Vilarbacu LU 14 E 8
Vilarchán PO 12 E 4
Vilarchao LU 4 C 8
Vilardevós OR 28 G 8
Vilardíaz LU 4 C 8
Vilares LU 3 C 6
Vilarig GI 25 F 38
Vilarino de Conso (Estación de) OR 14 F 8
Vilariño PO 12 E 3
Vilariño das Poldras OR 13 F 6
Vilariño de Conso OR 14 F 8
Vilariño Frío OR 13 F 7
Vilarmeao OR 14 F 8
Vilarmide LU 4 C 8
Vilarrube C 3 B 5
Vilarrubín OR 13 E 6
Vilarxoán LU 14 D 8
Vilasantar C 3 C 5
Vilaseco OR 14 F 8
Vilasobroso PO 13 F 4
Vilasouto (Embalse de) LU 14 D 7
Vilassar de Mar B 38 H 37
Vilaster LU 14 E 8
Vilatán LU 13 E 6
Vilatuxe PO 13 E 5
Vilaür GI 25 F 38
Vilaúxe LU 13 E 6
Vilavella (La) CS 62 M 29
Vilaverd T 37 H 33
Vilaxoán PO 12 E 3
Vilches J 82 R 19
Vildé SO 32 H 20
Vileiriz LU 14 D 7
Vilela C 2 C 4
Vilela PO 13 D 6
Vilela cerca de Ribadeo LU 4 B 8
Vilela cerca de Taboada LU 13 D 6
Vilella (La) T 36 I 32
La Vilella Baixa T 36 I 32
Vileña BU 18 E 20
Vileta (La) IB 104 N 37
Villa de Don Fadrique (La) TO 59 N 20
Villa de Ves AB 73 O 26
Villa del Campo CC 55 L 10
Villa del Prado M 58 L 17
Villa del Rey CC 55 N 9
Villa del Río CO 81 S 17
Villabalter LE 16 E 13
Villabáñez VA 31 H 16
Villabaruz de Campos VA 30 F 15
Villabáscones de Bezana BU 18 D 18
Villabasil BU 8 C 20
Villabasta P 17 E 16
Villabermudo P 17 E 16
Villablanca H 90 U 7
Villablino LE 15 D 11
Villabona SS 10 C 23
Villabona O 5 B 12
Villabrágima VA 30 G 14
Villabraz LE 16 F 13
Villabrázaro ZA 29 F 12
Villabre O 5 C 11
Villabuena SO 33 G 22
Villabuena LE 14 E 9
Villabuena de Álava VI 19 E 22
Villabuena del Puente ZA 30 H 13
Villacadima GU 32 I 20
Villacalbiel LE 16 E 13
Villacampo del Moral J 94 T 19
Villacañas TO 59 N 19
Villacarli HU 22 E 31
Villacarralón VA 16 F 14
Villacarriedo S 7 C 18
Villacarrillo J 83 R 20
Villacastín SG 45 J 16
Villace LE 16 E 13
Villacelama LE 16 E 13
Villacián BU 18 D 20
Villacibrán O 5 C 10
Villacid de Campos VA 30 F 14
Villacidaler P 16 F 15
Villacidayo LE 16 E 14
Villaciervitos SO 33 G 22
Villaciervos SO 33 G 22
Villacil LE 16 E 13
Villacintor LE 16 E 14
Villaco VA 31 G 17
Villaconanció P 31 G 17
Villacondide O 4 B 9
Villaconejos M 58 L 19
Villaconejos de Trabaque CU 47 K 23
Villacorta SG 32 I 19
Villacorza GU 47 I 21
Villacreces VA 16 F 14
Villacuende P 17 E 15
Villada P 16 F 15
Villadangos del Páramo LE 15 E 12
Villadecanes LE 14 E 9
Villademor de la Vega LE 16 F 13
Villadepalos LE 14 E 9
Villadepán LE 15 D 11
Villadepera ZA 29 H 11
Villadesuso PO 12 F 3
Villadevelle O 4 B 8
Villadiego BU 17 E 17
Villadiego de Cea LE 16 E 15
Villadiezma P 17 E 16
Villadonga LU 4 C 7
Villadoz Z 48 I 26
Villaeles de Valdavia P 17 E 16
Villaescobedo BU 17 D 17
Villaescusa S 17 D 17
Villaescusa ZA 30 I 13
Villaescusa de Haro CU 59 N 21
Villaescusa de Palositos GU 47 K 22
Villaescusa de Roa BU 31 G 17
Villaescusa del Butrón BU 18 D 19
Villaescusa la Sombría BU 18 E 19
Villaespasa BU 32 F 19
Villaesper VA 30 G 14
Villaestrigo LE 15 F 12
Villafáfila ZA 30 G 13
Villafalé LE 16 E 13
Villafañé LE 16 E 13
Villafeliche Z 48 I 25
Villafeliche (Puerto de) Z 48 I 25
Villafeliz de la Sobarriba LE 16 E 13
Villafer LE 16 F 13
Villaferrueña ZA 15 F 12
Villafiz LU 3 D 6
Villaflor AV 44 J 15
Villaflor ZA 29 H 12
Villaflores SA 44 I 14
Villaflores GU 46 K 20
Villafrades de Campos VA 30 F 15
Villafranca NA 20 F 24
Villafranca SG 32 I 18
Villafranca (Embalse de) CO 81 S 16
Villafranca de Córdoba CO 81 S 16
Villafranca de Duero VA 30 H 14
Villafranca de Ebro Z 35 H 28
Villafranca de la Sierra AV 44 K 14
Villafranca de los Barros BA 67 Q 10
Villafranca de los Caballeros TO 71 N 19
Villafranca del Bierzo LE 14 E 9
Villafranca del Campo TE 48 J 25
Villafranca del Castillo M 45 K 18
Villafranca del Cid / Vilafranca CS 49 K 29
Villafranca-Montes de Oca BU 18 E 20
Villafranco del Guadalhorce MA 100 V 15
Villafranco del Guadalquivir SE 91 U 11
Villafranco del Guadiana BA 67 P 9
Villafranqueza A 86 Q 28
Villafrechós VA 30 G 14
Villafría VI 19 E 22
Villafría cerca de Burgos BU 18 E 19
Villafría cerca de San Zardonil BU 18 D 20
Villafruel P 17 E 15
Villafruela BU 31 G 18
Villafuerte VA 31 G 17
Villafuertes BU 17 F 18
Villagalijo BU 18 E 20
Villagarcía LE 15 E 12
Villagarcía de Campos VA 30 G 14
Villagarcía de la Torre BA 79 R 11
Villagatón LE 15 E 11
Villagellegos LE 16 E 13
Villager de Laciana LE 15 D 10
Villageriz ZA 15 F 12
Villagómez BU 18 F 18
Villágomez la Nueva VA 16 F 14
Villagonzalo BA 67 P 11
Villagonzalo de Coca SG 45 I 16
Villagonzalo de Tormes SA 44 J 13
Villagonzalo-Pedernales BU 18 F 18
Villagrufe O 5 C 10
Villagutiérrez BU 17 F 18
Villahán P 31 F 17
Villaharta CO 81 R 15
Villahermosa CR 71 P 21
Villahermosa del Campo TE 48 I 26
Villahermosa del Río CS 62 L 28
Villaherreros P 17 E 16
Villahizán de Treviño BU 17 E 17
Villahoz BU 31 F 18
Villajimena P 31 F 16
Villajoyosa / Vila Joiosa (La) A 74 Q 29
Villalaco P 17 F 17
Villalacre BU 8 C 19
Villalaín BU 18 D 19
Villalambrús BU 18 D 20
Villalán de Campos VA 30 F 14
Villalangua HU 21 E 27
Villalar O 5 C 10
Villalar de los Comuneros VA 30 H 14
Villalazán ZA 30 H 13
Villalba SO 33 H 22
Villalba / Vilalba LU 3 C 6
Villalba (Parador de) LU 3 C 6
Villalba Alta TE 49 K 27
Villalba Baja TE 48 K 26
Villalba Calatrava CR 70 Q 19
Villalba de Adaja VA 30 H 15
Villalba de Duero BU 32 G 18
Villalba de Guardo P 16 D 15

Villalba de la Lampreana ZA 29 G 13
Villalba de la Sierra CU 60 L 23
Villalba de Loma VA 16 F 14
Villalba de los Alcores VA 30 G 15
Villalba de los Barros BA 67 Q 10
Villalba de los Llanos SA 43 J 12
Villalba de los Morales TE 48 J 25
Villalba de Losa BU 18 D 20
Villalba de Perejiles Z 34 I 25
Villalba de Rioja LO 18 E 21
Villalba del Alcor H 91 T 10
Villalba del Rey CU 47 K 22
Villalbarba VA 30 H 14
Villalbilla BU 18 E 18
Villalbilla M 46 K 20
Villalbilla de Gumiel BU 32 G 19
Villalbilla de Villadiego BU 17 E 18
Villalbilla Sobresierra BU 18 E 19
Villalcampo ZA 29 H 11
Villalcampo (Embalse de) ZA 29 H 11
Villalcázar de Sirga P 17 F 16
Villalcón P 16 F 15
Villaldemiro BU 17 F 18
Villalebrín LE 16 E 15
Villalfeide LE 16 D 13
Villalgordo del Júcar AB 72 O 23
Villalgordo del Marquesado CU 60 M 22
Villalibre de la Jurisdicción LE 14 E 10
Villalís LE 15 F 11
Villallana O 5 C 12
Villallano P 17 D 17
Villalmanzo BU 32 F 18
Villalobar de Rioja LO 18 E 21
Villalobón P 31 F 16
Villalobos ZA 30 G 13
Villalobos J 94 T 18
Villalómez BU 18 E 20
Villalón CO 80 S 14
Villalón de Campos VA 30 F 14
Villalones MA 92 V 14
Villalonso ZA 30 H 14
Villalpando ZA 30 G 13
Villalpardo CU 61 N 25
Villalquite LE 16 E 14
Villalta BU 18 D 19
Villalube ZA 30 H 13
Villaluenga Z 34 H 24
Villaluenga de la Sagra TO 58 L 18
Villaluenga de la Vega P 16 E 15
Villaluenga del Rosario CA 99 V 13
Villalumbroso P 16 F 15
Villalval BU 18 E 19
Villálvaro SO 32 H 20
Villalverde ZA 15 F 11
Villalveto P 17 D 15
Villalvilla de Montejo SG 32 H 19
Villamalea AB 73 N 25
Villamalur CS 62 M 28
Villamandos LE 16 F 13
Villamanín LE 16 D 13
Villamanrique CR 71 Q 21
Villamanrique de la Condesa SE 91 U 11
Villamanrique de Tajo M 59 L 20
Villamanta M 58 L 17
Villamantilla M 45 K 17
Villamañán LE 16 F 13
Villamar LU 4 B 8
Villamarciel VA 30 H 15
Villamarco LE 16 E 14
Villamarín O 5 C 11
Villamartín BU 8 C 18
Villamartín A 85 S 27
Villamartín CA 92 V 13
Villamartín de Campos P 31 F 16
Villamartín de Don Sancho LE 16 E 14
Villamartín de Villadiego BU 17 D 17
Villamayor Z 35 G 27
Villamayor O 6 B 14
Villamayor O 5 C 11
Villamayor SA 43 J 12
Villamayor AV 44 J 14
Villamayor de Calatrava CR 70 P 17
Villamayor de Campos ZA 30 G 13
Villamayor de los Montes BU 32 F 18
Villamayor de Monjardin NA 19 E 23
Villamayor de Santiago CU 59 M 21
Villamayor de Treviño BU 17 E 17
Villamayor del Condado LE 16 E 13
Villamayor del Río BU 18 E 20
Villambrán de Cea P 16 E 15
Villambrosa VI 18 D 20
Villambroz P 16 E 15
Villameca LE 15 E 11
Villameca (Embalse de) LE 15 E 11
Villamediana P 31 F 16
Villamediana de Iregua LO 19 E 22
Villamedianilla BU 17 F 17
Villamején O 5 B 11
Villamejil LE 15 E 11
Villamejín O 5 C 11
Villamejor M 58 M 18
Villameriel P 17 E 16
Villameriel LE 15 D 11
Villamesías CC 68 O 12
Villamiel CC 55 L 9
Villamiel de la Sierra BU 18 F 19
Villamiel de Toledo TO 58 M 17
Villaminaya TO 58 M 18
Villamizar LE 16 E 14
Villamol LE 16 E 14
Villamontán de la Valduerna LE 15 F 12
Villamor BU 18 D 19
Villamor de Cadozos ZA 29 I 11
Villamor de la Ladre ZA 29 H 11
Villamor de los Escuderos ZA 30 I 13
Villamoratiel de las Matas LE 16 E 14
Villamorco P 17 E 16
Villamorey O 6 C 13
Villamorisca LE 16 D 15
Villamoronta P 17 E 15
Villamudria BU 18 E 20
Villamuelas TO 58 M 18
Villamuera de la Cueza P 17 F 15
Villamuñío LE 16 E 14
Villamuriel de Campos VA 30 G 14
Villamuriel de Cerrato P 31 G 16
Villán de Tordesillas VA 30 H 15
Villanañe VI 18 D 20
Villanasur BU 18 E 20
Villanázar ZA 29 G 12
Villandás O 5 C 11
Villandiego BU 17 E 17
Villandín TO 59 L 20
Villaneceriel P 17 E 16
Villanova HU 22 E 31
Villanova LU 14 D 8
Villanova del Pedragal LU 14 D 9
Villanovilla HU 21 E 28
Villanúa HU 21 D 28
Villanubla VA 30 G 15
Villanueva *cerca de Boal* O 4 B 9
Villanueva *cerca de Cangas* O 6 B 14
Villanueva *cerca de Luarca* O 5 B 10
Villanueva *cerca de Ribadedeva* O 7 B 16
Villanueva *cerca de Teverga* O 5 C 11
Villanueva Santo Adriano O 5 C 11
Villanueva de Abajo P 17 D 15
Villanueva de Aézkoa / Hiriberri NA 11 D 26
Villanueva de Alcardete TO 59 M 20
Villanueva de Alcorón GU 47 J 23
Villanueva de Algaidas MA 93 U 16
Villanueva de Argaño BU 17 E 18
Villanueva de Argecilla GU 46 J 21
Villanueva de Arriba P 16 D 15
Villanueva de Ávila AV 44 K 15
Villanueva de Azoague ZA 29 G 12
Villanueva de Bogas TO 58 M 19
Villanueva de Cameros LO 19 F 22
Villanueva de Campeán ZA 29 H 12
Villanueva de Cañedo SA 43 I 12
Villanueva de Carazo BU 32 G 20
Villanueva de Carrizo LE 15 E 12
Villanueva de Cauche MA 100 V 16
Villanueva de Córdoba CO 81 R 16
Villanueva de Duero VA 30 H 15
Villanueva de Franco CR 71 P 19
Villanueva de Gállego Z 35 G 27
Villanueva de Gómez AV 44 J 15
Villanueva de Gormaz SO 32 H 20
Villanueva de Guadamajud CU 60 L 22
Villanueva de Gumiel BU 32 G 19
Villanueva de Henares P 17 D 17
Villanueva de Jamuz LE 15 F 12
Villanueva de Jiloca Z 48 I 25
Villanueva de la Cañada M 45 K 17
Villanueva de la Concepción MA 100 V 16
Villanueva de la Condesa VA 16 F 14
Villanueva de la Fuente CR 71 P 21
Villanueva de la Jara CU 60 N 24
Villanueva de la Nia S 17 D 17
Villanueva de la Peña S 7 C 17
Villanueva de la Reina J 82 R 18
Villanueva de la Serena BA 68 P 12
Villanueva de la Sierra ZA 14 F 8
Villanueva de la Sierra CC 55 L 10
Villanueva de la Tercia LE 16 D 12
Villanueva de la Torre GU 46 K 20
Villanueva de la Vera CC 56 L 13
Villanueva de las Cruces H 78 T 8
Villanueva de las Manzanas LE 16 E 13
Villanueva de las Peras ZA 29 G 12
Villanueva de las Torres GR 95 T 20
Villanueva de los Caballeros VA 30 G 14
Villanueva de los Castillejos H 90 T 8
Villanueva de los Escuderos CU 60 L 23
Villanueva de los Infantes VA 31 G 16
Villanueva de los Infantes CR 71 P 20
Villanueva de los Montes BU 18 D 19
Villanueva de los Nabos P 17 E 16
Villanueva de Mena BU 8 C 20
Villanueva de Mesia GR 94 U 17
Villanueva de Odra BU 17 E 17
Villanueva de Omaña LE 15 D 11
Villanueva de Oscos O 4 C 9
Villanueva de Perales M 45 K 17
Villanueva de Puerta BU 17 E 18
Villanueva de San Carlos CR 70 Q 18
Villanueva de San Juan SE 92 U 14
Villanueva de San Mancio VA 30 G 14
Villanueva de Sigena HU 36 G 29
Villanueva de Tapia MA 93 U 17
Villanueva de Valdueza LE 15 E 10
Villanueva de Valrojo ZA 29 G 11
Villanueva de Viver CS 62 L 28
Villanueva de Zamajón SO 33 H 23
Villanueva del Aceral AV 44 I 15
Villanueva del Arbol LE 16 E 13
Villanueva del Ariscal SE 91 T 11
Villanueva del Arzobispo J 83 R 20
Villanueva del Campillo AV 44 K 14
Villanueva del Campo ZA 30 G 13
Villanueva del Conde SA 43 K 11
Villanueva del Duque CO 81 Q 14
Villanueva del Fresno BA 78 Q 8
Villanueva del Huerva Z 34 H 26
Villanueva del Pardillo M 45 K 18
Villanueva del Rebolar de la Sierra TE 49 J 26
Villanueva del Rebollar P 16 F 15
Villanueva del Rey CO 80 R 14
Villanueva del Rey SE 92 T 14
Villanueva del Río SE 80 T 12
Villanueva del Río Segura MU 85 R 26
Villanueva del Río y Minas SE 80 T 12
Villanueva del Rosario MA 100 V 16
Villanueva del Trabuco MA 93 U 16
Villanueva Soportilla BU 18 D 20
Villanueva y Geltrú / Vilanova i la Geltrú B 37 I 35
Villanuevas (Los) TE 62 L 28
Villanuño de Valdavia P 17 E 16
Villaobispo LE 15 E 11
Villaornate y Castro LE 16 F 13
Villapaderne S 7 C 17
Villapadierna LE 16 D 14
Villapalacios AB 71 Q 22
Villapeceñil LE 16 E 14
Villapedre O 5 B 10
Villaprovedo P 17 E 16
Villaquejida LE 16 F 13
Villaquilambre LE 16 E 13
Villaquirán de la Puebla BU 17 F 17
Villaquirán de los Infantes BU 17 F 17
Villar (El) AB 72 O 24
Villar (El) CR 70 Q 17
Villar (El) H 79 S 9
Villar (Embalse de El) M 46 J 19
Villar (Santuario de la Virgen del) LO 33 F 23
Villar da Torre C 2 D 3
Villar de Acero LE 14 D 9
Villar de Argañán SA 42 J 9
Villar de Arnedo (El) LO 19 F 23
Villar de Cantos CU 60 N 22
Villar de Cañas CU 59 M 22
Villar de Chinchilla AB 73 P 25
Villar de Ciervo SA 42 J 9
Villar de Ciervos LE 15 E 11
Villar de Cobeta GU 47 J 23
Villar de Corneja AV 44 K 13
Villar de Cuevas J 82 S 18
Villar de Domingo García CU 60 L 23
Villar de Farfón ZA 29 G 11
Villar de Gallimazo SA 44 J 14
Villar de Golfer LE 15 E 11
Villar de la Encina CU 60 N 22
Villar de la Yegua SA 42 J 9
Villar de las Traviesas LE 15 D 10
Villar de los Navarros Z 48 I 26
Villar de Matacabras AV 44 I 14
Villar de Maya SO 33 F 22
Villar de Mazarife LE 15 E 12
Villar de Olalla CU 60 L 23
Villar de Olmos V 61 N 26
Villar de Peralonso SA 43 I 11
Villar de Plasencia CC 56 L 11
Villar de Pozo Rubio AB 72 O 24
Villar de Rena BA 68 O 12
Villar de Samaniego SA 43 I 10
Villar de Santiago (El) LE 15 D 11
Villar de Sobrepeña SG 31 I 18
Villar de Tejas V 61 N 26
Villar de Torre LO 18 E 21
Villar del Águila CU 60 M 22
Villar del Ala SO 33 G 22
Villar del Arzobispo V 61 M 27
Villar del Buey ZA 29 I 11
Villar del Campo SO 33 G 23
Villar del Cobo TE 48 K 24
Villar del Horno CU 60 L 22
Villar del Humo CU 61 M 25
Villar del Infantado CU 47 K 22
Villar del Maestre CU 60 L 22
Villar del Monte LE 15 F 11
Villar del Olmo M 46 K 20
Villar del Pedroso CC 57 M 14
Villar del Pozo CR 70 P 18
Villar del Rey BA 67 O 9
Villar del Río SO 33 F 22
Villar del Salz TE 48 J 25
Villar del Saz de Arcas CU 60 M 23
Villar del Saz de Navalón CU 60 L 22
Villaralbo ZA 29 H 12
Villaralto CO 81 Q 15
Villarcayo BU 18 D 19
Villardeciervos ZA 29 G 11
Villardefallaves ZA 30 G 14
Villardefrades VA 30 G 14
Villardiegua de la Ribera ZA 29 H 11
Villárdiga ZA 30 G 13
Villardompardo J 82 S 17
Villardondiego ZA 30 H 13
Villarejo AV 44 K 15
Villarejo LO 18 E 21
Villarejo AB 72 Q 23
Villarejo (El) TE 61 L 25
Villarejo de Fuentes CU 59 M 21
Villarejo de la Peñuela CU 60 L 22
Villarejo de Medina GU 47 J 22
Villarejo de Montalbán TO 57 M 16
Villarejo de Órbigo LE 15 E 12
Villarejo de Salvanés M 59 L 20
Villarejo del Espartal CU 60 L 22
Villarejo del Valle AV 57 L 15
Villarejo Periesteban CU 60 M 22
Villarejo Seco CU 60 M 22
Villarejo Sobrehuerta CU 60 L 22
Villarejos (Los) TO 57 M 15
Villarente LE 16 E 13
Villares AB 84 Q 23
Villares (Los) CR 71 P 21
Villares (Los) CO 93 T 17
Villares (Los) GR 94 T 20
Villares (Los) *cerca de Andújar* J 82 R 18
Villares (Los) *cerca de Jaén* J 82 S 18
Villares de Jadraque GU 46 I 20
Villares de la Reina SA 43 I 13
Villares de Órbigo LE 15 E 12
Villares de Yeltes SA 43 J 10
Villares del Saz CU 60 M 22
Villargarcía del Llano CU 72 O 24
Villargordo SA 43 I 11
Villargordo J 82 S 18
Villargordo SE 79 T 10
Villargordo del Cabriel V 61 N 25
Villargusán LE 5 D 12
Villarias BU 18 D 19
Villaricos AL 96 U 24
Villariezo BU 18 F 18
Villarín LE 15 E 12
Villarino LE 15 F 10
Villarino SA 29 I 10
Villarino de Cebal ZA 29 G 11
Villarino de Manzanas ZA 29 G 10
Villarino del Sil LE 15 D 10
Villarino Tras la Sierra ZA 29 G 10
Villarluengo TE 49 K 28
Villarluengo (Puerto de) TE 49 K 28
Villarmayor SA 43 I 12
Villarmentero de Campos P 17 F 16
Villarmentero de Esgueva VA 31 G 16
Villarmid C 2 C 2
Villarmuerto SA 43 I 10
Villarmún LE 16 E 13
Villarodrigo de Ordás LE 15 D 12
Villaronte LU 4 B 8
Villaroya (Puerto de) TE 49 K 28
Villaroya de los Pinares TE 49 K 27
Villarpedre O 4 C 9
Villarquemado TE 48 K 26
Villarrabé P 16 E 15
Villarrabines LE 16 F 13
Villarramiel P 30 F 15
Villarrasa H 91 T 10
Villarreal BA 66 P 8
Villarreal / Vila-real CS 62 M 29
Villarreal de Huerva Z 48 I 26
Villarreal de la Canal HU 21 E 27
Villarreal de San Carlos CC 56 M 11
Villarrín de Campos ZA 30 G 13
Villarroañe LE 16 E 13
Villarrobejo P 16 E 15
Villarrobledo AB 71 O 22
Villarrodrigo P 16 E 15
Villarrodrigo J 83 Q 22
Villarroquel LE 15 E 12
Villarroya LO 19 F 23
Villarroya de la Sierra Z 34 H 24
Villarroya del Campo Z 48 I 26
Villarrubia CO 81 S 15
Villarrubia de los Ojos CR 70 O 19
Villarrubia de Santiago TO 59 M 19
Villarrubín LE 14 E 8
Villarrubio CU 59 M 21
Villarta CU 61 N 25
Villarta de Escalona TO 57 L 16
Villarta de los Montes BA 69 O 15
Villarta de San Juan CR 71 O 19
Villarta-Quintana LO 18 E 20
Villartelín LU 14 D 8
Villartorey O 4 B 9
Villartoso SO 33 F 22
Villarué HU 22 E 31
Villarueva de la Torre GU 46 K 20
Villas de Turbón (Las) HU 22 E 31
Villas Viejas CU 59 M 21
Villasabariego LE 16 E 13
Villasabariego de Ucieza P 17 E 16
Villasana de Mena BU 8 C 20
Villasandino BU 17 E 17
Villasante de Montija BU 8 C 19
Villasar B 38 H 37
Villasarracino P 17 E 16
Villasayas SO 33 H 22
Villasbuenas SA 42 I 10
Villasbuenas de Gata CC 55 L 10
Villasdardo SA 43 I 11
Villaseca LO 18 E 21
Villaseca CU 60 L 23
Villaseca CO 81 S 14
Villaseca SG 31 I 18
Villaseca de Arciel SO 33 H 23
Villaseca de la Sagra TO 58 M 18
Villaseca de Laciana LE 15 D 11
Villaseca de Uceda GU 46 J 19
Villasecino LE 15 D 11
Villaseco ZA 29 H 12
Villaseco de los Gamitos SA 43 I 11
Villaseco de los Reyes SA 43 I 11
Villaselán LE 16 E 14
Villasequilla TO 58 M 18
Villasevil S 7 C 18
Villasexmir VA 30 H 14
Villasidro BU 17 E 17
Villasila P 17 E 16
Villasilos BU 17 F 17
Villasimpliz LE 16 D 13
Villasinde LE 14 E 9
Villaspesa TE 61 L 26
Villasrubias SA 42 K 10
Villastar TE 61 L 26
Villasur P 17 E 15
Villasur de Herreros BU 18 F 19
Villasuso S 7 C 17
Villatobas TO 59 M 20
Villatoro AV 44 K 14
Villatoro BU 18 E 18
Villatoya AB 73 O 25
Villatresmil O 5 B 10
Villatuerta NA 19 E 24
Villaturde P 17 E 15
Villaturiel LE 16 E 13
Villaumbrales P 31 F 16
Villaute BU 17 E 18
Villava NA 11 D 25
Villavaler O 5 B 11
Villavaliente AB 73 O 25
Villavaquerín VA 31 H 16
Villavedón BU 17 E 17
Villavelasco de Valderaduey LE 16 E 15
Villavelayo LO 18 F 21
Villavellid VA 30 G 14
Villavendimio ZA 30 H 13
Villavente LE 16 E 13
Villaventín BU 8 C 19
Villaverde M 46 K 18
Villaverde O 6 B 13
Villaverde LE 14 E 9
Villaverde *Fuerteventura* GC 111 I 2
Villaverde de Abajo LE 16 D 13
Villaverde de Arcayos LE 16 E 14
Villaverde de Guadalimar AB 83 Q 22
Villaverde de Guareña SA 44 I 13
Villaverde de Iscar SG 31 I 16
Villaverde de Medina VA 30 I 14
Villaverde de Montejo SG 32 H 19
Villaverde de Pontones S 8 B 18
Villaverde de Rioja LO 19 F 21
Villaverde de Sandoval LE 16 E 13

Villaverde de Trucios S 8 C 20
Villaverde del Ducado GU 47 I 22
Villaverde del Monte SO 33 G 21
Villaverde del Monte BU 17 F 18
Villaverde del Río SE 92 T 12
Villaverde la Chiquita LE 16 E 14
Villaverde-Mogina BU 17 F 17
Villaverde-Peñahorada BU 18 E 18
Villaverde y Pasaconsol CU 60 M 23
Villaveta BU 17 E 17
Villaveta NA 11 D 25
Villaveza de Valverde ZA 29 G 12
Villaveza del Agua ZA 29 G 12
Villavicencio de los Caballeros VA 30 F 14
Villaviciosa O 6 B 13
Villaviciosa AV 44 K 15
Villaviciosa de Córdoba CO 81 R 14
Villaviciosa de la Ribera LE 15 E 12
Villaviciosa de Odón M 45 K 18
Villaviciosa de Tajuña GU 47 J 21
Villavieja de Muñó BU 17 F 18
Villavieja de Yeltes SA 43 J 10
Villavieja del Cerro VA 30 H 14
Villavieja del Lozoya M 46 I 18
Villaviudas P 31 G 16
Villayón O 4 B 9
Villayuste LE 15 D 12
Villaza OR 28 G 7
Villazala LE 15 E 12
Villazanzo de Valderaduey LE 16 E 15
Villazón O 5 B 11
Villazopeque BU 17 F 17
Villegar S 7 C 18
Villegas BU 17 E 17
Villegas o Mardos AB 73 Q 25
Villeguillo SG 31 I 16
Villel TE 61 L 26
Villel de Mesa GU 47 I 24
Villela BU 17 D 17
Villelga P 16 F 15
Villena A 73 Q 27
Villeriás P 30 G 15
Villeza LE 16 F 14
Villiguer LE 16 E 13
Villimer LE 16 E 13
Villivañe LE 16 E 13
Villobas HU 21 E 29
Villodas VI 19 D 21
Villodre P 17 F 17
Villodrigo P 17 F 17
Villoldo P 17 F 16
Villomar LE 16 E 13
Villora CU 61 M 25
Villora (Cabeza de) CU 61 M 25
Villores CS 49 J 29
Villoria O 6 C 13
Villoria SA 44 J 13
Villoria de Boada SA 43 J 11
Villorquite de Herrera P 17 E 16
Villoruebo BU 18 F 19
Villoruela SA 44 I 13
Villoslada SG 45 J 16
Villoslada de Cameros LO 33 F 21
Villota del Duque P 17 E 16
Villota del Páramo P 16 E 15
Villotilla P 17 E 15
Villovela BU 31 G 18
Villoviado BU 32 G 18
Villovieco P 17 F 16
Villuercas CC 56 N 13
Viloalle LU 4 B 7
Vilobí d'Onyar GI 25 G 38
Vilopriu GI 25 F 38
Viloria NA 19 D 23
Viloria VA 31 H 16
Viloria de Rioja BU 18 E 20
Vilosell (El) L 37 H 32
Vilouriz C 3 D 6
Vilouzás C 3 C 5
Vilueña (La) Z 34 I 24
Vilvarejo (El) TE 48 J 26
Vilves L 37 G 33
Vilvestre SA 42 I 9
Vilviestre de los Nabos SO 33 G 22
Vilviestre de Muñó BU 17 F 18
Vilviestre del Pinar BU 32 G 20
Vilvís TO 58 L 17
Vimbodí T 37 H 33
Vimianzo C 2 C 2
Vinaceite TE 35 I 28
Vinaderos AV 44 I 15
Vinaixa L 37 H 32
Vinallop T 50 J 31
Vinaròs CS 50 K 31
Vincios PO 12 F 3
Vindel CU 47 K 22
Vinebre T 36 I 31
Viniegra de Abajo LO 18 F 21
Viniegra de Arriba LO 33 F 21
Vinseiro PO 13 D 4
Vinuesa SO 33 G 21
Vinyoles V 73 O 26
Vinyoles d'Orís B 24 F 36
Vinyols T 51 I 33
Viña C 3 C 5
Viña (La) GR 94 U 17
Viñales LE 15 E 10
Viñamala (Reserva nacional de) HU 21 D 29
Viñas ZA 29 G 10
Viñas (Las) J 82 R 18
Viñegra AV 44 J 14
Viñegra de Moraña AV 44 J 15
Viñón S 7 C 16
Viñón O 6 B 13
Viñuela MA 101 V 17
Viñuela (Embalse de la) MA 101 V 17
Viñuela (La) CR 69 P 17
Viñuela (La) SE 80 S 13
Viñuela de Sayago ZA 29 I 12
Viñuelas GU 46 J 19
Viñuelas (Castillo de) M 46 K 19
Vírgala Mayor VI 19 D 22
Virgen (Ermita de la) GU 47 J 22
Virgen Coronada (Ermita de la) BA 68 O 14
Virgen de Ara (Ermita) BA 80 R 12
Virgen de Fabana (Ermita de la) HU 21 F 29
Virgen de la Cabeza GR 95 T 21
Virgen de la Cabeza (Ermita de la) CR 71 Q 19
Virgen de la Cabeza (Ermita de la) AL 84 S 23
Virgen de la Cabeza (Santuario) J 82 R 17
Virgen de la Columna Z 35 H 27
Virgen de la Estrella (Santuario de la) TE 49 K 29
Virgen de la Montaña (La) CC 55 N 10
Virgen de la Muela TO 59 M 20
Virgen de la Peña (Ermita de la) TE 49 K 28
Virgen de la Peña (Ermita de la) H 78 T 8
Virgen de la Sierra (Ermita de la) CR 70 O 18
Virgen de la Sierra (Santuario de) Z 34 H 24
Virgen de la Vega CR 71 Q 20
Virgen de la Vega GU 47 J 22
Virgen de la Vega (Ermita de la) TE 50 J 30
Virgen de la Vega (La) TE 49 K 27
Virgen de Lagunas (Ermita de la) Z 34 H 26
Virgen de las Cruces CR 70 O 18
Virgen de las Viñas CR 71 O 21
Virgen de Lomos de Orios (La) LO 33 F 22
Virgen de los Ángeles (Ermita de la) TE 48 K 25
Virgen de los Santos CR 70 P 18
Virgen de Luna CO 81 R 15
Virgen de Montesinos (Ermita de la) GU 47 J 23
Virgen de Nieves Tara Mazas (Ermita) TE 49 J 29
Virgen de Suceso BI 8 C 20
Virgen del Buen Suceso (Ermita de la) TE 49 K 28
Virgen del Buenlabrado (Ermita de) GU 47 J 23
Virgen del Camino (La) LE 16 E 13
Virgen del Campo (Ermita de la) *cerca de Camarillas* TE 48 K 27
Virgen del Castillo CR 69 P 15
Virgen del Castillo (Ermita de la) SG 45 I 17
Virgen del Castillo (Ermita de la) TE 48 K 26
Virgen del Molino (Ermita de la) TE 48 K 26
Virgen del Pinar (Ermita de la) CU 47 K 22
Virgen del Poral (Ermita de la) GU 47 K 21
Virgen del Prado (Ermita de la) CC 55 N 10
Virgen del Robledo (Ermita de la) SE 80 S 13
Virgen del Rocío SE 92 T 12
Virgen del Rosario (Ermita de la) TE 48 J 26
Virtudes (Las) CR 71 Q 19
Virtudes (Las) A 73 Q 27
Virtus BU 17 D 18
Visantoña C 3 C 5
Visaurin HU 21 D 28
Visiedo TE 48 J 26
Viso (El) AB 73 O 26
Viso (El) CO 81 Q 15
Viso (O) C 12 D 2
Viso de San Juan (El) TO 58 L 18
Viso del Alcor (El) SE 92 T 12
Viso del Marqués CR 82 Q 19
Vista Alegre C 3 B 5
Vistabella Z 34 I 26
Vistabella del Maestrat CS 49 L 29
Vistahermosa CA 98 W 11
Vistalegre TO 57 M 15
Vita AV 44 J 14
Vitigudino SA 43 I 10
Vitoria-Gasteiz VI 19 D 21
Víu HU 22 E 31
Viu de Llevata L 22 E 32
Viuda (Rambla de la) CS 62 L 29
Vivar de Fuentidueña SG 31 H 17
Vivar del Cid BU 18 E 18
Vivares BA 68 O 11
Vivedro O 4 B 9
Viveiro LU 4 B 7
Viveiró *Sierra del Xistral* LU 3 B 7
Viveiró (Ría de) LU 4 A 7
Vivel del Río Martín TE 49 J 27
Viver B 38 G 35
Viver *Castelló* CS 62 M 28
Viver de la Sierra Z 34 H 25
Vivero CR 69 P 15
Viveros AB 71 P 22
Vives (Los) A 85 R 27
Vivinera ZA 29 G 11
Vixán C 12 E 2
Vizcaina (La) *La Gomera* TF 118 B 2
Vizcaínos BU 32 F 20
Vizcalmón J 94 T 17
Vizcodillo ZA 15 F 10
Vízmanos SO 33 F 22
Víznar GR 94 U 19
Vorcel SE 92 U 12
Vozmediano SO 34 G 24
Voznuevo LE 16 D 14
Vueltas *La Gomera* TF 118 A 3
Vulpellac GI 25 G 39


## W


Wamba VA 30 G 15
Warner Bros M 58 L 19


## X


Xàbia / Jávea A 75 P 30
Xallas C 2 D 2
Xaló A 74 P 29
Xanceda C 3 C 5
Xara (La) A 74 P 30
Xares OR 14 F 9
Xarrié CR 70 O 18
Xàtiva V 74 P 28
Xaviña C 2 C 2
Xendive OR 27 G 5
Xeraco V 74 O 29
Xerdiz LU 4 B 7
Xeresa V 74 O 29
Xermade LU 3 B 6
Xermar LU 4 C 7
Xert CS 50 K 30
Xerta T 50 J 31
Xesta *cerca de Lalín* PO 13 E 5
Xesta *cerca de Lama* PO 13 E 4
Xesta (Porto da) LU 4 B 7
Xestal C 3 C 5
Xesteira PO 12 E 4
Xestosa OR 13 F 6
Xestoso C 3 C 6
Xeve PO 12 E 4
Xiá LU 3 C 6
Xilxes / Chilches CS 62 M 29
Xinzo de Limia OR 13 F 6
Xirivella V 62 N 28
Xironda OR 27 G 7
Xistral (Sierra del) LU 4 B 7
Xiva de Morella CS 50 K 29
Xivana (La) V 74 O 28
Xivert (Castell de) CS 50 L 30
Xixona A 74 Q 28
Xodos CS 62 L 29
Xove LU 4 A 7
Xuances LU 4 A 7
Xubia C 3 B 5
Xunqueira de Ambía OR 13 F 6
Xunqueira de Espadañedo OR 13 F 7
Xuño C 12 E 2
Xustás LU 4 C 7
Xuvencos LU 13 E 7


## Y


Yaco *Tenerife* TF 129 F 5
Yaiza *Lanzarote* GC 122 B 4
Yanguas SO 33 F 22
Yanguas de Eresma SG 45 I 17
Yaso HU 21 F 29
Yátor GR 102 V 20
Yátova V 73 N 27
Ye GC 121 F 3
Yébenes (Los) TO 58 N 18
Yebes GU 46 K 20
Yebra GU 46 K 21
Yebra de Basa HU 21 E 29
Yechar MU 85 R 25
Yecla MU 73 Q 26
Yecla de Yeltes SA 43 J 10
Yécora VI 19 E 22
Yedra (La) J 82 R 19
Yegen GR 102 V 20
Yeguas AL 103 V 23
Yeguas (Embalse de) CO 81 R 17
Yeguas (Las) TO 58 L 17
Yeguas (Las) MA 93 U 15
Yegüerizos (Los) J 83 R 21
Yela GU 47 J 21
Yélamos de Abajo GU 47 K 21
Yélamos de Arriba GU 47 K 21
Yelbes BA 68 P 11
Yeles TO 58 L 18
Yeles (Estación de) TO 58 L 18
Yelmo J 83 R 21
Yelo SO 47 I 22
Yelves (Sierra de) BA 68 P 11
Yémeda CU 60 M 24
Yepes TO 58 M 19
Yéqueda HU 21 F 28
Yera S 8 C 18
Yermo S 7 C 17
Yernes O 5 C 11
Yerri NA 10 D 24
Yesa NA 20 E 26
Yesa (Embalse de) Z 20 E 26
Yesa (La) V 61 M 27
Yesares (Los) AB 72 O 24
Yésero HU 21 E 29
Yesos (Los) AL 96 U 23
Yesos (Los) GR 102 V 20
Yeste AB 84 Q 23
Yeste HU 21 E 27
Yetas de Abajo AB 84 R 23
Yezosa CR 70 P 19
Yudego BU 17 E 17
Yugueros LE 16 D 14
Yuncler TO 58 L 18
Yunclillos TO 58 L 18
Yuncos TO 58 L 18
Yunquera MA 100 V 15
Yunquera (La) AB 72 P 23
Yunquera de Henares GU 46 J 20
Yunta (La) GU 48 J 24
Yuso LE 6 C 15
Yuso (Monasterio de) LO 18 F 21
Yuste (Monasterio de) CC 56 L 12


## Z


Zabalza *cerca de Lumbier* NA 11 D 26
Zabalza *cerca de Pamplona* NA 10 D 24
Zael BU 31 F 18
Zafara ZA 29 H 11
Zafarraya GR 101 V 17
Zafra BA 79 Q 10
Zafra (La) A 73 P 27
Zafra de Záncara CU 59 M 22
Zafrilla CU 61 L 25
Zafrón SA 43 I 11
Zagra GR 94 U 17
Zagrilla CO 93 T 17
Zahara (Embalse de) CA 92 V 13
Zahara (Ensenada de) CA 99 X 12
Zahara de la Sierra CA 92 V 13
Zahara de los Atunes CA 99 X 12
Zahariche SE 92 T 13
Zahínos BA 78 R 9
Zahora CA 98 X 11
Zahora (La) GR 94 U 18
Zaida (La) Z 35 I 28
Zaidín HU 36 H 30
Zaitegi VI 19 D 21
Zajarrón Bajo BA 67 O 9
Zalamea de la Serena BA 68 Q 13
Zalamea la Real H 79 S 10
Zalamillas LE 16 F 13
Zaldibar BI 10 C 22
Zaldibia SS 10 C 23
Zalduendo BU 18 E 19
Zalduondo VI 19 D 22
Zalea MA 100 V 15
Zalla BI 8 C 20
Zamajón SO 33 H 22
Zamarra SA 43 K 10
Zamarramala SG 45 J 17
Zamarrón GR 95 T 20
Zamayón SA 43 I 12
Zambra CO 93 T 16
Zambrana VI 18 E 21
Zamora ZA 29 H 12
Zamora (Mirador de) *Gran Canaria* GC 115 E 2
Zamoranos CO 94 T 17
Zamores (Embalse de) CC 54 N 8
Zamudio BI 8 C 21
Zancarrón de Soto (Cueva del) H 91 T 9
Zandio NA 11 D 25
Zangallón (El) BA 67 O 9
Zángano (Puerto del) BA 67 O 9
Zangoza / Sangüesa NA 20 E 26
Zanzabornín O 5 B 12
Zaorejas GU 47 J 23
Zapardiel de la Cañada AV 44 K 13
Zapardiel de la Ribera AV 44 K 14
Zapateras (Las) BA 67 P 11
Zapateros AB 72 Q 22
Zapillo (El) AL 103 V 22
Zapillo (El) SE 92 T 13
Zárabes SO 33 H 23
Zaragoza Z 35 H 27
Zarapicos SA 43 I 12
Zaratán VA 30 H 15
Zaratomo BI 8 C 21
Zarautz SS 10 C 23
Zarcilla de Ramos MU 84 S 24
Zarcita *La Gomera* TF 119 C 2
Zarra V 73 O 26
Zarracatín SE 92 U 12
Zarratón LO 18 E 21
Zarza (La) AV 43 L 13
Zarza (La) VA 30 I 15
Zarza (La) AB 72 P 23
Zarza (La) *cerca de Alcantarilla* MU 85 S 25
Zarza (Puerto de la) H 78 S 8
Zarza Capilla BA 69 P 14
Zarza de Alange BA 67 P 11
Zarza de Granadilla CC 56 L 11
Zarza de Montánchez CC 68 O 11
Zarza de Pumareda (La) SA 28 I 10
Zarza de Tajo CU 59 L 20
Zarza la Mayor CC 55 M 9
Zarzadilla de Totana MU 84 S 24
Zarzal TO 57 N 16
Zarzalejo M 45 K 17
Zarzosa LO 19 F 22
Zarzosa de Riopisuerga BU 17 E 17
Zarzoso (Sierra del) BA 78 Q 9
Zarzuela CU 60 L 23
Zarzuela (La) M 45 K 18
Zarzuela (La) CA 99 X 12
Zarzuela de Jadraque GU 46 I 20
Zarzuela del Monte SG 45 J 16
Zarzuela del Pinar SG 31 I 17
Zas C 2 C 3
Zayas de Báscones SO 32 G 20
Zayas de Torre SO 32 G 20
Zayuelas SO 32 G 20
Zazuar BU 32 G 19
Zeanuri BI 9 C 21
Zeberio BI 9 C 21
Zegama SS 19 D 23
Zegrí (Puerto del) GR 94 T 19
Zenia (La) A 85 S 27
Zerain SS 10 C 23
Zestoa SS 10 C 23
Ziga NA 11 C 25
Zigoitia VI 19 D 21
Zilbeti NA 11 D 25
Ziordia NA 19 D 23
Ziorraga VI 8 C 21
Zizur Mayor NA 11 D 24
Zizur Menor NA 11 D 24
Zizurkil SS 10 C 23
Zocueza J 82 R 18
Zollo-Elexalde BI 8 C 21
Zoma (La) TE 49 J 28
Zomas (Las) CU 60 M 23
Zorelle OR 13 F 7
Zorita SA 43 I 12
Zorita CC 68 O 12
Zorita (Embalse de) GU 46 K 21
Zorita de la Frontera SA 44 I 14
Zorita de la Loma VA 16 F 14
Zorita de los Canes GU 59 L 21
Zorita de los Molinos AV 44 J 15
Zorraquín LO 18 F 20
Zorrillas (Las) BA 79 R 11
Zotes del Páramo LE 15 F 12
Zuazo VI 19 D 22
Zub Isabal BI 9 C 21
Zubia (La) GR 94 U 19
Zubia (La) MA 101 V 17
Zubiaur BI 9 C 21
Zubielqui NA 19 D 23
Zubieta NA 10 C 24
Zubiri NA 11 D 25
Zucaina CS 62 L 28
Zudaire NA 19 D 23
Zuera Z 35 G 27
Zufre H 79 S 10
Zugarramurdi NA 11 C 25
Zuhatzu-Kuartango VI 18 D 21
Zuheros CO 93 T 17
Zuia VI 19 D 21
Zujaira GR 94 U 18
Zújar GR 95 T 21
Zújar CO 68 Q 14
Zújar (Embalse del) BA 68 P 13
Zulema AB 73 O 25
Zulueta NA 11 D 25
Zumaia SS 10 C 23
Zumarraga SS 10 C 23
Zumelzu VI 19 D 21
Zumeta J 83 R 22
Zunega MU 84 S 24
Zunzarren NA 11 D 25
Zuñeda BU 18 E 20
Zúñiga NA 19 D 23
Zurbaran BA 68 O 12
Zurbitu BU 19 D 21
Zureda O 5 C 12
Zurgena AL 96 T 23
Zurita HU 36 G 31
Zuriza HU 11 D 27
Zurucuáin NA 10 D 24
Zuzones BU 32 H 19

## A


À-da-Velha 16 13 F5
A de Barros 18 41 J7
A-do-Pinto 02 78 S7
A dos Cunhados 11 64 O2
A. dos Ferreiros 01 40 K4
A Ver-o-mar 13 26 H3
Abaças 17 27 I6
Abade de Neiva 03 26 H4
Abadia (Nossa Senhora d') 03 27 G5
Abambres 04 28 H8
Abela 15 77 S4
Abitureiras 14 53 O3
Abiúl 10 53 M4
Aboadela 13 27 I6
Aboboreira 14 53 N5
Aboim 03 27 H5
Aboim da Nóbrega 03 27 G4
Aboim das Choças 16 26 G4
Aborim 03 26 H4
Abrã 14 53 N3
Abragão 13 27 I5
Abrantes 14 53 N5
Abreiro 04 28 H8
Abrigada 11 64 O2
Abrilongo (Ribeira de) 66 O8
Abrunheira 06 53 L3
Abrunhosa-a-Velha 18 41 K7
Abuxanas 14 52 O3
Achada 11 64 P1
Achada 20 107 J20
Achada do Gamo 02 78 T7
Achadas da Cruz 31 88 AY
Achadinha 20 107 J20
Achete 14 53 O3
Acoreira 04 42 I8
Adão 09 42 K8
Adaúfe 03 27 H4
Ade 09 42 K9
Adiça (Serra da) 02 78 S7
Adorigo 18 27 I7
Adoufe 17 27 H6
Adraga 11 64 P1
Adrão 16 27 G5
Afife 16 26 G3
Afonsim 17 27 H6
Agadão 01 41 K5
Agroal 14 53 M4
Agrochão 04 28 G8
Água de Madeiros 10 52 M2
Agua de Pau 20 107 J19
Agua de Pau (Serra de) 20 107 J19
Água de Peixes 02 77 R6
Água de Pena 31 88 BY
Água do Alto 20 107 J19
Água Longa 13 26 I4
Água Negra 02 78 S7
Água Retorta 20 107 J20
Água Travessa 14 65 O5
Aguada de Baixo 01 40 K4
Aguada de Cima 01 40 K4
Agualva 20 107 G14
Agualva-Cacém 11 64 P2
Águas Belas 09 42 K8
Águas Belas 14 53 M5
Águas Boas 18 41 J7
Águas de Moura 15 65 Q3
Águas dos Fusos 08 89 U6
Águas Frias 08 89 U5
Águas Frias 17 28 G7
Águas Réves-e-Castro 17 28 H7
Águas Santas 13 26 I4
Aguçadoura 13 26 H3
Aguda 10 53 M5
Águeda 01 40 K4
Águeda (Rio) 01 40 K4
Águeda (Rio) 09 42 J9
Aguiã 16 26 G4
Aguiar 07 77 Q6
Aguiar (Ribeira de) 09 42 J9
Aguiar da Beira 09 41 J7
Aguiar de Sousa 13 26 I4
Aguieira (Barragem da) 41 K5
Agulha (Ponta da) 20 107 J18
Airães 13 27 I5
Aire (Serra de) 14 53 N4
Ajuda (Ponta da) 20 107 J20
Alagoa 12 54 N7
Alamo 78 Q7
Alandroal 07 66 P7
Alares 05 54 M8
Albarnaz (Ponta do) 20 107 E2
Albergaria 10 52 M3
Albergaria-a-Nova 01 40 J4
Albergaria-a-Velha 01 40 J4
Albergaria dos Doze 10 53 M4
Albergaria dos Fusos 02 77 R6
Albernoa 02 77 S6
Albufeira 08 89 U5
Albufeira (Lagoa de) 15 64 Q2
Alburitel 14 53 N4
Alcabideche 11 64 P1
Alcácer do Sal 15 77 Q4
Alcáçovas 07 77 Q5
Alcáçovas (Estação de) 07 77 Q5
Alcáçovas (Ribeira das) 65 Q5
Alcafozes 05 54 M8
Alcaide 05 54 L7
Alcains 05 54 M7
Alcanede 14 52 N3
Alcanena 14 53 N3
Alcanhões 14 53 O4
Alcantarilha 08 89 U4
Alcaravela 14 53 N5
Alcaraviça 07 66 P7
Alcaria 02 77 R6
Alcaria 05 54 L7
Alcaria 10 53 N3
Alcaria perto de Boliqueime 08 89 U5
Alcaria perto de Odeleite 08 90 T7
Alcaria Alta 08 89 T6
Alcaria de Javazes 02 90 T7
Alcaria do Cume 08 89 U6
Alcaria Longa 02 77 T6
Alcaria Ruiva 02 77 S6
Alcarias 08 90 U7
Alcarrache (R.) 78 R7
Alcobaça 10 52 N3
Alcobertas 14 52 N3
Alcochete 15 64 P3
Alcoentre 11 64 O3
Alcofra 18 41 K5
Alcongosta 05 54 L7
Alcorochel 14 53 N4
Alcoutim 08 90 T7
Alcôvo das Várzeas 06 41 L6
Aldeia da Mata 12 66 O6
Aldeia da Ponte 09 42 K9
Aldeia da Ribeira 09 42 K9
Aldeia da Ribeira 14 52 N3
Aldeia da Serra 07 66 P7
Aldeia da Serra 10 53 M4
Aldeia da Serra perto de São Gregório 07 65 P6
Aldeia da Tor 08 89 U5
Aldeia das Amoreiras 02 77 T4
Aldeia das Dez 06 41 L6
Aldeia de Ana de Avis 10 53 M5
Aldeia de Eiras 14 53 N5
Aldeia de Irmãos 15 64 Q2
Aldeia de Joanes 05 54 L7
Aldeia de João Pires 05 54 L8
Aldeia de Nacomba 18 41 J7
Aldeia de Santa Margarida 05 54 L8
Aldeia de São Francisco de Assis 05 54 L6
Aldeia do Bispo 05 54 L8
Aldeia do Bispo 09 42 L9
Aldeia do Carvalho 05 41 L7
Aldeia do Corvo 02 77 T6
Aldeia do Mato 14 53 N5
Aldeia do Neves 02 77 T6
Aldeia do Ronquenho 02 77 S5
Aldeia dos Delbas 02 77 S5
Aldeia dos Fernandes 02 77 T5
Aldeia dos Francos 10 52 O2
Aldeia dos Grandaços 02 77 T5
Aldeia dos Neves 02 77 T5
Aldeia dos Palheiros 02 77 T5
Aldeia dos Pescadores 10 52 N2
Aldeia dos Ruins 02 77 R5
Aldeia Gavinha 11 64 O2
Aldeia Nova 02 77 S5
Aldeia Nova 04 29 H11
Aldeia Nova 08 90 U7
Aldeia Nova perto de Almeida 09 42 J9
Aldeia Nova perto de Trancoso 09 41 J7
Aldeia Velha 09 42 K9
Aldeia Velha 12 65 O5
Aldeia Viçosa 09 42 K8
Aldeias 02 78 R6
Aldeias 09 41 K7
Aldeias 18 41 I6
Aldeias de Montoito 07 66 Q7
Alegrete 12 66 O8
Alenquer 11 64 O2
Alenquer (Ribeira de) 11 64 O2
Alentisca 12 66 P8
Alfafar 06 53 L4
Alfaião 04 28 G9
Alfaiates 09 42 K9
Alfambra 08 88 U3
Alfândega da Fé 04 28 H9
Alfarela de Jales 17 27 H7
Alfarelos 06 53 L4
Alfarim 15 64 Q2
Alfeizerão 10 52 N2
Alferce 08 89 U4
Alferrarede 14 53 N5
Alfrivida 05 54 M7
Alfundão 02 77 R5
Alfusqueiro 40 K4
Algaça 06 40 L5
Algar do Carvão 20 107 G14
Algar Seco 08 89 U4
Algarvia 20 107 J20
Alge (Ribeira de) 10 53 M5
Algeruz 15 64 Q3
Algibre (Ribeira de) 08 89 U5
Algodor 02 77 S6
Algodres 09 42 J8
Algoso 04 28 H10
Algoz 08 89 U5
Alguber 11 52 O2
Algueirão-Mem Martins 11 64 P1
Alhadas 06 40 L3
Alhais 18 41 J6
Alhandra 11 64 P2
Alhões 18 41 J5
Alhos Vedros 15 64 Q2
Alijó 17 27 I7
Aljezur 08 88 U3
Aljubarrota 10 52 N3
Aljustrel 02 77 S5
Almaça 18 41 K5
Almaceda 05 54 L7
Almada 15 64 P2
Almada de Ouro 08 90 U7
Almadafe (Ribeira do) 66 P6
Almádena 08 88 U3
Almagreira 10 53 M4
Almagreira Azores 20 107 M20
Almalaguês 06 53 L4
Almancil 08 89 U5
Almargem do Bispo 11 64 P2
Almargens 08 89 U6
Almeida 09 42 J9
Almeirim 02 77 S5
Almeirim 07 65 Q6
Almeirim 14 65 O4
Almendra 09 42 I8
Almodôvar 02 89 T5
Almofala 09 42 J9
Almofala 10 52 N2
Almofala 18 41 J6
Almograve 02 76 T3
Almonda 14 53 N4
Almoster 10 53 M4
Almoster 14 64 O3
Almourol (Castelo de) 14 53 N4
Almuro (Ribeira do) 12 66 P7
Alpalhão 12 54 N7
Alpedrinha 05 54 L7
Alpedriz 10 52 N3
Alpendres de Lagares 02 78 S7
Alpiarça 14 65 O4
Alportel 08 89 U6
Alportel (Ribeira de) 08 89 U6
Alpreade (Ribeira de) 05 54 M7
Alqueidão 06 53 L3
Alqueidão da Serra 10 53 N3
Alqueidão do Arrimal 10 52 N3
Alqueva 07 78 R7
Alqueva (Barragem de) 78 R7
Alte 08 89 U5
Alter do Chão 12 66 O7
Alter Pedroso 12 66 O7
Alto Cávado (Barragem de) 17 27 G6
Alto Ceira (Barragem do) 06 54 L6
Alto Fica 08 89 U5
Alto Rabagão (Barragem do) 17 27 G6
Altura 08 90 U7
Alturas do Barroso 17 27 G6
Alva 18 41 J6
Alva (Rio) 41 L5
Alvacar (Ribeira de) 02 77 T6
Alvações do Corgo 17 27 I6
Alvadia 17 27 H6
Alvados 10 53 N3
Alvaiade 05 54 M6
Alvaiázere 10 53 M4
Alvalade 15 77 S4
Alvão (Serra de) 17 27 H6
Alvarães 16 26 H3
Alvarelhos 17 28 G7
Alvarenga 01 41 J5
Alvares 02 77 T6
Alvares 06 53 L5
Álvaro 05 53 M6
Alvarrão 02 78 R7
Alvarrões 12 54 N7
Alvega 14 53 N5
Alvelos (Serra de) 05 54 M6
Alvendre 09 42 K8
Alverca da Beira 09 42 J8
Alverca do Ribatejo 11 64 P2
Alves 02 78 T7
Alviela 14 53 N4
Alviobeira 14 53 M4
Alvite 18 41 J6
Alvito 02 77 R6
Alvito (Barragem do) 02 77 R6
Alvito da Beira 05 54 M6
Alvoco da Serra 09 41 L6
Alvoco das Várzeas 06 41 L6
Alvor 08 88 U4
Alvorge 10 53 M4
Alvorninha 10 52 N2
Amadora 11 64 P2
Amarante 13 27 I5
Amarela (Serra) 27 G5
Amareleja 02 78 R8
Amares 03 27 H4
Ameada 07 78 R8
Amedo 04 28 I8
Ameixial 08 89 T6
Amêndoa 14 53 N5
Amendoeira 02 77 S6
Amendoeira 08 89 U6
Amiães de Baixo 14 53 N3
Amiães de Cima 14 53 N3
Amieira 05 54 M6
Amieira 07 78 R7
Amieira Cova 12 53 N6
Amieira do Tejo 12 54 N6
Amieiro 06 40 L4
Amieiro 17 28 I7
Amonde 16 26 G3
Amor 10 52 M3
Amora 15 64 Q2
Amoreira 08 89 T6
Amoreira 09 42 K8
Amoreira 10 52 N2
Amoreira 14 53 N5
Amoreira (Aqueduto da) 12 66 P8
Amoreira da Gândara 01 40 K4
Amoreiras 02 77 S4
Amoreirinha 12 66 P8
Amorim 13 26 H3
Amorosa 16 26 H3
Anadia 01 40 K4
Ançã 06 40 L4
Ancas 01 40 K4
Âncora 16 26 G3
Andam 10 52 N3
Andorinha 06 40 L4
Andrães 17 27 I6
Andreus 14 53 N5
Anelhe 17 27 G7
Angeja 01 40 J4
Angra do Heroísmo 20 107 H14
Angueira 04 29 H10
Angueira (Rio) 29 H10
Anhões 16 12 G4
Anissó 03 27 H5
Anjos 41 107 L20
Anobra 06 53 L4
Anreade 18 41 I6
Ansiães 04 28 I8
Ansião 10 53 M4
Antanhol 06 53 L4
Antas perto de Fornos de Algodres 18 41 K7
Antas perto de Penedono 18 42 J7
Apostiça 15 64 Q2
Apúlia 03 26 H3
Arada 01 40 J4
Arada (Serra da) 41 J5
Aradas 01 40 K4
Arade (Barragem de) 08 89 U4
Arades (Ribeira de) 05 55 M9
Aranhas 05 54 L8
Aravil (Ribiera do) 05 54 M8
Arazede 06 40 L4
Arca 18 41 K5
Arcas 04 28 H8
Arcas 18 41 J6
Arco da Calheta 31 88 AY
Arco de Baulhe 03 27 H6
Arco de São Jorge 31 88 BY
Arcos 07 66 P7
Arcos 17 27 G6
Arcos 18 41 I7
Arcos de Valdevez 16 27 G4
Arcossó 17 27 H7
Arcozelo 09 41 K7
Arcozelo das Maias 18 41 J5
Arcozelos 18 41 J7
Arda 01 41 J5
Ardãos 17 27 G7
Ardila 78 R7
Arega 10 53 M5
Areia 12 53 N6
Areia 13 26 H3
Areia de Baixo 14 53 N5
Areias 14 53 M4
Areias de Vilar 03 26 H4
Arelho 10 52 N2
Areosa 16 26 G3
Arez 12 54 N6
Arga (Serra de) 16 26 G3
Arganil 06 41 L5
Arganil 14 53 M6
Argemil 17 28 H7
Argeriz 17 28 H7
Argomil 09 42 K8
Argozelo 04 28 H10
Aricera 18 41 I7
Arieiro 31 64 Q2
Arieiro Pico 15 88 BY
Ariz 18 41 J7
Armação de Pêra 08 89 U4
Armada 17 27 G6
Armadouro 06 54 L6
Armamar 18 41 I6
Armil 03 27 H5
Armona 08 89 U6
Armona (Ilha de) 08 89 U6
Arnas 18 41 J7
Arneiro 12 54 N6
Arneiro 14 53 M4
Arneiro das Milhariças 14 53 N3
Arnel (Ponta do) 20 107 J20
Arnoso 03 26 H4
Arões 01 41 J5
Arões 03 27 H5
Arosa 03 27 H5
Arouca 01 41 J5
Arrabal 10 53 M3
Arrábida (Parque Natural da) 15 65 Q3
Arrábida (Serra da) 15 64 Q2
Arraiolos 07 65 P6
Arranhó 11 64 P2
Arreciadas 14 53 N5
Arrentela 15 64 Q2
Arrepiado 14 53 N4
Arrifana 01 40 J4
Arrifana 06 41 L5
Arrifana 08 88 U3
Arrifana 08 88 U3
Arrifana 09 42 K8
Arrifes 20 107 J18
Arronches 12 66 O8
Arrouquelas 14 64 O3
Arruda dos Pisões 14 52 O3
Arruda dos Vinhos 11 64 P2
Arunca 53 M4
Árvore 13 26 H3
Arzila 06 53 L4
Assafarge 06 53 L4
Assafora 11 64 P1
Asseca 14 52 O3
Asseca (Ribeira de) 66 P7
Asseiceira perto de Rio Maior 14 52 O3
Asseiceira perto de Tomar 14 53 N4
Assentiz 14 53 N4
Assentiz perto de Rio Maior 14 64 O3
Assumar 12 66 O7
Assureira 17 27 G6
Atalaia 05 54 M7
Atalaia 07 77 Q6
Atalaia 09 42 K8
Atalaia 11 64 O2
Atalaia 12 54 N6
Atalaia 14 53 N4
Atalaia 15 64 P3
Atalaia (Monte) 08 88 U3
Atalaia (Monte) 15 76 R4
Atalaia (Ponta da) perto de Aljezur 08 88 U3
Atalaia do Campo 05 54 L7
Atei 17 27 H6
Atenor 04 29 H10
Atouguia da Baleia 10 52 N2
Avanca 01 40 J4
Avantos 04 28 H8
Ave 27 H5
Aveiras de Baixo 11 64 O3
Aveiras de Cima 11 64 O3
Aveiro 01 40 K4
Aveiro (Ria de) 01 40 J3
Avelanoso 04 29 H10
Avelar 10 53 M4
Avelãs da Ribeira 09 42 J8
Avelãs de Caminho 01 40 K4
Avelãs de Cima 01 40 K4
Aveleda 04 28 G9
Aveledas 17 28 G7
Aveloso 09 42 J8
Avenal 10 52 N2
Aves 13 26 H4
Avessadas 13 27 I5
Avidagos 04 28 H8
Avidos 03 26 H4
Avintes 13 26 I4
Avis 12 65 O6
Avô 06 41 L6
Azambuja 11 64 O3
Azambuja (Ribeira da) 07 65 Q6
Azambuja (Vala da) 65 O3
Azambujeira 14 65 O3
Azaruja 07 66 P6
Azeitada 14 65 O3
Azenha 06 53 L3
Azenhas do Mar 11 64 P1
Azere 06 41 K5
Azervadinha 14 65 P4
Azevedo 16 26 G3
Azevel 07 66 Q7
Azevo 09 42 J8
Azias 16 27 G4
Azibo 04 28 H9
Azibo (Barragem de) 04 28 H9
Azinhaga 14 53 N4
Azinhal 02 77 S6
Azinhal 08 90 U7
Azinheira 14 52 O3
Azinheira dos Barros 15 77 R4
Azinheiro 08 89 U6
Azinhoso 04 28 H9
Azoia 10 53 M3
Azóia 15 64 Q2
Azóia de Baixo 14 53 O3
Azóia de Cima 14 53 N3
Azul (Lagoa) 20 107 J18
Azurara 13 26 H3


## B


Babe 04 28 G10
Baçal 04 28 G9
Bacalhoa (Quinta da) 15 65 Q3
Badamalos 09 42 K9
Bagueixe 04 28 H9
Baião 13 27 I5
Bairrada 05 53 M6
Bairro 14 53 N4
Baixa da Banheira 15 64 Q2
Baixo ou da Cal (Ilhéu de) 32 89 CX
Balancho 07 66 Q7
Balazar 13 26 H4
Baldos 18 41 J7
Baleal 10 52 N1
Baleizão 02 77 R6
Balsa 17 27 H7
Balsemão 04 28 H9
Balugães 03 26 H4
Balurco de Baixo 08 90 T7
Bandeiras 20 107 H10
Bando dos Santos 14 53 N6
Baraçal 09 42 J8
Barão de São João 08 88 U3
Barão de São Miguel 08 88 U3
Barbacena 12 66 P8
Barbaído 05 54 M7

Barca (Ponta da) 20 ... 107 F 11
Barca de Alva 09 ... 42 I 9
Barcarena 11 ... 64 P 2
Barcel 04 ... 28 H 8
Barcelinhos 03 ... 26 H 4
Barcelos 03 ... 26 H 4
Barco 05 ... 54 L 7
Barcos 18 ... 41 I 7
Barcouço 01 ... 40 L 4
Bardeiras 07 ... 65 P 6
Barosa 10 ... 52 M 3
Barqueiro 10 ... 53 M 4
Barqueiros 03 ... 26 H 3
Barra de Mira 06 ... 40 K 3
Barracão 10 ... 53 M 3
Barrada 07 ... 66 Q 7
Barrada 08 ... 89 T 6
Barrada 14 ... 53 N 5
Barrancão 15 ... 65 Q 4
Barranco 02 ... 89 T 6
Barranco Velho 08 ... 89 U 6
Barrancos 02 ... 78 R 9
Barreira 09 ... 42 J 8
Barreira 10 ... 53 M 3
Barreiras 12 ... 65 O 5
Barreiro 10 ... 53 M 4
Barreiro 15 ... 64 Q 2
Barreiros 10 ... 52 M 3
Barreiros 18 ... 41 J 6
Barreta (Ilha da) 08 ... 90 V 6
Barril 11 ... 64 O 1
Bárrio 16 ... 26 G 4
Barrô 18 ... 27 I 6
Barro Branco 07 ... 66 P 7
Barroca 05 ... 54 L 6
Barrocal 07 ... 66 Q 7
Barrocal do Douro 04 ... 29 H 11
Barrocaria 14 ... 53 M 4
Barroças e Taias 16 ... 12 F 4
Barrosa 14 ... 65 P 3
Barrosa 20 ... 107 J 19
Barroselas 16 ... 26 H 3
Barrosinha 15 ... 77 Q 4
Barroso (Serra do) 17 ... 27 H 6
Barrossas 13 ... 27 I 5
Barulho 12 ... 66 O 8
Batalha 10 ... 53 N 3
Batocas 09 ... 42 K 9
Bebedouro 06 ... 40 L 3
Beberriqueira 14 ... 53 N 4
Beça 17 ... 27 G 6
Beça (Rio) 17 ... 27 H 6
Beijós 18 ... 41 K 6
Beirã 12 ... 54 N 7
Beira *São Jorge* 20 ... 107 G 11
Beja 02 ... 77 R 6
Belas 11 ... 64 P 2
Belazaima 01 ... 40 K 4
Belém 11 ... 64 P 2
Beliche 08 ... 90 U 7
Beliche (Barragem de) 08 ... 90 U 7
Belide 06 ... 53 L 4
Belinho 03 ... 26 H 3
Belmeque 02 ... 78 R 7
Belmonte 05 ... 42 K 7
Belo 02 ... 77 T 6
Belver 12 ... 53 N 6
Belver (Barragem de) 12 ... 53 N 6
Bemposta 04 ... 29 I 10
Bemposta 05 ... 54 L 8
Bemposta 14 ... 53 N 5
Bemposta (Barragem de) 04 ... 29 I 10
Benafim 08 ... 89 U 5
Benavente 14 ... 64 P 3
Benavila 12 ... 66 O 6
Bencatel 07 ... 66 P 7
Bendada 09 ... 42 K 8
Benedita 10 ... 52 N 3
Benespera 09 ... 42 K 8
Benfeita 06 ... 41 L 6
Benfica do Ribatejo 14 ... 65 O 3
Benquerença 05 ... 54 L 8
Benquerenças 05 ... 54 M 7
Bens 02 ... 78 T 7
Bensafrim 08 ... 88 U 3
Beringel 02 ... 77 R 6
Berlenga 10 ... 52 N 1
Beselga 14 ... 53 N 4
Besteiros 04 ... 28 I 8
Besteiros 08 ... 89 U 6
Bicada 02 ... 77 T 6
Bicas 14 ... 53 N 5
Bico 01 ... 40 J 4
Bico 16 ... 26 G 4
Bicos 02 ... 77 S 4
Bigas 18 ... 41 J 6
Bigorne 18 ... 41 I 6
Bigorne (Serra de) 18 ... 41 J 6
Bilhó 17 ... 27 H 6
Biscoitos 02 ... 107 G 14
Bismula 09 ... 42 K 9
Bitarães 13 ... 27 I 5
Bizarril 09 ... 42 J 8
Boa Aldeia 18 ... 41 K 5
Boa Ventura 31 ... 88 BY
Boa Viagem 06 ... 40 L 3
Boa Vista 10 ... 53 M 3
Boa Vista (Miradouro da) 18 ... 27 I 6
Boalhosa 16 ... 26 G 4
Boavista do Paiol 15 ... 76 S 3
Boavista dos Pinheiros 02 ... 76 T 4
Bobadela 06 ... 41 K 6
Bobadela 17 ... 27 G 7
Bobadela *perto de Águas Frias* 17 ... 28 G 8
Boca do Inferno 11 ... 64 P 1
Boco 01 ... 40 K 4
Bodiosa 18 ... 41 J 6
Boelhe 13 ... 27 I 5
Bogalhal 09 ... 42 J 8
Bogas de Baixo 05 ... 54 L 6
Bogas de Cima 05 ... 54 L 6
Boialvo 01 ... 40 K 4
Boiças 14 ... 52 O 3
Boivão 16 ... 12 F 4
Boleiros 14 ... 53 N 4
Bolfiar 01 ... 40 K 4
Boliqueime 08 ... 89 U 5
Bom Jesus do Monte 03 ... 27 H 4
Bombarral 10 ... 52 O 2
Bombel ... 65 P 4
Bombel (Estação de) 07 ... 65 P 4
Borba 07 ... 66 P 7
Borba da Montanha 03 ... 27 H 5
Borbela 17 ... 27 I 6
Bordeira 08 ... 88 U 3
Bornes 04 ... 28 H 8
Borralha 01 ... 40 K 4
Borralha 17 ... 27 H 6
Borralhal 18 ... 41 K 5
Botão 06 ... 40 L 4
Boticas 17 ... 27 G 7
Bouça 04 ... 28 H 8
Bouçã (Barragem da) ... 53 M 5
Bouças 15 ... 76 R 4
Bouceguedim 01 ... 41 J 5
Bouceiros 10 ... 53 N 3
Bouçoães 17 ... 28 G 8
Bouro 03 ... 27 H 5
Boxinos 05 ... 54 L 6
Bracial 15 ... 76 S 3
Braga 03 ... 26 H 4
Bragadas 17 ... 27 H 6
Bragado 17 ... 27 H 7
Bragança 04 ... 28 G 9
Branca 14 ... 65 P 4
Brasfemes 06 ... 40 L 4
Bravães 16 ... 26 G 4
Bravo 05 ... 53 M 5
Bravura (Barragem da) 08 ... 88 U 3
Brejão 02 ... 76 T 3
Brejeira (Serra da) 02 ... 88 T 4
Brejo 15 ... 77 R 4
Brenha 06 ... 40 L 3
Brenhas 02 ... 78 R 7
Bretanha 20 ... 107 J 18
Bretanha (Ponta da) 20 ... 107 J 18
Brinches 02 ... 78 R 7
Brinço 04 ... 28 H 8
Briteiros 03 ... 27 H 5
Britelo 16 ... 27 G 5
Britiande 18 ... 41 I 6
Brito 03 ... 27 H 4
Brogueira 14 ... 53 N 4
Brotas 07 ... 65 P 5
Bruçó 04 ... 28 I 9
Brufe 03 ... 27 G 5
Brunheda 04 ... 28 I 7
Brunheira 15 ... 77 R 4
Brunheiras 02 ... 76 S 3
Brunhós 06 ... 53 L 3
Brunhosinho 04 ... 29 H 10
Brunhoso 04 ... 28 H 9
Buarcos 06 ... 40 L 3
Buarcos (Monte) 06 ... 40 L 3
Buçaco 01 ... 40 K 4
Bucelas 11 ... 64 P 2
Bucos 03 ... 27 H 5
Budens 08 ... 88 U 3
Bugio 15 ... 64 Q 2
Bugios 05 ... 54 M 6
Bunheira 08 ... 88 T 3
Bunheiro 01 ... 40 J 4
Burga 04 ... 28 H 8
Burgau 08 ... 88 U 3
Burgo 01 ... 41 J 5
Burinhosa 10 ... 52 M 3
Bustelo 17 ... 28 G 7
Bustelo 18 ... 41 I 5
Bustos 01 ... 40 K 4

## C

Cabaços 10 ... 53 M 4
Cabaços 16 ... 26 G 4
Cabaços 18 ... 41 I 7
Cabana Maior 16 ... 27 G 4
Cabanas 08 ... 90 U 7
Cabanas 18 ... 41 K 6
Cabanas de Torres 11 ... 64 O 2
Cabanões 18 ... 41 K 6
Cabeça 09 ... 41 L 6
Cabeça Alta 09 ... 41 K 7
Cabeça Boa 04 ... 28 I 8
Cabeça da Velha 09 ... 41 K 6
Cabeça das Pombas 10 ... 53 N 3
Cabeça de Carneiro 07 ... 66 Q 7
Cabeça do Velho 09 ... 41 K 7
Cabeça Gorda 02 ... 77 S 6
Cabeção 07 ... 65 P 5
Cabeças 10 ... 53 M 5
Cabeceiras de Basto 03 ... 27 H 6
Cabeço 06 ... 40 K 3
Cabeço Alto 05 ... 55 M 8
Cabeço Alto 17 ... 27 G 6
Cabeço da Neve 18 ... 41 K 5
Cabeço de Vide 12 ... 66 O 7
Cabeçudo 05 ... 53 M 5
Cabouco 20 ... 107 J 19
Cabração 16 ... 26 G 4
Cabras (Ribeira das) ... 42 K 8
Cabreira 06 ... 53 L 5
Cabreira (Serra da) 03 ... 27 H 5
Cabreiro 16 ... 27 G 4
Cabreiro (Monte) 17 ... 27 H 7
Cabrela 07 ... 65 Q 4
Cabril 06 ... 54 L 6
Cabril 17 ... 27 G 5
Cabril 18 ... 41 J 5
Cabril (Barragem do) ... 53 M 5
Caçarelhos 04 ... 29 H 10
Caçarilhe 03 ... 27 H 5
Cacela Velha 08 ... 90 U 7
Cachão 04 ... 28 H 8
Cachopo 08 ... 89 U 6
Cachorro 20 ... 107 H 10
Cacia 01 ... 40 J 4
Cacilhas 15 ... 64 P 2
Cadafais 11 ... 64 O 2
Cadafaz 06 ... 53 L 5
Cadafaz 12 ... 53 N 6
Cadaval 11 ... 64 O 2
Cadima 06 ... 40 L 4
Cadraço 18 ... 41 K 5
Caeirinha 15 ... 65 Q 5
Caeiro 02 ... 88 T 4
Cafede 05 ... 54 M 7
Caia (Barragem do) 12 ... 66 P 8
Caia e São Pedro 12 ... 66 P 8
Caiada 02 ... 77 T 6
Caíde de Rei 13 ... 27 I 5
Caima 01 ... 40 J 4
Caixeiro 12 ... 66 P 7
Caldas da Cavaca 09 ... 41 J 7
Caldas da Felgueira 18 ... 41 K 6
Caldas da Rainha 10 ... 52 N 2
Caldas das Taipas 03 ... 27 H 4
Caldas de Aregos 18 ... 41 I 5
Caldas de Manteigas 09 ... 41 K 7
Caldas de Monchique 08 ... 88 U 4
Calde 18 ... 41 J 6
Caldeira *Faial* 20 ... 107 H 9
Caldeira *São Miguel* 20 ... 107 J 20
Caldeira *Terceira* 20 ... 107 G 14
Caldeirão 20 ... 107 D 2
Caldeirão (Serra do) ... 89 T 5
Caldeiras 20 ... 107 J 19
Caldelas 03 ... 27 G 4
Calhariz 15 ... 64 Q 2
Calheiros 16 ... 26 G 4
Calheta 31 ... 88 AY
Calheta de Nesquim 20 ... 107 H 11
Calhetas 20 ... 107 J 19
Caloura 20 ... 107 J 19
Calvão 01 ... 40 K 3
Calvão 17 ... 27 G 7
Calvaria de Cima 10 ... 52 N 3
Calvelhe 04 ... 28 H 9
Calvos 03 ... 27 H 5
Camacha 31 ... 88 BY
Camacha 32 ... 89 CX
Camachos 02 ... 76 T 4
Câmara de Lobos 31 ... 88 BZ
Cambas 05 ... 54 L 6
Cambra 18 ... 41 J 5
Cambres 18 ... 27 I 6
Caminha 16 ... 26 G 3
Campanário 31 ... 88 AY
Campelo 10 ... 53 L 5
Campelos 11 ... 64 O 2
Campilhas (Barragem de) 15 ... 76 S 4
Campilhas (Ribeira de) ... 77 S 4
Campinho 07 ... 78 Q 7
Campo 18 ... 41 J 6
Campo *perto de Roriz* 13 ... 27 H 4
Campo *perto de Valongo* 13 ... 26 I 4
Campo de Besteiros 18 ... 41 K 5
Campo de Cima 32 ... 89 CX
Campo de Víboras 04 ... 29 H 10
Campo do Gerês 03 ... 27 G 5
Campo Maior 12 ... 66 O 8
Campo Redondo 02 ... 76 S 4
Campos 16 ... 26 G 3
Campos 17 ... 27 H 6
Camposa 13 ... 26 I 4
Canadelo 13 ... 27 I 6
Canal-Caveira (Estação) 15 ... 77 R 4
Canas de Santa Maria 18 ... 41 K 5
Canas de Senhorim 18 ... 41 K 6
Canaveses 17 ... 28 H 7
Canaviais 07 ... 65 Q 6
Candal 06 ... 53 L 5
Candal 10 ... 53 M 4
Candedo 17 ... 28 H 7
Candeeiros (Serra dos) 10 ... 53 N 3
Candelária 20 ... 107 J 18
Candelária 20 ... 107 H 10
Candemil 13 ... 27 I 6
Candemil 16 ... 26 G 3
Candosa 06 ... 41 K 6
Caneças 11 ... 64 P 2
Canedo 01 ... 40 I 4
Canedo de Basto 03 ... 27 H 6
Caneiro 14 ... 53 N 4
Canelas 01 ... 41 J 5
Canha 15 ... 65 P 4
Canha (Ribeira de) ... 65 P 4
Canhas 31 ... 88 AY
Canhestros 02 ... 77 R 5
Caniçada 03 ... 27 H 5
Caniçada (Barragem de) 03 ... 27 H 5
Caniçal 31 ... 88 BY
Caniceira 06 ... 40 K 3
Caniço 31 ... 88 BZ
Canidelo 13 ... 26 I 4
Cano 12 ... 66 P 6
Cantanhede 06 ... 40 K 4
Cantanhede (Dunas de) 06 ... 40 K 3
Canto 10 ... 53 M 3
Caparica 15 ... 64 Q 2
Caparrosa 18 ... 41 K 5
Capela 12 ... 66 O 7
Capela 13 ... 27 I 4
Capela 14 ... 53 N 6
Capelas 20 ... 107 J 18
Capelinhos 20 ... 107 H 9
Capelins 07 ... 66 Q 7
Capelo 20 ... 107 H 9
Capeludos 17 ... 27 H 7
Capinha 05 ... 54 L 7
Caramulinho 18 ... 41 K 5
Caramulo 18 ... 41 K 5
Caramulo (Serra do) 18 ... 41 K 5
Caranguejeira 10 ... 53 M 3
Carapacho 20 ... 107 F 12
Carapeços 03 ... 26 H 4
Carapetosa 05 ... 54 M 7
Carapinha (Serra da) 08 ... 89 T 4
Carapinheira 06 ... 40 L 4
Carapito 09 ... 41 J 7
Caratão 06 ... 53 L 5
Caravelas 04 ... 28 H 8
Carcalhinho 06 ... 53 L 4
Carção 04 ... 28 H 10
Carcavelos 11 ... 64 P 1
Cardanha 04 ... 28 I 8
Cardigos 14 ... 53 M 5
Cardosa 05 ... 54 M 6
Caria 05 ... 42 L 7
Caria 18 ... 41 J 7
Caria (Ribeira de) 05 ... 42 L 7
Caridade 07 ... 66 Q 7
Carlão 17 ... 28 I 7
Carmões 11 ... 64 O 2
Carnaxide 11 ... 64 P 2
Carneiro 13 ... 27 I 6
Carnicães 09 ... 42 J 8
Carnide 10 ... 53 M 3
Carnide (Rio de) ... 53 M 3
Carnota 11 ... 64 O 2
Carquejo 01 ... 40 L 4
Cárquere 18 ... 41 I 6
Carragosa 04 ... 28 G 9
Carralcova 16 ... 27 G 4
Carrapatas 04 ... 28 H 9
Carrapateira 08 ... 88 U 3
Carrapatelo 07 ... 66 Q 7
Carrapatelo (Barragem de) 13 ... 41 I 5
Carrapichana 09 ... 41 K 7
Carrascais 15 ... 77 R 5
Carrascal 14 ... 54 N 6
Carrazeda de Ansiães 04 ... 28 I 8
Carrazede 14 ... 53 N 4
Carrazedo 04 ... 28 G 9
Carrazedo de Montenegro 17 ... 28 H 7
Carreço 16 ... 26 G 3
Carregado 11 ... 64 O 3
Carregal 18 ... 41 J 7
Carregal do Sal 18 ... 41 K 6
Carregosa 01 ... 40 J 4
Carregueira 14 ... 53 N 4
Carregueiros 14 ... 53 N 4
Carreiras 12 ... 54 N 7
Carreiras (Ribeira de) 02 ... 89 T 6
Carriço 10 ... 53 M 3
Carril 18 ... 41 I 5
Carroqueiro 05 ... 54 L 8
Carros 02 ... 77 T 6
Cartaxo 14 ... 64 O 3
Carva 17 ... 27 H 7
Carvalha 18 ... 41 J 6
Carvalhais 04 ... 28 H 8
Carvalhais 06 ... 53 L 3
Carvalhais 17 ... 27 G 6
Carvalhais 18 ... 41 J 5
Carvalhais (Rio de) 04 ... 28 H 8
Carvalhal 02 ... 76 T 3
Carvalhal 06 ... 53 L 5
Carvalhal 10 ... 52 O 2
Carvalhal 14 ... 53 N 5
Carvalhal 15 ... 76 R 3
Carvalhal *perto de Belmonte* 05 ... 42 L 8
Carvalhal *perto de Castro Daire* 18 ... 41 J 6
Carvalhal *perto de Guarda* 09 ... 42 K 8
Carvalhal *perto de Mêda* 09 ... 42 J 8
Carvalhal *perto de Sertã* 05 ... 53 M 5
Carvalhal *perto de Viseu* 18 ... 41 J 6
Carvalhal Benfeito 10 ... 52 N 2
Carvalhal de Vermilhas 18 ... 41 K 5
Carvalhal do Estanho 18 ... 41 J 5
Carvalhal Redondo 18 ... 41 K 6
Carvalhelhos 17 ... 27 G 6
Carvalho 03 ... 27 H 5
Carvalho 06 ... 40 L 5
Carvalho de Egas 04 ... 28 I 8
Carvalhos 13 ... 40 I 4
Carvalhosa 13 ... 27 I 4
Carvalhoso 04 ... 28 I 9
Carvão 20 ... 107 J 18
Carvas 17 ... 27 H 7
Carvela 17 ... 28 G 7
Carviçais 04 ... 28 I 9
Carvide 10 ... 52 M 3
Carvoeira *perto de Mafra* 11 ... 64 P 1
Carvoeira *perto de Torres Vedras* 11 ... 64 O 2
Carvoeiro 08 ... 89 U 4
Carvoeiro 14 ... 54 N 6
Carvoeiro (Cabo) 08 ... 89 U 4
Carvoeiro (Cabo) 10 ... 52 N 1
Casa Branca 07 ... 65 Q 5
Casa Branca 12 ... 66 P 6
Casa Branca 15 ... 76 R 3
Casa Branca 15 ... 77 R 4
Casa Nova 15 ... 76 S 4
Casais 08 ... 88 U 4
Casais 14 ... 53 N 4
Casais do Chafariz 10 ... 52 O 2
Casal Comba 01 ... 40 K 4
Casal de Cinza 09 ... 42 K 8
Casal de Ermio 06 ... 53 L 5
Casal dos Bernardos 14 ... 53 M 4
Casal Novo 06 ... 53 L 5
Casal Novo 10 ... 53 M 3
Casal Velho 10 ... 52 N 2
Casalinho 14 ... 65 O 4
Casas 08 ... 89 U 5
Casas de Fonte Cova 10 ... 53 M 3
Casas Louras 14 ... 53 N 5
Casas Novas 12 ... 66 P 8
Cascais 11 ... 64 P 1
Cascalho 14 ... 65 P 3
Casebres 15 ... 65 Q 4
Casegas 05 ... 54 L 6
Casével 02 ... 77 S 5
Casével 14 ... 53 N 4
Castainço 18 ... 41 J 7
Castanheira 04 ... 28 H 10
Castanheira 09 ... 42 K 8
Castanheira 17 ... 27 G 6
Castanheira *perto de Trancoso* 09 ... 42 J 7
Castanheira de Pêra 10 ... 53 L 5
Castanheira do Ribatejo 11 ... 64 P 3
Castanheira do Vouga 01 ... 40 K 4
Castanheiro 06 ... 40 L 3
Castanheiro do Sul 18 ... 41 I 7
Castedo 04 ... 28 I 8
Castedo 17 ... 27 I 7
Casteição 09 ... 42 J 8
Castelãos 04 ... 28 H 9
Casteleiro 09 ... 42 L 8
Castelejo 05 ... 54 L 7
Castelhanas 10 ... 53 M 3
Castelhanos 08 ... 89 T 6
Castelo 05 ... 53 M 5
Castelo 14 ... 53 N 5
Castelo 18 ... 41 I 7
Castelo (Pico do) 32 ... 89 DX
Castelo (Ponta do) 08 ... 89 U 5
Castelo (Ponta do) 20 ... 107 M 20
Castelo Bom 09 ... 42 K 9
Castelo Branco 04 ... 28 I 9
Castelo Branco 05 ... 54 M 7
Castelo Branco 20 ... 107 H 9
Castelo de Bode (Barragem do) 14 ... 53 N 5
Castelo de Maia 13 ... 26 I 4
Castelo de Paiva 01 ... 41 I 5
Castelo de Vide 12 ... 54 N 7
Castelo do Neiva 16 ... 26 H 3
Castelo Melhor 09 ... 42 I 8
Castelo Mendo 09 ... 42 K 9
Castelo Novo 05 ... 54 L 7
Castelo Rodrigo 09 ... 42 J 9
Castelões 01 ... 40 J 4
Castrelos 04 ... 28 G 9
Castro Daire 18 ... 41 J 6
Castro de Avelãs 04 ... 28 G 9
Castro Laboreiro 16 ... 13 F 5
Castro Marim 08 ... 90 U 7
Castro Verde 02 ... 77 S 5
Castro Verde-Almodôvar (Estação) 02 ... 77 S 5
Castro Vicente 04 ... 28 H 9
Catalão 07 ... 65 Q 4
Cativelos 09 ... 41 K 6
Catrão 05 ... 54 L 7
Cava 05 ... 53 M 5
Cavadoude 09 ... 42 K 8
Cavaleiro 02 ... 76 T 3
Cavalinhos 10 ... 52 M 3
Caveira (Ponta da) 20 ... 107 E 2
Cavernães 18 ... 41 J 6
Cavês 03 ... 27 H 6
Caxarias 14 ... 53 M 4
Caxias 11 ... 64 P 2
Cebolais de Baixo 05 ... 54 M 7
Cebolais de Cima 05 ... 54 M 7
Cedães 04 ... 28 H 8
Cedillo (Barragem de) ... 54 N 7
Cedovim 09 ... 42 I 8

Cedrim *01* 40 J4
Cedros *20* 107 H9
Cegonhas Novas *05* 54 M8
Ceira *06* 53 L4
Ceira (Rio) 53 L4
Ceivães *16* 13 F4
Cela *10* 52 N2
Cela Velha *10* 52 N2
Celas *04* 28 G9
Celavisa *06* 53 L5
Celeiro *03* 27 H5
Celeirós *03* 26 H4
Celeirós *17* 27 I7
Celorico da Beira *09* 42 K7
Celorico de Basto *03* 27 H6
Centum Cellas *05* 42 K8
Cepães *03* 27 H5
Cepelos *01* 40 J4
Cepões *18* 41 J6
Cepos *06* 53 L6
Cerca (Ribeira da) *08* 88 U3
Cercal *10* 53 M5
Cercal *11* 64 O2
Cercal *15* 76 S3
Cercal (Serra do) *02* 76 S3
Cercio *04* 29 H11
Cerdal *16* 12 G4
Cerdeira *06* 41 L6
Cerdeira *09* 42 K8
Cerdeirinhas *03* 27 H5
Cerejais *04* 28 I9
Cernache *06* 53 L4
Cernache
de Bonjardim *05* 53 M5
Cerro *perto de Alte08* 89 U5
Cerro *perto de Loulé08* 89 U5
Cerro da Vila *08* 89 U5
Cerros *07* 78 Q7
Cerva *17* 27 H6
Cervães *03* 26 H4
Cervos *17* 27 G6
Cete *13* 27 I4
Cetóbriga (Ruinas
Romanas de) *15* 64 Q3
Cevadais *12* 66 O8
Chã *17* 27 I7
Chacim *03* 27 H6
Chacim *04* 28 H9
Chamusca *14* 53 N4
Chança *12* 66 O6
Chança (Estação de) *12* 66 O6
Chança (Rio) 78 S7
Chancelaria *14* 53 N4
Chão da Parada *10* 52 N2
Chão da Vã *05* 54 M7
Chão da Velha *12* 54 N6
Chão das Servas *05* 54 M6
Chão de Codes *14* 53 N5
Chão de Couce *10* 53 M4
Chão de Lopes *14* 53 N5
Chãos *14* 53 M4
Charneca *02* 78 S7
Chãs *09* 42 J8
Chãs (Monte) *18* 41 J5
Chãs de Tavares *18* 41 K7
Chavães *18* 41 I7
Chaves *17* 28 G7
Cheleiros *11* 64 P2
Choça Queimada *08* 90 U7
Chorente *03* 26 H4
Chosendo *18* 41 J7
Chouto *14* 65 O4
Ciborro *07* 65 P5
Cicouro *04* 29 H11
Cid Almeida *02* 78 R7
Cidade *10* 52 N2
Cidadelhe *09* 42 J8
Cidadelhe *16* 27 G5
Ciladas *07* 66 P8
Cima (Ilhéu de) *32* 89 DX
Cimadas Fundeiras *05* 53 M6
Cimbres *18* 41 I6
Cinco Vilas *09* 42 J9
Cinfães *18* 41 I5
Cintados *08* 90 U7
Cintrão (Ponta do) *20* 107 J19
Cisterna *04* 28 G8
Clarines *08* 90 T7
Clérigo (Ponta do) *31* 88 BY
Côa (R.) 42 L8
Cobres (Ribeira de) *02* 77 T5
Codaval *17* 27 H7
Codeçais *04* 28 I8
Codeçoso *03* 27 H5
Codessoso *17* 27 H6
Coelheira *18* 41 J5
Coelhoso *04* 28 H10
Coentral *10* 53 L5
Cogula *09* 42 J8
Coimbra *06* 40 L4
Coimbrão *10* 52 M3
Coina *15* 64 Q2
Coito *08* 90 T7
Coja *06* 41 L6
Coja (Ribeira de) 41 J7
Colar de Perdizes *15* 65 P3
Colares *11* 64 P1
Colcorinho
(Monte) 41 L6
Colmeal *05* 42 K8
Colmeal *06* 53 L5
Colmeias *10* 53 M3
Colorada *02* 78 R9
Colos *02* 77 S4
Comeira *10* 52 M3
Comenda *12* 54 N6
Comporta *15* 64 Q3
Concavada *14* 53 N5
Conceição *02* 77 S5
Conceição *perto*
*de Faro08* 89 U6
Conceição *perto*
*de Tavira08* 90 U7
Condeixa-a-Nova *06* 53 L4
Condeixa-a-Velha *06* 53 L4
Congro
(Lagoa do) *20* 107 J19
Conímbriga *06* 53 L4
Conlelas *04* 28 G9
Cónqueiros *05* 54 M6
Consolação *10* 52 O1
Constância *14* 53 N4
Constantim *04* 29 H11
Constantim *17* 27 I6
Contenda *12* 66 O8
Contendas
(Ponta das) *20* 107 H14
Contensas de Baixo *18* 41 K6
Corchas
(Portela das) *08* 88 T4
Cordinhã *06* 40 K4
Corgas *05* 54 M6
Corgas
(Barragem de) *05* 54 M6
Corgo *03* 27 H6
Coriscada *09* 42 J8
Coroa *04* 28 G8
Coroa (Serra da) *04* 28 G8
Corona (Ribeira de) *15* 77 S4
Coronado *13* 26 I4
Correias *14* 53 N3
Correlha *16* 26 G4
Corte *18* 41 K5
Corte Brique *02* 77 T4
Corte da Velha *02* 77 S6
Corte de São Tomé *08* 90 T7
Corte do Gago *08* 90 U7
Corte Figueira *02* 89 T5
Corte Gafo de Baixo *02* 77 S6
Corte Gafo de Cima *02* 77 S6
Corte João Marques *08* 89 T6
Corte Pequena *02* 78 S7
Corte Pequena *02* 77 S6
Corte Pinto *02* 78 S7
Corte Serranos *08* 89 T6
Corte Sines *02* 78 S7
Corte Tabelião *08* 90 T7
Corte Vicente Eanes *02* 77 S5
Corte Zorrinha *02* 77 T5
Cortegaça *01* 40 J4
Cortegaça *18* 41 K5
Cortelha *08* 90 U7
Cortelha *08* 89 U6
Cortes *02* 78 R8
Cortes *05* 41 L7
Cortes *10* 53 M3
Cortes de Baixo *02* 77 R6
Cortes Pereiras *08* 90 T7
Corticada *09* 41 J7
Corticadas do Lavre *07* 65 P4
Cortiço da Serra *09* 41 K7
Cortiços *04* 28 H8
Coruche *14* 65 P4
Corujeira *06* 40 K3
Corujeira *18* 41 J6
Corujos *08* 90 U7
Corva *15* 64 Q2
Corval *07* 66 Q7
Corveira *18* 41 K5
Corvo (Ilha do) *20* 107 D2
Cós *10* 52 N3
Costa de Caparica *15* 64 Q2
Costa de Lavos *06* 52 L3
Costa de Santo André *15* 76 R3
Costa Nova *01* 40 K3
Costa Nova (Ria da) *01* 40 K3
Costa Verde 26 H2
Cota *18* 41 J6
Cotelo *18* 41 I6
Cótimos *09* 42 J8
Couço *14* 65 P5
Coudelaria de Alter *12* 66 O6
Coura *16* 26 G4
Coura (Rio) 26 G3
Courelas *07* 78 R7
Courelas do Vale *07* 65 Q4
Cousso *16* 13 F5
Couto *13* 26 I4
Couto de Esteves *01* 41 J5
Couto de Mosteiro *18* 41 K5
Cova da Iria *14* 53 N4
Cova da Piedade *15* 64 Q2
Covão de Lobo *01* 40 K4
Covão do Feto *14* 53 N3
Covão dos Mendes *10* 53 M3
Covas *06* 41 K6
Covas *16* 26 G3
Covas de Barroso *17* 27 H6
Covas do Douro *17* 27 I7
Covas do Monte *18* 41 J5
Covas do Rio *18* 41 J5
Covelães *17* 27 G6
Covelas *03* 27 H5
Covelo *06* 41 L5
Covelo *13* 26 I4
Covelo *18* 41 J5
Covelo de Gerês *17* 27 G6
Covilhã *05* 41 L7
Covinhos (Ponta dos) *10* 52 N2
Covoada *20* 107 J18
Covões *06* 40 K4
Crasto *16* 26 G4
Crato *12* 66 O7
Crestuma *13* 40 I4
Crestuma
(Barragem de) *13* 40 I4
Crias *03* 26 H3
Cristelo *03* 26 H3
Cristo (Convento de) *14* 53 N4
Criz *18* 41 K5
Cruz (Ponta do) *31* 88 BY
Cruz da Légua *10* 52 N3
Cruz de
João Mendes *15* 76 R4
Cruzamento
de Pegões *15* 65 P4
Cruzes *18* 41 J5
Cuba *02* 77 R6
Cubalhão *16* 13 F5
Cuine (Sierra do) *20* 107 G14
Cujó *18* 41 J6
Culatra (Ilha da) *08* 90 V6
Cumeada *05* 53 M5
Cumeada *08* 89 U4
Cumeira *10* 52 N3
Cumiada *07* 78 Q7
Cumieira *06* 53 M4
Cumieira *17* 27 I6
Cunha *16* 26 G4
Cunha *18* 41 J7
Cunha Baixa *18* 41 K6
Cunheira *12* 66 O6
Curalha *17* 27 G7
Curia *01* 40 K4
Curral da Velha
(Ribeira do) *02* 77 T6
Curral das Freiras *31* 88 BY
Curros *17* 28 H7
Curros (Rio) *17* 28 H7
Curvos *03* 26 H3
Custóias *09* 42 I8

## D

Dadim *17* 28 G8
Dão 41 J7
Dardavaz *18* 41 K5
Darque *16* 26 G3
Dáspera *05* 54 M6
Decermilo *18* 41 J7
Degebe 66 Q6
Degolados *12* 66 O8
Degracias *06* 53 L4
Deilão *04* 28 G10
Delães *03* 26 H4
Deocriste *16* 26 G3
Derreada Cimeira *10* 53 M5
Destriz *18* 41 K5
Divor (Barragem do) *07* 65 P6
Divor (Ribeira de) 65 P4
Dogueno *02* 89 T6
Dois Portos *11* 64 O2
Domingos da Vinha *12* 53 N6
Dominguizo *05* 54 L7
Dona Maria *02* 78 R7
Donai *04* 28 G9
Dornelas *09* 41 J7
Dornelas do Zêzere *06* 54 L6
Dornes *14* 53 M5
Douro 29 H11
Duas Igrejas *04* 29 H10
Dunas de Ovar *01* 40 J3
Durão *04* 42 I9

## E

Edral *04* 28 G8
Edrosa *04* 28 G9
Edroso *04* 28 H9
Ega *06* 53 L4
Eira de Calva *06* 53 L5
Eirado *09* 41 J7
Eiras *06* 40 L4
Eiras Maiores *04* 28 G9
Eirinha *02* 77 T6
Eirinhas *02* 78 R7
Eirogo *03* 26 H4
Eixo *01* 40 K4
Elvas *12* 66 P8
Encarnacão *11* 64 O1
Encumeada
(Boca da) *31* 88 AY
Entradas *02* 77 S5
Entre Ambososrios *16* 27 G5
Entre-os-Rios *13* 41 I5
Entroncamento *14* 53 N4
Envendos *14* 54 N6
Enxabarda *05* 54 L7
Enxara do Bispo *11* 64 P2
Enxoé *02* 78 S7
Enxoé
(Barragem do) *02* 78 S7
Enxofre (Furna do) *20* 107 F12
Enxofre (Furnas do) *20* 107 G14
Erada *05* 41 L7
Ereira *14* 64 O3
Erges (Rio) 55 M9
Ericeira *11* 64 P1
Ermelo *16* 27 G5
Ermelo *17* 27 H6
Ermesinde *13* 26 I4
Ermida *05* 53 M6
Ermida *06* 40 K3
Ermida *16* 27 G5
Ermida
(Barragem da) *06* 53 L5
Ermidas-Aldeia *15* 77 S4
Ermidas-Sado *15* 77 R4
Erra *14* 65 P4
Erra(Ribeira da) 65 O4
Ervas Tenras *09* 42 J8
Ervedal *06* 41 K6
Ervedal *12* 66 O6
Ervededo *17* 27 G7
Ervedeira *12* 65 O5
Ervedosa *04* 28 G8
Ervedosa *09* 42 J8
Ervedosa do Douro *18* 27 I7
Ervideira *10* 52 M3
Ervidel *02* 77 S5
Ervões *17* 28 H7
Escalhão *09* 42 J9
Escalos de Baixo *05* 54 M7
Escalos de Cima *05* 54 M7
Escalos do Meio *10* 53 M5
Escanxinhas *08* 89 U5
Escarigo *05* 42 L8
Escarigo *09* 42 J9
Escariz *01* 40 J4
Escariz *03* 26 H4
Escariz *17* 27 H6
Escaroupim *14* 65 O3
Escudeiros *03* 26 H4
Escuro (Monte) *20* 107 J19
Escurquela *18* 41 I7
Escusa *perto*
*de Castelo de Vide12* 54 N7
Escusa *perto*
*de Ponte de Sor 12* 53 N6
Esfrega *05* 54 M6
Esmoriz *01* 40 J4
Espadanedo *04* 28 H9
Espargal *08* 89 U5
Especiosa *04* 29 H10
Esperança *12* 66 O8
Esperança (Pico da) *20* 107 H11
Espiche *08* 88 U3
Espichel (Cabo) *15* 64 Q2
Espinhaço de Cão
(Serra do) *08* 88 U3
Espinhal *06* 53 L4
Espinheira *07* 66 Q6
Espinheiro *14* 53 N3
Espinho *01* 40 I4
Espinho *perto*
*de Caramulo18* 41 K5
Espinho *perto*
*de Mangualde18* 41 K6
Espinho *perto*
*de Mortágua18* 41 K5
Espinho (Alto do) 27 I6
Espinhosela *04* 28 G9
Espinhoso *04* 28 G8
Espírito Santo *02* 78 T7
Espite *14* 53 M4
Espiunca *01* 41 J5
Esporões *03* 26 L4
Esposende *03* 26 H3
Espragosa *02* 77 T6
Estação de Ourique *02* 77 S5
Estação de Viana *07* 77 Q5
Estanqueiro *14* 65 P3
Estarreja *01* 40 J4
Este *03* 27 H4
Este (Rio) 26 H4
Esteiro *06* 54 L6
Estela *13* 26 H3
Estelas *10* 52 N1
Ester *18* 41 J5
Estevais *perto*
*de Cardanha04* 28 I8
Estevais *perto de Est.*
*de Freixo04* 28 I9
Esteveira *14* 53 N5
Esteves *05* 54 M6
Estibeira *02* 76 T3
Estiramantens *08* 89 U6
Estoi *08* 89 U6
Estômbar *08* 89 U4
Estorãos *03* 27 H5
Estorãos *16* 26 G4
Estoril *11* 64 P1
Estorninhos *08* 90 U7
Estreito *05* 54 M6
Estreito da Calheta *31* 88 AY
Estreito de Câmara
de Lobos *31* 88 BY
Estrela *02* 78 R7
Estrela (Parque Natural
da Serra da) 41 K7
Estrela (Serra da) *09* 41 L6
Estremoz *07* 66 P7
Eucisia *04* 28 I8
Évora *07* 65 Q6
Évora de Alcobaça *10* 52 N3
Évoramonte *07* 66 P6
Extremo *16* 26 G4

## F

Facha *16* 26 G4
Facho *10* 52 N2
Fadagosa *12* 54 N7
Fadagosa *14* 53 N6
Fadagosa
(Termas da) *14* 53 N6
Fafe *03* 27 H5
Fagilde
(Barragem de) *18* 41 K6
Faia *03* 27 H6
Faial *31* 88 BY
Faial (Canal do) *20* 107 H10
Faial (Ilha do) *20* 107 H9
Faial (Ponta do) *20* 107 J20
Faial da Terra *20* 107 J20
Fail *18* 41 K6
Failde *04* 28 G9
Faiões *17* 28 G7
Fajã da Ovelha *31* 88 AY
Fajã de Cima *20* 107 J19
Fajã do Ouvidor *20* 107 G11
Fajã dos Cubres *20* 107 H12
Fajã Grande *20* 107 E2
Fajão *06* 54 L6
Fajãzinha *20* 107 E2
Fajões *01* 40 J4
Falca *10* 52 N2
Falcoeiras *07* 66 Q7
Famalicão *09* 42 K7
Famalicão *10* 52 N2
Fanhais *10* 52 N2
Fanhões *11* 64 P2
Fão *03* 26 H3
Faria *03* 26 H4
Farilhões *10* 52 N1
Farminhão *18* 41 K5
Faro *08* 89 U6
Faro (Ilha de) *08* 89 V6
Faro (Monte do) *16* 12 F4
Faro do Alentejo *02* 77 R6
Farropa *05* 54 M7
Fataunços *18* 41 J5
Fatela *05* 54 L7
Fátima *14* 53 N4
Favacal *06* 53 M4
Favaios *17* 27 I7
Fazamões *18* 41 I6
Fazenda *12* 65 O6
Fazendas
de Almeirim *14* 65 O4
Febres *06* 40 K4
Feira *18* 41 J5
Feiteira *08* 89 U6
Felgar *04* 28 I9
Felgueira *01* 41 J5
Felgueiras *04* 28 I8
Felgueiras *04* 28 H9
Felgueiras *13* 27 H5
Felgueiras *18* 41 I6
Fenais da Ajuda *20* 107 J20
Fenais da Luz *20* 107 J19
Fermelã *01* 40 J4
Fermentelos *01* 40 K4
Fermil *03* 27 H6
Fernandilho *08* 89 U6
Fernão Ferro *15* 64 Q2
Fernão Joanes *09* 42 K7
Ferradosa *04* 28 I9
Ferragudo *08* 88 U4
Ferral *17* 27 G6
Ferraria (Ponta da) *20* 107 J18
Ferrarias *07* 78 Q8
Ferreira *04* 28 H9
Ferreira *13* 27 I4
Ferreira *16* 26 G4
Ferreira (Rio) *13* 26 I4
Ferreira-a-Nova *06* 40 L3
Ferreira de Aves *18* 41 J7
Ferreira do Alentejo *02* 77 R5
Ferreira do Zêzere *14* 53 M5
Ferreiras *08* 89 U5
Ferreirim *perto*
*de Lamego18* 41 I6
Ferreirim *perto*
*de Penedono18* 41 J7
Ferreirós do Dão *18* 41 K5
Ferrel *10* 52 N2
Ferro *05* 41 L7
Ferro (Ilhéu de) *32* 89 CX
Fervença *03* 27 H5
Fervença *10* 52 N3
Fervidelas *17* 27 G6
Feteiras *20* 107 J18
Fiães *01* 40 J4
Fiães *09* 42 J7
Fiães *16* 13 F5
Fiães *17* 28 G8
Fiães do Rio *17* 27 G6
Fialho *02* 89 T6
Figueira *04* 28 I9
Figueira *05* 54 M6
Figueira *08* 88 U3
Figueira *12* 66 O8
Figueira *18* 41 I6
Figueira *perto*
*de Portimão08* 88 U4
Figueira (Ribeira da) *02* 77 R5
Figueira da Foz *06* 53 L3
Figueira
de Castelo Rodrigo *09* 42 J9
Figueira de Lorvão *06* 40 L4
Figueira
dos Cavaleiros *02* 77 R5
Figueira e Barros *12* 66 O6
Figueiras *02* 77 S5
Figueiras *14* 53 O4
Figueiredo *05* 53 M6
Figueiredo de Alva *18* 41 J6
Figueirinha *02* 77 T6
Figueirinha *08* 89 U6
Figueiró *18* 41 K6
Figueiró (Ribeira de) *12* 54 N6
Figueiró da Granja *09* 41 K7
Figueiró da Serra *09* 41 K7
Figueiró do Campo *06* 53 L4
Figueiró dos Vinhos *10* 53 M5
Fiolhoso *17* 27 H7
Flamengos *20* 107 H10
Flor da Rosa *12* 66 O7
Flores (Ilha das) *20* 107 E2
Fogo (Lagoa do) *20* 107 J19
Fóia *08* 89 U4
Fóios *09* 42 L9
Folgado *07* 66 P7
Folgosa *18* 27 I6

Folgosinho *09* 41 K7
Folhadela *17* 27 I6
Folques *06* 41 L5
Fontainhas *13* 26 H4
Fontainhas *15* 76 R3
Fontão Fundeiro *10* 53 M5
Fonte Arcada *18* 41 J7
Fonte da Aldeia *04* 29 H10
Fonte da Telha *15* 64 Q2
Fonte Ladrão *04* 29 H10
Fonte Limpa *06* 53 L5
Fonte Longa *04* 28 I8
Fonte Santa *05* 54 M7
Fonte Serne (Barragem) *15* 77 S4
Fontelas *17* 27 I6
Fontes *14* 53 N5
Fontes *17* 27 I6
Fontes da Matosa *08* 89 U4
Fontinha *02* 76 T3
Fontinha *10* 53 L3
Fontoura *16* 26 G4
Forcalhos *09* 42 K9
Forjães *03* 26 H3
Formigais *14* 53 M4
Formosa (Ria) *08* 90 V6
Fornalhas Novas *02* 77 S4
Fornalhas Velhas *02* 77 S4
Fornelos *03* 27 H5
Fornelos *16* 26 G4
Fornelos *18* 41 I5
Fornilhos *02* 78 R8
Forninhos *09* 41 J7
Forno Telheiro *09* 42 J7
Fornos *04* 28 I9
Fornos de Algodres *09* 41 K7
Fornos do Pinhal *17* 28 H8
Foros da Adúa *07* 65 Q5
Foros da Caiada *02* 77 S4
Foros da Fonte de Pau *14* 65 P4
Foros da Fonte Seca *07* 66 Q7
Foros da Salgueirinha *14* 65 P4
Foros das Malhadinhas *14* 65 P3
Foros das Pombas *07* 66 Q6
Foros de Benfica *14* 65 O4
Foros de Casa Nova *15* 77 S4
Foros de Vale de Figueira *07* 65 P5
Foros do Arrão *12* 65 O5
Foros do Baldio *07* 65 Q4
Foros do Biscaínho *14* 65 P4
Foros do Cortiço *07* 65 P5
Foros do Freixo *07* 66 P7
Foros do Mocho *12* 65 O5
Foros do Queimado *07* 66 Q6
Forte da Graça *12* 66 P8
Fortes *08* 90 T7
Fortios *12* 66 O7
Foupana (Ribeira da) *08* 89 T6
Foz *14* 65 O5
Foz de Alge *10* 53 M5
Foz de Arouce *06* 53 L5
Foz de Odeleite *08* 90 T7
Foz do Arelho *10* 52 N2
Foz do Arroio *08* 88 T4
Foz do Douro *13* 26 I3
Foz do Farelo *08* 88 T4
Foz do Lisandro *11* 64 P1
Foz do Sabor *04* 28 I8
Foz Giraldo *05* 54 L6
Fradelos *03* 26 H4
Fradizela *04* 28 H8
Fraga Negra *03* 27 G5
Fragosela *18* 41 K6
Fragoso *03* 26 H3
Fráguas *14* 52 N3
Fráguas *18* 41 J6
França *04* 28 G9
Franco *04* 28 H7
Franqueada *08* 89 U5
Franzilhal *17* 28 I7
Fratel *05* 54 N6
Fratel (Barragem de) 54 N6
Frazão *13* 26 I4
Freamunde *13* 27 I4
Frechas *04* 28 H8
Freches *09* 42 J7
Fregil (Barragem de) *18* 41 I5
Freineda *09* 42 K9
Freiria *11* 64 O2
Freiria *17* 27 H7
Freixeda *04* 28 H8
Freixeda *17* 27 H7
Freixeda do Torrão *09* 42 J8
Freixedas *09* 42 J8
Freixedelo *04* 28 G9
Freixial *07* 66 P7
Freixial do Campo *05* 54 M7
Freixianda *14* 53 M4
Freixieiro *16* 26 G3
Freixiel *04* 28 I8
Freixiosa *04* 29 H11
Freixiosa *18* 41 K6
Freixo *09* 42 K8
Freixo *16* 26 H4
Freixo *18* 41 K5
Freixo de Espada a Cinta *04* 42 I9
Freixo de Numão *09* 42 I8
Frende *13* 27 I6
Fresulfe *04* 28 G9
Fridão *13* 27 I5
Friestas *16* 12 F4
Friões *17* 28 G7
Friúmes *06* 41 L5
Fronhas (Barragem de) *06* 41 L5
Fronteira *12* 66 O7
Frossos *01* 40 K4
Funchal *31* 88 BZ
Funcheira *02* 77 S4
Funcho (Barragem do) *08* 89 U4
Fundada *05* 53 M5
Fundão *05* 54 L7
Fungalvaz *14* 53 N4
Furadouro *01* 40 J3
Furadouro *06* 53 L4
Furnas *20* 107 J20
Furnas (Lagoa das) *20* 107 J20
Furnas do Enxofre *20* 107 G14
Furnazinhas *08* 90 T7
Furtado *12* 53 N6
Fuseta *08* 89 U6

**G**

Gaeiras *10* 52 N2
Gafanha da Boa Hora *01* 40 K3
Gafanha da Encarnacão *01* 40 K3
Gafanha da Nazaré *01* 40 K3
Gafanha do Carmo *01* 40 K3
Gafanhoeira *07* 65 P5
Gáfete *12* 54 N6
Gagos *09* 42 K8
Gaia *09* 42 K8
Gaiate *06* 53 L5
Gala *06* 53 L3
Galafura *17* 27 I6
Galera (Ponta da) *20* 107 J19
Galizes *06* 41 L6
Galveias *12* 65 O6
Gamil *03* 26 H4
Gândara *10* 53 M3
Gândara de Espariz *06* 41 L5
Gandarela *03* 27 H5
Gandra *13* 26 I4
Gandra *perto de Ponte de Lima16* 26 G4
Garajau (Ponta do) *31* 88 BZ
Garça (Ponta da) *20* 107 J19
Garcia *08* 89 U6
Garcia *10* 52 M3
Gardete *14* 54 N6
Gardunha (Serra da) *05* 54 L7
Garfe *03* 27 H5
Garvão *02* 77 S4
Gatão *02* 89 T6
Gateira *09* 42 J8
Gatões *06* 40 L3
Gaula *31* 88 BY
Gave *16* 13 F5
Gavião *03* 26 H4
Gavião *05* 54 M6
Gavião *12* 53 N6
Gaviãozinho *05* 54 M6
Gavieira *16* 27 G5
Gebelim *04* 28 H9
Geira *03* 27 G5
Gema (Ribeira da) *02* 77 S4
Genísio *04* 29 H10
Geraldes *10* 52 O1
Geraz do Lima *16* 26 G3
Gerês *03* 27 G5
Gerês (Serra do) *03* 27 G5
Germil *16* 27 G5
Gestaçô *13* 27 I6
Gesteira *06* 53 L4
Gestosa *04* 28 G8
Gestoso *18* 41 J5
Gia *17* 41 I5
Gibraltar *11* 64 O2
Giesteira *01* 40 K4
Giesteiras *05* 54 M6
Giestoso *16* 13 F5
Gilvrazino *08* 89 U5
Gimonde *04* 28 G9
Ginetes *20* 107 J18
Giões *08* 89 T6
Giraldos *02* 77 S5
Girão (Cabo) *31* 88 AZ
Glória *07* 66 P7
Glória do Ribatejo *14* 65 O4
Godeal *07* 65 P5
Godelim (R.) 78 R8
Godinhanços *03* 26 G4
Góis *06* 53 L5
Golegã *14* 53 N4
Golfeiras *04* 28 H8
Gomes Aires *02* 77 T5
Gonça *03* 27 H5
Gonçalo *09* 42 K7
Gonçalo Bocas *09* 42 K8
Gondar *03* 27 H4
Gondar *13* 27 I5
Gondarém *16* 26 G3
Gondelim *06* 41 L5
Gondelim *16* 26 G4
Gondemaria *14* 53 M4
Gondiães *03* 27 H6
Gondomar *13* 26 I4
Gondomil *16* 12 F4
Gondoriz *16* 27 G4
Gontifelos *03* 26 H4
Gorda (Serra) *20* 107 J18
Gordo (Monte) *11* 64 P2
Gorjão *14* 65 O5
Gorjoes *08* 89 U6
Gosende *18* 41 I6
Gostei *04* 28 G9
Gouvães da Serra *17* 27 H6
Gouveia *04* 28 I9
Gouveia *11* 64 P1
Gouveia *perto de Freixedas 09* 42 K8
Gouveia *perto de Seia 09* 41 K7
Gouvinhas *17* 27 I7
Gove *13* 27 I5
Graça *10* 53 M5
Graciosa (Ilha da) *20* 107 F11
Gradil *11* 64 P2
Gradiz *09* 41 J7
Gralhas *17* 27 G6
Gralheira (Serra da) *01* 40 J4
Gralhos *04* 28 H9
Gralhos *17* 27 G6
Graminhais (Planalto dos) *20* 107 J20
Grande (Ribeira) *12* 66 O6
Grândola *15* 77 R4
Grândola (Ribeira de) *15* 77 R4
Grândola (Serra de) *15* 77 R4
Granho *14* 65 O4
Granho Novo *14* 65 P3
Granja *04* 29 H10
Granja *07* 78 R8
Granja *13* 40 I4
Granja *17* 27 I7
Granja do Ulmeiro *06* 53 L4
Granja Nova *18* 41 I6
Granjal *18* 41 J7
Grau *10* 52 M3
Grijó *04* 28 H9
Grijó *13* 40 I4
Grijó de Parada *04* 28 G9
Grocinas *06* 53 M4
Guadalupe *07* 65 Q5
Guadalupe *20* 107 F11
Guadiana 66 Q8
Guadramil *04* 29 G10
Guarda *09* 42 K8
Guarda do Norte *10* 53 M3
Guardeiras *13* 26 I4
Guedelhas *02* 89 T6
Guerreiro *02* 77 S6
Guerreiros do Rio *08* 90 T7
Guia *08* 89 U5
Guia *10* 53 M3
Guide (Rio de) *04* 28 H8
Guilhabreu *13* 26 I4
Guilheiro *09* 42 J7
Guilheta *03* 26 H3
Guilhofrei *03* 27 H5
Guimarães *03* 27 H5
Guisande *01* 40 J4
Guiso *02* 78 S7

**H**

Homem (Portela do) *03* 27 G5
Homem (R.) *03* 27 G5
Horta *09* 42 I8
Horta *20* 107 H10
Horta da Vilariça *04* 28 I8
Hortas *08* 90 U7
Hortinhas *07* 66 Q7

**I**

Idanha (Barragem da) *05* 54 M8
Idanha-a-Nova *05* 54 M8
Idanha-a-Velha *05* 54 M8
Ifanes *04* 29 H11
Igreja Nova *11* 64 P2
Igreja Nova do Sobral *14* 53 M5
Igrejinha *07* 65 P6
Ilha (Ponta da) *20* 107 H11
Ilhas *07* 65 P6
Ílhavo *01* 40 K3
Ilhéus (Ponta dos) *20* 107 E2
Infantado *14* 65 P3
Inferno (Poço do) *09* 41 K7
Inguias *05* 42 L8
Insalde *16* 26 G4
Isna *05* 54 M6
Isna (Ribeira da) *05* 53 M5
Izeda *04* 28 H9

**J**

Janeiro de Baixo *06* 54 L6
Janeiro de Cima *05* 54 L6
Jardim do Mar *31* 88 AY
Jardo *09* 42 K9
Jarmelo *09* 42 K8
Javali *08* 89 U6
Jazente *13* 27 I5
João Antão *09* 42 K8
João Bom *20* 107 J18
João Serra *02* 77 S6
Jolda *16* 26 G4
Jou *17* 28 H7
Jovim *13* 26 I4
Juizo *09* 42 J8
Junca *09* 42 J9
Juncais *09* 41 K7
Juncal *05* 54 N6
Juncal *10* 52 N3
Juncal do Campo *05* 54 M7
Junceda *03* 27 G5
Junceira *14* 53 N5
Jungeiros *02* 77 S5
Junqueira *01* 41 J5
Junqueira *04* 28 H10
Junqueira *08* 90 U7
Junqueira *13* 26 H3
Juromenha *07* 66 P8

**L**

Laborato *08* 89 T6
Laboreiro (R.) *16* 27 G5
Labruge *13* 26 I3
Labrujó *16* 26 G4
Ladaino *04* 28 H9
Ladário *18* 41 J6
Ladoeiro *05* 54 M8
Lagarelhos *17* 28 G7
Lagares *06* 41 K6
Lagares *13* 26 I4
Lagarinhos *09* 41 K6
Lagarteira *10* 53 M4
Lagarto (Portela do) *16* 13 F5
Lagoa *04* 28 H9
Lagoa *08* 89 U4
Lagoa *20* 107 J19
Lagoa (Monte) *08* 89 T6
Lagoa Parada *10* 53 M4
Lagoaça *04* 28 I9
Lagos *08* 88 U3
Laje *03* 26 H4
Laje (Ponta da) *11* 64 P2
Lajedo *20* 107 E2
Lajeosa *09* 42 K9
Lajeosa *18* 41 K6
Lajeosa do Mondego *09* 42 K7
Lajes *08* 89 U6
Lajes *09* 41 K6
Lajes das Flores *Flores 20* 107 E2
Lajes *Terceira 20* 107 G14
Lajes do Pico *20* 107 H11
Lalim *18* 41 I6
Lama *03* 26 H4
Lama Chã *17* 27 G6
Lama de Arcos *17* 28 G7
Lamalonga *04* 28 G8
Lamares *17* 27 I7
Lamarosa *14* 53 N4
Lamas *01* 40 J4
Lamas *06* 53 L4
Lamas *11* 64 O2
Lamas *18* 41 J6
Lamas de Ferreira *18* 41 J6
Lamas de Mouro *16* 13 F5
Lamas de Olo *17* 27 H6
Lamas de Orelhão *04* 28 H8
Lamas de Podence *04* 28 H9
Lamas do Vouga *01* 40 K4
Lamegal *09* 42 J8
Lamego *18* 41 I6
Lameira *03* 27 H5
Lameiras *09* 42 J8
Lamosa *18* 41 J7
Lamparona 67 O8
Lamporeira (Ponta da) *11* 64 O1
Lanção *04* 28 G9
Lanças *02* 77 S5
Landal *10* 52 O2
Landeira *07* 65 Q4
Landeira *18* 41 J5
Lanhelas *16* 26 G3
Lanheses *16* 26 G3
Lapa *14* 64 O3
Lapa *18* 41 J7
Lapa (Serra da) 41 J7
Lapa do Lobo *18* 41 K6
Lapas *14* 53 N4
Laranjeiro *15* 64 Q2
Larçã *06* 40 L4
Lardosa *05* 54 M7
Lares *06* 53 L3
Larinho *04* 28 I8
Larouco (Serra do) *17* 27 G6
Laundos *13* 26 H3
Lavacolhos *05* 54 L7
Lavos *06* 53 L3
Lavra *13* 26 I3
Lavradas *17* 27 G6
Lavradio *15* 64 P2
Lavre *07* 65 P4
Lavre (Estação de) *14* 65 P4
Lavre (Ribeira de) 65 P4
Lebre *02* 78 S7
Lebução *17* 28 G8
Leça *13* 26 I4
Leça da Palmeira *13* 26 I3
Légua *10* 52 M2
Leiranco (Serra de) *17* 27 G7
Leiria *10* 53 M3
Leiria (Pinhal de) *10* 52 M2
Leirosa *06* 52 L3
Lemede *06* 40 L4
Lena *10* 53 N3
Lentiscais *05* 54 M7
Lentiscais *08* 89 U5
Leomil *09* 42 K9
Leomil *18* 41 J7
Leomil (Serra de) *18* 41 J6
Leonte (Portela de) *03* 27 G5
Liceia *06* 40 L3
Ligares *04* 42 I9
Lijo *03* 26 H4
Lima (R.) 26 G4
Limãos *04* 28 H9
Limas (Ribeira de) *02* 78 S7
Limões *17* 27 H6
Lindoso *16* 27 G5
Linhaceira *14* 53 N4
Linhares *04* 28 I7
Linhares *09* 41 K7
Lisboa *11* 64 P2
Livramento *08* 89 U6
Livramento *20* 107 J19
Lixa *13* 27 I5
Liz *10* 52 M3
Lobão da Beira *18* 41 K5
Lodões *04* 28 I8
Loivos *17* 27 H7
Loivos do Monte *13* 27 I6
Lomba da Fazenda *20* 107 J20
Lomba de Maia *20* 107 J19
Lombador *02* 77 T6
Lombardos *02* 78 T7
Lombo *04* 28 H9
Lombomeão *01* 40 K3
Longa *18* 41 I7
Longos *03* 27 H4
Longos Vales *16* 13 F4
Longra *13* 27 H5
Longroiva *09* 42 J7
Lordelo *03* 27 H4
Lordelo *13* 26 I4
Lordosa *18* 41 J6
Loriga *09* 41 L6
Lorvão *06* 40 L5
Lotão *08* 89 T6
Louçainha *06* 53 L5
Loulé *08* 89 U5
Louredo *01* 40 J4
Louredo *17* 27 I6
Louredo (Rio) *17* 27 H6
Loureira *10* 53 M4
Loureiro *01* 40 J4
Loureiro *06* 53 L4
Loureiro de Silgueiros *18* 41 K6
Loures *11* 64 P2
Louriçal *10* 53 L3
Louriçal do Campo *05* 54 L7
Lourinhã *11* 52 O2
Louro *03* 26 H4
Lourosa *01* 40 J4
Lourosa *06* 41 L6
Lousa *04* 28 I8
Lousa *05* 54 M7
Lousã *06* 53 L5
Lousa *11* 64 P2
Lousã (Serra da) 53 L5
Lousada *13* 27 I5
Lousadela *18* 41 J6
Lousado *03* 26 H4
Lovelhe *16* 26 G3
Lucefecit (Ribeira de) *07* 66 Q7
Ludares *17* 27 I7
Ludo *08* 89 U6
Luso *01* 40 K4
Lustosa *13* 27 H5
Lustosa *18* 41 J6
Luz *07* 78 Q7
Luz *20* 107 F12
Luz *Lagos 08* 88 U3
Luz (Monte) *04* 29 H11
Luz de Tavira *08* 89 U6
Luzianes *02* 77 T4
Luzim *13* 27 I5

**M**

Maçaínhas *05* 42 K8
Mação *14* 53 N6
Maçãs (R.) 29 G10
Maçãs de Caminho *10* 53 M4
Maçãs de Dona Maria *10* 53 M5
Maceda *01* 40 J4
Macedo de Cavaleiros *04* 28 H9
Macedo do Mato *04* 28 H9
Macedo do Peso *04* 28 H10
Maceira *10* 52 M3
Machados *02* 78 R7
Machados *08* 89 U6
Machico *31* 88 BY
Machio *06* 53 L5
Macieira *01* 40 J4
Macieira *03* 26 H4
Macieira *17* 27 H6
Macieira *18* 41 J5
Macieira da Maia *13* 26 H4
Macieira de Alcoba *01* 41 K5
Maçores *04* 42 I8
Maçussa *11* 64 O3
Madalena *13* 26 I4
Madalena *14* 53 N4
Madalena *20* 107 H10
Madalena do Mar *31* 88 AY
Madeirã *05* 53 M5
Madrugada (Ponta da) *20* 107 J20
Mafra *11* 64 P2
Magoito *11* 64 P1
Magos (Barragem de) *14* 65 P3
Magueija *18* 41 I6
Maia *13* 26 I4
Maia *20* 107 J19
Maia *Santa Maria20* 107 M20
Maiorca *06* 53 L3
Maiorga *10* 52 N3
Mairos *17* 28 G7
Malarranha *07* 65 P6
Malcata *09* 42 L8
Malcata (Serra de) 42 L9
Malhada *12* 66 P8
Malhada *18* 41 J6
Malhada Alta *07* 66 P7
Malhada Sorda *09* 42 K9

Malhadal *05*....53 M 6
Malhadas *04*....29 H 11
Malhão *08*....89 U 6
Malhão (Serra do)....89 T 5
Malhou *14*....53 N 3
Malpartida *09*....42 J 9
Malpensado *02*....76 S 3
Malpica do Tejo *05*....54 M 7
Malpique *02*....78 R 7
Malta *09*....42 J 8
Malveira *perto de Estoril 11*....64 P 1
Malveira *perto de Mafra 11*....64 P 2
Mamarrosa *01*....40 K 4
Mamodeiro *01*....40 K 4
Mamouros *18*....41 J 6
Manadas *20*....107 H 11
Mancelos *13*....27 I 5
Mancoca *02*....77 S 5
Mangualde *18*....41 K 6
Manhouce *18*....41 J 5
Manigoto *09*....42 J 8
Manique do Intendente *11*....64 O 3
Mansores *01*....40 J 4
Manteigas *09*....41 K 7
Manuel Galo *02*....77 T 6
Maqueda *14*....52 N 3
Mar *03*....26 H 3
Maranhão *12*....65 O 6
Maranhão (Barragem de) *12*....65 O 6
Marão (Serra do) *13*....27 I 6
Marateca *15*....65 Q 4
Marateca (Ribeira de)....65 Q 4
Marchil *08*....89 U 6
Marco *12*....66 O 8
Marco de Canaveses *13*....27 I 5
Margalha *12*....54 N 6
Maria Vinagre *08*....88 T 3
Marialva *09*....42 J 8
Marianos *14*....65 O 4
Marinha das Ondas *06*....53 L 3
Marinha Grande *10*....52 M 3
Marinhais *14*....65 O 3
Marinhas *03*....26 H 3
Marmelar *02*....78 R 7
Marmeleira *14*....64 O 3
Marmeleira *18*....41 K 5
Marmeleiro *05*....53 M 5
Marmeleiro *09*....42 K 8
Marmelete *08*....88 U 3
Marmelos *04*....28 H 8
Marofa *09*....42 J 8
Maroto *02*....77 R 5
Maroufenha *02*....76 T 3
Marrancos *03*....26 G 4
Marrazes *10*....53 M 3
Martianas *05*....54 L 8
Martim *03*....26 H 4
Martim Branco *05*....54 M 7
Martim Longo *08*....89 T 6
Martinchel *14*....53 N 5
Martingança *10*....52 M 3
Mártires *07*....66 P 7
Marvão *12*....54 N 7
Marvila *10*....53 M 5
Marzagão *04*....28 I 8
Mascarenhas *04*....28 H 8
Massueime *09*....42 J 8
Mata *05*....54 M 7
Mata *14*....53 N 4
Mata da Rainha *05*....54 L 8
Mata de Lobos *09*....42 J 9
Mata Mourisca *10*....53 M 3
Matacães *11*....64 O 2
Matança *09*....41 J 7
Matela *04*....28 H 10
Mateus *17*....27 I 6
Mato *16*....26 H 4
Mato de Miranda *14*....53 N 4
Matoeira *10*....52 N 2
Matos *02*....77 R 6
Matosinhos *13*....26 I 3
Maxiais *05*....54 M 7
Maxial *05*....54 L 6
Maxial *11*....64 O 2
Maxieira *14*....53 N 6
Mazes *18*....41 I 6
Mazouco *04*....42 I 9
Meadela *16*....26 G 3
Mealhada *01*....40 K 4
Meca *11*....64 O 2
Mêda *09*....42 J 8
Medelim *05*....54 L 8
Medrões *17*....27 I 6
Meia Praia *08*....88 U 4
Meimão *05*....42 L 8
Meimoa *05*....54 L 8
Meimoa (Barragem de) *05*....42 L 8
Meimoa (Ribeira da)....54 L 7
Meinedo *13*....27 I 5
Meirinhos *04*....28 I 9
Meixedo *04*....28 G 9
Meixedo *17*....27 G 6
Meixide *17*....27 G 7
Meixões de Cima *03*....27 G 5
Meixomil *13*....26 I 4
Melgaço *16*....13 F 5
Melhe *04*....28 G 9
Melides *15*....76 R 3
Melres *13*....40 I 4
Melriça *05*....53 M 5
Memória *10*....53 M 4
Mendiga *10*....52 N 3
Mendro (Serra de)....77 R 6
Mente (R.)....28 G 8
Mentiras *07*....78 R 8
Mentrestido *16*....26 G 3
Mercês (Barragem das) *02*....78 R 8
Mértola *02*....78 T 7
Merufe *16*....13 F 4
Mesão Frio *03*....27 H 5
Mesão Frio *17*....27 I 6
Mesquita *02*....78 T 7
Mesquitela *09*....41 K 7
Messangil *02*....78 S 7
Messejana *02*....77 S 5
Messines *08*....89 U 5
Mestras *02*....89 T 5
Mexilhoeira Grande *08*....88 U 4
Mezio *16*....27 G 5
Mezio *18*....41 J 6
Midões *06*....41 K 6
Milagres *10*....53 M 3
Milhão *04*....28 G 10
Milharadas *02*....77 T 4
Milharado *11*....64 P 2
Milhazes *03*....26 H 4
Milreu *05*....53 N 5
Milreu (Ruinas de) *08*....89 U 6
Mina da Caveira *15*....77 R 4
Mina da Juliana *02*....77 S 5
Mina de São Domingos *02*....78 S 7
Mina de São João do Deserto *02*....77 S 5
Mina do Bugalho *07*....66 P 8
Mina do Lousal *15*....77 R 4
Minas do Carris *03*....27 G 5
Minde *14*....53 N 3
Mindelo *13*....26 I 3
Minheu *17*....27 H 6
Minhocal *09*....42 J 7
Miões *08*....89 U 5
Mira *06*....40 K 3
Mira (Rio)....89 T 5
Mira de Aire *10*....53 N 3
Miradezes *04*....28 H 8
Miragaia *11*....64 O 2
Miramar *13*....40 I 4
Miranda *16*....26 G 4
Miranda (Barragem de) *04*....29 H 11
Miranda do Corvo *06*....53 L 5
Miranda do Douro *04*....29 H 11
Mirandela *04*....28 H 8
Miróbriga (Ruinas Romanas de) *15*....76 R 3
Miuzela *09*....42 K 8
Moçarria *14*....53 O 3
Modivas *13*....26 I 3
Mões *18*....41 J 6
Mofreita *04*....28 G 9
Mogadouro *04*....28 H 9
Mogadouro *10*....53 M 4
Mogadouro (Serra de)....28 I 9
Mogo de Ansiães *04*....28 I 8
Mogofores *01*....40 K 4
Moimenta *04*....28 G 9
Moimenta da Beira *18*....41 J 7
Moimenta da Serra *09*....41 K 7
Moimenta de Maceira Dão *18*....41 K 6
Moinhola *07*....65 Q 4
Moinhos Velhos *10*....53 N 3
Moita *15*....64 Q 3
Moita *perto de Castanheira de Pêra 10*....53 M 5
Moita *perto de Marinha Grande 10*....52 M 3
Moita da Roda *10*....53 M 3
Moita do Boi *10*....53 M 3
Moita dos Ferreiros *11*....52 O 2
Moitas Venda *14*....53 N 4
Moitinhas *02*....88 T 4
Moldes *01*....41 J 5
Moledo *18*....41 J 6
Moledo do Minho *16*....26 G 3
Molelos *18*....41 K 5
Molianos *10*....52 N 3
Mombeja *02*....77 R 5
Monção *16*....12 F 4
Moncarapacho *08*....89 U 6
Monchique *08*....88 U 4
Monchique (Serra de) *08*....88 U 3
Mondego....41 K 7
Mondego (Cabo) *06*....40 L 3
Mondim da Beira *18*....41 I 6
Mondim de Basto *17*....27 H 6
Monfebres *17*....28 H 7
Monforte *12*....66 O 7
Monforte da Beira *05*....54 M 8
Monfortinho *05*....55 L 9
Monfurado *07*....65 Q 5
Moninho *06*....54 L 6
Monsanto *05*....54 L 8
Monsanto *14*....53 N 3
Monsanto (Monte) *05*....54 L 8
Monsaraz *07*....66 Q 7
Monsul *03*....27 H 5
Montaivo *02*....78 S 7
Montalegre *17*....27 G 6
Montalvão *12*....54 N 7
Montalvo *14*....53 N 5
Montargil *12*....65 O 5
Montargil (Barragem de) *12*....65 O 5
Monte *01*....40 J 4
Monte *03*....27 H 5
Monte *31*....88 BY
Monte Alto *08*....89 U 5
Monte Brasil *20*....107 H 14
Monte Carvalho *12*....66 O 7
Monte Claro *12*....54 N 6
Monte Córdova *13*....26 I 4
Monte da Estrada *02*....76 S 4
Monte da Foz *14*....64 P 3
Monte da Guia *20*....107 H 10
Monte da Laje *02*....78 S 7
Monte da Pedra *12*....54 N 6
Monte da Rocha (Barragem de) *02*....77 S 5
Monte das Flores *07*....65 Q 6
Monte das Piçarras *07*....65 Q 4
Monte de Aldeia *07*....78 R 8
Monte de Baixo Grande *08*....90 U 7
Monte de Goula *05*....54 M 6
Monte de São Gens de Cidaí *13*....26 I 4
Monte do Outeiro *07*....66 Q 7
Monte do Trigo *07*....78 Q 6
Monte dos Corvos *02*....78 T 7
Monte Fernandes *02*....78 T 7
Monte Fidalgo *05*....54 M 7
Monte Gordo *05*....54 M 6
Monte Gordo *08*....90 U 7
Monte Grande *02*....77 S 5
Monte Grande *08*....89 U 6
Monte Juntos *07*....66 Q 7
Monte Margarida *09*....42 K 8
Monte Novo *15*....65 Q 4
Monte Novo (Barragem do) *07*....66 Q 6
Monte Real *10*....52 M 3
Monte Redondo *10*....53 M 3
Monte Redondo *11*....64 O 2
Monte Velho *02*....78 R 7
Monte Viegas *02*....77 S 6
Montechoro *08*....89 U 5
Monteiras *18*....41 J 6
Monteiros *17*....27 H 6
Montejunto (Serra de) *11*....64 O 2
Montelavar *11*....64 P 1
Montemor-o-Novo *07*....65 Q 5
Montemor-o-Velho *06*....40 L 3
Montemuro *18*....41 J 5
Montemuro (Serra de) *18*....41 J 5
Montes *14*....53 N 5
Montes da Senhora *05*....54 M 6
Montes de Cima *08*....88 U 4
Montes Novos *08*....89 U 6
Montesinho *04*....28 G 9
Montesinho (Parque Natural de) *04*....28 G 9
Montesinho (Serra de) *04*....28 G 9
Montevil *15*....65 Q 4
Montijo *15*....64 P 3
Montinho *12*....66 O 8
Montinho *08*....90 U 7
Montinho da Dourada *12*....66 O 6
Montoito *07*....66 Q 7
Montouto *04*....28 G 9
Mora *04*....29 H 10
Mora *07*....65 P 5
Morais *04*....28 H 9
Moreanes *02*....78 T 7
Moreira *16*....12 F 4
Moreira de Rei *09*....42 J 8
Moreira do Castelo *03*....27 H 5
Moreira do Cónegos *03*....27 H 5
Moreira do Rei *03*....27 H 5
Moreiras *17*....28 H 7
Morgade *17*....27 G 6
Morgadinho *02*....89 T 5
Morgavel (Barragem de) *15*....76 S 3
Mortágua *18*....41 K 5
Mós *09*....42 I 8
Mós *18*....41 J 5
Mós *perto de Bragança 04*....28 G 9
Mós *perto de Torre de Moncorvo 04*....28 I 9
Mós (Ribeira de) *04*....42 I 9
Moscavide *11*....64 P 2
Mosteiro *02*....77 S 6
Mosteiro *05*....53 M 6
Mosteiro *09*....41 J 7
Mosteiro *10*....53 M 5
Mosteiros *12*....66 O 8
Mosteiros *20*....107 J 18
Motrinos *07*....66 Q 7
Mouçós *17*....27 I 6
Moura *02*....78 R 7
Mourão *04*....28 I 8
Mourão *07*....78 Q 7
Mourão (Albufeira de) *07*....78 Q 8
Mouraz *18*....41 K 5
Moure *perto de Barcelos 03*....26 H 4
Moure *perto de Vila Verde 03*....26 H 4
Mourilhe *17*....27 G 6
Mouriscas *14*....53 N 5
Mouriz *13*....27 I 4
Mouro *16*....13 F 4
Mouronho *06*....41 L 5
Moutedo *01*....40 K 4
Moz de Celas *04*....28 G 9
Mozelos *18*....41 J 6
Mu *02*....89 T 5
Muda *15*....76 S 3
Muge *14*....65 O 3
Muge (Ribeira de) *14*....65 O 4
Mundão *18*....41 J 6
Muradal (Serra do) *05*....54 M 6
Murça *09*....42 I 8
Murça *17*....28 H 7
Murgeira *11*....64 P 2
Múrias *04*....28 H 8
Muro *13*....26 I 4
Murtede *06*....40 K 4
Murteirinha *05*....54 M 6
Murtigão (Barragem de)....78 R 8
Murtosa *01*....40 J 4
Musgos *07*....78 R 7
Muxagata *09*....42 I 8


## N


Nabais *09*....41 K 7
Nabão....53 M 4
Nabo *04*....28 I 8
Nadadouro *10*....52 N 2
Nagosa *18*....41 I 7
Nagozelo do Douro *18*....28 I 7
Namorados *02*....77 T 6
Nantes *17*....28 G 7
Nariz *01*....40 K 4
Navais *13*....26 H 3
Nave *09*....42 K 9
Nave *12*....66 O 8
Nave de Haver *09*....42 K 9
Nave Redonda *02*....89 T 4
Nave Redonda *09*....42 J 9
Nazaré *10*....52 N 2
Negrões *17*....27 G 6
Neiva *16*....26 H 3
Nelas *18*....41 K 6
Nesperal *05*....53 M 5
Nespereira *03*....27 H 5
Neves (Serra das) *02*....77 S 4
Nevolgide *03*....26 H 4
Nine *03*....26 H 4
Ninho do Açor *05*....54 M 7
Nisa *12*....54 N 7
Nisa (Ribeira de) *12*....54 N 7
Noéme *09*....42 K 8
Nogueira *04*....28 G 9
Nogueira *13*....26 I 4
Nogueira (Serra de) *04*....28 H 9
Nogueira da Montanha *17*....28 H 7
Nogueira do Cima *01*....40 J 4
Nogueira do Cravo *06*....41 K 6
Nora *07*....66 P 7
Nordeste *20*....107 J 20
Nordestinho *20*....107 J 20
Norte Grande *20*....107 G 11
Norte Pequeno *20*....107 H 11
Nossa Senhora da Boa Fé *07*....65 Q 5
Nossa Senhora da Graça *17*....27 H 6
Nossa Senhora da Graça do Divor *07*....65 Q 6
Nossa Senhora da Penha *12*....54 N 7
Nossa Senhora da Penha *15*....77 R 4
Nossa Senhora da Pineda *16*....27 G 5
Nossa Senhora da Serra *04*....28 G 9
Nossa Senhora da Taude *01*....40 J 4
Nossa Senhora da Torega *07*....65 Q 5
Nossa Senhora das Neves *02*....77 R 6
Nossa Senhora de Ares *07*....77 Q 6
Nossa Senhora de Machede *07*....66 Q 6
Nossa Senhora do Assunção *13*....26 H 4
Nossa Senhora do Cabo *15*....64 Q 2
Nossa Senhora dos Remédios *18*....41 I 6
Noura *17*....28 H 7
Nova da Baronia (Ribeira)....77 R 5
Nozelos *04*....28 I 8
Nozelos *17*....28 G 8
Numão *09*....42 I 8
Nunes *04*....28 G 9


## O


O Sítio *10*....52 N 2
Óbidos *10*....52 N 2
Óbidos (Lagoa de) *10*....52 N 2
Ocreza....54 M 7
Odearce (Ribeira de) *02*....77 R 6
Odeceixe *08*....88 T 3
Odeleite *08*....90 T 7
Odeleite (Ribeira de) *08*....89 U 6
Odelouca (Ribeira de) *08*....89 U 4
Odemira *02*....76 T 4
Odiáxere *08*....88 U 4
Odivelas *02*....77 R 5
Odivelas *11*....64 P 2
Odivelas (Barragem de) *02*....77 R 5
Odivelas (Ribeira de)....77 R 5
Oeiras *11*....64 P 2
Oeiras (Ribeira de) *02*....77 T 6
Ofir *03*....26 H 3
Oiã *01*....40 K 4
Olalhas *14*....53 N 5
Olas *18*....42 I 8
Oldrões *13*....27 I 5
Oledo *05*....54 M 8
Oleiros *01*....40 J 4
Oleiros *02*....88 T 3
Oleiros *05*....54 M 6
Olhalvo *11*....64 O 2
Olhão *08*....89 U 6
Olho Marinho *10*....52 O 2
Olivais *10*....53 M 3
Olivais *11*....64 P 2
Olival *14*....53 M 4
Oliveira *03*....26 H 4
Oliveira de Azeméis *01*....40 J 4
Oliveira de Barreiros *18*....41 K 6
Oliveira de Frades *18*....41 J 5
Oliveira do Bairro *01*....40 K 4
Oliveira do Conde *18*....41 K 6
Oliveira do Douro *18*....41 I 5
Oliveira do Hospital *06*....41 K 6
Oliveira do Mondego *06*....41 L 5
Oliveirinha *01*....40 K 4
Olmos *04*....28 H 9
Olo *13*....27 H 6
Onor (R.) *04*....28 G 10
Orada *02*....78 R 7
Orada *07*....66 P 7
Orada (Convento da) *07*....66 Q 7
Orbacém *16*....26 G 3
Orca *05*....54 L 7
Ordem *02*....78 R 6
Oriola *07*....77 R 6
Oriz *03*....27 G 4
Orjais *05*....41 K 7
Ortiga *14*....53 N 5
Ortigosa *10*....53 M 3
Orvalho *05*....54 L 6
Ossa (Serra de) *07*....66 P 6
Ota *11*....64 O 3
Ota (Ribeira de) *11*....64 O 2
Ouca *01*....40 K 4
Ouguela *12*....66 O 8
Oura *17*....27 H 7
Oural *03*....26 G 4
Ourém *14*....53 N 4
Ourentã *06*....40 K 4
Ourique *02*....77 T 5
Ourondo *05*....54 L 6
Ourozinho *18*....42 J 7
Outão *15*....64 Q 3
Outeiro *04*....28 G 10
Outeiro *07*....66 Q 7
Outeiro *10*....53 M 4
Outeiro *16*....26 G 3
Outeiro *17*....27 G 6
Outeiro Alvo *16*....13 F 5
Outeiro da Cabeça *11*....64 O 2
Outeiro da Cortiçada *14*....52 O 3
Outeiro de Gatos *09*....42 J 8
Outeiro Seco *17*....28 G 7
Outiz *03*....26 H 4
Ouzilhão *04*....28 G 9
Ovadas *18*....41 I 6
Ovar *01*....40 J 4
Ovar (Canal de)....40 J 3
Ovelha....27 I 5


## P


Paço *04*....28 G 9
Paço de Arcos *11*....64 P 2
Paço de Sousa *13*....27 I 4
Paço dos Negros *14*....65 O 4
Paços de Ferreira *13*....27 I 4
Paços de Gaiolo *13*....27 I 5
Paços Novos *14*....65 O 4
Paços Velhos *14*....65 O 4
Padeiro *14*....65 P 4
Paderne *08*....89 U 5
Paderne *16*....13 F 5
Padim de Graça *03*....26 H 4
Padornelo *16*....26 G 4
Padrão *02*....77 S 6
Padrão *05*....54 N 6
Padrão *10*....53 M 3
Padrão de Moreira *13*....26 I 4
Padrela *17*....27 H 7
Padrela (Serra da) *17*....27 H 7
Padroso *17*....27 G 6
Pai Penela *09*....42 J 8
Pai Torto *04*....28 H 8
Paiágua *05*....54 M 6
Paialvo *14*....53 N 4
Paião *06*....53 L 3
Pailobo *09*....42 K 9
Paio Mendes *14*....53 M 5
Paio Pires *15*....64 Q 2
Paiva....41 J 6
Pala *09*....42 J 8
Pala *18*....41 K 5
Palaçoulo *04*....29 H 10
Palhaça *01*....40 K 4
Palhais *05*....53 M 5
Palhais *09*....41 J 7
Palhais *15*....64 Q 2
Palheirinhos *08*....89 U 6
Palheiros *06*....40 K 4
Palheiros *17*....28 H 7
Palma *15*....65 Q 4
Palmaz *01*....40 J 4
Palme *03*....26 H 3
Palmeira *03*....26 H 4

Palmela 15 ... 64 Q3
Palvarinho 05 ... 54 M7
Pampilhosa 01 ... 40 K4
Pampilhosa da Serra 06 ... 54 L6
Panasqueira 02 ... 77 R5
Panoias 02 ... 77 S5
Panoias de Cima 09 ... 42 K8
Panque 03 ... 26 H4
Papoa 10 ... 52 N1
Parada 04 ... 28 G9
Parada 09 ... 42 K8
Parada 18 ... 41 K5
Parada de Bouro 03 ... 27 H5
Parada de Cunhos 17 ... 27 I6
Parada de Ester 18 ... 41 J5
Parada de Gonta 18 ... 41 K5
Parada de Monteiros 17 ... 27 H6
Parada de Pinhão 17 ... 27 H7
Paradança 17 ... 27 H6
Paradela 01 ... 40 J4
Paradela 16 ... 27 G5
Paradela 18 ... 41 I7
Paradela *perto de Chaves* 17 ... 28 G7
Paradela *perto de Miranda do Douro* 04 ... 29 H11
Paradela *perto de Mogadouro* 04 ... 28 H9
Paradela (Barragem de) 17 ... 27 G6
Paradinha 04 ... 28 G10
Paradinha 18 ... 41 I7
Paradinha Nova 04 ... 28 H10
Paraiso 01 ... 41 I5
Parâmio 04 ... 28 G9
Paramos 01 ... 40 J4
Paranho 18 ... 41 K5
Paranhos 09 ... 41 K6
Parceiros 10 ... 53 M3
Parceiros de São João 14 ... 53 N4
Parchal 08 ... 88 U4
Pardais 07 ... 66 P7
Pardelhas 01 ... 40 J4
Pardelhas 17 ... 27 H6
Pardilhó 01 ... 40 J4
Pardornelos 17 ... 27 G6
Parede 11 ... 64 P1
Paredes 04 ... 28 G9
Paredes 13 ... 27 I5
Paredes da Beira 18 ... 41 I7
Paredes de Coura 16 ... 26 G4
Paredes de Viadores 13 ... 27 I5
Pargo (Ponta do) 31 ... 88 AY
Parizes 08 ... 89 U6
Parra 12 ... 66 O8
Partida 05 ... 54 L7
Passos 04 ... 28 H8
Patacão 08 ... 89 U6
Pataias 10 ... 52 M3
Pataias Gare 10 ... 52 N3
Paúl 05 ... 54 L7
Paul 11 ... 64 O2
Paúl 14 ... 53 N5
Paúl do Mar 31 ... 88 AY
Pavia 07 ... 65 P5
Pavia (Rio) 18 ... 41 K5
Pé da Serra 12 ... 54 N7
Pé da Serra 14 ... 52 N3
Pechão 08 ... 89 U6
Pedome 17 ... 28 G8
Pedorido 01 ... 40 I4
Pedra do Ouro 10 ... 52 M2
Pedra Furada 03 ... 26 H4
Pedrada 16 ... 27 G5
Pedraído 03 ... 27 H5
Pedralva 08 ... 88 U3
Pedrario 17 ... 27 G7
Pedras Brancas 02 ... 77 S5
Pedras de El Rei 08 ... 89 U7
Pedras Negras 10 ... 52 M2
Pedras Salgadas 17 ... 27 H7
Pedreira 14 ... 53 N4
Pedreira 20 ... 107 J20
Pedreiras 10 ... 52 N3
Pedrógão 02 ... 78 R7
Pedrógão 05 ... 54 L8
Pedrógão 07 ... 65 P5
Pedrógão 10 ... 52 M3
Pedrógão 14 ... 53 N4
Pedrógão Grande 10 ... 53 M5
Pedrógão Pequeno 05 ... 53 M5
Pega 09 ... 42 K8
Pega (Ribeira da) ... 42 K8
Pegarinhos 17 ... 28 H7
Pego 14 ... 53 N5
Pego do Altar (Barragem de) 15 ... 65 Q4
Pegões-Estação 15 ... 65 P4
Pelados 08 ... 89 U6
Pelariga 10 ... 53 M4
Pelmá 10 ... 53 M4
Pena 08 ... 89 U5
Pena (Parque da) 11 ... 64 P1
Pena Lobo 09 ... 42 K7
Pena Róia 04 ... 28 H10
Penabeice 17 ... 28 H7
Penacova 06 ... 41 L5
Penafiel 13 ... 27 I5
Penalva 15 ... 64 Q2
Penalva 02 ... 78 S8
Penalva de Alva 06 ... 41 L6
Penalva do Castelo 18 ... 41 J6
Penamacor 05 ... 54 L8
Peneda (Serra da) 16 ... 27 G4
Peneda-Gerês (Parque nacional da) ... 27 G5
Penedo Gordo 02 ... 77 S6
Penedono 18 ... 42 J7
Penela 06 ... 53 L4
Penela da Beira 18 ... 42 I7
Penha 03 ... 27 H5
Penha 12 ... 66 O7
Penha de Aguia 09 ... 42 J8
Penha Garcia 05 ... 55 L8
Penhas da Saúde 05 ... 41 L7
Penhas Juntas 04 ... 28 G8
Penhascoso 14 ... 53 N5
Peniche 10 ... 52 N1
Penida (Barragem da) 03 ... 26 H4
Penilhos 02 ... 77 T6
Peninha 11 ... 64 P1
Pensalvos 17 ... 27 H7
Penso 16 ... 13 F5
Pepim 18 ... 41 J6
Pêra 08 ... 89 U4
Pêra do Moço 09 ... 42 K8
Pêra Velha 18 ... 41 J7
Peraboa 05 ... 41 L7
Perafita 13 ... 26 I3
Perais 05 ... 54 M7
Peral 05 ... 54 M6
Peral 08 ... 89 U6
Peral 11 ... 52 O2
Peralva 08 ... 89 U6
Peramanca (Ribeira de) 07 ... 65 Q5
Perdigão 05 ... 54 M6
Peredo 04 ... 28 H9
Peredo da Bemposta 04 ... 28 I10
Peredo dos Castelhanos 04 ... 42 I8
Pereira 04 ... 28 H8
Pereira 06 ... 40 L4
Pereira 08 ... 88 U4
Pereira 17 ... 27 G6
Pereiras 02 ... 89 T4
Pereiro 08 ... 90 T7
Pereiro 09 ... 42 J8
Pereiro 18 ... 41 J5
Pereiro *perto de Mação* 14 ... 53 N5
Pereiro *perto de Tomar* 14 ... 53 M4
Pereiro de Palhacana 11 ... 64 O2
Pereiros 04 ... 28 I8
Perelhal 03 ... 26 H3
Pergulho 05 ... 54 M6
Perna Seca 08 ... 89 T5
Pernes 14 ... 53 N3
Pêro Moniz 11 ... 64 O2
Pêro Negro 08 ... 88 U3
Pêro Pinheiro 11 ... 64 P2
Pêro Soares 09 ... 42 K8
Pêro Viseu 05 ... 54 L7
Peroguarda 02 ... 77 R5
Perosinho 13 ... 40 I4
Pesinho 05 ... 54 L7
Peso 02 ... 78 R6
Peso 04 ... 28 H10
Peso 05 ... 54 L7
Peso 16 ... 13 F5
Peso da Régua 17 ... 27 I6
Pessegueiro 06 ... 53 L5
Pessegueiro 08 ... 89 T6
Peta 14 ... 65 O4
Peva 09 ... 42 J9
Peva 18 ... 41 J6
Pião 07 ... 78 Q8
Pias 02 ... 78 R7
Pias 07 ... 66 Q7
Pias 14 ... 53 M5
Pias 16 ... 12 F4
Picão 18 ... 41 J6
Piçarras 02 ... 77 T5
Picarrel 07 ... 66 Q7
Pico 20 ... 107 H10
Pico (Ilha do) 20 ... 107 H10
Pico Alto 20 ... 107 M20
Pico da Pedra 20 ... 107 J19
Pico de Regalados 03 ... 26 G4
Picões 04 ... 28 I9
Picoitos 02 ... 78 T7
Picote 04 ... 29 H10
Picote (Barragem de) 04 ... 29 H10
Picoto 13 ... 40 I4
Piedade 01 ... 40 K4
Piedade 20 ... 107 H11
Piedade (Ponta da) 08 ... 88 U3
Pilado 10 ... 52 M3
Pindelo dos Milagres 18 ... 41 J6
Pinela 04 ... 28 G9
Pinelo 04 ... 29 H10
Pingarelhos 10 ... 53 L3
Pinhal do Norte 04 ... 28 I7
Pinhal Novo 15 ... 64 Q3
Pinhancos 09 ... 41 K6
Pinhão 17 ... 27 I7
Pinheiro 03 ... 27 H5
Pinheiro 09 ... 41 J7
Pinheiro 13 ... 27 I5
Pinheiro 15 ... 65 Q3
Pinheiro *perto de Castro Daire* 18 ... 41 J6
Pinheiro *perto de Mortágua* 18 ... 41 K5
Pinheiro *perto de Oliveira de Frades* 18 ... 41 J5
Pinheiro (Estação de) 15 ... 65 Q3
Pinheiro da Bemposta 01 ... 40 J4
Pinheiro de Coja 06 ... 41 L6
Pinheiro Grande 14 ... 53 N4
Pinheiro Novo 04 ... 28 G8
Pinhel 09 ... 42 J8
Pinhel 14 ... 53 N4
Pinho 17 ... 27 H7
Pinho 18 ... 41 J5
Pinoucas ... 41 K5
Pintado 14 ... 53 N4
Pínzio 09 ... 42 K8
Piódão 06 ... 41 L6
Pipas 07 ... 78 Q7
Pisão 01 ... 40 L4
Pisão 12 ... 66 O7
Pisco 09 ... 41 J7
Pisões 10 ... 52 N3
Pisões 17 ... 27 G6
Pisões-Moura 02 ... 78 R7
Pitões das Júnias 17 ... 27 G6
Pó 10 ... 52 O2
Pocariça 06 ... 40 K4
Poceirão 15 ... 64 Q3
Pocinho 09 ... 42 I8
Pocinho (Barragem do) 04 ... 42 I8
Poço Barreto 08 ... 89 U4
Poço dos Cães 10 ... 53 M4
Poços 02 ... 77 S5
Podence 04 ... 28 H9
Podentes 06 ... 53 L4
Poiares 04 ... 42 I9
Poiares 17 ... 27 I6
Poio (Barragem do) 12 ... 54 N7
Poiso 31 ... 88 BY
Poldra 08 ... 88 U3
Polvoeira 10 ... 52 M2
Pomar 05 ... 54 M6
Pomarão 02 ... 78 T7
Pomares 06 ... 41 L6
Pomares 09 ... 42 K8
Pombal 04 ... 28 I7
Pombal 10 ... 53 M4
Pombalinho 06 ... 53 L4
Pombalinho 14 ... 53 N4
Pombeiro da Beira 06 ... 41 L5
Pondras 17 ... 27 G6
Ponsul (R.) ... 54 L8
Ponta 32 ... 89 CX
Ponta da Calheta 32 ... 89 CX
Ponta Delgada 20 ... 107 J18
Ponta Delgada 20 ... 107 E2
Ponta do Mistério 20 ... 107 H11
Ponta do Pargo 31 ... 88 AY
Ponta do Sol 31 ... 88 AY
Pontal (Cabo) 08 ... 88 U3
Pontal (Gruta) 08 ... 89 U4
Pontão 10 ... 53 M4
Ponte 03 ... 27 G4
Ponte da Barca 16 ... 27 G4
Ponte de Lima 16 ... 26 G4
Ponte de Sor 12 ... 65 O5
Ponte de Vagos 01 ... 40 K3
Ponte Delgada 31 ... 88 BY
Ponte do Abade 18 ... 41 J7
Ponte do Rol 11 ... 64 O2
Ponte Nova 13 ... 27 I5
Ponte Vasco da Gama 15 ... 64 Q2
Pontével 14 ... 64 O3
Porches 08 ... 89 U4
Portagem 12 ... 54 N7
Portalegre 12 ... 66 O7
Portalegre (Estação de) 12 ... 66 O7
Porteirinhos 02 ... 77 T5
Portel 07 ... 78 R6
Portela 08 ... 89 U6
Portela 10 ... 64 O2
Portela 16 ... 26 G4
Portela de Santa Eulália 17 ... 27 H6
Portela de Vade 03 ... 27 G4
Portela do Fojo 06 ... 53 M5
Portelas 08 ... 88 U3
Portelo 04 ... 28 G9
Portimão 08 ... 88 U4
Portinho da Arrábida 15 ... 64 Q3
Porto 13 ... 26 I4
Porto Alto 14 ... 64 P3
Porto Carvoeiro 13 ... 40 I4
Porto Covo 15 ... 76 S3
Porto da Balça 06 ... 54 L6
Porto da Cruz 31 ... 88 BZ
Porto da Espada 12 ... 54 N7
Porto das Barcas 02 ... 76 T3
Porto de Barcas 11 ... 64 O1
Porto de Lagos 08 ... 88 U4
Porto de Mós 10 ... 53 N3
Porto de Ovelha 09 ... 42 K9
Porto de Sines 15 ... 76 S3
Porto do Carro 10 ... 52 N3
Porto do Codeço 18 ... 41 J6
Porto Formoso 20 ... 107 J19
Porto Moniz 31 ... 88 AY
Portos 16 ... 13 F5
Portunhos 06 ... 40 L4
Possacos 17 ... 28 H8
Pousada 09 ... 42 K8
Pousada da Ria 01 ... 40 J3
Pousadas Vedras 10 ... 53 M4
Pousaflores 10 ... 53 M4
Pousafoles do Bispo 09 ... 42 K8
Pousos 10 ... 53 M3
Póvoa 04 ... 29 H11
Póvoa 18 ... 41 J6
Póvoa (Barragem da) 12 ... 54 N7
Póvoa d'El-Rei 09 ... 42 J8
Póvoa da Atalaia 05 ... 54 L7
Póvoa da Isenta 14 ... 65 O3
Póvoa das Quartas 06 ... 41 K6
Póvoa de Lanhoso 03 ... 27 H5
Póvoa de Midões 06 ... 41 K6
Póvoa de Penela 18 ... 42 I7
Póvoa de Rio de Moinhos 05 ... 54 M7
Póvoa de Santa Iria 11 ... 64 P2
Póvoa de Santarém 14 ... 53 O3
Póvoa de São Miguel 02 ... 78 R8
Póvoa de Varzim 13 ... 26 H3
Póvoa do Concelho 09 ... 42 J8
Póvoa e Meadas 12 ... 54 N7
Povoação 20 ... 107 J20
Povolide 18 ... 41 K6
Pracana (Barragem de) ... 54 N6
Prado 03 ... 26 H4
Prado Gatão 04 ... 29 H10
Prados *perto de Celorico da Beira* 09 ... 42 K7
Prados *perto de Freixedas* 09 ... 42 J8
Pragança 11 ... 64 O2
Praia 20 ... 107 M20
Praia 20 ... 107 F12
Praia Azul 11 ... 64 O1
Praia da Aguda 13 ... 40 I4
Praia da Alagoa 08 ... 90 U7
Praia da Areia Branca 11 ... 52 O1
Praia da Árvore 13 ... 26 I3
Praia da Barra 01 ... 40 K3
Praia da Bordeira 08 ... 88 U3
Praia da Calada 11 ... 64 O1
Praia da Carreagem 08 ... 88 T3
Praia da Cordama 08 ... 88 U3
Praia da Falesia 08 ... 89 U5
Praia da Galé 08 ... 89 U5
Praia da Ilha 15 ... 76 S3
Praia da Ilha de Faro 08 ... 90 V6
Praia da Ilha de Tavira 08 ... 90 U7
Praia da Manta Rota 08 ... 90 U7
Praia da Oura 08 ... 89 U5
Praia da Rocha 08 ... 88 U4
Praia da Tocha 06 ... 40 L3
Praia da Vagueira 01 ... 40 K3
Praia da Vieira 10 ... 52 M3
Praia da Vitória 20 ... 107 G14
Praia das Maçãs 11 ... 64 P1
Praia de Agudela 13 ... 26 I3
Praia de Areinho 01 ... 40 J3
Praia de Boa Nova 13 ... 26 I3
Praia de Cabadelo 16 ... 26 G3
Praia de Cabanas 08 ... 90 U7
Praia de Caparica 15 ... 64 Q2
Praia de Cascais 11 ... 64 Q1
Praia de Comporta 15 ... 64 Q3
Praia de Cortegaça 01 ... 40 J4
Praia de Dona Ana 08 ... 88 U4
Praia de Ericeira 11 ... 64 P1
Praia de Esmoriz 01 ... 40 J4
Praia de Espinho 01 ... 40 J3
Praia de Faro 08 ... 89 U6
Praia de Furadouro 01 ... 40 J3
Praia de Fuseta 08 ... 89 U6
Praia de Labruge 13 ... 26 I3
Praia de Lavadores 13 ... 26 I4
Praia de Leirosa 06 ... 52 L3
Praia de Magoito 11 ... 64 P1
Praia de Maria Luisa 08 ... 89 U5
Praia de Melides 15 ... 76 R3
Praia de Mira 06 ... 40 K3
Praia de Monte Branco 01 ... 40 J3
Praia de Monte Clérigo 02 ... 88 T3
Praia de Morgavel 15 ... 76 S3
Praia de Odeceixe 08 ... 88 T3
Praia de Porto Covo 15 ... 76 S3
Praia de Quiaios 06 ... 40 L3
Praia de Ribeiro 11 ... 64 O1
Praia de Samarra 11 ... 64 P1
Praia de Santa Cruz 11 ... 64 O1
Praia de Santo André 15 ... 76 R3
Praia de São Lourenço 11 ... 64 O1
Praia de São Sebastião 11 ... 64 P1
Praia de São Torpes 15 ... 76 S3
Praia de Suave Mar 03 ... 26 H3
Praia do Castelejo 08 ... 88 U3
Praia do Guincho 11 ... 64 P1
Praia do Martinhal 08 ... 88 U3
Praia do Norte 20 ... 107 H9
Praia do Porto Novo 11 ... 64 O1
Praia do Rei Cortiço 10 ... 52 N2
Praia do Ribatejo 14 ... 53 N4
Praia do Salgado 10 ... 52 N2
Praia dos Mouranitos 08 ... 88 U3
Praia dos Tres Irmãos 08 ... 88 U4
Praia Grande 11 ... 64 P1
Praia Nova 10 ... 52 N2
Praia Velha 10 ... 52 M2
Praias de Albufeira 08 ... 89 U4
Praias do Sado 15 ... 64 Q3
Prainha 20 ... 107 H11
Prazeres 12 ... 66 P7
Prazeres 31 ... 88 AY
Préstimo 01 ... 40 K4
Proença-a-Nova 05 ... 54 M6
Proença-a-Velha 05 ... 54 L8
Prova 09 ... 42 J7
Provença 15 ... 76 S3
Provesende 17 ... 27 I7
Pussos 10 ... 53 M4

## Q

Quadrazais 09 ... 42 L9
Quarteira 08 ... 89 U5
Quartos 08 ... 89 U5
Quatrim do Sul 08 ... 89 U6
Quebradas 11 ... 64 O3
Queimada (Ponta da) 20 ... 107 H11
Queimadela 03 ... 27 H5
Queimado (Ponta do) 43 ... 107 G13
Queirã 18 ... 41 J5
Queiriga 18 ... 41 J6
Queiriz 09 ... 41 J7
Quelfes 08 ... 89 U6
Queluz 11 ... 64 P2
Querença 08 ... 89 U6
Quiaios 06 ... 40 L3
Quiaios (Dunas de) 06 ... 40 L3
Quintã 01 ... 40 K3
Quintã 02 ... 89 T6
Quinta da Corona 15 ... 77 S4
Quintã de Pêro Martins 09 ... 42 J8
Quinta de Santa Maria 07 ... 77 R5
Quinta do Anjo 15 ... 64 Q3
Quinta do Conde 15 ... 64 Q2
Quinta do Lago 08 ... 89 U5
Quinta do Pinheiro 12 ... 66 O6
Quinta Nova 09 ... 42 J8
Quintanilha 04 ... 28 G10
Quintãs 01 ... 40 K4
Quintas da Torre 05 ... 54 L8
Quintas do Norte 01 ... 40 J3
Quintela de Azurara 18 ... 41 K6
Quintela de Lampacas 04 ... 28 H9
Quintos 02 ... 77 S6
Quirás 04 ... 28 G8

## R

Rã 07 ... 65 Q5
Rabaça 12 ... 66 O8
Rabaçal 06 ... 53 L4
Rabaçal 09 ... 42 J8
Rabaçal (Rio) ... 28 G8
Rabal 04 ... 28 G9
Rabo de Peixe 20 ... 107 J19
Raia (Ribeira da) ... 65 P5
Raimonda 13 ... 27 I5
Rainha (Cabeço) 05 ... 54 M6
Raiva 01 ... 41 I4
Raiva (Barragem de) 06 ... 41 L5
Ramalhais 10 ... 53 M4
Ramalhal 11 ... 64 O2
Raminho 20 ... 107 G14
Ramo Alto 07 ... 66 Q7
Ranhados 09 ... 42 J8
Raposa 14 ... 65 O4
Raposeira 08 ... 88 U3
Rapoula do Côa 09 ... 42 K8
Rãs 13 ... 27 I5
Rãs 18 ... 41 J7
Raso (Cabo) 11 ... 64 P1
Rates 13 ... 26 H3
Real 01 ... 41 I5
Rebolia 06 ... 53 L4
Rebolosa 09 ... 42 K9
Rebordainhos 04 ... 28 H9
Rebordãos 04 ... 28 G9
Rebordelo 01 ... 40 J4
Rebordelo 04 ... 28 G8
Rebordelo 13 ... 27 H6
Rebordões 13 ... 26 H4
Rebordões 16 ... 26 G4
Reboreda 16 ... 26 G3
Reboredo (Serra do) ... 42 I9
Recarei 13 ... 26 I4
Redinha 10 ... 53 L4
Redondelo 17 ... 27 G7
Redondo 07 ... 66 Q7
Réfega 04 ... 28 G10
Refoios do Lima 16 ... 26 G4
Regadas 03 ... 27 H5
Regadas 13 ... 27 I5
Rego 03 ... 27 H5
Rego (Monte) 07 ... 66 P8
Rego da Barca 04 ... 28 I8
Rego da Murta 10 ... 53 M4
Regueira de Pontes 10 ... 53 M3
Reguenga 13 ... 26 I4
Reguengo 07 ... 65 Q5
Reguengo 12 ... 66 O7
Reguengo do Fetal 10 ... 53 N3
Reguengo Grande 11 ... 52 O2
Reguengos de Monsaraz 07 ... 78 Q7
Reigada 09 ... 42 J9
Reigoso 17 ... 27 G6
Relíquias 02 ... 77 S4
Relíquias 07 ... 66 P7
Relva 20 ... 107 J18
Relva da Louça 05 ... 53 M6
Relvas 06 ... 54 L6
Remal 31 ... 88 AY
Remédios 10 ... 52 N1
Remédios 20 ... 107 J18
Remelhe 03 ... 26 H4
Remondes 04 ... 28 H9
Rendo 09 ... 42 K8
Rendufe 03 ... 27 H4
Requeixo 01 ... 40 K4
Reriz 18 ... 41 J6
Resende 18 ... 41 I6

Retaxo 05 ... 54 M7
Retiro 12 ... 66 P8
Retorta 02 ... 78 S7
Revel 17 ... 27 H7
Reveladas 12 ... 66 N7
Rexaldia 14 ... 53 N4
Ria Formosa
(Parque Natural da) 08 ... 90 V6
Riachos 14 ... 53 N4
Riba d'Ave 03 ... 26 H4
Riba de Mouro 16 ... 13 F5
Ribadouro 13 ... 41 I5
Ribafeita 18 ... 41 J6
Ribafria 10 ... 52 O2
Ribalonga 04 ... 28 I7
Ribalonga 17 ... 27 H7
Ribamar *perto*
*de Ericeira* 11 ... 64 O1
Ribamar *perto*
*de Lourinhã* 11 ... 64 O1
Ribamondego 09 ... 41 K7
Ribeira 01 ... 40 J4
Ribeira 06 ... 53 L5
Ribeira (Ponta da) 20 ... 107 J20
Ribeira Brava 31 ... 88 AY
Ribeira Chã 20 ... 107 J19
Ribeira da Janela 31 ... 88 AY
Ribeira de Fraguas 01 ... 40 J4
Ribeira de Pena 17 ... 27 H6
Ribeira do Seissal 02 ... 76 S4
Ribeira dos Carinhos 09 ... 42 K8
Ribeira Grande 20 ... 107 J19
Ribeira Quente 20 ... 107 J20
Ribeira Seca 20 ... 107 J19
Ribeira Seca 20 ... 107 H12
Ribeiradio 18 ... 41 J5
Ribeirão 03 ... 26 H4
Ribeiras 20 ... 107 H11
Ribeirinha 04 ... 28 H8
Ribeirinha 20 ... 107 J19
Ribeirinha 20 ... 107 G14
Ribeiro Frio 31 ... 88 BY
Ribolhos 18 ... 41 J6
Rio de Couros 14 ... 53 M4
Rio de Mel 09 ... 42 J7
Rio de Moinhos 02 ... 77 S5
Rio de Moinhos 07 ... 66 P7
Rio de Moinhos 14 ... 53 N5
Rio de Moinhos 15 ... 77 R5
Rio de Moinhos 18 ... 41 J6
Rio de Mouro 11 ... 64 P1
Rio de Onor 04 ... 28 G10
Rio Douro 03 ... 27 H6
Rio Frio 04 ... 28 G10
Rio Frio 15 ... 64 P3
Rio Frio 16 ... 26 G4
Rio Maior 14 ... 52 N3
Rio Mau 03 ... 26 G4
Rio Mau 13 ... 26 H3
Rio Milheiro 18 ... 41 K5
Rio Seco 08 ... 90 U7
Rio Torto 09 ... 41 K7
Rio Torto 17 ... 28 H8
Rio Vide 06 ... 53 L5
Riodades 18 ... 41 I7
Roca (Cabo da) 11 ... 64 P1
Rocamondo 09 ... 42 K8
Rocas do Vouga 01 ... 40 J4
Rocha
dos Bordões 20 ... 107 E2
Rochoso 09 ... 42 K8
Roda Grande 14 ... 53 N4
Rogil 08 ... 88 T3
Rogodeiro 04 ... 28 H8
Rojão 18 ... 41 K5
Rolão 02 ... 77 S6
Roliça 10 ... 52 O2
Romã 11 ... 64 O2
Romarigães 16 ... 26 G4
Romariz 01 ... 40 J4
Romãs 18 ... 41 J7
Romeira 14 ... 53 O3
Romeu 04 ... 28 H8
Roncão 02 ... 78 T7
Ronfe 03 ... 27 H4
Roriz 03 ... 26 H4
Roriz 13 ... 27 H4
Roriz 18 ... 41 J6
Rosais 20 ... 107 G11
Rosais (Ponta dos) 20 ... 107 G11
Rosário 02 ... 77 T5
Rosário 07 ... 66 Q7
Rosmaninhal 05 ... 54 M8
Rosmaninhal 12 ... 53 O6
Rossão 18 ... 41 J6
Rossas 01 ... 41 J5
Rossas 03 ... 27 H5
Rossio
ao Sul do Tejo 14 ... 53 N5
Rouças 16 ... 27 G5
Roxo
(Barragem do) 02 ... 77 S5
Roxo (Ribeira do) ... 77 S4
Rua 18 ... 41 J7
Rubiães 16 ... 26 G4
Ruivães 03 ... 27 G5
Ruivo 02 ... 77 R5
Ruivo (Pico) 31 ... 88 BY
Ruivo do Paúl 31 ... 88 AY
Runa 11 ... 64 O2
Ruvina 09 ... 42 K8


## S


Sá 17 ... 28 G7
Sabacheira 14 ... 53 M4
Sabóia 02 ... 77 T4
Sabor ... 28 G9
Sabrosa 17 ... 27 I7
Sabroso 17 ... 27 H7
Sabugal 09 ... 42 K8
Sabugal
(Barragem do) 09 ... 42 K8
Sabugo 11 ... 64 P2
Sabugosa 18 ... 41 K5
Sabugueiro 07 ... 65 P5
Sabugueiro 09 ... 41 K7
Sacavém 11 ... 64 P2
Sado (R.) 15 ... 77 S4
Sado Morgavel
(Canal do) 15 ... 77 S4
Safara 02 ... 78 R8
Safira 07 ... 65 Q5
Safurdão 09 ... 42 K8
Sago 16 ... 12 F4
Sagres 08 ... 88 U3
Sagres (Ponta de) 08 ... 88 V3
Salamonde 03 ... 27 G5
Salavessa 12 ... 54 N7
Saldanha 04 ... 28 H10
Saldonha 04 ... 28 H9
Salema 08 ... 88 U3
Salgueirais 09 ... 41 K7
Salgueiro 01 ... 40 K4
Salgueiro 04 ... 28 I9
Salgueiro 05 ... 42 L8
Salgueiro 10 ... 52 O2
Salgueiro do Campo 05 ... 54 M7
Salgueiros 02 ... 78 T7
Salgueiros 17 ... 28 H7
Salir 08 ... 89 U5
Salir do Porto 10 ... 52 N2
Salreu 01 ... 40 J4
Salsas 04 ... 28 H9
Salselas 04 ... 28 H9
Salto 02 ... 77 S6
Salto 17 ... 27 H6
Salto de Cavalo 20 ... 107 J20
Salvada 02 ... 77 S6
Salvador 05 ... 54 L8
Salvador 14 ... 65 O4
Salvador do Monte 13 ... 27 I5
Salvaterra de Magos 14 ... 64 O3
Salvaterra
do Extremo 05 ... 55 M9
Salzedas 18 ... 41 I6
Samardã 17 ... 27 H6
Sambade 04 ... 28 H9
Sambado 05 ... 53 M5
Sameice 09 ... 41 K6
Sameiro 09 ... 41 K7
Sameiro (Monte) 03 ... 27 H4
Samil 04 ... 28 G9
Samões 04 ... 28 I8
Samora Correia 14 ... 64 P3
Samouco 15 ... 64 P2
Samouqueira 08 ... 88 T3
Sampaio *perto*
*de Mogadouro* 04 ... 28 H9
Sampaio *perto*
*de Vila Flor* 04 ... 28 I8
Sampriz 16 ... 27 G4
Samuel 06 ... 53 L3
San Julião 12 ... 66 O8
San Martinho 05 ... 54 M7
San Martinho
do Peso 04 ... 28 H10
San Pedro do Corval 07 ... 66 Q7
San Salvador 12 ... 54 N7
Sande 03 ... 27 H4
Sande 13 ... 27 I5
Sandim 04 ... 28 G8
Sandim 13 ... 40 I4
Sandomil 09 ... 41 K6
Sanfins 17 ... 28 G8
Sanfins do Douro 17 ... 27 I7
Sangalhos 01 ... 40 K4
Sanguedo 01 ... 40 I4
Sanguinhal 10 ... 52 O2
Sanhoane 04 ... 28 H10
Sanjurge 17 ... 27 G7
Santa Antão 20 ... 107 H12
Santa Bárbara 02 ... 88 T4
Santa Bárbara 20 ... 107 M20
Santa Bárbara 20 ... 107 G13
Santa Bárbara
*São Miguel* 20 ... 107 J18
Santa Bárbara
de Nexe 08 ... 89 U6
Santa Bárbara
de Padrões 02 ... 77 T6
Santa Catarina 08 ... 88 U4
Santa Catarina 10 ... 52 N2
Santa Catarina 15 ... 65 Q4
Santa Catarina da Fonte
do Bispo 08 ... 89 U6
Santa Catarina
da Serra 10 ... 53 M3
Santa Cita 14 ... 53 N4
Santa Clara 06 ... 40 L4
Santa Clara
(Barragem de) 02 ... 77 T4
Santa Clara-a-Nova 02 ... 89 T5
Santa Clara-a-Velha 02 ... 77 T4
Santa Clara
do Louredo 02 ... 77 S6
Santa Comba 09 ... 42 J8
Santa Comba 13 ... 26 I4
Santa Comba 16 ... 26 G4
Santa Comba Dão 18 ... 41 K5
Santa Comba
de Rosas 04 ... 28 G9
Santa Comba
de Vilariça 04 ... 28 H8
Santa Combinha 04 ... 28 H9
Santa Cristina 18 ... 41 K5
Santa Cruz 02 ... 89 T6
Santa Cruz 15 ... 76 R3
Santa Cruz 31 ... 88 BY
Santa Cruz
da Graciosa 20 ... 107 F11
Santa Cruz da Trapa 18 ... 41 J5
Santa Cruz
das Flores 20 ... 107 E2
Santa Cruz do Douro 13 ... 27 I5
Santa Eufémia 09 ... 42 J8
Santa Eufémia 10 ... 53 M3
Santa Eugénia 17 ... 28 H7
Santa Eulália 03 ... 26 H4
Santa Eulália 03 ... 27 H5
Santa Eulália 09 ... 41 K6
Santa Eulália 11 ... 64 P2
Santa Eulália 12 ... 66 P8
Santa Iria 02 ... 78 S7
Santa Iria da Azóia 11 ... 64 P2
Santa Justa 07 ... 66 P6
Santa Justa 08 ... 89 T6
Santa Justa 14 ... 65 O5
Santa Leocádia 13 ... 27 I5
Santa Leocádia 18 ... 27 I7
Santa Luzia 02 ... 77 S4
Santa Luzia 02 ... 78 R7
Santa Luzia 05 ... 54 L7
Santa Luzia 16 ... 26 G3
Santa Luzia 20 ... 107 H10
Santa Luzia
(Barragem de) 06 ... 54 L6
Santa Luzia
(Basílica) 16 ... 26 G3
Santa Luzia
(Forte de) 12 ... 66 P8
Santa Luzia (Monte) 02 ... 78 S7
Santa Margarida
da Coutada 14 ... 53 N5
Santa Margarida
da Serra 15 ... 76 R4
Santa Margarida
do Sádão 02 ... 77 R4
Santa Maria 03 ... 26 H4
Santa Maria 18 ... 41 I6
Santa Maria
(Barragem de) 09 ... 42 J9
Santa Maria
(Cabo de) 08 ... 90 V6
Santa Maria (Ilha de) 20 ... 107 L20
Santa Maria da Feira 01 ... 40 J4
Santa Maria de Aguiar (Antiguo
Convento de) 09 ... 42 J9
Santa Maria
de Émeres 17 ... 28 H7
Santa Maria
Madalena 03 ... 27 H4
Santa Marina
(Couto de) 05 ... 54 M8
Santa Marinha 09 ... 41 K7
Santa Marinha 16 ... 13 F4
Santa Marinha
do Zêzere 13 ... 27 I6
Santa Marta 08 ... 90 T7
Santa Marta
da Montanha 17 ... 27 H6
Santa Marta
de Penaguião 17 ... 27 I6
Santa Marta
de Portuzelo 16 ... 26 G3
Santa Quitéria 13 ... 27 H5
Santa Sofia 07 ... 65 Q5
Santa Susana 07 ... 66 Q7
Santa Susana 15 ... 65 Q4
Santa Valha 17 ... 28 G8
Santa Vitória 02 ... 77 S5
Santa Vitória
do Ameixial 07 ... 66 P6
Santalha 04 ... 28 G8
Santana 06 ... 40 L3
Santana 07 ... 77 R6
Santana 15 ... 64 Q2
Santana 31 ... 88 BY
Santana da Serra 02 ... 77 T5
Santana de Cambas 02 ... 78 T7
Santana do Campo 07 ... 65 P5
Santar 18 ... 41 K6
Santarém 14 ... 65 O3
Santiago 04 ... 28 H10
Santiago 09 ... 41 K6
Santiago 12 ... 66 O7
Santiago 18 ... 41 I6
Santiago da Guarda 10 ... 53 M4
Santiago de Besteiros 18 ... 41 K5
Santiago
de Cassurrães 18 ... 41 K6
Santiago de Litém 10 ... 53 M4
Santiago de Ribeira
de Alhariz 17 ... 28 H7
Santiago do Cacém 15 ... 76 R3
Santiago do Escoural 07 ... 65 Q5
Santiago dos Velhos 11 ... 64 P2
Santiago Maior 07 ... 66 Q7
Santiais 10 ... 53 M4
Santo Aleixo 12 ... 66 P7
Santo Aleixo
da Restauração 02 ... 78 R8
Santo Aleixo
de Além Tâmega 17 ... 27 H6
Santo Amador 02 ... 78 R8
Santo Amaro 09 ... 42 I8
Santo Amaro 12 ... 66 P7
Santo Amaro
*São Jorge* 20 ... 107 G11
Santo Amaro
de Oeiras 11 ... 64 P2
Santo André 15 ... 76 R3
Santo André 17 ... 27 G7
Santo André
(Lagoa de) 15 ... 76 R3
Santo André
das Tojeiras 05 ... 54 M6
Santo Antão do Tojal 11 ... 64 P2
Santo António 31 ... 88 BZ
Santo António 20 ... 107 J18
Santo António 20 ... 107 G11
Santo António 20 ... 107 H10
Santo António
da Serra 31 ... 88 BY
Santo António
das Areias 12 ... 54 N8
Santo António
de Alcôrrego 12 ... 65 O6
Santo Antonio
de Baldio 07 ... 66 Q7
Santo António
de Monforte 17 ... 28 G7
Santo António
de Outeiro 02 ... 78 R7
Santo António Velho 02 ... 78 S7
Santo Espírito 20 ... 107 M20
Santo Estêvão 03 ... 27 H5
Santo Estêvão 07 ... 66 P7
Santo Estêvão 08 ... 89 U6
Santo Estêvão 09 ... 42 L8
Santo Estêvão 14 ... 65 P3
Santo Estêvão 17 ... 28 G7
Santo Estêvão (Ribeira de) . 65 P3
Santo Estêvão
das Galés 11 ... 64 P2
Santo Ildefonso 12 ... 66 P8
Santo Isidoro 11 ... 64 P1
Santo Isidro de Pegões 15 ... 65 P4
Santo Tirso 13 ... 26 H4
Santos *perto*
*de Alcanena* 14 ... 53 N3
Santos
*perto de Mação* 14 ... 53 N6
Santos Evos 18 ... 41 K6
Santulhão 04 ... 28 H10
São Barnabé 02 ... 89 T5
São Bartolomeu 02 ... 89 T6
São Bartolomeu 12 ... 53 N6
São Bartolomeu
*perto de Bragança* 04 ... 28 G9
São Bartolomeu
*perto de Outeiro* 04 ... 28 H10
São Bartolomeu
da Serra 15 ... 76 R4
São Bartolomeu
de Messines 08 ... 89 U5
São Bartolomeu
do Outeiro 07 ... 77 Q6
São Bartolomeu
dos Galegos 11 ... 52 O2
São Bento 10 ... 53 N3
São Bento 16 ... 26 G4
São Bento
(Pousada de) 03 ... 27 H5
São Bento de Castris
(Convento) 07 ... 65 Q6
São Bento
do Ameixial 07 ... 66 P7
São Bento do Cortiço 07 ... 66 P7
São Bernardino 10 ... 52 O1
São Brás 02 ... 78 S7
São Brás
*São Miguel* 20 ... 107 J19
São Brás de Alportel 08 ... 89 U6
São Brás
do Regedouro 07 ... 65 Q5
São Brissos 02 ... 77 R6
São Brissos 07 ... 65 Q5
São Cipriano 18 ... 41 K6
São Cosme 03 ... 26 H4
São Cristóvão 07 ... 65 Q5
São Cristóvão
(Ribeira de) ... 65 Q4
São Domingos 14 ... 53 N5
São Domingos 15 ... 77 S4
São Domingos
(Ribeira de) 15 ... 77 S4
São Domingos
da Ordem 07 ... 66 Q6
São Domingos
de Ana Loura 07 ... 66 P7
São Domingos
de Rana 11 ... 64 P1
São Facundo 14 ... 53 N5
São Félix 18 ... 41 J5
São Félix
da Marinha 13 ... 40 I4
São Francisco
da Serra 15 ... 76 R4
São Frutuoso
de Montélios 03 ... 26 H4
São Gemil 18 ... 41 K6
São Gens 07 ... 66 P7
São Geraldo 07 ... 65 P5
São Gonçalo 04 ... 28 H9
São Gonçalo 31 ... 88 BZ
São Gonçalo
(Pousada de) 13 ... 27 I6
São Gregório 07 ... 65 P6
São Gregório 16 ... 13 F5
São Gregório
da Fanadia 10 ... 52 N2
São Jacinto 01 ... 40 K3
São Jerónimo
(Pousada de) 18 ... 41 K5
São Joanico 04 ... 29 H10
São Joaninho *perto*
*de Castro Daire* 18 ... 41 J6
São Joaninho *perto*
*de Santa Comba Dão* 18 ... 41 K5
São João 15 ... 64 Q2
São João 20 ... 107 H10
São João
(Ribeira de) 12 ... 54 N7
São João
da Boa Vista 06 ... 41 K5
São João da Corveira 17 ... 28 H7
São João da Madeira 01 ... 40 J4
São João
da Pesqueira 18 ... 28 I7
São João da Ribeira 14 ... 52 O3
São João da Serra 18 ... 41 J5
São João da Tahla 11 ... 64 P2
São João da Venda 08 ... 89 U6
São João
das Lampas 11 ... 64 P1
São João de Areias 18 ... 41 K5
São João de Loure 01 ... 40 K4
São João
de Negrilhos 02 ... 77 S5
São João
de Tarouca 18 ... 41 J6
São João de Ver 01 ... 40 J4
São João do Campo 06 ... 40 L4
São João do Monte
*perto de Caramulo* 18 ... 41 K5
São João do Monte
*perto de Nelas* 18 ... 41 K6
São João do Peso 05 ... 53 M5
São João
dos Caldeireiros 02 ... 77 T6
São João
dos Montes 11 ... 64 P2
São Jomil 04 ... 28 G8
São Jorge 01 ... 40 J4
São Jorge 10 ... 52 N3
São Jorge 16 ... 27 G4
São Jorge 31 ... 88 BY
São Jorge
(Canal de) 20 ... 107 H11
São Jorge (Ilha de) 20 ... 107 G11
São Jorge (Ponta de) 31 ... 88 BY
São Jorge da Beira 05 ... 54 L6
São José
da Lamarosa 14 ... 65 O4
São José das Matas 14 ... 54 N6
São Julião
de Palácios 04 ... 28 G10
São Julião do Tojal 11 ... 64 P2
São Leonardo 07 ... 78 Q8
São Lourenço 04 ... 28 I7
São Lourenço 08 ... 89 U5
São Lourenço 17 ... 28 G7
São Lourenço
(Baía do) 20 ... 107 M20
São Lourenço
(Ponta de) 31 ... 88 CY
São Lourenço
de Mamporcão 07 ... 66 P7
São Lourenço
de Ribapinhão 17 ... 27 I7
São Lourenço
do Bairro 01 ... 40 K4
São Luís 02 ... 76 S4
São Macário 18 ... 41 J5
São Mamede
*perto de Batalha* 10 ... 53 N3
São Mamede
*perto de Óbidos* 10 ... 52 O2
São Mamede (Pico) 12 ... 66 O7
São Mamede
(Serra de) 12 ... 66 O7
São Mamede
de Ribatua 17 ... 28 I7
São Mamede
do Sado 15 ... 77 R4
São Manços 07 ... 66 Q6
São Marcos 08 ... 89 U7
São Marcos
da Abóbada 07 ... 65 Q6
São Marcos
da Ataboeira 02 ... 77 S6
São Marcos
da Serra 08 ... 89 T4
São Marcos
do Campo 07 ... 78 Q7
São Martinho 31 ... 88 BZ
São Martinho
(Alto de) 10 ... 52 N2
São Martinho (Rio de) ... 65 Q4
São Martinho
da Cortiça 06 ... 41 L5
São Martinho
das Amoreiras 02 ... 77 T4
São Martinho
das Chãs 18 ... 41 I7
São Martinho
de Angueira 04 ... 29 H10
São Martinho
de Antas 17 ... 27 I7
São Martinho
de Mouros 18 ... 41 I6
São Martinho do Porto 10 ... 52 N2
São Mateus 20 ... 107 H10
São Mateus
da Calheta 20 ... 107 H14
São Matias 02 ... 77 R6
São Matias 07 ... 65 Q5
São Miguel 11 ... 89 U6
São Miguel (Ilha de) 20 ... 107 J18
São Miguel de Acha 05 ... 54 L8
São Miguel
de Machede 07 ... 66 Q6


A B C D E F G H I J K L M N O P Q R S T U V W X Y Z

São Miguel de Poiares 06 41 L5
São Miguel de Vila Boa 18 41 J6
São Miguel do Mato 01 40 J4
São Miguel do Outeiro 18 41 K5
São Miguel do Pinheiro 02 77 T6
São Miguel do Rio Torto 14 53 N5
São Paio 09 41 K7
São Paio da Farinha Podre 06 41 L5
São Paulo de Frades 06 40 L4
São Pedro 04 28 H8
São Pedro 07 78 R6
São Pedro 17 27 G6
São Pedro da Cadeira 11 64 O1
São Pedro da Cova 13 26 I4
São Pedro da Torre 16 12 G4
São Pedro das Cabeças 02 77 S5
São Pedro de Açor 06 54 L6
São Pedro de Agostém 17 27 G7
São Pedro de Alva 06 41 L5
São Pedro de Balsemão 18 41 I6
São Pedro de Moel 10 52 M2
São Pedro de Rio Seco 09 42 K9
São Pedro de Serracenos 04 28 G9
São Pedro de Solis 02 89 T6
São Pedro de Veiga de Lila 17 28 H8
São Pedro do Esteval 05 54 N6
São Pedro do Sul 18 41 J5
São Pedro Fins 13 26 I4
São Pedro Santa Luzia 08 89 U7
São Pedro Velho 04 28 G8
São Pedro Velho (Monte) 18 41 J5
São Romão 09 41 K6
São Romão *perto de Montemor-o-Novo* 07 65 Q5
São Romão *perto de Vila Viçosa* 07 66 P8
São Romão do Sado 15 77 R4
São Roque 31 88 BY
São Roque 20 107 J19
São Roque do Pico 20 107 H11
São Salvador 04 28 H8
São Saturnino 12 66 O7
São Sebastião 06 53 L4
São Sebastião 20 107 H14
São Sebastião da Giesteira 07 65 Q5
São Sebastião dos Carros 02 77 T6
São Simão de Litém 10 53 M4
São Teotónio 02 76 T3
São Tomé do Castelo 17 27 H6
São Torcato 03 27 H5
São Torcato 14 65 P4
São Vicente 07 77 R5
São Vicente 13 27 I5
São Vicente 17 28 G8
São Vicente 31 88 AY
São Vicente (Cabo de) 08 88 U3
São Vicente da Beira 05 54 L7
São Vicente da Chã 17 27 G6
São Vicente de Ferreira 20 107 J19
São Vicente de Lafões 18 41 J5
São Vicente de Pereira Juza 01 40 J4
São Vicente do Paúl 14 53 N4
São Vicente do Pigeiro 07 66 Q7
São Vicente e Ventosa 12 66 P8
Sapataria 11 64 P2
Sapelos 17 27 G7
Sapiãos 17 27 G7
Sapos 02 78 T7
Sapos 02 77 T6
Sardão 04 28 I9
Sardão (Cabo) 02 76 T3
Sardeiras de Baixo 05 54 M6
Sardoal 14 53 N5
Sarilhos Grandes 15 64 P3
Sarnadas 08 89 U5
Sarnadas de Ródão 05 54 M7
Sarnadas de São Simão 05 54 M6
Sarraquinhos 17 27 G7
Sarzeda 18 41 J7
Sarzedas 05 54 M6
Sarzedela 10 53 M4
Sarzedo 05 41 K7
Sarzedo 18 41 I7
Sátão 18 41 J6
Sazes da Beira 09 41 K6
Seara Velha 17 27 G7
Sebadelhe 09 42 I8
Sebadelhe da Serra 09 42 J7
Sebal 06 53 L4
Secarias 06 41 L5
Seco (R.) 09 42 J9
Seda 12 66 O6
Seda (Ribeira de) 12 66 O6
Sedielos 17 27 I6
Segirei 17 28 G8
Segões 18 41 J6
Segura 05 55 M9
Seia 09 41 K6
Seia (Rio) 41 K6
Seiça 14 53 M4
Seixa 17 27 H6
Seixal 15 64 Q2
Seixal 31 88 AY
Seixas 04 28 G8
Seixas 09 42 I8
Seixas 16 26 G3
Seixe (Ribeira de) 08 88 T3
Seixo Amarelo 09 42 K7
Seixo da Beira 06 41 K6
Seixo de Ansiães 04 28 I8
Seixo de Gatões 06 40 L3
Seixo de Manhoses 04 28 I8
Seixo do Côa 09 42 K8
Selho 03 27 H4
Selmes 02 77 R6
Semblana 02 77 T6
Semide 06 53 L4
Semideiro 14 53 O5
Sendas 04 28 H9
Sendim 04 29 H10
Sendim 13 27 I7
Sendim 17 27 G6
Sendim da Ribeira 04 28 I9
Sendim da Serra 04 28 I9
Senhora da Ajuda 12 66 P8
Senhora da Cola 02 77 T5
Senhora da Conceição 15 77 R4
Senhora da Graça de Padrões 02 77 T6
Senhora da Laje 01 41 J5
Senhora da Mó 01 41 J5
Senhora da Orada 05 54 L7
Senhora da Póvoa 05 42 L8
Senhora da Ribeira 04 28 I8
Senhora da Rocha 08 89 U4
Senhora de Mércules 05 54 M7
Senhora de Monte Alto 06 41 L5
Senhora do Almurtão 05 54 M8
Senhora do Bom Sucesso 05 55 L8
Senhora do Desterro 09 41 K6
Senhora do Monte 20 107 J20
Senhora do Nazo 04 29 H10
Senhora do Rosário 12 66 O8
Senhorim 18 41 K6
Senouras 09 42 K9
Sentieiras 14 53 N5
Sentinela 08 90 U7
Sepins 06 40 K4
Serapicos 04 28 H9
Serapicos 17 28 H7
Serdedelo 16 26 G4
Sernada 01 40 J4
Sernadas 18 41 K5
Sernancelhe 18 41 J7
Seroa 13 26 I4
Serpa 02 78 S7
Serpins 06 53 L5
Serra 14 53 N5
Serra d'El-Rei 10 52 N2
Serra de Água 31 88 AY
Serra de Bornes 04 28 H8
Serra de Dentro 32 89 DX
Serra de Santo António 14 53 N3
Serra do Bouro 10 52 N2
Serra do Mouro 10 53 M4
Serrado (Eira do) 31 88 BY
Serras de Aire e Candeeiros (Parque Natural das) 53 N3
Serrazola (Ribeira de) 12 66 O6
Serreta 20 107 G13
Serrinha 12 66 O8
Serrinha (Monte) 15 65 Q4
Serro Ventoso 10 52 N3
Sertã 05 53 M5
Sertã (Ribeira da) 54 M6
Serves 11 64 P2
Serzedelo 03 27 H5
Sesimbra 15 64 Q2
Sesmarias 15 77 R4
Sete 02 77 T6
Sete Cidades 20 107 J18
Sete Cidades (Caldeira das) 20 107 J18
Setil 14 65 O3
Setúbal 15 64 Q3
Setúbal (Baía de) 65 Q3
Sever do Vouga 01 40 J4
Sezelhe 17 27 G6
Sezulfe 04 28 H8
Sezures 18 41 J7
Sicó (Serra de) 10 53 M4
Silva 04 29 H10
Silvalde 01 40 J3
Silvares 03 27 H5
Silvares 05 54 L6
Silvares 13 27 I5
Silveira 11 64 O1
Silveirona 07 66 P7
Silveiros 03 26 H4
Silves 08 89 U4
Sines 15 76 S3
Sines (Cabo de) 15 76 S3
Sintra 11 64 P1
Sintra (Serra de) 11 64 P1
Sistelo 16 27 G4
Sítio das Éguas 08 89 U5
Sizandro 11 64 O1
Soajo 16 27 G5
Soajo (Serra do) 16 27 G5
Soalhães 13 27 I5
Soalheira 05 54 L7
Soalheiras 05 54 M8
Sobradelo da Goma 03 27 H5
Sobradinho 08 89 U5
Sobrado 13 26 I4
Sobrainho dos Gaios 05 54 M6
Sobral 05 53 M5
Sobral 18 41 K5
Sobral da Abelheira 11 64 P1
Sobral da Adiça 02 78 R8
Sobral da Lagoa 10 52 N2
Sobral da Serra 09 42 K8
Sobral de Casegas 05 54 L6
Sobral de Monte Agraço 11 64 O2
Sobral do Campo 05 54 L7
Sobral Fernando 05 54 M6
Sobral Pichorro 09 41 J7
Sobral Valado 06 54 L6
Sobreira 13 26 I4
Sobreira Formosa 05 54 M6
Sobreiro 01 40 J4
Sobreiro de Cima 04 28 G8
Sobreposta 03 27 H4
Sobrosa 02 78 R8
Sobrosa 13 27 I4
Soeima 04 28 H9
Soeira 04 28 G9
Sol Posto 15 76 S4
Solveira 17 27 G6
Somouqueira 08 88 U3
Sonim 17 28 G8
Sopo 16 26 G3
Sor (Ribeira de) 54 N6
Sorraia 65 P4
Sortelha 09 42 K8
Sortelhão 09 42 K8
Sortes 04 28 G9
Sosa 01 40 K4
Soudes 08 90 T7
Soure 06 53 L4
Souro Pires 09 42 J8
Sousa 13 27 I5
Sousel 12 66 P6
Sousel (Ribeira de) 66 O6
Souselas 06 40 L4
Souselo 18 41 I5
Soutelinho 17 27 H6
Soutelinho da Raia 17 27 G7
Soutelo 01 40 J4
Soutelo 03 26 H4
Soutelo 04 28 H9
Soutelo *perto de Chaves* 17 27 G7
Soutelo *perto de Vila Real* 17 27 I6
Soutelo de Aguiar 17 27 H6
Soutelo do Douro 18 28 I7
Soutelo Mourisco 04 28 G9
Soutilha 04 28 G8
Souto 01 40 J4
Souto 09 42 K9
Souto 14 53 N5
Souto 16 26 G4
Souto 18 42 I7
Souto da Carpalhosa 10 53 M3
Souto da Casa 05 54 L7
Souto da Velha 04 28 I9
Souto de Aguiar da Beira 09 41 J7
Souto de Escarão 17 27 H7
Souto Maior 17 27 I7
Suçães 04 28 H8
Sul 18 41 J5
Sul (Rio) 41 J5
Sume 12 54 O6


## T


Taberna Seca 05 54 M7
Taboeira 01 40 K4
Taboeiras 06 40 K3
Tábua 06 41 K5
Tabuaço 18 41 I7
Tabuadelo 03 27 H5
Tabuado 13 27 I5
Tadim 03 26 H4
Taião 16 12 G4
Taipadas 15 65 P4
Talabita 02 78 R7
Talefe 11 64 O1
Talhadas 01 41 K5
Talhas 04 28 H9
Tâmega (R.) 28 G7
Tancos 14 53 N4
Tanganhal 15 77 R4
Tanganheira 15 76 S3
Tangil 16 13 F4
Tapada 14 65 O4
Tapada Grande (Barragem da) 02 78 S7
Tapéus 06 53 L4
Tarouca 18 41 I6
Tarouquela 18 41 I5
Taveiro 06 40 L4
Tavila 05 54 M6
Tavira 08 89 U7
Tavira (Ilha de) 08 89 U6
Távora 16 26 G4
Távora 18 41 I7
Távora (Rio) 42 J7
Tazem 17 27 H7
Tedo (R.) 18 41 I7
Teira 14 52 N3
Teixeira 04 29 H10
Teixeira 06 54 L6
Teixeira 09 41 L6
Teixeira 13 27 I6
Teixelo 18 41 J6
Teixoso 05 41 L7
Teja (Ribeira de) 09 42 J8
Tejo 54 M7
Telhada 06 53 L3
Telhadela 01 40 J4
Telhado 05 54 L7
Telheiro 02 76 T4
Telheiro 07 66 Q7
Telões 17 27 H6
Tendais 18 41 I5
Tenencia 08 90 T7
Tentúgal 06 40 L4
Tera (Ribeira de) 07 66 P6
Terceira (Ilha) 20 107 G14
Terena 07 66 Q7
Terges (Ribeira de) 77 S6
Termas 18 41 J5
Termas de Alcafache 18 41 K6
Termas de Monfortinho 05 55 M9
Terras de Bouro 03 27 G5
Terreiro das Bruxas 09 42 L8
Terrenho 09 42 J7
Terrugem 11 64 P1
Terrugem 12 66 P7
Tinalhas 05 54 M7
Tinhela 17 28 G8
Tinhela (Rio) 17 27 H7
Tinhela de Baixo 17 27 H7
Tó 04 28 I10
Tocha 06 40 L3
Tojal 07 65 Q5
Tojal (Estação de) 07 65 Q5
Toledo 11 64 O2
Tolosa 12 54 N6
Tomadias 09 42 J8
Tomar 14 53 N4
Tonda 18 41 K5
Tondela 18 41 K5
Topo 20 107 H12
Topo (Ponta do) 20 107 H12
Topo (Serra do) 20 107 H12
Torgal (Ribeira de) 02 76 T4
Torgueda 17 27 I6
Tornada 10 52 N2
Torrados 13 27 H5
Torrais (Ponta) 20 107 D2
Torrão 12 54 N6
Torrão 15 77 R5
Torrão do Lameiro 01 40 J4
Torre 05 55 M9
Torre 09 42 K8
Torre 15 76 Q3
Torre 16 26 G3
Torre (Monte) 09 41 L7
Torre da Gadanha 07 65 Q5
Torre das Vargens 12 65 O6
Torre de Aspa 08 88 U3
Torre de Bolsa 12 66 P8
Torre de Coelheiros 07 77 Q6
Torre de Dom Chama 04 28 H8
Torre de Moncorvo 04 28 I8
Torre de Pinhão 17 27 H7
Torre de Vale de Todos 10 53 M4
Torre do Terrenho 09 42 J7
Torre Vã 02 77 S4
Torredeita 18 41 K5
Torreira 01 40 J3
Torres 09 42 J8
Torres Novas 14 53 N4
Torres Vedras 11 64 O2
Torrinheiras 27 H6
Torroal 15 76 R3
Torrozelas 06 53 L6
Torrozelo 09 41 K6
Torto (Rio) 05 54 L8
Torto (Rio) 17 28 H7
Torto (Rio) 27 I7
Tortosendo 05 41 L7
Touca 05 54 L7
Touça 09 42 I8
Touguinha 13 26 H3
Toulica (Barragem) 05 54 M8
Toulões 05 55 M8
Tourém 17 27 G6
Tourigo 18 41 K5
Touril 02 76 T3
Touro 18 41 J6
Tourões (Ribeira de) 09 42 K9
Toutalga 78 R7
Toutosa 13 27 I5
Touvedo 16 27 G4
Trafaria 15 64 P2
Trafeiras 02 77 S6
Tramaga 12 65 O5
Tramagal 14 53 N5
Trancoso 09 42 J7
Travanca 13 27 I5
Travanca *perto de Mogadouro* 04 29 H10
Travanca *perto de Vinhais* 04 28 G9
Travanca de Lagos 06 41 K6
Travanca de Tavares 18 41 K7
Travanca do Mondego 06 41 L5
Travancas 17 28 G8
Travassô 01 40 K4
Travassós 03 27 H5
Travassos *perto de Povoa de Lanhoso* 03 27 H5
Travessa 02 78 R8
Treixedo 18 41 K5
Tremês 14 53 N3
Tresminas 17 27 H7
Tresouras 13 27 I6
Trevim (Alto de) 53 L5
Trevões 18 42 I7
Trezói 18 40 K5
Trigaches 02 77 R6
Trigais 05 41 L6
Trigo (Monte) 20 107 G11
Trindade 02 77 S6
Trindade 04 28 H8
Trinta 09 42 K7
Tripeiro 05 54 M7
Tristão (Ponta do) 31 88 AY
Trofa 01 40 K4
Trofa 13 26 H4
Tróia 15 64 Q3
Tróia (Península de) 15 65 Q3
Tronco 17 28 G8
Troporiz 16 12 F4
Troviscais 02 76 T3
Troviscal 01 40 K4
Troviscal 05 53 M5
Tua 04 28 I7
Tua (Rio) 28 H8
Tuella (R.) 28 G8
Tuido-Gandra 16 12 F4
Tuizelo 04 28 G8
Tunes 08 89 U5
Turcifal 11 64 O2
Turquel 10 52 N3


## U


Ulme 14 53 O4
Umbrias de Camacho 08 90 U7
Unhais da Serra 05 41 L7
Unhais-o-Velho 06 54 L6
Unhos 11 64 P2
Urqueira 14 53 M4
Urra 12 66 O7
Urrós *perto de Brunhozinho* 04 29 H10
Urros *perto de Ligares* 04 42 I8
Urso (Pinhal do) 10 52 M3
Urza 02 77 T5
Urzelina 20 107 H11
Uva 04 29 H10


## V


Vacariça 01 40 K4
Vagos 01 40 K3
Vaiamonte 12 66 O7
Vairão 13 26 H4
Valada 14 65 O3
Valadares 13 26 I4
Valadas 02 78 S7
Valadas 05 53 N5
Valado dos Frades 10 52 N2
Valbom 05 54 M7
Valbom 09 42 J8
Valbom 10 53 M5
Valdigem 18 27 I6
Valdreu 03 27 G5
Valdrez 04 28 H9
Valdujo 09 42 J8
Vale 16 27 G4
Vale Alto 14 53 N4
Vale Beijinha 02 76 S3
Vale Benfeito 04 28 H9
Vale Covo 02 78 S7
Vale Covo 10 52 O2
Vale da Madre 04 28 H9
Vale da Mó 01 40 K4
Vale da Mua 05 54 M6
Vale da Mula 09 42 J9
Vale da Pinta 14 64 O3
Vale da Rosa 08 89 U6
Vale da Seda 12 66 O6
Vale da Senhora da Povoa 05 42 L8
Vale da Telha 08 88 U3
Vale da Torre 05 54 L7
Vale da Ursa 05 54 M6
Vale da Vinha 12 54 N6
Vale das Fontes 04 28 G8
Vale das Mós 14 53 N5
Vale de Açor 02 77 S6
Vale de Açor 12 65 O6
Vale de Açor 14 53 N5
Vale de Afonsinho 09 42 J8
Vale de Água 02 77 S5
Vale de Água 15 76 S4
Vale de Albuquerque 12 66 P8
Vale de Anta 17 27 G7
Vale de Asnes 04 28 H8
Vale de Azares 09 42 K7
Vale de Bispo Fundeiro 12 65 O6
Vale de Cambra 01 40 J4
Vale de Cavalos 12 66 O8
Vale de Cavalos 14 53 O4
Vale de Cobrão (Ribeira de) 65 P3
Vale de Couço 04 28 H8
Vale de Ebros 08 90 U7
Vale de Espinho 09 42 L9
Vale de Estrela 09 42 K8
Vale de Ferro 02 76 S4
Vale de Figueira 14 53 O4
Vale de Figueira 18 42 I7
Vale de Frades 04 29 H10

Vale de Gaio (Barragem de) *15* ... 77 R 5
Vale de Gaviões *12* ... 54 N 6
Vale de Gouvinhas *04* ... 28 H 8
Vale de Guiso *15* ... 77 R 4
Vale de Ílhavo *01* ... 40 K 4
Vale de Janeiro *04* ... 28 G 8
Vale de Maceiras *12* ... 66 O 7
Vale de Madeira *09* ... 42 J 8
Vale de Moinhos *04* ... 28 H 9
Vale de Moura *07* ... 65 Q 6
Vale de Nogueira *04* ... 28 H 9
Vale de Ossos *15* ... 77 R 4
Vale de Paio *12* ... 65 O 6
Vale de Pereiros *09* ... 42 J 8
Vale de Prazeres *05* ... 54 L 7
Vale de Rocins *02* ... 77 S 6
Vale de Salgueiro *04* ... 28 H 8
Vale de Santarém *14* ... 65 O 3
Vale de Santiago *02* ... 77 S 4
Vale de Telhas *04* ... 28 H 8
Vale de Torno *04* ... 28 I 8
Vale de Vaide *06* ... 53 L 5
Vale de Vargo *02* ... 78 S 7
Vale de Vilão *12* ... 65 O 5
Vale de Zebro *15* ... 77 S 5
Vale do Arco *12* ... 53 N 6
Vale do Côa (Parque arqueológica de) *09* ... 42 I 8
Vale do Coelheiro *05* ... 54 M 6
Vale do Homem *05* ... 54 M 6
Vale do Judeu *08* ... 89 U 5
Vale do Lobo *08* ... 89 U 5
Vale do Paraíso *11* ... 64 O 3
Vale do Pereiro *07* ... 66 P 6
Vale do Peso *12* ... 54 N 7
Vale do Rio *10* ... 53 M 5
Vale do Seixo *09* ... 42 J 8
Vale dos Reis *15* ... 65 Q 4
Vale Feitoso *05* ... 55 L 9
Vale Figueira *08* ... 89 U 5
Vale Flor *09* ... 42 J 8
Vale Formoso *02* ... 78 R 8
Vale Frechoso *04* ... 28 H 8
Vale Furado *10* ... 52 M 2
Vale Pereiro *04* ... 28 H 9
Vale Verde *04* ... 28 H 8
Vale Verde *09* ... 42 J 9
Vale Vinagre *15* ... 77 S 4
Valéga *01* ... 40 J 4
Valeira (Barragem de) *04* ... 28 I 7
Valença do Douro *18* ... 27 I 7
Valença do Minho *16* ... 12 F 4
Vales *02* ... 77 S 4
Vales *04* ... 28 H 9
Vales *05* ... 54 M 6
Vales *08* ... 89 U 6
Vales *perto de Aljezur 08* ... 88 U 3
Vales Mortos *02* ... 78 S 7
Valezim *09* ... 41 K 6
Valhascos *14* ... 53 N 5
Valhelhas *09* ... 41 K 7
Valongo *12* ... 66 O 6
Valongo *13* ... 26 I 4
Valongo de Mihais *17* ... 28 H 7
Valongo do Vouga *01* ... 40 K 4
Valongo dos Azeites *18* ... 42 I 7
Valoura *17* ... 27 H 7
Valpaços *17* ... 28 H 8
Valugas *17* ... 27 H 7
Valverde *04* ... 28 I 9
Valverde *05* ... 54 L 7
Valverde *07* ... 65 Q 5
Valverde *09* ... 41 J 7
Valverde *14* ... 52 N 3
Valverde (Ribeira de) *07* ... 65 Q 5
Vaqueiro *17* ... 27 H 6
Vaqueiros *08* ... 89 T 6
Vara (Pico da) *20* ... 107 J 20
Varadouro *20* ... 107 H 9
Varge *04* ... 28 G 9
Vargem *12* ... 66 O 7
Vargens *02* ... 89 T 6
Variz *04* ... 28 H 10
Várzea *14* ... 53 O 3
Várzea *16* ... 27 G 5
Várzea *20* ... 107 J 18
Várzea Cova *03* ... 27 H 5
Várzea da Ovelha *13* ... 27 I 5
Várzea de Serra *18* ... 41 J 6
Várzea de Trevões *18* ... 41 I 7
Várzea dos Cavaleiros *05* ... 53 M 5
Várzeas *10* ... 53 M 3
Varziela *06* ... 40 K 4
Vascão (Ribeira do) ... 89 T 6
Vasconha *18* ... 41 J 5
Vascoveiro *09* ... 42 J 8
Vassal *17* ... 28 H 7
Vau *10* ... 52 N 2
Veiga de lila *17* ... 28 H 8
Veiros *01* ... 40 J 4
Veiros *07* ... 66 P 7
Vela *09* ... 42 K 8
Vela (Lagoa da) *06* ... 40 L 3
Velada *12* ... 54 N 6
Velão (Alto de) *17* ... 27 I 6
Velas *20* ... 107 G 11
Velosa *09* ... 42 K 8
Venade *16* ... 26 G 3
Venda *07* ... 66 Q 7
Venda do Cepo *09* ... 42 J 7
Venda do Pinheiro *11* ... 64 P 2
Venda do Preto *10* ... 53 M 4
Venda Nova *17* ... 27 G 6
Venda Nova *perto de Mação 14* ... 54 N 6
Venda Nova *perto de Tomar 14* ... 53 N 4
Venda Nova (Barragem de) *17* ... 27 G 6
Vendas Novas *07* ... 65 P 4
Vendinha *07* ... 66 Q 7
Ventosa *03* ... 27 H 5
Ventosa *perto de Alenquer 11* ... 64 O 2
Ventosa *perto de Torres Vedras 11* ... 64 O 2
Ventosa do Bairro *01* ... 40 K 4
Vera Cruz *07* ... 78 R 6
Verde (Lagoa) *20* ... 107 J 18
Verdelhos *05* ... 41 K 7
Vergeira *15* ... 76 S 4
Verigo *10* ... 53 M 4
Vermelha *11* ... 52 O 2
Vermelhos *08* ... 89 T 5
Vermiosa *09* ... 42 J 9
Vermoil *10* ... 53 M 4
Vermoim *03* ... 26 H 4
Verride *06* ... 53 L 3
Vez (R.) *16* ... 27 G 5
Viade de Baixo *17* ... 27 G 6
Vialonga *11* ... 64 P 2
Viana do Alentejo *07* ... 77 R 5
Viana do Castelo *16* ... 26 G 3
Viatodos *03* ... 26 H 4
Vidago *17* ... 27 H 7
Vidais *10* ... 52 N 2
Vide *09* ... 41 L 6
Videmonte *09* ... 42 K 7
Vidigal *05* ... 54 M 6
Vidigal *15* ... 65 P 4
Vidigueira *02* ... 77 R 6
Vidual *06* ... 54 L 6
Viegas *02* ... 78 S 7
Vieira de Leiria *10* ... 52 M 3
Vieira do Minho *03* ... 27 H 5
Vieirinhos *10* ... 53 L 3
Vigia *02* ... 77 T 4
Vigia (Barragem da) *07* ... 66 Q 7
Vila Alva *02* ... 77 R 6
Vila Azeda *02* ... 77 R 6
Vila Baleira *32* ... 89 D X
Vila Boa de Ousilhão *04* ... 28 G 9
Vila Boa do Bispo *13* ... 27 I 5
Vila Boim *12* ... 66 P 8
Vila Chã *03* ... 26 H 3
Vila Chã *04* ... 29 H 10
Vila Chã *09* ... 41 K 7
Vila Chã *10* ... 53 M 4
Vila Chã *13* ... 26 I 3
Vila Chã *16* ... 27 G 5
Vila Chã *17* ... 27 I 7
Vila Chã *18* ... 41 K 6
Vila Chã de Braciosa *04* ... 29 H 10
Vila Chã de Ourique *14* ... 65 O 3
Vila Chão *13* ... 27 I 5
Vila Cortês da Serra *09* ... 41 K 7
Vila Cova *17* ... 27 I 6
Vila Cova a Coelheira *18* ... 41 J 6
Vila Cova de Alva *06* ... 41 L 6
Vila Cova do Covelo *18* ... 41 J 7
Vila da Ponte *17* ... 27 G 6
Vila da Ponte *18* ... 41 J 7
Vila de Ala *04* ... 28 I 10
Vila de Cucujães *01* ... 40 J 4
Vila de Frades *02* ... 77 R 6
Vila de Punhe *16* ... 26 H 3
Vila de Rei *05* ... 53 M 5
Vila do Bispo *08* ... 88 U 3
Vila do Conde *13* ... 26 H 3
Vila do Conde *17* ... 27 H 7
Vila do Corvo *49* ... 107 D 2
Vila do Porto *20* ... 107 M 20
Vila do Touro *09* ... 42 K 8
Vila Facaia *10* ... 53 M 5
Vila Fernando *09* ... 42 K 8
Vila Fernando *12* ... 66 P 8
Vila Flor *04* ... 28 I 8
Vila Flor *12* ... 54 N 6
Vila Formosa *12* ... 66 O 6
Vila Franca *16* ... 26 G 3
Vila Franca da Serra *09* ... 41 K 7
Vila Franca das Naves *09* ... 42 J 8
Vila Franca de Xira *11* ... 64 P 3
Vila Franca do Campo *20* ... 107 J 19
Vila Franca do Rosário *11* ... 64 P 2
Vila Fresca de Azeitão *15* ... 64 Q 3
Vila Garcia *perto de Guarda09* ... 42 K 8
Vila Garcia *perto de Trancoso09* ... 42 J 8
Vila Longa *18* ... 41 J 7
Vila Meã *13* ... 27 I 5
Vila Moinhos (Sobral) *18* ... 41 K 5
Vila Moreira *14* ... 53 N 3
Vila Nogueira de Azeitão *15* ... 64 Q 2
Vila Nova *06* ... 53 L 5
Vila Nova *14* ... 53 N 5
Vila Nova da Barca *06* ... 53 L 3
Vila Nova da Baronia *02* ... 77 R 5
Vila Nova da Barquinha *14* ... 53 N 4
Vila Nova da Rainha *11* ... 64 O 3
Vila Nova de Anços *06* ... 53 L 4
Vila Nova de Cacela *08* ... 90 U 7
Vila Nova de Cerveira *16* ... 26 G 3
Vila Nova de Famalicão *03* ... 26 H 4
Vila Nova de Foz Côa *09* ... 42 I 8
Vila Nova de Gaia *13* ... 26 I 4
Vila Nova de Milfontes *02* ... 76 S 3
Vila Nova de Monsarros *01* ... 40 K 4
Vila Nova de Paiva *18* ... 41 J 6
Vila Nova de Poiares *06* ... 41 L 5
Vila Nova de Santo André *15* ... 76 R 3
Vila Nova de São Bento *02* ... 78 S 7
Vila Nova de São Pedro *11* ... 64 O 3
Vila Nova de Tazem *09* ... 41 K 6
Vila Nova do Ceira *06* ... 53 L 5
Vila Nune *03* ... 27 H 6
Vila Pouca da Beira *06* ... 41 L 6
Vila Pouca de Aguiar *17* ... 27 H 7
Vila Praia de Âncora *16* ... 26 G 3
Vila Real *17* ... 27 I 6
Vila Real de Santo António *08* ... 90 U 7
Vila Ruiva *02* ... 77 R 6
Vila Ruiva *18* ... 41 K 6
Vila Seca *03* ... 26 H 3
Vila Seca *06* ... 53 L 4
Vila Seca *18* ... 27 I 7
Vila Velha de Ródão *05* ... 54 N 6
Vila Verde *03* ... 26 H 4
Vila Verde *04* ... 28 G 9
Vila Verde *06* ... 53 L 3
Vila Verde da Raia *17* ... 28 G 7
Vila Verde de Ficalho *02* ... 78 S 8
Vila Verde dos Francos *11* ... 64 O 2
Vila Verdinho *04* ... 28 H 8
Vila Viçosa *07* ... 66 P 7
Vilamoura *08* ... 89 U 5
Vilar *03* ... 27 G 5
Vilar *11* ... 64 O 2
Vilar *17* ... 27 H 6
Vilar *18* ... 41 J 6
Vilar (Barragem de) *18* ... 41 J 7
Vilar Barroco *05* ... 54 M 6
Vilar Chão *04* ... 28 H 9
Vilar da Lomba *04* ... 28 G 8
Vilar da Veiga *03* ... 27 G 5
Vilar de Amargo *09* ... 42 J 8
Vilar de Arca *18* ... 41 I 5
Vilar de Boi *05* ... 54 N 6
Vilar de Cunhas *03* ... 27 H 6
Vilar de Ferreiros *17* ... 27 H 6
Vilar de Ledra *04* ... 28 H 8
Vilar de Maçada *17* ... 27 I 7
Vilar de Mouros *16* ... 26 G 3
Vilar de Murteda *16* ... 26 G 3
Vilar de Ossos *04* ... 28 G 8
Vilar de Paraiso *13* ... 26 I 4
Vilar de Perdizes *17* ... 27 G 7
Vilar de Peregrinos *04* ... 28 G 8
Vilar de Pinheiro *13* ... 26 I 4
Vilar de Rei *04* ... 28 I 9
Vilar do Monte *04* ... 28 H 9
Vilar do Ruivo *05* ... 53 M 5
Vilar dos Prazeres *14* ... 53 N 4
Vilar Formoso *09* ... 42 K 9
Vilar Maior *09* ... 42 K 9
Vilar Seco *04* ... 29 H 10
Vilar Seco de Lomba *04* ... 28 G 8
Vilar Torpim *09* ... 42 J 9
Vilarandelo *17* ... 28 H 8
Vilarelho (Serra de) *17* ... 27 H 7
Vilarelho da Raia *17* ... 28 G 7
Vilarelhos *04* ... 28 H 8
Vilares *04* ... 28 H 8
Vilares *09* ... 42 J 8
Vilares *17* ... 27 H 7
Vilariça (Ribeira de) ... 28 I 8
Vilarinha *08* ... 88 U 3
Vilarinho *04* ... 28 G 9
Vilarinho *06* ... 53 L 5
Vilarinho *13* ... 26 H 3
Vilarinho *17* ... 27 G 6
Vilarinho *18* ... 41 J 5
Vilarinho da Castanheira *04* ... 28 I 8
Vilarinho das Azenhas *04* ... 28 H 8
Vilarinho das Cambas *03* ... 26 H 4
Vilarinho das Furnas (Barragem) *03* ... 27 G 5
Vilarinho de Agrochão *04* ... 28 G 8
Vilarinho de Cotas *17* ... 27 I 7
Vilarinho de Samardã *17* ... 27 H 6
Vilarinho de São Luís *01* ... 40 J 4
Vilarinho de São Romão *17* ... 27 I 7
Vilarinho do Bairro *01* ... 40 K 4
Vilarinho dos Galegos *04* ... 28 I 10
Vilarinho Seco *17* ... 27 G 6
Vilarouco *18* ... 42 I 7
Vilas Boas *04* ... 28 H 8
Vilas do Pedro *10* ... 53 M 5
Vilas Ruivas *05* ... 54 N 6
Vilela do Tâmega *17* ... 27 G 7
Vilela Seca *17* ... 28 G 7
Vilharinhos *08* ... 89 U 6
Vimeiro *10* ... 52 N 2
Vimeiro *11* ... 64 O 2
Vimieiro *07* ... 66 P 6
Vimioso *04* ... 29 H 10
Vinha da Rainha *06* ... 53 L 3
Vinhais *04* ... 28 G 8
Vinhas *04* ... 28 H 9
Vinte e Dois (Barragem dos) *15* ... 64 Q 3
Virtudes *11* ... 64 O 3
Viseu *18* ... 41 K 6
Viseus *02* ... 77 T 6
Viso (Nossa Senhora do) *03* ... 27 H 5
Vista Alegre *01* ... 40 K 3
Viuvas *02* ... 89 T 6
Viveiro *17* ... 27 G 6
Vizela *03* ... 27 H 5
Volta do Vale *14* ... 65 P 4
Vouga ... 41 J 6
Vouguinha *18* ... 41 J 6
Vouzela *18* ... 41 J 5
Vreia de Bornes *17* ... 27 H 7
Vreia de Jales *17* ... 27 H 7

## X

Xarrama ... 66 Q 6
Xartinho *14* ... 52 N 3
Xerez de Baixo *07* ... 78 Q 7
Xévora ... 67 O 8

## Z

Zambujal *06* ... 53 L 4
Zambujal *08* ... 89 T 7
Zambujal *15* ... 65 Q 3
Zambujal de Cima *15* ... 64 Q 2
Zambujeira do Mar *02* ... 76 T 3
Zambujeiras *02* ... 76 S 4
Zambujeiro *07* ... 66 Q 7
Zava *04* ... 28 I 9
Zavial *08* ... 88 U 3
Zebreira *05* ... 54 M 8
Zebro (Ribeira do) ... 78 R 7
Zedes *04* ... 28 I 8
Zêzere (Río) ... 42 K 7
Zêzere (Vale Glaciário do) *09* ... 41 K 7
Zibreira *14* ... 53 N 4
Zimão *17* ... 27 H 7
Zoio *04* ... 28 G 9

# Planos de ciudades
## Plantas das cidades / Plans de villes / Town plans / Stadtpläne / Stadsplattegronden

## ESPAÑA


- Alacant / Alicante........ 185
- Albacete................ 186
- Almería................ 187
- Ávila.................... 188
- Badajoz................. 189
- Barcelona (alrededores).. 190
- Barcelona (centro)....... 191
- Bilbao.................. 192
- Burgos.................. 193
- Cáceres................. 193
- Cádiz................... 194
- Cartagena............... 195
- Castelló de la Plana / Castellón de la Plana... 195
- Ciudad Real............. 196
- Córdoba................. 197
- A Coruña................ 198
- Cuenca.................. 199
- Donostia-San Sebastián.. 200
- Elx / Elche............. 200
- Gijón................... 201
- Girona.................. 201
- Granada................. 202
- Guadalajara............. 203
- Huelva.................. 203
- Jaén.................... 204
- Jerez de la Frontera...... 205
- León.................... 205
- Lleida.................. 206
- Logroño................. 207
- Lugo.................... 207
- Madrid (alrededores).... 208
- Madrid (centro)......... 209
- Málaga.................. 210
- Mérida.................. 211
- Murcia.................. 212
- Oviedo.................. 212
- Palencia................ 213
- Palma de Mallorca....... 214
- Las Palmas de Gran Canaria.......... 215
- Pamplona................ 216
- Pontevedra.............. 217
- Salamanca............... 218
- Santa Cruz de Tenerife... 219
- Santander............... 220
- Santiago de Compostela. 220
- Segovia................. 221
- Sevilla (alrededores)..... 222
- Sevilla (centro).......... 223
- Soria................... 224
- Tarragona............... 225
- Teruel.................. 226
- Toledo.................. 227
- Valencia (alrededores)... 228
- Valencia (centro)........ 229
- Valladolid.............. 230
- Vigo.................... 231
- Vitoria-Gasteiz......... 232
- Zamora.................. 233
- Zaragoza................ 233


## PORTUGAL


- Aveiro.................. 234
- Braga................... 235
- Coimbra................. 235
- Évora................... 236
- Funchal................. 237
- Lisboa (arredores)....... 238
- Lisboa (centro).......... 239
- Porto (arredores)........ 240
- Porto (centro)........... 241
- Santarém................ 242
- Setúbal................. 243

## Planos

### Curiosidades
Edificio interesante
Edificio religioso interesante

### Vías de circulación
Autopista - Autovía
Enlaces numerados: completo, parciales
Via importante de circulación
Calle reglamentada o impracticable
Calle peatonal - Tranvía
Aparcamiento - Aparcamientos «P+R»
Túnel - Estación y línea férrea
Funicular, línea de cremallera - Teleférico, telecabina

### Signos diversos
Oficina de Información de Turismo
Mezquita - Sinagoga
Torre - Ruinas - Molino de viento
Jardín, parque, madera - Cementerio
Plaza de toros
Estadio - Golf - Hipódromo
Piscina al aire libre, cubierta
Vista parcial - Vista panorámica
Monumento - Fuente
Puerto deportivo - Faro
Aeropuerto - Estación de metro
Estación de autobuses
Transporte por barco:
pasajeros y vehículos, pasajeros solamente
Oficina de correos - Hospital
Mercado cubierto
Guardia Civil (España)
Guardia Nacional Republicana (Portugal)
Policía - Ayuntamiento
Universidad, escuela superior
Edificio público localizado con letra:
Delegación del Gobierno (España) - Gobierno del distrito (Portugal) G
Diputación - Ayuntamiento D H
Museo - Teatro M T

## Plantas das cidades

### Curiosidades
Edifício interessante
Edifício religioso interessante

### Estradas
Auto-estrada - Estrada com faixas de rodagem separadas
Nós numerados: completo, parcial
Grande via de circulação
Rua impraticável, regulamentada
Via reservada aos peões - Eléctrico
Parking - Estacionamento Relais (assinantes trânsito)
Túnel - Estação e via férrea
Funicular - Telecabine - Teleférico

### Signos diversos
Informação turística
Mesquita - Sinagoga
Torre - Ruínas- Moínho de Vento
Jardim, parque, bosque - Cemitério
Praça de touros
Estádio - Golfe - Hipódromo
Piscina ao ar livre, coberta
Vista - Panorama
Monumento - Fonte
Porto desportivo - Farol
Aeroporto - Estação de metro
Estação de autocarros
Transporte de automóveis:
passageiros e automóveis, só de passageiros
Estação de correios - Hospital
Mercado coberto
Guardia Civil (Espanha)
Guarda Nacional Republicana (Portugal)
Polícia - Câmara municipal
Universidade, Grande Escola
Edifício indicado por letra:
Delegação do Governo (Espanha) - Governo civil (Portugal) G
Conselho provincial - Câmara municipal D H
Museu - Teatro M T

## Plans

### Curiosités
Bâtiment intéressant
Édifice religieux intéressant

### Voirie
Autoroute - Double chaussée de type autoroutier
Échangeurs numérotés : complet - partiels
Grande voie de circulation
Rue réglementée ou impraticable
Rue piétonne - Tramway
Parking - Parking Relais
Tunnel - Gare et voie ferrée
Funiculaire, voie à crémaillère - Téléphérique, télécabine

### Signes divers
Information touristique
Mosquée - Synagogue
Tour - Ruines - Moulin à vent
Jardin, parc, bois - Cimetière
Arènes
Stade - Golf - Hippodrome
Piscine de plein air, couverte
Vue - Panorama
Monument - Fontaine
Port de plaisance - Phare
Aéroport - Station de métro
Gare routière
Transport par bateau :
passagers et voitures, passagers seulement
Bureau principal de poste restante - Hôpital
Marché couvert
Gendarmerie (Espagne)
Gendarmerie (Portugal)
Police - Hôtel de ville
Université, grande école
Bâtiment public repéré par une lettre :
Délégation du gouvernement (Espagne) - Gouvernement du district (Portugal) G
Conseil provincial - Hôtel de ville D H
Musée - Théâtre M T

## Town plans

### Sights
Place of interest
Interesting place of worship

### Roads
Motorway - Dual carriageway
Numbered junctions: complete, limited
Major thoroughfare
Unsuitable for traffic or street subject to restrictions
Pedestrian street - Tramway
Car park - Park and Ride
Tunnel - Station and railway
Funicular - Cable-car

### Various signs
Tourist Information Centre
Mosque - Synagogue
Tower - Ruins - Windmill
Garden, park, wood - Cemetery
Bullring
Stadium - Golf course - Racecourse
Outdoor or indoor swimming pool
View - Panorama
Monument - Fountain
Pleasure boat harbour - Lighthouse
Airport - Underground station
Coach station
Ferry services:
passengers and cars - passengers only
Main post office with poste restante - Hospital
Covered market
Guardia Civil (Spain)
Guardia Nacional Republicana (Portugal)
Police - Town Hall
University, College
Public buildings located by letter:
Central Government Representation (Spain) - District Government Office (Portugal) G
Provincial Government Office - Town Hall D H
Museum - Theatre M T

## Stadtpläne

### Sehenswürdigkeiten
Sehenswertes Gebäude
Sehenswerter Sakralbau

### Straßen
Autobahn - Schnellstraße
Nummerierte Voll - bzw. Teilanschlussstellen
Hauptverkehrsstraße
Gesperrte Straße oder mit Verkehrsbeschränkungen
Fußgängerzone - Straßenbahn
Parkplatz - Park-and-Ride-Plätze
Tunnel - Bahnhof und Bahnlinie
Standseilbahn - Seilschwebebahn

### Sonstige Zeichen
Informationsstelle
Moschee - Synagoge
Turm - Ruine - Windmühle
Garten, Park, Wäldchen - Friedhof
Stierkampfarena
Stadion - Golfplatz - Pferderennbahn
Freibad - Hallenbad
Aussicht - Rundblick
Denkmal - Brunnen
Yachthafen - Leuchtturm
Flughafen - U-Bahnstation
Autobusbahnhof
Schiffsverbindungen:
Autofähre, Personenfähre
Hauptpostamt (postlagernde Sendungen) - Krankenhaus
Markthalle
Guardia Civil (Spanien)
Gendarmerie (Portugal)
Polizei - Rathaus
Universität, Hochschule
Öffentliches Gebäude, durch einen Buchstaben gekennzeichnet:
Vertretung der Zentralregierung (Spanien) - Bezirksverwaltung (Portugal) G
Landesregierung - Rathaus D H
Museum - Theater M T

## Plattegronden

### Bezienswaardigheden
Interessant gebouw
Interessant kerkelijk gebouw

### Wegen
Autosnelweg - Weg met gescheiden rijbanen
Knooppunt / aansluiting: volledig, gedeeltelijk
Hoofdverkeersweg
Onbegaanbare straat, beperkt toegankelijk
Voetgangersgebied - Tramlijn
Parkeerplaats - P & R
Tunnel - Station, spoorweg
Kabelspoor - Tandradbaan

### Overige tekens
Informatie voor toeristen
Moskee - Synagoge
Toren - Ruïne - Windmolen
Tuin, park, bos - Begraafplaats
Arena voor stierengevechten
Stadion - Golfterrein - Renbaan
Zwembad: openlucht, overdekt
Uitzicht - Panorama
Gedenkteken, standbeeld - Fontein
Jachthaven - Vuurtoren
Luchthaven - Metrostation
Busstation
Vervoer per boot:
Passagiers en auto's - uitsluitend passagiers
Hoofdkantoor voor poste-restante - Ziekenhuis
Overdekte markt
Rijkswacht / marechaussee (Spanje)
Rijkswacht / marechaussee (Portugal)
Politie - Stadhuis
Universiteit, hogeschool
Openbaar gebouw, aangegeven met een letter:
Vertegenwoordiging centrale overheid (Spanje) - Districtshuis (Portugal) G
Provincieraad - Stadhuis D H
Museum - Schouwburg M T

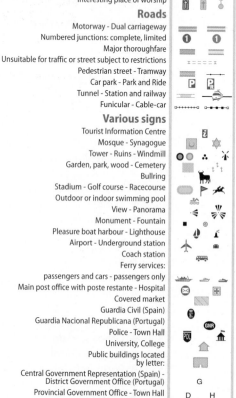

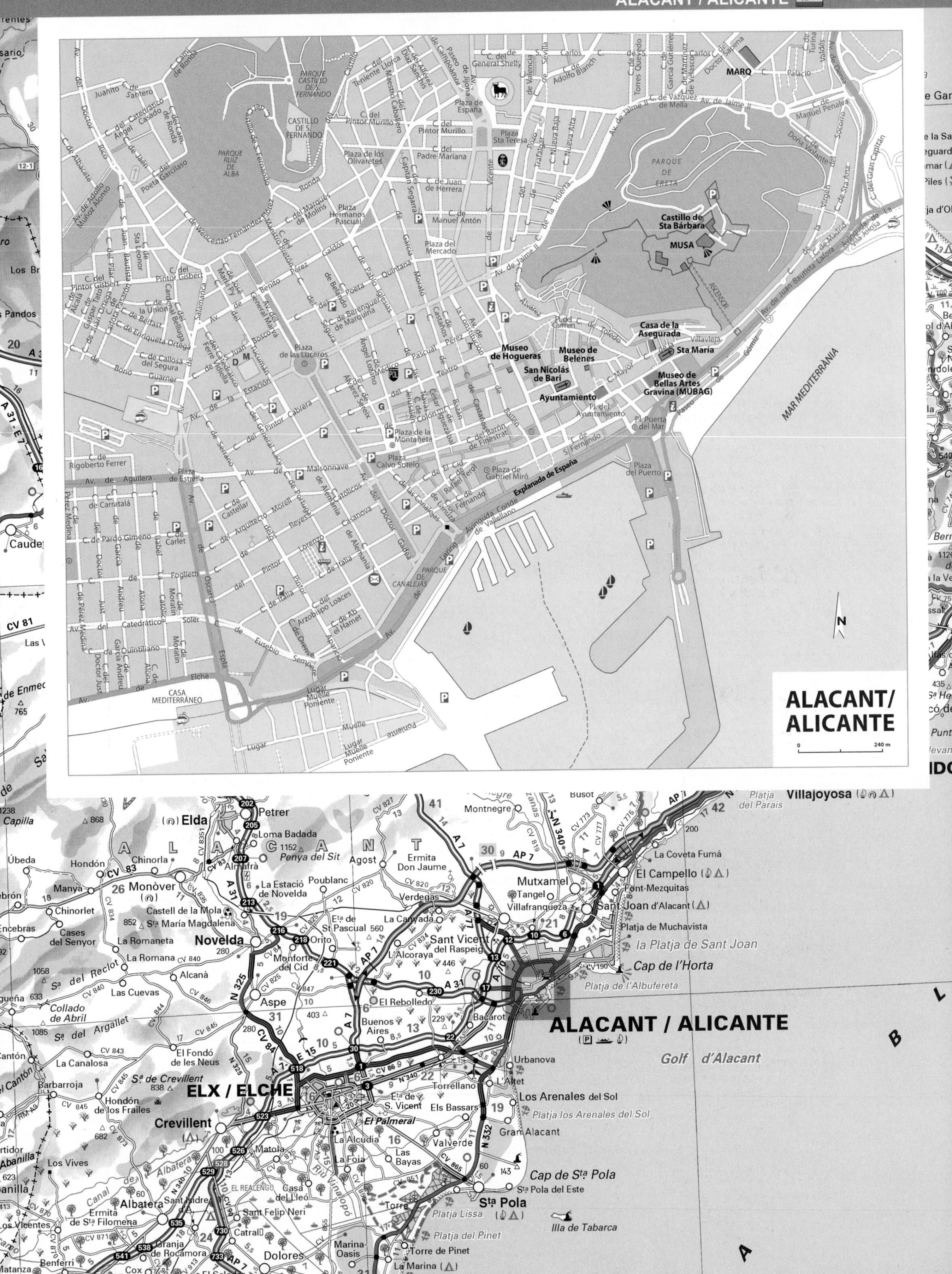
ALACANT/
ALICANTE
0
240 m
MAR MEDITERRÀNIA
Castillo de Sta Bárbara
MUSA
MARQ
Parque de Ereta
Parque Castillo de S. Fernando
Castillo de S. Fernando
Parque Ruiz de Alba
Casa de la Asegurada
Sta María
Museo de Hogueras
Museo de Belenes
San Nicolás de Bari
Museo de Bellas Artes Gravina (MUBAG)
Ayuntamiento
Pl. del Ayuntamiento
Pl. Puerta del Mar
Plaza del Puerto
Explanada de España
Plaza de los Luceros
Plaza del Mercado
Plaza de España
Plaza Calvo Sotelo
Plaza de Gabriel Miró
Plaza de la Montañeta
Parque de Canalejas
Casa Mediterráneo
Muelle Poniente
ALACANT / ALICANTE
ELX / ELCHE
Golf d'Alacant
Cap de l'Horta
Cap de Sta Pola
Illa de Tabarca
Sta Pola
El Campello
Sant Joan d'Alacant
Sant Vicent del Raspeig
Mutxamel
Novelda
Aspe
Crevillent
Elda
Petrer
Monòver
Villajoyosa

## ALBACETE

MADRID, CIUDAD REAL
MADRID
ALICANTE/ ALICANTE MURCIA
MURCIA
AYORA
ALICANTE/ALICANTE, VALENCIA
ELCHE DE LA SIERRA

Plaza de los Llanos del Águila
Av. de la Mancha
C. de Madrid
Plaza de la Virgen del Pilar
C. de la Roda
Obispo Tagaste
Arquitecto Fernández
C. de Melchor de Macanaz
Plaza de Toros
Av. de los Toreros
RECINTO FERIAL
PARQUE LINEAL
Av. de la Estación
C. de Vicente Aleixandre
Museo de la Cuchillería
Catedral
AUDITORIO
Plaza Mayor
Pl. de la Mancha
Pje de Lodares
Plaza de Mateo Villora
Plaza de Miguel Ángel Blanco
PARQUE DE ABELARDO SÁNCHEZ
Museo de Albacete
PARQUE DOCTOR RAMÓN FERRANDIS
Pl. Pablo Picasso
Paseo de la Circunvalación
Plaza de Nuestra Señora de Belén
Plaza C.S. Gabriel Cuenca
C. Ciudad Real
C. Hellín
C. Almansa
C. de Tobarra
0 240 m

de Gabaldón
Almodóvar del Pinar
Paracuellos
Huércemes
Salto de Víllora
Enguídanos
Lázaro
Callejas
Campillo de Altobuey
Embalse de Contreras
Ermita de San Isidro
Convento de San Agustín
Motilla del Palancar
Puebla del Salvador
La Pesquera
Minglanilla
Castillejo de Iniesta
Graja de Iniesta
Venta de Contreras
A-3 - E 901
L.A.V.
El Peral
Villalpardo
Iniesta
Villanueva de la Jara
Villarta
Casas de Sta Cruz
Casas de Juan Fernández
Alcahozo
El Herrumblar
Quintanar del Rey
Villamalea
Ledaña
Villagarcía del Llano
Casas del Olmo
Cenizate
Navas de Jorquera
Tarazona de la Mancha
Madrigueras
Fuentealbilla
Golosalvo
Asomadilla
Campoalbillo
Abengibre
Bormate
Mahora
Villalpardillo
Casas de Roldán
Minaya
Silo
Estación de Minaya
Casas de la Peña
Fuensanta
Buenavista
La Roda
Júcar
Motilleja
Jorquera
Calzada de Vergara
Cubas
Alcozarejos
Puente Torres
Moharras
Carro
Sta Marta
El Capitán
Montalvos
La Grajuela
El Villar
Villar de Pozo Rubio
Los Yesares
Valdeganga
Casas del Matado
La Gineta
Blancares Nuevos
Blancares Viejos
Lechina
Miralcampo
Casas de Don Pedro
Casas de Juan Núñez
Majano
Tinajeros
San Isidro
Marigutiérrez
Barrax
Maripérez
Casa Grande
Labor de Acequión
Malpelo
La Felipa
Ermita de Nª Sª del Llano
Casas Viejas
La Torrecica
ALBACETE
Cordillera de Monte Aragón
Morrablancar
Casa de Navamarín
Guijarral
El Monte
La Herrera
La Cortesa
Melegriz
La Pulgosa
Hoya Gonzalo
Lezuza
Valdelaras de Abajo
Valdelaras de Arriba
Gallardo
La Yunquera
Cantacucos
Los Partidores
Aguasnuevas
Los Llanos
Chinchilla de Monte Aragón
El Rincón
Pto de El Blanco
Tiriez
Sta Ana de Arriba
Sta Ana
Sta Ana de Abajo
El Cuartico
Balazote
La Humosa
Pozo de la Peña
Estación de Chinchilla
Villar de Chinchilla
Pradorredondo
Cerro Cuadrado
El Salobral
Laguna de Pétrola
El Ballestero
Argamasón
Los Anguijes
San Pedro
El Jardín
Pozuelo
Casas de Orán
Horna
Pétrola
Pozo Cañada
Casa Cañete
A L B A C E T E

ALMERÍA
170 m
N
FUENTECICA
LA HOYA
CERRO DE S. CRISTOBAL
Alcazaba
Aljibes árabes
Santiago
Puerta de Purchena
Pl. de la Constitución
Las Claras
Ayuntamiento
San Pedro
Las Puras
S. Juan
Pl. de la Catedral
Archivo Histórico
Catedral
PAL. EPISCOPAL
N. S. del Mar
Parque
Hospital Real
Museo de la Guitarra
Centro Andaluz de la Fotografía
Teatro Cervantes
Biblioteca Villaespesa
Pl. M. de Heredia
Casa Montoya
Estación (Renfe)
Museo Arqueológico de Almería
BARRIO ALTO
S. ISIDRO
PUERTO COMERCIAL
CABLE INGLÉS
MOTRIL, MÁLAGA
MURCIA
Paseo de Almería
C. de Nicolás Salmerón
Av. de Blas Infante
Delegación del Gobierno de la Junta .......B
Pulpite
Venta del Peral
Hinojora
El Hijate
Higuera
Serón
Alcóntar
Observatorio del Calar Alto
Calar Alto
SIERRA
Castro de Filabres
Olula de Castro
Aulago
El Almendral
Layón
Las Aneas
Piescolgados
Cherbo
Gérgal
Uleila del Campo
Atalaya
El Chive
Serena
Los Gallardos
Garrucha
Cariatiz
Los Castaños
Alfaix
Los Giles
La Huelga
Mojácar
Urbanización Vista Los Angeles
Parador de los Reyes Católicos
Punta del Cantal
Cortijo Grande
Sierra Cabrera
El Agua del Enmedio
Sopalmo
Gafarillos
La Cueva del Pájaro
Central Solar
Sorbas
Los Yesos
N 340
Los Molinos del Río Aguas
Cantona
Lucainena de las Torres
Tabernas
Turrillas
Peñón de Turrillas
Colativí
Sierra Alhamilla
Huebro
Minas de Lafquez
Níjar
Campo de Níjar
Argamasón
Carboneras
Llano Don Antonio
Venta del Pobre
Parque natural de Cabo de Gata - Níjar
La Mesa Roldán
Faro Roldán
El Pozo Usero
Agua Amarga
Punta de la Media Naranja
Jayón
El Plomo
San Pedro
Punta Javana
Las Negras
Campohermoso
San Isidro
Fernán Pérez
Puebloblanco
Yeguas
Atochares
Los Albaricoques
Rodalquilar
Punta de la Polacra
Rellana
Las Presillas Bajas
La Isleta
Los Escullos
Punta de Loma Pelada
Pozo de los Frailes
San José
El Coyote
Morrón de los Genoveses
Sierra del Cabo de Gata
Cabo de Gata
Salinas de Acosta
La Almadraba de Monteleva
Faro de Gata
C.E.M.A.
Ruescas
Barranquete
Retamar
El Alquián
Costacabana
Estación de Fuente Santa
Sta Cruz de Marchena
Alsodux
Bentarique
Alhabia
Sta Fe de Mondújar
Decorado Mini Hollywood
Baños de Sª Alhamilla
Necrópolis de los Millares
Terque
Galachar
Huécija
Alicún
Alhama de Almería
Gádor
Rioja
Pechina
Benahadux
Las Minas
Campamento
Las Cuevas de los Medinas
Cuevas de los Úbedas
Huércal de Almería
Viator
Higüeras
Enix
ALMERÍA
El Zapillo
La Cañada de San Urbano
La Garrofa
Aguadulce
El Parador de las Hortichuelas
Roquetas de Mar
El Puerto
Urbanización Roquetas de Mar
Punta del Río
Golfo de Almería
Playa de Cerrillos
COSTA DE ALMERÍA
A 92
A 7-E 15
A 348
N 340a
AL 12
N 347

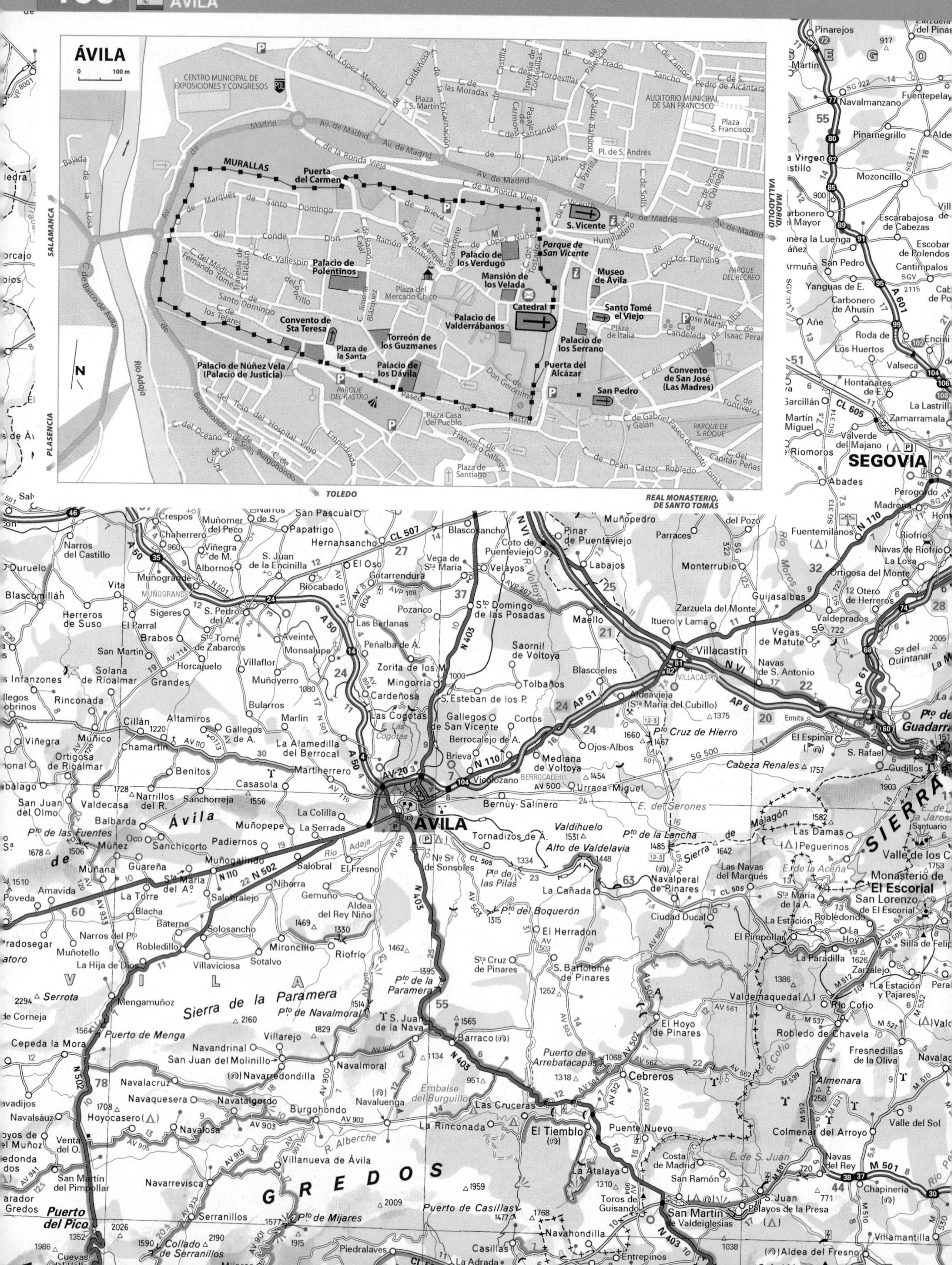
ÁVILA
0 100 m
CENTRO MUNICIPAL DE EXPOSICIONES Y CONGRESOS
AUDITORIO MUNICIPAL DE SAN FRANCISCO
MURALLAS
Puerta del Carmen
S. Vicente
Parque de San Vicente
Palacio de Polentinos
Palacio de los Verdugo
Mansión de los Velada
Museo de Ávila
Catedral
Santo Tomé el Viejo
Palacio de Valderrábanos
Convento de Sta Teresa
Torreón de los Guzmanes
Plaza de la Santa
Palacio de los Serrano
Palacio de Núñez Vela (Palacio de Justicia)
Palacio de los Dávila
Puerta del Alcázar
Convento de San José (Las Madres)
San Pedro
PARQUE DEL RECREO
PARQUE DEL RASTRO
PARQUE DE S. ROQUE
Plaza del Mercado Chico
Plaza Casa del Pueblo
Plaza de Santiago
Plaza S. Francisco
Pl. de S. Andrés
Plaza S. Martín
Plaza de Italia
Río Adaja
SALAMANCA
PLASENCIA
MADRID, VALLADOLID
TOLEDO
REAL MONASTERIO DE SANTO TOMÁS
ÁVILA
SEGOVIA
Villacastín
El Espinar
Monasterio de El Escorial
San Lorenzo de El Escorial
Cebreros
El Tiemblo
San Martín de Valdeiglesias
Sierra de la Paramera
GREDOS
Puerto del Pico
Puerto de Menga
Sierra de Malagón
SIERRA
Burgohondo
Navaluenga
Embalse del Burguillo
Las Navas del Marqués
Navalperal de Pinares
Robledo de Chavela
Valdemaqueda
Colmenar del Arroyo
Navas del Rey
Pelayos de la Presa
Cadalso
Mijares
Piedralaves
La Adrada
Casillas
Navahondilla
Sotillo
Villarejo del Valle

BADAJOZ
CÁCERES
OLIVENZA
LISBOA, ELVAS
MERIDA, MADRID
SEVILLA
Museo Arqueológico
Museo de Bellas Artes
Catedral
M.E.I.A.C.
PALACIO DE CONGRESOS
PUERTA DE PALMAS
PUERTA DE LA TRINIDAD
AUDITORIO
PARQUE DE LA ALCAZABA
PARQUE DE LA LEGIÓN
PARQUE DE CASTELAR
Río Guadiana
Plaza de los Conquistadores
Pl. de la Libertad
Plaza de la Soledad
Paseo de S. Francisco
Elvas
Estremoz
Borba
Vila Viçosa
Alandroal
Olivenza
Valverde de Leganés
La Albuera
Talavera la Real
Montijo
Vale de Albuquerque
Gévora
Sagrajas
Pueblonuevo del Guadiana
Villafranco del Guadiana
Tres Arroyos
El Ronquillo
Corchuela
Las Torrecillas
Juromenha
Redondo
San Jorge de Alor
San Benito de la Contienda

BARCELONA
1750 m
TERRASSA/TARRASA
GIRONA
PUIGCERDÀ VIC
MATARÓ
LLEIDA, TARRAGONA
CASTELLDEFELS
CASTELLDEFELS, SITGES
MAR MEDITERRÀNIA
Temple del Sagrat Cor
Parc Creueta del Coll
Park Güell
Hospital de Sant Pau
SAGRADA FAMILIA
CASA MILÀ
Monestir Santa Maria de Pedralbes
Ciutat Universitària
Universitat
Catedral Santa Eulalia
Parc de la Ciutadella
Parc Zoològic
VILA OLÍMPICA
Avenida del Paralelo
Castell de Montjuïc
Palau Sant Jordi
Estadi Olímpic Lluís Companys
Poble Espanyol ................ E
Museu Nacional d'Art de Catalunya ............ M4
Museu d'Arqueològia ........... M5
Teatre Grec ..................... T1
Fundació Joan Miró ............ W
Pavelló Mies van der Rohe ....... Z
LEIDA
Les Borges Blanques
Montblanc
Valls
Montsant
Mollerussa
Juneda
Tàrrega
Santes Creus
Vallbona de les Monges

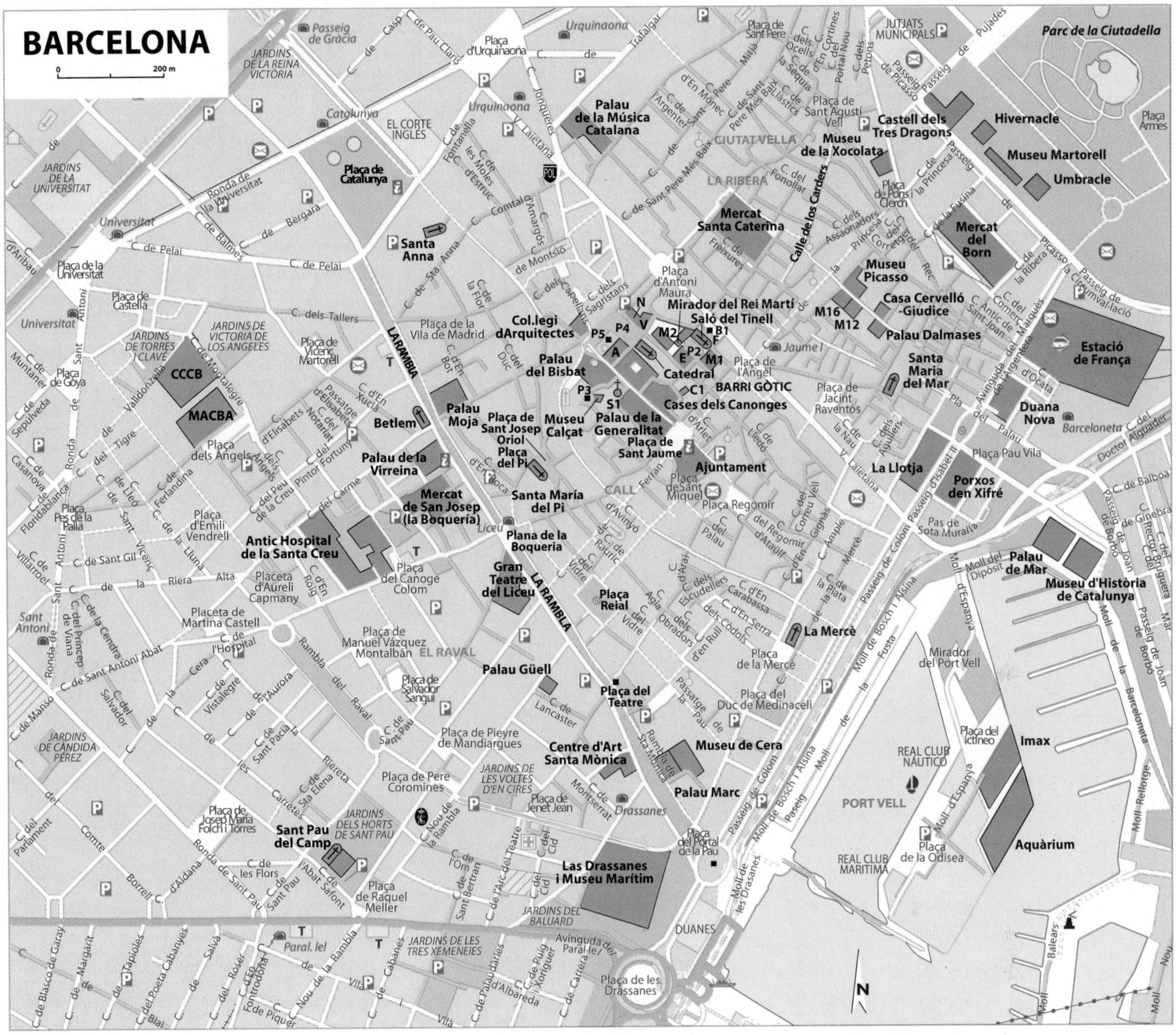

# BARCELONA

0 — 200 m

| | | | |
|---|---|---|---|
| Casa de l'Ardiaca ........ A | Palau del Lloctinent ........ E | Museu Barbier-Mueller d'Art Precolombi ........ M12 | Plaça de Sant Felip Neri ........ P3 |
| Plaça Berenguer el Gran ........ B1 | Santa Àgata ........ F | Palau del Marquès de Lliò ........ M16 | Pl. de la Sau ........ P4 |
| Centre Excursionista de Catalunya ........ C1 | Museu d'Història de la Ciutat ........ M1 | Pia Amloina ........ N | Pl. Nova ........ P5 |
| | Museu F. Marès ........ M2 | Plaça del Rei ........ P2 | St. Sever ........ S1 |
| | | | Casa de la Canonja ........ V |

Santoña
Laredo
Playa de Laredo
Colindres
Punta de Sonabia
Islares
Oriñón
Cerdigo
Punta del Rabanal
Castro-Urdiales
Brazomar
Sámano
Mioño
Ontón
Limpias
Ampuero
La Granja
Rioseco
El Puente (Guriezo)
Adino
Santullán
Abra de Bilbao
Zierbena
La Cuesta
Santurtzi
Portugalete
Sestao (Barakaldo)
Cabo Billano
Plentzia
Barrika
Sopelana
Larrabasterra
Berango
Algorta
Getxo
Leioa
Armintza
Gorliz
Lemoiz
Urduliz
Butrón
Maruri-Jatabe
Gatika
Laukiz
Mungia
Unbe
Erandio
Loiu
Asua
Derio
Sondika
Zamudio
Lezama
Larrabetzu
Gaztelugatxe
San Pelaio
Bermeo
Bakio
Alto del Sollube
Mundaka
Cabo Ogoño
Elantxobe
Ibarrangelu
Sukarrieta
Busturia
Kanala
Bedaroa
Gautegiz-Arteaga
Natxitua
Ispaster
Ereño
Kortezubi
Gabica
Muruetà
Elejalde Forua
Santimamiñe
Gizaburuaga
Arrieta
Fruiz
Errigoiti
Morga
Gamiz-Fika
Gernika-Lumo
Nabarniz
Ajangiz
Arratzu
Muxika
Astelarra
Mendata
Aulesti
Markina-Xemein
Munitibar-Arbatzegi Gerrikaitz
Balcón de Bizkaia
Aldana
Gorozika
Urrutxua
Ibarruri
Boroa
Etxano
Amorebieta
Lemoa
Bedia
Usansolo
Galdakao
Basauri
Etxebarri
Zaratamo
Arrigorriaga
Ugao-Miraballes
Zollo-Elexalde
Ugalde
Arrankudiaga
Areta
Arakaldo
Laudio Llodio
Igorre
Arantzazu
Zeberio
Artea
Dima
Oba
Durango
Izurtza
Mañaria
Abadiño
Elorrio
Atxondo
Bernagoitia
Orozketa
Euba
Goiuria
Garai
Iurreta
Mallabia
Berriz
Zaldibar
Maguma
Pto de Trabakua
Parque Natural
Urkiola
BILBAO
Alonsotegi
Urrestieta-Avellaneda
Güeñes
Sodupe
Zalla
Otxaran
Balmaseda
Gordexola
Las Llanas
Artekona
Okondo
Gijano
Nava de M.
Ribota de M.
Viergol
Burceña
Gordéliz
Artziniega
Mercadillo
Montiano
Embalse de Ordunte
Ordunte
Montes de Ordunte
Galdames
Sopuerta
Artzentales
Mercadillo
Larreineta
Mezpelerreka-El Regato
Ortuella
Valle de Trápaga
Montellano
San Juan Muskiz
Otañes
La Muñecas
Agüera
Trucíos-Turtzioz
Sta Cruz
La Matanza (Valle de Villaverde)
El Suceso
Cueto
Ranero
Ambasaguas
Cuevas de Covalanas
La Escrita
Concha
Mollinedo
Pando
Bernales
Lanzas-Agudas
La Calera de la P.
Alto de los Tornos
Aldeacueva
Presa
Herada
Fresnedo
Lanestosa
Ramales de la Victoria
Gibaja
Riancho
Rasines
Ojebar
Cereceda
Udalla
La Bien Aparecida
San Miguel de Aras
Mentera-Barruelo
Ancillo
Hornijo
Rozas
Aja
Veguilla
Bádames
Carasa
Seña
Adal Treto
Moncalián
Escalante
Cicero
Liendo
Peña del Fraile

# BILBAO

0 150 m

Deusto
Universidad de Deusto
Museo Guggenheim Bilbao
Iberdrola
Museo Marítimo Ría de Bilbao
Euskalduna Jauregia
Parque de Doña Casilda de Iturrizar
Museo de Bellas Artes
Pl. de Euskadi
El Ensanche
Estadio de San Mamés
Gobierno Vasco
Palacio Chávarri
Casa Montero
Pl. Moyúa
Casa de Sota
Hotel Carlton
Banco de España
Banco BVA
Sagrado Corazón
Indautxu
Pl. de Bizkaia
Azkuna Zentroa Alhóndiga Bilbao
Abando
Teatro Campos Elíseos
Est. de Abando
Bolsa de valores
Edificio de la Bilbaína
Est. de Santander
S. Vicente Mártir
Pl. de los Jardines Albia
Pl. Circular
Funiculaire d'Artxanda
Castaños Matiko
Uribarri
Zurbarán
Campos de Mallona
Ascensor a Begoña
S. Nicolás de Bari
Banco de Bilbao
Teatro Arriaga
Biblioteca Bidebarrieta
Pl. Nueva
Pl. Miguel Unamuno
Museo de Pasos
Basílica de Begoña
Pal. de Yohn o edificio de La Bolsa
Casco Viejo
Museo Vasco
Catedral de Santiago
Mercado de la Ribera
San Antón
Solokoetxe
Museo Taurino
Ametzola
Parque Ametzola
Pabellón de Deportes
S. Francisco
Bilbao-La Vieja
Parque de Miribilla
Atxuri
Museo de Arte Sacro
Santutxu

Caborredondo
Reinoso
Pradanos de B.
Quintanaloranco
Cerezo de Riotirón
Leiva
Herramélluri
Villalobar de Rioja
Castañares de Rioja
Torremontalbo
Lapuebla de Labarca
Quintanavides
Bañuelos de B.

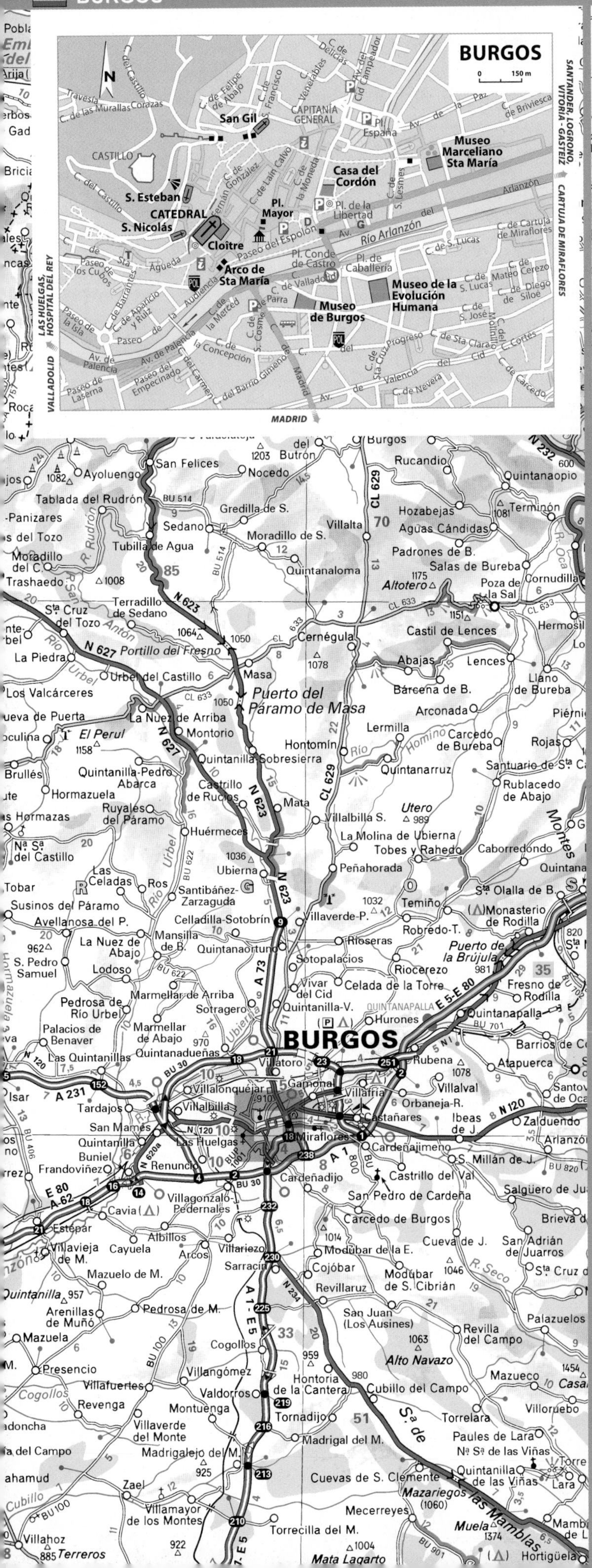
BURGOS
0 150 m
N
San Gil
CAPITANÍA GENERAL
Pl. España
Museo Marceliano Sta María
CASTILLO
Casa del Cordón
S. Esteban
CATEDRAL
S. Nicolás
Pl. Mayor
Pl. de la Libertad
Río Arlanzón
Cloitre
Arco de Sta María
Museo de la Evolución Humana
Museo de Burgos
SANTANDER, LOGROÑO, VITORIA - GASTEIZ
CARTUJA DE MIRAFLORES
LAS HUELGAS, HOSPITAL DEL REY
VALLADOLID
MADRID
BURGOS
Puerto del Páramo de Masa
Portillo del Fresno
Quintanilla-Vivar
Villalbilla
Huérmeces
Sotopalacios
Quintanadueñas
Villatoro
Gamonal
Villafría
Castañares
Miraflores
Las Huelgas
Cardeñadijo
Cardeñajimeno
San Pedro de Cardeña
Sarracín
Cogollos
Villangómez
Madrigalejo del M.
Cuevas de S. Clemente
Mazariegos (1060)
Las Mamblas
Torrecilla del M.
Mata Lagarto

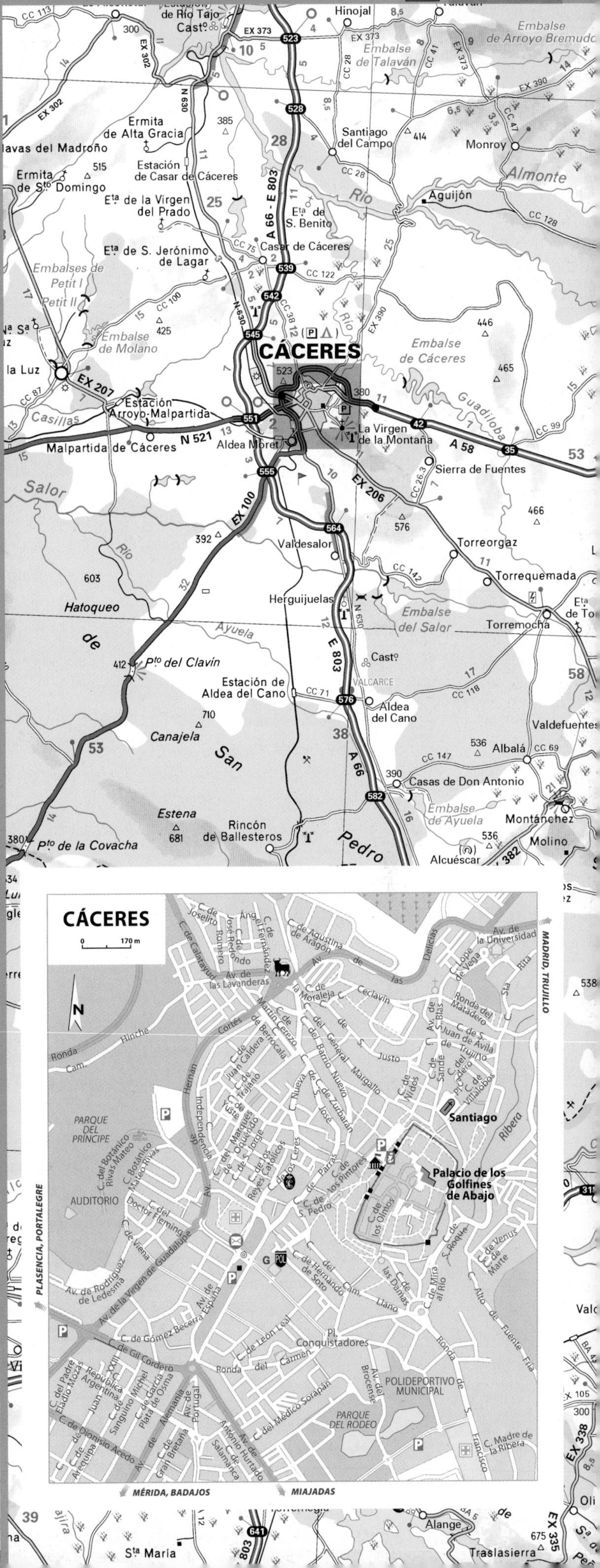
CÁCERES
Embalse de Talaván
Embalse de Arroyo Bremudo
Monroy
Santiago del Campo
Almonte
Aguijón
Ermita de Alta Gracia
Estación de Casar de Cáceres
Casar de Cáceres
Embalse de Molano
Embalse de Cáceres
Estación Arroyo-Malpartida
Malpartida de Cáceres
Aldea Moret
La Virgen de la Montaña
Sierra de Fuentes
Torreorgaz
Torrequemada
Valdesalor
Herguijuelas
Embalse del Salor
Torremocha
Pto del Clavín
Hatoqueo
Estación de Aldea del Cano
Aldea del Cano
Albalá
Casas de Don Antonio
Embalse de Ayuela
Montánchez
Alcuéscar
Rincón de Ballesteros
Pto de la Covacha
0 170 m
N
Av. de la Universidad
MADRID, TRUJILLO
PARQUE DEL PRÍNCIPE
AUDITORIO
PLASENCIA, PORTALEGRE
Santiago
Palacio de los Golfines de Abajo
Pl. Conquistadores
POLIDEPORTIVO MUNICIPAL
PARQUE DEL RODEO
MÉRIDA, BADAJOS
MIAJADAS

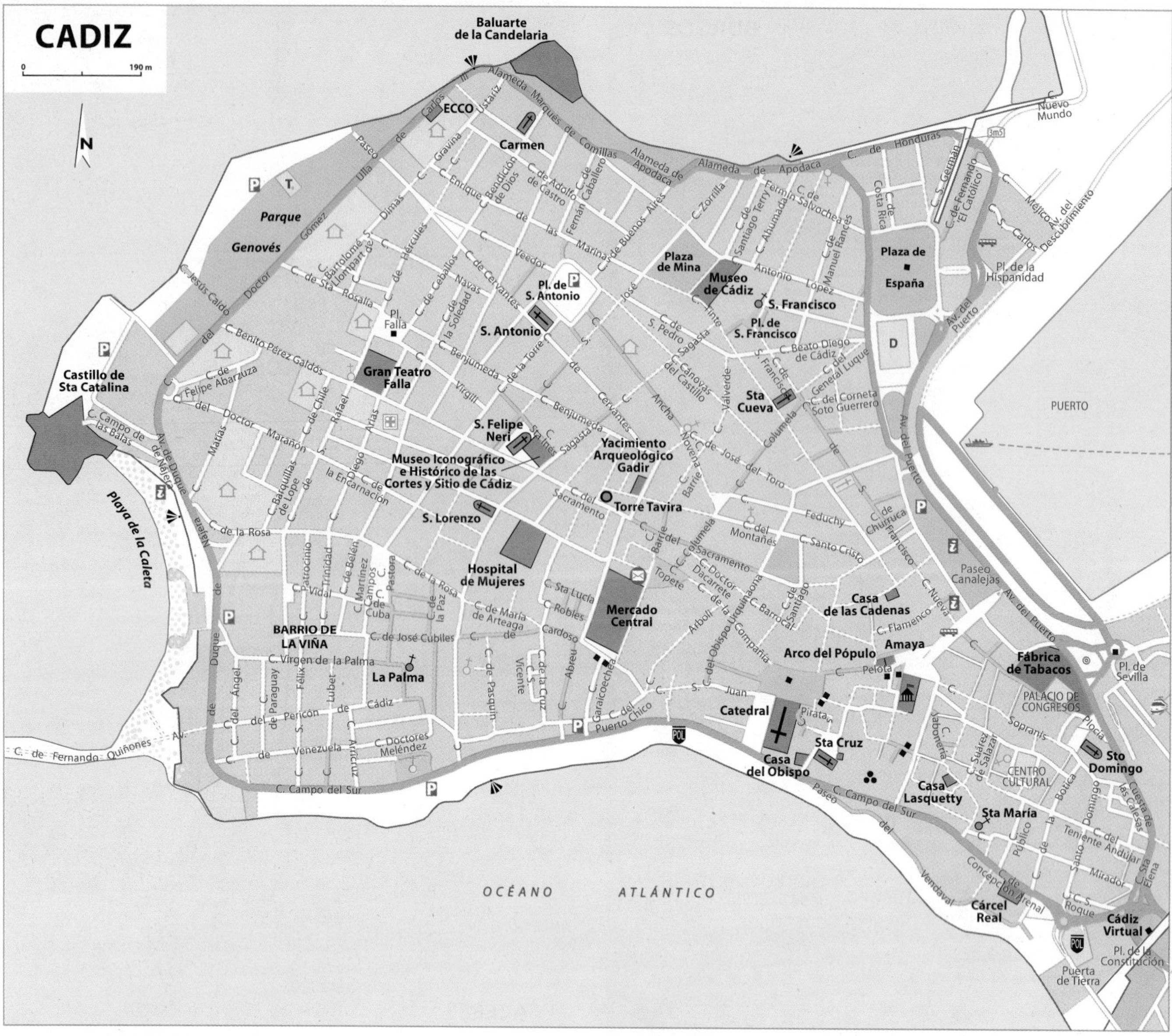

# CADIZ

0 190 m

N

Baluarte de la Candelaria
ECCO
Carmen
Parque Genovés
Castillo de Sta Catalina
Playa de la Caleta
Pl. de S. Antonio
Pl. Falla
S. Antonio
Gran Teatro Falla
Plaza de Mina
Museo de Cádiz
S. Francisco
Pl. de S. Francisco
Sta Cueva
Plaza de España
Pl. de la Hispanidad
S. Felipe Neri
Museo Iconográfico e Histórico de las Cortes y Sitio de Cádiz
Yacimiento Arqueológico Gadir
Torre Tavira
S. Lorenzo
Hospital de Mujeres
Mercado Central
BARRIO DE LA VIÑA
La Palma
Casa de las Cadenas
Amaya
Arco del Pópulo
Fábrica de Tabacos
PALACIO DE CONGRESOS
Catedral
Casa del Obispo
Sta Cruz
Casa Lasquetty
CENTRO CULTURAL
Sto Domingo
Sta María
Cárcel Real
Cádiz Virtual
Pl. de la Constitución
Puerta de Tierra
Pl. de Sevilla
Paseo Canalejas
Nuevo Mundo
PUERTO
OCÉANO ATLÁNTICO
LAS PALMAS DE GRAN CANARIA
ALGECIRAS, JEREZ DE LA F.

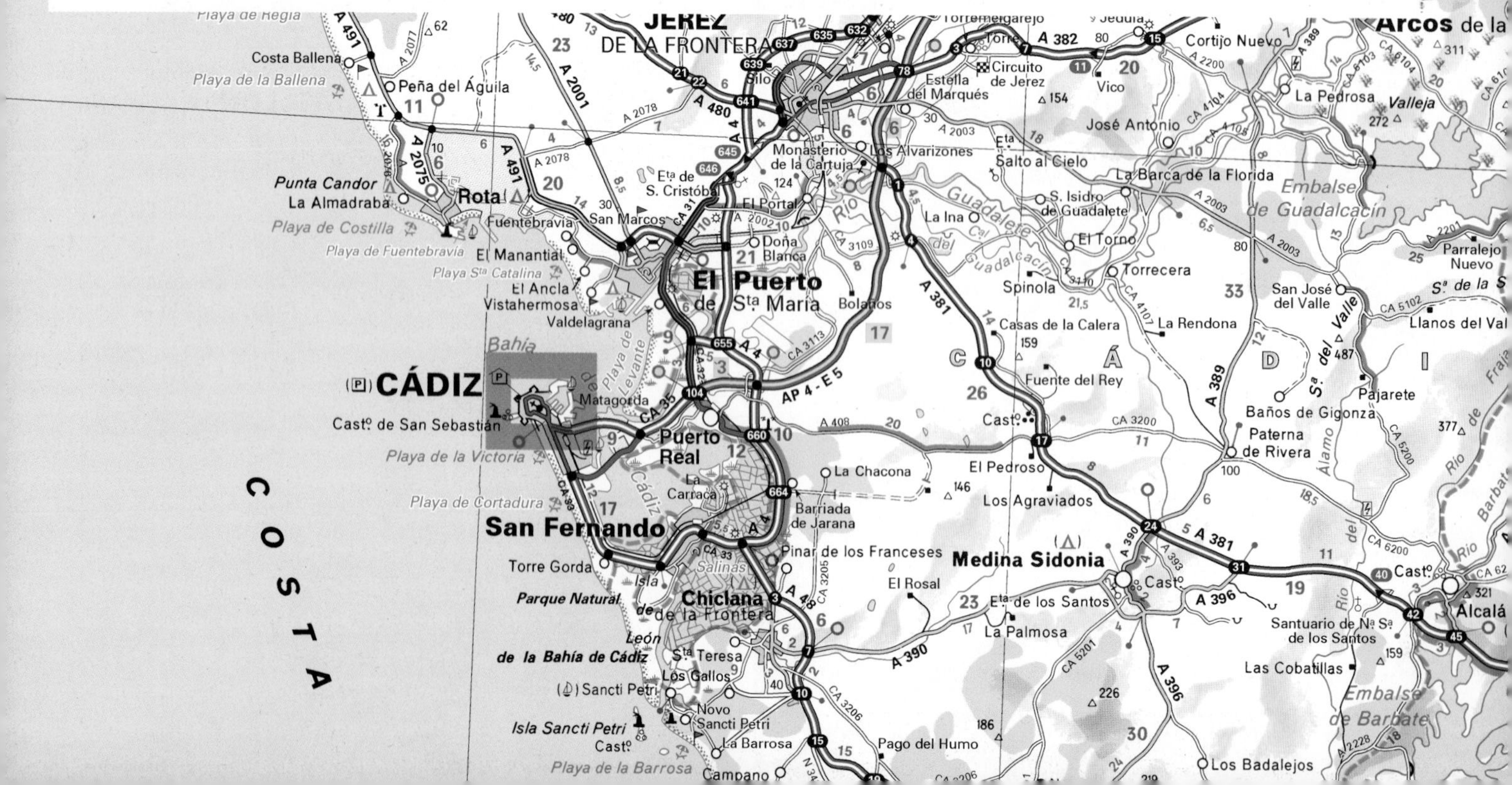

Alameda Marqués de Comillas
Alameda de Apodaca
C. de Honduras
Av. del Puerto
C. Campo del Sur
C. de Fernando Quiñones
Av. de Duque de Nájera

JEREZ DE LA FRONTERA
El Puerto de Sta María
CÁDIZ
Puerto Real
San Fernando
Chiclana de la Frontera
Medina Sidonia
Rota
Arcos de la Frontera
Alcalá
Parque Natural de la Bahía de Cádiz
COSTA

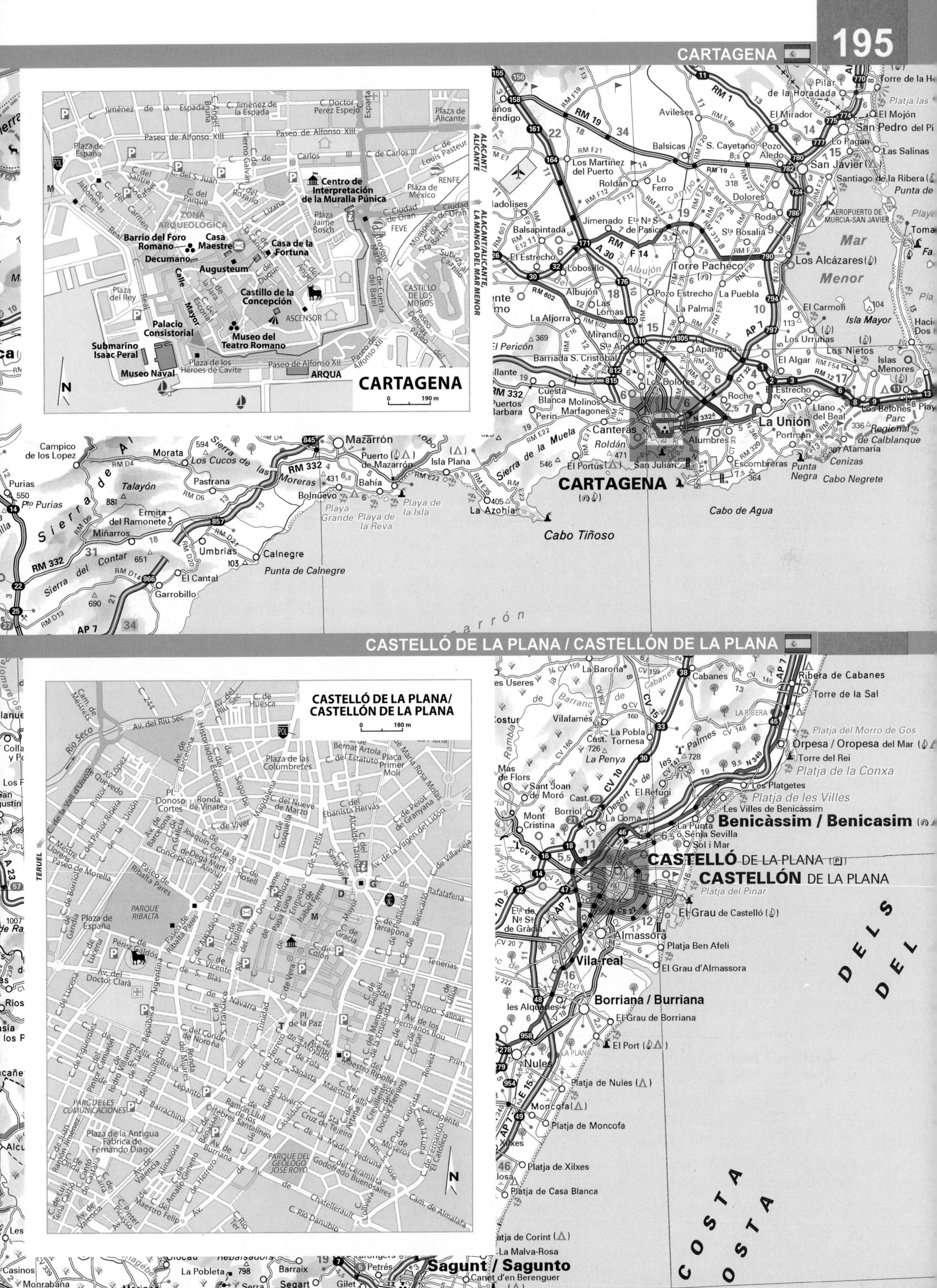
CARTAGENA
Centro de Interpretación de la Muralla Púnica
Barrio del Foro Romano
Casa Maestre
Decumano
Casa de la Fortuna
Augusteum
Castillo de la Concepción
ASCENSOR
CASTILLO DE LOS MOROS
Palacio Consistorial
Museo del Teatro Romano
Submarino Isaac Peral
Museo Naval
ZONA ARQUEOLÓGICA
Paseo de Alfonso XIII
Paseo de Alfonso XII
Plaza de España
Plaza de Alicante
Plaza de México
Plaza del Rey
Plaza de los Héroes de Cavite
RENFE
FEVE
ARQUA
ALACANT/ALICANTE
ALACANT/ALICANTE, LA MANGA DEL MAR MENOR
190 m
Mazarrón
Puerto de Mazarrón
Isla Plana
Sierra de la Muela
Cabo Tiñoso
La Azohía
Cabo de Agua
Cabo Negrete
Torre Pacheco
La Unión
San Javier
San Pedro del Pinatar
Los Alcázares
Mar Menor
AEROPUERTO DE MURCIA-SAN JAVIER
Isla Mayor
Islas Menores
Los Nietos
Los Belones
Portmán
Escombreras
CASTELLÓ DE LA PLANA / CASTELLÓN DE LA PLANA
CASTELLÓ DE LA PLANA/ CASTELLÓN DE LA PLANA
180 m
Plaza de las Columbretes
PARQUE RIBALTA
Plaza de España
PARC DE LES COMUNICACIONES
Plaza de la Antigua Fábrica de Fernando Diago
PARQUE DEL GEÓLOGO JOSÉ ROYO
TERUEL
Av. del Riu Sec
Av. de Barcelona
Av. de Valencia
Av. del Doctor Clarà
Av. de la Virgen del Lidón
Cabanes
Ribera de Cabanes
Torre de la Sal
Orpesa / Oropesa del Mar
Platja de la Conxa
Platja de les Villes
Benicàssim / Benicasim
CASTELLÓ DE LA PLANA
CASTELLÓN DE LA PLANA
El Grau de Castelló
Almassora
Vila-real
Borriana / Burriana
El Grau de Borriana
Nules
Platja de Nules
Moncofa
Platja de Moncofa
Xilxes
Platja de Xilxes
Sagunt / Sagunto
Canet d'en Berenguer
COSTA DELS
COSTA DEL

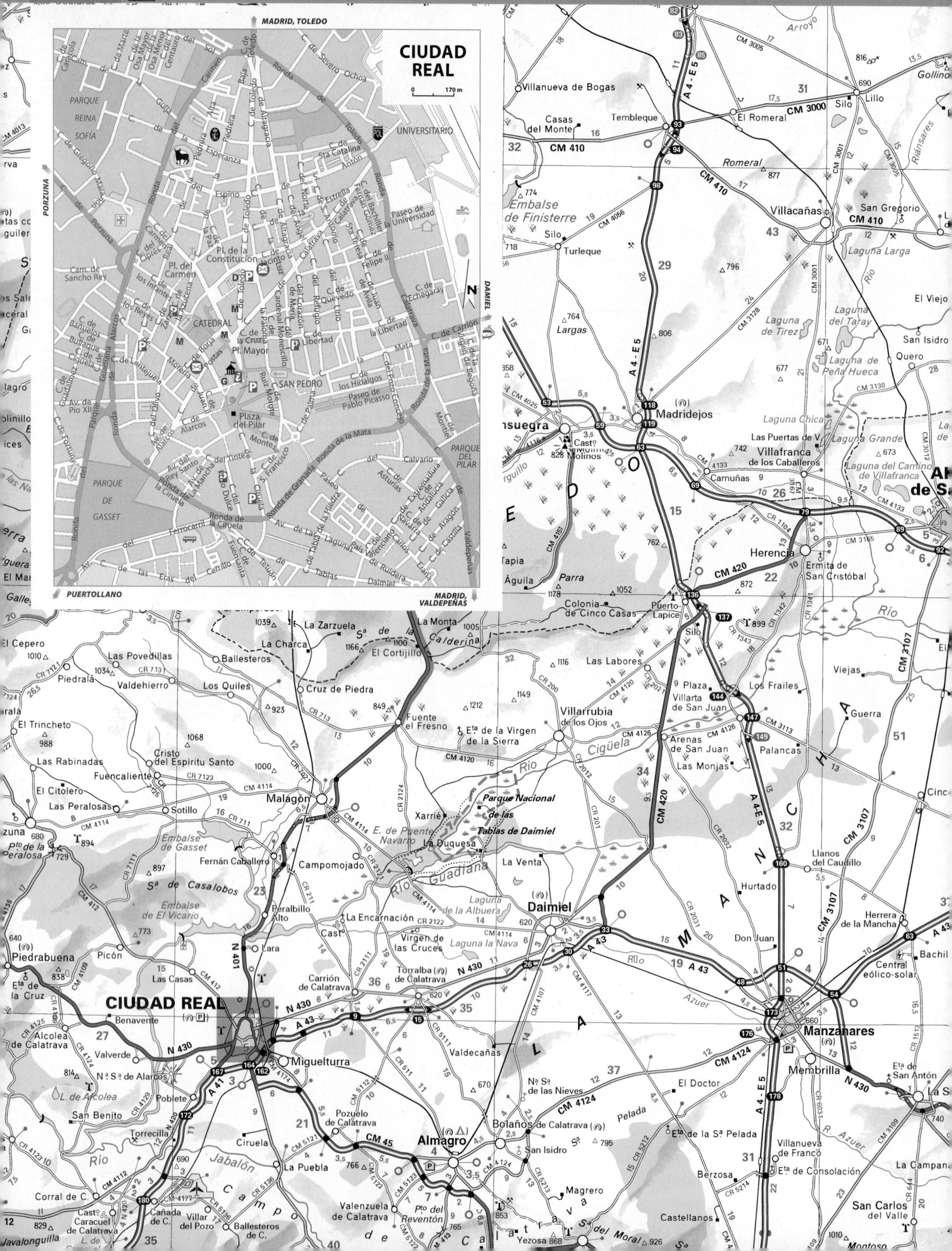

# CIUDAD REAL

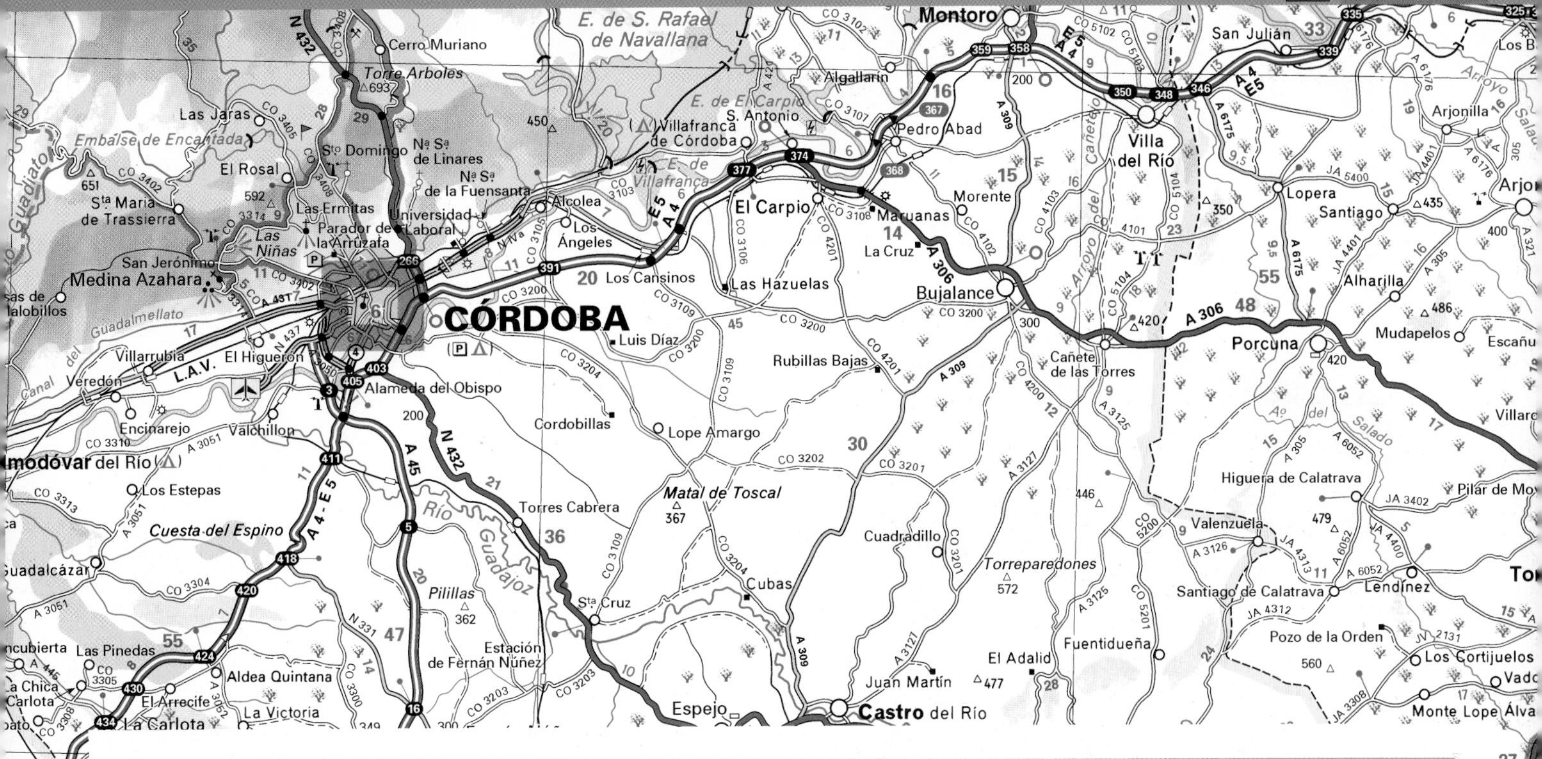

Montoro
San Julián
Cerro Muriano
Torre Arboles
E. de S. Rafael de Navallana
Algallarín
Las Jaras
Embalse de Encantada
Sto Domingo
Nª Sª de Linares
E. de El Carpio
S. Antonio
Villafranca de Córdoba
Pedro Abad
Villa del Río
Arjonilla
El Rosal
Nª Sª de la Fuensanta
Sta María de Trassierra
Las Ermitas
Universidad Laboral
Alcolea
El Carpio
Maruanas
Morente
Lopera
Santiago
Las Niñas
Parador de la Arruzafa
Los Ángeles
La Cruz
San Jerónimo
Medina Azahara
Los Cansinos
Las Hazuelas
Bujalance
Alharilla
CÓRDOBA
Luis Díaz
Cañete de las Torres
Porcuna
Mudapelos
Villarrubia
El Higuerón
L.A.V.
Veredón
Alameda del Obispo
Rubillas Bajas
Encinarejo
Valchillón
Cordobillas
Lope Amargo
Almodóvar del Río
Los Estepas
Matal de Toscal
Higuera de Calatrava
Pilar de Moya
Cuesta del Espino
Torres Cabrera
Cuadradillo
Valenzuela
Guadalcázar
Torreparedones
Santiago de Calatrava
Lendínez
Pillillas
Sta Cruz
Cubas
Pozo de la Orden
Las Pinedas
Estación de Fernán Núñez
El Adalid
Fuentidueña
Los Cortijuelos
La Chica Carlota
Aldea Quintana
El Arrecife
La Victoria
Juan Martín
Espejo
Castro del Río
Monte Lope Álvarez
La Carlota

Torre de la Malmuerta
Pl. de Colón
Jardines de la Merced
Palacio de la Diputación
Convento de Sta Isabel
Sta Marina de Aguas Santas
Monumento a Manolete
San Agustín
Centro de Interpretación de la Fiesta de los Patios
Cristo de los Faroles
Palacio de Viana
Pl. de los Capuchinos
San Lorenzo
Jardín de la Agricultura
San Miguel
Plaza de S. Andrés
San Andrés
Casa de la Luna
Mausoleo Romano
Pl. de las Tendillas
Templo Romano
San Pablo
Pal. de los Villalones
Ajerquía
S. Nicolás de la Villa
Pl. de la Corredera
Jardines de la Victoria
Santa Victoria
La Trinidad
Museo Arqueológico Provincial
S. Francisco
Museo de Bellas Artes
La Judería
Pl. del Potro
Museo J. Romero de Torres
Pta de Almodóvar
Facultad de Filosofía y Letras
Polígono Santuario
Mezquita-Catedral
Río Guadalquivir
Museo Taurino
Palacio de Congresos
Museo Diocesano de Bellas Artes
Parque de Miraflores
Puente Romano
Caballerizas Reales
Alcázar
Jardines del Alcázar
Molinos Árabes
Centro de Creación Contemporánea de Andalucía - C3A
S. Basilio
Torre de la Calahorra
Plaza Sta Teresa
Parque Cruz Conde
Recinto Ferial

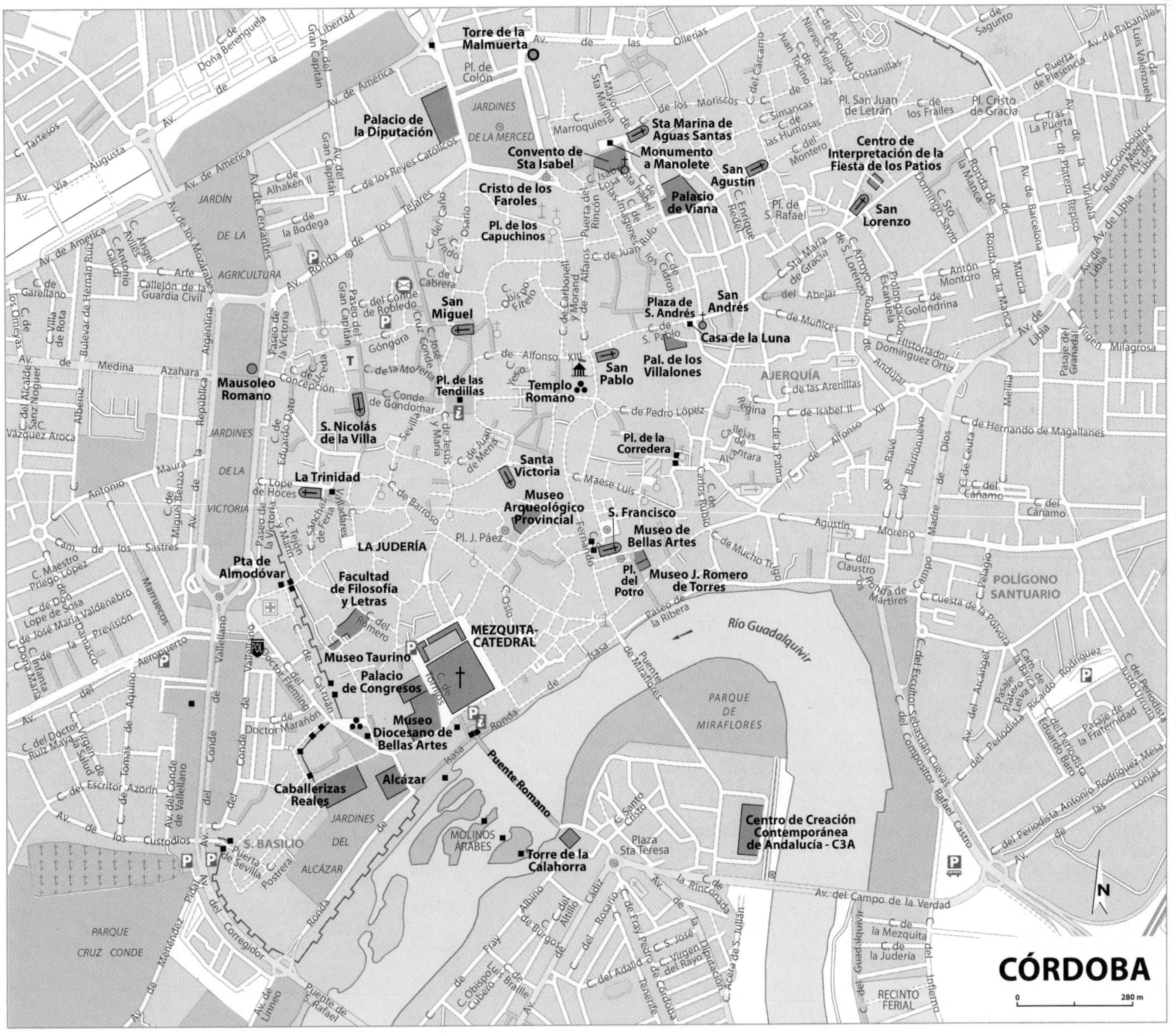

# CÓRDOBA

0 280 m

A CORUÑA
FERROL
Betanzos
Pontedeume
Sada
Oleiros
Arteixo
Cambre
Culleredo
Abegondo
Carral
Ordes
Cesuras
Curtis
Guitiriz
Villalba / Vilalba
As Pontes de García Rodríguez
Mugardos
Ares
Fene
Narón
Cabanas
Mesía
Aranga
Frades
Oroso
Sigüeiro
SANTIAGO DE COMPOSTELA
Arzúa
O Pedrouzo (O Pino)
Boqueixón
Vedra
Silleda
A Estrada
Cuntis
Forcarei
Torre de Hércules
Praia de Riazor
Praia de San Xorxe
Praia de Doniños
Puerto exterior de Ferrol
Cabo Prioriño
Punta Coitelada
Ría de Ferrol
Ría de Betanzos
Ría da Coruña
Punta das Olas
Monasterio de Monfero
Embalse del Eume
Sª de Forgoselo
Sª da Loba
Sª de Coba da Serpe
Sierra da Carba
Río Tambre
Río Ulla
Río Mero
Río Mandeo
Pico Sacro
Pazo de Oca
Alto de Candán
AG 55
AG 64
AP 9
A 6
E 70
E 1
N 550
N 634
N 525
AP 53
N 640
A CORUÑA
0 190 m
N
OCÉANO ATLÁNTICO
Paseo Marítimo
Av. de Washington
C. de Santo Tomás
Pl. de Indalecio Prieto
Domus
C. de Ángel Rebollo
Pl. de Marte
Museo de Bellas Artes
Panaderas
Pl. de España
Colegiata de Sta María del Campo
Prazuela de Sta Bárbara
Pl. de María Pita
Santo Domingo
CIUDAD VIEJA
Santiago
Jardín de S. Carlos
Av. de la Marina
Jardines de Méndez Núñez
CENTRO
PALACIO DE CONGRESOS
Lugar del Muelle de Trasatlánticos
Casa Museo Picasso
Pl. de Pontevedra
Av. de Rubine
PASTORIZA
Playa del Orzán
PUERTO
Castelo de San Antón
Plaza de Vigo
Av. de Linares Rivas
Av. de Arteixo
CHOEIRA

## DONOSTIA-SAN SEBASTIÁN

0 150 m

MONTE URGULL/ URGULL MENDIA
Castillo de Santa Cruz de la Mota
Museo de San Telmo
Santa María del Coro
Pl. Zuloaga
San Vicente
Pl. de la Constitucion
La Bretxa
Kursaal
Zurriola
TEATRO VICTORIA EUGENIA
Urumea
GROS
DÁRSENA
CASINO
Boulevard
Ayuntamiento
Real Club Nautico
ALDERDI EDE PARKEA
Gipuzkoa Plaza
Bahía de la Concha/ Kontxako Badia
Playa de la Concha
Mercado San Martín
Buen Pastor
Puente María Cristina
Hirutxulo Plaza
Kalkutako Teresa Pl.
Tabakalera
La Perla
Calle Prim
Pas. de Francia
N

Vasca
FO DE VIZCAY

DONOSTIA-SAN SEBASTIÁN
Hondarribia / Fuenterrabia
Nª Sª de Guadalupe
Monte Jaizkibel
Mte Ulía
Pasaia
Pasai Donibane
Lezo
Irún
Punta Itzarri
Zumaia
Getaria
Zarautz
Mte Igeldo
Igeldo
Oiartzun
Errenteria/ Rentería
Astigarraga
Hernani
Urnieta
Lasarte-Oria
Orio
Aginaga
Meaga
Aizarnazabal
Zestoa
Ekain
Aizarna
Andatza
Aia
Pagoeta
Monte Urdaburu
Ereñotzu
Andoain
Adarra
Pagoaga
Otita Leitzaran
Arano
Goizueta
Zizurkil
Asteasu
Aduna
Azpeitia
Azkoitia
S. Ignacio de Loiola
Erdoizta
Errezil
Larraul
Alkisa
Villabona
Amasa
Irura
Anoeta
Hernialde
Tolosa
Ernio
Urrestilla
Bidania
Albiztur
Berrobi
Urdelar
Elduain
Belauntza
Mandoegui
Berastegi
Nuarbe
Beizama
Ibarra
Gaztelu
Lizartza
Pto de San Antón
Puerto de Usateguieta
GIPUZKOA
Zumarraga
Ezkio
Ikaztegieta
Legorreta
Alegia
Altzo
Orexa
Areso
Leitza
Ezkurra
Astigarreta
Itsaso
Itsasondo
Ordizia
Beasain
Gaintza
Amezketa
Bedaio
Gorriti
Alto Uitzi
Uitzi
Zaldibia
Abaltzisketa
Azkarate
Arribe
Betelu
Beruete
Ormaiztegi
Mutiloa
Lazkao
Ea de Larraitz
Txindoki
Gaintza
Intza
Pto de Azpiroz
Lekunberri
Aldatz
Olaberria
Zerain
Idiazabal
Ataun

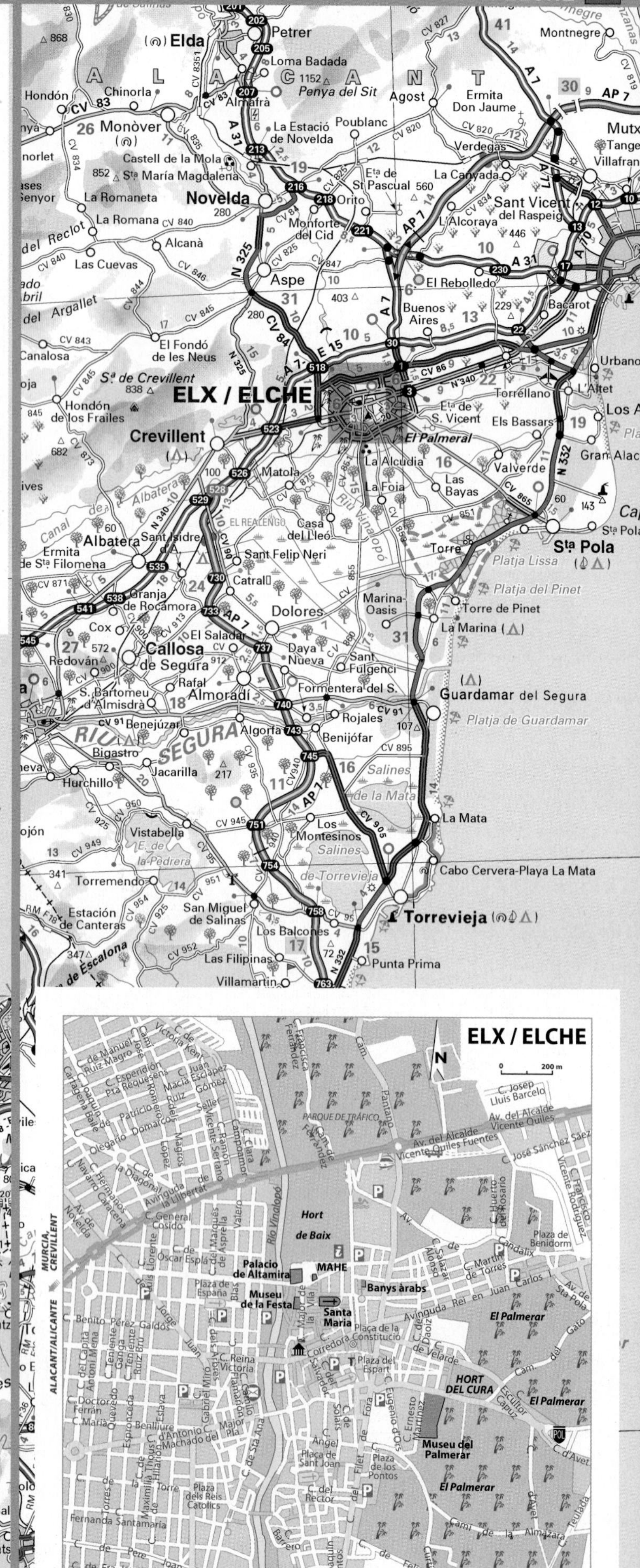

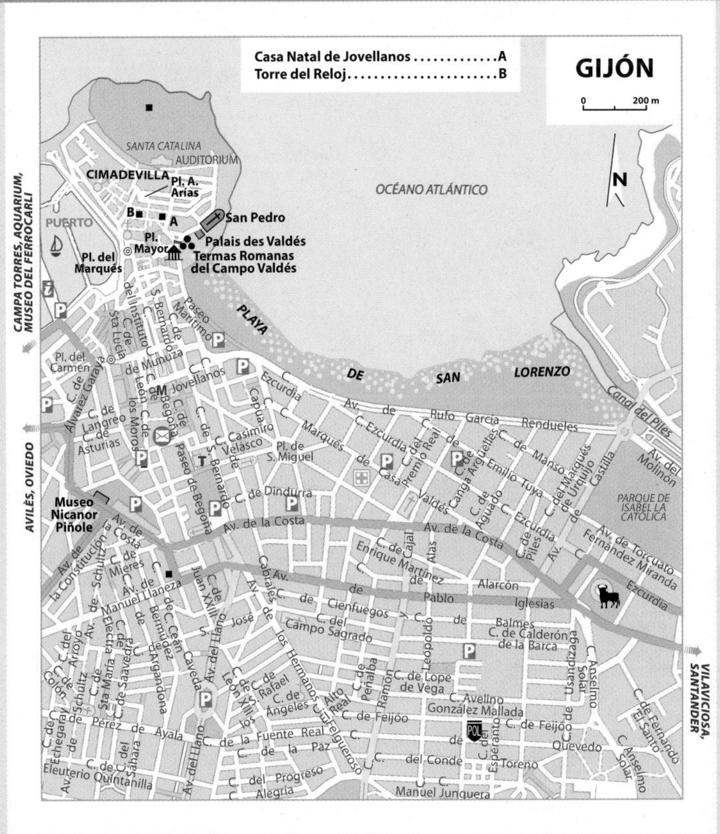

## GIJÓN

0 200 m

Casa Natal de Jovellanos ............ A
Torre del Reloj ...................... B

CIMADEVILLA, Pl. A. Arias, San Pedro, Palais des Valdés, Termas Romanas del Campo Valdés, Pl. Mayor, Pl. del Marqués, PUERTO, SANTA CATALINA, AUDITORIUM, OCÉANO ATLÁNTICO, PLAYA DE SAN LORENZO, Museo Nicanor Piñole, PARQUE DE ISABEL LA CATÓLICA

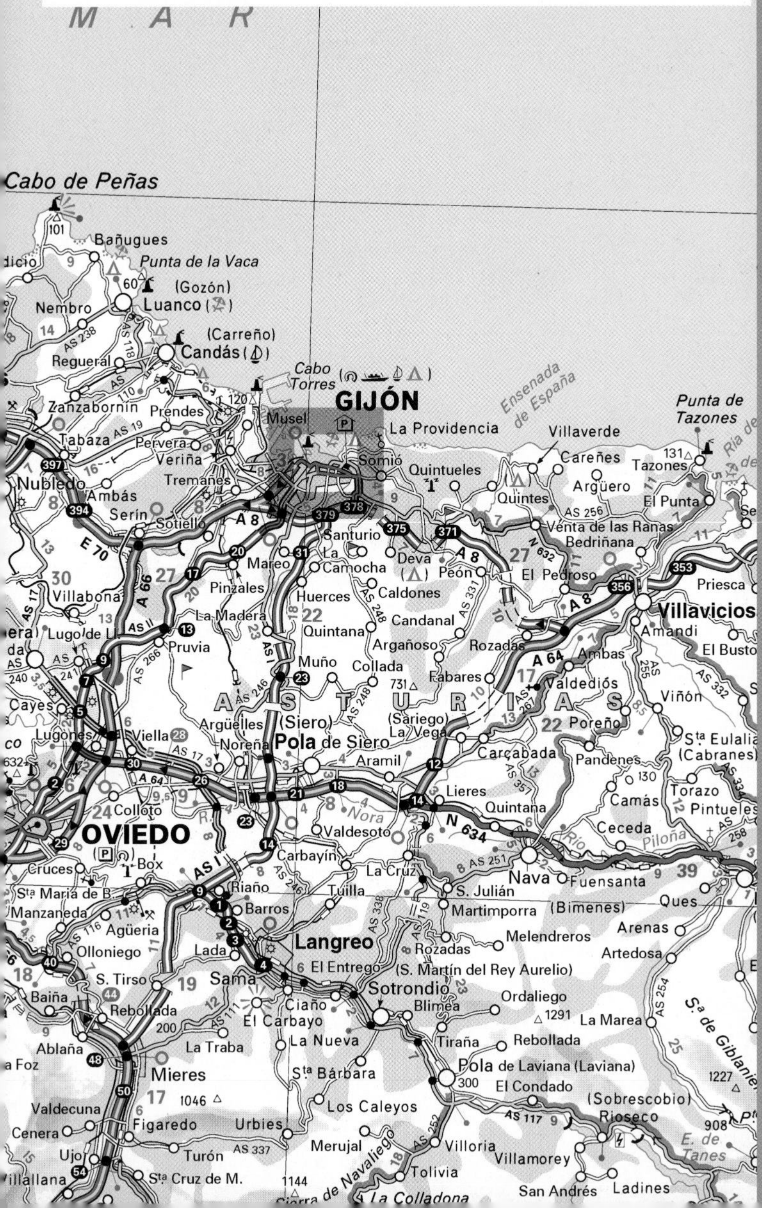

CAMPA TORRES, AQUARIUM, MUSEO DEL FERROCARRIL — AVILÉS, OVIEDO — VILLAVICIOSA, SANTANDER

M A R

Cabo de Peñas, Luanco, Candás, GIJÓN, OVIEDO, Pola de Siero, Langreo, Mieres, Villaviciosa, A S T U R I A S

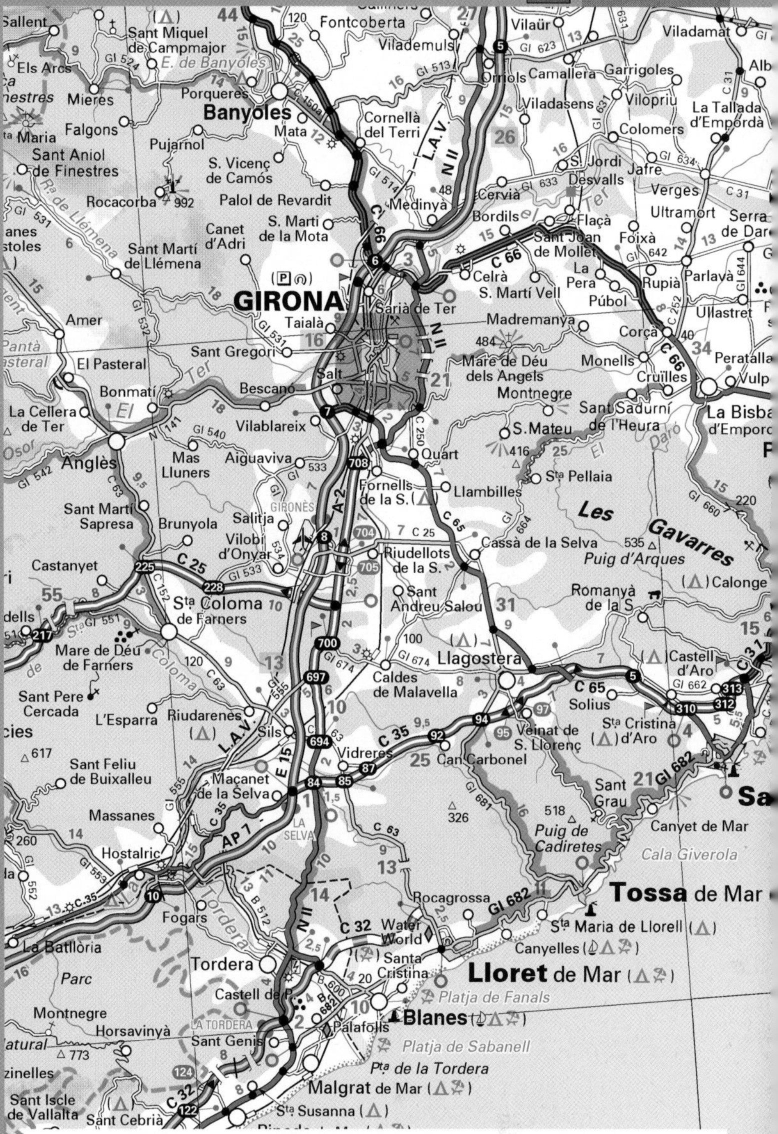

## GIRONA

0 130 m

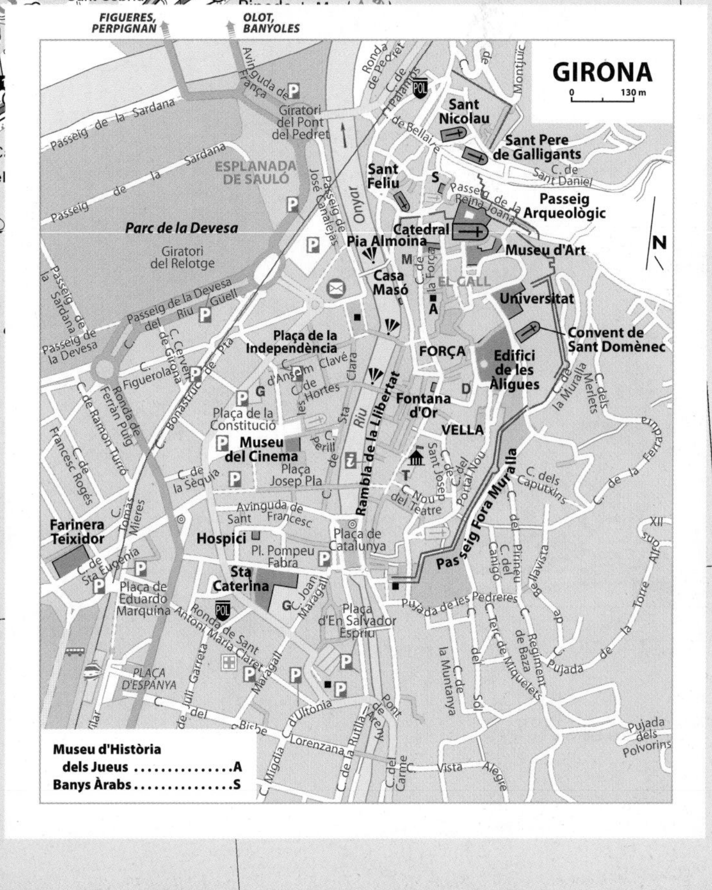

FIGUERES, PERPIGNAN — OLOT, BANYOLES

Sant Nicolau, Sant Pere de Galligants, Sant Feliu, Passeig Arqueològic, Catedral, Pia Almoina, Museu d'Art, Casa Masó, EL CALL, Universitat, Convent de Sant Domènec, FORÇA, Edifici de les Àligues, Plaça de la Independència, Fontana d'Or, VELLA, Museu del Cinema, Parc de la Devesa, Farinera Teixidor, Hospici, Sta Caterina, Rambla de la Llibertat, Passeig Fora Muralla

Museu d'Història dels Jueus ............ A
Banys Àrabs ............................ S

Banyoles, GIRONA, Lloret de Mar, Tossa de Mar, Blanes, Malgrat de Mar, Tordera, Sta Coloma de Farners, Cassà de la Selva, Les Gavarres

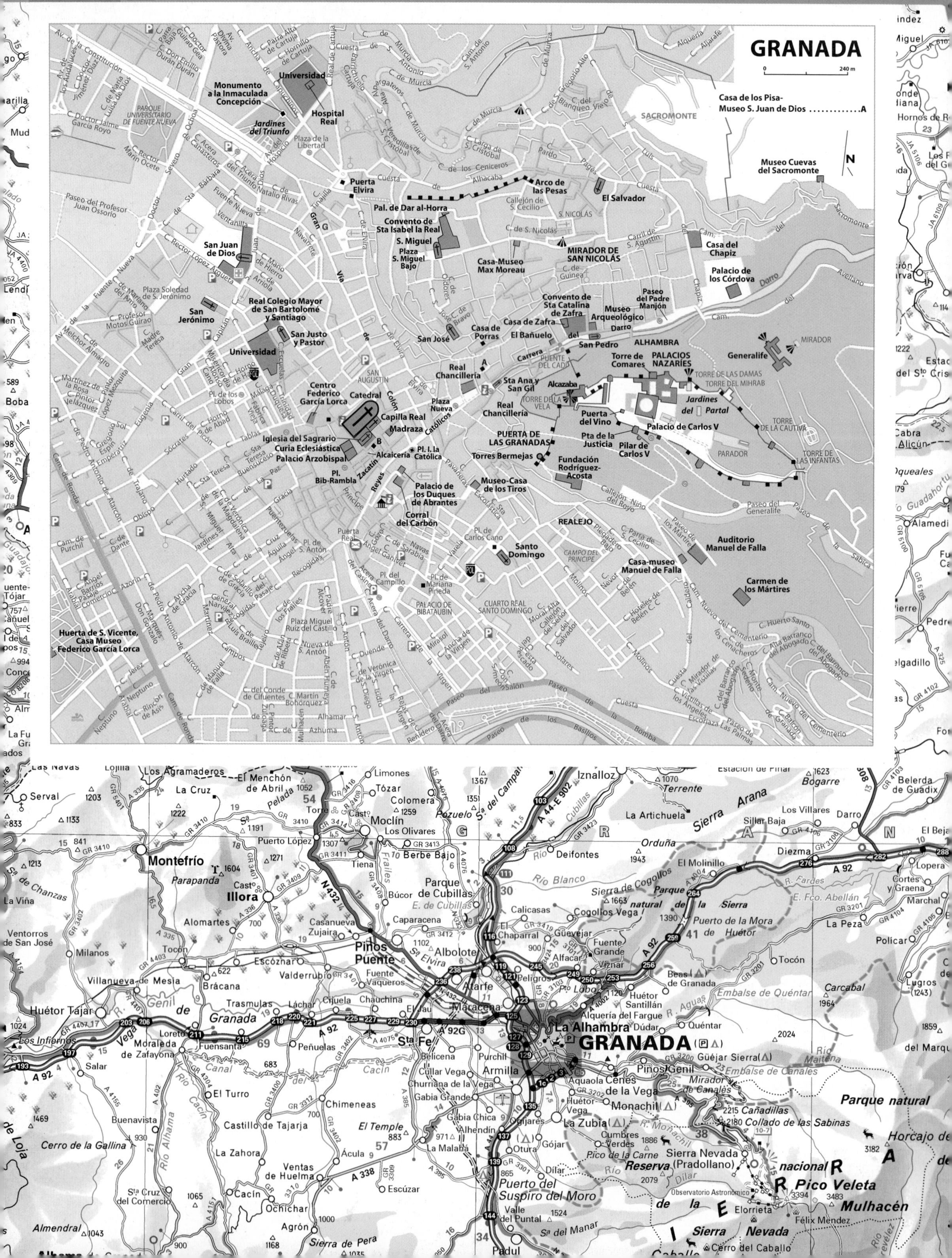
GRANADA
0
240 m
N
Casa de los Pisa-Museo S. Juan de Dios ............A
SACROMONTE
Museo Cuevas del Sacromonte
Universidad
Monumento a la Inmaculada Concepción
Hospital Real
Jardines del Triunfo
Puerta Elvira
Arco de las Pesas
El Salvador
Pal. de Dar al-Horra
Convento de Sta Isabel la Real
S. Miguel
Plaza S. Miguel Bajo
Casa-Museo Max Moreau
MIRADOR DE SAN NICOLÁS
Casa del Chapiz
Palacio de los Córdova
San Juan de Dios
San Jerónimo
Real Colegio Mayor de San Bartolomé y Santiago
San Justo y Pastor
Universidad
Convento de Sta Catalina de Zafra
Casa de Zafra
Museo Arqueológico
Paseo del Padre Manjón
Casa de Porras
El Bañuelo
San José
San Pedro
ALHAMBRA
Torre de Comares
PALACIOS NAZARÍES
Generalife
MIRADOR
Real Chancillería
Sta Ana y San Gil
Alcazaba
TORRE DE LAS DAMAS
TORRE DEL MIHRAB
Jardines del Partal
Centro Federico García Lorca
Catedral
Capilla Real
Madraza
Plaza Nueva
Real Chancillería
Puerta del Vino
Palacio de Carlos V
TORRE DE LA CAUTIVA
Iglesia del Sagrario
Curia Eclesiástica
Palacio Arzobispal
Alcaicería
Pl. I. la Católica
PUERTA DE LAS GRANADAS
Pta de la Justicia
Pilar de Carlos V
Torres Bermejas
Fundación Rodríguez-Acosta
PARADOR
TORRE DE LAS INFANTAS
Pl. Bib-Rambla
Palacio de los Duques de Abrantes
Museo-Casa de los Tiros
Corral del Carbón
REALEJO
Paseo del Generalife
Santo Domingo
Auditorio Manuel de Falla
Casa-museo Manuel de Falla
Carmen de los Mártires
CAMPO DEL PRÍNCIPE
CUARTO REAL SANTO DOMINGO
PALACIO DE BIBATAUBÍN
Huerta de S. Vicente, Casa Museo Federico García Lorca
Gran Vía de Colón
Reyes Católicos
Paseo del Salón
Cuesta de la Bomba
Montefrío
Illora
Moclín
Pinos Puente
Albolote
Atarfe
Maracena
Iznalloz
Deifontes
Huétor Tájar
Loreto
Fuensanta
Moraleda de Zafayona
Sta Fe
Armilla
Cúllar Vega
Churriana de la Vega
Gabia Grande
Ogíjares
La Zubia
Cenes de la Vega
Pinos Genil
Güéjar Sierra
Monachil
Huétor Santillán
Beas de Granada
La Alhambra
GRANADA
Sierra Nevada (Pradollano)
Pico Veleta 3394
Mulhacén 3483
Parque natural
Sierra de Cogollos
Sierra Arana
Puerto de la Mora
Diezma
Purchil
Alhendín
Otura
Gójar
Dílar
Puerto del Suspiro del Moro
Padul
Cacín
Ochíchar
Ventas de Huelma
Chimeneas
Castillo de Tajarja
Escúzar
Peñuelas
Láchar
Chauchina
Cijuela
Valderrubio
Fuente Vaqueros
Trasmulas
Villanueva de Mesía
Milanos
Salar
Embalse de Quéntar
Embalse de Canales
A 92
A 44-E 902
N 432

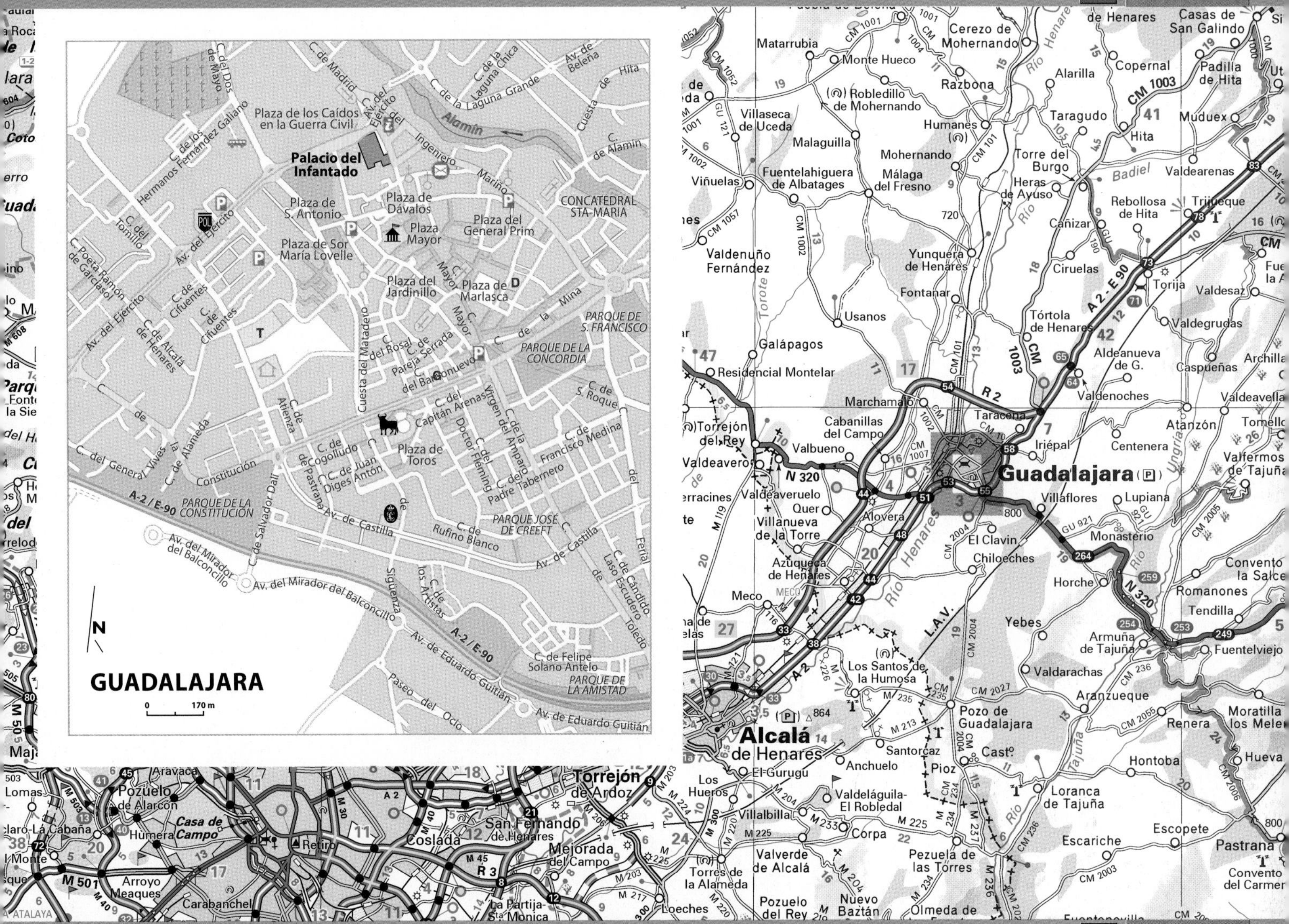
GUADALAJARA
0 170 m
N
Palacio del Infantado
Plaza de los Caídos en la Guerra Civil
Plaza de S. Antonio
Plaza de Dávalos
Plaza Mayor
Plaza del General Prim
CONCATEDRAL STA-MARIA
Plaza de Sor María Lovelle
Plaza del Jardinillo
Plaza de Marlasca
PARQUE DE S. FRANCISCO
PARQUE DE LA CONCORDIA
Plaza de Toros
PARQUE DE LA CONSTITUCIÓN
PARQUE JOSÉ DE CREEFT
PARQUE DE LA AMISTAD
C. de Felipe Solano Antelo
Av. del Ejército
Av. de Castilla
Av. del Mirador del Balconcillo
Av. de Eduardo Guitián
A-2 / E-90
Alamín
Guadalajara
Alcalá de Henares
Torrejón de Ardoz
Coslada
San Fernando de Henares
Mejorada del Campo
Pozuelo de Alarcón
Carabanchel
Azuqueca de Henares
Cabanillas del Campo
Marchamalo
Taracena
Iriépal
Villaflores
Chiloeches
Horche
Yebes
Armuña de Tajuña
Torija
Hita
Humanes
Yunquera de Henares
Fontanar
Usanos
Galápagos
Tórtola de Henares
Los Santos de la Humosa
Pozo de Guadalajara
Pastrana
Loranca de Tajuña
Pioz
Santorcaz
Anchuelo
Villalbilla
Corpa
Pezuela de las Torres
Valverde de Alcalá
Torres de la Alameda
Loeches
Nuevo Baztán
Meco
Villanueva de la Torre
Alovera
Quer
Valdeaveruelo
Torrejón del Rey
Residencial Montelar
Renera
Hontoba
Escopete
Escariche
Aranzueque
Moratilla de los Meleros
Fuentelviejo
Tendilla
Romanones
Lupiana
Centenera
Atanzón
Valdenoches
Aldeanueva de G.
Caspueñas
Valdegrudas
Ciruelas
Cañizar
Heras de Ayuso
Torre del Burgo
Málaga del Fresno
Mohernando
Malaguilla
Fuentelahiguera de Albatages
Villaseca de Uceda
Viñuelas
Valdenuño Fernández
Matarrubia
Monte Hueco
Cerezo de Mohernando
Razbona
Robledillo de Mohernando
Alarilla
Taragudo
Copernal
Padilla de Hita
Muduex
Valdearenas
Rebollosa de Hita
Trijueque
Valdesaz
Archilla
Tomellosa
Valfermoso de Tajuña
Convento de la Salceda
Hueva
Convento del Carmen
N 320
A 2
R 2
R 3
M 45
M 30
M 40
M 50
L.A.V.
Río Henares
Río Tajuña
El Clavín
El Gurugú
Valdeláguila-El Robledal
Olmeda de las Fuentes
Casa de Campo
Retiro
Húmera
Arroyo Meaques
Aravaca
Lomas

HUELVA
0 200 m
N
AYAMONTE, GIBRALEÓN
MAZAGON
Av. Hispanoamérica
Av. Norte
Paseo de la Glorieta
ZAFRA
Plaza de la Alhambra
Plaza de la Alcazaba
Plaza de los Alcáceres
Plaza de la Generalife
PARQUE DE ZAFRA
Plaza Medina Azahara
JARDINES DEL MUELLE
Plaza de la Marina
Río Odiel
Plaza de la Soledad
Plaza S. Pedro
PARQUE ALONSO SÁNCHEZ
PARQUE DE LA ESPERANZA
Vía Paisajista
CENTRO DE CONGRESOS
Plaza del Cine
Alameda Sundheim
Av. de Italia
Av. Escultora Miss Whitney
Av. de Pío XII
Av. de Federico Mayo
Av. Adolfo Suárez
Gibraleón
Trigueros
Beas
La Peñuela
Niebla
Candón
Cueva del Zancarrón de Soto
Estación de la Mezquita
Cebollar
Peguerillas
Nª Sª de la Soledad
San Juan del Puerto
Lucena del Puerto
Moguer
Eta de Montemayor
HUELVA
Cardeñas
Corrales
Bellavista
Aljaraque
El Rincón
El Portil
Punta del Sebo
Monumento a Colón
Pinos de Mar
Punta Umbría
Isla de Saltes
Palos de la Frontera
Monasterio de la Rábida
El Corchuelo
Los Bodegones
Mazagón
Faro El Picacho de la Barre
Alcor
Playa de Mazagón
La Mediana
El Abalario
Torre del Oro
Las Casillas
El Alamillo
Asperillo
Acebuches
El Acebuche
El Acebrón
El Rocío
El Rocina
Marismas
Guadiamar
Caño de Guadiamar
Guadalquivir
Villafranco del Guadalquivir
Isla Mayor
Madre de las Marismas
L. de las Madres
A 49
A 5000
N 431
N 442
A 483
A 494
A 497
H 30
E 1
Rivera de la Nicoba
Río Tinto
D E L A

JAÉN
0
280 m
N
Museo Provincial
Monumento a las Batallas
Monasterio de Sta Úrsula
La Magdalena
Raudal
Real Monasterio de Sto Domingo
Baños Árabes
Palacio Villardompardo
S. Andrés
Real Monasterio de Sta Clara
S. Juan
S. Bartolomé
Castillo de Santa Catalina
PARADOR
Convento de las Bernardas
Palacio Provincial
S. Ildefonso
Alameda de Capuchinos
Iglesia del Sagrario
Pl. de Sta María
Catedral
Ayuntamiento
Convento de Sta Teresa o de las Descalzas
PEÑAMEFÉCIT
SANTA ISABEL
LA MAGDALENA
SAN VICENTE DE PAUL
SAN JUAN
SAN BARTOLOMÉ
LA MERCED
SAN SEBASTIÁN
SAGRARIO
LA VICTORIA
SAN ROQUE
EGIDO DE BELÉN
STA MARÍA DEL VALLE
PARQUE FELIPE ARCHE
Paseo de España
Place de la Concordia
Plaza de la Constitución
Mengíbar
Arjona
Porcuna
Torredonjimeno
Martos
Torre del Campo
JAÉN
Jabalcuz
Mancha Real
Sierra de la Pandera
Sierra Almadén
Baena
Huelma

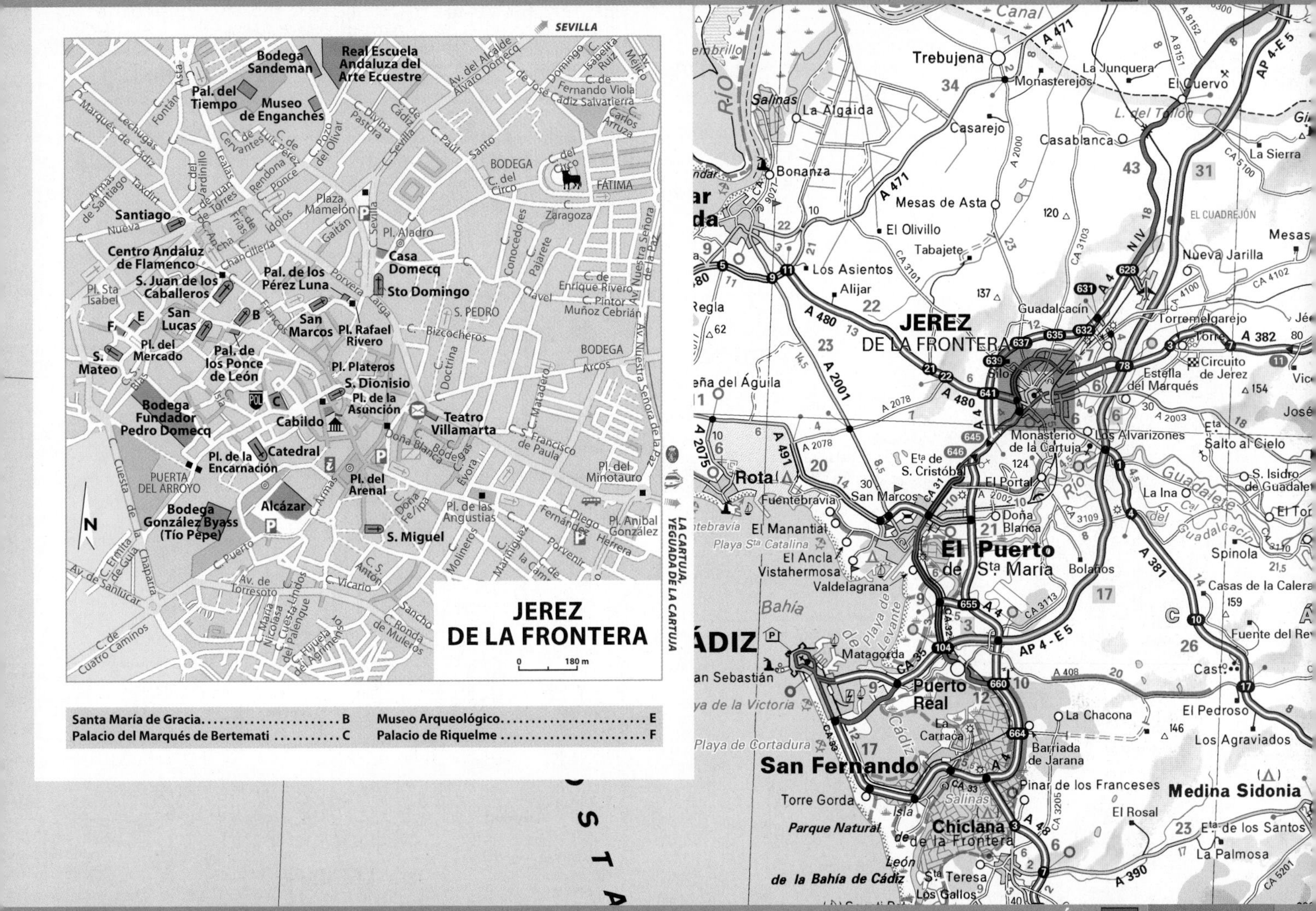

## JEREZ DE LA FRONTERA

0 180 m

| | |
|---|---|
| Santa María de Gracia ...................... B | Museo Arqueológico ...................... E |
| Palacio del Marqués de Bertemati .......... C | Palacio de Riquelme ...................... F |

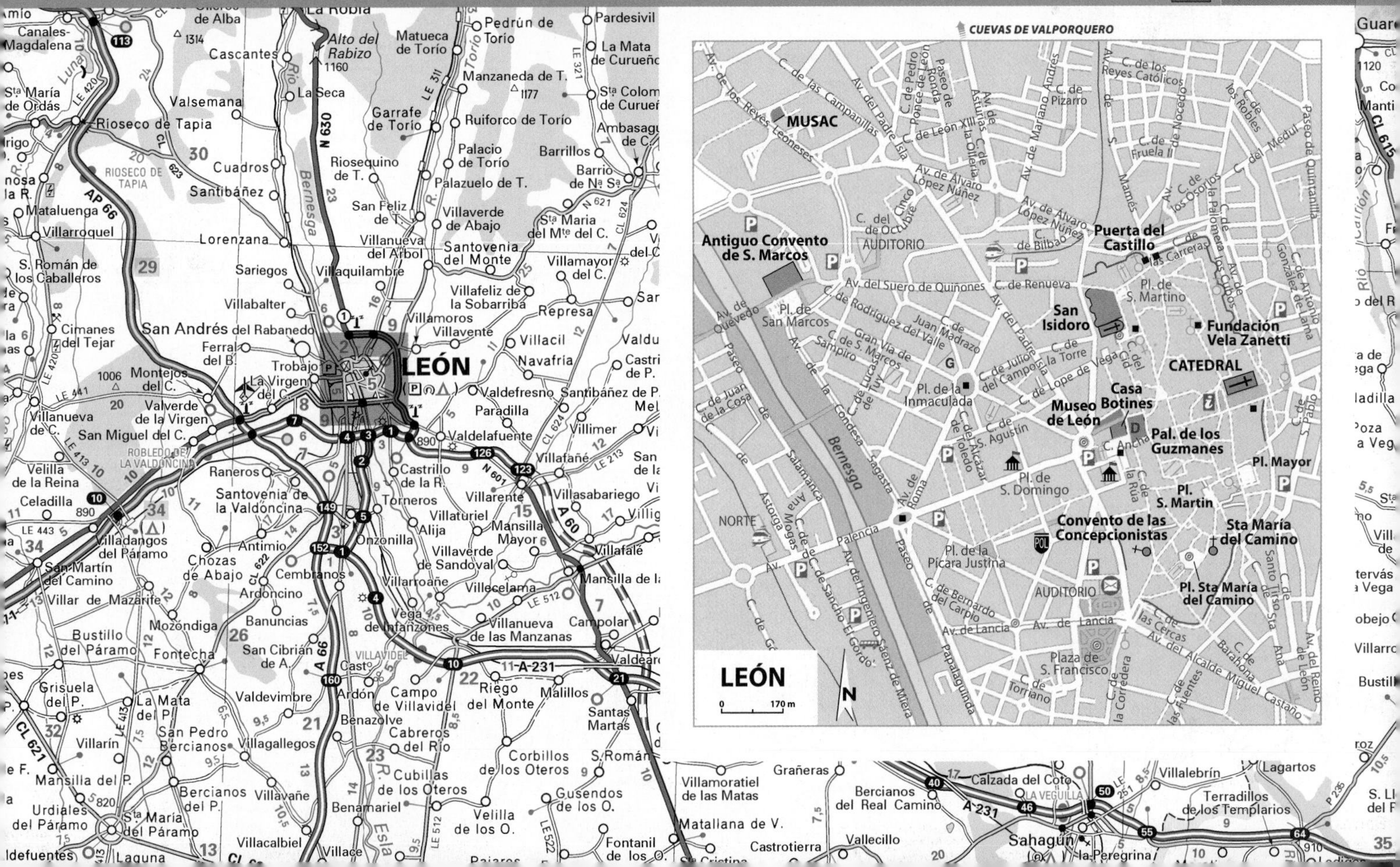

## LEÓN

0 170 m

# LLEIDA

0 190 m

VIELHA, BENABARRE

HUESCA, MONZÓN, BARBASTRO

ZARAGOZA

TARRAGONA, BARCELONA, ZARAGOZA

| | |
|---|---|
| Sant Jaume | A |
| Hospital de Santa Maria | M1 |
| Museu d'Art Jaume Morera | M2 |

La Suda
LA SEU VELLA
Sant Martí
la Panera
Dipòsit del Pla
Calle Major
Palau de la Paeria
Sant Llorenç
Museu de Lleida Diocesà i Comarcal
La Seu Nova
Sant Antoni
Parc dels Camps Elisis
Museu de l'Automoció Roda Roda
Castell de Gardeny
Plaça de Sant Joan
Plaça de la Pau
Plaça del Mossèn Jacint Verdaguer
Plaça d'Europa
Plaça Glot de les Granotes
Plaça de Cervantes
Plaça de les Missions
Plaça d'Espanya
Plaça Sant Francesc
Plaça d'en Bores
Plaça Ricard Viñes
Gran Passeig de Ronda
Avinguda de Blondel
Segre

Juseu
Ciscar
Sª de Mongay 1329
Alsamora
Sant Esteve de la Sarga
Montsec d'Ares
Sant Alís 1676
Carrodilla
Caladrones
Castº Pilzán
Purroy de la Solana
Estaña
Corçà
Àger
L'Ametlla
La Règola
Calasanz
Castillo del Plá
Gabasa
Estopiñán (Estopiñán del Castillo)
Pantà de Canelles
Fontdepou
Peralta de la Sal
Zurita
Saganta
Camporrélls
Cuatrocorz
Baélls
Nacha
Baldellou
Pantà de Sta Anna
Les Avellanes
Vilanova de les A.
Alcampell
San Esteban de Litera
Castillonroy
Os de Balaguer
Sta Mª de Bellpuig
Tamarite de Litera
Albelda
Ivars de Noguera
Castelló de Farfanya
Algayón
Alfarràs
Algerri
Balaguer
Gerb
Altorricón
Almenar
Altorricón-Tamarite
Albesa
Sta Mª de les Franqueses
Almacelles
Alguaire
La Portella
Menàrguens
Lleida-Alguaire
Vilanova de Segrià
Torrelameu
Térmens
Rosselló
Benavent de S.
Corbins
Vilanova de la Barca
Bellvís
Torrefarrera
Torre-serona
Alpicat
Sucs
Pla de la Font
Raimat
Alcoletge
Torres
Gimenells
Vallmanya
LLEIDA
Bell-lloc d'U.
Alamús
Torregrossa
Albatàrrec
Alcarràs
Montoliu
Sudanell
Artesa de L.
Puigverd de L.
Les Borges Blanques
Alfés
Torres de Segre
Sunyer
Soses
Aitona
Aspa
Castelldans
Alcanó
Seròs
Sarroca de Lleida
El Cogul
Granyena de les Garrigues
L'Albagés
Serra Grossa
Torrebesses
El Soleràs
Els Torms
Juncosa
Llardecans
Maials
La Granadella
Tossal del Penjat
Bovera
Bellaguarda
Margalef
La Palma d'Ebre
La Bisbal de F.
Cabassers
La Vilella Baixa
Almatret
Puntal dels Escambrons
Riba-roja d'Ebre
Pantà de Riba-roja
Flix
Ascó
Vinebre
La Torre de l'Espanyol
La Figuera
Lloà
El Molar
Sª del Rovelló
Sª de la Fatarella
Sª de Berrús
La Fatarella
Pas de l'Ase
Garcia
El Masroig
Etª de Sta Magdalena
Fayón
Estación Fayón-Pobla de Massaluca
La Pobla de Massaluca
Nonaspe
Mausoleo Romano
Fabara
Estación de Fabara
Etª de San Jorge
Punta Plana
R. Ebro
Mequinenza
Montnegre
Monmeneu
La Granja de Escarpe
Monestir Convent
Massalcoreig
Torrente de Cinca
Fraga
Miralsot de Abajo
Velilla de Cinca
Zaidín
Ballobar
Almudáfar
Osso
Belver
Chalamera
Vencillon
San Miguel
Virgen de la Chalamera
Ontiñena
Monasterio de Sigena
Sigena 592
Pallaruelo de Monegros
Alcanadre
MONEGROS
Huegas 447
Valfarta
La Almolda
Bujaraloz
Peñalba
Candasnos
Llano de las Menorcas
La Punta 384
Refugio de Pescadores
Laguna la Playa
Sable 390
Embalse de Mequinenza
El Pla 395
Valdeforcas
Embalse de Caspe
Playas de Chacón
Chiprana
El Dique
Caspe
Sª de Caspe
Sª de Vizcuerno
Aº de Regallo
Valmuel
Salada

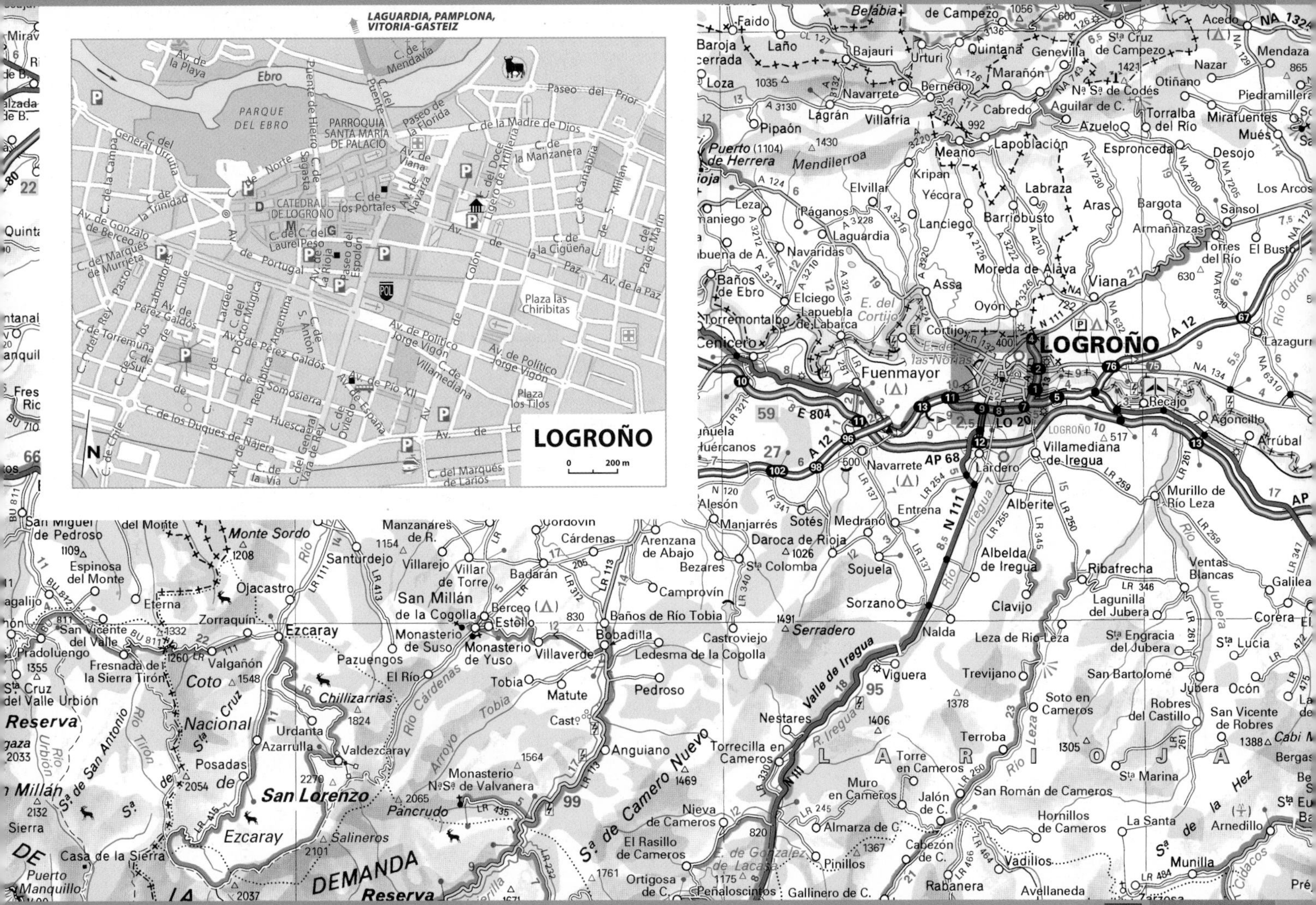
LAGUARDIA, PAMPLONA, VITORIA-GASTEIZ
LOGROÑO
0 200 m
PARQUE DEL EBRO
PARROQUIA SANTA MARÍA DE PALACIO
CATEDRAL DE LOGROÑO
Plaza las Chiribitas
Plaza los Tilos
Ebro
Paseo del Prior
Av. de Portugal
Av. de la Paz
Av. de Pío XII
C. de los Duques de Nájera
LOGROÑO
Fuenmayor
Navarrete
Viana
Lardero
Villamediana de Iregua
Alberite
Recajo
Agoncillo
Ezcaray
San Millán de la Cogolla
Monasterio de Suso
Monasterio de Yuso
Valle de Iregua
Serradero
Sierra de la Demanda
San Lorenzo
Sª de Camero Nuevo
Torrecilla en Cameros
Nieva de Cameros
Ortigosa de C.
Monasterio Nª Sª de Valvanera
Reserva
Mendilerroa
Puerto de Herrera
L A R I O J A
Sª de la Hez
Arnedillo
Munilla



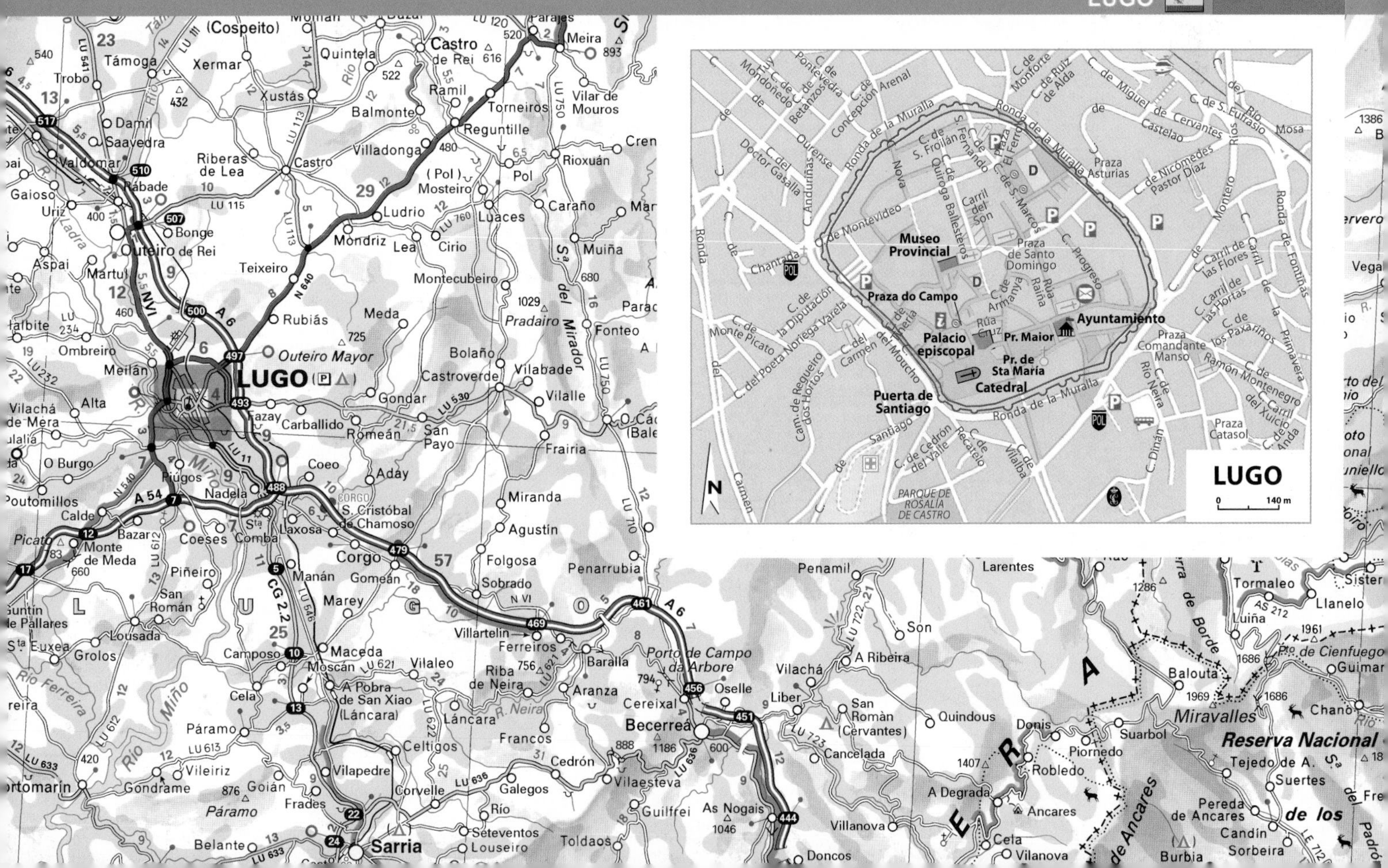
LUGO
0 140 m
Museo Provincial
Praza do Campo
Palacio episcopal
Pr. Maior
Ayuntamiento
Pr. de Sta María
Catedral
Puerta de Santiago
Ronda de la Muralla
Praza Asturias
Praza Comandante Manso
Praza Catasol
PARQUE DE ROSALÍA DE CASTRO
LUGO
Castro de Rei
Outeiro de Rei
Rábade
Meira
Castroverde
Corgo
Sarria
Becerreá
Baralla
Láncara
Porto de Campo da Arbore
Reserva Nacional
Sª de Ancares
Miravalles
Pradairo
Sª del Mirador
Outeiro Mayor
(Cospeito)

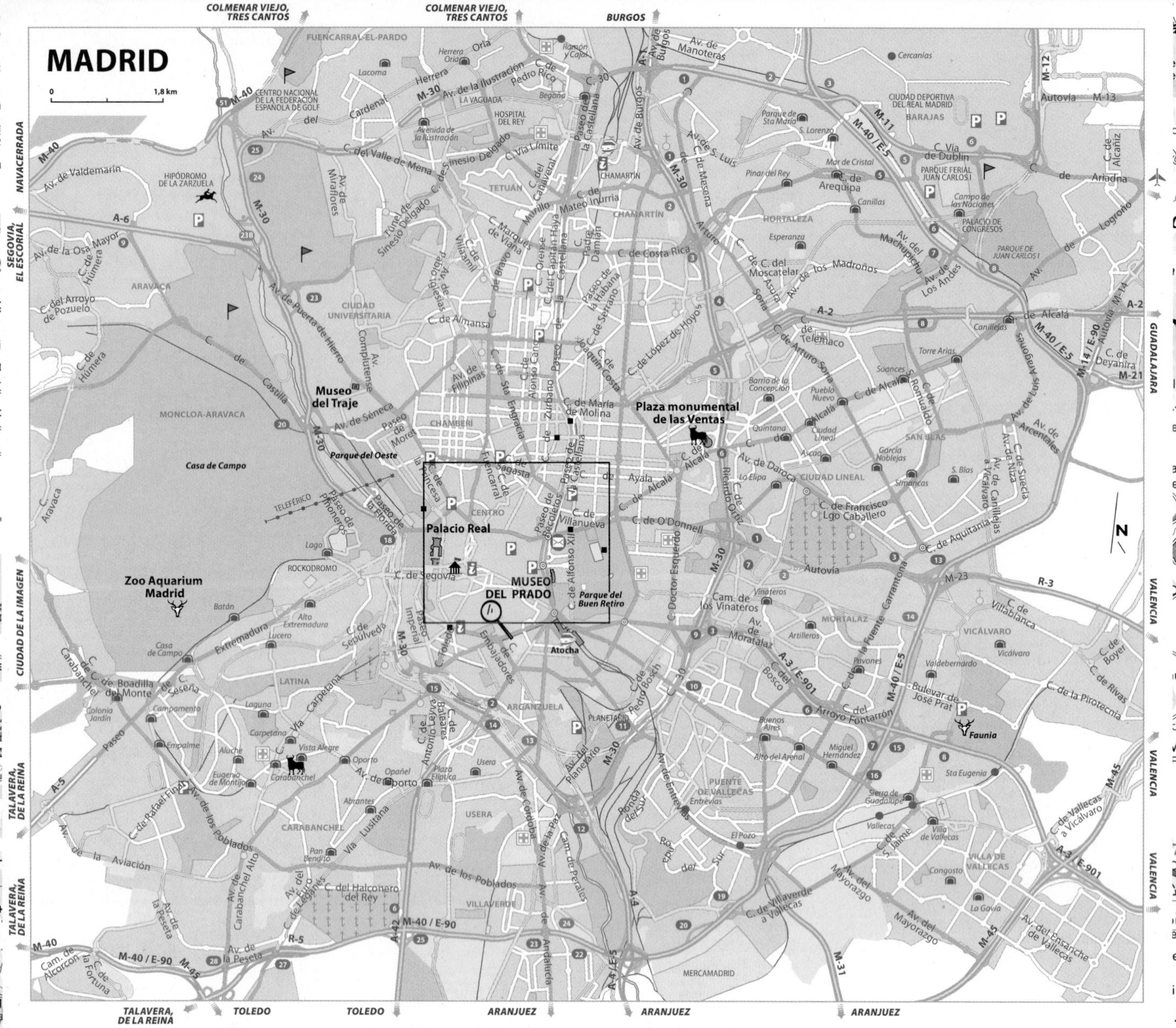

# MADRID

1,8 km

COLMENAR VIEJO, TRES CANTOS

COLMENAR VIEJO, TRES CANTOS

BURGOS

NAVACERRADA

SEGOVIA, EL ESCORIAL

CIUDAD DE LA IMAGEN

TALAVERA, DE LA REINA

TALAVERA, DE LA REINA

GUADALAJARA

VALENCIA

VALENCIA

VALENCIA

VALENCIA

TALAVERA, DE LA REINA

TOLEDO

TOLEDO

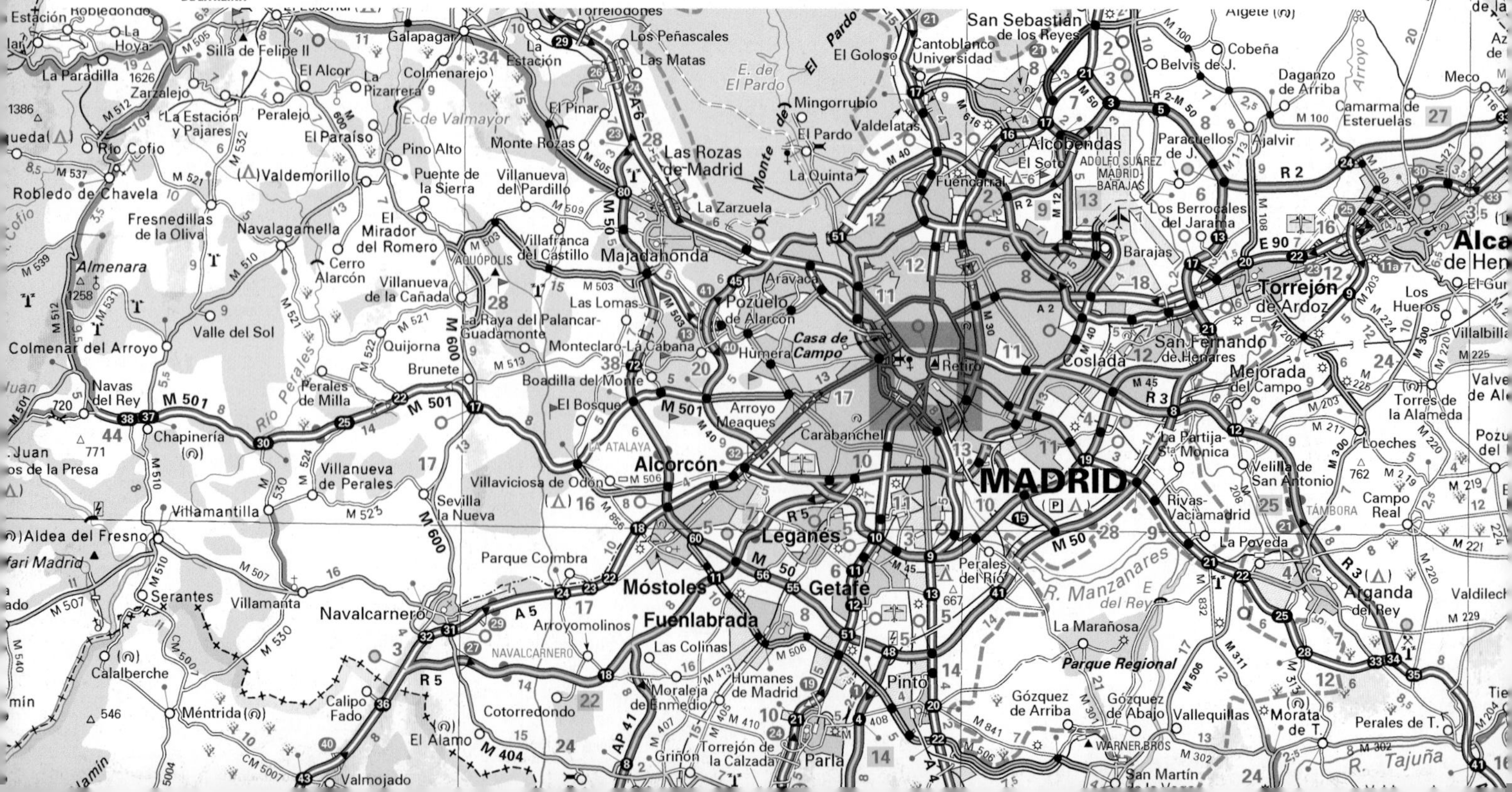

ARANJUEZ

ARANJUEZ

ARANJUEZ

Palacio Real

MUSEO DEL PRADO

Plaza monumental de las Ventas

Museo del Traje

Zoo Aquarium Madrid

Faunia

Casa de Campo

Parque del Oeste

Parque del Buen Retiro

Atocha

MADRID
Centro cultural Conde Duque
Museo ABC
Palacio de Liria
Plaza Dos de Mayo
Museo de Historia
MALASAÑA
Museo del Romanticismo
Plaza de Colón
Torre de Madrid
Edificio España
Museo Cerralbo
Museo de Cera
Jardines del Descubrimiento
Biblioteca Nacional
MUSEO ARQUEOLÓGICO NACIONAL
Plaza de España
San Antonio de los Alemanes
CHUECA
Gran Vía
Palacio de Buenavista
SALAMANCA
Puerta de Alcalá
Palacio de Linares
La Encarnación
Jardines de Sabatini
Pl. de Cibeles
Palacio Real
Teatro Real
Las Descalzas Reales
Real Academia de Bellas Artes de San Fernando
Palacio de Cibeles
Museo Nacional de Artes Decorativas
Plaza de Oriente
Banco de España
Campo del Moro
Teatro de la Zarzuela
Museo Naval
Alfonso XII
Plaza de la Armería
C. de Alcalá
Bolsa de Madrid
Plaza de la Puerta del Sol
Palacio de Las Cortes
MUSEO THYSSEN-BORNEMISZA
Pl. de la Lealtad
Casón del Buen Retiro
Catedral de N. S. de la Almudena
Mercado de San Miguel
Plaza Mayor
Plaza de la Provincia
Teatro Español
H. Ritz
Plaza de Santa Ana
Casa Museo Lope de Vega
Arzobispal Castrense
Casa de Cisneros
San Miguel
Palacio de Sta Cruz
C. de las Huertas
MUSEO DEL PRADO
Parque del Buen Retiro
San Pedro
Jardines de las Vistillas
Plaza de la Paja
Capilla del Obispo
Colegiata de San Isidro
LA CHOPERA
San Andrés
Paseo del Prado
Caixa Forum
Real Jardín Botánico
Real Basílica de San Francisco el Grande
EL RASTRO
CENTRO DE ARTE REINA SOFÍA
Pl. Emperador Carlos V
Museo Nacional de Antropología
Corrala Mesón de Paredes
Atocha
ATOCHA
OBSERVATORIO ASTRONÓMICO
Sacedón
MAR DE CASTILLA
Embalse de Entrepeñas
Embalse de Buendía
Pastrana
Mondéjar
Priego
N 320
N 204
CM 200
CM 2009
CM 310
Alcocer
Auñón
Buendía
Hueva
Albares
Almoguera
Driebes
Zorita de los Canes
Albalate de Zorita
Almonacid de Zorita
Pozo de Guadalajara
Horche
Romanones
Tendilla
Yebes
Armuña de Tajuña
Fuentelviejo
Aranzueque
Renera
Moratilla de los Meleros
Peñalver
Alocén
Berninches
Fuentelencina
Alhóndiga
Yebra
Sayatón
Pozo de Almoguera
El Pepino
Escariche
Escopete
Fuentenovilla
Loranca de Tajuña
Pioz
Pezuela de las Torres
Olmeda de las Fuentes
Nuevo Baztán
Villar del Olmo
Ambite
Orusco de T.
Carabaña
El Quejigal
Valdaracete
Brea de Tajo
Tinajas
Buciegas
Canalejas del Arroyo
Castejón
Alcohujate
Cañaveruelas
Villalba del Rey
Valdemoro del Rey
La Peraleja
Villanueva de Guadamajud
Gascueña
Olmeda de la Cuesta
Olmeda de Eliz
Castillo Albaráñez
Arrancacepas
Cañaveras
Villar del Infantado
Albendea
Salmeroncillos de Abajo
Salmeroncillos de Arriba
Valdeolivas
Arandilla del Arroyo
Salmerón
Castilforte
Escamilla
Pareja
Casasana
Tabladillo
Peñalagos
Córcoles
Millana
Monasterio de Monsalud
Los Cabezuelos
Alique
Torronteras
Las Anclas
Fuentesbuenas
Bólliga
Villarejo del Espartal
Portalrubio de Guadamajud
Moncalvillo del Huete
Garcinarro
Jabalera
La Bujeda
San Isidro
Valdecañas
Culebras
Dehesilla
San Cristóbal
Convento de la Salceda
Convento del Carmen
Embalse de Almoguera
Embalse de Bolarque
Salto de Bolarque
Ermita de Nª Sª de los Desamparados
Ermita de San Antón
Ermita de la Envía
Ermita de San Miguel
Ermita de Sta Bárbara
Ermita de Saúca
Convento de Sta María
Las Gaviotas
Las Brisas
Las Marías
Valdeconcha
Anguix
Hontoba
Valdarachas
Los Santos de la Humosa
Santorcaz
Anchuelo
Valdeláguila-El Robledal
Corpa
Monte Robledal
San Pedro Palmiches
Monte Sobledal
Río Tajo
Río Guadamajud
Río Tajuña
Río Guadiela
Embalse de Bolarque
El Valle de Altomira
Sª de Degollados

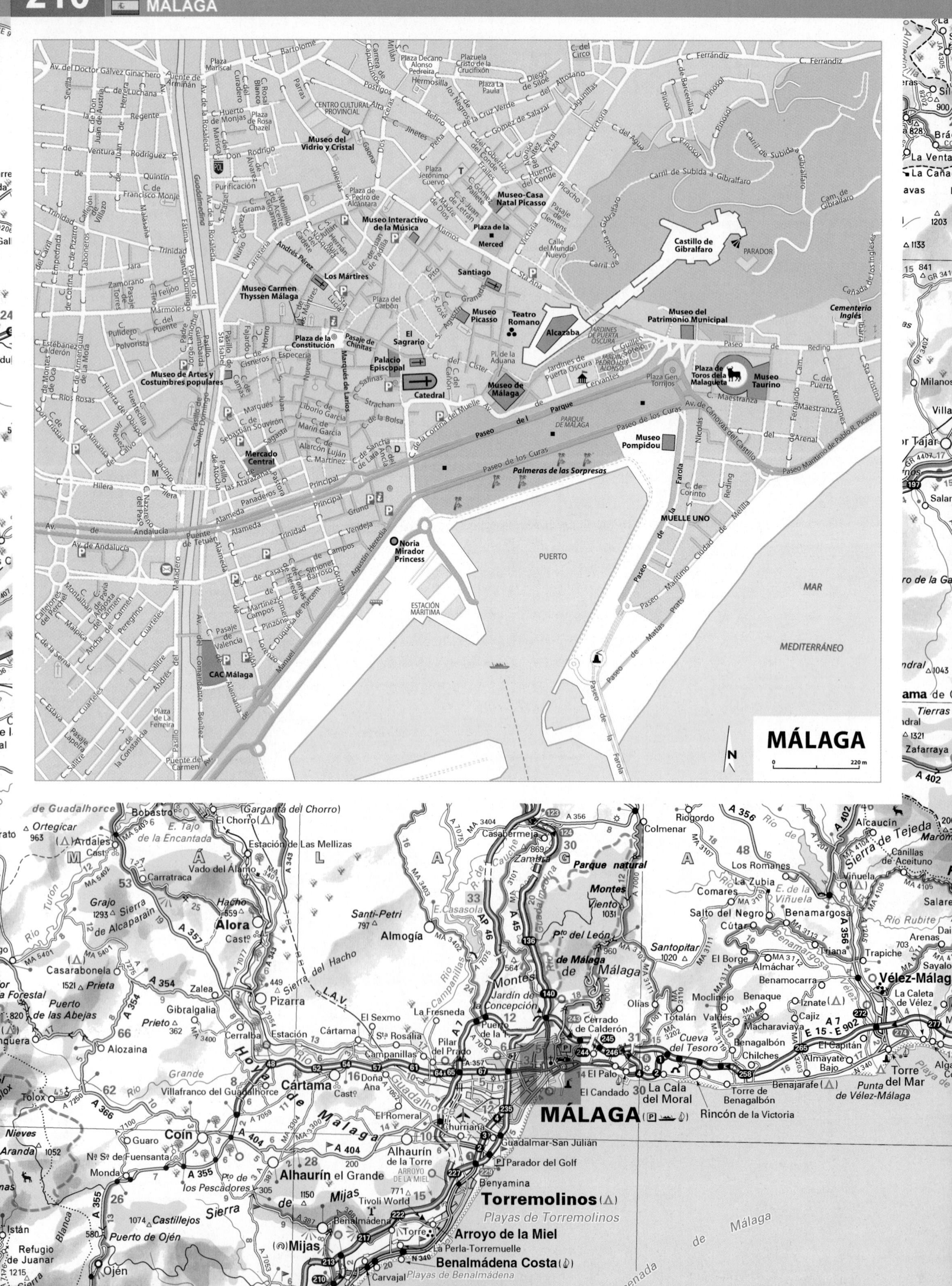
MÁLAGA
Castillo de Gibralfaro
Alcazaba
Teatro Romano
Museo Picasso
Catedral
Palacio Episcopal
Museo de Málaga
Plaza de Toros de la Malagueta
Museo Taurino
Museo Pompidou
Mercado Central
CAC Málaga
Museo del Patrimonio Municipal
Cementerio Inglés
Museo-Casa Natal Picasso
Museo Interactivo de la Música
Museo Carmen Thyssen Málaga
Museo de Artes y Costumbres populares
Museo del Vidrio y Cristal
Noria Mirador Princess
PUERTO
MAR MEDITERRÁNEO
MUELLE UNO
Palmeras de las Sorpresas
Torremolinos
Arroyo de la Miel
Benalmádena Costa
Mijas
Alhaurín el Grande
Cártama
Álora
Rincón de la Victoria
Vélez-Málaga
MARBELLA

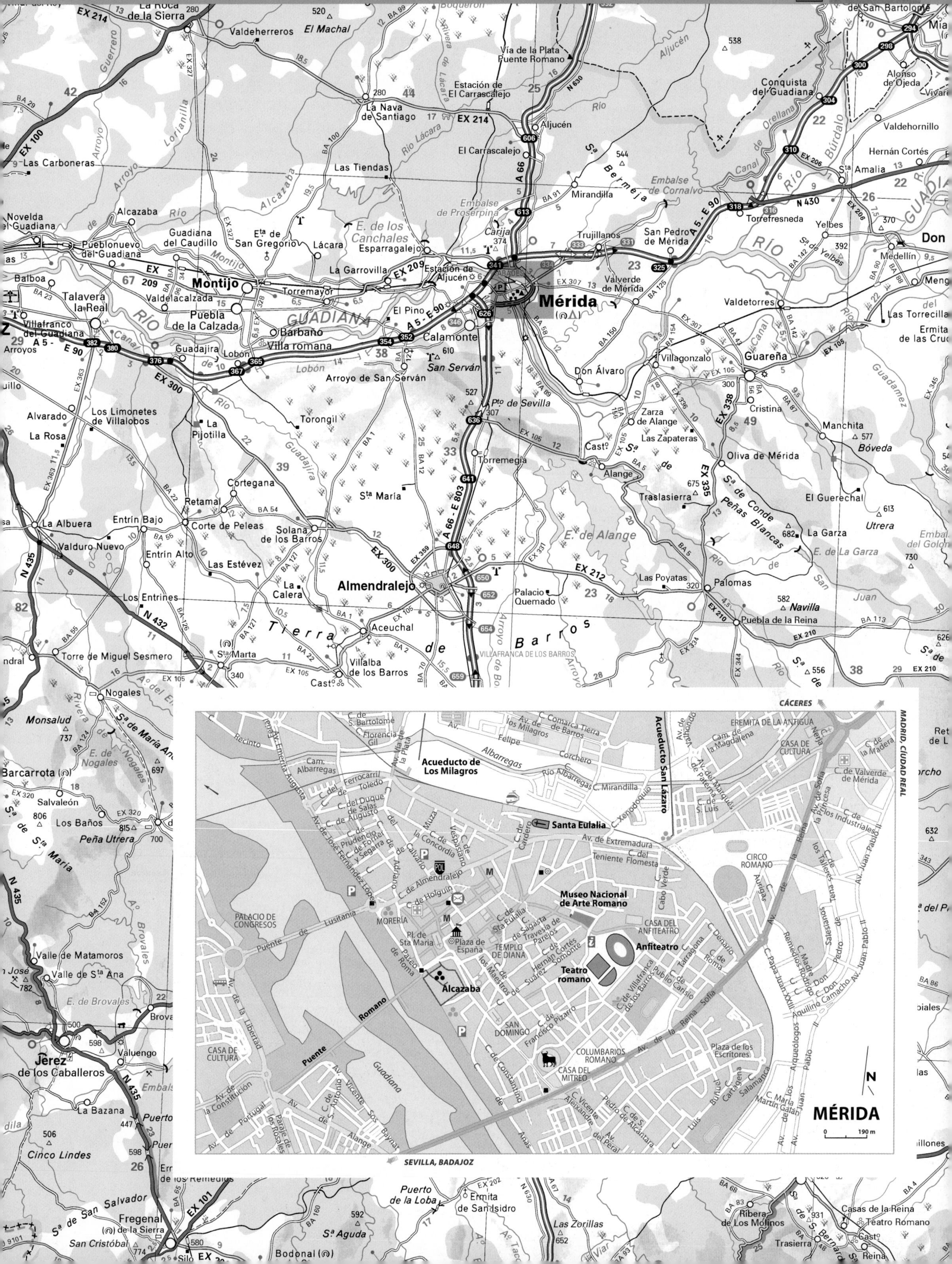
La Roca de la Sierra
Valdeherreros
El Machal
Vía de la Plata Puente Romano
Aljucén
Conquista del Guadiana
Alonso de Ojeda
Valdehornillo
Hernán Cortés
Sta Amalia
La Nava de Santiago
Estación de El Carrascalejo
El Carrascalejo
Las Carboneras
Las Tiendas
Mirandilla
Embalse de Cornalvo
Embalse de Proserpina
Torrefresneda
Yelbes
Medellín
Alcazaba
Novelda del Guadiana
Pueblonuevo del Guadiana
Guadiana del Caudillo
Eta de San Gregorio
Lácara
E. de los Canchales
Esparragalejo
Carija
Trujillanos
San Pedro de Mérida
La Garrovilla
Estación de Aljucén
Montijo
Torremayor
Valverde de Mérida
Balboa
Talavera la Real
Valdelacalzada
Puebla de la Calzada
Mérida
Valdetorres
Las Torrecillas
Villafranco del Guadiana
El Pino
Barbaño
Villa romana
Calamonte
Ermita de las Cruces
Arroyos
Guadajira
Lobón
San Serván
Arroyo de San Serván
Villagonzalo
Guareña
Don Álvaro
Alvarado
Los Limonetes de Villalobos
La Rosa
La Pijotilla
Torongil
Pto de Sevilla
Zarza de Alange
Las Zapateras
Cristina
Manchita
Bóveda
Torremegía
Castº
Alange
Oliva de Mérida
Traslasierra
Sa de Conde Peñas Blancas
El Guerechal
Cortegana
Retamal
Sta María
La Albuera
Entrín Bajo
Corte de Peleas
Solana de los Barros
E. de Alange
La Garza
Utrera
Embalse del Golondrina
E. de La Garza
Valduro Nuevo
Entrín Alto
Las Estévez
La Calera
Almendralejo
Las Poyatas
Palomas
Los Entrines
Palacio Quemado
Navilla
Puebla de la Reina
Aceuchal
Tierra de Barros
Torre de Miguel Sesmero
Sta Marta
Villalba de los Barros
Nogales
Monsalud
Sa de María Andrés
E. de Nogales
Barcarrota
Salvaleón
Los Baños
Peña Utrera
Sa de Sta María
Valle de Matamoros
Valle de Sta Ana
E. de Brovales
Brovales
Jerez de los Caballeros
Valuengo
La Bazana
Puerto
Cinco Lindes
Sa de San Salvador
Fregenal de la Sierra
San Cristóbal
Puerto de la Loba
Ermita de San Isidro
Sa Aguda
Bodonal
Las Zorrillas
Ribera de Los Molinos
Casas de la Reina
Teatro Romano
Trasierra
Reina
CÁCERES
MADRID, CIUDAD REAL
SEVILLA, BADAJOZ
Acueducto de Los Milagros
Acueducto San Lázaro
Santa Eulalia
Av. de Extremadura
Museo Nacional de Arte Romano
Anfiteatro
Teatro romano
CIRCO ROMANO
CASA DEL ANFITEATRO
TEMPLO DE DIANA
Plaza de España
Alcazaba
Puente Romano
PALACIO DE CONGRESOS
MORERÍA
SAN DOMINGO
COLUMBARIOS ROMANO
CASA DEL MITREO
CASA DE CULTURA
EREMITA DE LA ANTIGUA
Guadiana
Río Albarregas
MÉRIDA
190 m

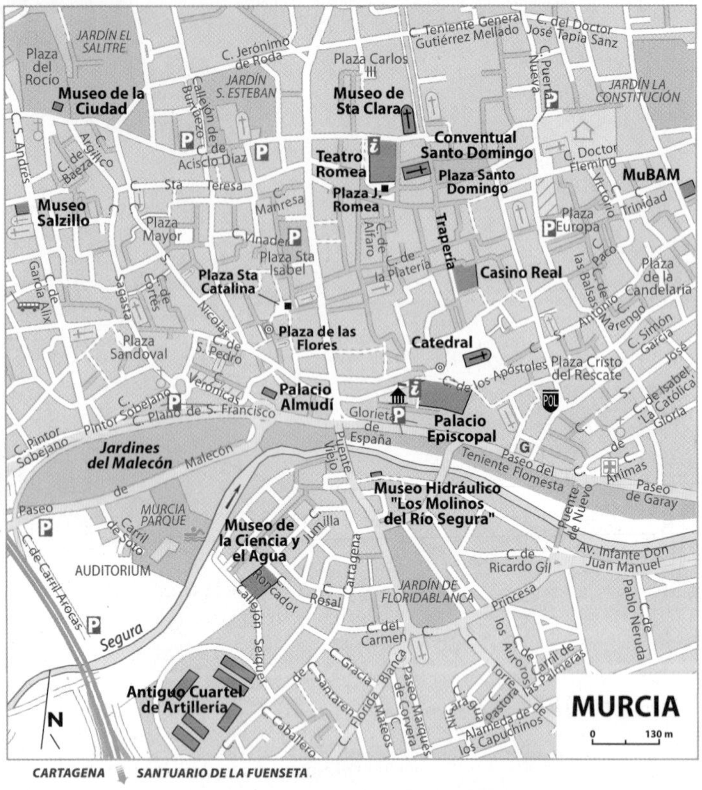

# MURCIA

## MURCIA

Museo de la Ciudad
Plaza del Rocío
JARDÍN EL SALITRE
C. Jerónimo de Roda
JARDÍN S. ESTEBAN
Plaza Carlos III
Museo de Sta Clara
C. Teniente General Gutiérrez Mellado
C. del Doctor José Tapia Sanz
JARDÍN LA CONSTITUCIÓN
Conventual Santo Domingo
Teatro Romea
Plaza J. Romea
Plaza Santo Domingo
C. Doctor Fleming
MuBAM
Museo Salzillo
C. Acisclo Díaz
Plaza Mayor
Plaza Sta Isabel
Plaza Europa
Trinidad
Trapería
Casino Real
C. de la Platería
Plaza de la Candelaria
Plaza Sta Catalina
Plaza de las Flores
Plaza Sandoval
C. S. Pedro
Catedral
C. de los Apóstoles
Plaza Cristo del Rescate
Palacio Almudí
Glorieta de España
Palacio Episcopal
C. Plano de S. Francisco
C. Pintor Sobejano
Jardines del Malecón
Malecón
Paseo del Teniente Flomesta
Paseo de Garay
Museo Hidráulico "Los Molinos del Río Segura"
Puente Viejo
Puente de Nuevo
MURCIA PARQUE
AUDITORIUM
Museo de la Ciencia y el Agua
Jumilla
Cartagena
Av. Infante Don Juan Manuel
C. de Ricardo Gil
JARDÍN DE FLORIDABLANCA
Princesa
Pablo Neruda
C. de Caril Arocas
Segura
Antiguo Cuartel de Artillería
Alameda de los Capuchinos
MURCIA
130 m
CARTAGENA
SANTUARIO DE LA FUENSETA
ALBACETE, ALICANT/ALICANTE

Archena
Molina de Segura
Alcantarilla
MURCIA
Orihuela
Abanilla
Fortuna
Santomera
Beniel
Beniaján
Ceuti
Lorquí
Alguazas
Campos del Río
Las Torres de Cotillas
Los Pulpites
Librilla
Sierra de Carrascoy
Sierra de Espuña
Cresta del Gallo
Santuario de la Fuensanta
Puerto de la Cadena
Embalse de Santomera
Embalse del Romeral
Sangonera la Verde
El Palmar
La Alberca
Algezares
Torreagüera
Los Martínez del Puerto
Corvera
Baños y Mendigo
Gañuelas
Casas Nuevas
Monasterio La Santa

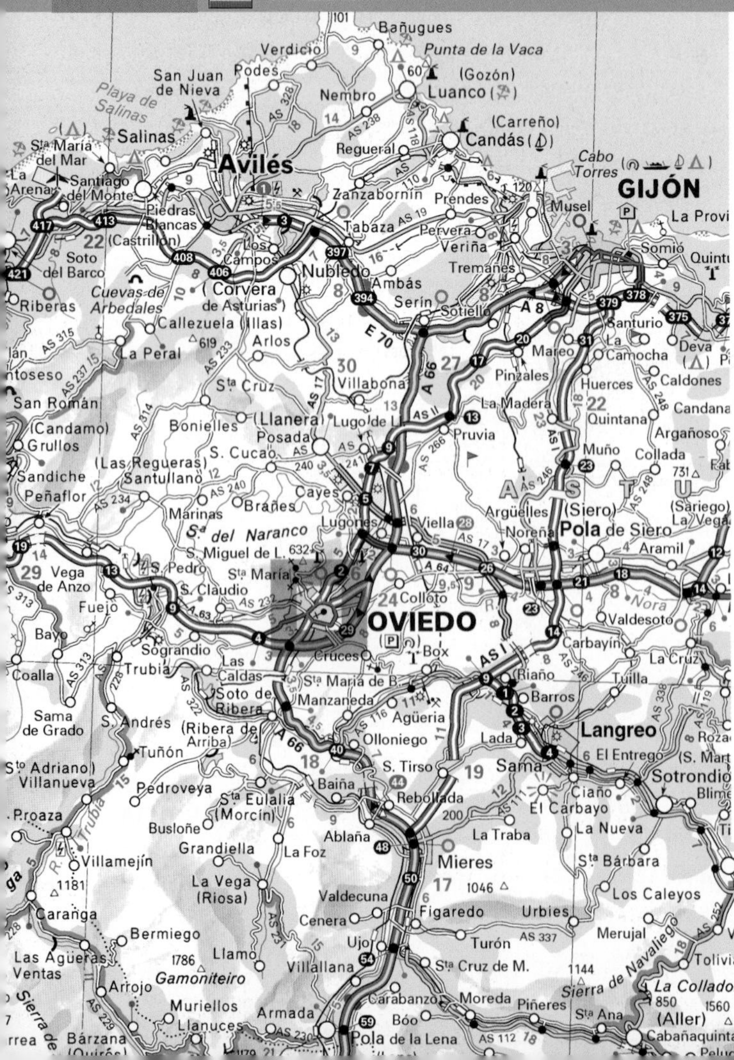

# OVIEDO

## OVIEDO

Museo de Bellas Artes de Asturias . . . M1
LUGONES
GIJÓN, AVILÉS, SANTANDER
MONTE NARANCO
C. Monte Gamonal
San Julián de los Prados
C. de Fernando Vela
Antiguo Hospital del Principado
Sta María la Real de la Corte
Pl. de Porlier
Catedral
M1
Plaza de Alfonso II El Casto
Pl. de Trascorrales
CAMPO DE SAN FRANCISCO
Av. de Italia
Av. de Galicia
Pl. de América
Pl. de España
Antigua Universidad
Ayuntamiento
Pl. de la Constitución
Pl. de Daoíz y Velarde
AUDITORIO
EL CAMPILLÍN
C. del Coronel Aranda
C. de Aniceto Sela
C. de González Besada
C. de Muñoz Degrain
Ronda Sur
Av. de Pedro Masaveu
Av. de Paseo del Parque de Invierno
A CORUÑA
MIERES, LEÓN
OVIEDO
200 m

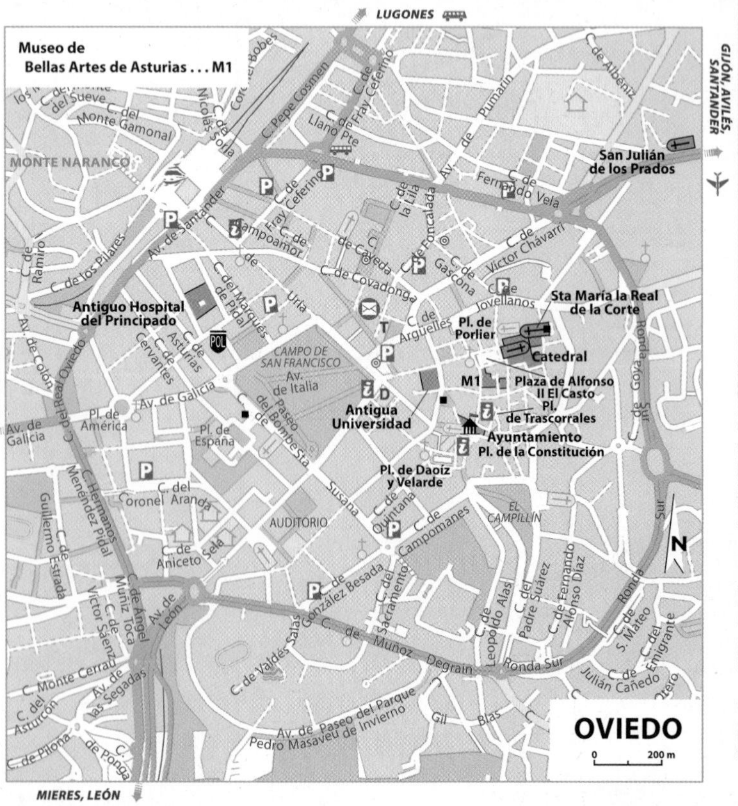

Avilés
GIJÓN
OVIEDO
Luanco
Candás
Salinas
Pola de Siero
Langreo
Sama
Mieres
Lugones
Noreña
Pola de Laviana (Laviana)
Pola de la Lena
Trubia
Sotrondio
Cabo Torres
Punta de la Vaca
Sierra del Naranco
Ujo
Moreda
Cabañaquinta
Desfiladero de los Beyos
Sierra de Navaliego
La Colladona
Campo de Caso (Caso)
Rioseco
Pto de Arnicio
Gamoniteiro
Bárzana (Quirós)
Proaza
Grado
Llanera
Posada
Corvera de Asturias
Nubledo
Piedras Blancas

PALENCIA
Catedral
Fundación Díaz-Caneja
Las Claras
San Miguel
San Juan Bautista
Plaza Mayor
Parque Huertas del Obispo
Parque Sotillo de los Canónigos
Parque Isla Dos Aguas Norte
Parque Salón Isabel II
Polideportivo
Conservatorio de Música
Av. de Simón Nieto
Av. de Castilla
Av. de Vinalta
Av. de León
Av. de Cuba
Av. de Santander
Av. de Asturias
Paseo Victorio Macho
Canal de Castilla
Puente Mayor
Río Carrión
Quintanilla de Rueda
Cubillas de Rueda
Canalejas
Almanza
Llamas de R.
Castromudarra
Herreros de R.
Villaverde de Arcayos
Villamartín de Don Sancho
Quintana del Monte
Villaselán
Valdavida
Renedo de V.
Velilla de V.
San Andrés de la Regla
Mozos de Cea
Villamizar
Sta María del Río
Villazanzo de Valderaduey
Saelices del Río
Villavelasco de V.
Villadiego de Cea
Banecidas
Bustillo de Cea
Castellanos
Villamuñío
Cea
San Pedro de Valderaduey
Calzadilla de los Hermanillos
Villamol
Celada de Cea
Villambrán de Cea
Joara
Villapecenil
Codornillos
Calzada del Coto
Villalebrín
Lagartos
Villambroz
Villarrabé
Terradillos de los Templarios
Sahagún
La Peregrina
Moratinos
Población de Arroyo
Ledigos
Calzadilla de la C.
Gordaliza del Pino
Grajal de Campos
Galleguillos de C.
Escobar de Campos
Villelga
Arroyo
Quintanilla de la C.
Joarilla de las Matas
Villacreces
Villalcón
Villa Romana la Tejada
Cervatos de la Cueza
Riberos de la Cueza
Melgar de Arriba
Pozuelos del Rey
Pozo de Urama
Villada
S. Román de la Cuba
Villanueva del Rebollar
Villamuera de la C.
Lomas
Revenga de C.
Villovieco
Población de C.
Frómista
Zorita de la Loma
Monasterio de Vega
Abastas
Cardeñosa de Volpejera
Villoldo
Boadilla del Camino
Melgar de Yuso
Santervás de Campos
Villacidaler
Cisneros
Añoza
Manquillos
Piña de C.
Santoyo
Villodre
Vega de Ruiponce
Villacarralón
Villalumbroso (Valle Retortillo)
Perales
S. Cebrián de Campos
Támara
Astudillo
Cabezón de Valderaduey
Fontihoyuelo
Boadilla de Rioseco
Mazuecos de Valdeginate
Paredes de Nava
Amusco
Palacios del Alcor
Sta Clara
Villanueva de la Condesa
Guaza de Campos
Ribas de C.
Villalaco
Bustillo de Chaves
Frechilla
Valbuena de Pisuerga
Gordaliza de la Loma
Herrín de C.
Monzón de Campos
Valdespina
Villacid de Campos
Villalón de Campos
Autillo de Campos
Becerril de Campos
Husillos
Cuenca de Campos
Ermita de San Bernardino
Villafrades de Campos
Fuentes de Nava
Villaumbrales
Fuentes de Valdepero
Villajimena
Cordovilla la Real
Quintana del Puente
Gatón de Campos
Abarca
Cascón de la Nava
Grijota
Villamediana
Villarramiel
Mazariegos
Valdeolmillos
Torquemada
Herrera de Valdecañas
Pajares
Castromocho
Villamartín de Campos
Villalobón
Convento de San Francisco
Villabaruz de Campos
Capillas
Baquerín de Campos
Revilla de C.
Mirador de Tierra de Campos
Moral de la Reina
Tamariz de Campos
Castil de Vela
Boada de Campos
Pedraza de Campos
Autilla del Pino
Hornillos de Cerrato
Torremormojón
Magaz
Reinoso de Cerrato
Berrueces
Meneses de Campos
Belmonte de C.
Paredes de Monte
Casa Grande
Villamuriel de Cerrato
Soto de C.
Villaviudas
Villerías
Sta Cecilia del Alcor
Baltanás
Villanueva de San Mancio
Palacios de C.
Ampudia
Venta de Baños
Nª Sª de Alconada
Baños de Cerrato
Hontoria de Cerrato
Medina de Rioseco
Montealegre
Valoria del Alcor
Tariego de Cerrato
Villaesper
Dueñas
Valle de Cerrato
Valdenebro de los Valles
Villalba de los Alcores
Quintanilla de Trigueros
Villaconancio
Cevico de la Torre
Castrillo de Onielo
Cevico Navero
Valverde de Campos
Cubillas de Sta Marta
Villabrágima
Trigueros del Valle
Vertavillo
Corcos
Cubillas de Cerrato
Alba de Cerrato
Hérmedes de Cerrato
Castromonte
Granja Muedra
Valoria la Buena
Población de C.
La Mudarra
Torre de E.
Fombellida
Cigales
Castroverde de Cerrato
Amusquillo
Monasterio
Mucientes
S. Martín de Valvení
Esguevillas de Esgueva
Villaco
Canillas
Anunciada
Cabezón de Pisuerga
Piña de Esgueva
Villafuerte
Montes de Torozos
Tierra de Campos
Canal de Castilla
Río Pisuerga
Río Sequillo
Río Cea
Río Valderaduey
Río Cueza
Río Esgueva
Río Ucieza

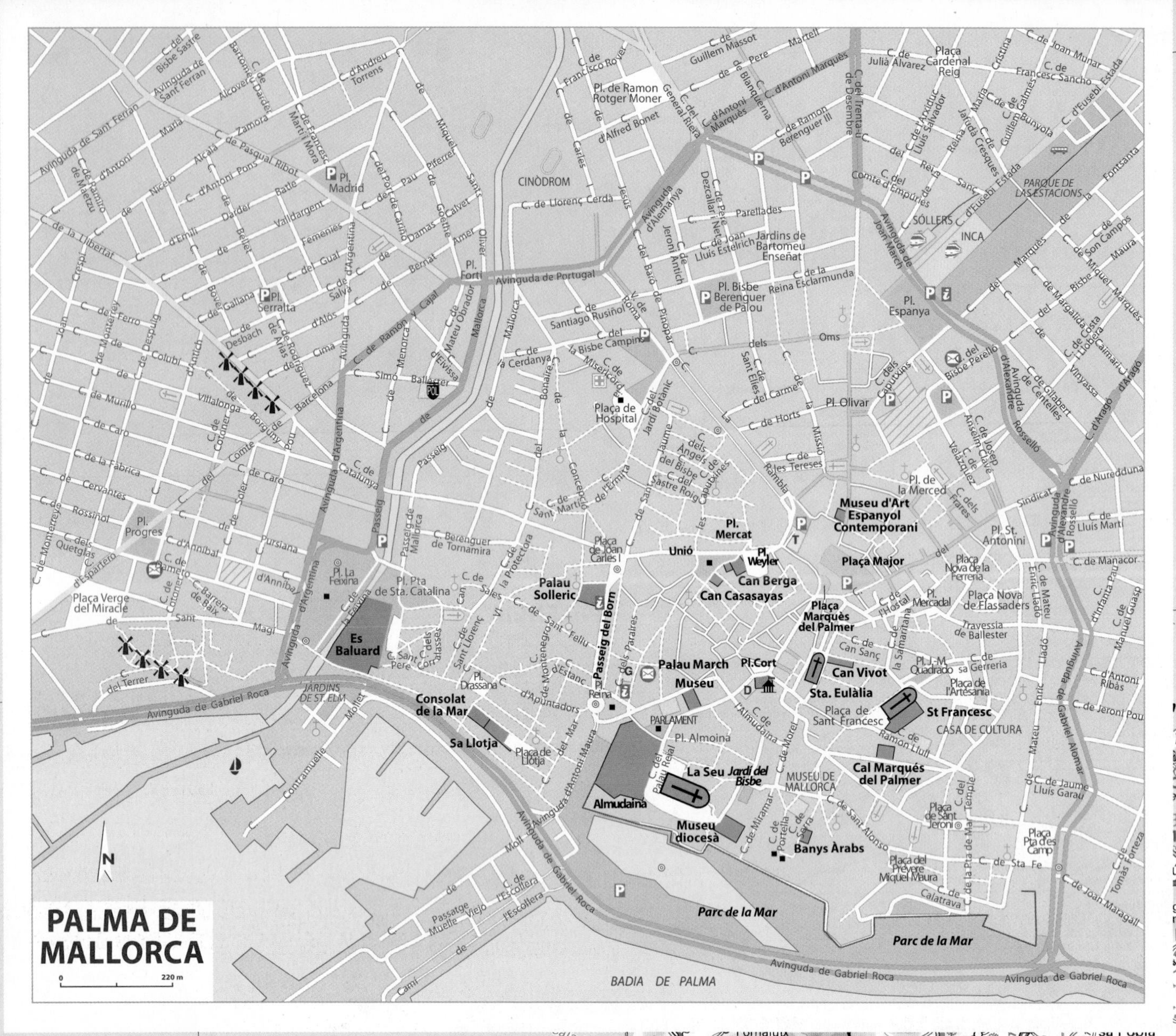

PALMA DE MALLORCA
0
220 m
N
Es Baluard
Consolat de la Mar
Sa Llotja
Palau Solleric
Passeig del Born
Palau March
Museu
Pl. Cort
Can Vivot
Sta. Eulàlia
St Francesc
CASA DE CULTURA
Cal Marquès del Palmer
La Seu
Jardí del Bisbe
Almudaina
Museu diocesà
Banys Àrabs
MUSEU DE MALLORCA
Museu d'Art Espanyol Contemporani
Plaça Major
Plaça Marquès del Palmer
Can Berga
Can Casasayas
Pl. Mercat
Pl. Weyler
Unió
PARLAMENT
Pl. Almoina
Parc de la Mar
BADIA DE PALMA
Avinguda de Gabriel Roca
JARDINS DE ST. ELM
Pl. Espanya
SÓLLER
INCA
PARQUE DE LAS ESTACIONS
CINÒDROM
Pl. Madrid
Pl. Serralta
Pl. Progrés
Plaça Verge del Miracle
Pl. La Feixina
Pl. Pta de Sta. Catalina
Pl. Drassana
Plaça de Llotja
Plaça de Hospital
Pl. Bisbe Berenguer de Palou
Pl. Olivar
Pl. de la Mercè
Pl. St. Antoni
Pl. Mercadal
Plaça Nova de Flassaders
Plaça de Sant Francesc
Plaça de Sant Jeroni
Plaça Pta des Camp
Plaça del Prevere Miquel Maura
Pl. Forti
Avinguda de Portugal
Avinguda d'Argentina
Avinguda d'Alexandre Rosselló
Avinguda de Gabriel Alomar
Avinguda de Joan March
Avinguda d'Antoni Maura
Passatge Muelle Viejo
Moll
Contramuelle
Rambla


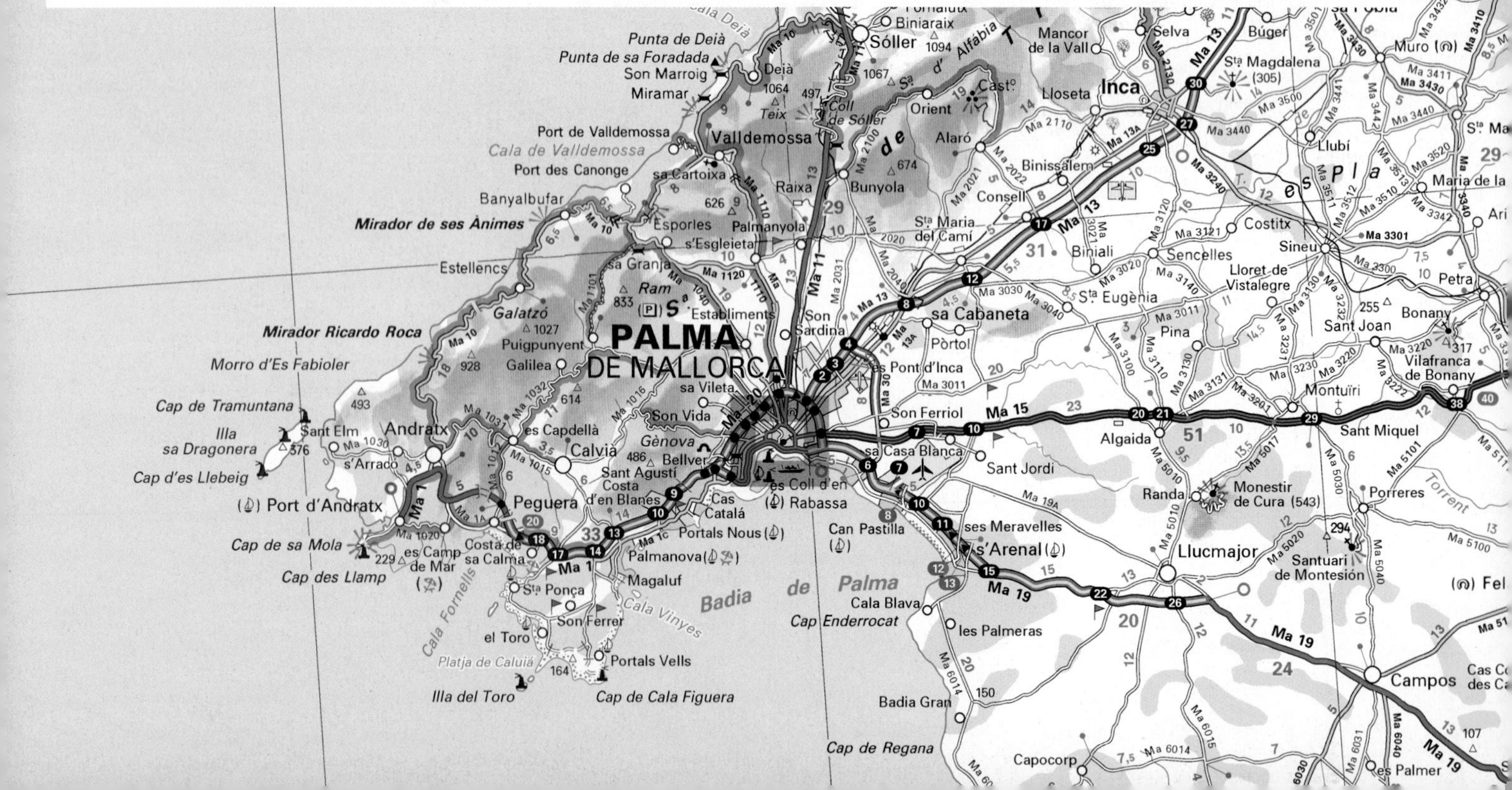

PALMA DE MALLORCA
Sóller
Deià
Valldemossa
Bunyola
Alaró
Inca
Lloseta
Consell
Binissalem
Santa Maria del Camí
Esporles
s'Esgleieta
Palmanyola
Raixa
Establiments
Son Sardina
Puigpunyent
Galilea
Andratx
Sant Elm
s'Arracó
Port d'Andratx
Calvià
Capdellà
Peguera
Santa Ponça
Magaluf
Palmanova
Portals Nous
Portals Vells
Bellver
Gènova
Son Vida
sa Vileta
Sant Agustí
Cas Català
Costa d'en Blanes
Illa sa Dragonera
Cap de Tramuntana
Cap d'es Llebeig
Cap de sa Mola
Cap des Llamp
Cap de Cala Figuera
Illa del Toro
Badia de Palma
Cala Blava
Cap Enderrocat
Badia Gran
Cap de Regana
Capocorp
s'Arenal
ses Meravelles
Can Pastilla
es Coll d'en Rabassa
Sant Jordi
sa Casa Blanca
Son Ferriol
es Pont d'Inca
sa Cabaneta
Pòrtol
Sencelles
Biniali
Costitx
Sineu
Lloret de Vistalegre
Santa Eugènia
Pina
Algaida
Randa
Monestir de Cura (543)
Llucmajor
Montuïri
Sant Joan
Vilafranca de Bonany
Porreres
Santuari de Montesión
Campos
Sant Miquel
Petra
Bonany
Selva
Mancor de la Vall
Búger
Muro
Llubí
Maria de la Salut
Santa Magdalena (305)
Orient
Miramar
Son Marroig
Punta de Deià
Punta de sa Foradada
Port de Valldemossa
Cala de Valldemossa
Port des Canonge
Banyalbufar
Mirador de ses Ànimes
Estellencs
Galatzó
Mirador Ricardo Roca
Morro d'Es Fabioler
Ma 1
Ma 11
Ma 13
Ma 15
Ma 19
es Pla
Cap de Catalunya
P. natural de s'Albufera
Punta de l'Avançada
Badia de Pollença
Alcúdia

LAS PALMAS DE GRAN CANARIA
0 500 m
Bahía del Confital
Castillo de la Luz
PUERTO DE LA LUZ
ESTACIÓN MARÍTIMA
SANTA CATALINA
Plaza San Juan Bautista
ALCARAVANERAS
PLAYA DE LAS ALCARAVANERAS
AUDITORIO
ARUCAS, GÁLDAR
CIUDAD JARDÍN
Parque Doramas
ESCALERITAS
ALTAVISTA
LUGO
ARENALES
PARQUE DE LAS REHOYAS
SCHAMANN
CIUDAD DEL MAR
TRIANA
FERIA DEL ATLÁNTICO
CASTILLO DE S. FRANCISCO
VEGUETA
SAN ROQUE
SAN JUAN
TAMARACEITE
SANTA BRIGIDA, CRUZ DE TEJEDA
MASPALOMAS
Los Albarderos
Roque Negro
La Isleta
Playa de las Canteras
Puerto de la Luz
Tenerife
Fuerteventura
Lanzarote
LAS PALMAS DE GRAN CANARIA
Tamaraceite
Almatriche
Triana
Vegueta
San Cristóbal
Punta Casa Blanca
Jardín Canario
Teror
Miraflor
Valleseco
Mirador de Zamora
Juncalillo
Lanzarote
Sta Brígida
Pico de Bandama
Jinámar
Los Hoyos
Vega de San Mateo
Cruz de Tejeda
Artenara
Tejeda
Roque Bentaiga
Roque Nublo
POZO DE LAS NIEVES
Valsequillo de Gran Canaria
TELDE
La Garita
Marpequeña
Playa del Hombre
Playa de Melenara
Cuatro Puertas
Ojos de Garza
Ingenio
Carrizal
San Bartolomé
Pto de Cruz Grande
Roque de Gando
Punta de Gando
AEROPUERTO DE GRAN CANARIA

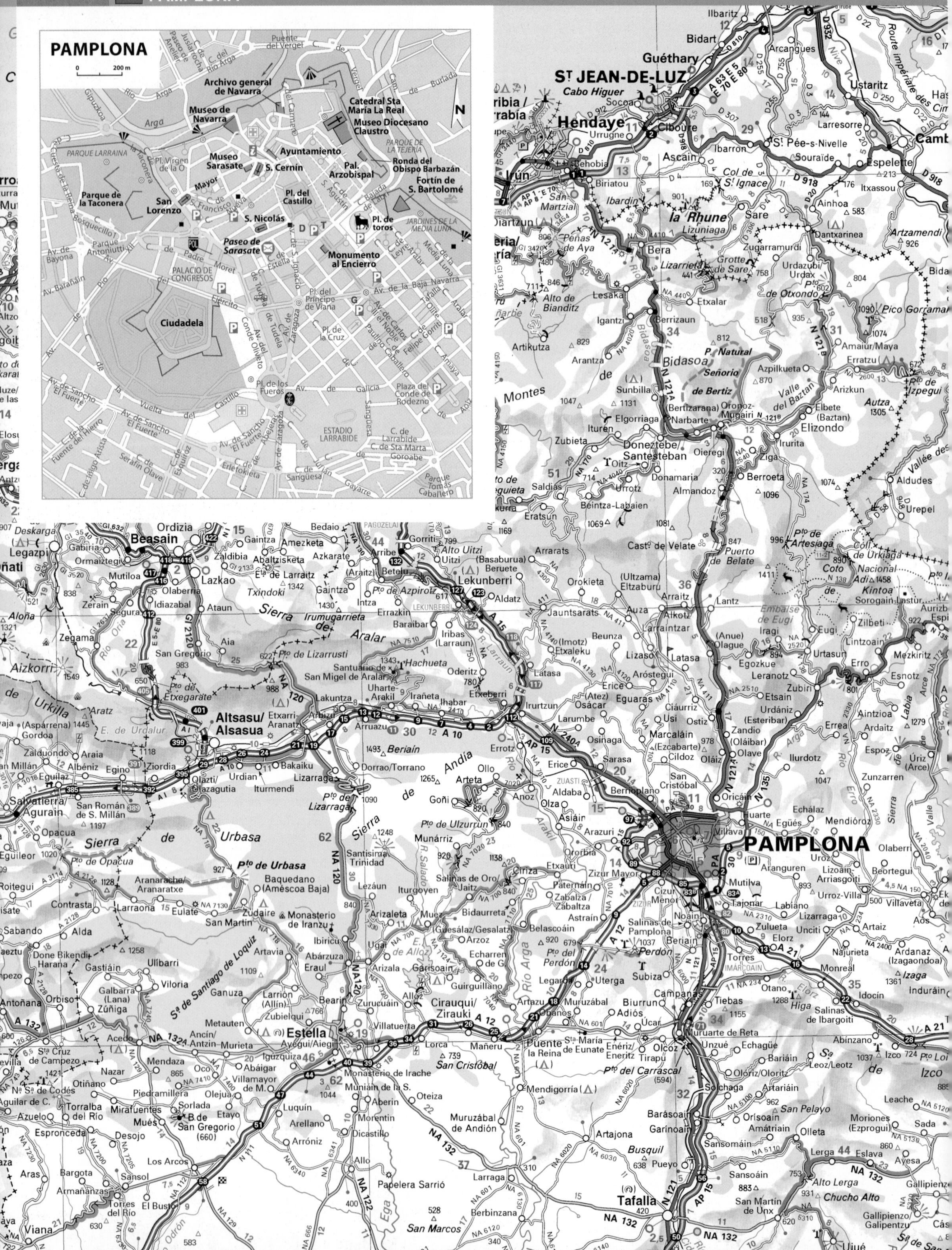
PAMPLONA
0 200 m
Archivo general de Navarra
Museo de Navarra
Catedral Sta María La Real
Museo Diocesano Claustro
Ayuntamiento
Museo Sarasate
S. Cernin
Pal. Arzobispal
Ronda del Obispo Barbazán
Fortín de S. Bartolomé
Parque de la Taconera
San Lorenzo
Mayor
Pl. del Castillo
S. Nicolás
Pl. de toros
Paseo de Sarasate
Monumento al Encierro
PALACIO DE CONGRESOS
Ciudadela
PARQUE LARRAINA
PARQUE DE LA TEJERÍA
JARDINES DE LA MEDIA LUNA
ESTADIO LARRABIDE
Pl. de los Fueros
Plaza del Conde de Rodezno
Puente del Vergel
St JEAN-DE-LUZ
Hendaye
Irún
Bidart
Guéthary
Ustaritz
Espelette
Ascain
Sare
la Rhune
Bera
Elizondo
Doneztebe/Santesteban
Puerto de Belate
Lekunberri
Beasain
Ordizia
Altsasu/Alsasua
Sierra de Aralar
Sierra de Urbasa
Sierra de Andía
Estella
PAMPLONA
Tafalla
Puente la Reina
Aoiz
Viana
Olite
Ujué

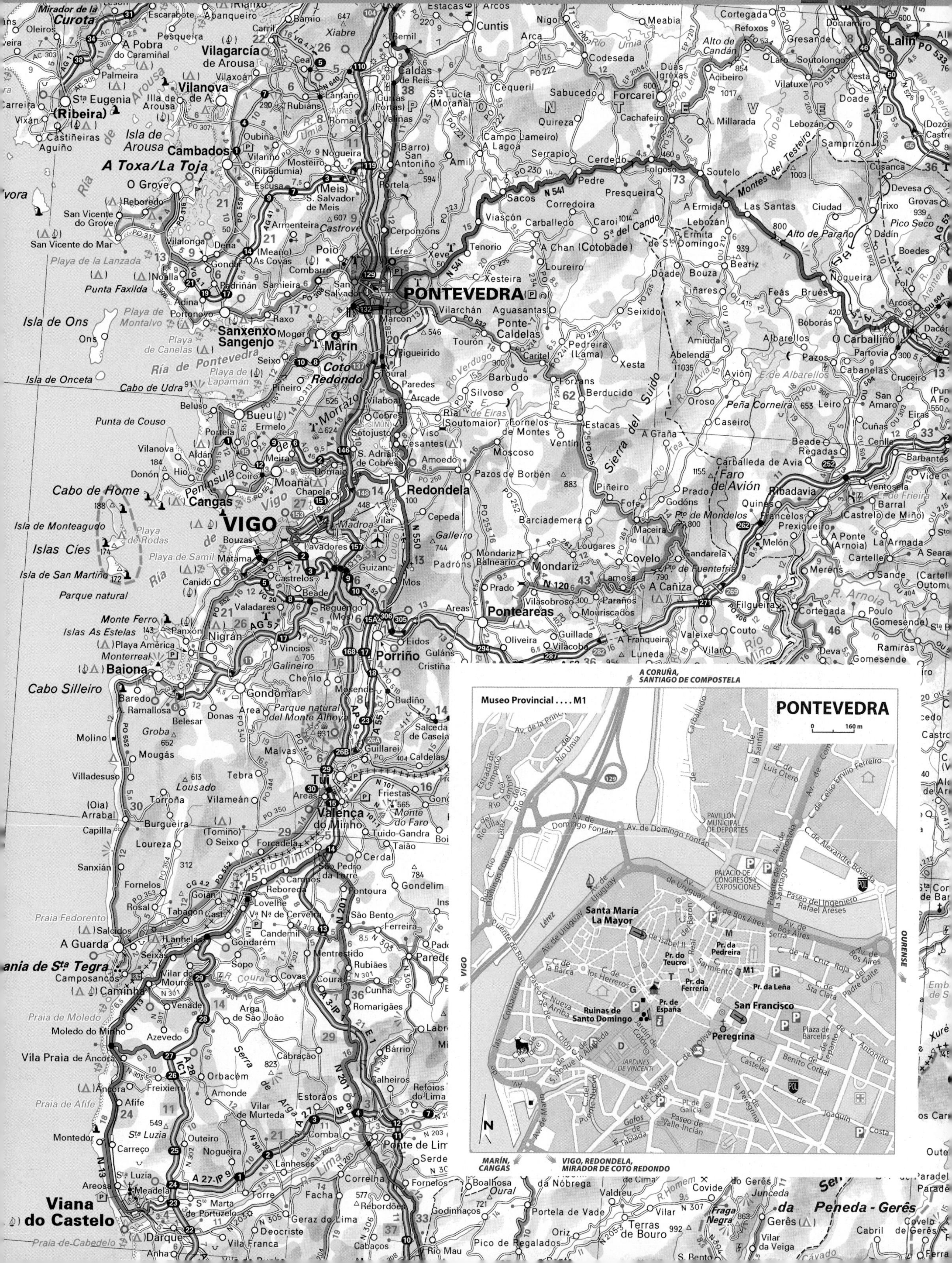

## PONTEVEDRA

Museo Provincial . . . . M1

0 160 m

A CORUÑA, SANTIAGO DE COMPOSTELA

VIGO

OURENSE

MARÍN, CANGAS

VIGO, REDONDELA, MIRADOR DE COTO REDONDO

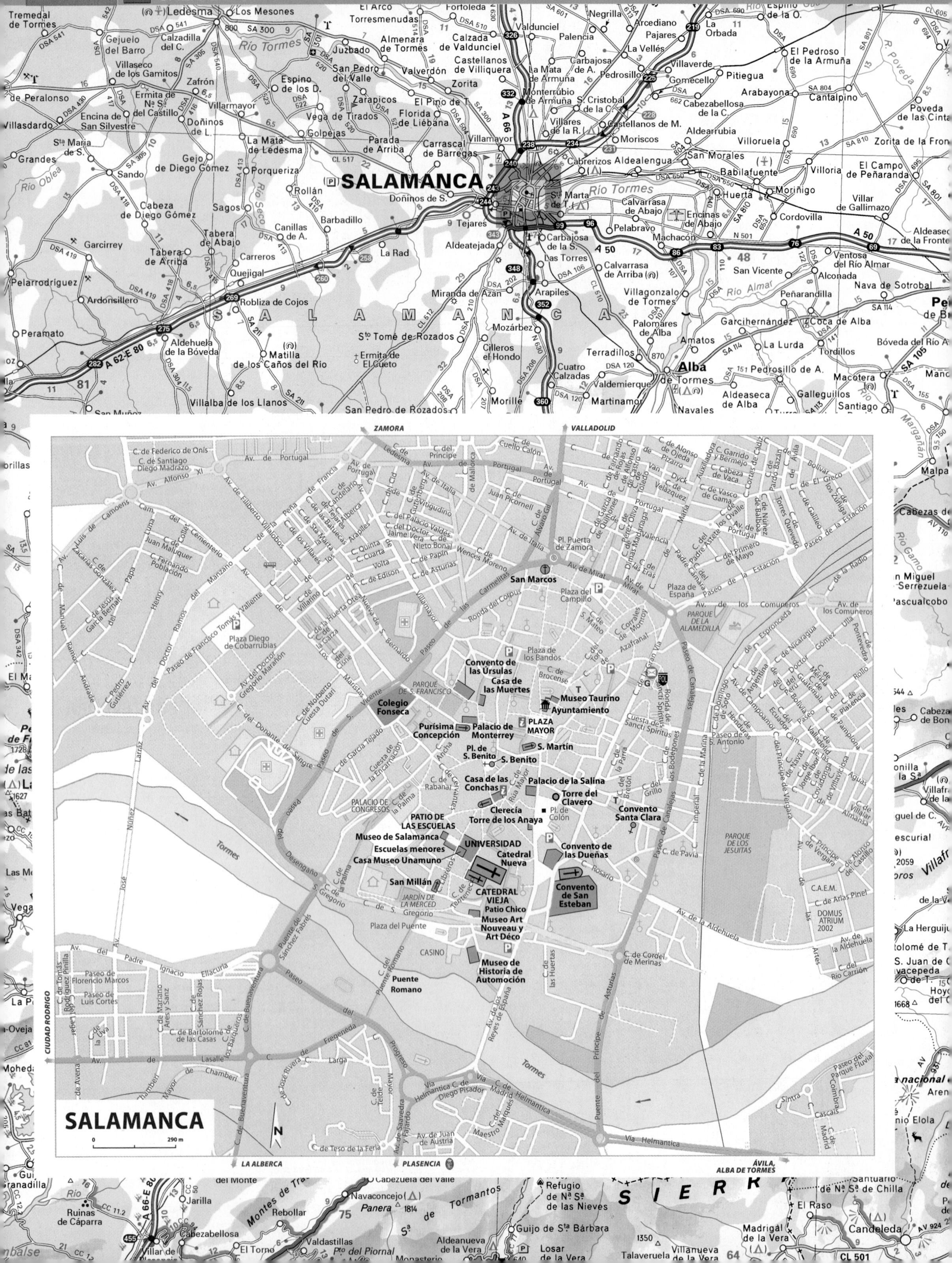

Tremedal de Tormes
Ledesma
Los Mesones
Gejuelo del Barro
Calzadilla del C.
Villaseco de los Gamitos
Zafrón
Juzbado
Almenara de Tormes
San Pedro del Valle
Espino de los D.
Valverdón
Calzada de Valdunciel
Castellanos de Villiquera
Valdunciel
Negrilla
Palencia
Arcediano
Pajares
La Orbada
La Mata de Armuña
Monterrubio de Armuña
Pedrosillo
Villaverde
Gomecello
Pitiegua
El Pedroso de la Armuña
Arabayona
Cantalpino
Poveda de las Cintas
Zorita
Zarapicos
Vega de Tirados
Florida de Liébana
El Pino de T.
Villarmayor
Doñinos de L.
Golpejas
Ermita de Nª Sª del Castillo
Encina de San Silvestre
Villasdardo
Sª María de S.
Grandes
Sando
La Mata de Ledesma
Parada de Arriba
Carrascal de Barregas
Villamayor
Villares de la R.
Castellanos de M.
Cabezabellosa de la C.
Aldearrubia
Villoruela
Zorita de la Frontera
Moriscos
San Morales
Aldealengua
Cabrerizos
Babilafuente
Villoria
El Campo de Peñaranda
Gejo de Diego Gómez
Porqueriza
Rollán
SALAMANCA
Doñinos de S.
Sta Marta de T.
Calvarrasa de Abajo
Huerta
Moriñigo
Villar de Gallimazo
Cordovilla
Encinas de Abajo
Pelabravo
Machacón
Cabeza de Diego Gómez
Sagos
Barbadillo
Tejares
Canillas de A.
Tabera de Abajo
Garcirrey
Tabera de Arriba
Carreros
La Rad
Aldeatejada
Carbajosa de la S.
Las Torres
Calvarrasa de Arriba
Ventosa del Río Almar
San Vicente
Alconada
Nava de Sotrobal
Aldeaseca de la Frontera
Pelarrodríguez
Quejigal
Ardonsillero
Robliza de Cojos
Miranda de Azán
Arapiles
Villagonzalo de Tormes
Peñarandilla
Peramato
Aldehuela de la Bóveda
Matilla de los Caños del Río
Sto Tomé de Rozados
Ermita de El Cueto
Mozárbez
Cilleros el Hondo
Palomares de Alba
Garcihernández
Coca de Alba
Amatos
La Lurda
Tordillos
Bóveda del Río Almar
Terradillos
Alba de Tormes
Pedrosillo de A.
Macotera
Cuatro Calzadas
Valdemierque
Martinamor
Aldeaseca de Alba
Galleguillos
Santiago
Villalba de los Llanos
San Pedro de Rozados
Morille
Navales
SALAMANCA

ZAMORA
VALLADOLID
CIUDAD RODRIGO
LA ALBERCA
PLASENCIA
ÁVILA, ALBA DE TORMES

San Marcos
Plaza del Campillo
Plaza de España
Parque de la Alamedilla
Plaza Diego de Cobarrubias
Plaza de los Bandos
Convento de las Úrsulas
Casa de las Muertes
Museo Taurino
Ayuntamiento
Colegio Fonseca
Parque de S. Francisco
Purísima Concepción
Palacio de Monterrey
Plaza Mayor
S. Martín
Pl. de S. Benito
S. Benito
Casa de las Conchas
Palacio de la Salina
Torre del Clavero
Pl. de Colón
Convento Santa Clara
Palacio de Congresos
Patio de las Escuelas
Clerecía
Torre de los Anaya
Museo de Salamanca
Universidad
Escuelas menores
Catedral Nueva
Casa Museo Unamuno
Convento de las Dueñas
San Millán
Convento de San Esteban
Jardín de la Merced
Catedral Vieja
Patio Chico
Museo Art Nouveau y Art Déco
Plaza del Puente
Casino
Museo de Historia de Automoción
Puente Romano
Parque de los Jesuitas
C.A.E.M.
Domus Atrium 2002
Tormes

0 — 290 m

SANTA CRUZ DE TENERIFE
ESTACIÓN MARÍTIMA, SAN ANDÉS
LA LAGUNA, PUERTO DE LA CRUZ, TENERIFE-SUR, TENERIFE-NORTE, SANTA MARÍA DEL MAR
Museo Militar
Parque Municipal García Sanabria
EL TOSCAL
PUERTO
DIQUE MUELLE
S. Francisco
Palacio de Carta
Concepción
Museo de la Naturaleza y el Hombre
LAS MIMOSAS
LAS ACACIAS
LA NINFA
PARQUE LA GRANJA
PALACIO DE DEPORTES
LOS GLADIOLOS
LOS LLANOS
AUDITORIO
Rambla de Sta Cruz
Av. del Tres de Mayo
Barranco de Santos
Av. Marítima
Mirador de Cruz del Carmen
Tegueste
Tejina
Mirador del Pico del Inglés
Las Mercedes
LA LAGUNA
San Lázaro
AEROPUERTO TENERIFE NORTE
San Bartolomé
Geneto
Los Baldíos
La Esperanza (El Rosario)
El Sobradillo
Taco
Barranco Grande
Sta María del Mar
San Isidro
Añaza
Barranco Hondo
Radazul
Valle Tabares
Los Campitos
Valleseco
María Jiménez
Cueva Bermeja
San Andrés
Igueste de San Andrés
Playa de las Teresitas
Playa de las Gaviotas
Playa de Antequera
Semáforo
Dársena Pesquera
Dique del Este
La Palma
Cádiz
Gran Canaria
STA. CRUZ DE TENERIFE
Punta de Roque Manzano
Playa del Muerto
Punta de la Encendida
Playa Berruguete
Playa de la Nea
Tabaiba
Machado
Llano del Moro
Lomo Pelado
Las Rosas
El Tablero
El Portezuelo
Jardina
Valle Jiménez
Gracia
Finca España
La Cuesta
La Cumbrilla
Valle Brosque
Valle Crispín
Valle Grande
Ramonal
Embalse de Acaimo
Pedro Álvarez
Socorro
San Luis
La Padilla
Las Canteras
Ermita de Las Mercedes
Español

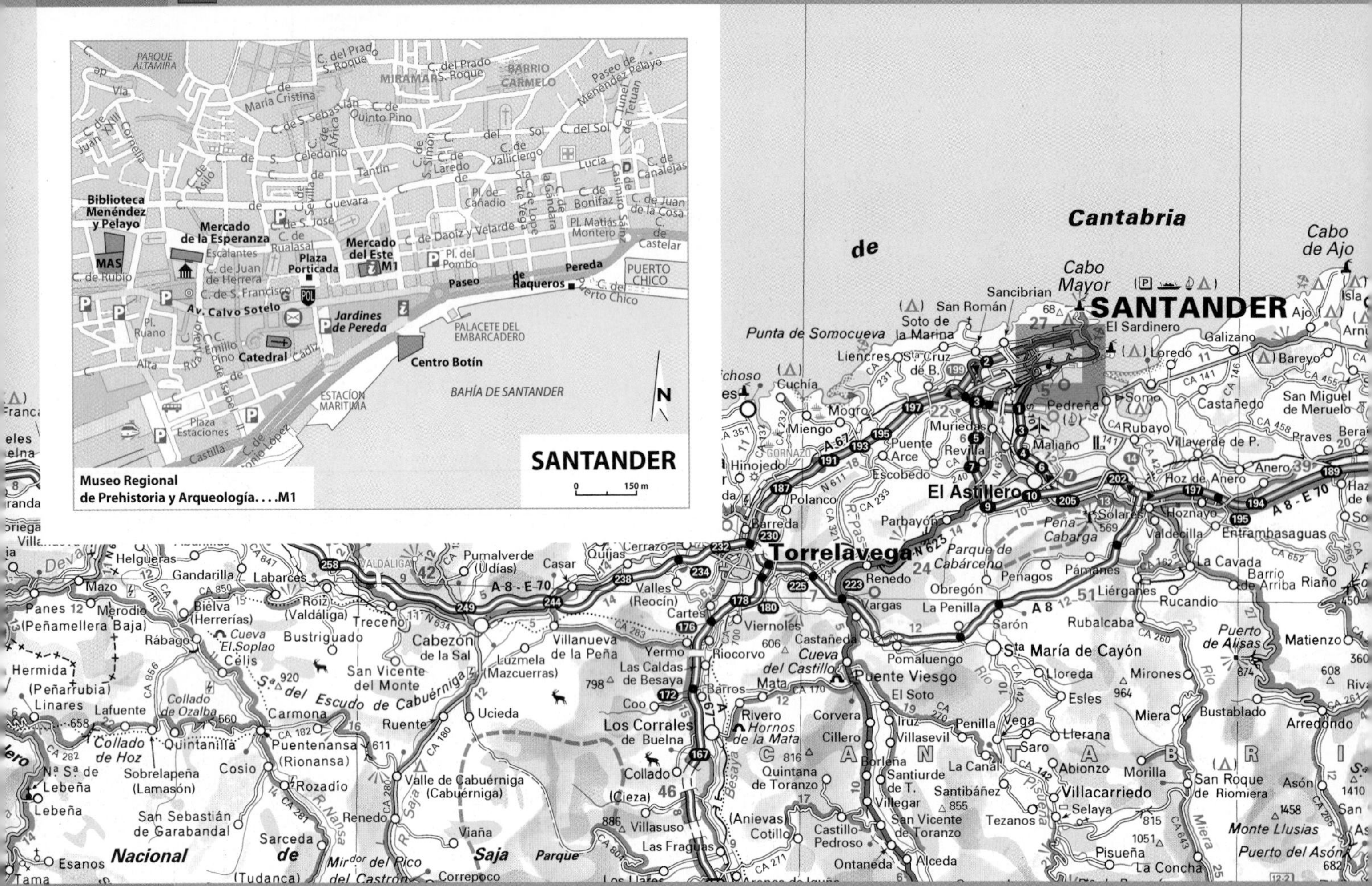

Biblioteca Menéndez y Pelayo
Mercado de la Esperanza
Mercado del Este
Plaza Porticada
Jardines de Pereda
Catedral
Centro Botín
PALACETE DEL EMBARCADERO
PUERTO CHICO
BAHÍA DE SANTANDER
ESTACIÓN MARÍTIMA
Plaza Estaciones
PARQUE ALTAMIRA
BARRIO CARMELO
MIRAMAR
Av. Calvo Sotelo
Paseo de Pereda
Paseo de Menéndez Pelayo
Túnel de Tetuán
C. de Castelar
MAS
N

SANTANDER

Museo Regional de Prehistoria y Arqueología. . . .M1

0 150 m

Cantabria
de
Cabo Mayor
Cabo de Ajo
SANTANDER
Sancibrian
San Román
Soto de la Marina
Punta de Somocueva
Liencres
Sta Cruz de B.
El Sardinero
Galizano
Loredo
Bareyo
Somo
Castañedo
San Miguel de Meruelo
Pedreña
Rubayo
Villaverde de P.
Praves
Anero
Hoz de Anero
Mogro
Miengo
Cuchía
Muriedas
Revilla
Maliaño
Puente Arce
Escobedo
Hinojedo
Polanco
El Astillero
Parbayón
Barreda
Torrelavega
Peña Cabarga
Parque de Cabárceno
Solares
Hoznayo
Valdecilla
Entrambasaguas
La Cavada
Barrio de Arriba
Riaño
Helgueras
Gandarilla
Labarces
Pumalverde (Udías)
Casar
Quijas
Cerrazo
Mazo
Panes
Merodio
Bielva (Herrerías)
Roiz (Valdáliga)
Treceño
Valles (Reocín)
Cartes
Viernoles
Renedo
Vargas
Obregón
Penagos
Pámanes
Liérganes
Rucandio
La Penilla
Sarón
Rubalcaba
Puerto de Alisas
Matienzo
(Peñamellera Baja)
Rábago
Cueva El Soplao
Celis
Bustriguado
Cabezón de la Sal
Villanueva de la Peña
Yermo
Riocorvo
Castañeda
Pomaluengo
Sta María de Cayón
Mirones
Hermida
(Peñarrubia)
Linares
Lafuente
San Vicente del Monte
Luzmela (Mazcuerras)
Las Caldas de Besaya
Cueva del Castillo
Puente Viesgo
Lloreda
Esles
Miera
Bustablado
Arredondo
Collado de Ozalba
Sa del Escudo de Cabuérniga
Carmona
Coo
Barros
Mata
El Soto
Collado de Hoz
Quintanilla
Puentenansa (Rionansa)
Ruente
Ucieda
Los Corrales de Buelna
Rivero
Hornos de la Mata
Corvera
Cillero
Iruz
Villasevil
Penilla
Vega
Llerana
Saro
Abionzo
Morilla
San Roque de Riomiera
Asón
Nª Sª de Lebeña
Lebeña
Sobrelapeña (Lamasón)
Cosio
Rozadío
Valle de Cabuérniga (Cabuérniga)
Collado
(Cieza)
Quintana de Toranzo
Borleña
Santiurde de T.
Villegar
Santibáñez
La Canal
Villacarriedo
Selaya
San Sebastián de Garabandal
Renedo
Villasuso
(Anievas) Cotillo
Castillo Pedroso
San Vicente de Toranzo
Tezanos
Monte Llusías
Puerto del Asón
Sarceda
Viaña
Las Fraguas
Pisueña
La Concha
Esanos
Nacional
Mir. del Pico
Saja
Parque
(Tudanca)
del Castrón
Correpoco
Ontaneda
Alceda
Tama
C A N T A B R I A
A 8 - E 70
A 67

## SANTIAGO DE COMPOSTELA

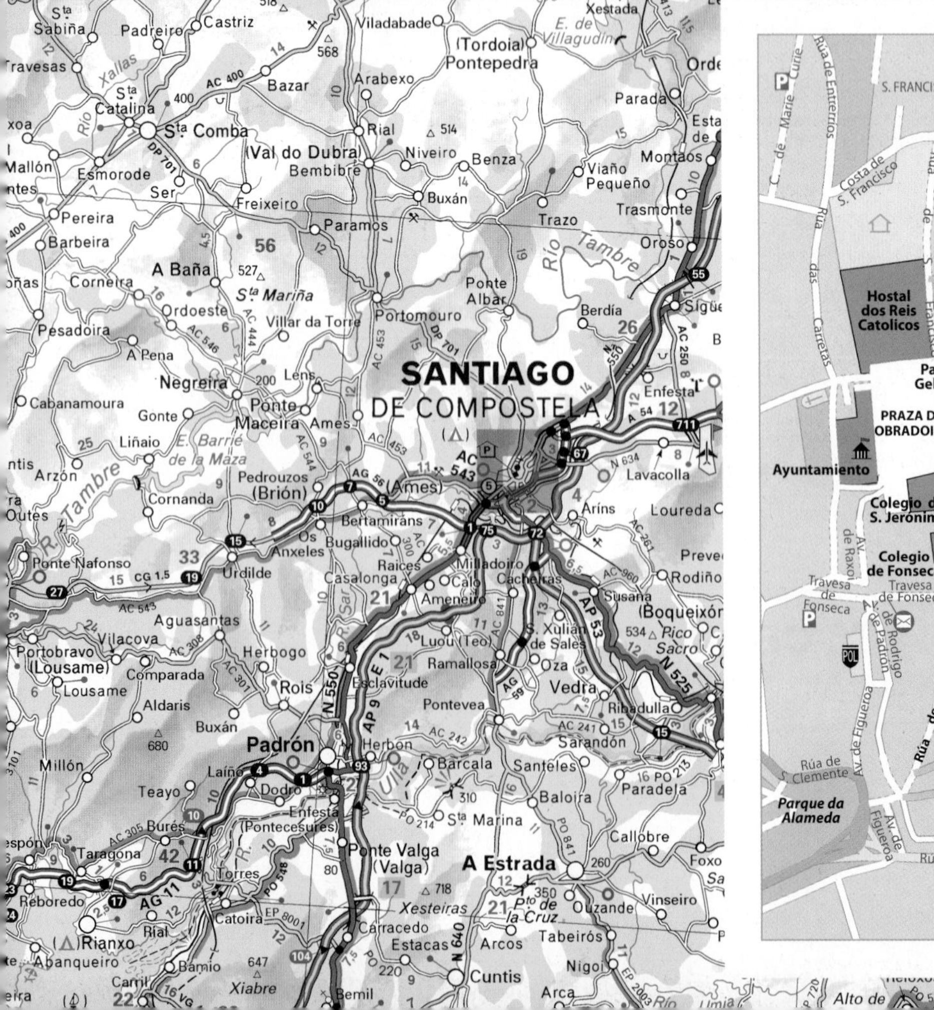


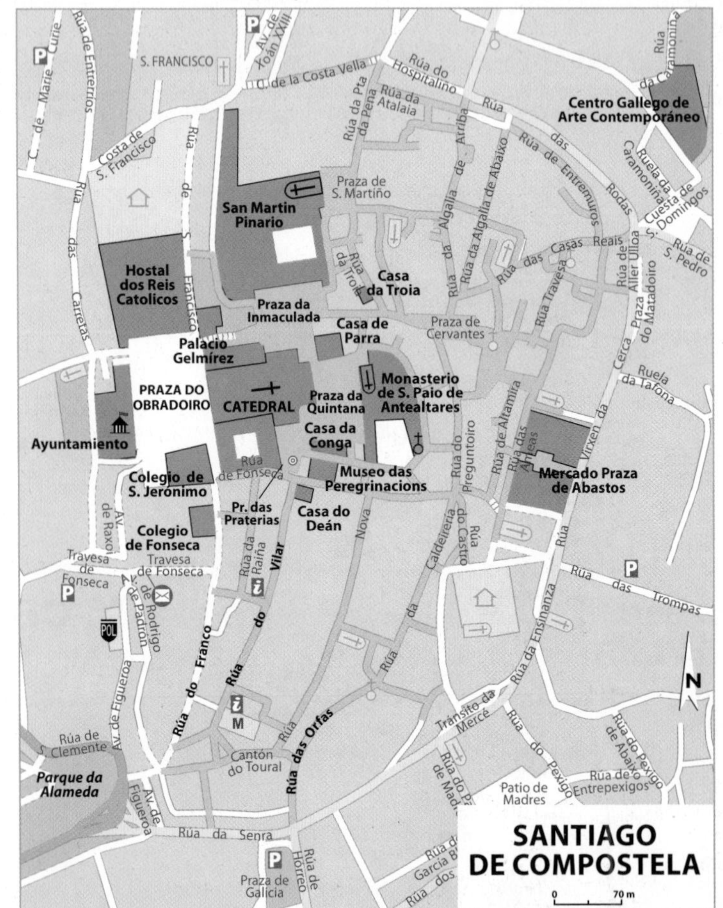

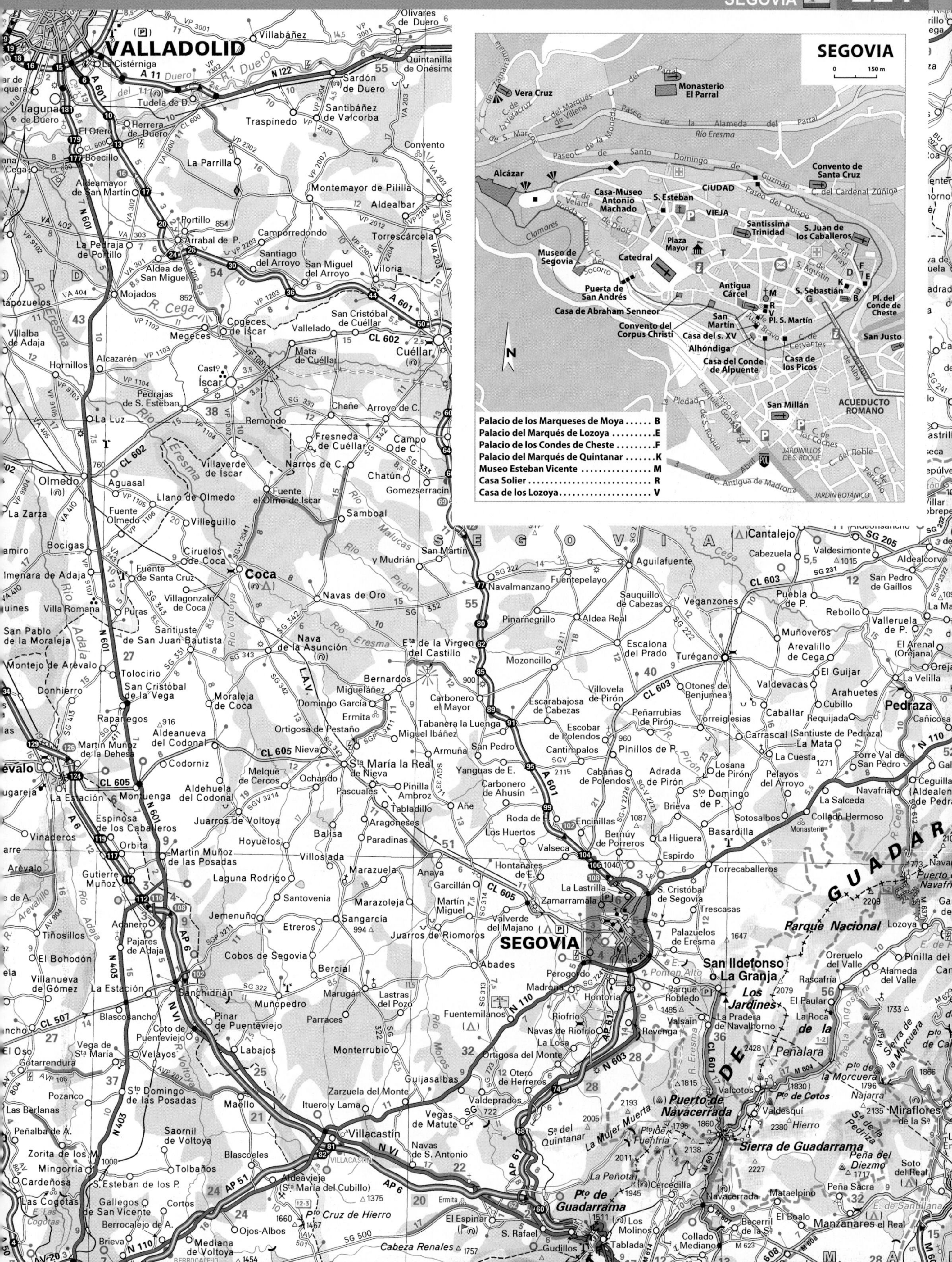
SEGOVIA
0 150 m
Palacio de los Marqueses de Moya ...... B
Palacio del Marqués de Lozoya ......... E
Palacio de los Condes de Cheste ......... F
Palacio del Marqués de Quintanar ....... K
Museo Esteban Vicente ................ M
Casa Solier .......................... R
Casa de los Lozoya ..................... V
Monasterio El Parral
Vera Cruz
Alcázar
Casa-Museo Antonio Machado
S. Esteban
CIUDAD
VIEJA
Convento de Santa Cruz
Santissima Trinidad
S. Juan de los Caballeros
Plaza Mayor
Catedral
Museo de Segovia
Puerta de San Andrés
Casa de Abraham Senneor
Convento del Corpus Christi
Antigua Cárcel
S. Sebastián
Pl. del Conde de Cheste
San Martín
Pl. S. Martín
Casa del s. XV
Alhóndiga
Casa del Conde de Alpuente
Casa de los Picos
San Justo
San Millán
ACUEDUCTO ROMANO
Río Eresma
JARDÍN BOTÁNICO
VALLADOLID
SEGOVIA
Cuéllar
Coca
Íscar
Olmedo
Arévalo
Pedraza
Turégano
Cantalejo
Sta María la Real de Nieva
San Ildefonso o La Granja
Villacastín
Puerto de Navacerrada
Sierra de Guadarrama
Parque Nacional
Peñalara
Pto de Guadarrama
Cercedilla
Navacerrada
Manzanares el Real
Miraflores de la Sa
El Espinar
Tudela de D.
Sardón de Duero
Laguna de Duero
Portillo
Mojados
Sanchidrián
Labajos
Maello

SEVILLA
Museo de Artes y Costumbres Populares..........................B
Museo Arqueológico..............................E
0 1,3 km
ISLA MÁGICA
Torre de Don Fadrique
La Cartuja
CaixaForum Sevilla
Torre Sevilla
Capilla del Patrocinio
BARRIO DE SANTA CRUZ
ALCÁZAR
TRIANA
Plaza de España
Aquarium
CANAL DE ALFONSO XIII
SAN JERONIMO
PARQUE DEL ALAMILLO
PARQUE DE MIRAFLORES
PARQUE ALCOSA
PALACIO DE CONGRESOS
PALACIO DE DEPORTES
SEVILLA ESTE
POLIGONO AEROPUERTO
MERCASEVILLA
STA JUSTA
Nervion
Gran Plaza
PARQUE AMATE
LA SEVILLA
FERIA
UNIVERSIDAD LABORAL
SAN JUAN DE AZNALFARACHE
GELVES
CAMAS
VALDEZORRAS
HUELVA
MADRID
MÁLAGA
CÁDIZ
MARBELLA, RONDA, UTRERA
SEVILLA
Carmona
Utrera
Alcalá de Guadaíra
Dos Hermanas
Los Palacios y Villafranca
Coria del Río
La Puebla del Río
Pilas
Olivares
Sanlúcar la Mayor
La Rinconada
La Algaba
Camas
Mairena del Alcor
El Viso del Alcor
Arahal
Aznalcóllar
Aznalcázar
Villamanrique de la Condesa
Santuario de Cuatrovitas
Ruinas de Itálica
Santiponce
Gines
Tomares
Bormujos
Mairena del Aljarafe
Gelves
Bellavista
Montequinto
Gandul
Marchenilla
Torrelengua
Menjillán
Santuario de Nª Sª de la Consolación
Estación El Sorbito
Estación de Don Rodrigo
Alcalá del Río
Torre de la Reina
Virgen del Rocío
Necrópolis romana
El Rosal Alto
El Caudal
La Jarilla
San José de la Rinconada
Sta Catalina
Alcaudete
Sto Domingo
Las Cuarenta
El Balcón de los Alcores
Porcún
El Palomar
Neblines
Matallana
Mirabel
Granja Asumesa
La Alegría
Las Encinas
Los Claveles
Sta Genoveva
Torreblanca de los Caños
San Pablo
La Cierva
Pino de San José
Umbrete
Huévar
Benacazón
Bollullos de la Mitación
Palomares del Río
Almensilla
Espartinas
Salteras
Castilleja de la Cuesta
Villanueva del Ariscal
Albaida del Aljarafe
Valencina de la Concepción
Castilleja del Campo
Carrión de los Céspedes
Escacena del Campo
Paterna del Campo
Tejada
Chucena
Torrecuadros
Hinojos
La Calera
Colinas
Venta del Cruce
La Compañía
Adriano
Alfonso XIII
La Corchuela
Tobalina
Los Encinares de Sanlúcar la Mayor
El Indiano
Mazarrón
Conti
Gerena
Esquivel
La Mata
El Álamo
Sta Clara
A 4-E 5
A 92
A 376
A 49
A 66-E 803
A 472
A 8076
A 398
A 394
Guadaíra
Guadalquivir
Guadiamar

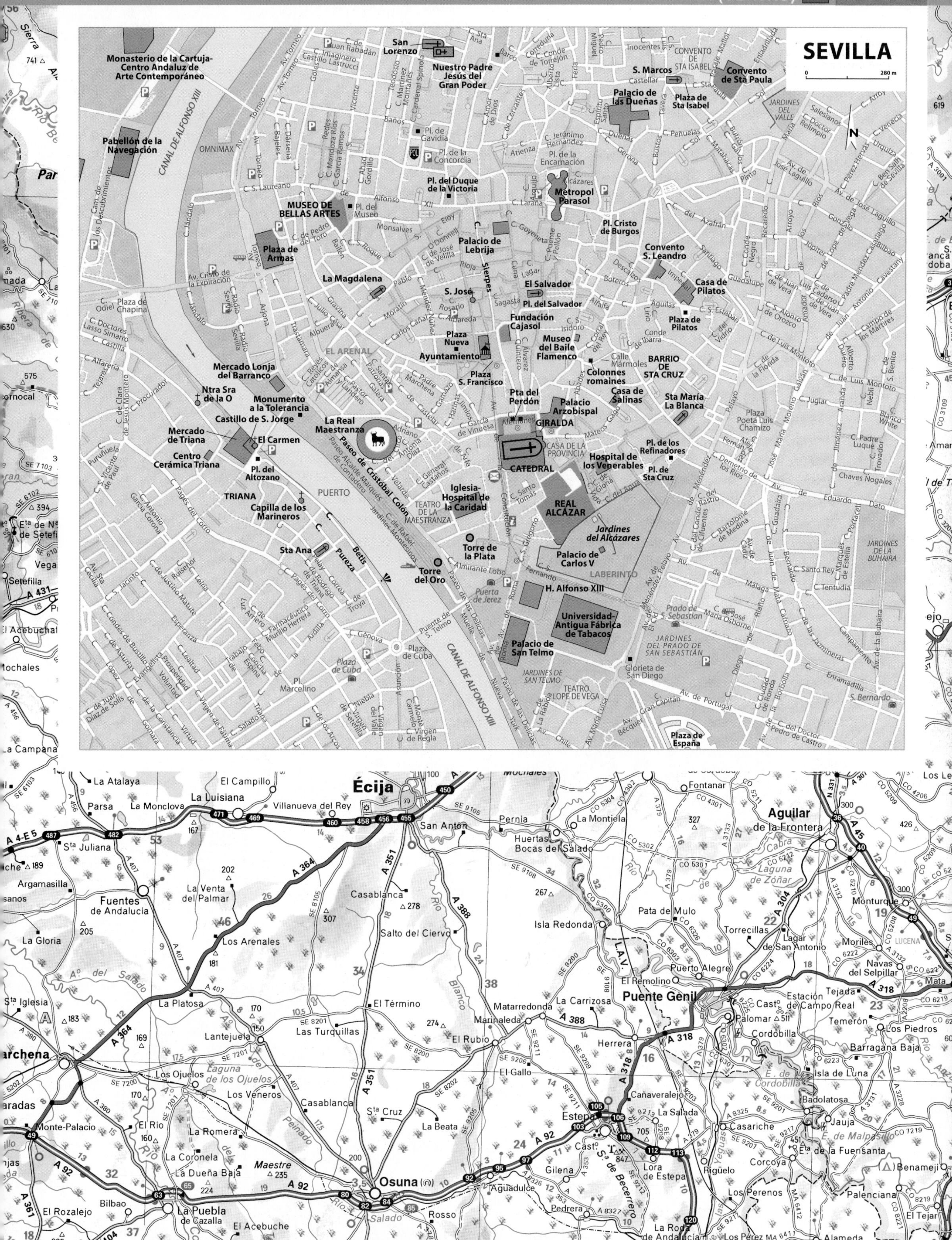
SEVILLA
Monasterio de la Cartuja-Centro Andaluz de Arte Contemporáneo
Pabellón de la Navegación
MUSEO DE BELLAS ARTES
Plaza de Armas
La Magdalena
Palacio de Lebrija
S. José
El Salvador
Pl. del Salvador
Fundación Cajasol
Plaza Nueva
Ayuntamiento
Museo del Baile Flamenco
Metropol Parasol
Palacio de las Dueñas
Convento de Sta Paula
S. Marcos
Plaza de Sta Isabel
Convento S. Leandro
Casa de Pilatos
Plaza de Pilatos
BARRIO DE STA CRUZ
Colonnes romaines
Casa de Salinas
Sta María la Blanca
Palacio Arzobispal
GIRALDA
CATEDRAL
Hospital de los Venerables
Pl. de los Refinadores
Pl. de Sta Cruz
REAL ALCÁZAR
Jardines del Alcázares
Palacio de Carlos V
H. Alfonso XIII
Universidad-Antigua Fábrica de Tabacos
Palacio de San Telmo
Plaza de España
Torre del Oro
Torre de la Plata
Iglesia-Hospital de la Caridad
La Real Maestranza
Paseo de Cristóbal Colón
Mercado Lonja del Barranco
Monumento a la Tolerancia
Castillo de S. Jorge
Mercado de Triana
El Carmen
Centro Cerámica Triana
Pl. del Altozano
TRIANA
Capilla de los Marineros
Sta Ana
Ntra Sra de la O
San Lorenzo
Nuestro Padre Jesús del Gran Poder
EL ARENAL
PUERTO
CANAL DE ALFONSO XIII
Écija
Aguilar de la Frontera
Puente Genil
Osuna
Estepa
Fuentes de Andalucía
Marchena
La Puebla de Cazalla
Lora de Estepa
Gilena
Pedrera
La Roda de Andalucía
Herrera
Marinaleda
Lantejuela
Los Arenales
La Luisiana
Casariche
Badolatosa
Jauja
Benamejí
Palenciana
Moriles
Monturque
La Carrizosa
Matarredonda
El Rubio
Las Turquillas
Casablanca
Isla Redonda
Pata de Mulo
Puerto Alegre
Cordobilla
Fontanar
La Montiela
San Antón
Villanueva del Rey
La Monclova
Parsa
La Atalaya
El Campillo
Sta Juliana
Argamasilla
La Gloria
La Venta del Palmar
La Platosa
Los Ojuelos
Los Veneros
La Romera
La Coronela
La Dueña Baja
El Rozalejo
Bilbao
El Acebuche
Rosso
Aguadulce
Monte-Palacio
El Rio
El Gallo
Sta Cruz
La Beata
El Término
Salto del Ciervo
Cañaveralejo
La Salada
Rigüelo
Los Perenos
Corcoya
Los Perez
Alameda
El Tejar
Isla de Luna
Barragana Baja
Los Piedros
Temerón
Estación de Campo Real
Tejada
Navas del Selpillar
Lagar de San Antonio
Torrecillas
El Remolino
Palomar
Laguna de Zóñar
Laguna de los Ojuelos
E. de Malpasillo
E. de Cordobilla
E^ta de la Fuensanta
Laguna de la Ratosa
A 4-E 5
A 92
A 364
A 351
A 388
A 318
A 45
A 304
A 407
A 451
A 361

## SORIA

C. de la Ermita
Parque de Sta Bárbara
Parque Fuente del Rey
Plaza del Marqués de Saltillo
C. del Maestro García Muñoz
C. de las Casas
Clemente Sáenz
Paseo del Mirón
San Juan de Duero
Duero
C. de Hipólito
C. de los Chancilleres
C. de Medinaceli
C. de las Pedrizas
Logroño
Santo Domingo
C. de Sta Apolonia
San Pedro
C. de S. Agustín
Plaza de Toros
C. de Navas de Tolosa
Av. de Valladolid
C. de la Tejera
Pal. de Los Condes de Gómara
Plaza de S. Pedro
Paseo Postiguillo
C. Agreda
Museo Numantino
Alameda de Cervantes
Paseo del Espolón
C. de la Zapatería
C. del Collado
C. Real
Plaza de Sta Catalina
Plaza Mayor
Parque del Castillo
C. de Nicolás Rabal
Plaza José Antonio
S. Juan de Rabanera
C. de la Alberca
C. de Fortún López
Castillo
Paseo de S. Prudencio
Av. de Mariano Vicén
C. de Sta Clara
C. Fiel de la Tierra
Paseo de S. Saturio
Cam. de S. Polo
N
SORIA 0 200m

Logroño, Laguardia, Navaridas, Lanciego, Barriobusto, Armañanzas, Torres del Río, El Busto, Baños de Ebro, Elciego, Moreda de Álava, Viana, Torremontalbo, Lapuebla de Labarca, Oyón, Assa, Cenicero, El Cortijo, Fuenmayor, Navarrete, Lardero, Villamediana de Iregua, Agoncillo, Recajo, Arrúbal, Alesón, Huércanos, Manjarrés, Sotés, Medrano, Entrena, Alberite, Murillo de Río Leza, Daroca de Rioja, Sojuela, Albelda de Iregua, Ribafrecha, Ventas Blancas, Galilea, Sta Colomba, Sorzano, Nalda, Clavijo, Lagunilla del Jubera, Corera, Serradero, Castroviejo, Leza de Río Leza, Sta Engracia del Jubera, Sa Lucía, Viguera, Trevijano, San Bartolomé, Jubera, Ocón, Nestares, Soto en Cameros, Robres del Castillo, San Vicente de Robres, Cabi Monda, Torrecilla en Cameros, Terroba, Torre en Cameros, Bergasa, Anguiano, Muro en Cameros, Jalón de C., San Román de Cameros, Sta Marina, Monasterio NaSa de Valvanera, Nieva de Cameros, Hornillos de Cameros, La Santa, Arnedillo, Almarza de C., Cabezón de C., Posadas, San Lorenzo, Ezcaray, Pancrudo, El Rasillo de Cameros, Pinillos, Vadillos, Munilla, Ortigosa de C., Peñaloscintos, Gallinero de C., Rabanera, Avellaneda, Zarzosa, Larriba, Salineros, Demanda, Reserva Nacional, Brieva de C., Laguna de C., Ajamil de Cameros, Enciso, El Villar, Casa de la Sierra, Ventrosa, Peña Hincada, Villanueva de Cameros, Puerto Manquillo, Mansilla de la S., Viniegra de Abajo, Aldeanueva de C., Vacimientos de Valdecevillo, Monterrubio de la Demanda, Barbadillo de Herreros, Embalse de Mansilla, Castejón, Villoslada de C., Collado de Sancho Leza, Diustes, Yanguas, Canales de la S., Villavelayo, Viniegra de Arriba, Montenegro de C., Lumbreras, San Andrés, Vallejimeno, Huerta de Abajo, Huerta de Arriba, Villar de Maya, Villar del Río, Aldealcardo, Ayedo, La Cuesta, Tolbaños de Arriba, Sa Cecilia, Taniñe, Sta Cruz de Yanguas, Haedillo, Cabeza Herrera, Laguna Negra de Neila, Neila, Mirador San Francisco, Peña Negra, Sa de Frequela de Cameros, Puerto de Piqueras, Bretún, Villartoso, Monasterio de la Sierra, Puerto El Collado, Campiña, Puerto de Sta Inés, La Virgen de Lomos de Orio, Vizmanos, Ventosa de S. Pedro, Sierra de la Demanda, Tres Provincias, La Póveda de Soria, Huértales, Urbión, Sierra de Urbión, Laguna Negra de Urbión, La Mesa, Valloria, Montaves, Castrillo de la Reina, Barriomartín, Terrazas, Las Aldehuelas, El Collado, Quintanar de la Sierra, Sierra Cebollera, Arguijo, Los Campos, Palacios de la Sierra, Regumiel de la S., Duruelo de la S., El Quintanarejo, Reserva Nacional, Torrearévalo, Oncala, San Andrés de San Pedro, Necrópolis, Congosto, Molinos de Razón, Valdeavellano de Tera, Gallinero, Pto de Oncala, Moncalvillo, Vilviestre del Pinar, Almarza, Portillo de Urbión, Rollamienta, Arévalo de la S., Estepa de San Juan, Valtajeros, Canicosa de la S., Pto del Perondillo, Covaleda, Sotillo del Rincón, Cubo de la S., Ventosa de la S., Castilfrío de la S., Guijoso, El Cerro del Cargadero, Vinuesa, El Royo, Villar del Ala, Rebollar, Tera, Ausejo de la S., Aldealices, Carrascosa de la S., Sierra de Rosomo, Salduero, Langosto, Espejo de Tera, Portelárbol, La Rubia, Redondo, Molinos de Duero, Hinojosa de la Sierra, Fuentelsaz, Pedraza, Aldealseñor, La Losilla, Rabanera del P., Aldea del P., Vilviestre de los Nabos, Castº, Chavaler, Fuentecantos, Almajano, Suellacabras, Narros, El Almuerzo, Estación de Pinar Grande, Playa Pita, E. de la Cuerda del Pozo, Buitrago, Renieblas, Aldehuela de Periáñez, Cortos, Navaleno, Hontoria del Pinar, San Leonardo de Yagüe, Pto Mojón Pardo, Abejar, Herreros, Oteruelos, Cidones, Pedrajas, Tardesillas, Garray, Toledillo, Numancia, Velilla, Ventosilla, Arancón, Parque Natural, Casarejos, Vadillo, Cabrejas del Pinar, Villaverde del Monte, Sa Llana, Las Casas, Soria, Sierra de Cabrejas, Muriel Viejo, Fuentetoba, Golmayo, Fuensaúco, Sta María de las Hoyas, Cañón del Río Lobos, Talveila, Herrera de S., Villaciervos, Fuentetecha, Martialay, Duáñez, Tozalmoro, Cubilla, Villaciervitos, Carbonera de Frentes, Ermita de San Saturio, Garazuelo, Muriel de la Fuente, La Cuenca, Los Rábanos, Ojuel, Fuencaliente, Cantalucía, Aldehuela de C., Alconaba, Cubo de Hogueras, Mazalvete, Nafría de Ucero, Ucero, Fuentecantales, Villabuena, Candilichera, Santervás, Valdeavellano de U., La Mallona, Camparañón, Sa de San Marcos, Navalcaballo, Cabrejas del C., Rejas de U., Calatañazor, Las Fraguas, Valdealbín, Valdelinares, Zayuelas, Blacos, Nódalo, Hinojedo, Las Cuevas de Soria, Izana, Tardajos de D., Aldealafuente, Villálvaro, Valdemaluque, Torreblacos, Nafría la Llana, Monasterio, Villa Tardo Romana, Berzosa, Sotos del B., Valdelubiel, Barcebal, Valdealvillo, Rioseco de Soria, La Revilla de Calatañazor, Quintana Redonda, Lubia, Miranda de D., Aliud, Ribarroya, Paredesroyas, Barcebalejo, Torralba del B., Itueco, Zamajón, Torralba, Quintanilla de Tres Barrios, Santiuste, Boós, Ventosa de Fuentepinilla, Osonilla, Cubo de la Solana, Villanueva de Z., Ciudad de O., Fuentelárbol, La Seca, Tardelcuende, Almazán, Almarail, Tejado

LA RIOJA
SORIA

TARRAGONA
0 100 m
Passeig Arqueològic
Auditori
Escorxador
CAMP DE MART
Catedral
Antic Hospital
Pl. del Pallol
Casa Museu Castellarnau
Museu d'Art Modern
Fòrum Provincial
Pl. dels Àngels
Plaça de la Font
Pretori i Circ Romà
Museu Nacional Arqueològic
Amfiteatre Romà
PALAU DE CONGRESSOS
Rambla Nova
Platja del Miracle
MAR MEDITERRANEO
LLEIDA
Balaguer
Mollerussa
Les Borges Blanques
Montblanc
Valls
Reus
TARRAGONA
Salou
Cambrils
Flix
Móra d'Ebre
Montsant
Torredembarra
L'Hospitalet de l'Infant
Miami Platja
Cap de Salou

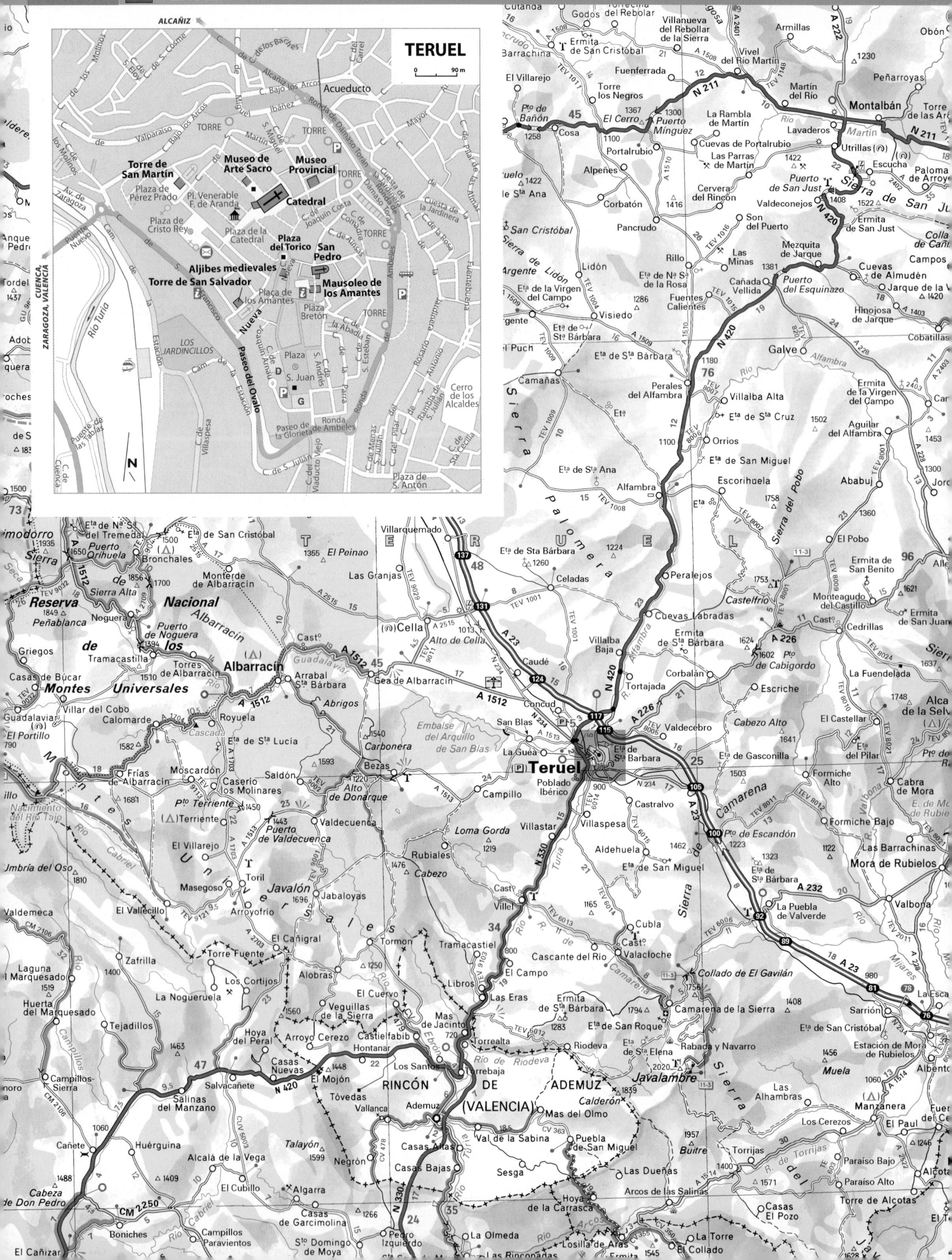

## TERUEL

0 — 90 m

ALCAÑIZ · CUENCA, ZARAGOZA, VALENCIA

Torre de San Martín · Museo de Arte Sacro · Museo Provincial · Catedral · Acueducto · Plaza de Pérez Prado · Pl. Venerable F. de Aranda · Plaza de Cristo Rey · Plaza de la Catedral · Plaza del Torico · San Pedro · Aljibes medievales · Torre de San Salvador · Mausoleo de los Amantes · Plaça de los Amantes · Plaza Bretón · Plaza S. Juan · Los Jardincillos · Paseo del Óvalo · Nueva · Río Turia · Puente Nuevo · Puente de las Tablas · Av. de Zaragoza · Ronda de Dámaso Torán · Cuesta de la Jardinera · Ronda de Ambeles · Paseo de la Glorieta · Rambla de S. Julián · Cerro de los Alcaldes · Plaza de S. Antón · Viaducto Viejo · C. de Villaspesa · Cam. de la Estación · Fuenfresca

Cutanda · Godos · Torrecilla del Rebolar · Villanueva del Rebollar de la Sierra · Armillas · Obón · Barrachina · Ermita de San Cristóbal · Vivel del Río Martín · El Villarejo · Fuenferrada · Torre los Negros · Peñarroyas · Martín del Río · Montalbán · Torre de las Arcas · Pto de Bañón · Cosa · El Cerro · Puerto Mínguez · La Rambla de Martín · Lavaderos · Utrillas · Escucha · Paloma de Arroyo · Portalrubio · Cuevas de Portalrubio · Las Parras de Martín · Alpeñés · Cervera del Rincón · Puerto de San Just · Sierra de San Just · Valdeconejos · Corbatón · Pancrudo · Son del Puerto · Ermita de San Just · San Cristóbal · Sierra de Lidón · Rillo · Las Minas · Mezquita de Jarque · Cuevas de Almudén · Campos · Lidón · Eta de Na Sa de la Rosa · Cañada Vellida · Puerto del Esquinazo · Jarque de la Val · Eta de la Virgen del Campo · Fuentes Calientes · Hinojosa de Jarque · Visiedo · Eta de Sta Bárbara · Galve · Cobatillas · El Puch · Camañas · Perales del Alfambra · Villalba Alta · Ermita de la Virgen del Campo · Aguilar del Alfambra · Eta de Sta Cruz · Orrios · Eta de San Miguel · Eta de Sta Ana · Alfambra · Escorihuela · Ababuj · Jorcas · Sierra Palomera · Sierra del Pobo · El Pobo · TERUEL

Bronchales · Eta de Na Sa del Tremedal · Sierra Alta · Puerto Orihuela · Eta de San Cristóbal · Monterde de Albarracín · Villarquemado · El Peinao · Eta de Sta Bárbara · Las Granjas · Celadas · Peralejos · Ermita de San Benito · Reserva Nacional de los Montes Universales · Peñablanca · Noguera · Puerto de Noguera · Cella · Alto de Cella · Cuevas Labradas · Castelfrío · Monteagudo del Castillo · Cedrillas · Ermita de San Juan · Griegos · Tramacastilla · Torres de Albarracín · Albarracín · Castº · Villalba Baja · Ermita de Sta Bárbara · Puerto de Cabigordo · Casas de Búcar · Arrabal Sta Bárbara · Gea de Albarracín · Caudé · Tortajada · Corbalán · La Fuendelada · Escriche · Villar del Cobo · Abrigos · Concud · Valdecebro · Cabezo Alto · El Castellar · Alcalá de la Selva · Guadalaviar · Calomarde · Royuela · Embalse del Arquillo de San Blas · San Blas · El Portillo · Cascada · Eta de Sta Lucía · Carbonera · La Guea · Teruel · Eta de Sta Bárbara · Eta de Gasconilla · Eta del Pilar · Frías de Albarracín · Moscardón · Saldón · Bezas · Poblado Ibérico · Formiche Alto · Cabra de Mora · Caserío los Molinares · Alto de Donarque · Campillo · Castralvo · Camarena · Nacimiento del Río Tajo · Pto Terriente · Terriente · Puerto de Valdecuenca · Valdecuenca · Loma Gorda · Villastar · Villaspesa · Pto de Escandón · Formiche Bajo · Las Barrachinas · Umbría del Oso · El Villarejo · Rubiales · Aldehuela · Eta de San Miguel · Mora de Rubielos · Toril · Cabezo · Eta de Sta Bárbara · Masegoso · Javalón · Jabaloyas · Villel · La Puebla de Valverde · Valbona · Valdemeca · El Vallecillo · Arroyofrío · Cubla · Montes Universales · El Cañigral · Tormón · Tramacastiel · Cascante del Río · Valacloche · Zafrilla · Torre Fuente · Alobras · El Campo · Collado de El Gavilán · Laguna del Marquesado · Los Cortijos · Libros · Huerta del Marquesado · La Nogueruela · El Cuervo · Las Eras · Ermita de Sta Bárbara · Camarena de la Sierra · Sarrión · Veguillas de la Sierra · Mas de Jacinto · Eta de San Roque · Eta de San Cristóbal · Tejadillos · Hoya del Peral · Arroyo Cerezo · Castielfabib · Torrealta · Riodeva · Rabadá y Navarro · Estación de Mora de Rubielos · Hontanar · Río de Riodeva · Eta de Sta Elena · Muela · Albentosa · Campillos-Sierra · Casas Nuevas · Los Santos · Torrebaja · Javalambre · Sierra de Javalambre · Salvacañete · El Mojón · RINCÓN DE ADEMUZ (VALENCIA) · Las Alhambras · Salinas del Manzano · Tóvedas · Vallanca · Ademuz · Calderón · Mas del Olmo · Manzanera · Los Cerezos · El Paul · Cañete · Huérguina · Talayón · Casas Altas · Val de la Sabina · Puebla de San Miguel · Buitre · Torrijas · Paraíso Bajo · Alcalá de la Vega · Negrón · Casas Bajas · Sesga · Las Dueñas · Paraíso Alto · Alcotas · El Cubillo · Algarra · Arcos de las Salinas · Cabeza de Don Pedro · Casas de Garcimolina · Hoya de la Carrasca · Casas El Pozo · Torre de Alcotas · Boniches · Campillos Paravientos · Sto Domingo de Moya · Pedro Izquierdo · La Olmeda · Losilla de Aras · La Torre · El Collado · El Cañizar · Las Rinconadas · Ermita

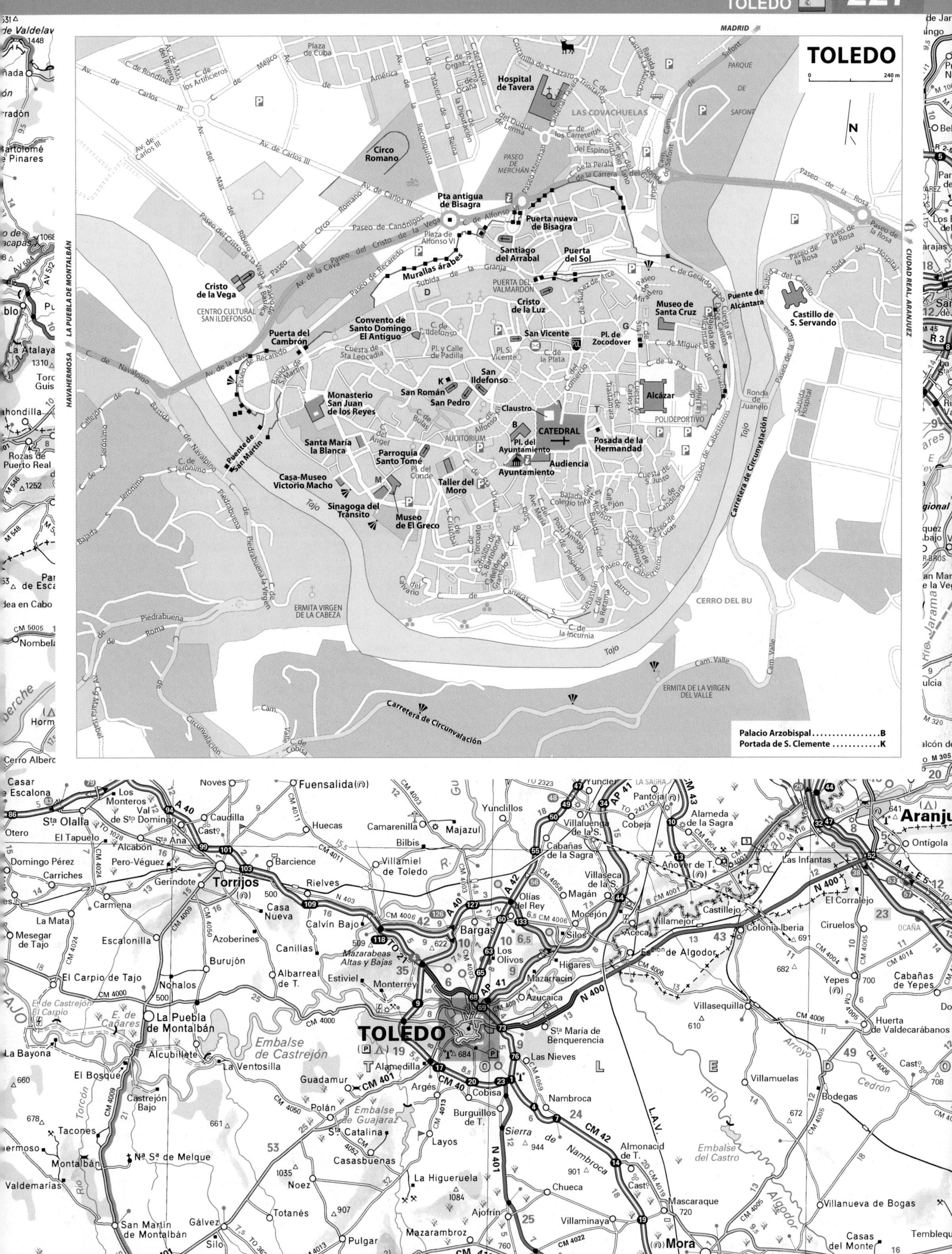
TOLEDO
Hospital de Tavera
Circo Romano
Pta antigua de Bisagra
Puerta nueva de Bisagra
Santiago del Arrabal
Puerta del Sol
Murallas árabes
Cristo de la Vega
Cristo de la Luz
Convento de Santo Domingo El Antiguo
Puerta del Cambrón
San Vicente
Pl. de Zocodover
Museo de Santa Cruz
Puente de Alcántara
Castillo de S. Servando
Monasterio San Juan de los Reyes
San Román
San Pedro
San Ildefonso
Alcázar
Claustro
CATEDRAL
Pl. del Ayuntamiento
Ayuntamiento
Audiencia
Posada de la Hermandad
Santa María la Blanca
Parroquia Santo Tomé
Casa-Museo Victorio Macho
Sinagoga del Tránsito
Museo de El Greco
Taller del Moro
Puente de San Martín
ERMITA VIRGEN DE LA CABEZA
ERMITA DE LA VIRGEN DEL VALLE
CERRO DEL BU
Carretera de Circunvalación
Palacio Arzobispal ................ B
Portada de S. Clemente ............ K
MADRID
CIUDAD REAL, ARANJUEZ
HAVAHERMOSA / LA PUEBLA DE MONTALBÁN
TOLEDO
Torrijos
Bargas
Aranjuez
La Puebla de Montalbán
Embalse de Castrejón
Mora
Sonseca
Añover de T.
Olías del Rey
Mocejón
Burguillos de T.
Almonacid de T.
Villaseca de la S.
Yepes
Ocaña

VALENCIA
Museo del Arroz ............... M
PUÇOL
BARCELONA, ZARAGOZA
MADRID
TORRENT
CATARROJA
ALACANT/ALICANTE
EL SALER
GODELLA
BURJASSOT
BORBÒTO
CARPESA
TAVERNES BLANQUES
ALMÀSSERA
ALBORAIA
PORT SAPLAYA
MAR MEDITERRÀNIA
Playa de la Malvarrosa
Playa d'Alboraia
PATERNA
Museo Municipal de Cerámica
Palacio de Congresos
Museo Lladró
LEVANTE
Nuevo Mestalla
CAMPANAR
Parque de Cabecera
Bioparc
MISLATA
Museo de Historia de Valencia
Catedral
Lonja de la Seda
Estación del Norte
XIRIVELLA
RUSSAFA
Museo Fallero
Palau de la Música
Parque Gulliver
Casa-Museo Blasco Ibáñez
Universidad Politècnica
VALENCIA-CABANYAL
GRAU
Platja de les Arenes o de Levante
Museu de les Drassanes
CIUDAD DE LAS ARTES Y LAS CIENCIAS
MARINA REIAL JUAN CARLOS I
Hemisfèric
Palau de les Arts Reina Sofía
Umbracle
Museo de las Ciencias Príncipe Felipe
Puente de l'Assut de l'Or
Àgora
l'Oceanogràfic
Ave Joaquín Sorolla
DR. PESET ALEIXANDRE
NAZTARET
PICANYA
PAIPORTA
BENETÚSSER
SEDAVÍ
CASTELLAR L'OLIVERAL
Cauce del Río Turia
Autovía V-30
Autovía V-21
A-3 / E-901
CV-36
CV-500
0 — 1,3 km
Embalse de Contreras
Campillo de Altobuey
Puebla del Salvador
Minglanilla
Graja de Iniesta
Castillejo de Iniesta
Iniesta
Villalpardo
Villarta
Alcahozo
El Herrumblar
Ledaña
Villamalea
Cenizate
Casas Ibáñez
Camporrobles
Fuenterrobles
Villargordo del Cabriel
Venta de Contreras
Venta del Moro
Moluengo
Casas del Rey
Casas de Moya
Casilla de Moya
El Retorno
Tamayo
Tabaqueros
Villatoya
Los Isidros
Casas de Penen de Albosa
Los Sardineros
Baños de Fuente Podrida
Jaraguas
Caudete de las Fuentes
Aldea de los Corrales
Serra de la Bicuerca
Utiel
Casas de Medina
Terrerazo
Aldea de Estenas
Las Nogueras
Villar de Olmos
Juan Navarro
Calvestra
San Juan
Barrio Arroyo
Roma
San Antonio
Los Marcos
Derramador
Los Ruices
Las Monjas
Casas de Pradas
Casas de Eufemia
Requena
El Pontón
Collado de la Calera
Els Ducs
Camp Arcis
La Portera
Casas del Doctor
Puerto de Cruz de Cofrentes
Los Pedrones
Casas de Sotos
La Cabezuela
Casas del Río
Fuen-Vich
Serra Martes
Vinyoles
Los Herreros
La Venta de Gaeta
El Oro
Hortunas de Arriba
Las Moratillas
Mijares
Collado de Umán
Siete Aguas
Venta Quemada
El Rebollar
Tejo
El Burgal
Chera
Sot de Chera
Villar de Tejas
Mas de Caballero
Río Cabriel
N 330
N 322
CM 211
A 3 - E-901
L.A.V.

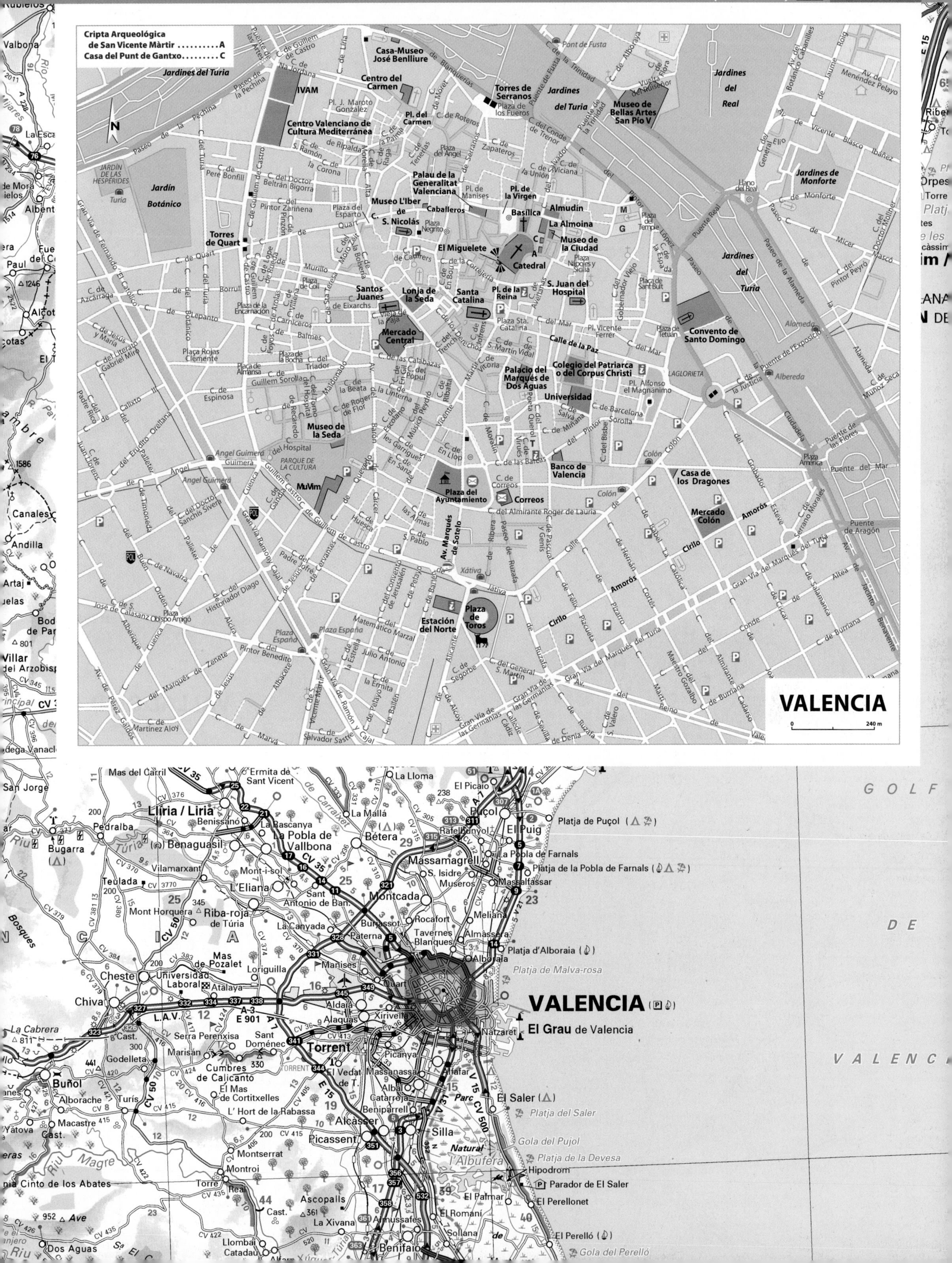
Cripta Arqueológica de San Vicente Màrtir .......... A
Casa del Punt de Gantxo.......... C
VALENCIA
0
240 m
Jardines del Turia
IVAM
Centro Valenciano de Cultura Mediterránea
Casa-Museo José Benlliure
Centro del Carmen
Torres de Serranos
Museo de Bellas Artes San Pío V
Jardines del Real
Jardines de Monforte
Jardín Botánico
Torres de Quart
Palau de la Generalitat Valenciana
Museo L'Iber de S. Nicolás
Pl. de la Virgen
Basílica
Almudín
La Almoina
Museo de la Ciudad
El Miguelete
Catedral
Santos Juanes
Lonja de la Seda
Santa Catalina
Pl. de la Reina
S. Juan del Hospital
Mercado Central
Convento de Santo Domingo
Palacio del Marqués de Dos Aguas
Colegio del Patriarca o del Corpus Christi
Universidad
Museo de la Seda
MuVim
Plaza del Ayuntamiento
Correos
Banco de Valencia
Casa de los Dragones
Mercado Colón
Estación del Norte
Plaza de Toros
Av. Marqués de Sotelo
Gran Vía de Fernando el Católico
Gran Vía Ramón y Cajal
Gran Vía del Marqués del Turia
Gran Vía de las Germanías
Calle de la Paz
Colón
Xàtiva
Ermita de Sant Vicent
Llíria / Llíria
La Pobla de Vallbona
Bétera
Massamagrell
El Puig
Puçol
Platja de Puçol
Platja de la Pobla de Farnals
Moncada
Burjassot
Paterna
Manises
Quart
Aldaia
Alaquàs
Xirivella
Chiva
Cheste
Riba-roja de Túria
L'Eliana
Benaguasil
Torrent
Picanya
Alfafar
Catarroja
Silla
Alcàsser
Picassent
Buñol
Turís
Godelleta
Alboraia
Platja d'Alboraia
Platja de Malva-rosa
VALENCIA
El Grau de Valencia
Natzaret
El Saler
Platja del Saler
Gola del Pujol
Platja de la Devesa
Parador de El Saler
Hipodrom
El Palmar
El Perellonet
El Romaní
Sollana
Almussafes
Benifaió
El Perelló
Gola del Perelló
L'Albufera
GOLF DE VALENC

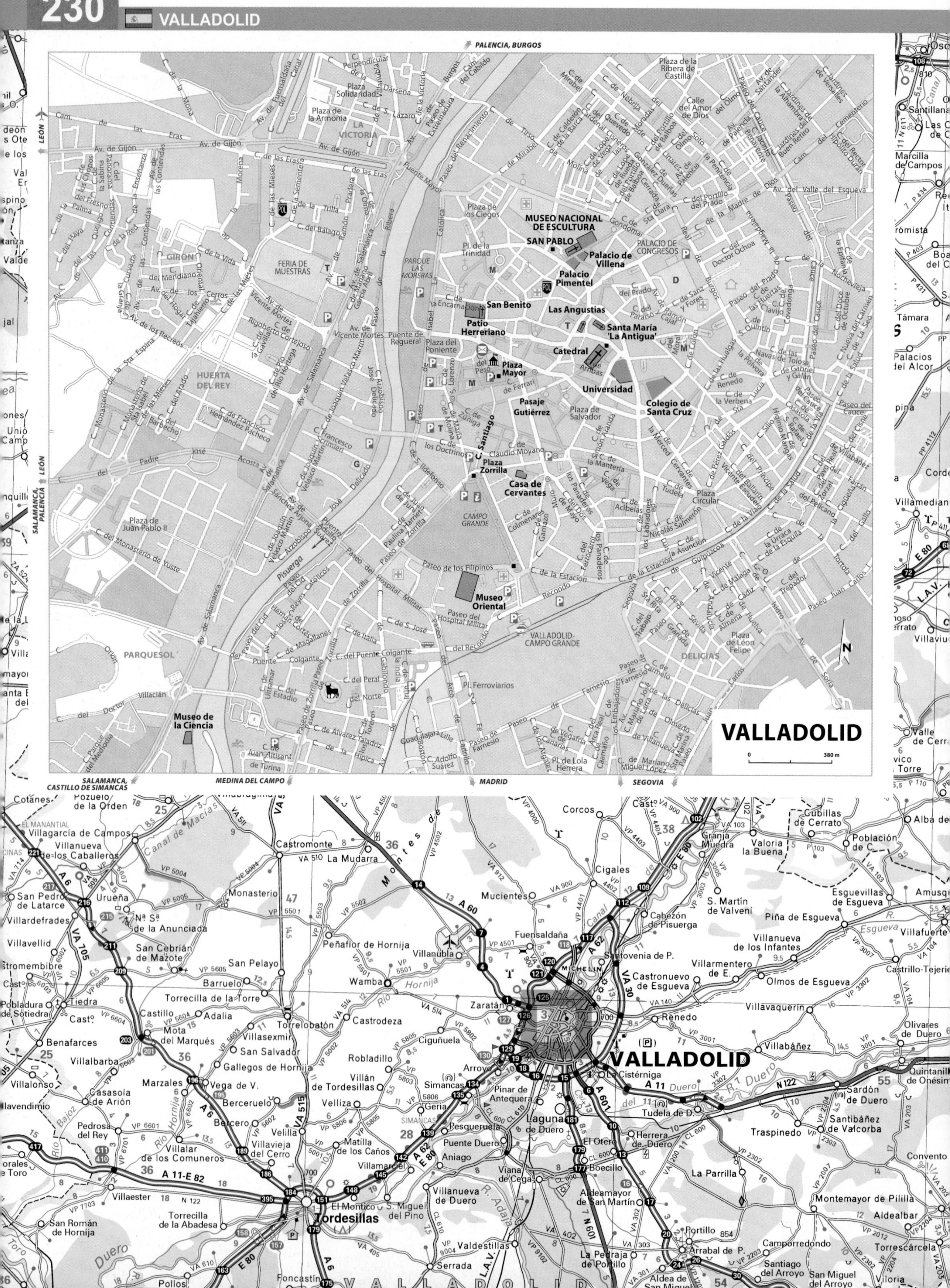
PALENCIA, BURGOS
VALLADOLID
MUSEO NACIONAL DE ESCULTURA
SAN PABLO
Palacio de Villena
Palacio Pimentel
San Benito
Patio Herreriano
Las Angustias
Santa María 'La Antigua'
Catedral
Plaza Mayor
Universidad
Colegio de Santa Cruz
Pasaje Gutiérrez
Plaza Zorrilla
Casa de Cervantes
CAMPO GRANDE
Museo Oriental
VALLADOLID-CAMPO GRANDE
Museo de la Ciencia
FERIA DE MUESTRAS
PARQUE LAS MORERAS
LA VICTORIA
GIRÓN
HUERTA DEL REY
PARQUESOL
DELICIAS
PALACIO DE CONGRESOS
Pisuerga
SALAMANCA, CASTILLO DE SIMANCAS
MEDINA DEL CAMPO
MADRID
SEGOVIA
LEÓN
SALAMANCA, PALENCIA
0 380 m
Tordesillas
Simancas
Laguna de Duero
Cigales
Fuensaldaña
Santovenia de P.
Renedo
Tudela de D.
Boecillo
Zaratán
Arroyo
Portillo
Montes de Torozos
Canal de Castilla
Duero
Esgueva
A 11-E 82
A 62
A 60
A 6
VA 30
A 601
N 122
N 601

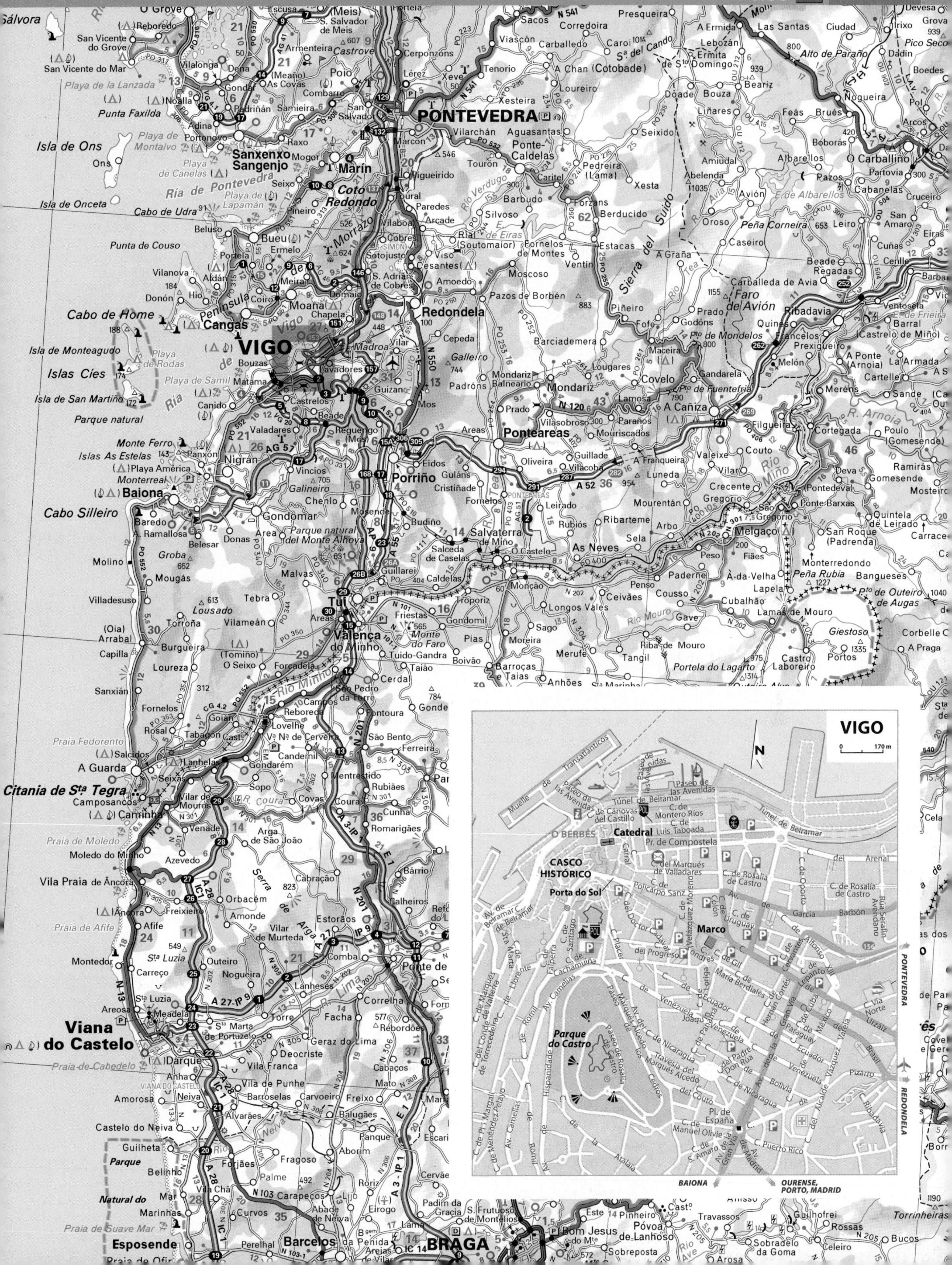

PONTEVEDRA
VIGO
Redondela
Cangas
Moaña
Bueu
Marín
Sanxenxo
Sangenjo
O Grove
Baiona
Nigrán
Gondomar
Porriño
Ponteareas
Mondariz
Covelo
Ribadavia
O Carballiño
Tui
Valença do Minho
Monção
Melgaço
Caminha
A Guarda
Viana do Castelo
Esposende
Barcelos
BRAGA
Ponte de Lima
Salvaterra de Miño
As Neves
Isla de Ons
Islas Cíes
Isla de Monteagudo
Isla de San Martiño
Parque natural
Cabo de Home
Cabo Silleiro
Cabo de Udra
Punta Faxilda
Punta de Couso
Monte Ferro
Islas As Estelas
Ría de Pontevedra
Ría de Vigo
Península de Morrazo
Sierra del Suido
Serra de Arga
Rio Minho
Rio Lima
Citania de Sta Tegra
Parque natural del Monte Alhoya
Faro de Avión
Alto de Paraño
Pico Seco
Pto de Outeiro de Augas
Peña Rubia
Portela do Lagarto
Giestoso
Parque Natural do Litoral de Esposende
VIGO
0 170 m
N
Muelle de Transatlánticos
Paseo de las Avenidas
Túnel de Beiramar
C. de Cánovas del Castillo
C. de Montero Ríos
O BERBÉS
Catedral
Luis Taboada
Pr. de Compostela
CASCO HISTÓRICO
C. del Marqués de Valladares
C. de Rosalía de Castro
C. de Policarpo Sanz
Porta do Sol
C. de Colón
C. de Uruguay
C. del Doctor Cadaval
C. de García Barbón
Marco
C. de Urzáiz
Parque do Castro
Gran Vía
Pl. de España
C. de Venezuela
C. de Ecuador
C. de Nicaragua
C. Puerto Rico
Av. de Hispanidade
PONTEVEDRA
REDONDELA
BAIONA
OURENSE, PORTO, MADRID

VITORIA-GASTEIZ
0 150 m
Torre de los Anda
El Portalón
Museo de Ciencias naturales
Santa María
Fray Zacarías Martínez Kalea
Bibat
Artium
Centre culturel Montehermoso
Muralla moderna
Villa Suso
Casa del Cordón
San Pedro
Museo de los Faroles
S. Miguel
San Vicente
Los Arquillos
Plaza de la Virgen Blanca
Pl. del Machete
Pl. de España
Pl. de los Fueros
Nueva Catedral
Museo Diocesano de Arte Sacro
Parque de la Florida
Museo de Bellas Artes
Museo de Armería
Paseo Fray Francisco
PALACIO DE CONGRESOS
PARQUE
MOLINUEVO
ESCALATOR
DONOSTIA-SAN SEBASTIÁN
Pasaia
Hernani
Zarautz
Getaria
Zumaia
Deba
Mutriku
Zestoa
Azpeitia
Azkoitia
Tolosa
Villabona
GIPUZKOA
Zumarraga
Beasain
Ordizia
Lazkao
Legazpi
Altsasu/Alsasua
Sierra de Aralar
Sierra de Urkilla
Aizkorri
Sierra de Urbasa
VITORIA-GASTEIZ
Salvatierra/Agurain
Estella
Haro
LOGROÑO
Viana
Lodosa
Sierra de Opacua
Parque Natural de Izki
Montes de Vitoria
Puerto de Herrera
Balcón de la Rioja
Ebro
Fuenmayor
Cenicero
Navarrete
Laguardia
Sto. Domingo de la Calzada

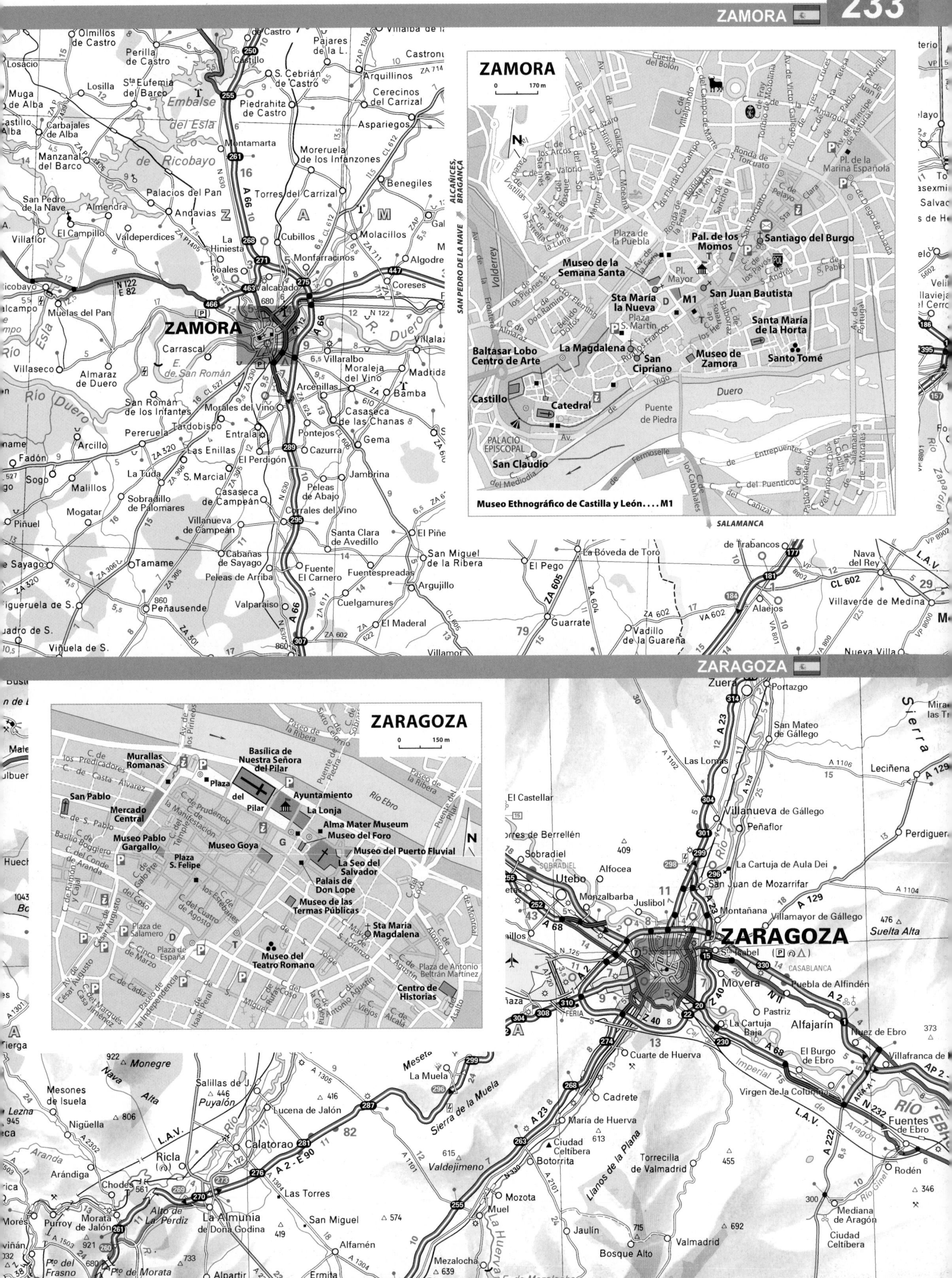
ZAMORA
0 170 m
N
Plaza de la Puebla
Pal. de los Momos
Santiago del Burgo
Museo de la Semana Santa
Pl. Mayor
San Juan Bautista
Sta María la Nueva
M1
Santa María de la Horta
Baltasar Lobo Centro de Arte
La Magdalena
San Cipriano
Museo de Zamora
Santo Tomé
Castillo
Catedral
Duero
Puente de Piedra
PALACIO EPISCOPAL
San Claudio
Pl. de la Marina Española
Museo Ethnográfico de Castilla y León. . . . M1
ALCAÑICES, BRAGANÇA
SAN PEDRO DE LA NAVE
SALAMANCA
ZAMORA
Embalse del Esla
de Ricobayo
Río Duero
Toro
La Bóveda de Toro
El Pego
Guarrate
Vadillo de la Guareña
Alaejos
Villaverde de Medina
Nava del Rey
Moraleja del Vino
Arcenillas
Casaseca de las Chanas
Gema
Cazurra
Peleas de Abajo
Corrales del Vino
Santa Clara de Avedillo
El Piñero
San Miguel de la Ribera
Fuentespreadas
Argujillo
Cuelgamures
El Maderal
Fuente El Carnero
Peleas de Arriba
Valparaíso
Cabañas de Sayago
Tamame
Peñausende
Villanueva de Campeán
Casaseca de Campeán
Sobradillo de Palomares
Mogatar
Malillos
Sogo
Fadón
Pereruela
Tardobispo
Entrala
Las Enillas
El Perdigón
San Marcial
La Tuda
Arcillo
San Román de los Infantes
Morales del Vino
Carrascal
Almaraz de Duero
Villaseco
Muelas del Pan
Villaflor
El Campillo
Valdeperdices
La Hiniesta
Roales
Valcabado
Cubillos
Monfarracinos
Molacillos
Algodre
Coreses
Villalazán
Villaralbo
Madridanos
Bamba
Andavías
Palacios del Pan
Almendra
San Pedro de la Nave
Manzanal del Barco
Carbajales de Alba
Losilla
Sta Eufemia del Barco
Perilla de Castro
Olmillos de Castro
Losacio
Muga de Alba
Montamarta
Piedrahita de Castro
S. Cebrián de Castro
Pajares de la L.
Castronuevo
Arquillinos
Cerecinos del Carrizal
Aspariegos
Moreruela de los Infanzones
Benegiles
Torres del Carrizal
ZARAGOZA
0 150 m
Murallas Romanas
Basílica de Nuestra Señora del Pilar
Plaza del Pilar
Ayuntamiento
La Lonja
Río Ebro
San Pablo
Mercado Central
Alma Mater Museum
Museo del Foro
Museo Pablo Gargallo
Museo Goya
Plaza S. Felipe
Museo del Puerto Fluvial
La Seo del Salvador
Palais de Don Lope
Museo de las Termas Públicas
Sta María Magdalena
Museo del Teatro Romano
Plaza de Salamero
Plaza de España
Plaza de Antonio Beltrán Martínez
Centro de Historias
Zuera
Portazgo
San Mateo de Gállego
Las Lomas
Leciñena
Villanueva de Gállego
Peñaflor
Perdiguera
Sobradiel
Alfocea
La Cartuja de Aula Dei
San Juan de Mozarrifar
Utebo
Monzalbarba
Juslibol
Montañana
Villamayor de Gállego
Suelta Alta
ZARAGOZA
Sta Isabel
CASABLANCA
Movera
Puebla de Alfindén
Pastriz
Alfajarín
La Cartuja Baja
Nuez de Ebro
El Burgo de Ebro
Villafranca de Ebro
Cuarte de Huerva
Cadrete
Virgen de la Columna
Fuentes de Ebro
Río Ebro
María de Huerva
Ciudad Celtíbera
Botorrita
Torrecilla de Valmadrid
Rodén
Mediana de Aragón
Mozota
Muel
Jaulín
Valmadrid
Bosque Alto
Mezalocha
Monegre
Mesones de Isuela
Niigüella
Salillas de J.
Puyalón
Lucena de Jalón
La Muela
Sierra de la Muela
Calatorao
Ricla
Arándiga
Chodes
Morata de Jalón
Purroy
La Almunia de Doña Godina
Las Torres
San Miguel
Alfamén
Valdejimeno
Llanos de la Plana
Alpartir
Ermita
Pto del Frasno
Pto de Morata

AVEIRO
0 120 m
N
Salinas
COSTA NOVA, PRAIA DA BARRA
PORTO, VISEU
FIGUEIRA DA FOZ
COIMBRA
Canal Central
Canal de São Roque
Canal das Pirâmides
Canal do Cojo
CAPITANIA
Misericórdia
Praça da República
Largo Conselheiro Queirós
Antigo Convento de Jesus
Sé
POL
PORTO
Matosinhos
Leça da Palmeira
Porto de Leixões
Foz do Douro
Praia de Lavadores
Canidelo
Madalena
Valadares
Miramar
Praia da Aguda
Granja
São Félix da Marinha
Espinho
Praia de Espinho
Silvalde
Paramos
Esmoriz
Praia de Esmoriz
Praia de Cortegaça
Maceda
Dunas de Ovar
Praia de Furadouro
Furadouro
Ovar
Praia de Areinho
Ribeira
Torrão do Lameiro
Quintas do Norte
Torreira
Praia de Monte Branco
Pardelhas
Pousada da Ria
Murtosa
Estarreja
Reserva Natural das Dunas de São Jacinto
S. Jacinto
AVEIRO
Praia da Barra
Gafanha da Nazaré
Gafanha da Encarnação
Costa Nova
Ílhavo
Gafanha do Carmo
Praia da Vagueira
Vagos
Gafanha da Boa Hora
Barra de Mira
Praia de Mira
Mira
Ermida
Corujeira
Varziela
Dunas de Cantanhede
Caniceira
Cantanhede
Vila Nova de Gaia
Sta Maria da Feira
S. João da Madeira
Oliveira de Azeméis
Vale de Cambra
Arouca
S. Pedro Velho
Albergaria-a-Velha
Sever do Vouga
Águeda
Oliveira do Bairro
Anadia
Curia
Mealhada
Luso
Buçaco
Mortágua
Caramulo
Caramulinho
Tondela
S. Pedro do Sul
Oliveira de Frades
Vouzela
Carregal do Sal
Sta Comba Dão
Mós
Cabril
Pinheiro
Figueiredo de Alva
S. Félix
Pindelo Milagres
Bodiosa
Sabugosa
Canas de Sta Maria
Lajeosa
Parada de Gonta
Serra da Gralheira
Serra do Caramulo
Sa da Arada
Sa de Freita
Rio Vouga
Rio Caima
Rio Águeda
A 1 - IP 1
A 25 - IP 5
A 29
A 17 - IC 1
A 41
IP 3 - E 801
N 1
N 16
N 109
N 234
N 333
N 335
Praia de Labruge
Praia de Agudela
Praia de Boa Nova
Vila Chã
Labruge
Lavra
Perafita
Modivas
Maia
Valongo do Vouga
Sangalhos
Mamarrosa
Bustos
Febres
Covões
Tocha
Vilarinho do Bairro
Pocariça
Ourentã
Murtede
Vacariça
Cortegaça
Trezoi
Espinho
Pala
Vila Moinhos (Sobral)
S. Joaninho
Couto de Mosteiro
Borralhal
Rio Milheiro
Cabeço da Neve
Molelos
Campo de Besteiros
Santiago de Besteiros
S. Miguel do Outeiro
Sa Tourigo
Castanheira do Vouga
Belazaima
Agadão
Preguiça
Talhadas
Destriz
Cedrim
Paradela
Arcozelo das Maias
Ribeiradio
Couto de Esteves
Rocas do Vouga
Pinheiro da Bemposta
Palmaz
Loureiro
Avanca
Válega
Pardilhó
Bunheiro
Veiros
Salreu
Fermelã
Cacia
Angeja
Eixo
Oliveirinha
Quinta do Picado
Mamodeiro
Nariz
Oiã
Palhaça
Troviscal
Aguada de Cima
Aguada de Baixo
Avelãs de Caminho
Avelãs de Cima
Vila Nova de Monsarros
Vale da Mó
Sta Cristina
Sernadas
Silgueiros
Cabanas
Povoa de Midões
S. João de Areias

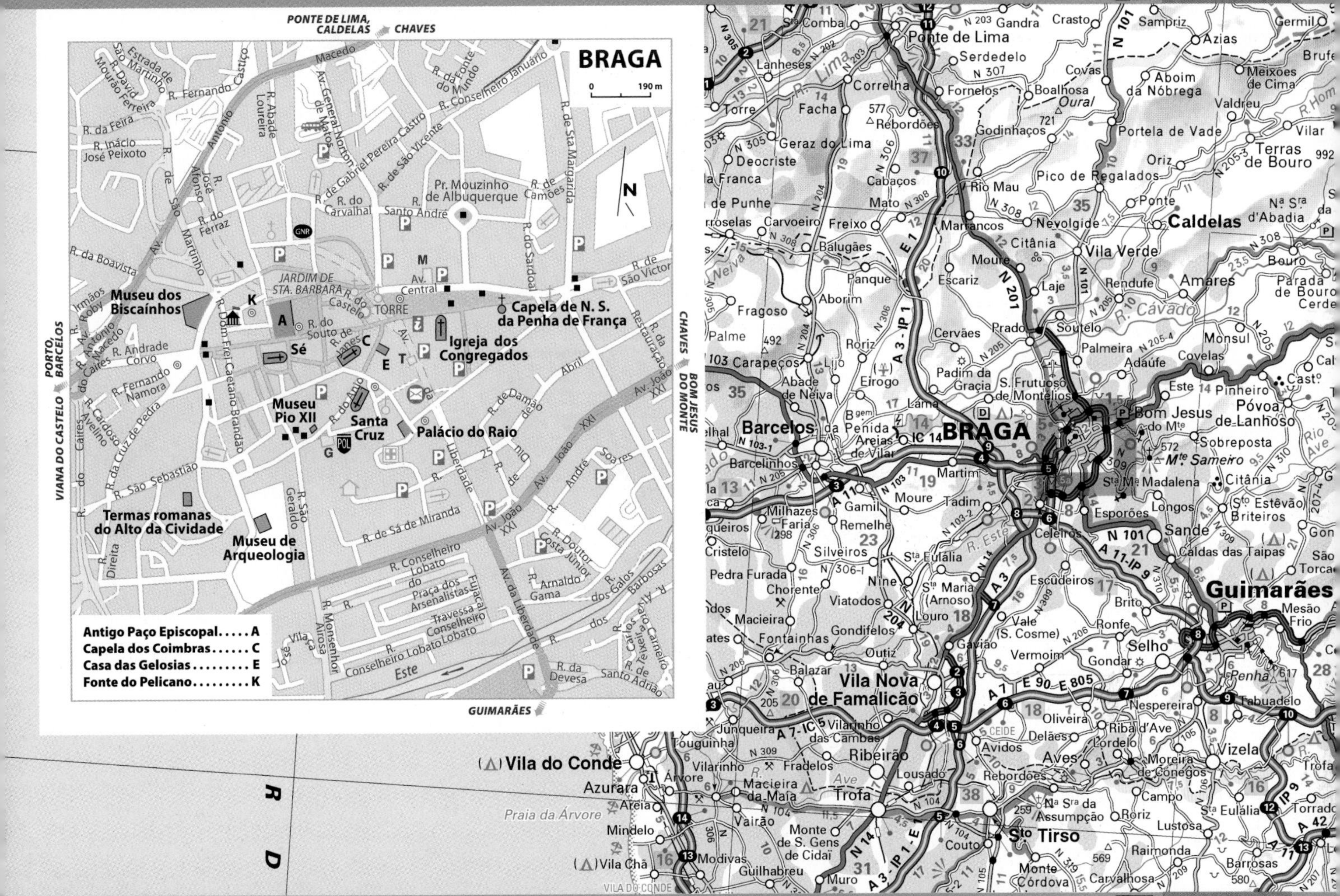

## BRAGA

PONTE DE LIMA, CALDELAS — CHAVES

PORTO, BARCELOS — VIANA DO CASTELO — CHAVES — BOM JESUS DO MONTE — GUIMARÃES

0 — 190 m

N

Museu dos Biscaínhos
Sé
Museu Pio XII
Santa Cruz
Palácio do Raio
Capela de N. S. da Penha de França
Igreja dos Congregados
Termas romanas do Alto da Cividade
Museu de Arqueologia
JARDIM DE STA. BARBARA
TORRE
Pr. Mouzinho de Albuquerque
Av. Central
Av. da Liberdade
Av. João XXI
Praça dos Arsenalistas

| | |
|---|---|
| Antigo Paço Episcopal | A |
| Capela dos Coimbras | C |
| Casa das Gelosias | E |
| Fonte do Pelicano | K |

Ponte de Lima
Barcelos
BRAGA
Bom Jesus do Mte
Caldelas
Vila Verde
Amares
Guimarães
Vila Nova de Famalicão
Vila do Conde
Póvoa de Lanhoso
Vizela
Sto Tirso
Trofa
Aves
Praia da Árvore



## COIMBRA

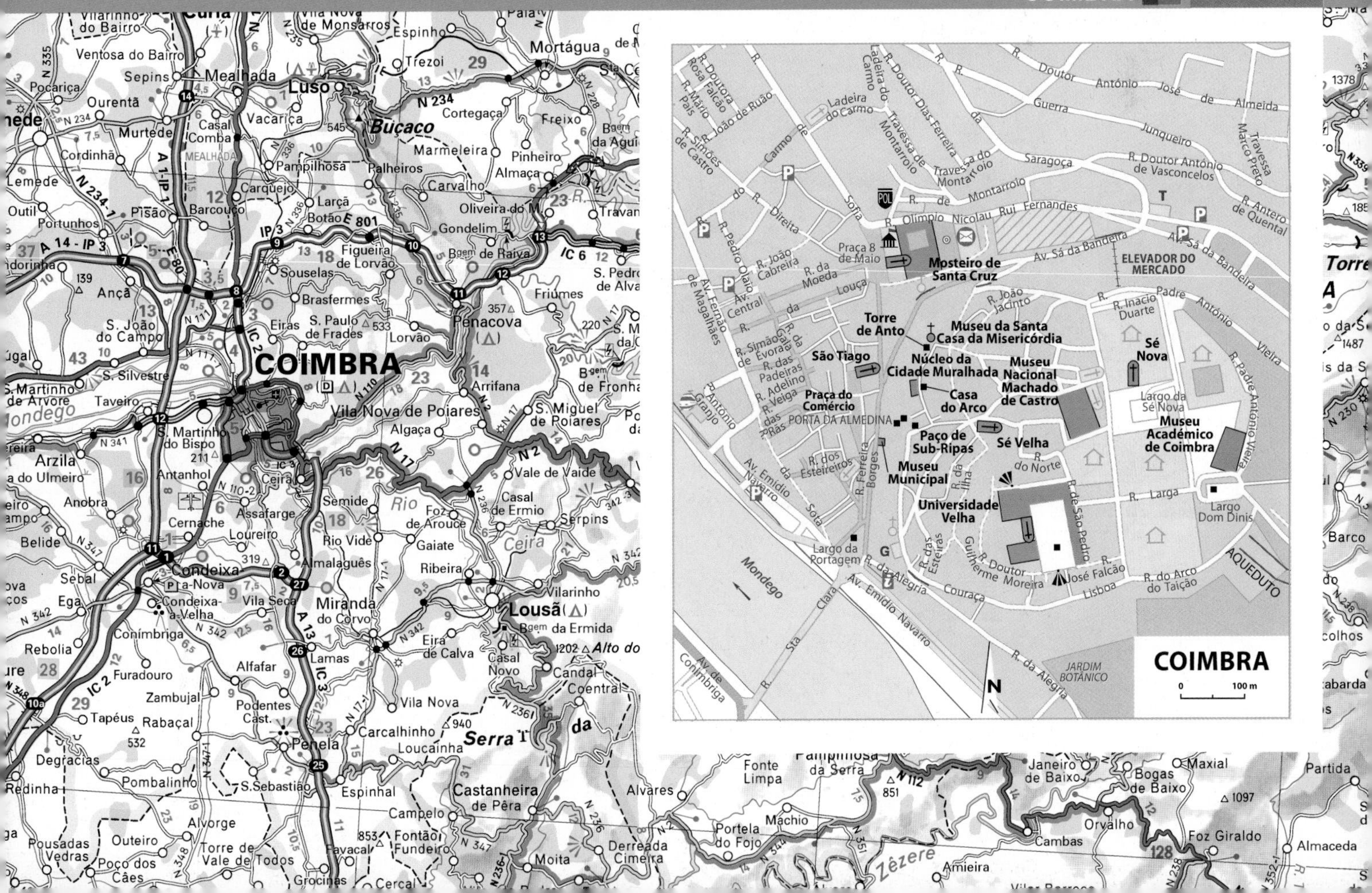

0 — 100 m

N

Mosteiro de Santa Cruz
Torre de Anto
Museu da Santa Casa da Misericórdia
São Tiago
Núcleo da Cidade Muralhada
Museu Nacional Machado de Castro
Sé Nova
Praça do Comércio
Casa do Arco
Paço de Sub-Ripas
Sé Velha
Museu Académico de Coimbra
Museu Municipal
Universidade Velha
ELEVADOR DO MERCADO
PORTA DA ALMEDINA
Largo da Portagem
Largo Dom Dinis
JARDIM BOTÂNICO
AQUEDUTO
Mondego
Praça 8 de Maio
Av. Sá da Bandeira

Mealhada
Luso
Buçaco
Mortágua
Penacova
COIMBRA
Vila Nova de Poiares
Condeixa-a-Nova
Miranda do Corvo
Lousã
Penela
Serra da Lousã
Castanheira de Pêra
Rio Ceira

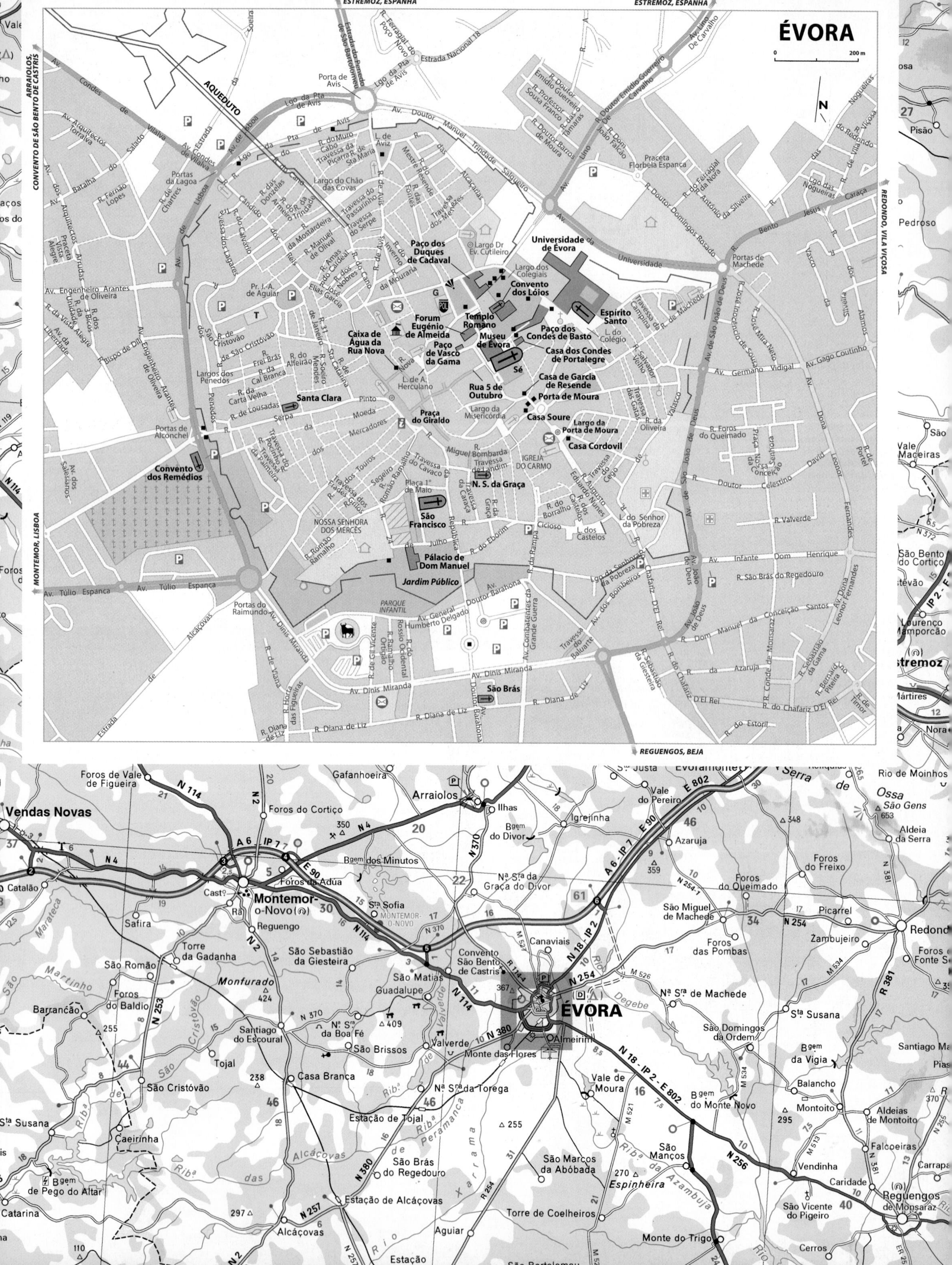
ÉVORA
0
200 m
N
ESTREMOZ, ESPANHA
ESTREMOZ, ESPANHA
ARRAIOLOS, CONVENTO DE SÃO BENTO DE CASTRIS
REDONDO, VILA VIÇOSA
MONTEMOR, LISBOA
REGUENGOS, BEJA
AQUEDUTO
Porta de Avis
Portas da Lagoa
Portas de Machede
Portas de Alconchel
Portas do Raimundo
Universidade de Évora
Paço dos Duques de Cadaval
Convento dos Lóios
Largo dos Colegiais
Espírito Santo
Templo Romano
Forum Eugénio de Almeida
Caixa de Água da Rua Nova
Museu de Évora
Paço de Vasco da Gama
Paço dos Condes de Basto
Casa dos Condes de Portalegre
Sé
Casa de Garcia de Resende
Porta de Moura
Rua 5 de Outubro
Casa Soure
Largo da Porta de Moura
Casa Cordovil
Praça do Giraldo
Santa Clara
Convento dos Remédios
N. S. da Graça
IGREJA DO CARMO
São Francisco
NOSSA SENHORA DOS MERCÊS
Palácio de Dom Manuel
Jardim Público
PARQUE INFANTIL
São Brás
Largo Dr Ev. Cutileiro
Largo da Misericórdia
Largo do Chão das Covas
Praça 1º de Maio
L. do Senhor da Pobreza
L. dos Castelos
Praceta Florbela Espanca
Av. Túlio Espanca
Av. Dinis Miranda
Av. General Humberto Delgado
Av. Doutor Barahona
Av. Combatentes da Grande Guerra
Av. de São João de Deus
Av. Engenheiro Arantes de Oliveira
Av. de Lisboa
Av. Doutor Manuel Trindade Salgueiro
Av. Lino de Carvalho
Av. Gago Coutinho
Estrada Nacional 18
R. Diana de Liz
R. Serpa Pinto
R. Miguel Bombarda
R. da República
R. do Cicioso
Montemor-o-Novo
Vendas Novas
Arraiolos
Évora
Redondo
Reguengos de Monsaraz
Azaruja
Igrejinha
São Miguel de Machede
Nª Sª de Machede
São Manços
São Marcos da Abóbada
Torre de Coelheiros
Santiago do Escoural
São Cristóvão
Alcáçovas
Estação de Alcáçovas
Estação de Tojal
São Brás do Regedouro
Nª Sª da Boa Fé
São Brissos
Valverde
Guadalupe
São Matias
Canaviais
Almeirim
Monte das Flores
Convento São Bento de Castris
Torre da Gadanha
São Romão
Foros do Baldio
Barrancão
Monfurado
Casa Branca
Vale de Moura
Monte do Trigo
Montoito
Falcoeiras
Vendinha
Caridade
São Vicente do Pigeiro
Cerros
Foros de Vale de Figueira
Foros do Cortiço
Gafanhoeira
Ilhas
Vale do Pereiro
Serra de Ossa
Aldeia da Serra
Foros do Freixo
Foros do Queimado
Foros das Pombas
Zambujeiro
Sta Susana
São Domingos da Ordem
Bgem da Vigia
Balancho
Aldeias de Montoito
Bgem do Monte Novo
Bgem do Divor
Nª Sª da Graça do Divor
Bgem dos Minutos
Foros da Adua
Sta Sofia
Safira
Reguengo
São Sebastião da Giesteira
Nª Sª da Torega
Tojal
Caeirinha
Bgem de Pego do Altar
Espinheira
Aguiar
Catalão
A 6 - IP 7
E 90
N 114
N 4
N 2
N 370
N 380
N 18 - IP 2 - E 802
N 254
N 256
N 257
N 253
R 381

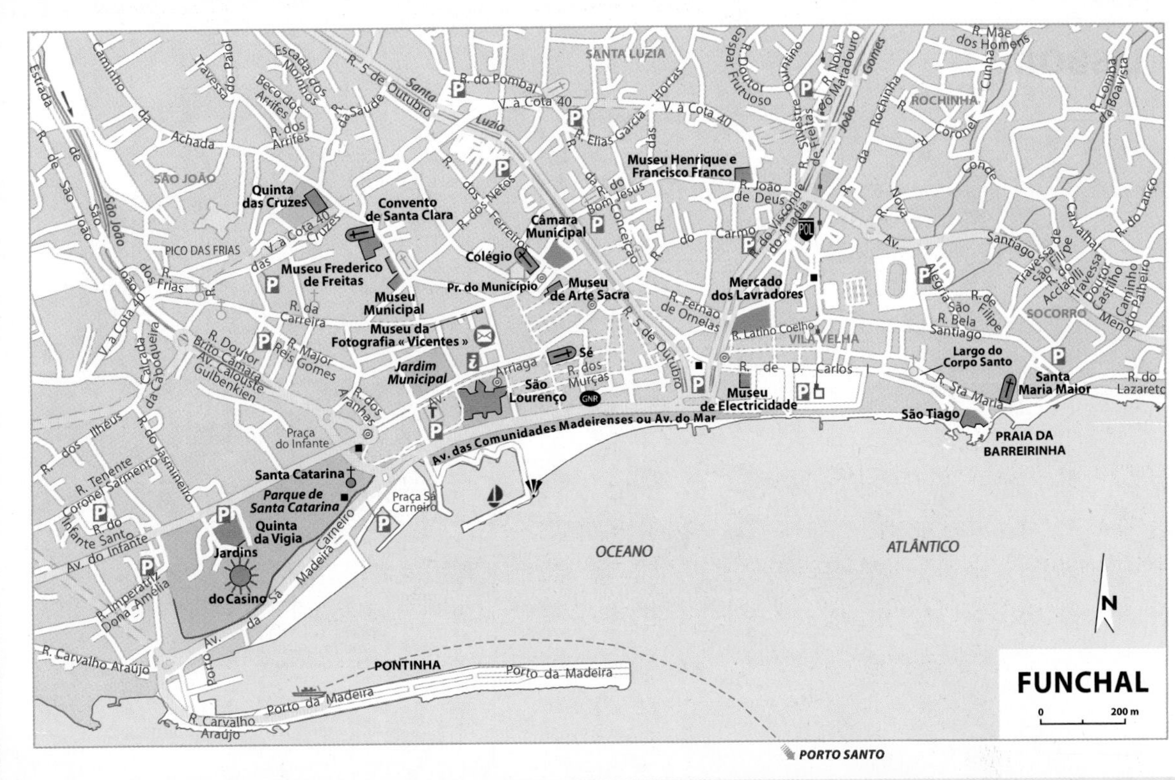
FUNCHAL
0 200 m
OCEANO
ATLÂNTICO
PORTO SANTO
Av. das Comunidades Madeirenses ou Av. do Mar
Santa Catarina
Parque de Santa Catarina
Quinta da Vigia
Jardins do Casino
Quinta das Cruzes
Convento de Santa Clara
Museu Frederico de Freitas
Museu Municipal
Museu da Fotografia « Vicentes »
Jardim Municipal
São Lourenço
Sé
Museu de Arte Sacra
Colégio
Câmara Municipal
Museu Henrique e Francisco Franco
Mercado dos Lavradores
Museu de Electricidade
São Tiago
Largo do Corpo Santo
Santa Maria Maior
PRAIA DA BARREIRINHA
PONTINHA
Porto da Madeira
SÃO JOÃO
PICO DAS FRIAS
SANTA LUZIA
ROCHINHA
VILA VELHA
SOCORRO

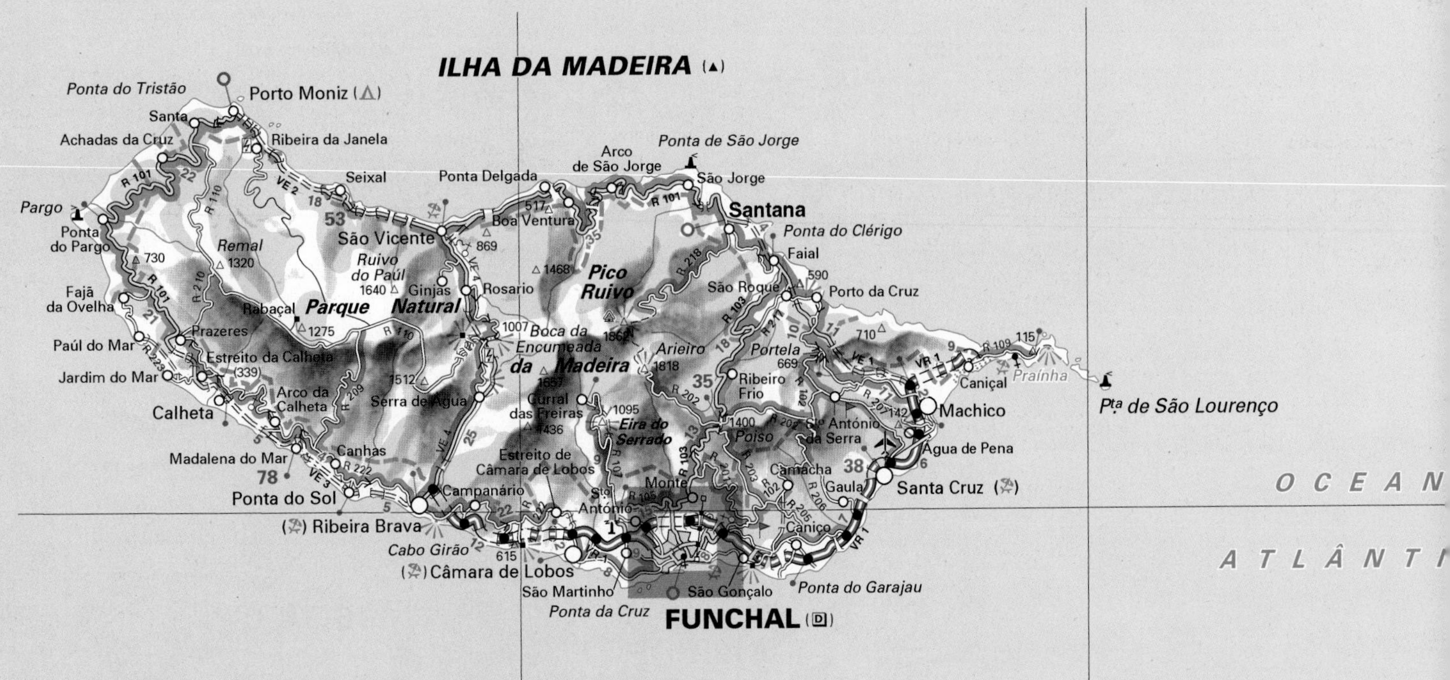
ILHA DA MADEIRA
Ponta do Tristão
Porto Moniz
Santa
Achadas da Cruz
Ribeira da Janela
Seixal
Ponta Delgada
Arco de São Jorge
Ponta de São Jorge
São Jorge
Santana
Ponta do Clérigo
Faial
Porto da Cruz
Pargo
Ponta do Pargo
Remal
São Vicente
Boa Ventura
Ruivo do Paúl
Ginjas
Rosario
Pico Ruivo
São Roque
Fajã da Ovelha
Rabaçal
Parque Natural
Prazeres
Paúl do Mar
Estreito da Calheta
Jardim do Mar
Boca da Encumeada
da Madeira
Arieiro
Portela
Ribeiro Frio
Prainha
Caniçal
Machico
Pta de São Lourenço
Calheta
Arco da Calheta
Serra de Agua
Curral das Freiras
Eira do Serrado
Poiso
Santo António da Serra
Agua de Pena
Madalena do Mar
Canhas
Estreito de Câmara de Lobos
Camacha
Gaula
Santa Cruz
Ponta do Sol
Campanário
Monte
Ribeira Brava
Santo António
Caniço
Cabo Girão
Câmara de Lobos
São Martinho
São Gonçalo
Ponta do Garajau
Ponta da Cruz
FUNCHAL
OCEAN
ATLÂNTI

LISBOA
0 1,4 km
PENICHE, TORRES VEDRAS
COIMBRA, FÁTIMA, VILA FRANCA DE XIRA
SINTRA, QUELUZ
ESTORIL
PORTO BRANDÃO
COSTA DA CAPARICA, SERRA DA ARRABIDA
ALMADA, BARREIRO, SETUBAL
BARREIRO, MONTIJO, SEIXAL
Museu do Teatro
Museu do Traje
AEROPORTO DE LISBOA-PORTELA
Torre Vasco da Gama
PARQUE DAS NAÇÕES
Pavilhão Atlântico
Oceanário
Pavilhão do Conhecimento
Museu de Lisboa
Museu Rafael Bordalo Pinheiro
Museu da Música
Jardim Zoológico
PALÁCIO DE FRONTEIRA
FORTE DE MONSANTO
Aqueduto das Águas Livres
Biblioteca Municipal
Museu Calouste Gulbenkian
Centro de Arte Moderna
Casa-Museu Anastácio Gonçalves
Parque Eduardo VII
Pr. Marquês de Pombal
Miradouro de Monsanto
Parque Florestal de Monsanto
Madre de Deus
Museu Nacional do Azulejo
Museu da Água da EPAL
Jardim da Estrela
Jardim Botânico
Rossio
Castelo de São Jorge
ALFAMA
Sé
SANTA APOLÓNIA
Palácio da Ajuda
Jardim Botânico
R. do Cruzeiro
Palácio das Necessidades
LAPA
CHIADO
CAIS DO SODRE
Praça do Comércio
Museu de Etnologia
AJUDA
ALCÂNTARA
LX Factory
Museu da Carris
Casa Macau
Museu do Oriente
BELÉM
SANTA MARIA
MOSTEIRO DOS JERÓNIMOS
Museu da Marinha
Centro Cultural
MAAT
Museu Nacional dos Coches
TORRE DE BELÉM
Padrão dos Descobrimentos
Ponte 25 de Abril
TEJO
CACILHAS
Basílica da Estrela ........ A2
Caixa Geral de Depósitos ........ B
Fundação Arpad Szenes-Viera da Silva ........ F
Mãe d'Água das Amoreiras ........ K
Museu Militar ........ M13
Museu Nacional de Arte Antiga ........ M16
Ericeira
Mafra
Sintra
Cabo da Roca
Cascais
ESTORIL
Oeiras
Queluz
Amadora
Odivelas
Loures
LISBOA
Sacavém
Vila Franca de Xira
Alverca do Ribatejo
Alhandra
Reserva Natural do Estuário do Tejo
Alcochete
Montijo
Almada
Barreiro
Seixal
Moita
Costa da Caparica

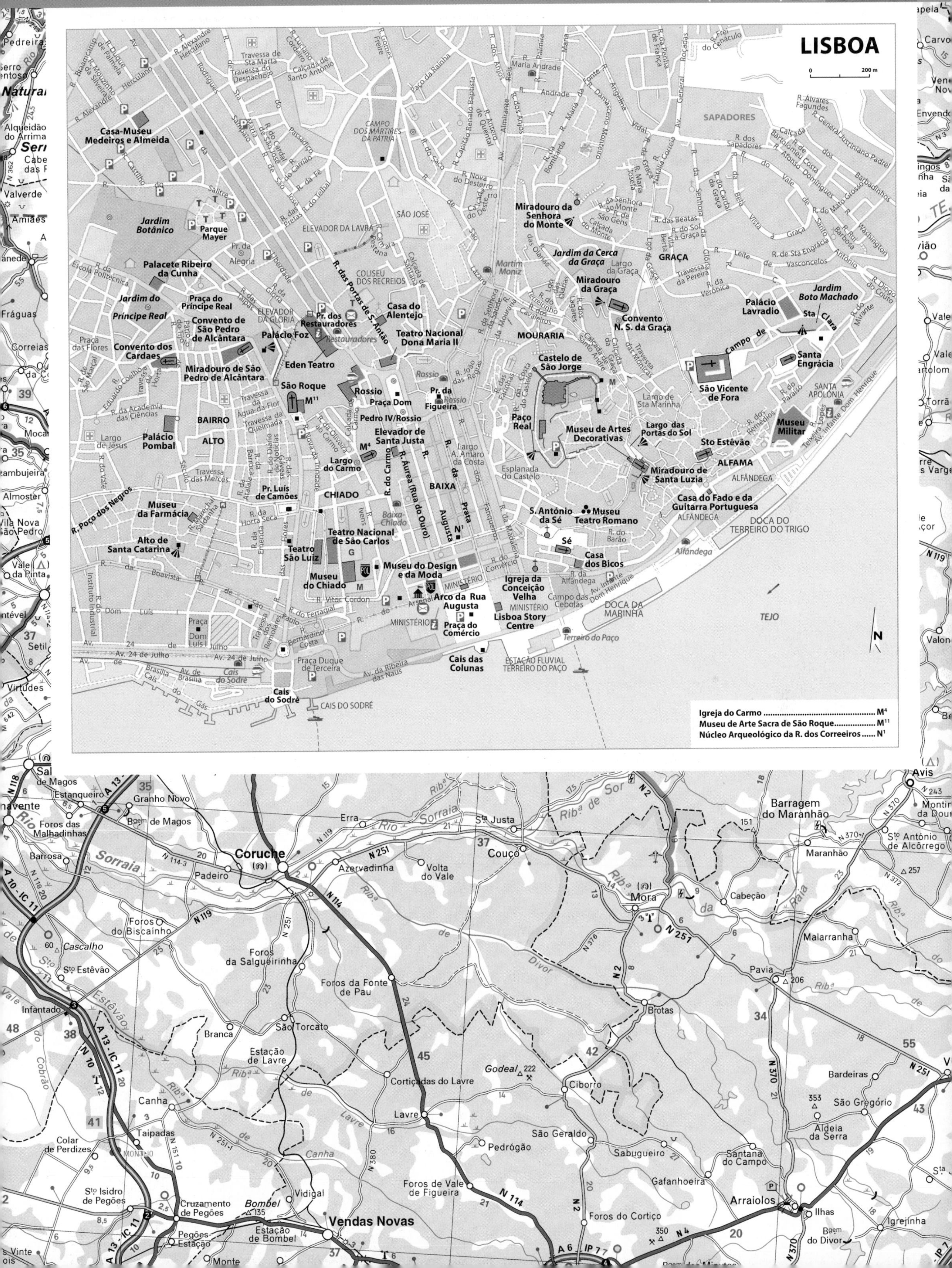
LISBOA
0
200 m
Casa-Museu Medeiros e Almeida
Jardim Botânico
Parque Mayer
Palacete Ribeiro da Cunha
Jardim do Príncipe Real
Praça do Príncipe Real
Convento de São Pedro de Alcântara
Convento dos Cardaes
Palácio Foz
Eden Teatro
Miradouro de São Pedro de Alcântara
São Roque
Rossio
Praça Dom Pedro IV/Rossio
Elevador de Santa Justa
Largo do Carmo
Palácio Pombal
BAIRRO ALTO
Pr. Luís de Camões
CHIADO
Museu da Farmácia
Alto de Santa Catarina
Teatro Nacional de São Carlos
Teatro São Luiz
Museu do Chiado
Museu do Design e da Moda
Arco da Rua Augusta
Praça do Comércio
Cais das Colunas
Cais do Sodré
Casa do Alentejo
Teatro Nacional Dona Maria II
Pr. dos Restauradores
BAIXA
Miradouro da Senhora do Monte
Jardim da Cerca da Graça
Miradouro da Graça
Convento N. S. da Graça
GRAÇA
MOURARIA
Castelo de São Jorge
Paço Real
Museu de Artes Decorativas
Largo das Portas do Sol
Miradouro de Santa Luzia
S. António da Sé
Museu Teatro Romano
Sé
Casa dos Bicos
Igreja da Conceição Velha
Lisboa Story Centre
Casa do Fado e da Guitarra Portuguesa
ALFAMA
Sto Estêvão
São Vicente de Fora
Santa Engrácia
Museu Militar
Palácio Lavradio
Jardim Boto Machado
SAPADORES
DOCA DO TERREIRO DO TRIGO
DOCA DA MARINHA
TEJO
N
Igreja do Carmo ........ M4
Museu de Arte Sacra de São Roque ........ M11
Núcleo Arqueológico da R. dos Correeiros ...... N1
Coruche
Couço
Mora
Brotas
Pavia
Lavre
Vendas Novas
Arraiolos
Barragem do Maranhão
Avis
Cabeção
Malarranha
Ciborro
Santana do Campo
São Gregório
Aldeia da Serra
Canha
Taipadas
Foros da Salgueirinha
Foros da Fonte de Pau
São Torcato
Estação de Lavre
Corticadas do Lavre
Pedrógão
São Geraldo
Sabugueiro
Gafanhoeira
Cruzamento de Pegões
Bombel
Vidigal
Foros do Cortiço
Igrejinha

# PORTO

0 — 1,4 km

VIANA DO CASTELO, PÓVOA DE VARZIM
BRAGA
BRAGA
GUIMARÃES, SANTO TIRSO
VILA REAL, AMARANTE
GONDOMAR
ENTRE-OS-RIOS, VALE DOS RIOS
CASTELO DE PAIVA, AROUCA
AVEIRO
VISEU, COIMBRA

PRAIA DE BOA NOVA
LEÇA DA PALMEIRA
PORTO DE LEIXÕES
MATOSINHOS
Castelo do Queijo
OCEANO
ATLÂNTICO
GUIFÕES
CUSTÓIAS
SENHORA DA HORA
SÃO MAMEDE DE INFESTA
ÁGUAS SANTAS
SÃO GEMIL
PARANHOS
ALDOAR
RAMALDE
Fundação de Serralves
Fundação António de Almeida
Casa da Música
FOZ DO DOURO
Castelo da Foz
Jardim do Passeio Alegre
LORDELO DO OURO
Ponte da Arrábida
AFURADA
LAVADORES
PRAIA DE LAVADORES
CANIDELO
PRAIA DE SALGUEIROS
PRAIA DA MADALENA
COSTA
São Francisco
Sé
Ponte D. Luís I
Nossa Senhora da Serra do Pilar
CAVES
SANTA MARINHA
VILA NOVA DE GAIA
COIMBRÕES
MAFAMUDE
OLIVEIRA DO DOURO
CAMPANHÃ
AVINTES
VILAR DO PARAÍSO
LABORIM
VILAR DE ANDORINHO
MONTE DA VIRGEM
Ponte do Freixo
Estádio do Dragão

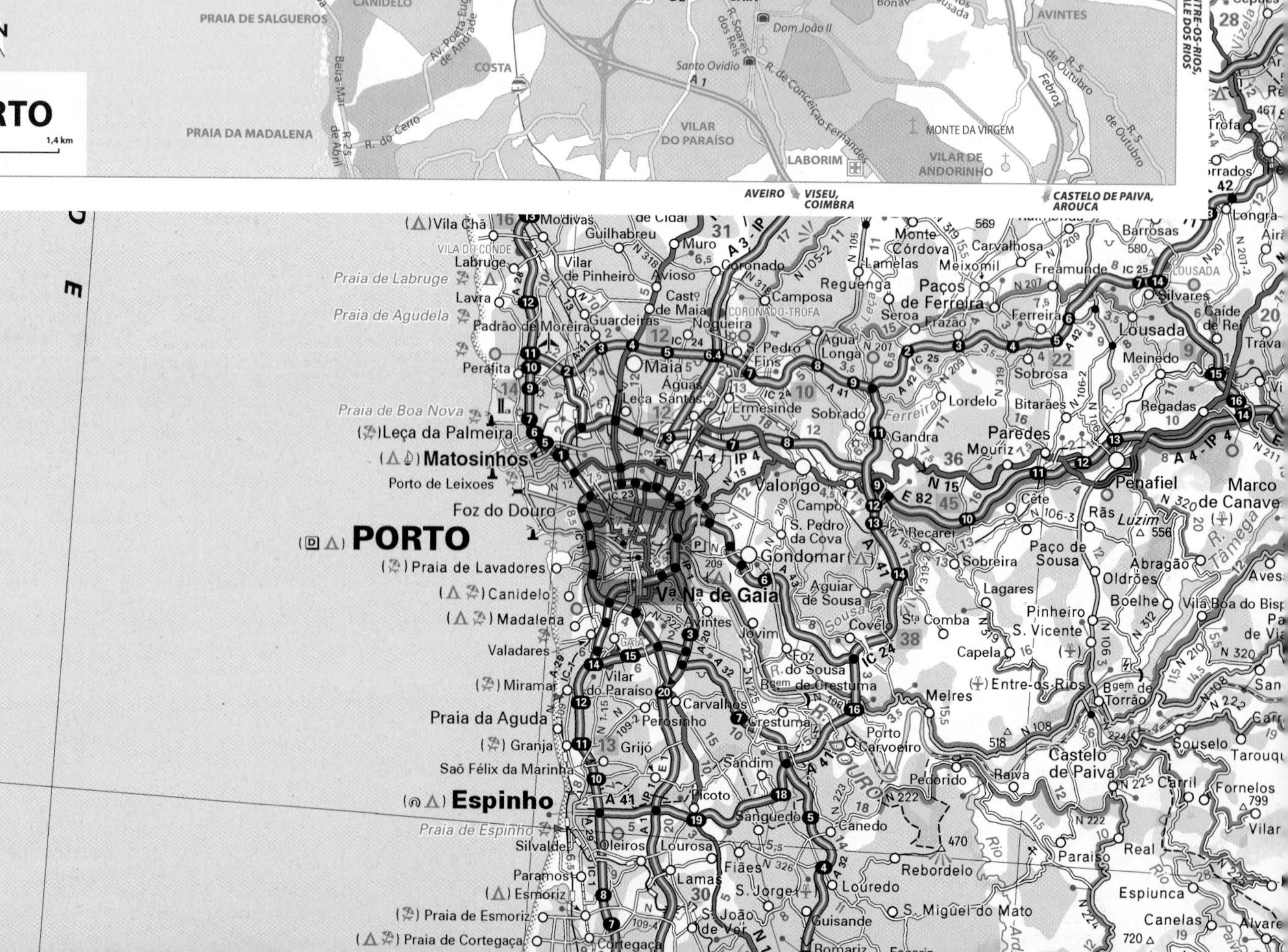

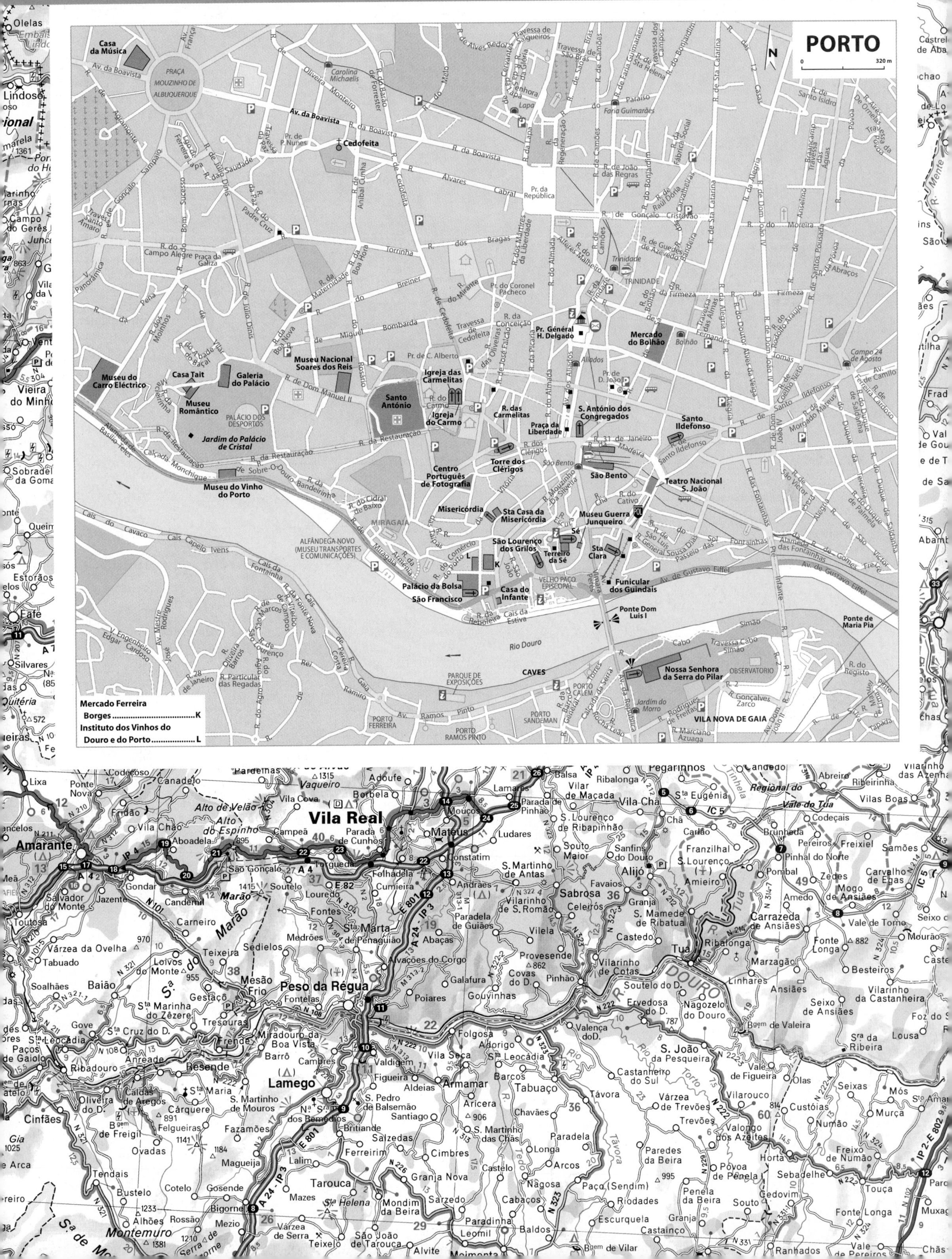
PORTO
0
320 m
N
Mercado Ferreira Borges .................................. K
Instituto dos Vinhos do Douro e do Porto .................. L
Casa da Música
Praça Mouzinho de Albuquerque
Av. da Boavista
Cedofeita
Pr. da República
Trindade
Mercado do Bolhão
Bolhão
Pr. Général H. Delgado
Museu Nacional Soares dos Reis
Museu do Carro Eléctrico
Casa Tait
Galeria do Palácio
Museu Romântico
Palácio dos Desportos
Jardim do Palácio de Cristal
Museu do Vinho do Porto
Santo António
Igreja das Carmelitas
Igreja do Carmo
R. das Carmelitas
Praça da Liberdade
S. António dos Congregados
Santo Ildefonso
Torre dos Clérigos
Centro Português de Fotografia
São Bento
Teatro Nacional S. João
Misericórdia
Sta Casa da Misericórdia
Museu Guerra Junqueiro
Sé
Miragaia
Alfândega Novo (Museu Transportes e Comunicações)
São Lourenço dos Grilos
Terreiro da Sé
Sta Clara
Palácio da Bolsa
São Francisco
Casa do Infante
Velho Paço Episcopal
Funicular dos Guindais
Ponte Dom Luís I
Ponte de Maria Pia
Rio Douro
Caves
Parque de Exposições
Nossa Senhora da Serra do Pilar
Observatório
Jardim do Morro
Vila Nova de Gaia
Porto Ferreira
Porto Ramos Pinto
Porto Sandeman
Porto Calém
Vila Real
Amarante
Peso da Régua
Lamego
Mateus
Alijó
Sabrosa
Tua
Carrazeda de Ansiães
Mesão Frio
Resende
Cinfães
Baião
Armamar
Tabuaço
S. João da Pesqueira
Tarouca
Pinhão
R. Douro
Marão
Alto do Espinho
Alto de Velão
Montemuro
Fafe
Lindoso
Olelas
Campo do Gerês
Vieira do Minho
Sobradelo da Goma
Vaqueiro
Vila Chã
Mondim da Beira
Moimenta

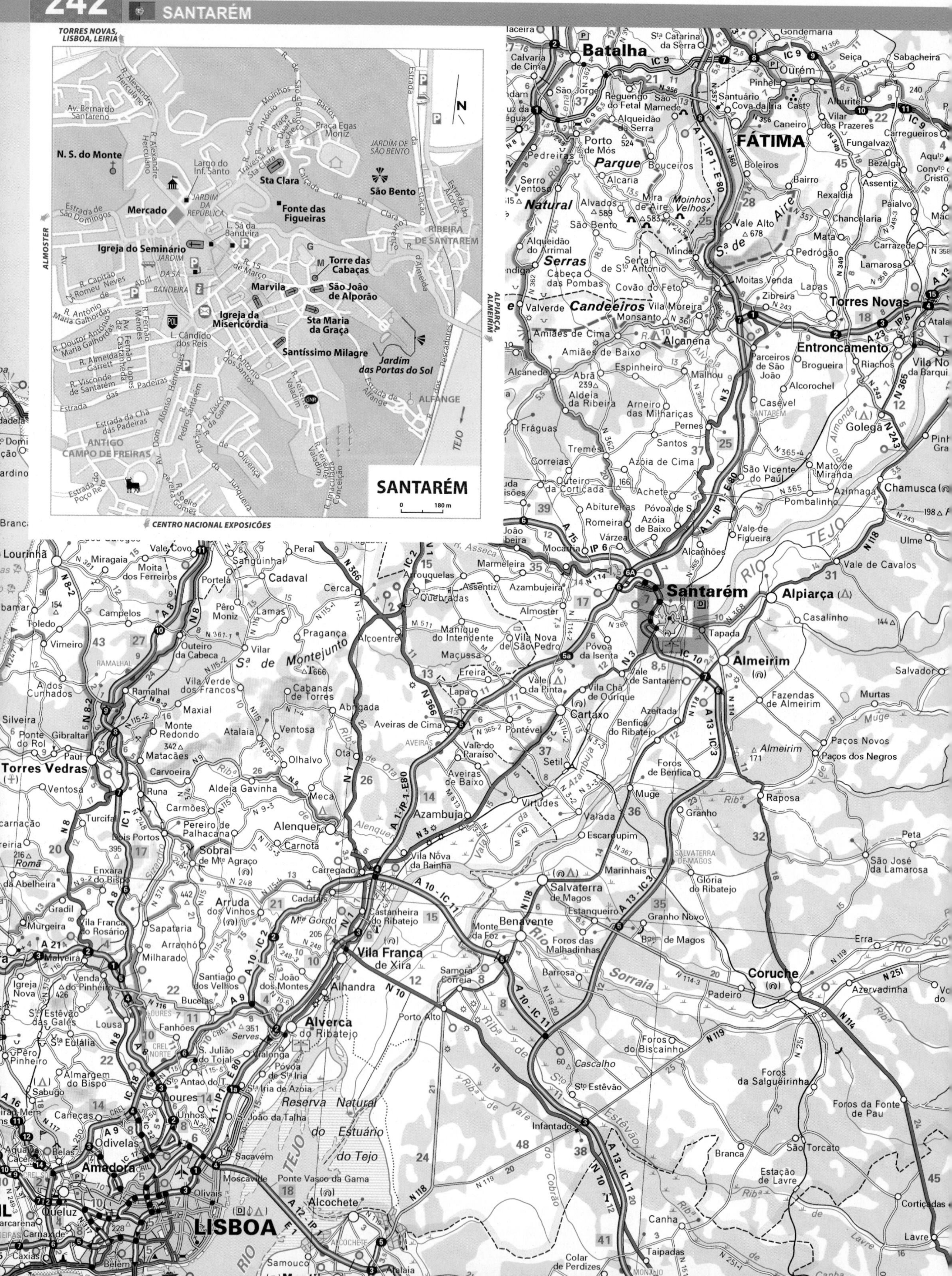
TORRES NOVAS, LISBOA, LEIRIA
N. S. do Monte
Mercado
Largo do Inf. Santo
JARDIM DA REPÚBLICA
Sta Clara
Fonte das Figueiras
Praça Egas Moniz
JARDIM DE SÃO BENTO
São Bento
RIBEIRA DE SANTARÉM
Igreja do Seminário
L. Sa da Bandeira
Torre das Cabaças
Marvila
São João de Alporão
Igreja da Misericórdia
Sta Maria da Graça
L. Cândido dos Reis
Santíssimo Milagre
Jardim das Portas do Sol
ALFANGE
ANTIGO CAMPO DE FREIRAS
ALMOSTER
ALPIARÇA, ALMEIRIM
TEJO
SANTARÉM
0
180 m
CENTRO NACIONAL EXPOSICÕES
Batalha
Ourém
FÁTIMA
Porto de Mós
Parque
Natural
Serras
de Aire
Candeeiros
Alcanena
Torres Novas
Entroncamento
Golegã
Chamusca
Santarém
Alpiarça
Almeirim
Cartaxo
Azambuja
Alenquer
Cadaval
Torres Vedras
Lourinhã
Salvaterra de Magos
Benavente
Coruche
Vila Franca de Xira
Alverca do Ribatejo
Loures
Odivelas
Amadora
LISBOA
Montijo
Alcochete
Reserva Natural do Estuário do Tejo
Sorraia
RIO TEJO

SETÚBAL
0 150 m
N
Museu de Setúbal
Jesus
Museu Regional de Arqueologia e Etnografia
Museu do Trabalho
São Julião
Mercado
Largo José Afonso
Pr. da República
Jardim Luís da Fonseca
Doca dos Pescadores
Doca do Comercio
Parque do Bonfim
Praça do Brasil
Sado
Av. Luísa Todi
Av. 22 de Dezembro
Av. Jaime Cortesão
Estrada da Graça
Castelo de São Filipe, Serra da Arrábida
Costa de Galé
Évora, Alcácer do Sal
Lourinhã
Porto de Barcas
Praia de Ribeiro
Ribamar
Toledo
Vimeiro
Praia de Sta Cruz
A dos Cunhados
Silveira
Ponte do Rol
Gibraltar
Torres Vedras
Ventosa
Encarnação
Freiria
Sto Isidoro
Sobral da Abelheira
Achada
Gradil
Sobreiro
Murgeira
Mafra
Malveira
Igreja Nova
Cheleiros
Sto Estêvão das Galés
Montelavar
Pêro Pinheiro
Sta Eulália
Almargem do Bispo
Sabugo
Algueirão-Mem Martins
Rio de Mouro
Cacém
Belas
Amadora
Odivelas
Loures
Queluz
Barcarena
Carnaxide
ESTORIL
Autódromo
S. Domingos de Rana
Caxias
Paço de Arcos
Oeiras
Belém
LISBOA
Sacavém
Moscavide
Olivais
Ponte Vasco da Gama
Reserva Natural do Estuário do Tejo
Rio Tejo
Alcochete
Samouco
Montijo
Atalaia
Almada
Cacilhas
Cristo Rei
Trafaria
São João
Costa da Caparica
Praia da Caparica
Ponta da Laje
Bugio
Barreiro
Lavradio
Baixa da Banheira
Alhos Vedros
Moita
Sarilhos Grandes
Seixal
Amora
Arrentela
Palhais
Pinhal Novo
Penalva
Coina
Fonte da Telha
Fernão Ferro
Quinta do Conde
Palmela
Quinta do Anjo
Apostiça
Lagoa de Albufeira
Vila Fresca de Azeitão
Vila Nogueira de Azeitão
Parque Natural da Arrábida
Serra da Arrábida
Aldeia de Irmãos
Alfarim
Corva
Santana
Calhariz
Zambujal de Cima
Castelo
Sesimbra
Azóia
Nª Sra do Cabo
Cabo Espichel
Portinho da Arrábida
Outão
São Filipe
SETÚBAL
Tróia
Ruínas Romanas de Cetóbriga
Península de Tróia
Praias do Sado
Reserva Natural do Estuário do Sado
Rio Sado
Baia de Setúbal
Praia de Comporta
Comporta
Torre
Carvalhal
Pinheiro
Estação de Pinheiro
Monte Novo
Montevil
Alcácer do Sal
Barrosinha
Vale dos Reis
Palma
Serrinha
Casebres
Marateca
Landeira
Águas de Moura
Moinhola
Zambujal
Algerus
Poceirão
Bgem dos Vinte e Dois
Rio Frio
Pegões-Estação
Cruzamento de Pegões
Sto Isidro de Pegões
Colar de Perdizes
Taipadas
Canha
Infantado
Sto Estêvão
Cascalho
Porto do Biscainho
Foros da Salgueirinha
Branca
São Torcato
Estação de Lavre
Estação de Bombel
Bombel
Vidigal
Monte das Piçarras
Courelas do Vale
Cabrela
Vendas Novas
A 2 - IP 7
A 12 - IP 1
A 13 - IC 11
A 6 - IP 7 - E 90
N 10
N 4